D1178075

LA PART DE L'AUBE

Éric Marchal

LA PART DE L'AUBE

Éditions Anne Carrière

Du même auteur

Influenza, tome 1 : *Les Ombres du ciel*, Éditions Anne Carrière, 2009, Prix Carrefour du premier roman.

Influenza, tome 2 : *Les Lumières de Géhenne*, Éditions Anne Carrière, 2010.

Le Soleil sous la soie, Éditions Anne Carrière, 2011 ; Prix Léopold 2011 ; Prix Victor Hugo 2012 ; Grand Prix de l'Académie nationale de pharmacie 2012.

En couverture :
La Visite de l'imprimerie, de Léonard Defrance.

Carte en pages 12-13 :
d'après le Plan géométral de la ville de Lyon par C. Jacquemin (1747)

ISBN : 978-2-8433-7683-2

www.anne-carriere.fr

À mes filles et mes parents,
feuilles et racines de mon arbre,
avec tout mon amour.

Aux présents du futur.

« Les mœurs des Gaulois du temps de César étaient la barbarie même ; ils faisaient vœu, s'ils réchappaient d'une dangereuse maladie, d'un péril éminent, d'une bataille douteuse, d'immoler à leurs divinités tutélaires des victimes humaines, persuadés qu'on ne pouvait obtenir des Dieux la vie d'un homme que par la mort d'un autre. Ils avaient des sacrifices publics de ce genre, dont les druides, qui gouvernaient la nation, étaient les ministres ; ces sacrificateurs brûlaient des hommes dans de grandes et hideuses statues d'osier faites exprès. Les druidesses plongeaient des couteaux dans le cœur des prisonniers et jugeaient de l'avenir par la manière dont le sang coulait : de grandes pierres un peu creuses, qu'on a trouvées sur les confins de la Germanie et de la Gaule, sont, à ce qu'on prétend, les autels où l'on faisait ces sacrifices. Si cela est, voilà tous les monuments qui nous restent des Gaulois. Il faut, comme le dit M. de Voltaire, détourner les yeux de ces temps horribles qui font la honte de la nature. »

Encyclopédie ou dictionnaire raisonné des sciences, des arts et des métiers, article « Gaulois », tome 7, 1757

Avertissement

Certains des personnages de ce roman sont imaginaires, d'autres ont existé et sont cités sous leur propre identité. Bien que fondée sur un corpus d'éléments existants, l'intrigue de cet ouvrage est totalement fictive. Elle se mêle à de nombreux événements de l'histoire de France et de la ville de Lyon, connus ou demeurés dans l'ombre.

Une note en fin d'ouvrage permettra aux lecteurs qui le veulent de démêler les fils, réels ou inventés, de cet écheveau. Je recommande toutefois de ne lire cette note qu'une fois le livre achevé...

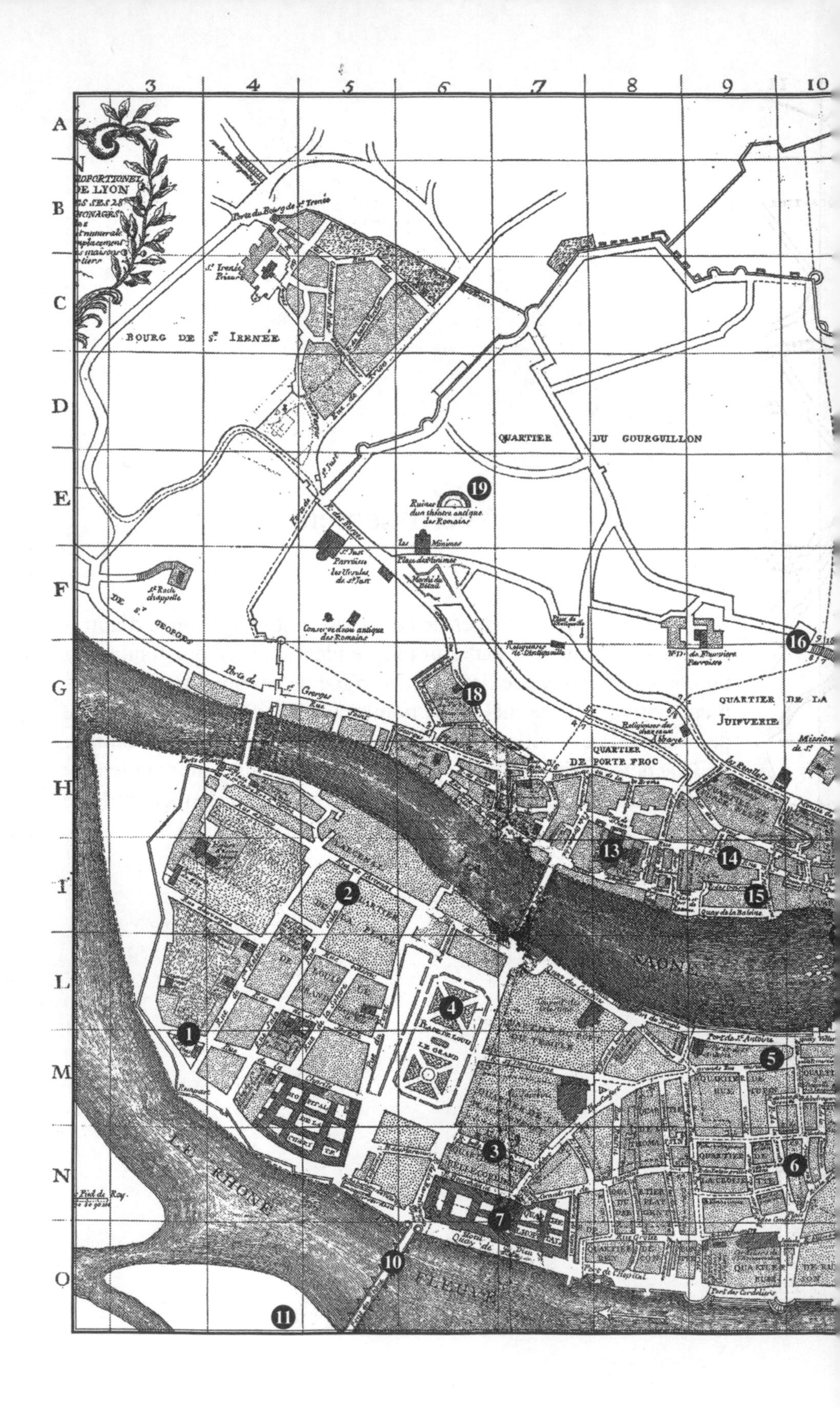

BOURG DE S.T IRENÉE
QUARTIER DU GOURGUILLON
Ruines d'un théâtre antique des Romains
Les Minimes
Place des Minimes
S.t Just Parroisse
les Ursules de S.t Just
S.t Roch chappelle
Conserve d'eau antique des Romains
Porte de S.t Georges
QUARTIER DE PORTE FROC
QUARTIER DE LA JUIFVERIE
N.D. de Fourviere Parroisse
PLACE DE LOUIS LE GRAND
SAONE
LE RHONE
FLEUVE
Port de S.t Antoine
Port des Cordeliers
Quay de la Baleine

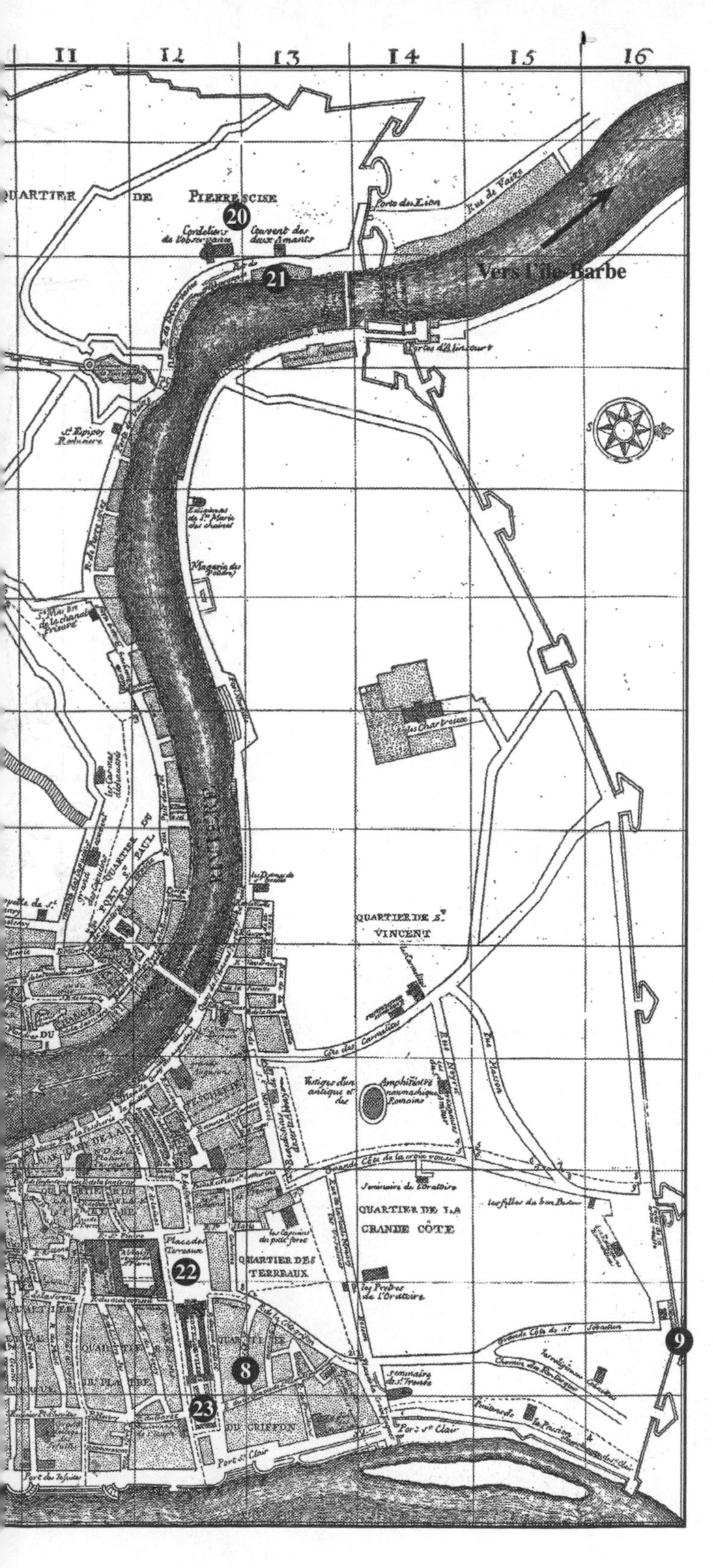

PLAN
de la Ville de LYON

1. **Rue de la Charité** (hôtel du Gouverneur)
2. **Rue Sala** (maison d'Antoine Fabert)
3. **Rue Belle-Cordière** (maison d'Edmée et Marc Ponsainpierre)
4. **Place Louis-le-Grand**
5. **Grande Rue Mercière** (librairie *À la Boule du Monde*)
6. **Rue du Charbon Blanc**
7. **Hôtel-Dieu** (hôpital)
8. **Rue Terraille** (maison d'Antelme de Jussieu)
9. **Vers la Bergerie** (en dehors des fortifications)
10. **Pont de la Guillotière**
11. **École Royale Vétérinaire**
12. **Pont de pierre**
13. **Cathédrale Saint-Jean**
14. **Rue Saint-Jean** (maison de François Prost)
15. **Quai de la Baleine et rue des Trois-Maries** (seconde maison de Marais)
16. **Clos Billion** (maison de Marc et Edmée de Ponsainpierre)
17. **Escaliers du Clos Billion**
18. **Montée du Gourguillon**
19. **Ruines du théâtre antique romain**
20. **Couvent des Cordeliers de l'Observance**
21. **Port de l'Observance**
22. **Place des Terreaux et Hôtel de ville**
23. **Grand Théâtre**

Carte réalisée d'après le Plan géométral de la ville de Lyon, par C. Jacquemin (1747).

Prologue

Lugdunum, octobre 64 après J.-C.

Les néphélions glissaient dans le ciel comme de longues barques silencieuses aux contours déchirés. Le monde d'en haut caressait celui d'en bas : les nuages semblaient si proches des habitations qu'ils donnaient l'impression de pouvoir les toucher juste en tendant le bras. Ils tutoyaient la colline de Lugdunum avant de s'éloigner, indifférents à l'agitation de la fourmilière humaine qui s'étendait autour des deux fleuves.

Les Dieux sont ainsi : toujours à nous surveiller sans jamais se découvrir, songeai-je au milieu d'un tapis d'herbe dense et souple, au détour du chemin qui s'enfonçait dans le bois sacré. Je l'avais choisi lors de mon arrivée à la colonie en raison de sa position surélevée et de sa faible fréquentation par les habitants de Condate. L'endroit était devenu mon repaire et me permettait une observation méticuleuse du ciel. Celle-ci s'achevait, comme chaque jour depuis six mois, par un échec : aucun de ceux qui avaient déjà survolé la colonie ne s'était à nouveau présenté à moi. Je ne pouvais me tromper : j'avais gravé dans ma mémoire leurs formes si différentes jusqu'à en devenir capable de reconnaître celui qui, revenant des contrées lointaines du monde d'en haut, volerait à nouveau au-dessus de ma tête.

Je me levai et admirai la vue que l'endroit offrait en cette fin de journée automnale. En face, la colline et sa ville romaine aux maisons ordonnées et aux ifs effilés qui s'étiraient au-dessus des toits. Émergeant de la Saône, l'île des Canabae et son agitation commerciale qui ne cessait qu'avec la nuit, faite de navires marchands à la voilure impressionnante entre lesquels se glissaient des barques et des radeaux dans d'incessants va-et-vient entre les rives, de grues de déchargement au bout desquelles pendaient des barriques ou des ballots, de carrioles remplies de marchandises, d'acheteurs et de promeneurs qui se mouvaient entre les échoppes et les entrepôts comme un ru scintillant de mille couleurs. À mes pieds, le sol gaulois de Condate et son sanctuaire des Trois Gaules. L'édifice semblait endormi après les journées d'été qui avaient vu se rassembler les délégués des nations gauloises. Douze années auparavant, j'y avais accompagné Adbogios, mon maître, pour ma première incursion en pays ségusiave. Je l'avais attendu, sans pouvoir y pénétrer, deux jours durant, allant et venant entre les soixante statues des peuples de notre nation et écoutant le vent me porter les discours qui allaient enflammer l'assemblée des édiles gaulois.

Alors que je longeais la haute enceinte en pierres taillées du sanctuaire, un groupe de corneilles, effrayées par le claquement de mes pas, s'envola dans un bruit de froissement de toge pour se poser sur les ailes des victoires dorées, les trois sculptures qui ornaient de leur majesté l'entrée de l'édifice. *Adbogios y aurait vu un présage*, songeai-je avant de regretter de laisser sa présence envahir encore mes pensées. Je levai les yeux vers la colline où se détachaient le bâtiment majestueux du théâtre et celui, en construction, de l'odéon. Il me restait à m'acquitter d'une tâche avant de les rejoindre et, au lieu d'emprunter le pont qui prolongeait la voie du Léman, je restai sur la rive gauche et marchai près d'une lieue jusqu'aux entrepôts de Canabae, seul endroit où trouver l'huile de Bétique réclamée par Talusius l'archiviste. Il avait été prévenu de l'arrivée, la veille, d'un navire oneraria qui contenait de l'huile Psedatiaviti, son producteur préféré, et m'avait ordonné de lui en rapporter. Talusius était aussi le seul Grec que je connaissais qui haïssait le théâtre plus que toute autre activité, surtout depuis qu'il avait été affranchi par le légat Caius Julius Vindex. Son désir forcené de s'intégrer à la colonie le conduisait à renier tout ce qui faisait sa fierté d'esclave hellène.

Le marchand me salua en gaulois, sans que j'eusse à l'engager sur cette voie. Il était issu des Allobroges voisins et commerçait depuis plusieurs lustres avec la province d'Hispalis[1]. Je lui achetai une amphore d'huile de petite taille, que je payai un denier après avoir vérifié l'estampille de Psedatiaviti, ainsi que deux poissons salés, qui me nourriraient plusieurs jours. Une patrouille de la cohorte urbaine XVII traversa la place en longeant le quai du côté des échoppes. Les militaires de cette unité étaient connus pour leur peu de discernement et pour leurs arrestations arbitraires et brutales. Elle présentait pour moi un troisième inconvénient : certains de ses soldats avaient pu me croiser à Divodurum[2], d'où j'avais dû fuir.

1. Actuelle Séville.
2. Actuelle Metz.

Alors que je leur tournais ostensiblement le dos, mon vendeur me présenta une liqueur de poisson et, parlant distinctement en latin, vanta les mérites de l'Empire dans le rayonnement d'Hispalis. Je me penchai en avant pour respirer le fumet caractéristique du garum, proche de la charogne, dont les Romains raffolaient, et qui provoqua en moi un haut-le-cœur. Celui-ci avait été fabriqué à partir de maquereaux de Carthagène, ce qui expliquait son prix inabordable pour la majeure partie de la population. Malgré mon irrépressible envie de vomir, je restai à humer la noble pourriture jusqu'à ce que le cliquetis cadencé des armes s'éloigne. Les hommes semblaient pressés de regagner la caserne de la garnison.

Je quittai le marchand après un dernier échange de regards. Le passage de la patrouille l'avait rendu aussi mal à l'aise que moi ; je compris qu'il avait pris quelques libertés dans sa déclaration des marchandises débarquées. Lui-même cherchait dans le mien la cause de mon effacement soudain. Même la pire des raisons que son imagination pouvait concevoir n'aurait pu approcher la réalité.

L'anse de l'amphore me coupa rapidement la main. La jarre n'était pourtant pas volumineuse. Sa panse était longue et effilée, moins ventrue que la moyenne, mais son poids était presque égal à celui de l'huile transportée. Je m'arrêtai plusieurs fois, à bout de souffle, dans la montée de la colline, le regard fixé vers la toiture du palais qui dépassait des bâtiments environnants. Autour de moi la foule avait revêtu ses habits de soie et de coton aux couleurs rouges et indigo et semblait animée d'un sentiment d'insouciance et de légèreté. La plupart des citoyens se rendaient au spectacle dont je commençais à croire qu'il allait finir par m'échapper. Heureusement, un vieil homme, juché sur un âne, me proposa de poser l'amphore dans un des paniers qui garnissaient les flancs de l'animal, et qui était resté libre. Nous calâmes le chargement sous les yeux amusés de deux potiers qui attendaient la chute de la jarre et son bris en pariant sur la faible résistance de l'osier. Mais la catastrophe attendue ne vint pas et l'homme à l'âne les gratifia d'un « Augures de Mithra ! » dont la signification m'échappait mais qui produisit sur eux le plus grand effet. L'attroupement qu'ils avaient créé se dilua aussi vite qu'il s'était formé et la fin de l'ascension se déroula sans encombre. Malgré mes protestations, le vieil homme m'aida jusqu'au terme de mon trajet, la dépendance principale du palais, située à mi-chemin entre celui-ci et le capitole. Le bâtiment, composé de cinq maisons à atrium collées les unes aux autres et reliées entre elles par un réseau de couloirs, rassemblait la plupart des administrations de la ville, dont celle des impôts, qui occupait le quartier nord de l'ensemble. Talusius travaillait au service du vingtième des héritages, l'impôt sur les successions, pour le procurateur Julianus, qu'il abhorrait en secret, et rêvait d'intégrer le quarantième des Gaules, la taxe douanière, dans l'aile ouest, plus porteur pour qui voulait faire carrière à Lugdunum, au moment où Julianus n'avait plus les faveurs du gouverneur. Lorsque ce dernier, par ailleurs curateur des accessoires du théâtre, lui avait donné une place pour le spectacle, Talusius avait d'abord tenté de me la vendre, puis me l'avait cédée sans me demander la moindre contrepartie, trop heureux de ne pas avoir à se montrer en public sur les gradins réservés aux invités de Julianus.

Je trouvai l'archiviste penché sur un codice, une double tablette de cire, qu'il venait de couler. Il m'attendait pour finir la rédaction d'un acte de succession. La pièce était de petite taille et, de surcroît, encombrée de piles entières de tablettes en bois ou en plomb, ainsi que de papyrus roulés, alignés sur une étagère qui occupait un pan de mur entier. L'homme, dont le bureau tournait le dos à la fenêtre, utilisait à longueur de journée une lampe, posée sur un pied, qu'il remplissait d'huile de Bétique, censée procurer une lumière plus intense et moins fumigène que la graisse animale. Il avait réussi à convaincre sa hiérarchie que seule cette huile devait être utilisée dans les salles d'archives afin d'améliorer la conservation des documents officiels. Dans la réalité, il détournait la moitié du liquide pour sa consommation personnelle et me laissait utiliser l'autre moitié aux fins d'éclairage. L'odeur d'olive et de cire qui régnait dans l'atmosphère avait fini d'imprégner mes vêtements et ne me quittait plus, comme une marque indélébile de mon appartenance au service du vingtième.

Il feignit d'ignorer l'amphore que je venais de caler à l'angle de deux murs et se plaignit de la qualité médiocre du bois utilisé pour la fabrication du codice : le montant central était fendillé et la fissure n'allait pas tarder à rejoindre l'orifice par lequel une ficelle reliait les deux parties. Il me demanda de ne plus m'approvisionner chez le marchand habituel, un artisan de Condate, dont le principal défaut à ses yeux était d'être gaulois. Selon lui, seuls les Grecs et les Romains savaient fabriquer des supports d'écriture dignes de ce nom, les Égyptiens à la rigueur. Tout en continuant de maugréer, il se leva, inspecta l'amphore, vérifia l'estampille, dont la seule lecture du nom le fit saliver, et enfouit la main dans les plis de sa toge. Il en sortit une bourse d'où il me délivra trois sesterces, d'un geste ample et généreux. Il en manquait un pour restituer le denier avancé, mais celui-ci ne vint pas et la bourse retourna sous l'étoffe. Ma position ne me permettait pas de contester son geste, ni même de suggérer une erreur ou un oubli de sa part. Il était coutumier du fait et me voler constituait chez lui un moyen commode de monnayer la protection qu'il m'offrait. Je n'arrivais pas à lui en vouloir. Sans le savoir, en m'engageant, il m'avait permis de trouver l'endroit idéal pour le trésor que j'étais en train de constituer sous ses yeux sans qu'il s'en aperçoive.

À sa demande, je m'assis devant la double tablette ouverte, pris le stylet et gravai les mots dans la cire. La rédaction de l'acte fut rapide et Talusius ne me fit rien changer après relecture. Il me demanda d'aller l'archiver immédiatement, ainsi que deux autres codices, après quoi je pourrais m'en aller voir la pièce de théâtre, qui était déjà commencée. Me gâcher le spectacle faisait aussi partie de son plaisir et je feignais la contrariété afin de ne pas l'en priver. Mais pour qui, comme moi, avait connu les soirées à écouter le barde Lauenos, lors de nos réunions annuelles au pays des Carnutes, nous conter les histoires épiques de nos ancêtres, le théâtre romain et ses débauches techniques me semblaient une pantomime grotesque.

Le soldat qui m'accompagna à la salle des dépôts était un brave garçon des Abruzzes, jovial et serviable, qui appréciait la vie en Gaule tout en cultivant la nostalgie du sol natal. Il parlait un latin dont les *r* roulaient sous sa langue comme un caracoulement et qu'il accentuait volontairement quand le regard de ses interlocuteurs se faisait condescendant ou réprobateur. Son accent lui avait valu une affectation dans l'aile la moins fréquentée du palais, en compagnie d'un personnel issu des provinces de l'Empire.

Il déverrouilla la porte des archives, alluma les mèches des lampes à huile disposées dans deux vasques en pierre alignées dans l'allée centrale et me demanda de le prévenir lorsque j'en aurais fini de mon classement. Il savait qu'il m'arrivait d'y rester plusieurs heures d'affilée et avait pris l'habitude de regagner son poste à l'entrée nord au lieu d'attendre devant la porte. J'avais sa confiance pour l'extinction des feux.

Des étagères en bois alignées sur plusieurs rangées autour de l'allée occupaient tout l'espace, divisé en trois parties : une pour les codices, empilés les uns sur les autres, une seconde pour les tablettes de bronze, dont la gravure difficile limitait l'utilisation aux textes d'une haute importance, et la dernière, réservée aux papyrus, qui dépendait de deux autres rédacteurs et archivistes. Les documents étaient classés selon leur ordre d'arrivée.

Toute l'histoire des familles de Lugdunum se résumait à des dizaines de rayonnages alignés dans une grande salle de marbre. *Combien de mémoires d'hommes aurait-il fallu pour entreposer toutes ces informations ?* Je pensais aux milliers de vers que les druides nous avaient transmis pendant notre apprentissage. La fragilité de notre connaissance orale m'était apparue il y a bien longtemps, quand, en 48, l'auguste empereur Claude avait interdit notre culte. J'avais juré devant les Dieux que cela ne se produirait jamais.

Je rangeai deux tablettes sur leur étagère puis j'ouvris la troisième en faisant sauter le cachet de cire et l'approchai de la lampe, en évitant de trop chauffer le bois. La chaleur ramollit la cire du codice, ce qui me permit d'effacer le texte à l'aide du côté plat de mon stylet. Je la déposai au sol afin de la laisser refroidir et tirai vers l'allée centrale une des étagères libres du fond, rendant accessible le carré de terrazzo attenant à la croisée des deux murs. Je délogeai le bloc de carrelage d'un coup de couteau et le déposai contre le mur, découvrant un vide de deux pieds[1] de haut. Le système de chauffage, construit en même temps que le bâtiment, avait été arrêté pour ne pas nuire à la conservation des précieux documents. Mais la galerie était toujours présente et me servait de cache idéale. J'en tirai un coffre de plomb, déposé entre deux pilettes, et l'en sortit avec difficulté. Il allait falloir bientôt en introduire un nouveau dans le palais.

Une fois le coffre extrait, je revins près de la source de lumière, m'assis en tailleur et pris le codice. Un coup de stylet me confirma que la cire avait eu le temps de se solidifier suffisamment. Je priai Lug de me donner toute l'énergie mentale nécessaire pour parfaire ce travail. Il en allait de la survie de notre nation. Je gravai les deux tablettes sans prendre la moindre pause, sans aucune hésitation. Les mots, les phrases étaient en moi depuis si longtemps qu'ils ne demandaient qu'à jaillir comme un cheval sauvage. Je relus mon texte et fermai le codice en nouant solidement la ficelle : un passé romain venait d'être remplacé par le présent gaulois.

Une fois à l'extérieur du palais, je gagnai rapidement le théâtre où la représentation touchait à sa fin. Le sésame donné par Julianus me permit d'accéder aux premiers rangs des gradins du milieu, à peine

1. Un pied romain vaut 29,64 centimètres.

plus hauts que les sièges réservés aux notables de Lugdunum, dont la plupart avaient déjà déserté leurs places. La distribution ne devait pas être d'une grande qualité. Mon voisin, maître d'une des corporations de nautes, m'expliqua qu'à la suite d'une scène qui lui était apparue fâcheuse pour sa réputation, le gouverneur avait ostensiblement quitté sa place, suivi des curateurs et de quelques décurions. L'acteur avait effectué une pantomime dans laquelle l'assemblée avait cru reconnaître une gestuelle imitant le premier magistrat, ce qui avait provoqué des réactions bruyantes et moqueuses et entraîné le départ de l'édile. « Le pauvre », avait conclu mon voisin, en imaginant le sort du comédien si celui-ci avait tardé à se sauver.

La pièce suivante, une farce improvisée, se faisait attendre. Le mur de scène était plus impressionnant encore que la vue qu'on en avait depuis l'extérieur : haut de trois étages, il était constitué de rangées de statues et de colonnes qui faisaient paraître les acteurs ridiculement petits. J'eus le temps de les compter plusieurs fois avant que la dernière saynète n'achève le spectacle sur une mise en scène dont raffolaient les Romains, à base d'effets spectaculaires, où des Dieux descendaient du ciel mus par des cordes liées à une machinerie sophistiquée. L'amphithéâtre retentit des clameurs de la foule à l'apparition de ces *dei ex machina*, et je dus en faire de même. Mon adhésion à l'Empire romain s'arrêtait aux limites de ma sécurité.

Le mistral s'était levé et m'accueillit d'une caresse ferme à la sortie de l'amphithéâtre. J'admirai un instant les lumières naissantes sur les rives et l'île des Canabae que le jour venait de délaisser, semblables aux étoiles du monde d'en haut, avant de plonger dans la rue qui menait au port, entre les maisons hautes et le mur d'enceinte. La foule, nombreuse, rendait difficile la progression des rares attelages qui s'y étaient aventurés. Une litière aux rideaux tirés, portée à bras d'hommes, la remonta à contre-courant. Elle était précédée d'un esclave qui faisait s'écarter avec difficulté les piétons sur son passage. Malgré leur bonne volonté, la densité humaine était telle, à mi-hauteur, que le véhicule dut s'arrêter et attendre quelques instants. Le rideau s'entrouvrit et je pus apercevoir deux formes sombres allongées. L'un des passagers semblait être un militaire de haut rang. L'absence d'escorte indiquait sa volonté de discrétion. Le théâtre s'étant vidé de ses derniers spectateurs, la rue se désengorgea rapidement de ses passants et permit au véhicule de reprendre sa route. Je le regardai s'éloigner et tourner en direction du palais.

La maison de ma logeuse, une citoyenne romaine veuve d'un des sévirs[1] de la cité, se trouvait à flanc de colline, dans les derniers mètres de la pente, et donnait sur un quartier de commerces et d'entrepôts, une ville dans la ville, cosmopolite et animée, proche du port et dans laquelle je n'avais eu aucun mal à me fondre. L'entrée de ma chambre, bien qu'au premier étage, se faisait depuis l'extérieur et me garantissait une discrétion idéale. Je m'allongeai sur ma couche et laissai mon esprit se détendre, après avoir relu mentalement la page que j'avais gravée et qui révélait un des savoirs les plus secrets de mes maîtres druides. J'avais depuis longtemps abandonné toute forme de remords : j'avais enfreint l'interdiction de l'écriture pour que notre nation puisse survivre au colonisateur romain. Et cela, au cœur même de leur organisation. Je plongeai rapidement dans le lac des songes.

Un bourdonnement fendit l'armure de mon sommeil et s'amplifia, assourdissant, jusqu'à me réveiller. J'ouvris les yeux. La pièce était baignée d'une lumière ambrée teintée du rose d'une aube ensoleillée. Il fallait se lever. La nuit m'avait semblé si courte.

La foule était à nouveau dans la rue et martelait le pavé de ses semelles. Mais quelque chose clochait : dans mes années de fuite, j'avais appris à reconnaître les bruits de pas. Et ceux-ci étaient désordonnés et nerveux. Je ressentis la peur au-dehors. Une femme hurla, puis d'autres lui répondirent en écho. Des hommes aussi. Des cris semblaient fuser de toutes parts.

Mon instinct prit instantanément le dessus. Sans réfléchir, sans même sortir pour comprendre ce qui se passait, je pris ma besace, y fourrai du poisson sec et du pain, la bourse contenant tout mon pécule ainsi qu'un parchemin plié et mon précieux sac de lin. J'enfilai mes braies et une lacerne de laine au-dessus de ma tunique. Après un dernier regard furtif à la pièce, j'ouvris la porte et sortis. Dehors, il faisait encore nuit sur une partie du ciel. L'autre était recouverte d'un halo aussi rouge que le rideau de scène du théâtre, à la base duquel des flammes apparaissaient et disparaissaient entre les maisons des rues adjacentes.

Le feu semblait encercler le quartier. Des papillons de braise voletaient autour de moi et l'air piquait la gorge et les poumons. Un des autres locataires de la demeure fendit la foule avec difficulté pour me rejoindre. Il s'était rendu sur la hauteur afin de constater l'ampleur de l'incendie. Ses cheveux et son visage étaient noircis et

1. Marque honorifique qui récompense un affranchi d'une cité.

il toussait et crachait à chaque respiration. L'homme avait entendu dire par un soldat que le feu s'était déclenché dans un entrepôt de tissus et de draps, mais un autre lui avait indiqué deux nouveaux départs de feu, tous à la périphérie du quartier oriental de la cité. Les secours étaient totalement débordés : aucun des foyers n'était plus sous contrôle. Seul le haut de la colline semblait avoir été épargné, mais les chemins d'accès étaient bloqués par la propagation des flammes. Je n'avais d'autre solution que de gagner le pont reliant la cité à celle de Condate.

Nous nous joignîmes à la foule qui grossissait à chaque intersection de rues, ce qui ralentit notre progression, jusqu'à l'arrêter à moins d'un demi-mille[1] de la berge. L'attente se prolongea. Plus personne ne parlait depuis un long moment. Les regards se croisaient, entre inquiétude et épuisement. Mon voisin supposa que l'étranglement provoqué par la petitesse du pont allait rendre l'évacuation plus longue. Il s'empressa d'ajouter que celui-ci était suffisamment solide pour supporter le poids de centaines de piétons, comme c'était le cas les jours de marché de printemps ou lors des assemblées des Trois Gaules. Les autres acquiescèrent. Mais je connaissais suffisamment l'endroit pour savoir qu'aucune foule ne saurait être bloquée aussi longtemps à son passage. Il y avait autre chose et mon instinct, à nouveau, me poussa à agir.

Je quittai la rue principale et remontai à contre-courant une petite voie pavée qui s'arrêtait à une place. La fontaine fichée en son milieu était prise d'assaut par des hommes, civils et militaires mélangés, qui formaient une chaîne humaine afin de porter des seaux vers les proches maisons menacées. Je grimpai les marches qui aboutissaient à la terrasse surélevée d'une riche villa, elle aussi désertée. La chaleur de la fournaise était semblable aux morsures d'un soleil d'été. La lumière de l'incendie inondait la rive droite du fleuve et le pont était visible comme en plein jour. La foule compacte qui s'agglutinait à son entrée formait une tache sombre mais, curieusement, la passerelle semblait presque désertée. Les piétons qui la traversaient se suivaient à distance les uns des autres. Je compris alors la nature de l'engorgement : installé à l'entrée de l'ouvrage, un groupe d'hommes en armes filtrait le passage. Aucun d'entre eux n'était un soldat romain.

Ils me cherchent, ils sont là pour moi. Mes pensées s'enchaînaient, mon esprit fonctionnait à toute vitesse. Ils ne savaient ni

1. Le mille romain valait mille pas.

où j'habitais ni où je travaillais, sinon pourquoi mettre le feu à une ville entière, au lieu de me cueillir comme à Lutetia ? *Ils veulent m'obliger à me jeter dans leurs rets tel un renard enfumé*. Une toile enflammée, provenant des tentes du marché voisin, rasa les têtes avant de s'envoler vers la ville basse, portée par un vent devenu violent. Un autre foyer n'allait pas tarder à se déclarer.

Je savais qu'ils ne pourraient pas trouver le coffre caché dans le palais de leur colonisateur. Quant au trésor des trésors, il ne me quittait jamais. Je posai la main sur lui, comme pour me rassurer, puis croisai la bretelle de ma besace sur mon épaule opposée afin de la stabiliser, fermai ma lacerne par-dessus et rabattis le capuchon. Il me fallait longer la rive droite vers le nord par la voie de l'Océan. Je connaissais le chemin pour y parvenir. Cet incendie allait me permettre d'effacer toutes mes traces. Jamais ils ne me retrouveraient.

CHAPITRE I

Lyon, septembre 1777

1

Mercredi 10 septembre

Comme tous les jours depuis vingt ans, Aimé de La Roche contemplait le pont de pierre qui enjambait la Saône impétueuse, debout à la fenêtre de son bureau de la grande rue Mercière. Il aimait se sentir rassuré par le caractère immuable des arches massives qui dominaient le fleuve. Situé au dernier étage de sa librairie, *À la boule du monde*, qu'il tenait de sa mère, l'endroit sentait le bois et le papier, mélange d'odeurs qui l'accompagnait depuis son enfance, à tel point qu'il avait toujours interdit à sa domestique d'ouvrir les trois fenêtres donnant sur ce qu'il considérait comme le plus beau panorama du monde. Ces moments de quiétude étaient les seuls à le transporter loin de la réalité et de son cortège de contingences. Il soupira et jeta un regard inquiet à la liasse de journaux entassée sur un large fauteuil au tissu usé. En ce mercredi 10 septembre, le tirage du dernier numéro des *Affiches de Lyon* était bouclé. Il ne manquait que le facteur engagé pour les distribuer auprès des abonnés. Celui-ci tardait à se manifester.

— À quoi pensez-vous, mon oncle ?

Camille était entré sans qu'il ne l'entende, sans que les minces planches de hêtre ne craquent sous ses pieds. Il n'avait jamais compris comment son neveu faisait pour avoir le même pas léger à vingt ans qu'il avait à trois ans, lorsqu'il se jetait dans ses jambes sans prévenir, le faisant trébucher, provoquant parfois la chute des piles de revues ou de livres qu'il portait à bout de bras et déclenchant chez lui une colère qui s'éteignait bien vite.

Aimé regarda le jeune homme. Son visage avait encore les traits de l'enfant qu'il n'avait pas cessé d'être. Un enfant dans un corps d'homme.

— Qu'y a-t-il ? insista Camille.

— Je me demandais quel était le nom de la maladie qui m'avait poussé à te confier le rôle de rédacteur des *Affiches* durant l'incapacité de notre ami Charles.

— La folie, peut-être ? Une folie passagère que vous semblez regretter déjà !

— Comme tous mes moments d'égarement... À toi de me démontrer que je n'ai pas eu tort.

— Mon oncle, non seulement je vais honorer votre confiance, mais j'ai aussi des projets, de grands projets pour nous et pour notre ville, dont je vous parlerai bientôt.

La phrase, dite sur le ton de la confidence, déclencha chez Aimé un rire nerveux, qu'il s'empressa de fondre dans une toux de circonstance afin de ne pas vexer son idéaliste de neveu, qui lui soumettait une flopée d'idées singulières à chacune de leurs rencontres.

— Mais que fait ce facteur ? demanda le libraire, qui n'avait pas envie d'écouter celles du jour. Et as-tu compris quelque chose, toi, à cette histoire du « D » ?

La semaine précédente, une des lettres de leur enseigne, apposée au fronton de la boutique, avait disparu. Avant de réapparaître la veille, posée devant l'entrée comme une roue de carrosse abandonnée.

— Non, c'est un vrai mystère, comme je les aime. Dommage qu'il soit revenu : « À la boule du mone », cela me plaisait aussi, conclut Camille en roulant deux feuilles parcheminées dans son sac. Auriez-vous une plume et de l'encre pour moi ? Il va aussi falloir parler de mon salaire...

— Commence déjà par travailler pour rembourser tout l'argent que tu m'as emprunté, répliqua Aimé avec amusement. Et débrouille-toi pour ne pas rater l'audience, la cloche des pères de Saint-Antoine a sonné onze heures il y a fort longtemps. Sinon je te cantonnerai au Bureau d'avis !

Lorsque Camille Delauney sortit de la boutique, il faillit buter sur l'échelle posée contre la porte, malgré l'avertissement de l'employé qui, debout sur le dernier barreau, s'agrippa par réflexe au rebord de la boiserie entourant la façade. Tout en l'évitant au dernier moment, Camille fit demi-tour d'un bond et émit un sifflement puissant qui fit se retourner un couple de passants. L'homme à l'échelle tenait calé sous son bras l'énorme « D » en laiton, brillant comme un sou neuf, qui allait retrouver sa place perdue dans l'enseigne.

— Que voilà notre monde qui retrouve sa boule ! Mais tu as failli perdre la tête, ajouta-t-il pour s'excuser de la frayeur provoquée.

— Il te faudra un peu plus d'esprit, jeune Camille, si tu veux conserver ta place de rédacteur, répondit l'ouvrier en le menaçant de son bonnet.

— Si en plus tu me prives de mon meilleur typographe, je peux mettre la clé sous la porte ! intervint Aimé, qui venait de sortir à son tour. File maintenant, tu vas arriver en retard ! Je veux te voir sur le pont quand je serai remonté à mon bureau !

Camille courut jusqu'à l'ouvrage de pierre et s'arrêta au niveau de la chapelle construite en son centre pour reprendre son souffle. Il jeta un regard vers la Vierge dans sa niche et finit son trajet d'un pas enlevé, tout en récitant en boucle un *Je vous salue Marie*. La Sainte Mère de Dieu l'avait toujours supporté dans ses entreprises, du moins en avait-il l'impression chaque fois qu'il l'invoquait en prière. Il tourna à gauche rue Saint-Jean, qu'il quitta pour la rue des Fouettés, tout au long de laquelle il redoubla d'efforts dans ses dévotions, au cas où les premières ne soient pas parvenues assez vite à sa protectrice. Il avait proposé à son oncle d'ajouter dans les *Affiches de Lyon* une rubrique qui mettrait en lumière les affaires judiciaires sans attendre leur dénouement et qui, tels des feuilletons, attireraient les lecteurs tout aussi sûrement que les inventions des romanciers.

Le palais de Roanne, siège du tribunal de justice, était accolé à la prison et il n'était pas rare de voir des justiciables descendre les escaliers du premier pour monter ceux de la seconde, à la manière d'un pont des Soupirs local. Tout en grimpant les marches, Camille songea qu'il avait dans cette réflexion la matière de son premier titre. Il lui restait à trouver le procès le plus porteur et, pour cela, il comptait sur l'aide des avocats du barreau.

Il pénétra en courant dans l'immense entrée aux colonnes de marbre, repéra un employé et fondit sur lui. Le quidam, chassé de ses pensées, sursauta et laissa tomber un sac de jute aux pieds de Camille.

— Navré pour votre gibecière, l'ami, s'excusa-t-il en lui rendant l'objet.

L'homme le lui retira vivement des mains et vérifia que le fil métallique cacheté qui le fermait était intact. Ses traits se détendirent en le constatant.

— Tout va bien... À l'avenir, faites attention de n'agresser personne ! conclut-il en voulant s'éloigner.

Camille le rattrapa par le bras :

— Je cherche un avocat, l'ancien bâtonnier, maître Prost de Royer. Votre réponse me serait agréable.

L'employé haussa les sourcils avec lenteur et fixa la main de Camille qui le tenait fermement. Le jeune homme le lâcha.

— J'ai rendez-vous avec lui et je suis en retard, justifia-t-il.

— Encore un cas désespéré ? Un conseil : ne soyez jamais pressé d'avoir rendez-vous avec la justice. Le chemin vers la sortie est toujours plus long. Suivez-moi, je vais rejoindre maître Prost.

L'homme lui tourna le dos et fit claquer ses chaussures à boucles sur le sol de pierre polie du couloir central désert. Camille tenta de se donner une contenance en l'imitant, mais la finesse du cuir de sa semelle l'en empêcha. Au rythme des pas, il voulut substituer celui de sa conversation et expliqua le but de sa visite, qui laissa son guide impassible.

— Nos abonnés sont nombreux et résident bien au-delà de cette ville, insista Camille, vexé. Ils veulent savoir comment justice leur est rendue, croyez-moi !

— Par là, répondit simplement l'homme en désignant du doigt un couloir transversal.

Après avoir tourné plusieurs fois, ils revinrent sur l'axe principal, qu'il reconnut à la couleur albâtre du marbre.

— Je ne sais pas si le chemin de la vérité triomphante est long, mais celui que vous nous avez fait emprunter me semble quelque peu tortueux, fit remarquer Camille.

— Je vous ai dit que j'allais rejoindre maître Prost, je n'ai pas précisé si le trajet était direct, l'ami, rétorqua-t-il en insistant sur le dernier mot. Attendez-moi ici, intima-t-il en s'approchant de deux ouvriers, debout sur un échafaud, occupés à démonter une peinture murale.

Le jeune homme obéit tout en regrettant sa rencontre. L'employé donna des ordres aux travailleurs qui baissèrent la tête comme des collégiens punis et revint vers Camille, tenant toujours le sac de lin dans son poing serré.

— Ils ne sont pas fichus de démonter un cadre aussi précieux avec soin, maugréa-t-il. C'est l'une des peintures les plus connues de Thomas Blanchet.

Camille se dépêcha de dodeliner de la tête en connaisseur alors que ce nom lui était inconnu. La toile, qui représentait une allégorie romaine dans laquelle des Dieux se battaient avec des Furies sous le regard d'humains désemparés, le laissa perplexe.

— Pourquoi l'enlèvent-ils ?

— Nous avons eu un début d'incendie dans une salle annexe.

— Un acte criminel ? demanda le jeune rédacteur, dont l'intérêt s'éveillait.

— La faute stupide de notre concierge, qui s'est endormi dans la pièce et a laissé tomber un chandelier. Par précaution, tous les tableaux vont être installés à l'hôtel de ville. Sauf celui-ci, notre sénéchal y tient. On le transfère dans l'aile est.

Camille prit le temps de détailler son interlocuteur. Ses traits marqués trahissaient son âge, qu'un maquillage intensif tentait de dissimuler. Ses sourcils formaient un angle aigu en s'élevant et se joignant entre les deux yeux, ses paupières peinaient à l'ouverture et ses lèvres avaient depuis longtemps perdu leur horizontalité. Son visage entier semblait accaparé par la gravité qui s'en dégageait. Ses habits, bien qu'usés, n'étaient pas vraiment ceux d'un employé aux écritures. Le gilet, de couleur pistache, avait été tissé de fils d'or et était recouvert d'une veste noire proche de la redingote aux fines rayures blanches et aux larges boutons décorés d'étoiles à six branches. Les manches de la chemise s'ouvraient par une dentelle légèrement lustrée.

Camille se rendit compte de l'inconvenance de son regard insistant et reporta son attention sur le tableau que les ouvriers déposaient délicatement dans une caisse de bois.

— Me permettez-vous de mentionner cette nouvelle ?

— Laquelle ? La coupe de mes nouveaux habits ou le transfert de notre patrimoine ? Je vous laisse choisir, conclut l'employé.

Ils poursuivirent leur chemin dans les arcanes du bâtiment. Camille, un instant sonné par ses maladresses accumulées, décida de reprendre l'échange.

— Vous travaillez avec maître Prost ?

— En quelque sorte.

— Comment est-il ?

— Comment sont-ils, devriez-vous dire.

— Ils ?

— Prost et Fabert. L'hydre à deux têtes, la perfection du barreau lyonnais.

— Je ne connais pas ce M. Fabert, mais voilà qui me plaît ! Me permettez-vous de citer cette expression dans mon journal ?

— Évidemment non !

L'homme s'arrêta pour le dévisager :

— Dites-moi, quelle est votre expérience comme rédacteur ?

— Ne vous fiez pas à l'apparente jeunesse de mes traits, je suis lié depuis longtemps à nos *Affiches de Lyon*, affirma Camille en se référant pour ne pas mentir à un numéro vieux de cinq ans dans lequel son oncle lui avait permis d'insérer un sonnet de sa composition.

— Charles Mathon de la Cour n'est plus le plumitif du journal ?

— Il est souffrant. Je suis son subsidiaire. Et j'ai toute sa confiance ! affirma Camille, bien décidé à ne plus se laisser impressionner.

Le couloir était un cul-de-sac terminé par trois portes, dont celle du centre, monumentale, était encadrée de deux larges colonnes qui soutenaient un plafond composé de marqueteries et de boiseries dorées à l'or fin.

— Nous voici arrivés, annonça son guide. Au-delà de cette porte, il faudra vous tenir silencieux, si cette tâche ne vous semble pas insurmontable. Allez vous mettre près du chauffe-cire.

— Et mon entrevue ?

— Vous n'aurez qu'à attendre la fin de l'audience.

— Quelle audience ?

— Affaire Lurieux contre Pétisson, dit-il en levant le sac devant ses yeux. Deux prêtres qui se disputent la même cure. Maître Prost est le défendeur de l'impétrant de dévolu. Et ce que vous appelez une gibecière n'est autre que le sac à procès par lequel je vais instruire cette affaire. Je suis le juge Mallets d'Arpheuillette. Ravi de vous avoir rencontré, mon ami !

Le magistrat, satisfait de son effet, le salua et disparut par la porte de gauche.

Resté seul, Camille hésita un long moment. La bagarre de deux curés pour la chaire d'un village ne le passionnait pas, mais la perspective de rentrer bredouille chez son oncle ne l'enchantait guère. Il décida d'aller déjeuner au *Cygne noir* et de revenir l'après-midi même.

La porte s'ouvrit et un huissier l'interpella :

— Monsieur ! Au nom de Sa Majesté, Louis le seizième, et de son représentant, le juge de la sénéchaussée, vous êtes autorisé à entrer !

La phrase ressemblait plus à un ordre qu'à une invitation. Camille entrevit le fond de la salle en hémicycle, où le juge discutait avec un homme revêtu d'une simarre violette. Mallets d'Arpheuillette jeta un regard en sa direction qui lui sembla comme un défi. Sa curiosité naturelle reprit le dessus. *À quoi ressemble un chauffe-cire ?* s'interrogea-t-il au moment où les deux battants se refermaient derrière lui.

2

Mercredi 10 septembre

Anne sortit de la cuisine en tenant un bol de soupe bouillante dans les mains. À cette heure de la journée, la rue était peu fréquentée et elle la traversa sans regarder, se fiant au silence qui régnait. Pas de bruits de fers sur les pavés, pas de cris de cochers ou de porteurs de vinaigrettes. Juste le silence d'un début d'après-midi rue des Trois-Marie. Elle entra dans la salle du *Cygne noir* en poussant la porte du dos et déposa le récipient sur la table de Camille Delauney, qui lui offrit un grand sourire.

— Le pain, j'ai oublié le pain ! s'exclama-t-elle en arrondissant les yeux.

Le jeune homme la retint :

— Reste un peu avec moi, tu iras plus tard !

Elle vérifia que la salle était vide, lui embrassa les cheveux avant de les ébouriffer et sortit.

— Quand même, quelle idée d'avoir acheté une auberge dont l'office est de l'autre côté de la rue, marmonna-t-il pour lui-même.

Il posa ses mains contre le bol pour les réchauffer, comme il le faisait chaque fois, même l'été. Il aimait cette douceur qui s'écoulait dans ses doigts, il aimait la partager avec Anne en lui posant ses paumes sur les joues, il aimait la voir lui sourire et le regarder avec l'envie de l'embrasser. Mais ils n'étaient pas mariés, ni même fiancés et le père de la jeune femme tenait l'établissement d'une main de fer. Leur relation n'était, pour l'heure, composée que de moments volés.

— J'ai dit à mon père que je sortais faire une course, nous sommes tranquilles quelques instants, dit-elle en lui tendant un farain[1].

Elle rapprocha une chaise et s'assit à côté de lui.

— Tu es belle, fit Camille sans oser l'embrasser.

— Mange, répondit-elle. Mange, tu dois avoir faim.

Elle coupa un morceau de pain, le trempa dans la soupe et le lui fourra dans la bouche. Camille le déchiqueta et le trempa à nouveau.

— C'est le meilleur pain de toute la ville, de tout le bailliage ! Dieu qu'il est bon ! s'écria-t-il.

---

1. Le farain est un pain blanc.

— N'oublie pas que tu m'as promis de n'en parler à personne, sinon nous aurions des ennuis, lui rappela-t-elle.

— Ce monopole de la vente des pains est une aberration, la recette de ta mère mériterait d'être connue de tous.

— Oui, opina-t-elle, mais voilà : elle n'est pas une boulangère de Lyon.

Anne se rapprocha de Camille. Il posa ses mains contre le bol puis les porta sur les joues de la jeune femme, qui ferma les yeux.

— Que c'est doux, dit-elle avant de les rouvrir. Maintenant, parle-moi de ta visite au palais.

Lorsqu'il était entré dans la salle d'audience, Camille avait avisé le plus grand des chandeliers, qui trônait près d'une colonne du côté gauche et qui avait tous les attributs pour faire un convenable chauffe-cire. L'huissier était venu le rejoindre, peu avant que la séance ne s'ouvre, et lui avait expliqué la procédure. Le cas était délicat, les deux ecclésiastiques revendiquant chacun d'être le curé de Saint-Trivier. Lurieux, l'ancien prêtre du village, avait permuté sa cure avec celle de Montagneu, mais, six mois plus tard, avait demandé sa réintégration.

— Seulement, la place était prise par un certain Pétisson qui n'avait pas l'intention de se laisser faire, expliqua Camille à Anne. L'affaire était mal engagée pour Lurieux, qui contacta maître Prost de Royer pour le défendre. Et alors...

Camille s'interrompit pour boire sa soupe avec lenteur.

— Alors ? s'impatienta Anne.

L'avocat se tenait debout, imposant dans sa tenue, le verbe fort, le geste tantôt rassurant, tantôt menaçant, déclamant sa plaidoirie avec assurance et séduction. Les deux plaignants semblaient dépassés par les tourbillons de reproches qui s'étaient abattus sur eux de la part des défenseurs adverses et avaient l'air de regretter le tour que prenait leur querelle, la tête baissée. Camille remarqua que l'un d'eux priait, un chapelet discret à la main droite.

Il se désintéressa un moment du procès et laissa ses yeux vagabonder dans la salle. Le banc des juges formait un demi-cercle autour d'une aire centrale composée de mosaïques dessinant de gros losanges. Les murs étaient recouverts de boiseries en noyer qui délimitaient des tapisseries de couleur bordeaux aux motifs dorés. Le rayonnement extérieur était filtré par des fenêtres placées en hauteur, de sorte que le soleil n'atteignait jamais directement l'assemblée, semblant faire planer au-dessus de l'assistance des faisceaux de lumière aux couleurs changeantes. Tout avait été conçu pour rendre l'atmosphère apaisante. La pièce n'avait pas toujours été un tribunal.

Les deux rangées de sièges prévues pour l'assistance étaient vides. Seul un homme, qu'il n'avait pas remarqué auparavant, se tenait debout, en retrait près de la porte d'entrée. De temps à autre, maître Prost jetait vers lui des regards discrets. Qui n'échappèrent pas au jeune homme.

— Antoine Fabert, lui souffla l'huissier, d'un air entendu.

Camille aurait voulu en savoir plus sur ce mystérieux personnage, mais le portier, d'un geste sentencieux, lui intima de se taire.

La plaidoirie touchait à sa fin sans avoir convaincu le juge d'Arpheuillette, quand Fabert fit transmettre à l'avocat un papier par l'intermédiaire de l'huissier. Maître Prost de Royer joua de sa voix théâtrale pour annoncer :

— Il y a un dernier élément que j'aimerais porter à votre connaissance, monsieur le juge. Un élément capital.

Le défenseur fit jouer le papier dans ses mains, avant de reprendre :

— Il est un point de notoriété publique que ni mon excellent confrère de la partie adverse, ni vous, monsieur le juge, ne pourrez nier, à savoir que Saint-Trivier est une ville murée.

— Nous vous remercions de ce détail architectural fort intéressant, mais quel rapport avec notre affaire, maître ? fit remarquer Mallets d'Arpheuillette. Venez-en aux faits.

— J'y viens, répondit Prost en se tournant pour la première fois vers le plaignant. Monsieur Pétisson, pouvez-vous nous donner votre grade ecclésiastique exact ?

— Mon grade ? demanda l'homme en se levant spontanément.

Il chercha des yeux son défenseur, qui l'invita à répondre.

— Je suis diacre, mais je ne vois pas...

— Monsieur le juge, vous noterez donc, reprit Prost en élevant la voix, que le détenteur actuel de la cure de Saint-Trivier n'est pas gradué, contrairement à mon client, M. de Lurieux, ici présent.

— Mais encore ? s'impatienta d'Arpheuillette.

— La coutume locale est très claire sur ce point : la transmission d'une cure dans une ville murée ne peut se faire à un ecclésiastique non gradué.

L'avocat avait prononcé la phrase lentement, en insistant sur chaque mot. Il attendit un court instant avant d'assener le coup de grâce.

— Nous avons en notre possession une copie d'un arrêté du parlement des Dombes du 8 août 1696, qui qualifie une telle transmission d'inexacte et d'abusive et qui en ordonne la nullité ! En conséquence de quoi, je demande que soit rendue sa cure à M. de Lurieux, et cela sans délai ni recours !

L'huissier eut une moue admirative qui signifiait la fin proche de l'audience. Camille se retourna : Fabert avait disparu.

Anne jeta un regard par la fenêtre, après l'avoir essuyée pour enlever le mélange de poussière et de graisse qui s'y était accumulé, et constata que la cuisine était dans l'obscurité : ses parents étaient montés se reposer. Elle ferma le loquet de la porte d'entrée et s'assit sur les genoux de Camille.

— Nous voilà libres pour un moment, annonça-t-elle en l'enlaçant par le cou.

Il l'embrassa distraitement puis posa sa tête sur la poitrine de la jeune femme.

— Si tu avais vu avec quelle maestria l'affaire fut gagnée ! dit-il en promenant machinalement la main le long de sa robe.

— Je préférerais que tu t'occupes de la nôtre, d'affaire, répliqua Anne, frustrée par la brièveté des caresses reçues. Dans ce cas, je ne parlerai pas de maestria...

Camille releva la tête. Elle sourit, croyant l'avoir piqué au vif.

— J'ai pris mes renseignements sur lui, dit-il fièrement.

Anne se mit debout et déplissa sa robe d'un geste sec.

— Maître Prost ? demanda-t-elle d'un ton de dépit qu'elle voulait exagéré mais qu'il ne remarqua pas.

Camille se leva à son tour et attrapa son sac par la lanière.

— Non, Antoine Fabert ! D'après tous ceux qui travaillent au palais, c'est le plus doué des avocats du barreau lyonnais, peut-être même du royaume. Mais il ne plaide pas, il n'a jamais plaidé. Tu ne trouves pas cela étrange ? Il passe son temps à la bibliothèque, dans les livres et les archives.

— Peut-être préfère-t-il la lecture à la compagnie des hommes. Tu ne restes pas plus longtemps ? s'étonna-t-elle en montrant le sac qu'il avait mis à son épaule.

— Mais pourquoi est-il ainsi ? Selon l'huissier, il peut résoudre en quelques heures un dossier que d'autres mettraient plusieurs semaines à terminer. Et pourtant, il n'en fait pas commerce.

— C'est un saint. Non, c'est un sot. Reste ! l'implora Anne en faisant glisser la lanière le long de l'épaule du jeune homme.

La sacoche tomba et fit un bruit sec au contact du sol. Camille la ramassa sans quitter Anne des yeux.

— Il m'intrigue énormément. C'est de lui dont j'ai besoin pour *Le Glaneur.*

— Encore cette idée de relancer ce journal. Mais ton oncle n'en veut plus ! s'agaça-t-elle.

— Deux cents ! Si je trouve deux cents abonnés, *Le Glaneur* renaîtra ! affirma-t-il en la prenant par les bras.

Anne détourna son regard vers la salle crasseuse dont le ménage l'attendait. Ils étaient seuls, enfin seuls, elle avait envie de son désir, de sa fougue, qu'il rêve d'elle, tout le temps, qu'il le lui dise, qu'il l'emporte avec ses mots, ses sourires, elle avait envie de se sentir princesse ou marquise, dans des draps de soie, là, dans sa robe de laine sans forme, enfermée dans une auberge aux relents de nourriture et de moisi. Mais comment pouvait-il l'aimer, comment pouvait-il seulement l'emporter dans un rêve alors qu'il préférait la compagnie de ses projets à la sienne ?

Elle s'adossa contre le mur, tendit la main vers la porte et l'ouvrit. *S'il ne m'embrasse pas une dernière fois, je refuse de le voir à jamais*, décida-t-elle en contenant des larmes de rage. Elle s'était fait cette promesse des dizaines de fois et ne l'avait jamais tenue. Camille illumina son visage d'un sourire et s'approcha d'elle. *Embrasse-moi, rassure-moi !* hurlaient les yeux d'Anne.

— Je me rendrai dès demain chez lui et viendrai te raconter, fit-il avant d'effleurer sa main de la sienne.

Il sortit. Anne serra les poings. Il n'avait même pas fait exprès de la toucher, elle en était persuadée. Dehors un cocher jura puis joua du fouet pour relancer ses chevaux. Camille s'éloignait d'elle. Anne soupira.

Son attention fut attirée par des taches noires sur le sol. Elles partaient du milieu de la pièce et, dans un parcours sinueux, se rapprochaient d'elle, puis se dirigeaient vers la sortie. Elle s'agenouilla, plongea son index sur la plus large d'entre elles, qui se trouvait à ses pieds, et la porta à sa langue.

— Mais c'est de l'encre ! s'écria-t-elle d'un air dégoûté.

Elle chercha un torchon pour tenter de la nettoyer et sentit une présence derrière elle.

— Je suis désolé ! dit une voix.

Anne se retourna et n'eut pas le temps de répondre : Camille l'avait enlacée et l'embrassait avec fougue. Elle s'abandonna à lui.

— Je suis désolé, répéta-t-il après un long baiser dont le goût le surprit. Tout ça, je le fais pour nous, tu sais. Dès que j'aurai un vrai travail, je demanderai ta main à tes parents.

Il la serra très fort et murmura à son oreille :

— Ils ne pourront rien me refuser. Nous allons gagner notre liberté.

3

Vendredi 12 septembre

La machette faucha net les tiges robustes de la plante dans un craquement discret. Antoine Fabert sépara les feuilles, qu'il déposa dans une caisse, des rameaux, qu'il fendit pour récupérer la moelle. Elle lui servirait à fabriquer des mèches. Il répéta l'opération sur un large carré de plantation qu'il coupa en entier avant de s'octroyer une pause. Il était en sueur et s'essuya avec le fichu qu'il avait noué autour de sa taille, prit une louche qu'il remplit de l'eau d'un seau et la but d'un trait. Sous ses yeux, cent mètres en contrebas, la porte de la Croix-Rousse avalait son lot de piétons et d'attelages qui descendaient vers les Terreaux, mélange de noblesse et de servitude, de bourgeois et d'ouvriers que la fraîcheur de la journée faisaient rentrer au bercail. Seul un cavalier remontait le chemin à contre-courant. Le cheval peinait tant dans la montée que l'homme dut mettre pied à terre pour continuer. Antoine but une seconde louche en promenant ses yeux sur les toits de Lyon. Les nombreuses églises pointaient leurs fiers clochers vers un ciel gris veiné de bleu. Tout autour de lui, une rangée d'arbres courbés et noueux aux feuilles longilignes délimitait son terrain, occupé par des champs et des cultures. Une bâtisse à l'allure de grange avait été construite en son milieu, à côté d'un puits à la margelle haute et étroite. Il s'assit contre le tronc de l'unique cerisier, à l'écorce recouverte de mousse, et reprit la lecture de l'*Avis aux bonnes ménagères des villes et des campagnes sur la meilleure manière de faire leur pain*. L'apothicaire-major des Invalides, Antoine Augustin Parmentier, y décrivait ses essais de panification. Son étude précédente avait permis l'amélioration de la qualité des farines utilisées dans les armées du roi et avait fait sa renommée auprès des soldats.

Antoine dénoua sa ceinture de tissu, la plongea dans le seau d'eau claire, l'essora en prenant soin de ne pas abîmer les fibres et la pendit sur une branche morte de l'arbre. Le vent se levait et aurait tôt fait de la sécher.

Le cavalier avait repris son chemin sur le dos de sa monture alors que l'ascension du sentier, qui serpentait de droite et de gauche, n'offrait plus de difficulté. Il croisa deux religieuses qui regagnaient la communauté du Bon Pasteur toute proche, les salua et les questionna. Antoine les vit regarder en sa direction. La colline abritait de nombreuses propriétés composées de champs, vergers ou jardins sur lesquelles de modestes bâtisses s'étaient élevées. Celle d'Antoine, construite des mains de son père, représentait son plus ancien souvenir d'enfant et le seul héritage de ses parents. La parcelle d'un acre et demi, qui dominait la ville de Lyon depuis sa colline hors les murs, était sa matrice, son refuge, son équilibre. Une cloche sonna deux heures de l'après-midi.

— L'abbaye de Saint-Pierre, localisa Antoine.

Enfant, son père lui avait appris à reconnaître les tonalités des églises de chaque paroisse. En moins d'un mois, il avait su les différencier. Saint-Pierre était un *si*. *Vingt pour cent d'étain et quatre-vingts de cuivre*, songea-t-il, incapable d'oublier le moindre détail des informations qu'il recevait, malgré ses efforts. Il se concentra sur son travail afin de chasser toute pensée parasite.

Antoine monta dans le grenier qui servait de réserve aux blés récoltés au début de l'été. Il lui restait quelques gerbes à égrener et vanner. Il devait aussi sélectionner les froments pour le blé d'hiver. Si la récolte à venir confirmait ses expériences précédentes, il aurait réussi dans ses tentatives et pourrait publier le résultat de ses recherches.

Il porta la main à sa ceinture pour l'essuyer et prit conscience qu'il avait laissé son fichu sur l'arbre. Lorsqu'il sortit pour le récupérer, il se trouva face à face avec le cavalier, qui venait de mettre pied à terre.

— Monsieur Fabert, dit l'homme, veuillez pardonner mon intrusion !

Il souleva son chapeau en guise de salut. La blondeur vénitienne de ses cheveux et son visage juvénile, aux traits et aux sourcils fins, semblaient le faire sortir d'un tableau du Caravage. Son attitude était empreinte d'une candeur que la vie n'avait pas encore grignotée.

— Je m'appelle Camille Delauney, c'est madame votre épouse qui m'a indiqué où je pourrais vous trouver, dit-il en cherchant du regard un endroit où nouer les rênes de sa monture. Je peux ? ajouta-t-il en avisant le cerisier.

Antoine récupéra son tissu et l'invita de la main à attacher son cheval. Camille ne pouvait détacher son regard de son hôte. Tout en lui évoquait l'aventure plus que la lecture des textes de loi. Avec son pantalon large qui couvrait ses bottes, sa chemise aux pans sortis et la ceinture qu'il venait de nouer comme une corde de bure, il ressemblait plus à un mercenaire ottoman ou à un bohémien qu'à l'un des plus brillants avocats du barreau de Lyon. Sa peau était mate comme celle des ouvriers des champs, ses mains calleuses, ses cheveux d'ébène ondulaient, emmêlés, jusqu'à ses épaules. Les lignes de son visage, pommettes, nez, lèvres, formaient des angles harmonieux qui incitaient à la confiance, renforcées par des yeux aux iris d'azur et au regard bienveillant. La douceur et la bonté se dégageaient de son être comme les parfums subtils et entêtants des femmes du monde.

— Et que vous a dit d'autre madame mon épouse ? interrogea l'avocat sans lui prêter attention.

— Pour être honnête, elle a ajouté que mon voyage était peine perdue et que vous alliez m'éconduire. Mais je suis venu.

— Vous auriez dû l'écouter. Je serai à mon étude après-demain, monsieur Delauney, et je vous invite à vous y rendre.

— Je n'ai pas d'action en justice, rétorqua Camille, je ne suis pas ici pour que vous me défendiez !

— Je suis navré, mais j'ai à faire, déclara Antoine en se saisissant de la caisse remplie de feuilles. Quelle qu'en soit la raison, convenons d'un rendez-vous au palais de Roanne.

— Je vous demande juste quelques minutes, monsieur, je ne vous importunerai pas, je peux même vous aider.

La proposition fit sourire Antoine.

— M'aider ? Très bien, répondit-il avant de lui remettre une binette. Je dois récolter des poires de terre[1].

Camille regarda l'objet d'un air interrogateur, puis le terrain composé de six parcelles différentes dont aucune ne lui évoquait un végétal connu.

— Poires de terre ? Je n'ai pas l'honneur de connaître ce légume... Pouvez-vous m'en dire davantage ?

Antoine lui reprit l'outil des mains et s'approcha du carré en partie biné. Il s'agenouilla et donna de petits coups dans la terre.

— Que faisiez-vous hier au palais de justice ? le questionna-t-il en tirant sur la base d'une tige coupée, d'où il dégagea un tubercule rougeâtre.

---

1. Topinambours.

— J'étais venu vous voir. Enfin, j'étais venu voir maître Prost de Royer, mais j'ai entendu parler de vous.

Antoine ôta la terre autour de la racine qu'il tenait en main.

— Est-ce lui qui vous a entretenu de moi ? Sachez qu'il a tendance à exagérer mes qualités.

— Lui, d'autres, tout le monde ne tarit pas d'éloges sur vos compétences. C'est donc cela une poire de terre ? dit-il en plissant le nez d'un air de dégoût. Vous avez du bétail ?

— Allez la nettoyer à l'eau du puits et déposez-la dans la corbeille qui se trouve à côté.

Antoine en dégagea plusieurs autres, qu'ils lavèrent sommairement, jusqu'à remplir le panier.

— Maintenant, vous allez m'expliquer la raison de votre présence ici, monsieur Delauney, demanda l'avocat. Je ne peux vous consacrer mon après-midi, du travail m'attend à l'intérieur.

Camille débita le texte qu'il avait maintes fois répété dans sa tête.

— Je lis les *Affiches* chaque semaine à la bibliothèque, répondit Antoine pour couper court à l'exposé que son interlocuteur débutait. Et je ne vois pas en quoi je pourrais vous aider, ajouta-t-il en se dirigeant vers la maison.

Le jeune rédacteur s'en voulu de sa piètre présentation et laissa son cœur parler :

— Attendez ! Nous avons l'intention de lancer une nouvelle publication, pas seulement une feuille d'annonces utilitaires, mais un vrai journal des actualités de notre ville : les découvertes en sciences et en médecine, les procès et les anecdotes étranges, les arts, toute la vie de la cité...

— En somme, vous voulez faire revivre *Le Glaneur* ?

— Un *Glaneur* qui ne soit pas réduit à la seule littérature, un *Glaneur* revu et corrigé, dont les nouvelles seraient attendues de tous chaque semaine, s'enflamma le jeune rédacteur, des nouvelles fiables et de qualité, pas de simples rumeurs colportées. Je rêve d'une publication qui devienne une référence, monsieur Fabert, pas d'une feuille d'annonces civiles. Ma devise est : *Vitam impendere vero*.

— Donner sa vie à la vérité ? traduisit Antoine en considérant la fougue du jeune homme d'un œil amusé. Voilà qui est ambitieux.

— Et vous êtes l'autorité qu'il nous faut pour mener à bien ce journal. Maître Prost est un homme de talent, un merveilleux orateur, mais vos connaissances dépassent de loin la simple pratique des lois. Vous passez vos journées en bibliothèque, je sais aussi que vous êtes abonné à de nombreuses revues dans le domaine des sciences et des arts, et...

— Monsieur Delauney... Votre idée me plaît en tant que lecteur, mais je ne suis pas intéressé par la rédaction de l'actualité : il y a déjà tellement à faire de la lecture du passé. Vous perdez votre temps.

Antoine avait parlé doucement mais avec fermeté. La réponse figea le jeune homme. À court d'arguments, il s'approcha du cerisier et dénoua les rênes de son cheval. L'entretien était terminé.

— Votre ambition est honorable et votre oncle fait preuve d'une initiative courageuse, reprit l'avocat pour adoucir son propos. Introduire l'esprit des Lumières dans notre ville est louable.

— Disons que mon oncle n'est pas tout à fait au courant...

— Qu'entendez-vous par « pas tout à fait » ?

— Je voulais m'assurer de votre soutien avant de lui proposer ce projet. Avec vous, je suis sûr qu'il aurait accepté ! avoua Camille. Me voilà fort marri, ajouta-t-il devant le silence de son hôte. Je suis désolé de vous avoir importuné, monsieur Fabert.

Il fit faire demi-tour à sa monture qui renâclait à bouger.

— Sachez juste que j'ai admiré votre intervention hier.

— De quoi parlez-vous ?

— Le mot que vous avez écrit pour maître Prost : il lui a permis de remporter son procès avec panache. Au revoir, monsieur, dit Camille en le saluant de son couvre-chef.

Antoine le laissa partir sans répondre, prit le panier de topinambours et pénétra dans la bâtisse par l'entrée principale. La pièce était pleine d'un bric-à-brac de machines et d'outils dans une atmosphère saturée de poussières. Il n'eut pas le temps d'allumer les bougies que le jeune homme l'appelait du dehors :

— Attendez !

— Quoi encore ? lança sèchement Antoine avant de sortir en repoussant la porte derrière lui.

— Votre femme m'a laissé un mot pour vous... j'ai failli l'oublier !

Il tendit un papier à Antoine, qui le dévisagea :

— Vous écrivez vos articles avec votre langue, que vous trempez dans l'encre directement ? s'amusa-t-il en la décachetant.

— Ce n'est pas ce que vous croyez, c'est... une longue histoire !

— Vous me la raconterez en route. Une urgence me ramène en ville, annonça Antoine. Mais ne croyez pas me faire changer d'avis entre-temps.

Il ferma à double tour et mit la clé, ainsi que l'ouvrage de Parmentier, dans sa besace.

Camille jeta un dernier regard à la drôle de bâtisse en se demandant quel intérêt un avocat réputé pouvait bien trouver à un aliment dont seuls les cochons connaissaient le goût.

4

Vendredi 12 septembre

Marc de Ponsainpierre ne décolérait pas depuis la veille. Sa femme, désespérée de ne pas le voir recouvrer un peu de calme, avait même envisagé d'appeler leur médecin de famille. Il l'en avait dissuadée, s'était radouci le temps d'une homélie à l'église, puis son humeur fâcheuse avait resurgi dès leur retour dans leur maison de campagne, sur la colline de Fourvière. Le clos Billion était connu pour ses escaliers taillés à même la pente, qui permettaient à qui voulait payer un droit de passage de gagner plus rapidement Notre-Dame de Fourvière.

— Les ânes, les idiots ! répéta-t-il, le nez collé à la fenêtre à regarder son jardin.

— Mon ami... commença sa femme sans chercher à finir sa phrase.

— Mais vous ne vous rendez pas compte, Edmée ! Le passage est inutilisable ! Impraticable, pour des semaines ! coupa-t-il en haussant les épaules, comme emporté par un hoquet.

Des ouvriers d'une société de construction avaient miné sa terrasse, à la place de laquelle il avait décidé de construire une extension de sa maison. Le terrain offrait l'une des plus belles vues de Lyon et M. de Ponsainpierre s'enorgueillissait déjà de réaliser pour ses hôtes de marque une chambre hors du commun, d'où ils pourraient découvrir jusqu'au mont Blanc.

— Ah, Antoine ! Merci d'être venu aussi vite ! Et ne me parle pas de médiation ! Au tribunal, et tout de suite ! hurla l'homme à son gendre alors que son épouse avait préféré s'enfermer à l'office.

— Allons, dit Antoine en le saluant, tu vas déjà m'exposer la situation et on agira après.

— Viens, garde ta veste, on sort : je vais te montrer le désastre. Claude, apportez des torches, ajouta-t-il à l'adresse de son domestique.

Le jour déclinant offrait le spectacle d'une ville tachetée d'étoiles lumineuses dont chaque constellation était un quartier. Les deux fleuves formaient des béances sombres qui s'assemblaient vers la porte Saint-Georges.

L'explosion ne s'était pas passée comme prévu. La charge, trop importante, avait projeté des blocs de pierre sur les marches du passage et l'avait endommagé. Dans le même temps, elle avait mis au jour une galerie souterraine sous le jardin.

— Madeleine m'a dit que tu étais à la Bergerie, dit Ponsainpierre. Merci, j'apprécie ta présence. Tu te rends compte des dégâts ?

Le trou, circulaire, avait presque dix pieds de diamètre. Claude descendit le premier. Muni de sa torche, le serviteur les aida à passer par un éboulis jusqu'à l'entrée de la galerie. La plateforme, ancienne, était maintenue par des piliers qui, malgré la secousse, étaient pour la plupart restés droits.

— On peut même tenir debout, remarqua Antoine, qui tentait de repérer le fond de la pièce perdu dans l'obscurité. Elle a l'air de se prolonger sous ta maison, remarqua-t-il.

— Le sol est en marbre, observa Marc de Ponsainpierre. Tu crois que je pourrais en tirer un bon prix ? Je sais que M. Regnaud a vendu pour deux mille écus de vieilles pierres de ce genre, ajouta-t-il en tâtant une des colonnes.

Ils pénétrèrent plus avant et tombèrent rapidement sur un mur de terre.

— Les fondations, commenta Ponsainpierre. Finalement, ce n'est pas très grand.

— Le reste a dû être comblé lors de la construction de ta maison. Mais ce pourrait être une des villas de la cité romaine de Lugdunum. Il paraît que la colline en est truffée.

— Tu as raison, nous sommes proches des ruines de leur théâtre antique. Finalement, cette explosion aura eu quelques vertus, reconnut le maître de maison, que la présence d'Antoine avait rasséréné. Je pourrai toujours en faire une cave pour conserver les aliments, le marbre en gardera la fraîcheur, commenta-t-il en balayant l'espace de son brandon. Qu'en penses-tu, pour l'escalier ? Je porte plainte devant le tribunal ?

Antoine ne répondit pas. Ses yeux cherchaient quelque chose.

— Vous sentez le courant d'air ? demanda-t-il aux deux hommes qui l'interrogeaient du regard.

— Quel courant d'air ? dirent-ils de concert.

Antoine prit la torche et parcourut la grotte. Arrivé à l'extrémité gauche, il vit la flamme se courber. Lorsqu'il approcha le flambeau du sol, elle se mit à danser.

— C'est ici, venez m'aider !

La dalle d'angle était fissurée sur toute sa longueur et éclata en plusieurs morceaux lorsque le serviteur tenta de la soulever à l'aide d'une barre métallique. Ils dégagèrent les fragments sous l'œil inquiet de Ponsainpierre.

— Il y a un trou en dessous ! annonça Claude en approchant la torche.

Antoine pencha sa tête dans l'ouverture. Un air frais lui balaya le visage et une odeur de moisissure envahit ses narines.

— C'est un hypocauste[1]. Et il y a une masse sombre un peu plus loin...

— Méfie-toi, s'inquiéta son ami. Ce pourrait être un animal qui en aurait fait son terrier.

— Je n'en connais pas qui aient des épaules carrées, rétorqua Antoine en s'allongeant devant l'ouverture.

Il introduisit son bras jusqu'à l'épaule. L'avocat sentit le contact froid du métal. Ses mains trouvèrent une poignée. Il tira jusqu'à amener l'objet à lui.

— Un coffre ! cria-t-il pour les autres.

Ponsainpierre souffla, prit le brandon des mains de Claude et lui fit signe d'aider son ami. Ils le sortirent avec difficulté de l'excavation.

— Dieu que c'est lourd ! gémit le serviteur en tirant le coffre vers le centre de la pièce.

Pendant que les deux hommes récupéraient de leur effort, Ponsainpierre s'était approché de l'étrange objet.

— Pas étonnant, c'est du plomb ! remarqua-t-il. Vous pouvez remonter, Claude.

— Mais, monsieur...

— Allez-y, remontez, vous dis-je. Prévenez ma femme que tout va bien et que M. Fabert est des nôtres ce soir.

Une fois seuls, Ponsainpierre tendit le flambeau à Antoine, s'agenouilla devant le coffre et haussa les épaules devant son regard moqueur :

— Quoi, tu voulais que je laisse ce gaillard assister à l'ouverture du trésor ? Pour qu'il aille raconter partout en ville que j'ai trouvé une caisse remplie d'or, d'argent ou de vaisselle précieuse ? Et arrête de penser que je suis cupide !

— Toujours aussi méfiant, Marc. Je ne voudrais pas te décevoir, mais il me semble que le plomb était aussi utilisé par les Romains

1. Fourneau souterrain pour chauffer les bains, les chambres.

pour la fabrication des cercueils, sourit Antoine. D'autant que je n'ai vu aucun système de fermeture.

— Regarde la taille, objecta Ponsainpierre en touchant les deux extrémités de ses mains. Pas plus d'une demi-toise.

Il les retira vivement, traversé par une idée qui l'effraya.

— Un enfant ? Tu crois ?

— Il ne faut écarter aucune possibilité. Mais toutes les faces sont lisses, il n'y a aucune inscription sur ce coffre. Et que viendrait faire un sarcophage dans le système de chaufferie d'une maison ?

— L'Histoire est chargée d'incongruités de ce genre ! Ce n'est pas à toi que je vais l'apprendre. Alors, on ouvre ?

Le couvercle présentait un rebord d'une épaisseur suffisante pour y appuyer les doigts. Les deux hommes tentèrent de le soulever, sans succès.

— Il doit être collé par une couche de crasse, affirma Marc de Ponsainpierre. Et pas question de le monter, ajouta-t-il pour anticiper la question de son ami.

Antoine avisa un morceau de la dalle cassée, dont un des angles formait une pointe saillante, et entreprit de gratter le couvercle, dégageant des copeaux de la matière meuble qui scellait les bords.

— Essayons à nouveau, proposa-t-il en calant ses mains sur les prises qu'offraient les bords du coffre.

Ponsainpierre posa sa perruque par terre avant de se positionner en face de lui.

Après une résistance initiale, la plaque de métal glissa lentement vers le haut sous leurs efforts conjugués. Le coffre s'ouvrit d'un seul coup et Marc manqua de tomber en arrière. Il lâcha la plaque, qui résonna bruyamment en heurtant le sol.

Le contenu était recouvert d'une couche de poudre à l'odeur caractéristique.

— Du bois, c'est de la poussière de bois ! constata Antoine en la dégageant.

— Mais qu'est-ce que c'est que ça ? demanda Ponsainpierre en prenant une plaquette de cire.

L'armature s'était désagrégée au fil du temps et les codices étaient méconnaissables, mais les inscriptions gravées étaient restées intactes.

— C'est du grec ? interrogea Marc.

Antoine prit le temps d'en inspecter plusieurs avant de conclure :

— C'est de l'alphabet grec, mais je ne connais pas cette langue.

Ponsainpierre lui lança celle qu'il avait en main.

— C'est bien ma chance : pour une fois que je trouve un trésor, il n'a aucune valeur ! maugréa-t-il en s'époussetant. Qui plus est écrit par des Hellènes d'une lointaine province.

Antoine sortit tous les éléments du coffre. Il compta cinquante-cinq plaques de cire, huit écorces plates de bouleau, ainsi qu'une tablette en bronze. Toutes étaient gravées de la même écriture.

— Qu'as-tu fait à tes cheveux ? dit Antoine en désignant la calvitie avancée de son ami.

— Ils m'ont abandonné plus vite que mes associés, ce qui est une gageure ! répondit-il en se frottant le crâne. Je dépense une fortune en perruques et en poudre.

— Les affaires vont mal ?

— Très mal, en tout cas pour moi. L'abolition des maîtrises et le rachat des offices m'ont endetté. Le prix de la soie s'envole et les temps sont troublés. On ne cesse de mettre des métiers à bas.

Des bruits de voix leur parvinrent du jardin. On appelait pour le passage du clos Billion. Un domestique descendit à la rencontre des piétons. Devant l'impossibilité de monter, ils firent demi-tour en grognant.

— Même mes escaliers ne vont plus me rapporter, constata Ponsainpierre en s'asseyant contre l'un des murs.

Antoine entreprit de ranger les plaques.

— Laisse tout ainsi, Claude se chargera de les jeter !

L'avocat fixa le codice qu'il tenait entre les mains, avant de se décider :

— Acceptes-tu de me les donner ?

— Que veux-tu faire de ces vieilleries ?

— En savoir plus, juste par curiosité. Peux-tu les faire livrer à la bibliothèque ? Je les y examinerai.

— À ta guise. Tu gaspilles ton temps comme tu l'entends.

Antoine s'assit à son côté. La lumière du brandon, qu'il tenait verticalement devant lui, avait baissé d'intensité. La flamme avait perdu de sa superbe et ne laissait plus qu'entrevoir la salle et ses piliers. Il regarda le visage de Marc, dont les rides s'étaient creusées sous l'effet de la pénombre. C'était un vieil homme maintenant, loin de l'image du roc inébranlable qu'il était, vingt-huit ans auparavant, lorsqu'il avait accueilli Antoine dans son foyer.

— Qu'y a-t-il ? demanda Ponsainpierre en se sentant dévisagé.

— Je voulais te remercier.

— Pour ces plaques pleines de poussière ? Tu me fais plaisir en m'en débarrassant ! avoua-t-il tout en remettant sa perruque.

— Non, je voulais te remercier de m'avoir élevé comme un fils.

Ponsainpierre resta un moment silencieux, surpris de l'aveu d'Antoine.

— Je le devais à tes parents, déclara-t-il en se levant. Viens, remontons ! ajouta-t-il afin d'écourter la conversation.

Il détestait les émotions et l'état de faiblesse qu'elles induisaient.

— Et notre ami Prost a aussi eu sa part dans ton éducation.

— Je ne l'oublie pas non plus. Mais c'est de toi que je suis le gendre.

La réponse fit sourire Ponsainpierre, dont la face se fripa encore plus.

— Certes, je t'ai donné la main de ma fille. Et je ne le regrette pas !

— C'est une position qui t'honore, au vu de la déliquescence de notre union.

— Notre chère Madeleine en a sa part de responsabilité, crois bien que je suis au courant. Ses amitiés particulières ne me plaisent guère.

La flamme, qui, depuis un moment, léchait avec difficulté le bâton de la torche, se redressa dans un dernier soupir et disparut.

Antoine avait décliné le fiacre de son beau-père et avait choisi de rentrer à pied. La nuit était fraîche et l'air sentait le feu de bois. Les habits de bohème qu'il avait gardés sur lui le mettaient à l'abri d'une mauvaise rencontre : il était la mauvaise rencontre. Deux bourgeois changèrent de trottoir à son passage dans la montée de Tire-Cul. Il ne les vit même pas. Son esprit était tout entier tourné vers les inscriptions qu'il avait lues dans la galerie souterraine. Il décida de ne pas rentrer chez lui et se dirigea vers le quartier Saint-Jean. Il possédait la clé de la bibliothèque, située à l'hôtel de Fléchère, et s'y rendait souvent hors des heures d'ouverture. Une fois dans le bureau que le bibliothécaire mettait à sa disposition, il prit une réserve de bougies ainsi qu'un cahier et s'installa au secrétaire, comme à son habitude, le dos à la fenêtre, en face d'une immense armoire remplie d'ouvrages juridiques aux couvertures en peau de cuir dont il connaissait chaque volume.

Il trempa sa plume dans une encre fraîche et nota tous les mots qu'il avait mémorisés en parcourant les plaques de cire. Son écriture était ample et généreuse, et faisait dire à son ancien maître de la faculté qu'il ne pourrait jamais embrasser une carrière de tabellion sans mettre en faillite son étude en dépenses de papier. Il souffla pour sécher la feuille et inscrivit sur la première page le mot qu'il avait vu gravé en bas de toutes les tablettes : Λουερν.

— Louern, murmura-t-il en le relisant... puisque c'est votre nom, monsieur, n'est-ce pas ? ajouta-t-il en écrivant le mot une nouvelle fois. Bon retour à Lyon, Louern.

5

Vendredi 19 septembre

La place du Change était en ce jour le lieu de confluence de deux fleuves humains. Au marché populaire du vendredi et ses vendeurs bruyants de fruits et de légumes qui naissaient en son sein et se prolongeaient sur le quai de la Baleine et le pont de pierre se mélangeait la foule huppée des négociants et des agents de change venus de toutes les contrées de France et d'Europe, Piémont, Suisse et Allemagne pour les paiements d'août. La Loge du Change de Lyon était la place de commerce la plus réputée d'Europe où, chaque trimestre, les créances se réglaient par échange ou paiement, presque jamais à l'aide d'espèces, pour des opérations aux montants considérables, au vu et au su d'une population qui semblait ignorante ou indifférente à la montagne d'affaires brassées à quelques mètres de sa misère.

Camille pénétra dans le bâtiment du Change au milieu d'un flot d'habits aux gallons et aux broderies dorées qui entraient pour assister à la cérémonie du paiement. Les *Affiches de Lyon* étaient présentes à chacune des solennités liées au commerce. Celle du 19 septembre était pour lui sa première, dont il avait bien l'intention de faire une rédaction brillante et rigoureuse, même si la place que son oncle avait accordée à l'événement ne devait pas dépasser cinq lignes. Une fois dans la grande salle, il ne put accéder aux rangs assis, où se tenaient des représentants des corporations et les consuls des nations étrangères, et dut suivre la cérémonie derrière une rangée de négociants germains qui l'obligèrent à se hausser sur la pointe des pieds. Le discours du représentant des échevins lui décrocha plusieurs bâillements qu'il ne réprima pas, sous l'œil réprobateur de son voisin, un des syndics des agents de change.

— Je représente les *Affiches*, dit-il en guise d'excuse.

La remarque n'eut aucun effet sur l'homme, dont le regard lui proposait une sortie anticipée. Camille haussa les épaules. Les interminables hommages et remerciements venaient d'avoir raison de sa patience.

— Encore un qui en est resté au *Mercure galant*, lança-t-il suffisamment fort pour être entendu de son interlocuteur avant de quitter la manifestation.

Il s'arrêta dans le grand hall de la Loge au moment où un employé placardait une liste dont la nature l'intrigua.

— Nous avons obligation de dresser les sommes à payer ou à percevoir par les différents négociants, expliqua l'homme tout en considérant sa tenue, qui contrastait avec les vêtements des participants.

— Je représente les *Affiches de Lyon*, expliqua Camille, sans illusion sur l'effet qu'il produirait.

L'homme lâcha un «Ah...» rempli de morgue et s'en alla sans un mot.

— Le plus grand magazine de notre ville..., murmura Camille, dépité.

Le relevé mentionnait des noms dont la plupart lui étaient inconnus et des sommes dont les niveaux étaient si élevés qu'il en perdait toute notion de valeur. L'un avait acheté pour huit cent mille livres de moutons, l'autre pour cent mille florins de draperies. Un patronyme attira son attention. Il fut étonné des transactions effectuées. Camille jeta un regard circulaire autour de lui, détacha le papier, l'enfouit dans son revers de manche et sortit.

À l'entrée du pont de pierre, il acheta des pommes à un marchand dont le boniment l'amusa et rejoignit son oncle au dernier étage de sa librairie. Alors que celui-ci le questionnait, Camille feignit de s'enthousiasmer pour les faits du commerce et entreprit d'aborder à nouveau son projet de journal.

— Mieux que *Le Glaneur*, termina-t-il après un long discours. On ne va pas se contenter de rassembler tout ce qu'on peut lire dans les autres journaux, mais créer, nous aussi, de la nouveauté !

Aimé de La Roche le laissa patiemment finir son argumentaire, qu'il connaissait déjà par cœur, et lui opposa sa propre rhétorique, que Camille n'avait pas encore réussi à battre en brèche.

— Mon garçon, dit-il pour conclure, je serais le premier ravi de faire naître une gazette d'un genre nouveau, mais toutes nos tentatives ont échoué, reconnais-le.

Le jeune homme sortit les deux pommes de son sac et les lui présenta, une dans chaque main, comme un magicien l'aurait fait à son auditoire.

— Imaginez, mon oncle, que nous ayons avec nous, pour quérir ces nouvelles, non pas une, mais deux personnes de valeur. De grande valeur.

Camille laissa filer un silence pour attiser la curiosité d'Aimé, ce qui ne fit que l'impatienter.

— Dépêche-toi, j'ai rendez-vous d'ici peu ! Où veux-tu en venir ?

— Il nous faut une personnalité incontournable de notre ville, un homme de morale et de haute fonction. Cet homme fédérera de nombreux abonnés. Êtes-vous d'accord ? demanda-t-il en montrant le fruit dans sa main gauche.

— D'accord, jeune rêveur, mais encore ?

— Si, en plus de notre homme, nous pouvons compter sur la contribution d'un savant à la connaissance immense, nous pourrons fidéliser nos lecteurs, ajouta-t-il en exhibant la pomme de droite.

— Dans l'hypothèse si peu probable où tu aurais débauché de tels collaborateurs, qui plus est à titre gracieux, je serais prêt à porter cette publication sur les fonts baptismaux, crois-moi. Maintenant, je te laisse à tes rêveries, jeune homme, dit-il en fermant le clapet de sa montre.

Aimé mit son chapeau et tapota l'épaule de Camille en guise d'encouragement :

— Fais-moi un bel article sur la cérémonie du paiement d'août. Les *Affiches* sont un journal d'utilité publique et cela est déjà une noble cause, quoi que tu en penses. Un jour, peut-être, pourrons-nous y ajouter l'air du temps.

Alors que son oncle se dirigeait vers l'escalier, Camille se posta devant lui pour l'empêcher de sortir.

— Les encyclopédistes nous ont montré la voie : le savoir et les idées sont faits pour être partagés. Les nouvelles aussi. Le moment est venu, mon oncle, je les ai trouvés... J'ai nos deux illustres collaborateurs !

— Tu es sérieux ? interrogea Aimé, après une courte hésitation.

— On ne peut plus sérieux, répondit-il en lui tendant un des deux fruits.

Camille croqua dans l'autre, fier de l'impression qu'il venait de produire. La chair était si dure et acide qu'il ne put réprimer une grimace et cracha le morceau.

— Coquin de marchand, qui m'a bien roulé ! Elle n'est même pas mûre !

Aimé rit sans retenue :

— Tout comme tes idées, mon neveu ! Allez, viens avec moi, tu me raconteras en chemin.

— Où allons-nous ?

— Dans le quartier de Pierre Scize, rencontrer M. Vitet. J'ai l'intention de publier sa remarquable *Pharmacopée lyonnaise*. Je t'offre un tour en bèche[1] !

La batelière était assise sur le parapet du quai dans l'attente d'un client alors que la place du Change se vidait de ses étals et de ses promeneurs. Elle reconnut Aimé qui la hélait depuis le pont de pierre. Elle inspira une dernière bouffée de l'air doux et parfumé d'automne et rejoignit le libraire dont elle aimait la compagnie lors des traversées fréquentes qu'il effectuait sur la Saône. Il payait toujours au comptant et, parfois, lui laissait un journal qu'elle lisait le soir à sa mère. En voyant Camille, elle épousseta sa longue robe blanche et rentra ses mèches de cheveux dans un chapeau de paille, signe distinctif de sa corporation. Le garçon était mignon et avait un air engageant. Elle les précéda sur l'escalier qui descendait au niveau de la deuxième pile du pont, monta sur la seule bèche de la rangée qui n'était pas recouverte d'une toile et aida ses deux passagers à s'installer en face d'elle.

— Nous allons au port de l'Observance, indiqua Aimé, ignorant l'œillade appuyée que la batelière avait lancée en direction de Camille.

La bêcheuse manœuvra habilement de ses rames pour quitter le quai et remonta le faible courant sans faire montre d'effort. Elle tenta de se concentrer sur le rythme de ses mouvements, mais son regard était irrésistiblement attiré par celui de Camille.

Aimé s'était assis en face de son neveu et joignit ses mains en signe de prière.

— Maintenant, dis-m'en plus. Qui sont... qui seraient ces deux bienfaiteurs ?

— Prost de Royer et Fabert, répondit Camille d'un ton badin.

Le libraire eut un instant de surprise, puis son incrédulité se transforma en fierté. Prost était la figure qu'il admirait le plus dans tout le royaume, celui qui avait moralisé la police de la ville, fait le bien comme recteur de la Charité, rédigé des opuscules progressistes plusieurs fois censurés, l'homme qui avait entretenu une correspondance avec M. de Voltaire, l'ami de Turgot et le conseiller que certains Grands d'Europe venaient visiter incognito à Lyon. Chacune de ses facettes aurait suffi à le faire admirer d'Aimé, mais Prost était toutes ces personnes à la fois. Une icône.

1. Petit bateau plat.

— La perfection du barreau lyonnais ! ajouta le jeune homme devant le silence de son oncle.

— C'est proprement incroyable... T'ont-ils vraiment donné leur accord ? insista-t-il, redevenu incrédule.

— Tous les deux, affirma Camille en songeant : *Presque, j'y suis presque !*

Son regard croisa celui de la batelière, dont il crut qu'elle l'avait percé à jour. *Ce n'est qu'une anticipation de la vérité, pas un mensonge !* protesta-t-il en pensée.

— Camille, je suis fier de tout ce que tu fais pour la librairie, pour l'imprimerie, pour nous, dit Aimé en se penchant pour le prendre dans ses bras.

Le jeune homme lui donna l'accolade. La manœuvre fit légèrement tanguer la barque. Camille surprit une nouvelle fois le regard de la bêcheuse porté sur lui. Elle n'était pas d'une beauté qu'il aurait qualifiée de remarquable, sa peau avait le grain tanné des travailleurs des champs, les traits de son visage étaient épais, sa mâchoire large et ses lèvres gonflées semblaient bouder en permanence. Mais l'ensemble lui donnait un charme que l'effort ne gâchait pas. Il lui sourit comme pour s'excuser de la scène d'effusion familiale dont elle était témoin.

— Je te signale que tu t'es engagé auprès d'une autre, lui chuchota Aimé à l'oreille. Ce n'est pas parce que je lui tourne le dos que je ne vois pas les œillades que vous vous envoyez.

Camille fit semblant de ne pas entendre et continua leur échange.

— Vous verrez, mon oncle, Antoine Fabert sera pour nous une mine de connaissances !

— Je t'avouerai que de lui, je sais peu de chose. Mais tout le monde est dans le même cas.

— Je l'ai vu travailler aux champs comme un vrai serf... Quel est son lien avec le marchand M. de Ponsainpierre ?

— Il a épousé sa fille, Madeleine.

— Je la connais, elle m'a reçu chez eux. Une bien modeste maison. Mais j'ai cru comprendre qu'elle n'y vivait pas.

— Voilà le port, nous sommes presque arrivés ! annonça Aimé en se retournant.

— Ponsainpierre est dans le commerce de la soie, n'est-ce pas ? demanda le jeune homme, qui n'aimait pas la façon dont son oncle esquivait le sujet.

— Oui, son atelier de tisserand est situé rue du Griffon.

— Alors pourquoi a-t-il vendu cinquante quintaux de pierre de marbre ?

Camille lui tendit la liste de la Loge du Change. Le libraire dut chausser ses bésicles pour la lire. Le jeune homme en profita pour vérifier que leur batelière le fixait toujours. Elle baissa les yeux devant son regard.

— Est-ce que je sais, mon neveu ? Mais, dis-moi, où as-tu eu ce papier ?

Camille le lui reprit sans répondre.

— Je n'aurais pas dû t'envoyer à la Loge du Change. On y échange du blé contre du tissu, du tissu contre du vin, du vin contre des bêtes, le tout dans la même journée. Il en est ainsi depuis toujours. Tout cela est du commerce légal. Tu es rédacteur de notre journal, pas lieutenant de police !

— Vous savez bien que j'aime les gens mystérieux, mon oncle, répliqua Camille en levant les yeux en direction de leur accompagnatrice.

Alors qu'Aimé se retournait pour surprendre leur manège, un large sourire illumina sa face :

— Regarde, Camille, maître Prost est là, sur le quai, avec Louis Vitet. Quelle belle surprise, quelle merveilleuse journée ! Je vais tout de suite le remercier de son aide pour le journal !

Le libraire s'était levé et faisait un signe de main aux deux hommes qui les attendaient. La batelière manœuvra sa bèche afin que ses passagers puissent accoster directement sur le ponton du port de l'Observance. Aimé la paya. Elle rangea l'argent de la course dans le sac qu'elle portait autour du cou. Lorsqu'elle releva la tête, Camille venait de tomber à l'eau.

6

Vendredi 19 septembre

Antelme de Jussieu entra dans le salon où se trouvait Antoine. Il avait pris le soin de le faire attendre près d'une heure, comme tous ceux qui le sollicitaient, afin de jauger sa motivation. Il passa le seuil, assis dans un large fauteuil de cuir, porté par deux serviteurs à la peine qui le déposèrent au milieu de la pièce avant de sortir en récupérant leur souffle.

— Vous êtes encore là, monsieur Fabert ? dit l'historien d'un air satisfait.

Sans attendre de réponse, il tourna les manivelles situées au niveau des bras du fauteuil. Les trois roues crantées s'ébranlèrent avec lenteur et lui permirent d'avancer en brimbalant jusqu'à l'avocat.

— Alors, c'est que votre requête doit être d'importance, compléta-t-il. Peu de visiteurs restent aussi longtemps dans un tel lieu sans prendre congé.

L'homme faisait allusion à la décoration murale composée d'animaux naturalisés dont Antoine ne soupçonnait même pas l'existence avant d'entrer dans la pièce : araignées géantes, lézards aux têtes de dragons, scorpions, fourmis aux ailes de libellules...

— Souvenirs de pays exotiques, commenta l'homme. Croyez-vous que des bêtes aussi laides puissent être des créatures de Dieu ? ajouta-t-il, provocateur.

Son corps, aux contours informes, pesait deux cents livres et supportait des jambes devenues filiformes depuis sa paralysie. Sa peau accusait une couperose avancée qui donnait à son visage un air rougeaud et boursouflé et sa bouche n'avait plus aucune dent à offrir. Ses cheveux, épars sur un crâne tacheté de lentigos, avaient une teinte jaune à leur racine et se prolongeaient en gris et blanc aux pointes, qu'il tenait coiffées en arrière.

— Monsieur mon médecin parle de miracle à propos de mon état parce que je suis encore en vie, reprit-il devant le silence de son invité. Mais nous n'avons pas le même point de vue.

— Je vous comprends, dit Antoine.

Antelme de Jussieu le dévisagea avec étonnement :

— Vous êtes le premier à me dire cela ! Ni mes bêtes ni moi ne vous répugnons ? Décidément, vous n'êtes pas comme les autres. Qu'« Il » soit loué !

Il sortit une clochette de son fauteuil et l'agita.

— Vous allez dîner avec moi, n'est-ce pas ? Il y a si longtemps que je n'ai eu de vraie compagnie.

Un serviteur ouvrit les deux battants de la porte pendant que d'autres apportèrent une table ainsi que des plats et une bouteille de vin. Le ballet, silencieux et coordonné, dura à peine quelques minutes. Le personnel quitta les lieux avec la même discrétion. Antelme avisa du poulet. La viande avait été réduite en un fin hachis, qu'il prit à la main.

— Au diable les couverts, au diable les conventions, n'est-ce pas ? Allez, maintenant racontez-moi le but de votre visite, proposa-t-il avant d'avaler l'aliment après l'avoir sommairement mâché de ses gencives nues.

Antoine lui relata la découverte du coffre et ses difficultés dans son entreprise de traduction des écritures.

— L'alphabet est bien grec, mais je ne trouve pas de trait commun entre cette langue et celles que je connais de l'Antiquité. Je n'ai pas réussi à comprendre une seule phrase en entier. Il me manque des correspondances, des clés pour pouvoir y entrer, conclut-il. Je voulais vous montrer quelque chose, ajouta Antoine en se levant.

Il déballa un objet recouvert d'un tissu épais. Le contenu était une plaque de bronze de plus d'un mètre de haut, gravée sur toute sa surface d'inscriptions rangées en seize colonnes serrées. Antelme de Jussieu s'approcha pour mieux les examiner.

— Il n'y a pas de phrase, juste des lettres ou des nombres alignés et des mots isolés, résuma Antoine. Les nombres vont de un à quatorze ou quinze, alternativement, répétés soixante-deux fois.

L'historien posa sa main sur la surface lisse.

— L'écriture est fine et précise, du bel ouvrage, un travail d'expert, commenta-t-il. De quoi défier le temps.

— Avez-vous remarqué le trou percé à gauche de chaque chiffre ? indiqua Antoine avant de s'asseoir à nouveau à la table.

— Fascinant, en effet, convint l'historien en s'essuyant la bouche dans sa manche de chemise.

— J'ai cru au départ avoir affaire à une machine permettant de coder des messages pour les rendre secrets, dit Antoine en regardant le bronze, qui n'avait pas été atteint par la patine du temps et semblait sortir de l'atelier. Puis j'ai pensé à un système de calcul, comme celui des Babyloniens.

— Avez-vous d'autres éléments qui pourraient nous aider ? demanda Antelme avant de sonner une nouvelle fois de la clochette.

Antoine attendit que le personnel ait apporté la suite du repas et soit sorti avant de poser un objet sur la table.

— Une pièce de monnaie romaine, observa Antelme en l'approchant de la lumière du bougeoir.

Antoine l'avait trouvée au fond de la caisse. Elle avait été fabriquée dans l'atelier monétaire de Lugdunum sous le règne de l'empereur Néron.

— Un sesterce de bronze, murmura l'historien. Il a été émis entre 63 et 67. Votre trésor est daté ! ajouta-t-il en retenant son impatience. Mangez, mangez, insista Antelme en prenant une louche de légumes en bouillie. Tout cela me donne faim !

Il but directement à la cuillère dans un long bruit de succion. Antoine se contenta de tremper un morceau de pain dans la soupe épaisse. Son hôte prit le temps de se rincer la bouche d'une gorgée de vin avant de reprendre :

— J'imagine, par votre présence, que vous avez lu mon traité sur l'histoire de notre ville ?

Antoine fit un hochement de tête. Il était venu pour l'entendre confirmer son hypothèse. Le coffre contenait des écrits gaulois, ces peuples dépeints par Jules César comme de simples barbares chevelus sans mode d'écriture connu.

— Accepteriez-vous de me montrer ces tables de cire ?

— Elles sont à l'hôtel de Fléchère, à votre disposition.

Antelme de Jussieu manœuvra le mécanisme de sa chaise et la dirigea vers l'immense bibliothèque qui leur faisait face.

— Que savez-vous de la fondation de Lugdunum ? questionna-t-il tout en cherchant un ouvrage dans les rayonnages à sa portée.

— J'en sais ce que les textes anciens en ont dit, monsieur. Qu'elle fut une colonie romaine créée par le général Plancus un peu avant la naissance du Christ.

— Mais qu'en savez-vous réellement ? s'agaça son hôte. Je connais votre réputation, vous ne vous êtes pas arrêté à ces images simplistes.

Antoine s'était levé et l'avait rejoint. Antelme lui fourra un livre entre les mains.

— Je sais que le père Colona et, avant lui, Ménestrier, ont affirmé que Lyon avait été fondée par des Gaulois devenus grecs, répondit-il.

— Précisément, acquiesça l'historien. Lisez, la page au liseré doré.

Il s'exécuta :

— *L'Arar est un cours d'eau de la Gaule celtique, ainsi nommé jusqu'à sa réunion avec le Rhône. Il s'y jette au-dessus du territoire des Allobroges.*

— On attribue ce traité à Plutarque, ce qui est bien hasardeux, mais peu importe, coupa Antelme de Jussieu, il en a l'ancienneté. La suite !

— *Auprès de cette rivière s'élève un mont appelé Lougdounon...*

— *Momoros et Atepomaros vinrent sur cette colline pour y fonder une ville*, récita l'historien, les yeux fermés.

Il les rouvrit et prit Antoine par le bras d'une main aux doigts déformés et poilus qui lui fit penser aux tarentules figées sur le mur.

— Ce qui était bien mince pour asseoir l'hypothèse selon laquelle ces Celtes gaulois étaient à l'origine de notre cité et de notre nation, je vous l'accorde. Jusqu'à aujourd'hui.

— Mais comment une civilisation aurait-elle pu disparaître sans laisser aucune trace écrite ? s'étonna Antoine.

— Les druides, mon cher. Relisez Diodore de Sicile et Strabon. Les druides avaient un pouvoir immense et un savoir dont la transmission était exclusivement orale. Sans doute pensaient-ils ainsi pouvoir mieux contrôler sa diffusion. Mais cela les a menés à leur perte : nous ne savons d'eux que ce qu'en ont dit leurs ennemis. Vous venez peut-être de trouver la réponse à toutes ces questions. Qui sait ce que ce premier auteur gaulois pourrait nous révéler ? Avez-vous conscience des conséquences que cela implique ?

Un bruit d'eau attira l'attention d'Antoine : un liquide coulait du fauteuil entre les jambes de son hôte et formait une flaque grandissante sur le parquet.

— Voilà un autre des inconvénients liés à mon état, commenta Antelme sans s'émouvoir.

7

Vendredi 19 septembre

Antoine l'avait transporté dans sa chambre où une servante l'avait essuyé, changé et parfumé. Ils étaient restés muets tout le temps de sa présence. Puis l'historien l'avait conduit jusqu'à un boudoir construit en haut d'une tourelle, auquel ils avaient accédé par une montée en colimaçon à la pente douce. La maison, située au-dessus des Terreaux, au milieu du quartier de la Grande Côte, offrait une vue panoramique sur la presqu'île et les deux fleuves. Antoine l'avait laissé en lui promettant de le mettre au courant de l'avancée de ses travaux. Il était rentré à l'hôtel de Fléchère où l'attendait François Prost de Royer.

Antoine déposa une bûche dans l'âtre assoupi. Les braises orangées accueillirent le rondin de bois comme une gueule affamée, entourant aussitôt l'écorce d'un voile de flammes.

— Il l'a fait exprès, je l'ai vu, commenta Prost avant d'éternuer bruyamment. Delauney !

Il approcha les mains de la cheminée qui, rapidement, cracha une chaleur sèche.

— Je me demande ce qui a pu passer dans la tête de ce jeune sot, conclut-il après avoir raconté l'incident de la barque. J'ai dû me mouiller jusqu'au genou pour le récupérer. Quant à la batelière, elle a plongé pour l'aider. J'ai bien cru qu'ils allaient couler tous les deux. Je t'ai emprunté un haut-de-chausses en attendant que le mien sèche, précisa Prost en indiquant le meuble où Antoine avait l'habitude de ranger ses vêtements.

Il lui arrivait fréquemment de passer plusieurs jours à la bibliothèque, y mangeant, y couchant et travaillant sans relâche sur les dossiers de leurs clients. Son ami lui lança un regard inquiet:

— Cela fait combien de temps maintenant?

— Six ans.

— Tu devrais songer à t'ouvrir à nouveau au monde, Antoine.

— Cela n'est-il pas le cas?

— Non, tu te donnes au monde. Tu donnes tout aux autres. Ce n'est pas de cela dont je parle. Et tu me comprends très bien.

Antoine s'assit à son bureau pour clore le sujet.

— On travaille notre audience de lundi? demanda-t-il en ouvrant un cahier rempli de notes.

Les deux hommes étaient partis en guerre contre le monopole de la vente des pains par la boulangerie lyonnaise. Antoine avait répertorié tous les cas de jurisprudence des coutumes locales ainsi que les anciennes lois des Romains et des Francs.

— Il est important qu'on puisse amener le juge à la conclusion que la libération de la vente aux boulangers forains permettra de diminuer le prix du pain et le rendra accessible à un plus grand nombre, dit François après la lecture des notes. Depuis que le grenier public d'Abondance a été fermé, le libre marché fait la loi. Et quelle loi! La miche a dépassé les quarante deniers la livre et le pain bis est à plus de vingt-sept deniers. Il est grand temps d'agir, ajouta-t-il en observant par la fenêtre l'origine d'un brouhaha dans la rue.

Un carrosse, qui s'était arrêté devant l'hôtel, empêchait le passage d'une carriole transportant un métier à tisser. Les deux ouvriers en étaient presque venus aux mains avec le cocher. L'homme les menaçait de son fouet, qu'il fit claquer à deux reprises. Les bêtes marquèrent leur nervosité en piétinant le sol et hennissant.

— Les esprits sont prompts à s'échauffer, remarqua Prost. Le travail manque et les prix augmentent.

— Tu pourrais faire témoigner une sœur de la Charité de la difficulté croissante de la population à se nourrir en quantité suffisante, proposa Antoine.

— Tu as raison. Le juge y sera sensible, je connais ses opinions, reconnut François en revenant quémander la chaleur de l'âtre. Où en es-tu de tes études sur la poire de terre?

— Il me reste une dernière récolte à faire. On le saura au printemps.

— Tu es parvenu à quel mélange ?

— Moitié farine, moitié poire de terre. On obtient un pain qui a les mêmes qualités.

— Et le même goût ?

— J'y suis presque. Attendons avant d'avancer cet argument.

— Nous avons le temps. Le bras de fer ne fait que débuter, mon ami. J'ai l'intention de commencer ainsi : *À quoi sert-il d'avoir dans notre ville cent quatre-vingts boulangers, si les cent mille bouches de la cité n'ont pas l'argent suffisant pour se nourrir ?*

Pendant que Prost lui détaillait les arguments de sa plaidoirie, Antoine se remémora sa conversation avec Antelme de Jussieu.

— Toi, tu ne m'écoutes pas ! s'amusa son ami en lui tendant le cahier. Pourras-tu me rajouter un paragraphe sur le monopole des blatiers ? Ces vendeurs de blé ont vite su s'entendre sur le cadavre de notre marché public. Je ne vais pas les épargner !

— Tu l'auras demain, promit Antoine. J'ai lu le dernier compte-rendu de la visite des commissaires dans les fournils : la moitié des boulangers ont des stocks pour une semaine de production, tout au plus.

— S'il y a pénurie, ce sera l'émeute ! Il est temps de rendre officielle cette gabegie !

Prost s'assit sur la chaise à bras devant l'âtre et se massa les tempes.

— N'es-tu pas fatigué de toutes ces années de combat ? questionna Antoine devant le corps courbé de son ami.

— Non, je crois que nous avons plutôt pas mal réussi de ce côté-là. Et il nous reste encore plein de causes à gagner ! En revanche, la nuit fut courte grâce à ta filleule, mon cher. Elle avait de la fièvre. Rien de grave, mais je l'ai veillée toute la nuit. Elle va mieux ce matin.

— Pauvre Marie-Lyon ! Tu l'embrasseras pour moi, elle me manque, avoua Antoine.

— Pauvre de moi, oui ! Tu devrais venir plus souvent, tu lui manques aussi.

Prost bâilla et tenta d'écraser du pied une araignée qui regagnait la réserve de bois à côté de sa chaise. L'animal évita de justesse la semelle et traversa le parquet en sens inverse. Antoine l'attrapa par une patte et la déposa sur le rebord de la fenêtre dans une fissure où elle disparut.

— Franchement, mon ami, tu n'en as pas assez de vivre dans cette pièce ? demanda François en montrant les tentures murales décaties.

Antoine esquissa un sourire sans répondre. Les deux hommes restèrent un instant silencieux. Des voix leur parvinrent de la salle de lecture à l'atmosphère habituellement feutrée.

— Au fait, à quoi songeais-tu pendant ma brillante plaidoirie ? s'enquit Prost en se levant énergiquement.

Alors qu'Antoine lui relatait sa visite à l'historien et leur conclusion commune, le concierge de la bibliothèque vint toquer à la porte. Deux gentilshommes sollicitaient une entrevue avec maître Prost.

— Qui peut bien venir me déranger jusqu'ici ? dit l'avocat en haussant les sourcils d'étonnement.

— Ils sont à côté qui vous attendent, monsieur, précisa l'homme. Ils ont l'air de personnes d'importance.

Prost soupira comme pour s'excuser auprès de son ami et enfila sa veste bleu lavande aux allures de redingote.

— Dernière mode venue d'Angleterre, expliqua-t-il en écartant les bras. Je l'ai achetée chez mon tailleur de la rue Tupin. Il me devait des honoraires, ajouta-t-il comme pour s'excuser.

Prost prit Antoine par le bras et tourna le dos au concierge.

— Ton affaire m'inquiète. Tu devrais jeter ce vieux coffre, conseilla-t-il, il ne peut que nous attirer des ennuis. Les Gaulois sont aux oubliettes de l'Histoire.

Antoine le regarda monter dans le carrosse en compagnie des deux hommes, qui lui étaient inconnus. Le véhicule partit en direction du quartier du Change. Le soleil déclinait. L'automne commençait à manger la lumière des jours.

CHAPITRE II

Septembre-octobre 1777

8

Samedi 27 septembre

Comme chaque samedi après-midi, Antoine pénétra dans la cathédrale Saint-Jean par la grande porte et remonta la nef centrale jusqu'à l'autel de saint Thomas. Il s'agenouilla sur le sol et pria longuement, le visage enfoui dans sa main droite, la main gauche posée sur une des dalles. Le bruit caractéristique des mécanismes de l'horloge astronomique, située sur sa droite, le tira de sa méditation. Il se leva et se planta devant elle. La machine, haute de plus de neuf mètres, était bâtie sur une base carrée comprenant un astrolabe et un calendrier perpétuel aux fines dorures et aux cadrans ciselés, surmontée d'une chapelle octogonale au sommet de laquelle un coq au corps de bois chanta et battit de ses ailes de métal. Les automates s'étaient mis en mouvement. Six anges firent tinter des carillons pendant qu'un autre jouait au chef d'orchestre et qu'un dernier retourna le sablier du temps. *Les préférés de Jacques*, songea Antoine. En dessous, Marie accueillit Gabriel sous l'œil de Dieu le père bénissant la foule, alors qu'un suisse, qui faisait sa ronde autour de la cloche des heures, s'arrêtait pour saluer. Le marteau tapa quatre fois la robe d'airain. L'animation avait pris fin.

Antoine connaissait par cœur le mouvement de chacun des automates, chaque son, chaque couleur du décor. Il avait en mémoire toutes les réactions de Jacques, alors qu'il le portait dans ses bras pour qu'il puisse mieux accéder au spectacle. L'arrondi de ses yeux, la fascination de son regard, son rire devant l'angelot qui battait la mesure, sa crainte de Dieu sortant du haut de l'édifice, qui lui faisait se cacher le visage dans la nuque de son père, comme un jeu, avant de reprendre son observation et de battre des mains en demandant : « Encore ! » Antoine l'enjoignait de se taire en lui couvrant les doigts, lui baisait le front et tous deux repartaient en silence, impatients de revenir. Chaque samedi à quatre heures de l'après-midi.

Antoine jeta un dernier regard à l'horloge et quitta l'autel. La machine était retournée au silence. Le même silence qui avait emporté son fils. Invariablement, la puissance des souvenirs troublait ses yeux. Tout aussi invariablement, il la chassait d'un revers de main. Il traversa l'allée tracée comme un chemin dallé dans une forêt de bancs. Des miettes de lumière teintées par les vitraux parsemaient le sol à l'entrée. Il s'arrêta pour observer le mélange de couleurs et de formes floues avec lequel son fils aimait jouer les jours de soleil. L'astre disparut soudainement. Antoine resta un moment figé, coincé entre passé et présent. Il prit une inspiration et fit demi-tour. Il avait tout de suite reconnu l'homme qui l'avait suivi depuis le quartier Saint-Jean et qui l'observait encore, tapi dans la chapelle Saint-Pierre.

Camille avait attendu le départ d'Antoine pour se rendre devant l'autel de saint Thomas. Dédaignant l'horloge astronomique, il se pencha sur les épitaphes inscrites sur le sol et au mur. Quel pouvait être le lien entre Fabert et Henri de Sacconay, Guillaume Emoyn ou Marie Syméon ?

— Vous perdez votre temps !

La voix d'Antoine le fit sursauter. Camille lui fit face en essayant de masquer sa gêne.

— Monsieur Fabert, quelle...

— ... coïncidence, n'est-ce pas ? Vous perdez votre temps, quoi que vous cherchiez à mon sujet.

Camille baissa la tête.

— Et ne me dites pas que vous étiez ici en dévotion pour remercier Dieu de vous avoir sauvé d'une noyade dans la Saône, compléta Antoine.

— Je suis un piètre enquêteur, n'est-ce pas ? avoua Camille sans tenter de mentir.

— Vous comportez-vous toujours ainsi avec ceux dont vous désirez vous attacher la collaboration ?

— Puis-je vous parler ? demanda le jeune homme en évitant son regard.

— Vous me devez en effet une explication, confirma Antoine.

— Je vous l'offre bien volontiers, ainsi qu'une tranche du meilleur pain de la ville, proposa Camille dans un sourire crispé.

Ils marchèrent en silence jusqu'au *Cygne noir* où ils s'installèrent à une table isolée. Anne les accueillit et comprit à la mimique de son amoureux qui était l'homme qui l'accompagnait. Elle revint avec un pichet de vin ainsi qu'une miche à la mie blanche et aérée qu'Antoine complimenta. Anne rosit et disparut à une table qui l'appelait.

— Ainsi donc, c'est cette jeune fille qui vous a transmis la maladie de l'encre, celle qui noircit la langue ? plaisanta Antoine en rompant son pain.

— Nous voudrions nous marier, mais nos situations ne nous le permettent pas. Ses parents non plus. Je... je suis désolé de m'être comporté ainsi avec vous. Je vous admire, vous savez.

— Vous le manifestez d'une drôle de façon.

— J'ai appris ce qui est arrivé à votre fils, monsieur Fabert. Et je savais que je vous trouverais à la cathédrale. Sa sépulture est dans Saint-Jean, n'est-ce pas ?

Antoine resta muet et joua avec les miettes de pain.

— Par le même intermédiaire, je suis au courant de l'existence d'un trésor découvert dans la propriété de M. de Ponsainpierre, continua le jeune homme.

— Celui qui vous l'a raconté n'a vu qu'un coffre fermé. Le trésor dont il parle n'est composé que de documents anciens. Sans aucune valeur.

— Mais j'ai lu que votre beau-père avait vendu du marbre pour une somme considérable... Est-ce que je me trompe en supposant un lien entre les deux faits ? avança prudemment Camille.

— Il n'y a là rien de secret, dit Antoine en lui relatant l'origine de la découverte. Ces vieilles pierres faisaient partie de son terrain. Elles lui appartenaient. Il m'a donné le reste, des textes en grec ancien, qui se trouvent maintenant à la bibliothèque.

— Cela est passionnant, j'aimerais pouvoir en parler dans notre nouveau journal ! s'enthousiasma Camille. L'histoire de la ville va intéresser nos abonnés et...

— Arrêtez de me mentir et de vous mentir, le coupa Antoine. Vous avez fait croire à votre oncle que vous aviez notre accord pour *Le Glaneur*, alors que ni maître Prost ni moi ne vous l'avons donné, et vous parlez d'une revue qui n'existe encore que dans votre tête. Comment pensiez-vous vous en sortir, jeune homme ? En vous jetant à l'eau chaque fois que votre subterfuge est sur le point d'être découvert ? Il va vous falloir aimer la baignade !

Camille baissa une nouvelle fois la tête et chercha Anne du regard, mais la jeune femme était partie en cuisine.

— J'admire votre ténacité, mais je déplore votre entêtement, dit Antoine d'un ton qu'il voulut dépourvu de reproches.

Camille sembla hésiter avant de poursuivre :

— Me permettriez-vous de voir ces textes ?

— Non.

— Mais je pourrais vous aider !

— J'en doute.

— Si vous refusez, je vais continuer à vous suivre ! menaça-t-il sans parvenir à se trouver lui-même convaincant. Et je finirai par trouver, même sans votre consentement !

Antoine esquissa un sourire. Il aurait été déçu que le jeune rédacteur abandonne aussi rapidement.

— Allez d'abord voir votre oncle et faites-vous pardonner, ordonna-t-il.

— Après, je pourrai vous assister dans vos travaux ?

— Cela dépendra de votre comportement.

— Il sera irréprochable !

— Vous ne me suivrez plus ?

— Vous avez ma parole !

— Plus de questions indiscrètes ?

— Sur ma vie, non !

Ils scellèrent leur pacte d'une poignée de main et burent un verre de vin au goût acide et râpeux. Antoine resta silencieux à observer la salle d'un air absent.

— Je m'interrogeais, dit Camille, qui n'y tenait plus, à force de ronger son frein. Quand nous étions dans l'église...

— Votre parole ? coupa Antoine, l'index levé.

— Non, ce n'est pas une question indiscrète. En vous surveillant près de l'horloge astronomique, je regardais son cadran et me suis demandé pourquoi nos ancêtres avaient divisé la journée en douze heures deux fois répétés. Pourquoi douze et pas six, cinq ou dix ?

— Je n'en sais rien, peut-être est-ce par analogie avec nos douze lunaisons de l'année. Posez la question au chanoine de Saint-Jean.

— Douze mois, douze heures, les douze travaux de la légende d'Hercule... commença Camille.

— Les douze fils de Jacob, les douze signes du zodiaque, continua Antoine, qui se prenait au jeu.

— Les douze apôtres de Jésus... Cela ferait un bel article pour notre premier numéro du nouveau *Glaneur*, qu'en pensez-vous ? Monsieur Fabert ? Qu'avez-vous ?

Antoine s'était levé. Les images du calendrier et de l'astrolabe de l'horloge défilaient sous ses yeux.

— Je dois m'en aller. Une urgence.

— Je vais avec vous, proposa Camille en se levant à son tour.

Antoine l'arrêta d'un geste de la main.

— D'accord, notre parole. Je ne bouge pas.

— Rendez-vous vendredi prochain à la Bergerie. J'aurai quelque chose à vous montrer.

9

Mardi 30 septembre

— Un calendrier ?

Antelme de Jussieu était posté à sa place favorite, en haut de la tourelle, à contempler une fine pluie balayer les toits des maisons, lorsque son valet lui avait annoncé la visite d'Antoine. Il l'avait fait monter jusqu'à lui et avait compris à la lueur dans ses yeux que l'avocat allait le sortir de son ennui.

— Un calendrier... répéta-t-il comme pour mieux s'imprégner de l'idée. Expliquez-moi !

Antoine s'assit dans la chauffeuse qui composait le seul meuble du boudoir et que l'historien utilisait souvent pour s'endormir en contemplant les étoiles à travers le rectangle de la fenêtre.

— Je pense que nous avons affaire à une sorte de calendrier astronomique qui suit le cycle du soleil et de la lune, affirma l'avocat. J'ai longtemps buté sur cette idée, avant de comprendre pourquoi les chiffres s'arrêtaient toujours à quatorze ou quinze : les Gaulois divisaient leurs mois en deux, comme nous les journées en deux fractions de douze heures !

Depuis que l'idée avait germé dans son esprit, trois jours auparavant, il n'avait eu de cesse de la confronter à la plaque de bronze, travaillant jour et nuit, oubliant même la seconde audience de leur combat contre le monopole de la boulangerie, ce qui avait failli lui valoir une fâcherie avec Prost.

— Depuis, tout s'éclaire, dit-il en montrant à Antelme un dessin reproduisant les inscriptions de la pièce de bronze. Regardez, ces colonnes sont des mois de vingt-neuf ou trente jours.

— Ils tiennent donc compte de la lunaison, remarqua son hôte, admiratif.

— Je le crois. Les deux quinzaines sont séparées par un mot qui revient à chaque fois : *atenoux*.

— *Atenoux* ?

— J'ai la conviction qu'il désigne un élément du cycle lunaire, comme la pleine lune.

— Pourquoi cette intuition ? demanda Antelme, qui ne pouvait détacher son regard du papier.

— On retrouve un second mot, lors des mois de vingt-neuf jours, tout en bas, à la place du trentième jour : *diuertomu*. Ils avaient déjà compris que la lune avait un cycle de vingt-neuf jours et demi.

— Mais *atenoux* pourrait aussi représenter un quartier de lune ?

— Oui, tout autant. Il nous faut d'autres informations pour savoir quel jour commence leur mois. Le premier s'appelle *samonios*, je ne sais pas encore auquel des nôtres il correspond. Puis se déroule dans l'ordre *dummanios*, *riuros*, *anagantios*...

— Fascinant, mon cher, proprement fascinant.

— Ce qui l'est plus encore est la présence de deux mois intercalaires sur cinq ans, tenez, ici et là, dit-il en désignant la première et la neuvième colonne. Au milieu de la troisième année. Pour se mettre en accord avec le cycle solaire.

— Un calendrier luno-solaire... murmura Antelme, dont la voix se brisa.

L'historien retint ses larmes et cacha ses yeux dans sa grosse main poilue.

— Je le savais, je l'ai toujours su, chuchota-t-il.

Antelme de Jussieu reprit le contrôle de ses émotions et s'excusa avant de dévoiler ses gencives nues dans un grand sourire :

— Vous ne pouvez savoir le plaisir que vous me faites, monsieur. Vous êtes en train de découvrir que les Gaulois n'étaient pas des barbares, comme je le pressentais, comme je l'avais rêvé, mais une civilisation qui maîtrisait les sciences et l'écriture.

Une rafale de vent plaqua la pluie sur la vitre entrouverte, fouettant le verre dans un bruit de tambour. Antelme roula le papier pour le protéger.

— Je compte sur ces premiers éléments pour m'aider à décrypter les tablettes de cire. Mais il me faudra du temps, beaucoup de temps, admit Antoine.

— Mon aide et mon dévouement éternel vous sont acquis ! s'enthousiasma son hôte, dont le fauteuil se balança dangereusement. Avez-vous idée des implications d'une telle découverte ?

— C'est aussi pourquoi je suis venu vous trouver, lui confia Antoine. Il va falloir faire montre de discrétion. Le sujet semble heurter certaines sensibilités.

— Vous avez l'art de la litote, répliqua l'historien. Connaissez-vous Nicolas Fréret ?

— Je n'ai pas souvenir d'avoir déjà lu son nom.

Jussieu se cala dans son siège. Son dos lui faisait mal.

— L'Histoire officielle nous enseigne que les Francs sont nos ancêtres et qu'ils descendent de la légendaire ville de Troie, expliqua-t-il. Du moins, qu'ils sont les ancêtres de notre noblesse, cette élite qui n'a eu de cesse de justifier sa domination par cette lignée. Car le peuple, lui, est issu des barbares soumis par Jules César, qui vivaient dans des huttes et pratiquaient le sacrifice humain.

— Les Gaulois...

— Vous et moi sommes des fils de vaincus et n'avons pas de raison de prétendre au pouvoir. Voilà ce que l'on trouve commode de colporter de nos jours.

— Quel rapport avec ce M. Fréret ?

— Au début du siècle, il était élève à l'Académie des inscriptions. Ce pauvre garçon, après avoir étudié des textes anciens, avait établi, en 1714, un mémoire mettant en doute l'origine antique des Francs. Son discours fut considéré comme diffamatoire pour la monarchie. Fréret fut embastillé alors qu'il n'avait pas défloré le centième de ce que vous savez déjà.

Il lui rendit le rouleau.

— C'est pourquoi il vous faut être extrêmement prudent. Vos antiquités seront plus en sécurité ici qu'à l'hôtel Fléchère, je peux les faire chercher dès aujourd'hui, proposa Antelme.

— Cela est inutile, ils ne se trouvent plus à la bibliothèque.

— Comme il vous plaira, dit l'historien sans cacher sa déception.

— J'ai recopié l'ensemble des documents et je ne travaille qu'avec ces copies, qui ne me quittent pas, ajouta Antoine en désignant sa sacoche en tissu qui ressemblait à une besace d'ouvrier. Les originaux sont dans un endroit connu de moi seul.

— Vous faites bien. Le duc de Villeroy nous gouverne depuis Paris, mais la ville ne manque pas de ses zélateurs, approuva l'historien. Je ne suis pas sûr que le pouvoir soit enchanté du résultat de vos recherches, conclut-il avant de jouer de sa clochette.

Le serviteur fut en haut rapidement sans paraître essoufflé. Il écouta la demande que son maître lui chuchota à l'oreille, s'inclina et quitta la tourelle. Le bruit de ses souliers résonna sur le sol poli jusqu'à disparaître et être remplacé par le cliquetis caractéristique d'une clé.

— Il est le seul de mes domestiques à être autorisé à pénétrer dans mon antre. Le seul en qui j'ai confiance, expliqua Antelme. Ses parents étaient à mon service du temps de ma validité. Du temps de ma splendeur ! Je l'ai connu enfant, je l'ai vu grandir. J'ai toujours bien traité sa famille, précisa-t-il en reprenant sa place près de la fenêtre alors qu'un nouveau grain arrosait la ville.

En contrebas, la place des Terreaux avait été vidée de ses promeneurs et les marchands pliaient leurs toiles. Les tuiles humides luisaient sous l'effet des rayons qui, par endroits, avaient déchiré les nuages.

— J'aime cet endroit. Que serait Lyon sans nos tourelles, monsieur Fabert ? demanda-t-il, les coudes posés sur le chambranle. Regardez-les se dresser, fières, hautaines, elles qui ont vu passer tant de puissants qui jamais n'ont pu les soumettre. Je suis resté en Afrique de longues années, et savez-vous ce qui me manquait le plus ? Tous ces colombiers, ces toits, ces fumées qui s'échappent des cheminées pour se rejoindre et se mélanger dans le ciel. Comme nos deux fleuves qui s'unissent. On ne quitte jamais cette ville, on l'emmène avec soi jusqu'à son retour.

— Voilà une belle déclaration d'amour, cette fidélité vous honore.

— Sans doute est-ce parce que je ne peux plus déclarer ma flamme à une femme, répondit son hôte, dont la souffrance affleurait sous les mots.

À l'étage inférieur, la porte claqua de nouveau. Le pêne buta bruyamment dans la gâche. Le domestique déposa un coffret sur les genoux d'Antelme, lui remit une clé et attendit un signe de son maître pour se retirer.

— J'ai un présent pour vous, dit l'historien en sortant un fil tressé de couleur dorée.

Antoine le prit dans la paume de sa main. Il était doux et satiné et composé d'un enchevêtrement de brins plus fins que des cheveux.

— Qu'est-ce que c'est ?

— De la soie. Mais une soie unique, fabriquée par une araignée de l'île de Madagascar, annonça Antelme en guettant l'effet qu'il produisit.

— Une soie d'araignée ?

— *Nephila madagascariensis*. Les indigènes l'appellent l'halabé. Ce petit animal tisse les fils les plus résistants qu'il m'ait été donné de voir. Et ils ont la couleur de l'or, indiqua-t-il en le reprenant entre ses doigts pour l'approcher de la lumière. J'ai même vu un chef de tribu porter un vêtement fait de cette matière.

— Je suis impressionné, concéda Antoine.

— Celui-ci fait cinq pouces de long, continua Antelme. Nous avons dû avoir recours à plus de neuf cents de ces bestioles pour l'obtenir. Et elles mordent !

Antelme déposa le fil dans un tube en verre qu'il tendit à Antoine.

— Je vous l'offre, en gage de ma reconnaissance. Puisse-t-il vous porter chance.

— Votre présent me touche, monsieur de Jussieu. Il ne me quittera pas, affirma Antoine en le serrant dans son poing. À quoi ressemble-t-elle, cette fileuse ?

— L'halabé ? Venez, descendons.

— Elle fait partie de votre galerie murale ? demanda Antoine en poussant le fauteuil vers la pente.

— Non, nous n'allons pas au salon, répondit son hôte en sortant la clé de sa poche. J'ai mieux à vous montrer.

10

Mercredi 1er octobre

Marc de Ponsainpierre regardait l'avancée des travaux avec satisfaction. Juché sur les marches de l'escalier de son terrain du clos Billion, il dirigeait la manœuvre des ouvriers qui réparaient les dégâts causés par l'explosion. Il avait tenu à rester présent et ne s'était pas rendu à son atelier de tisserand de la journée, ce qui avait fort contrarié les ouvriers présents, pressés par le maître d'œuvre, dont les pauses s'étaient limitées au minimum.

— Antoine, mon ami ! s'écria-t-il en l'apercevant dans la montée. Viens ! Viens voir le résultat !

Ils se portèrent l'accolade avant que Marc ne fasse cesser le travail. Les deux artisans filèrent rapidement de peur qu'il ne se ravise. Il était quatre heures de l'après-midi et ils pourraient encore profiter de la douceur atmosphérique avant de rentrer chez eux.

— C'est de la pierre de Seyssel, elle vient de la carrière du Bugey, déclara Ponsainpierre en la caressant du plat de la main. Superbe, non ? Le vendeur m'a dit qu'elle était inusable, qu'on la retrouvera intacte dans mille ans. Je n'en demande pas tant, juste qu'elle me survive.

Ils descendirent plusieurs des marches qui venaient d'être changées.

— Je ne me lasse pas de les fouler, avoua Marc. Cet accident fut une bénédiction, j'en ai même profité pour les élargir à cet endroit. L'année dernière, le père Caye a fait un faux pas et s'est retrouvé à rouler dans la pente. C'est ce buisson là-bas qui l'a arrêté.

— La ville avait failli interdire son utilisation, se souvint Antoine.

— D'ailleurs, je compte augmenter le droit de passage, dit Marc. Au regard de ces travaux d'amélioration, justifia-t-il devant l'air incrédule de son ami.

— Mais tu n'as rien déboursé...

— Non, bien sûr, et cela grâce à toi ! Mais qui le saura ? Un plus grand confort se paie ! conclut-il en le prenant par le bras. Veux-tu faire honneur à mon escalier ?

Il lui proposa de s'asseoir sur la marche la plus profonde, qui formait un léger coude dans la trajectoire rectiligne de l'ensemble. Les deux hommes se turent face au point de vue exceptionnel : la ville, la vallée, les monts qui l'entouraient et les montagnes lointaines s'offraient à eux dans un seul regard.

Leur silence les rapprochait. Ils songeaient à toutes les fois où ils étaient venus s'emplir du spectacle de ce paysage, à tous les moments de leur vie, doux ou difficiles, heureux ou déchirants, où cet environnement les avait protégés et apaisés.

Antoine avait coulé des jours heureux jusqu'à ses dix ans et la mort de ses deux parents dans un accident duquel il avait réchappé. Marc de Ponsainpierre, qui l'avait élevé depuis lors, ne pouvait traverser le lieu sans songer au drame. *Plus de deux cents personnes*, pensa-t-il en scrutant un trait minuscule dans la ville. Antoine, lui, évitait l'endroit, même du regard. Jamais plus il n'y avait pénétré.

— Je vois la Bergerie ! s'exclama Marc en lui montrant un point sur les hauteurs de la Croix-Rousse, à l'extérieur des fortifications. Comment vont tes recherches sur la poire de terre ?

— Il me reste quelques pièces à récolter. J'y retourne demain. L'étude de mes textes me prend tout mon temps, répondit Antoine en massant du pouce les cals de sa main droite.

— Tu avances ?

— Quelques mots d'un calendrier, puis plus rien. Les tablettes de cire restent un mystère. Il me faudrait des repères, des correspondances. Malheureusement, je n'ai aucune inscription connue sur laquelle me baser.

— Si tu veux mon avis, tu perds ton temps. Jette tout cela au feu, lui conseilla Marc. Ou fais comme moi : trouve un acheteur !

Les yeux d'Antoine reflétèrent un curieux mélange de reproche et d'admiration : tout semblait toujours si simple pour son beau-père, et les décisions si faciles à prendre.

Un rire féminin s'échappa de la fenêtre ouverte du salon.

— Madeleine est là, dit Marc en anticipant la question.

— Elle fréquente toujours un galant de la loge de la Parfaite Amitié ?

Marc fit une moue en guise d'acquiescement. Il y avait longtemps que l'impéritie de son mariage avec Antoine était de notoriété publique en ville et personne ne s'offusquait plus de la croiser accompagnée de gentilshommes. Depuis la mort de Jacques, Madeleine s'était autant abîmée dans l'oubli qu'Antoine dans le silence.

— J'irai la saluer, dit-il simplement.

Ponsainpierre comprit qu'il était temps de clore le sujet :

— Qu'as-tu apporté avec toi ? demanda-t-il en lui montrant la petite boîte de métal qu'Antoine avait déposée entre eux.

Ce dernier lui relata sa visite chez Antelme de Jussieu. L'existence d'araignées productrices de soie laissa Marc incrédule.

— Antoine, mon fils, tu n'es pas charitable de te moquer de moi ! De mémoire de tisserand, personne n'a rien trouvé d'autre que le bombyx du mûrier pour faire de la soie. On n'a jamais vu des pépites sortir du cul d'une chèvre ! Ton homme t'a trompé, voilà tout.

Le sourire d'Antoine ne lui dit rien qui vaille. Il l'arborait toujours dans leurs conversations avant d'énoncer des arguments imparables, ce qui, invariablement, obligeait Ponsainpierre à capituler dans une grande vague de frustration. Il détestait ne pas avoir le dernier mot.

— En voici un échantillon ; essaie de le rompre, n'hésite pas à y mettre toutes tes forces, l'enjoignit Antoine en lui présentant le fil doré.

Ponsainpierre le prit, observa un long moment l'enchevêtrement complexe des brins, le palpa, le tordit entre ses mains puis, après une brève hésitation, tenta de le rompre en tirant dessus. Prudemment d'abord, puis avec énergie. Sans succès. Il enroula les deux extrémités autour de ses index et fit un nouvel essai en prenant appui sur ses mains. Le fil résista à la tentative, ainsi qu'aux suivantes.

— C'est du crin, voilà tout ! conclut-il, essoufflé, en le lui rendant intact.

— Tu sais bien que non.

Marc se massa les doigts, qui avaient blanchi sous l'effort.

— Quelle teinture utilisent-ils ?

— Aucune. Le doré est naturel.

— C'est impossible ! proclama-t-il, avant de se raviser. Impressionnant, concéda-t-il.

Ils se levèrent pour saluer et laisser passer deux promeneurs qui empruntaient l'escalier.

— N'aie aucune inquiétude pour ton commerce, reprit Antoine après qu'ils se furent rassis, un simple brin comme celui-là demande des jours de travail. Et il n'est pas possible d'élever cette araignée comme une chenille.

— Non ? J'en suis presque déçu, il m'était venu des idées !

— Maintenant, ouvre la boîte.

Mme de Ponsainpierre sourit à sa fille pour la rassurer mais sa froideur laissait poindre sa désapprobation. Madeleine, qui se montrait depuis l'été au bras de M. de Willerm, un éphèbe amateur de poésie et de salons, lui avait imposé la présence de son amant sans l'avoir prévenue au préalable. La bonne fortune avait voulu que son mari, occupé par ses travaux, ne fasse que les croiser.

— Ne vous avais-je pas dit, mon cher, que nous avons la plus belle vue de toute la ville ? déclara Madeleine en l'entraînant devant la porte-fenêtre.

— Assurément, affirma son galant, que la vue plongeante sur son décolleté impressionnait plus encore.

Le marquis de Willerm sentit le poids du regard de Mme de Ponsainpierre sur lui et se força à chasser ses pensées lubriques, dont il avait l'impression qu'elle parvenait à lire jusqu'aux plus intimes.

— Vous avez une lunette ? dit-il en faisant mine de découvrir la longue-vue, posée sur un trépied, qu'il avait repérée dès son entrée. Quelle belle idée ! Puis-je ? demanda-t-il à son hôtesse.

— Allez-y, répondit Madeleine avant sa mère. Commencez par la place Louis-le-Grand, vous pourrez même voir sa statue équestre.

Marc de Ponsainpierre était fier de sa lunette, de type Dollond, qu'il avait fait venir d'Angleterre par un marchand de ses amis, et qui alliait une portée et une netteté sans équivalent dans tout le royaume. Du moins, c'est ce qu'il se plaisait à affirmer à ses visiteurs, et personne n'avait jamais songé à le contredire. Le marquis avait entendu parler de l'instrument, le premier à combiner des lentilles convexes et concaves et, curieux, avait amené Madeleine à lui proposer de rencontrer ses parents. L'observation de la ville l'absorba tant qu'il se désintéressa rapidement des deux femmes. Au bout d'un long moment, se sentant exclue, Madeleine proposa de se retirer.

— Comment ! Vous ne restez pas souper ? s'écria sa mère avec malice.

— Non, monsieur le marquis doit me présenter à un médecin de ses amis. N'est-ce pas, mon cher ?

— Oui, oui, admit-il, mais nous pouvons le reporter si vous êtes lasse.

— Je suis en pleine forme ! protesta-t-elle.

— Alors pourquoi aller voir un médecin ? intervint sa mère, dont l'inquiétude naissante n'était pas feinte.

Le marquis, soudain disert, expliqua que le personnage, en voyage incognito, était l'invité de sa loge, avant de rejoindre Paris, et qu'il dispensait sa vision ésotérique de la médecine aux quelques privilégiés qui avaient l'honneur de l'approcher.

— Il est à Lyon pour encore deux semaines, nous avons le temps de le rencontrer, conclut-il en reprenant son observation.

— Voyez-vous mon père dans le jardin ? interrogea Madeleine, qui craignait son retour.

— Je suis encore à regarder le bâtiment des missionnaires de Saint-Lazare, je n'ai pas fini de contempler ce magnifique quartier.

— Ne serait-ce pas plutôt vers les Filles de la Providence que vous êtes tourné ? soupçonna-t-elle en s'approchant pour visualiser le prolongement de la lunette.

Le marquis contesta mollement et braqua l'appareil vers l'extrémité de la propriété.

— Alors, alors... que fait donc monsieur votre père ? chantonna-t-il. Je l'ai trouvé ! Il discute avec un homme, sur les marches.

— Sans doute un des ouvriers du chantier, assura Madeleine.

— Probablement. Il a une chemise de travailleur et une besace à son côté.

— C'est mon gendre, intervint Mme de Ponsainpierre.

— Excusez-moi, bredouilla le marquis. Je ne savais pas que vous aviez une sœur, chère amie, dit-il en se tournant vers Madeleine.

— Elle n'en a pas. Antoine Fabert est le mari de Madeleine, ici présente.

— Ah, je vois... répondit l'homme en regardant à nouveau dans la longue-vue afin de cacher sa gêne.

Madeleine chuchota un « Mère ! » implorant à l'oreille d'Edmée avant de s'adresser au marquis :

— Je vous ex..., commença-t-elle.

— Mon Dieu, quelle horreur ! s'écria-t-il. Mais quelle horreur !

— Que se passe-t-il ? demandèrent en chœur la mère et la fille.

— Votre mari... M. de Ponsainpierre... Il tient dans la main une araignée monstrueuse !

Les deux femmes s'étaient rapprochées, mais le marquis restait l'œil rivé à sa lunette.

— Son corps est énorme, le dos est jaune. Et les pattes, si vous pouviez voir !

— J'aimerais assez, oui, s'impatienta Edmée sans oser l'en déloger.

— Les pattes sont longues et fines, d'un rouge à vous glacer les sangs ! commenta-t-il. Et je la vois bouger !

— Si vous continuez, mon ami, je sens que je vais défaillir, prévint Madeleine en cherchant des yeux le fauteuil le plus proche.

— J'ai toujours dit que ce jardin était rempli de bêtes immondes et qu'il fallait en faire une terrasse, assena Mme de Ponsainpierre.

M. de Willerm, que la séance n'amusait plus, fit apporter leurs manteaux et avancer son attelage.

— Ainsi, madame, vous avez un époux que vous cachez ? lâcha-t-il alors qu'ils se trouvaient à l'attendre sur le seuil de la maison.

— Si peu, mon ami.

— Permettez-moi d'en douter, jamais vous ne l'avez évoqué.

— Antoine est si peu mon mari, corrigea-t-elle.

— Qu'importe, comprenez ce que cette situation a de fort gênant pour moi. Dans ma position...

Madeleine le dévisagea sans répondre. Les tourments du marquis lui semblaient dérisoires face à la douleur qui la rongeait depuis six ans et que rien ni personne n'avait pu atténuer ni même comprendre. Cet homme lui apparaissait insignifiant, engoncé dans son jabot ridicule et ses vêtements passés de mode depuis deux rois. Comment aurait-il pu lui apporter la légèreté qu'elle attendait ? Elle sut dès ce moment qu'il finirait rapidement en vague souvenir. Mais pas avant d'avoir rencontré celui qu'elle avait qualifié de médecin et dont la véritable identité aurait horrifié sa mère.

Marc de Ponsainpierre les croisa alors qu'ils venaient de monter dans le carrosse du marquis. Il le salua, le remercia de ses compliments sur sa longue-vue, s'enquit de la santé de sa fille, qu'il trouva fatiguée, et s'en retourna au clos Billion, la boîte en métal dans la main et le majeur entaillé par la morsure d'une araignée dont il n'arrivait pas à retenir le nom, mais qui lui avait donné une idée pour sauver sa fabrique.

11

Jeudi 2 octobre

La porte de la salle des audiences s'ouvrit brusquement et vint taper contre la boiserie murale, qui se fendit. L'huissier, qui attendait la fin de la séance dans le couloir, sursauta et regarda, médusé, maître Prost de Royer sortir, furieux, suivi du juge Mallets d'Arpheuillette.

Le couloir résonna de ses longs pas rageurs et des coups de semelles essoufflés du magistrat qui tentait de le rattraper.

— Maître, comprenez ! lança d'Arpheuillette, prenant conscience qu'il n'arriverait pas à le rejoindre et l'arrêter. Nous devons suspendre nos débats tant que toute la lumière...

— Lumière ? hurla Prost en s'arrêtant.

Il se retourna en brandissant le poing, index tendu, en direction de son poursuivant qui, surpris, faillit glisser.

— Lumière ? répéta-t-il en contenant sa rage. Sachez qu'en acceptant la requête de nos adversaires, vous faites le jeu de la rumeur, monsieur le juge !

— Mais pas du tout, se défendit le magistrat. Une fois l'origine de cette information établie, vous pourrez la confondre et demander réparation. Et, croyez-moi, après cela, vous n'avez plus aucun risque d'être débouté !

François Prost de Royer eut un geste de dépit. Mallets d'Arpheuillette était surnommé « Pain bénit » chez les avocats du barreau de Lyon. Malgré une connaissance indéniable des textes de loi, qu'il appliquait scrupuleusement, il peinait toujours à analyser et à comprendre les intentions derrière les requêtes. L'homme n'était pas un fin stratège, ni un tacticien. Juste un applicateur zélé des textes en vigueur.

— En demandant la lumière, vous introduisez de l'ombre, cette ombre dans laquelle ils vont se précipiter, cette ombre faite pour me salir ! expliqua Prost du ton vibrant qu'il employait dans ses plaidoiries.

D'Arpheuillette lui serra le bras d'un air emphatique et retourna à l'audience. *Non*, songea Prost, *ce n'est pas un mauvais moment à surmonter. Non, je ne suis pas en colère, je suis meurtri !*

Il quitta le palais, marcha jusqu'au pont de pierre et s'arrêta à la hauteur de la chapelle. Il regarda le groupe de rochers qui émergeait près d'une des piles de l'ouvrage. Les sept pierres semblaient hors d'atteinte des eaux de la Saône, immuables, indestructibles. Un merle vint se poser sur la plus proéminente et tapa du bec avant de reprendre son envol. Un coche se préparait à accoster au port Saint-Jean. François fut pris d'un sentiment de découragement. La vie qui coulait sous ses yeux n'avait pas besoin de lui. Ses combats pour le droit public, la santé des enfants, la sécurité de ses concitoyens lui parurent soudain dérisoires. *Pourquoi y a-t-il toujours plus d'obstacles à faire progresser le bien qu'à accroître la richesse ?* songea-t-il en enlevant sa perruque. Il joua un moment avec les bouclettes blanches du postiche, hésitant à se plier à un rituel qu'il avait inauguré le jour de la mort de sa mère et qui, depuis lors, était devenu une véritable superstition à chaque moment difficile de son existence. Il savait qu'il ne pourrait plus la porter et que sa simple vue lui rappellerait l'odieux piège dans lequel il était tombé. Cette perruque était à jamais entachée de la sombre nouvelle de cette journée.

Il la lança dans la Saône. Comme pour les trois précédentes, il aurait à inventer un mensonge, à prétendre que son postiche avait été égaré dans un carrosse, volé par un brigand caché dans le noir d'une traboule ou avait pris feu, placé trop près d'un chandelier. Peu importait d'être cru, il devait s'en débarrasser. Il tenta de l'apercevoir dans le courant du fleuve aux reflets d'émeraude, mais ne la vit pas. Sans doute avait-elle coulé. Les autres avaient toujours flotté et François y trouva à regret le signe d'une meilleure qualité de cette dernière. Il se signa devant la chapelle, sous le regard de bonté de la Vierge, et regagna la rive gauche pour se rendre chez Antoine.

Le ciel grondait comme un ventre affamé et les nuages s'étaient teintés d'encre lorsqu'il arriva devant la modeste maison de la rue Sala. Quelques gouttes tombaient, éparses, et Prost regretta d'avoir abandonné sa perruque si tôt. L'averse n'allait pas tarder à se manifester violemment. Il trouva son ami assis sur le banc de pierre, à l'entrée du jardin qu'il prenait grand soin de laisser dans un état sauvage.

— De quel animal descends-tu, pour sortir chaque fois que Notre Seigneur convoque les éléments célestes les plus hostiles ? dit François en s'installant à côté de lui.

— Que veux-tu, j'aime l'orage. Il m'apaise et me donne des forces, répondit Antoine.

— Avoue quand même que ton attitude peut paraître étrange pour ton voisinage, insista Prost en apercevant une ombre se découper à la fenêtre de la maison mitoyenne.

— Cela n'a rien de diabolique, je ne suis pas en train de préparer le sabbat !

— Je le sais, même si j'ai toujours du mal à te comprendre.

— Sens-tu cette odeur qu'exhale la terre ? demanda Antoine en fermant les yeux. C'est le parfum des herbes, des plantes, des feuilles, des écorces, de tout ce que Dieu a semé de plus insignifiant mais qui, pour moi, est essentiel.

Il rouvrit les yeux. Ses pupilles, étrécies à l'extrême, laissaient place à un iris aux nuances de bleu et de gris.

— J'ai besoin de les sentir, de les humer, ils me délivrent de mes doutes, de mes angoisses, ils sont l'émanation de la liberté, loin des espaces emmurés.

Le tonnerre se manifesta paresseusement.

— Malheureusement, cet orage va glisser sur Sainte-Foy, ajouta-t-il en pointant du doigt un coteau. Nous allons devoir nous contenter d'une averse.

— Je me serais contenté d'un rayon de soleil, dit François en frottant son crâne humide. Quel temps de chanin ! Si l'on rentrait respirer quelques miasmes de poussière ?

Antoine s'assit sur le rebord de la fenêtre ouverte pour écouter son ami au moment même où la pluie battait en retraite. Les deux gentilshommes qui avaient rencontré maître Prost à l'hôtel de Fléchère, deux semaines auparavant, s'étaient présentés comme des médiateurs envoyés par le prévôt des marchands afin de négocier à l'amiable la sortie du monopole.

— Leurs visages m'étaient inconnus, ainsi que leurs noms, mais ils en référaient au sieur Regnault de Bellescize et je ne me suis pas assez méfié, ragea l'avocat, le poing serré.

Ils l'avaient amené au grenier d'Abondance, près du marché de la Grenette. L'endroit avait été fermé depuis le printemps, mais les deux hommes lui avaient expliqué qu'il s'y trouvait encore huit cents ânées de blé de bonne qualité qui n'avaient pas trouvé preneur.

— En fait, le blé était corrompu, la farine tirait sur le noir. La pire qualité que j'aie jamais vue, dit François. De l'épi charbonneux, peut-être même ergoté. Je leur ai demandé explication de ce fait. Ils avaient l'air aussi étonnés que moi et juraient par Dieu et tous les saints que la farine entreposée était de première qualité la veille encore. En sortant, ils m'ont mis dans les mains une bourse de feutre noir, et cela devant témoins. Mon erreur fut de ne pas l'ouvrir tout de suite, mais une fois installé dans le carrosse.

— Qu'y avait-il dedans ?

— Quelques épis, dont ils m'ont assuré qu'ils provenaient du même blatier. Ceux-là étaient d'une très belle tenue, du blé bien fessé, à l'écorce fine et au toupet court et délicat. Rien à voir avec ce que j'ai vu au grenier. Mais il était trop tard. Je m'étais fait piéger.

Dans les jours qui suivirent, la rumeur circula en ville que maître Prost avait accepté vingt mille écus afin de permettre la vente de blés avariés.

— Je suis navré. J'aurais dû être là aujourd'hui, regretta Antoine en quittant sa place pour réveiller le feu dans la cheminée.

— Cela n'aurait rien changé à la décision d'Arpheuillette. Nos adversaires sont prêts à tout. Je les ai sous-estimés.

Un air de musique leur parvint d'une maison proche. Les arpèges hésitants d'un élève débutant au clavecin.

— Qui joue ainsi chez les voisins ? interrogea François en s'approchant à son tour de la fenêtre.

— Leur fille.

— Parfois, je m'interroge sur le sens de nos combats, continua-t-il. Est-ce qu'ils méritent qu'on leur sacrifie notre vie ?

— Je suppose que oui. Mais je comprendrais que tu veuilles arrêter.

Aux notes maladroites avaient succédé des accords joués d'une main virtuose.

— C'est le jeune Paul Férrère qui lui donne des cours. Il a un très bon toucher, nota Antoine avant de fermer la fenêtre. Et il est la réponse à ta question.

Le garçon, âgé de dix-neuf ans, avait été innocenté grâce à l'intervention de Prost à la suite d'un charivari qui avait mal tourné.

— Tu as raison, cela en vaut la peine, acquiesça François. Et pas seulement pour les sarabandes de Haydn.

Antoine remplit deux bols d'une soupe qui chauffait dans le chaudron pendu à l'intérieur de l'âtre et les déposa sur la table. Il coupa un pain à l'aide d'un couteau effilé et en tendit le plus gros morceau à son ami avant de rentrer la lame dans le manche de corne usé.

— Tu as toujours ce vieux canivet ? s'étonna Prost.

— J'y suis attaché, répondit-il en le rangeant dans sa poche de pantalon. C'est un souvenir de ma mère, qui le tenait elle-même de son père. Il a plus de quatre-vingts ans et son fil est encore un vrai rasoir.

Ils trempèrent le pain, qui s'imbiba du liquide et se recouvrit des morceaux d'herbes et de légumes présents.

— C'est bon ! Quelle est ta recette ? s'enquit François après l'avoir enfourné en entier dans sa bouche.

— Un mélange d'oseille, de laitue et de cerfeuil. Plus des petites lamelles de carottes et de panais. Cuits dans le bouillon depuis ce midi, expliqua Antoine en lui prenant son bol afin de le resservir.

Ils burent le second en silence. Antoine regrettait d'avoir consacré tout son temps à l'étude des écritures du calendrier gaulois et d'avoir négligé leur dossier le plus important, d'autant qu'il butait toujours sur leur traduction.

— Nous organiserons une confrontation avec les témoins, dit-il face à la mine contrariée de François. Personne n'ayant vu le contenu de la bourse, leurs déclarations seront vite mises en pièces. Cela sera du meilleur effet devant le juge.

Antoine ouvrit un coffre et en sortit une pile d'ouvrages juridiques qu'il déposa sur la table.

— Nous allons préparer notre défense, ajouta-t-il pour le réconforter et se rassurer lui-même.

— Remettons ça à plus tard, si tu veux bien, Antoine, dit Prost en se levant. C'est le coffre gaulois ? demanda-t-il en montrant une caisse métallique.

— Oui, il me sert de réserve pour tous les livres de jurisprudence qu'il me reste à lire. Il aura au moins eu cette utilité.

— Tu arrêtes tes recherches ?

— Elles ne m'ont conduit nulle part et j'ai négligé mes autres engagements. Je vais tout laisser à Antelme de Jussieu, il est prêt à y passer le restant de sa vie.

— Sage décision : à quoi bon tenter de faire revivre un passé aussi ancien ? Essayons déjà de soulager le présent de ses maux, résuma son ami en se levant pour prendre congé.

Resté seul, Antoine s'agenouilla devant le coffre pour en sortir les derniers livres. Il cherchait un dictionnaire des lois criminelles de la Savoie et du Piémont dont il voulait s'inspirer pour leur plaidoirie, mais ne le trouva pas. La terne caisse de plomb n'offrait aucun ornement, même minime. Elle n'aurait intéressé un marchand que pour en couler le métal.

Il tenta d'imaginer quelles avaient pu être les motivations de Louern. Le champ des possibles était si vaste qu'il abandonna vite cette pensée. Il reposa le couvercle sur l'ensemble, mais celui-ci ne s'emboîtait plus. Antoine inspecta les parois et constata que l'une d'elles s'était écartée de son axe de quelques lignes, sans doute lors de son transport, en raison des livres qu'il avait serrés à l'intérieur. Il remarqua une légère dépression sur sa tranche, détail qui lui avait échappé auparavant, et gratta l'endroit avec la pointe de son couteau. Le métal se désolidarisa facilement, laissant apparaître un fin sillon : la paroi était composée de deux plaques assemblées l'une contre l'autre. Antoine, dont l'excitation grandissait, vérifia que les autres faces avaient été constituées de la même façon et fit sauter la fine couche de métal qui recouvrait chaque épaisseur. Toutes avaient été fabriquées à partir de deux panneaux.

Il se rendit chez le bottier à l'angle de sa rue et revint avec un marteau et une alène à cuir dont il se servit pour faire sauter le scellement des angles. Celui-ci ne résista pas longtemps aux coups du poinçon. Il entreprit ensuite de séparer les deux faces du premier panneau qui, avec le temps, avaient fini par coller l'une à l'autre. Il y parvint en introduisant dans la fente centrale une des plaques métalliques qui lui servaient à cuire ses pains. Il la fit pénétrer lentement, par pressions successives, en s'aidant du marteau. La musique avait cessé depuis longtemps et l'orage, bien que lointain, avait laissé derrière lui une atmosphère lourde.

Les deux faces n'étaient plus attachées que par leur centre. Antoine s'essuya le front. Voulant éviter de les arracher, il continua à jouer doucement du marteau sur la plaque de cuisson.

Les deux panneaux se désolidarisèrent soudain et tombèrent sur le sol dans un fracas de tonnerre. Ils s'étaient ouverts sur leur face intérieure, découvrant des lignes entières d'écriture. Antoine s'agenouilla et enleva la fine couche de poussière de bois qui s'était accumulée. L'état de conservation était parfait.

— C'est incroyable, murmura-t-il en caressant les mots gravés.

Les textes étaient tous écrits en alphabet grec, mais, contrairement aux codices de cire, il pouvait en traduire certains, qui correspondaient à du grec ancien. Il comprit que les autres étaient leur version en gaulois : Louern venait de lui livrer la clé pour déchiffrer sa langue.

12

Vendredi 3 octobre

Le rire d'Anne descendit le coteau de la Croix-Rousse poussé par le vent léger.

— Chut ! Ton père va finir par nous entendre, lui intima Camille en gardant son sérieux.

Ils étaient arrivés à la Bergerie à deux heures de l'après-midi mais avaient trouvé porte close et s'étaient allongés sur l'herbe, près du carré des poires de terre, dans l'attente d'Antoine.

— Tu as raison, dit-elle en caressant les cheveux de son amoureux, on est bien mieux ici qu'au *Cygne noir*. Quelle liberté !

— Je n'en puis plus de cet endroit crasseux où je suis forcé de toujours regarder à droite et à gauche avant de pouvoir juste porter les yeux sur toi, renchérit Camille, en regrettant aussitôt le qualificatif utilisé.

— Notre auberge n'est pas sale ! rétorqua Anne, offensée, dont les yeux prirent une teinte havane. Ce sont les clients qui le sont, et mon balai est impuissant contre ça !

— C'est bien ce que je voulais dire, s'empressa-t-il en effleurant sa gorge de ses doigts.

Il défit le lacet de son corsage.

— J'aime tant la douceur de ta peau, mon Anne, chuchota-t-il avec suavité.

Elle ferma les yeux pour mieux ressentir le contact de son amant. Le visage d'Anne avait la rondeur et le grain d'une pomme. Ses joues saillantes, bordées d'éphélides, lui donnaient une allure joyeuse en toute circonstance alors que ses cheveux châtains, savamment plaqués sur son front et ses tempes, encadraient deux sphères parfaites aux cils allongés en perpétuel mouvement. Son regard exprimait une curiosité candide, semblable à l'émerveillement enfantin, qui faisait battre le cœur de Camille d'un irrépressible élan.

— Encore, murmura-t-elle.

Camille intensifia ses caresses.

— Parle-moi encore, précisa-t-elle. J'ai besoin de tes mots.

Il soupira imperceptiblement. Pourquoi Anne lui demandait-elle toujours l'impossible ? Pourquoi l'amour était-il chez elle toujours bavard ? Il n'avait jamais su concilier le dialogue du corps et celui de l'esprit, et commença par un grand silence.

— N'as-tu plus aucun mot en réserve pour moi ? s'étonna-t-elle en ouvrant des yeux grands comme des reproches. Ou garderais-tu tout pour tes *Affiches* ?

Camille, piqué au vif, abandonna son étreinte et chercha l'inspiration autour de lui.

— Regarde ces deux fleuves qui s'unissent pour ne plus faire qu'un. Nous sommes comme eux, mon Anne, irrésistiblement attirés vers la fusion.

— C'est joli ce que tu me dis, ça me touche, tu sais, confia-t-elle en se redressant.

Ils regardèrent un moment le spectacle qu'offrait la presqu'île enlacée par les deux rubans d'eau.

— Mais lequel serais-tu ? Quel cours d'eau ? insista-t-elle.

— Le Rhône, évidemment ! répondit-il sans hésiter. C'est lui le plus masculin, puissant, impétueux, regarde la force de ses flots ! La Saône paraît comme une caresse en comparaison. Féminine, incontestablement, ajouta-t-il alors que la pensée de l'aguichante batelière lui traversait l'esprit.

Il tenta de chasser cette image qui le faisait culpabiliser.

— À quoi penses-tu, là ? questionna-t-elle après avoir perçu le froncement de sourcils de Camille.

— Je me disais qu'il serait bon de revenir ici, Fabert n'y est pas souvent, assura-t-il, satisfait de sa spontanéité.

Anne acquiesça. Antoine pourrait leur fournir un prétexte de qualité à leurs doux moments. La perspective l'enchanta. Elle prit une herbe et lui chatouilla le visage. Camille tenta d'attraper le brin, sans y parvenir. Anne était toujours plus prompte à le retirer et l'en chatouiller à nouveau. Le jeu cessa lorsque Camille, lassé, lui attrapa les deux mains pour lui faire lâcher son arme végétale et la fit s'allonger sur le dos. Anne tenta de résister et tint bon, ce qui accentua leurs rires. Elle finit par céder mais, au moment où il s'approchait d'elle pour l'embrasser en vainqueur, la clochette accrochée au cerisier retentit. Antoine venait de sonner la fin de la partie.

— Je... nous... sommes désolés, nous ne vous avons pas vu arriver, bafouilla le jeune homme, qui s'était relevé et s'époussetait.

— Normal, souffla Anne en lui montrant la porte ouverte de la bâtisse, il était déjà là.

— J'espère qu'il n'a rien entendu, chuchota-t-il en lui faisant signe de relacer son vêtement.

Ils s'approchèrent du maître des lieux, qui n'avait toujours pas prononcé un seul mot. Antoine portait sa tenue habituelle qui le faisait ressembler à un bohémien. Ses mains, blanches, avaient travaillé la farine.

— Soyez les bienvenus à la Bergerie, Anne, Camille, dit-il simplement. Entrons.

La pièce principale était remplie d'un bric-à-brac de machines et d'outils. Anne y discerna une meule à farine, un pétrin, ainsi que d'autres dont elle ignorait l'utilisation. Un petit four à bois avait été inséré dans une niche. Un matelas était disposé dans le recoin le plus sombre. Sur une table, une multitude de pains tous différents en taille, forme, couleur étaient disposés, éventrés, ainsi qu'un sac de blé ouvert. Les volets étaient maintenus fermés par des planches, et les candélabres à deux rangées de bougies disposés dans chaque angle diffusaient une lumière puissante.

— Quel est cet endroit ? Êtes-vous avocat ou fermier ? demanda le jeune homme, impressionné.

Antoine sortit son couteau de sa poche de pantalon, s'assit et prit des topinambours d'un panier. Il pela le premier tubercule et le lui tendit :

— Mettez-le dans la râpe tournante, indiqua-t-il en réponse à son regard interrogateur.

Camille observa autour de lui afin de deviner à quel instrument pouvait bien correspondre le terme et opta pour un moulin cylindrique, surmonté d'une pièce de tôle percée de rangées de trous, dans lequel il jeta la poire de terre. Constatant le silence de son hôte, il conclut au bien-fondé de son choix et le regarda d'un air triomphant. Anne avait repéré un couteau dans le capharnaüm de la table et aidait Antoine dans sa tâche. Une fois l'opération finie, il déposa une planche dans le coffre cylindrique, au-dessus des tubercules, et introduisit une manivelle double dans l'axe de fer qui traversait le cylindre. Celui-ci reposait sur un baquet surélevé par des madriers.

— Vous allez m'aider à tourner, expliqua-t-il au jeune homme.

Camille s'approcha de la machine et remonta ses manches.

— Pouvez-vous me dire ce que vous avez l'intention de faire ?

— Nous allons récupérer la pulpe des tubercules avec cette machine de mon invention, répondit Antoine tout en vérifiant le mécanisme. Puis elle sera mélangée à de la farine de froment.

— Quel avantage y trouvez-vous ? interrogea Camille alors que le cylindre, entraîné par leur effort, actionnait la râpe sur les topinambours dans un bruit de succion.

— Connaissez-vous le prix du froment ?

— Quarante-deux livres l'ânée, annonça Anne sans hésiter.

— Quarante-cinq à la Grenette ce matin, précisa Antoine. Avec une telle somme, même le pain bis dépasse les vingt deniers la livre. Avec la poire de terre, je fais une économie des deux tiers de la céréale et je la remplace par un ingrédient robuste et bon marché, fit-il valoir tout en vérifiant que la pulpe s'écoulait dans le baquet.

— Quels sont les rendements ? questionna Camille en s'arrêtant de tourner.

— Continuez, malheureux ! La pression doit rester constante pour la qualité !

L'avocat attendit qu'ils aient retrouvé le même rythme avant de poursuivre :

— La poire de terre pousse en telle abondance que six pieds en carré rendent quatre boisseaux. Je la récolte de septembre jusqu'au début du printemps.

— Ce qui veut dire...

— Ce qui veut dire que son introduction permettra de mettre fin aux disettes d'hiver et aux famines dues aux mauvaises récoltes de nos blés.

L'affirmation laissa Camille et Anne sans voix. Ils terminèrent l'opération en silence, puis lavèrent la pâte produite à l'eau, plusieurs fois, et l'emballèrent dans un tissu avant de le recouvrir d'une lourde planche.

— Il me restera à la sécher pour la conserver plus longtemps. Merci de votre aide.

— Le peuple doit savoir, monsieur, dit Camille.

— C'est le rédacteur du *Glaneur* qui parle ?

— Me permettez-vous... ?

— Trop tôt, il me reste des essais à faire sur la recette du pain lui-même. Je veux qu'aucune différence ne puisse être visible dans la qualité. D'autres travaillent actuellement avec des pommes de terre et butent sur les mêmes écueils. Je serai prêt au printemps prochain. Alors vous pourrez en informer vos lecteurs.

Camille savait qu'il ne devait pas insister.

— Prenez un de ces pains, demanda Antoine à Anne, et donnez-le à goûter à madame votre mère. Je serai intéressé d'avoir son avis.

Antoine les accompagna jusqu'au seuil de la Bergerie. Une corneille s'envola d'une branche du cerisier, faisant glisser des feuilles aux teintes ocre sur le sol. L'hiver serait précoce.

— Nous reverrons-nous bientôt ? s'inquiéta Camille.

— Il semble qu'il ne vous déplairait pas de tâter de mon herbe rapidement, répondit Antoine en retenant un sourire. Revenez quand vous le voulez. Même en mon absence. Mais à une condition : vous devrez récolter un panier de poires de terre à chaque fois. Ce sera votre dîme. Et mon intuition me dit que vous allez être très assidus.

Anne et Camille prirent congé et descendirent le sentier en se tenant la main, s'arrêtèrent avant la porte fortifiée pour s'embrasser une dernière fois à l'abri des regards indiscrets, puis rejoignirent Lyon, la côte de la Croix-Rousse et son flot de piétons.

— Viens, dit Camille en l'entraînant vers la place des Terreaux. Je vais acheter un billet de loterie. Le premier lot est de cinquante mille livres ! Te rends-tu compte ? Si l'on gagne, plus de *Cygne noir*, plus de ménage, plus de corvées !

— Mais il faut bien travailler pour vivre, objecta Anne, qui n'arrivait pas à se représenter la valeur de la somme gagnante. Que ferait-on ?

— Rien. Nous vivrions comme de grands bourgeois, assura-t-il en entrant dans la maison Sorbière où un commis bâillait dans l'attente d'un client.

L'endroit était l'un des six points de vente de la ville pour les billets de la Loterie royale qui, depuis l'année précédente, restait la seule autorisée. Camille requit un carnet entier afin de choisir dans celui-ci le numéro qui leur porterait chance.

— Lequel veux-tu ? demanda-t-il à Anne, qui était restée en retrait.

— Pourquoi veux-tu vivre comme un grand bourgeois ? questionna-t-elle sans prendre la liasse.

Camille eut une hésitation. Il ne comprenait pas les interrogations de son amante.

— Tout le monde veut devenir un grand bourgeois. Ou acquérir des titres de noblesse, expliqua-t-il, sous le regard approbateur de l'employé.

— Je ne te veux pas en grand bourgeois, je te veux en rédacteur. Et je ne veux pas être la femme d'un homme sans travail, répliqua Anne.

— Disons que l'on continuerait à travailler, mais qu'on aurait une grande maison, un hôtel particulier avec des cheminées dans chaque pièce, dit-il avec persuasion.

— Mais c'est trop de ménage ! s'inquiéta-t-elle dans un accès de fausse naïveté qu'il ne remarqua pas.

— On aurait des domestiques ! insista-t-il, piqué au vif par son hésitation.

— Pour les traiter comme les bourgeois nous traitent ?

— Bien sûr que non ! Nous serions respectueux et justes. Tu choisis, maintenant ? s'impatienta-t-il en lui présentant à nouveau les billets.

— Et on ferait du bien autour de nous ?

— Oui ! Je donnerais des sommes importantes tous les ans aux hôpitaux et aux charités. Cela te va comme ça ?

Elle fit semblant de réfléchir. Le commis, qui suivait avec amusement leur échange, s'était assis au bureau dans l'expectative du dénouement. Un client entra, qui fut servi pendant leurs tergiversations.

— N'ayez pas de scrupules, mademoiselle, dit l'employé, voyant Camille à court d'arguments. Même les riches jouent pour être plus riches. L'homme qui sort d'ici possède une fortune et vit de ses rentes. Pourtant, il vient toutes les semaines.

— Je ne veux pas être redevable à Dieu de ma richesse, justifia-t-elle. Juste à mes mains.

— Est-ce plus moral d'être bien né ? rétorqua Camille.

— Non, concéda-t-elle. Mais je n'ai point besoin d'autres richesses que de ton amour, finit-elle par avouer en tirant un papier au hasard.

Elle le tendit à l'employé et embrassa Camille en l'enlaçant.

— Ta déclaration m'honore, puis-je en être toujours digne ! bafouilla-t-il, les joues rosies d'émotion.

— J'aurais aimé qu'elle vienne de toi, lui chuchota-t-elle à l'oreille.

— Un louis d'or, demanda le commis, que leurs effusions commençaient à embarrasser.

— Un louis d'or ?

La surprise de Camille confinait à l'incrédulité, ce qui agaça l'employé.

— Un louis d'or, vingt livres, sept écus si vous préférez. Nous n'acceptons pas les deniers. Le coffre ne serait pas assez grand, lâcha-t-il d'un ton condescendant.

— Mais c'est cher ! s'offusqua Camille en fouillant vaguement sa bourse, dont il savait qu'elle contenait moins de quatre livres.

— Monsieur, vous êtes ici à la Loterie royale, pas au tirage des pauvres de l'Aumône générale, répondit l'homme, satisfait de sa repartie.

La gêne de Camille était visible. Elle le laissa sans réaction.

— Vraiment ? intervint Anne. Puisque c'est ainsi, nous préférons laisser à d'autres la chance de gagner. Cela me semble plus charitable.

— Oui, approuva Camille. Nous ne sommes pas prêts pour la grande bourgeoisie.

À peine sorti, il s'excusa auprès de son amoureuse, qui le consola d'un regard. Ils s'isolèrent à l'entrée d'une traboule pour un dernier baiser, puis Camille laissa Anne à l'entrée du pont de pierre et gagna la grande rue Mercière. Son oncle se tenait debout, mains sur les hanches, face à la devanture de sa librairie, en compagnie d'un employé typographe. Sa tête se balançait en tous sens tel le grelot d'un hochet. Le jeune rédacteur leva les yeux et comprit ce qui animait la conversation : une lettre « E » avait disparu de l'enseigne *À la boule du monde*.

13

Lundi 13 octobre

Depuis sa découverte des doubles parois du coffre, il avait travaillé sans relâche sur les textes, ne s'interrompant que pour se restaurer, dormir et effectuer sa visite rituelle de la cathédrale Saint-Jean. Il avait constaté avec soulagement que Camille ne l'y avait pas attendu et respectait sa parole. Antoine n'avait pas l'intention de lui dévoiler la moindre information sur les textes gaulois. Du côté du palais de Roanne, les audiences étaient toujours suspendues à l'enquête demandée par Prost sur l'origine de la rumeur. Leurs affaires au tribunal étaient figées pour plusieurs semaines. Antoine n'avait d'autre source de revenu, mais la bonne gestion de l'héritage de ses parents par Marc de Ponsainpierre, ainsi que l'absence de besoins matériels, lui permettraient de subsister tout l'hiver s'il le fallait. Il avait décliné l'offre d'Antelme de loger chez lui et s'était installé à demeure à la bibliothèque de l'hôtel de Fléchère où les bougies et le bois lui étaient fournis.

Le calendrier de Louern ne s'était qu'en partie dévoilé à la traduction, tout comme les premiers codices auxquels il s'était attaqué.

Le fauteuil roulant d'Antelme était rangé dans le vestibule. Le cuir qui le recouvrait était si usé aux bras et au dos qu'il formait de larges zones blanchâtres et donnait l'impression qu'un spectre occupait le siège vide. Sa vue mit Antoine mal à l'aise.

— Monsieur est alité, expliqua le serviteur venu l'accueillir. Il vous attend dans sa chambre.

Ils croisèrent un médecin que l'avocat identifia pour avoir aidé un de ses anciens patients à gagner un procès contre lui. L'homme fit mine de ne pas le reconnaître et le salua distraitement tout en marmonnant en latin des mots qu'il donnait l'impression de mâcher. Antoine le suivit du regard: il prit le chapeau que le laquais lui tendait ainsi qu'une bourse dont il compta avec soin le contenu avant d'en nouer le cordon autour de sa ceinture et de sortir en hélant le cocher.

Jussieu reçut Antoine allongé sur le côté. Des escarres s'étaient développées sur son échine et ses fesses, empêchant toute position assise.

— Je suis désolé de vous tourner le dos, dit-il en tordant le cou pour essayer de le voir. Venez vous asseoir à côté de moi.

Il avait congédié son médecin après qu'il eut proposé une saignée comme remède. Antoine s'installa et remarqua que l'homme avait maigri. Son visage s'était creusé et ses rides s'étaient accentuées. L'odeur de ses chairs nécrosées était prégnante, malgré les fenêtres grandes ouvertes. Son homme de confiance était présent. Il avait enduit d'un opiat de quinquina les zones lésées et frottait la partie saine de la peau du malade d'une décoction d'ortie. Il s'arrêta sur un signe de son maître, posa les serviettes et les flacons utilisés dans une bassine et sortit.

— Vous avez du nouveau ? demanda Antelme en indiquant la besace que son visiteur avait déposée à son côté.

Antoine lui relata sa découverte. Les textes traduits en grec lui avaient permis de comprendre les rudiments de la grammaire gauloise.

— Ils utilisaient sept cas de déclinaison, annonça-t-il en sortant son cahier du sac.

— Quel genre ? Nominatif ? Datif ?

— Entre autres, mais aussi un vocatif, un accusatif, un génitif et un locatif. Il y a même un instrumental bien distinct du datif.

— Fascinant, s'enthousiasma Antelme, qui s'était levé sur un coude. Alors, que dit notre homme ? Que nous apprend-il ?

Antoine connaissait par cœur toutes les phrases qu'il avait inscrites, mais, comme il le faisait avec tous ses interlocuteurs, il ouvrit ses notes et lut :

— *Louern anman edi*. Mon nom est le Renard.

— Le renard ? Louern... Comment n'y ai-je pas pensé plus tôt ! s'écria Jussieu. Il existe une ressemblance avec le sanskrit, *loupekos*, qui désigne le chacal.

Il s'était assis en se tenant sur sa main gauche. La position était instable et semblait le faire souffrir, mais son état d'excitation reléguait la douleur au second plan.

— Quelle découverte ! ajouta-t-il. Cela signifie qu'il y a une connexion ancienne des idiomes entre l'Europe et les Indes. C'est la preuve d'un langage originel !

— Ce ne sont là que conjectures et hypothèses, le modéra Antoine.

— Mais votre trésor va mettre tout le monde d'accord ! Imaginez-vous quelle somme de connaissances sur cette langue perdue nous avons là ? souffla Antelme.

Il dut s'allonger à nouveau. Son bras ne pouvait plus supporter le poids de son corps.

— J'ai froid. Pouvez-vous remonter le drap sur moi ? demanda-t-il, couché sur son épaule gauche.

La fraîcheur avait envahi la pièce. Dehors, les camelots de la place des Terreaux remballaient leurs étals dans un mélange de conversations bruyantes, de cliquetis métalliques et de hennissements des bêtes chargées de tirer les carrioles.

— Voulez-vous que je ferme les fenêtres ? proposa Antoine en se levant.

— Non, surtout pas, continuez, le pressa son hôte. Tout ce qui se passe au-dehors me rappelle que je suis encore vivant. Et je ne veux pas que cette odeur de pourrissement vous incommode. Continuez, je vous prie.

— Pendant plus de quinze ans, il a passé son temps à apprendre par cœur des milliers et des milliers d'informations que ses maîtres lui dispensaient. Toujours oralement, expliqua Antoine.

— On a peine à imaginer qu'une telle transmission soit possible, remarqua Antelme. Utiliser les hommes comme des livres...

Antoine l'imaginait aisément, lui qui depuis l'enfance s'efforçait d'évacuer le flot des souvenirs qui encombraient sa mémoire. Il se sentait proche de Louern.

— Son maître avait pour nom Adbogios, continua-t-il. Louern écrit que, lorsque l'empereur Claude décida d'abolir la religion des druides, il n'y eut aucune révolte de leur part.

— Voilà qui est vrai, il n'y en a aucune trace dans les textes antiques. Cela m'a toujours étonné. Comment peut-on accepter de voir sa civilisation disparaître sans rien faire ?

Antoine ne répondit pas. La traduction qu'il avait pu faire des textes de Louern conservait des ambiguïtés et il ne voulait pas que Jussieu les transforme en certitudes. Sa promptitude à s'enflammer incitait l'avocat à la prudence.

Le druide avait qualifié son maître d'homme très puissant, *andebelloatta*. En déposant une partie de leur savoir dans ce coffre, lui avait-il obéi ou avait-il transgressé leur règle d'or afin d'éviter que leurs connaissances ne se perdent ? *Quitte à tomber entre les mains des Romains*, songea Antoine.

— Ses motivations me sont encore inconnues, avoua-t-il à Antelme. Je sais qu'il a quitté son peuple vers l'an 50 et qu'il a fini d'écrire ses codices à Lugdunum quatorze ans plus tard. Leur traduction ne sera pas aisée, ajouta-t-il en anticipant la question de son hôte. Je n'ai qu'un peu de leur grammaire comme socle et quelques dizaines de mots pour base.

— Je vous aiderai, proposa Antelme. Ne vous inquiétez pas de mon apparence physique, mon esprit est encore vif dans sa prison de chair. Dieu a l'air de m'avoir oublié ici pour un long moment !

Antoine accepta son offre, ainsi que son invitation à souper. Ils se déplacèrent dans la tourelle où le repas avait été servi. Deux valets allongèrent leur maître sur la chauffeuse dans une position qu'il qualifia de « romaine ». Ils burent un vin des Balmes de Fontanière dont Jussieu était le propriétaire et qui avait fière allure avec le poulet de Bresse aux morilles que la cuisinière avait préparé. L'homme se détendit sous l'effet de l'alcool et confia à son invité quelques souvenirs de sa vie antérieure. Il questionna Antoine sur son passé mais n'obtint que des réponses évasives. L'avocat ne s'exprimait jamais sur lui. Il était un mystère pour qui n'était pas de ses proches et, depuis la mort de son fils, pour ses proches aussi.

— Monsieur votre beau-père est venu me trouver la semaine passée, dit Antelme en entamant son entremets d'un coup de cuillère énergique.

Marc de Ponsainpierre l'avait convaincu de lui vendre une partie de ses halabés. Il projetait de fabriquer une paire de gants dorés pour le roi et d'aller les lui offrir à Versailles. La publicité qu'il en tirerait lui permettrait de remettre son atelier de tisserand à flot.

— Je lui en ai cédé quelques centaines, confia-t-il en tentant de faire basculer dans son couvert le morceau de poire qui ornait le flan. Mais il faudra des mois avant d'obtenir la quantité de fil suffisante, conclut-il en avalant le fruit. Si elles ne se sont pas entre-dévorées avant.

Antoine prit congé après le repas et déclina l'offre de son hôte de le faire raccompagner en carrosse. Il aimait respirer l'ambiance de la nuit, lorsque la poussière de la journée était retombée sur les pavés et la terre battue, lorsque les sons se faisaient plus feutrés, comme par discrétion pour le sommeil des habitants, lorsque les éclairages partageaient les rues entre ombres et lumières. Il remonta des Terreaux jusqu'à la Pescherie et s'arrêta place de la Fouillée pour regarder un chaland embarquer ses filets.

Antelme lui avait proposé de contacter Denis Diderot, un des promoteurs du *Dictionnaire raisonné des sciences, des arts et des métiers* dont le *Supplément* était en cours de fabrication, afin de le convaincre de modifier l'article sur les Gaulois à la lumière des textes de Lyon. L'*Encyclopédie* permettrait de donner une ampleur unique à leur découverte. Antoine avait d'abord refusé puis, sous l'instance d'Antelme, avait promis d'y réfléchir une fois le travail plus avancé.

Il reprit son chemin le long du quai alors que la péniche avait disparu, silencieuse, pour sa tournée nocturne, dans la noirceur qui recouvrait la Saône. Il imagina Louern déambulant, comme lui, près du fleuve et s'arrêtant pour admirer les reflets argentés de la lune sur les flots paisibles et sur le groupe de rochers au milieu du gué. Les hommes de l'Antiquité étaient-ils si différents de ceux de son époque ? Avaient-ils les mêmes désirs, les mêmes espoirs, les mêmes peines ? Antoine laissa son imagination vagabonder. Quel était le physique de Louern ? À son écriture, il se représentait un homme plutôt petit, à la constitution fine, aux traits réguliers, aux cheveux longs liés en arrière, au regard pénétrant, renforcé par des sourcils en « V » lui donnant un air ombrageux.

Il choisit de ne pas rejoindre la bibliothèque à l'hôtel de Fléchère, mais décida de rentrer chez lui pour passer une nuit de sommeil dans un vrai lit. Antoine laissa la place Louis-le-Grand sur sa gauche, coupa par un sentier qui longeait les jardins de la rue Sala et entra par la porte arrière de sa maison. Lorsqu'il pénétra chez lui, un parfum envahit ses narines qui le fit frissonner. Un parfum que l'endroit n'avait plus accueilli depuis des mois. Il entendit une respiration, saccadée et superficielle.

— Madeleine, tu es là ? osa-t-il doucement.

Sa femme sortit de la pénombre de la chambre, le visage gonflé par les larmes, et vint se réfugier contre lui.

— Je l'ai vu, dit-elle entre deux sanglots, j'ai vu Jacques. J'ai vu notre fils !

CHAPITRE III

Octobre 1777

14

Lundi 13 octobre

Madeleine avait pleuré longtemps, en tremblant, blottie dans les bras d'Antoine. Petit à petit, son corps s'était détendu, sa respiration s'était adoucie. Ils s'étaient allongés sur le lit, elle avait posé sa tête sur la poitrine de son mari. Ils étaient restés un moment silencieux, les yeux rivés sur les ombres mouvantes formées par l'unique bougie qui éclairait la pièce nue. Puis Madeleine avait parlé.

— Il ne voulait pas m'y emmener. Le marquis de Willerm. Mais j'ai insisté, tu sais comme je suis.

Elle sentit le hochement de tête d'Antoine et poursuivit :

— C'était dans une maison rue des Quatre-Chapeaux, chez un des frères de la loge. Des chaises avaient été installées dans le salon du premier étage. Plusieurs rangées de chaises. Les rideaux avaient été tirés. De grands rideaux de velours rouge, aux reflets chatoyants, comme ceux que j'avais installés ici, il y a longtemps, et que tu as décrochés. Tu n'aimais pas qu'ils empêchent la lumière de passer.

— C'est vrai, convint Antoine. Ils sont maintenant dans un coffre au grenier.

Madeleine sourit :

— Non, je suis venue les reprendre le mois dernier. Je croyais te l'avoir dit.

Elle le dévisagea dans l'attente d'une réponse qui ne vint pas et continua :

— La salle était pleine. Les membres de la Parfaite Amitié et quelques notables de notre bonne ville étaient présents. Plus un homme dont nous n'avions pas le droit de prononcer le nom. Tous l'appelaient le « prêtre magicien ». Tout le monde le dévisageait avec admiration. Non, avec crainte, plutôt : un homme qui parle aux morts, ce n'est plus tout à fait un vivant. Il avait des yeux si noirs et si ronds que son regard nous questionnait, nous déshabillait. Il semblait connaître nos pensées intimes, les lire dans nos esprits. Il était seul et attendait que la séance commence. Il nous fit asseoir au premier rang. Je sentais tous les regards braqués sur moi. Sur mon intimité. Mais je n'ai pas pu reculer.

Madeleine soupira lentement avant de reprendre :

— Il y avait là une petite fille, de l'âge de Jacques. L'homme l'appelait la Colombe. Elle avait un air grave, presque absent. Elle semblait si timide. Je pourrais te décrire le moindre repli de sa robe de dentelle blanche. C'était elle qui allait prendre contact, elle, le médium.

Elle leva la tête pour chercher le regard d'Antoine, qui lui sourit, avant de se recroqueviller à nouveau contre lui.

— J'étais nerveuse et excitée en même temps. Je serrais la main du marquis si fort que mes ongles lui arrachaient la peau. Le frère fit apporter un vase, une sorte de grande vasque de verre, remplie d'eau et d'huile. La petite Colombe s'est agenouillée près du vase. Et les incantations ont commencé. Lui, le prêtre magicien, s'est mis à parler une langue qui m'était inconnue, à prier, à réciter toujours les mêmes phrases, de plus en plus vite. Ses mots étaient une musique. Un rythme envoûtant. Lorsqu'il s'est arrêté, j'ai su qu'il se passait quelque chose au-dessus de l'eau. Il y avait comme une onde qui vibrait à sa surface. Et j'ai vu, comme tous ceux autour de moi, j'ai vu le visage de mon fils se refléter sur le liquide. Mon Jacques était là, murmura-t-elle. Il était là...

Madeleine se tut et enfouit son visage et ses larmes dans la chemise d'Antoine. Il lui caressa doucement les cheveux. Les images défilaient devant leurs yeux.

— Puis le magicien a interrogé la petite Colombe, continua-t-elle d'une voix rendue rauque par l'émotion. Il lui parlait comme s'il s'adressait à Jacques. Et elle répondait en me regardant, elle ne cessait de me regarder, droit dans les yeux. Elle me regardait et je savais que c'était Jacques qui s'adressait à moi. Il m'a dit de ne pas m'inquiéter, qu'il allait bien, que le paradis était un merveilleux endroit, qu'il ne souffrait plus de toux, ni de fièvre. Il m'a dit que je lui manquais, que nous lui manquions tous, mais que là où il était, tout en haut dans le ciel, il veillait sur nous...

Elle ne put continuer sa phrase, submergée par les spasmes de ses pleurs. Ils se calmèrent petit à petit jusqu'à ce que sa respiration devienne régulière et légère : Madeleine s'était endormie d'épuisement. Antoine continua un long moment de lui caresser les cheveux avant de s'endormir à son tour dans ses bras.

La fraîcheur du matin le réveilla, ainsi que les cinq coups de la cloche de l'abbaye d'Anay. Il déposa une couverture sur Madeleine, qui s'en enveloppa machinalement, et l'embrassa sur le front. Elle sourit et émit un doux soupir.

— Tu peux rester autant qu'il te plaira, lui chuchota-t-il.

— Et si on arrêtait de vivre chacun notre vie ? Si on reprenait notre mariage là où on l'avait laissé ? Cela ferait plaisir à Jacques de nous voir réunis, dit-elle sans ouvrir les yeux.

Il lui embrassa à nouveau le front et sortit sans répondre.

Antoine se rendit directement à la cathédrale Saint-Jean et médita un long moment près de la tombe de son fils, à genoux devant l'autel de saint Thomas. Il connaissait la loge de la Parfaite Amitié et savait qu'il s'y conduisait parfois des rites païens sous couvert de démonstrations scientifiques. Il se refusait à croire possible toute communication avec l'au-delà mais ne voulait pas interférer sur la conviction de Madeleine. La séance l'avait transformée. *Puisse-t-elle avoir enfin trouvé la paix intérieure*, chuchota-t-il dans ses prières.

Derrière lui, l'horloge astronomique se mit en marche. Il perçut le déplacement des automates, le souffle de l'oscillateur, les cliquetis des roues dentées, la vibration du tambour et attendit qu'elle se fût tue avant de se retourner et de quitter l'église.

Il fut accosté sur le parvis par un soldat portant l'uniforme des gardes du corps du roi. Leur présence en ville était rare et habituellement liée à la venue du représentant de Sa Majesté à Lyon.

— Monsieur le gouverneur de Neufville de Villeroy désirerait vous rencontrer, annonça le militaire en lui tendant un billet cacheté.

Antoine prit le temps de le lire soigneusement tout en devinant le motif de l'invitation.

— Serait-ce une demande urgente ? dit-il en constatant l'absence de date.

— Je suis chargé de vous ramener auprès de lui toutes affaires cessantes, monsieur, précisa le garde en lui indiquant le carrosse qui se tenait prêt devant eux.

— Alors, ne faisons pas attendre le roi et son capitaine.

La résidence du gouverneur était située rue de la Charité, non loin de l'hôpital éponyme, à la pointe de la presqu'île. Lorsque le véhicule emprunta la rue Sala, Antoine aperçut Madeleine montant dans le carrosse du marquis de Willerm. Il tenta de se culpabiliser de ne pas avoir répondu à sa main tendue, mais n'y parvint pas. Il n'aurait pas donné une semaine de vie commune à leur couple tant leur différence était devenue criante depuis la disparition de Jacques. Leur seul point commun était un ange. Mais il avait cessé de croire au paradis.

15

Mardi 14 octobre

L'attelage avait manœuvré pour entrer sous le porche étroit de la discrète propriété du représentant royal. Le très haut et très puissant seigneur, messire Gabriel Louis François de Neufville, duc de Villeroy, pair et maréchal de France, chevalier des Ordres du roi, capitaine des gardes de Sa Majesté, commandant général de ses armées et gouverneur des provinces du Lyonnais, Forez et Beaujolais, avait pris du retard dans ses consultations et Antoine déclina la proposition du soldat d'attendre dans l'antichambre, préférant patienter dans le parc où des espèces centenaires de feuillus lui tendaient des bras plus accueillants que ceux des chauffeuses aux tissus rouge garance et or de l'hôtel.

— Ainsi, c'est lui, l'avocat Fabert ? demanda le gouverneur debout à la fenêtre du couloir du second étage. Il n'a pas l'air bien menaçant, ajouta-t-il à l'adresse du consul, qui se mit sur la pointe des pieds pour l'apercevoir au-dessus des épaules du maître des lieux.

— Lui et Prost de Royer sont redoutables dès qu'ils sont associés, commenta l'homme, un des échevins de la ville, avant de reposer les talons au sol.

Le duc de Villeroy se retourna vers lui en affichant un large sourire.

— Cette union, qui fait leur force, est donc leur faiblesse ! Le moment venu, il suffira de les séparer. Ils veulent libérer les prix ? Laissons-les s'aliéner les commerçants. Le peuple, qui les admire, ne les défendra pas si nous devons intervenir. Mais je ne suis pas venu exprès de Paris pour cette simple histoire de pain. Faites-le monter, Quéraux.

L'homme descendit dans le grand hall d'entrée répercuter l'ordre au soldat présent et attendit son retour. Après un moment que le consul trouva d'une longueur indécente et qui le fit s'impatienter, le garde du corps réapparut, seul et essoufflé, expliquant que Fabert était introuvable. Quéraux ordonna de fouiller la propriété et regagna d'une démarche hargneuse le bureau du duc.

— Comment ça, disparu ?

Villeroy joignit ses mains dans le dos, qui s'évanouirent dans les larges manches d'hermine de sa veste, et arpenta la pièce en diagonale, ce que le consul interpréta comme une menace sur la pérennité de son poste.

— Nous allons le retrouver très vite, croyez-moi, ceci est un malentendu, je prends la direction des opérations, argua Quéraux avant de sortir au pas de course comme preuve supplémentaire de son implication dans la chasse à l'homme.

La situation divertit le duc, qui n'avait jamais perdu un invité dans la plus petite des propriétés qu'il possédait. Il retourna à la fenêtre pour observer le ballet désordonné des soldats dans le parc, avant de se laisser happer par le spectacle lénifiant des deux fleuves qui s'unissaient à une centaine de mètres de son observatoire.

Quéraux se montra sous ses fenêtres et esquissa un signe d'impuissance pour lui faire part de l'état des recherches avant de s'éclipser.

— Au diable les avocats lyonnais, marmonna le gouverneur.

— Sommes-nous donc les bienvenus en enfer ? répondit une voix derrière lui.

Le duc reconnut Antoine, qui le salua en se présentant.

— Comment avez-vous fait ? Est-ce toujours ainsi que vous vous annoncez, maître Fabert ? demanda-t-il en ouvrant la fenêtre.

— Je suis navré d'être la cause de tant de battage, je suis monté par l'office. Je n'ai jamais aimé les escaliers d'honneur.

La réplique amusa Villeroy, qui émit un grognement avant de hurler le nom de son consul et de lui ordonner d'élargir les recherches à tout le quartier.

— Laissons-les s'ébrouer encore, cela leur procurera un peu d'exercice, justifia-t-il en entraînant Antoine vers la porte située au fond du couloir. Passons dans mon cabinet, voulez-vous, nous aurons besoin de tranquillité. Aimez-vous les eaux thermales ? J'en ai reçu ce matin en provenance du Mont-Dore.

La pièce renfermait une bibliothèque comportant principalement des traités militaires, ainsi qu'un secrétaire au bois terne et grossier, des chaises aux tissus usés et un coffre ancien, tout en longueur, recouvert d'une tapisserie, qui semblait faire office de banc. Des tableaux de toutes tailles recouvraient un des murs, portraits d'une longue ascendance aristocratique. Un autre était recouvert d'une tenture en soie de Lyon représentant une scène de chasse antique. Près du secrétaire, une cheminée à l'âtre éteint avait encore dans sa gueule les restes d'un festin de bois. Un blason aux couleurs des Villeroy était suspendu au-dessus du foyer : trois croisettes jaunes entourant un chevron sur fond bleu.

Un serviteur vint déposer deux verres et une bouteille opaque, aux formes arrondies et au col bouché à la cire, avant de sortir discrètement. Antoine remarqua qu'il ne portait pas de souliers.

— Vous êtes ici dans le cabinet du silence, expliqua le gouverneur. J'interdis au personnel le moindre bruit. Et aucune parole ne filtre à l'extérieur.

Il se servit à boire.

— Mon médecin m'a promis une longue vie avec cette fontaine de jouvence, alors j'en consomme tous les jours. J'espère qu'elle sera aussi efficace sur mon corps que mes prières pour le salut de mon âme. Servez-vous !

Antoine s'exécuta et le regarda ingérer le liquide comme il l'eût fait d'une sainte hostie.

— Savez-vous que vous êtes le responsable de ma venue ici, maître Fabert ? affirma Villeroy en s'asseyant au secrétaire.

— Dois-je m'en réjouir ou le craindre ? demanda Antoine en buvant à son tour.

Il sentit le goût amer et métallique de l'eau envahir son palais et grimaça.

Le gouverneur, qui guettait sa réaction, sembla satisfait de l'effet produit et fouilla dans une pile de lettres avant d'en extraire un papier.

— Nous avons eu des informations nous indiquant que vous êtes en possession d'un coffre, ledit coffre contenant des écritures anciennes en alphabet grec.

Antoine acquiesça afin de le laisser continuer. Il avait du mal à détacher son regard du blason mural, qui ne lui était pas inconnu, mais sans réussir à se souvenir dans quelles circonstances il l'avait déjà vu. Alors qu'il n'oubliait jamais rien, cette sensation le mit mal à l'aise.

— Vos informations sont exactes, mais en quoi cela peut-il intéresser Sa Majesté ?

— Tout ce qui concerne l'histoire de son royaume intéresse notre roi, répliqua Villeroy en repliant le document.

— D'après ce que je crois, ces textes seraient du gaulois, indiqua Antoine. Malheureusement, la langue ne nous est pas connue et mes efforts sont demeurés vains.

Le gouverneur, qui s'était emparé d'une bougie allumée, la renversa au-dessus du papier.

— Vous n'êtes pas sans savoir que nous nous honorons de posséder à Paris les plus grands experts en linguistique ancienne, continua-t-il en observant la cire chaude s'écouler sur la lettre. Nous les avons interrogés sur ce sujet et ils ont été catégoriques : il est impossible que des tribus barbares, comme le furent les Gaulois, aient pu posséder une langue écrite.

Il posa son sceau sur la cire, souffla pour en disperser les débris et posa le document dans un coffret qui en contenait déjà plusieurs autres. Antoine attendit que son hôte lui manifeste plus d'attention avant de répondre :

— Monsieur le gouverneur, je ne vous ferai pas l'injure de vous rappeler que nous avons à Lyon plusieurs reliques, dont des pièces de monnaie, qui sont ornées d'inscriptions celtiques.

— Certes, certes, répondit Villeroy, dont l'ignorance était manifeste, mais j'ai reçu mandat de notre roi de rapporter ces vestiges pour les faire examiner par nos scientifiques. Qui démontreront que ces mentions provenaient de marchands grecs ayant établi commerce avec notre bonne ville. Nous vous remercions pour tous les efforts que vous consentez dans la recherche d'une meilleure connaissance de notre histoire, monsieur Fabert. Mais la science n'est pas un loisir dont on se toque, quel que soit son enthousiasme. Elle n'est pas affaire de conviction et requiert moult expérience.

Antoine s'approcha et posa les mains, poings fermés, sur le secrétaire. Il dominait son interlocuteur d'une tête.

— En quoi des écrits gaulois vous feraient-ils peur ?

— Que voulez-vous dire ? interrogea Villeroy.

— Qu'auriez-vous à craindre de vestiges mettant en lumière nos ancêtres gaulois ?

— Mais quelle méconnaissance vous fait affirmer de telles énormités, maître ? Nos ancêtres sont les Francs, peuple vainqueur, qui a mis fin à la domination romaine. Nos aïeux descendaient eux-mêmes de la légendaire ville de Troie. Tout cela est maintenant bien établi.

— Par qui ? Vos historiens officiels ?

— Eux et d'autres, fort éminents. Votre découverte vous égare, mon cher. Raison de plus pour nous laisser l'examiner.

— Je crains que cela ne soit pas possible, monsieur le gouverneur, se permit d'affirmer Antoine en croisant les bras.

— Et pourquoi donc ?

— Les textes étaient sur des codices de cire.

— Fort bien, et alors ?

Antoine empoigna la bougie qui éclairait le meuble, l'examina d'un air insistant et la donna à son hôte. Villeroy la prit, hésitant, n'osant comprendre ce que l'avocat voulait lui signifier.

— Non ? Vous n'avez pas...

— Si. Les textes étaient incompréhensibles. La cire, elle, était de bonne qualité. J'ai maintenant des cierges neufs à l'hôtel de Fléchère.

— Non... répéta le gouverneur, hébété, en se levant.

— Qu'avez-vous ? Vous m'avez dit que ces textes n'étaient pas des vestiges barbares, mais au mieux des comptes de marchands hellènes. Quelle importance ?

Villeroy s'était redressé et son regard s'était durci.

— Ainsi, vous n'avez plus rien ?

— Rien. La cire est devenue bougie et le plomb s'est fondu en manches d'outils. *Memento quia pulvis es*[1].

— Épargnez-moi vos citations latines ! s'emporta le duc. Je ne vous crois pas !

Il s'approcha si près d'Antoine que l'avocat sentit la chaleur de son haleine à chaque expiration.

— Vous mentez, reprit-il, et je le sais. Vous avez gardé ce trésor, mais je crains que vous ne deviez nous le restituer, monsieur. Il est la propriété du roi de France.

Antoine sourit : il avait réussi à embarquer Villeroy sur son terrain de prédilection avec une déconcertante facilité.

— Puisque vous le considérez comme un trésor, et je suis ravi de l'entendre de votre propre bouche, je vous remémorerai l'article contenu dans le volume XII du répertoire de jurisprudence de maître Guyot, qui stipule que l'inventeur d'un trésor trouvé sur ses terres en a pleine et entière jouissance.

Le gouverneur arpenta la pièce dans son attitude favorite, mains dans le dos, en jetant à Antoine des regards en coin, avant de lui faire face :

---

1. Souviens-toi que tu es poussière.

— Pourquoi chercher le conflit, maître ? Il vous suffit de nous restituer ces vieilleries et tout sera oublié ! Même cette conversation, ajouta-t-il comme une faveur.

— Page trois cent deux.

— Mais, à la fin, voulez-vous obéir ! fulmina-t-il en moulinant l'air de ses mains.

— Nul doute que notre roi saura, lui, dans sa grande sagesse, obéir aux lois de son royaume, railla Antoine.

— Vous n'avez aucune idée des conséquences de votre bravade, aucune ! Je vous donne la nuit pour réfléchir et demain, au lever du soleil, je veux voir ce coffre dans la malle de mon carrosse !

— Votre bonté vous honore, monsieur le gouverneur, croyez bien que je vais y réfléchir, répondit Antoine en le saluant d'une courbette. Ne vous donnez pas la peine de me raccompagner, je connais le chemin vers l'office mieux que vous.

16

Mercredi 15 octobre

Aimé de La Roche sécha la pointe de sa plume avant de la poser sur le rebord de l'écritoire. La nouvelle que son neveu venait de lui donner le surprenait.

— Pierre Quéraux n'est plus consul ? répéta-t-il, incrédule.

— Depuis ce midi, confirma Camille. Je l'ai appris par le personnel de l'hôtel de Villeroy.

— Mais pour quelle raison ?

— Nul ne le sait.

Aimé regarda la liasse de journaux devant lui.

— Quel dommage, si cela était arrivé hier, nous aurions pu l'annoncer dans les *Affiches*.

Il se porta devant la fenêtre et regarda la Saône, comme chaque fois qu'il avait besoin de se concentrer pour réfléchir. Il émit un grommellement qui surprit son neveu.

— Qu'y a-t-il, mon oncle ?

— Bientôt, j'aurai perdu la vue, murmura-t-il.

Camille, surpris de l'aveu, le lui fit répéter. La sentence tomba à nouveau, brutale.

— Peut-être devriez-vous changer de bésicles ? hasarda-t-il. On ira voir l'opticien Reyber, celui de la place des Cordeliers.

— Même les bésicles ne peuvent rien pour ce qui arrive, mon pauvre garçon.

— Je suis désolé, mon oncle...

— Pas tant que moi ! C'est la folie des hauteurs qui a pris les Lyonnais, crois-moi !

— Mais... de quoi parlez-vous ? s'inquiéta Camille en se demandant si son oncle avait encore toute sa tête.

— De ceci, dit-il en désignant la maison en travaux qui faisait face à la librairie de la grande rue Mercière. Tous veulent plus d'étages : trois, puis quatre ! Mais où vont-ils s'arrêter ? Bientôt la vue sera définitivement bouchée. Crois-moi, c'est inéluctable, le plus beau panorama sur la Saône aura tantôt disparu ! gémit-il en se prenant la tête à deux mains dans une expression exagérée, digne d'un tableau de la *commedia dell'arte*.

L'explication rassura et amusa Camille, qui préféra ne pas commenter le quiproquo, et qui prit son oncle par l'épaule dans un geste de tendresse.

— Mais qui est le nouveau consul ? demanda soudainement le libraire en se retournant vers lui.

— Personne n'en a idée.

— Ah... Sais-tu ce que je pense ?

— Que nous devrions déménager ?

— Non, quel béjaune tu fais ! Cet endroit est le repaire de notre famille, pas question de nous en éloigner d'une toise. Mais je crois que le temps est revenu pour *Le Glaneur*, mon garçon.

— Vraiment, mon oncle ? Vous le pensez vraiment ?

— Oui, nous pourrions commencer d'ici un mois et répandre nos informations sur toute la ville, proposa La Roche en retournant à son bureau. Le peuple doit savoir.

— Il doit savoir toutes les découvertes faites en notre bonne ville et connaître leurs auteurs !

— Il doit savoir que l'on transforme notre cité en tour de Babel ! renchérit Aimé. Nous allons faire une gazette dont l'opinion va compter, crois-moi. Nous allons utiliser ce *Glaneur* pour propager des causes justes. Mais, pour cela, il nous faut des sujets qui puissent piquer la curiosité de nos lecteurs. D'ailleurs, pour le premier numéro, on pourrait utiliser l'article que je t'avais refusé cette semaine pour les *Affiches*.

Il fouilla dans les papiers étalés et lut :

— C'est une bien étrange découverte qu'ont faite les batelières du pont de pierre ce dernier vendredi en prenant leur service sur la Saône. Notre cerisier, cet arbre miraculeux qui pousse entre les pierres de l'éperon de la seconde arche, et dont les plus intrépides d'entre nous tentent chaque année de cueillir les fruits au péril de leur vie, s'est retrouvé couronné d'une perruque. Imaginez leur surprise à la vue de notre symbole préféré coiffé tel un notable ! Est-ce le fait d'un plaisantin qu'un pari trop hardi aurait émoustillé ? Ou quelque drame se cache-t-il derrière l'abandon de cet oripeau par son propriétaire ? S'est-il noyé dans la Saône en se jetant dans le gouffre de la Mort-qui-Trompe ? A-t-il été victime d'un malandrin sur le pont ? Toutes questions que nous nous posons et que nous tenterons d'élucider pour vous. À partir d'aujourd'hui, on ne pourra plus seulement dire comme nos aïeux « À l'Ascension, cerises sur le pont », mais aussi « À la Saint-Luc, arbre à perruque »... Le ton est peu académique et ta conclusion plutôt potache, mais voilà une énigme bien moderne qui devrait passionner nos abonnés.

— On pourrait appeler la rubrique « Les mystères de Lyon » ? On y ajouterait les vols des lettres de notre enseigne, qu'en pensez-vous, mon oncle ?

— J'en pense que si je trouvais l'individu qui s'amuse à les décrocher pour nous les rapporter les jours suivants, je lui ferais bien subir le même sort que cette perruque ! Mais ton idée est valable : ces nouvelles attireront des abonnés, qui liront les autres rubriques avec autant d'intérêt.

Les deux hommes laissèrent leur enthousiasme déborder avant de tomber dans les bras l'un de l'autre.

— Tu pourras prévenir maître Fabert, je m'occuperai de maître Prost de Royer, indiqua Aimé. Je leur réserve une page entière pour leurs textes.

Il regarda à nouveau par la fenêtre de son bureau. En face, les ouvriers rangeaient leurs outils et quittaient la charpente du toit en construction. La Roche pouvait encore apercevoir les premières arches du pont à travers les lattes de bois qui, bientôt, seraient recouvertes de tuiles. Seule la partie de l'ouvrage du côté rive droite, ainsi que le haut de la chapelle, resteraient visibles. *Mais pour combien de temps ?* songea-t-il. *Le Glaneur* allait lui permettre d'influer sur l'opinion publique.

— Il y a bien longtemps que je n'ai pas pris une aussi bonne décision, dit-il en tapotant son gilet. Viens, mon neveu, allons fêter la sortie de la nouvelle gazette lyonnaise !

— Au *Cygne noir* ?

Aimé lui dispensa un regard mystérieux.

— Dans un obscur établissement dont tu ignores l'existence, jeune homme.

Lorsqu'ils sortirent le jour feignait encore de régner, mais la pénombre avait pris place en attendant d'être balayée par les réverbères. Le libraire avait revêtu une longue cape noire et allumé une lanterne qu'il balançait devant lui comme un encensoir.

— Je commence à croire qu'il vous faut vraiment changer de bésicles, s'amusa Camille.

— Là où nous allons, cette source de lumière nous sera bien utile, répliqua son oncle en augmentant les oscillations de sa lampe.

Ils longèrent la rue Tupin, puis obliquèrent à droite, rue du Charbon-Blanc, dans une obscurité grandissante. Aimé s'engouffra entre deux maisons, dans une étroite allée noire que Camille avait prise pour une ombre sur le mur.

— Attendez-moi, on n'y voit rien, le pria-t-il en pressant le pas.

— Tu trembles ? remarqua Aimé.

— C'est le froid, mon oncle, je ne me suis pas habillé suffisamment, répliqua Camille en relevant le col de sa veste. Et il règne une odeur de pourriture à faire tourner la tête.

— Nous sommes presque arrivés, c'est au fond de cette cour.

Le libraire tendit la main afin d'éclairer l'entrée du café que rien n'indiquait.

— L'endroit a l'air fermé, retournons au *Cygne*, dit le jeune homme devant la porte close.

Pour toute réponse, son oncle lui sourit et frappa vigoureusement l'anneau du heurtoir contre le bois.

— Allons-nous-en, personne ne répond, insista Camille.

La porte s'ouvrit au même moment, délivrant une odeur de fumée et de soupe chaude et laissant s'échapper le bourdonnement joyeux des convives. La patronne, le visage chaleureux et fripé entouré d'une coiffe, les fit s'installer sur une petite table de noyer ciré, près du feu. Avant qu'ils n'aient eu le temps de passer commande, elle leur servit deux bols de soupe ainsi qu'un pichet de beaujolais.

— Seriez-vous un habitué, mon oncle ?

— Il m'arrive de m'y retrouver avec mes employés, lorsque nous avons travaillé tard pour la parution des *Affiches*. Sais-tu qu'il y a plus de deux cents ans de cela, le sieur François Rabelais avait coutume de venir ici boire une pinte ? Du moins, j'aime à le croire. L'endroit était un cabaret et, à cette période, ils n'hésitaient pas à honorer le beaujolais, conclut-il en levant son verre avant de le boire d'un trait.

Les deux clients de la table d'à côté, qui avaient entendu sa tirade, firent de même pour signifier leur approbation. La plupart des personnes présentes étaient des employés ou des bourgeois.

— Dans la journée, la boutique est un café, fréquenté par des marchands et négociants. Tiens, regarde le patron qui casse son sucre, dit-il en désignant un homme, assis sur une chaise près de la cuisine.

Tout en surveillant la salle, le gérant préparait le sucre pour le lendemain, taillant un pain entier pour en faire une centaine de morceaux.

— J'aime cette ambiance, conclut Aimé en finissant le pichet.

— Je vous comprends, acquiesça Camille. Croyez-vous qu'on pourrait...

— Chut, je t'arrête tout de suite : je ne veux pas faire de cet estaminet un lieu de mode où toute la ville voudrait se retrouver et être vue. Pas question d'en parler dans *Le Glaneur*, surtout pas ! Il doit rester un lieu discret dont on s'échange l'adresse comme on le ferait d'une société secrète.

— Je vous en fais le serment, mon oncle. Mais, tout de même, croyez-vous qu'on pourrait reprendre un pichet ?

— Autant que tu le désires ! Nous avons jusqu'à dix heures avant le couvre-feu !

Ils burent un vin de Saint-Genis-Laval de la meilleure qualité tout en écoutant les conversations animées autour d'eux. Aimé rompit soudainement leur silence studieux. Une pensée le taraudait depuis un moment.

— Pour écrire ton article, tu les as questionnées ?

— De qui parlez-vous ? demanda Camille, qui avait très bien compris mais voulait éviter le sujet.

— Des batelières. Tu es allé les voir ?

— Oui, mon oncle. N'est-ce pas le juge du tribunal qui s'est assis à la table près de l'escalier ?

— Et cette petite, celle qui te faisait les yeux doux et qui t'a récupéré dans la Saône, était-elle présente ? continua le libraire sans détourner son regard des yeux de son neveu.

Camille soupira pour signifier sa désapprobation et vida son verre avant de répondre.

— C'est elle qui avait repéré la perruque. Je l'ai interrogée puis nous avons fait un tour en bèche.

— J'en étais sûr ! dit Aimé en se tapant sur la cuisse.

— Mais nous n'avons rien fait de mal ! s'écria Camille avant de baisser le ton. Juste une promenade. Rien d'autre, ajouta-t-il en chuchotant.

— Pas même un baiser ?

— Mon oncle !

— Ces néréides ont la même réputation que les sirènes de l'*Odyssée*, comprends-tu ? Elles t'attirent par leurs charmes et t'obligent au mariage. Après, il est trop tard ! Tu épouses leurs mauvaises manières et leurs familles de peu de biens.

Le patron avait fini de casser son sucre et ramassait les miettes, qu'il faisait tomber consciencieusement dans un bol. Se sentant regardé, il proposa un autre pichet à Aimé, qui déclina.

— Les Argonautes y ont bien résisté, tenta d'argumenter Camille.

— Mais tu n'es pas Ulysse ! Tu ne sais même pas nager. Mon petit, fais attention, la ville est un lieu plein de tentations pour un jeune homme sans expérience.

— Que voulez-vous ? Faire de moi un moine ?

— Un homme averti et prudent.

— C'est bien cela : un capucin. Et si cette jeune femme était sincèrement éprise de moi ? Y avez-vous pensé ?

— Alors, vous vous êtes embrassés, plus de doutes ! déduisit Aimé en fouillant ses poches.

Camille se tut. Le libraire paya et s'approcha du feu pour y rallumer la bougie de sa lanterne. Le jeune homme était resté assis, les yeux rivés au sol. Il eut un nouveau frisson, qu'il tenta de réprimer en boutonnant sa veste. Il se sentait mal à l'aise. La promenade les avait emmenés jusqu'au port de l'Observance, à l'extrémité de Pierre Scize, où la batelière avait logé sa bèche entre deux embarcations. Ils étaient montés sur le chemin de la stèle des Deux-Amants. La suite était un secret qu'il ne pouvait partager avec personne et surtout pas son oncle.

17

Mardi 21 octobre

Lorsqu'il sortit de l'hôtel du gouverneur, le facteur sifflait joyeusement un air de son invention tout en faisant tinter les cinq liards qu'il tenait dans la poche de sa veste. Il avait presque fini sa tournée des abonnés aux *Affiches de Lyon*, qui l'avait amené à la résidence du duc de Villeroy. Contre toute attente, il avait été invité par l'intendant de la maison à entrer. On lui avait confié un pli à remettre à un correspondant qu'il appréciait particulièrement et dont le domicile était proche.

Il parcourut la rue Sala du côté des jardins et prit une pomme d'une branche qui ployait hors d'un verger. Szabolcs aimait son travail. Il lui permettait d'arpenter la ville, qu'il connaissait par cœur, chaque quartier, chaque rue, chaque maison, propriétaires ou locataires, dont il transportait les secrets, les espoirs, les doléances. La pensée le revigora et lui fit bomber le torse de fierté devant la maison d'un notable. *Tout le monde nous réclame, pour déposer des journaux, des paquets, des lettres, pour répondre aux invitations, pour se plaindre d'un commerçant ou pour provoquer en duel*, songea-t-il. *Tout le monde a besoin d'écrire aux autres, sans se déplacer, même pour les inviter à souper ; aujourd'hui, on ne fait plus une lieue à pied pour prendre des nouvelles de sa famille ou de ses voisins : on leur envoie un billet ! C'est cela le progrès et j'en fais partie*, conclut-il, satisfait.

Il avala les pépins avec la dernière bouchée de chair acide et juteuse, jeta le reste du trognon sur la chaussée et vérifia que les pièces de cuivre se trouvaient toujours sur lui avant d'entrer dans la maison d'angle.

— Maître Fabert, j'ai une lettre pour vous, du gouverneur ! clama l'homme en apercevant l'avocat assis sur le sol, adossé au mur à l'entrée du jardin.

Antoine replia la lame de son couteau, qu'il venait d'affûter, et posa la pierre à silex à ses pieds. Le facteur le salua et précisa que l'envoi était déjà payé avant de lui tendre le papier scellé. Antoine le posa sans même l'ouvrir.

— Il y a aussi votre numéro des *Affiches*, ajouta Szabolcs en sortant de sa sacoche le in-quarto de quatre pages.

— Vous devez faire erreur, je ne suis pas abonné, s'étonna-t-il.

— Non, non, pas d'erreur, insista le facteur. M. de La Roche m'a expliqué qu'il vous l'offrait. Vous allez travailler sur un nouveau magazine, n'est-ce pas ?

Antoine acquiesça d'un signe de tête. Il avait fini par céder aux instances de Camille, qui avait fait le siège de la bibliothèque depuis la décision de son oncle.

— C'est une bonne nouvelle pour moi, dit l'homme en retirant son tricorne, qui lui irritait le front. Je gagnerai plus par tournée ! Ce n'est pas que je me plaigne, M. de La Roche est ce qu'il y a de plus correct avec moi, les journaux, c'est le plus gros de mon travail, mais tant qu'il n'y aura pas de Petite Poste à Lyon, on me donnera l'aumône pour les lettres. Il paraît qu'à Paris, il faut débourser quatre liards par envoi, au minimum, ajouta-t-il en additionnant mentalement ses bénéfices potentiels.

Il soupira et se gratta énergiquement le crâne avant de remettre son couvre-chef.

— Au fait, je voulais vous demander un conseil. Il s'agit de mon frère.

L'homme avait acheté à la foire Saint-Germain pour cent aunes d'écheveaux de fil de lin à un marchand lillois avant de s'apercevoir, à son retour à Lyon, qu'il ne possédait qu'une soixantaine d'aunes dans ses différents rouleaux.

— Il était furieux ! Si le marchand avait été de la ville, je crois qu'il aurait tâté de sa dague.

Antoine le fit entrer et lui proposa un bol de soupe qu'il refusa : la pomme semblait vouloir rester coincée dans son estomac, qui le faisait souffrir.

— Le vendeur a joué sur les unités de mesure, c'est un tour classique chez les charlatans de foire, expliqua l'avocat en lui proposant du pain pour l'aider à digérer le fruit. Il existe autant d'aunes qu'il y a de villes. L'aune de Lille représente un tiers de longueur en moins par rapport à celle de Paris. Ne cherchez pas d'autre explication.

Szabolcs hocha la tête d'un air entendu.

— Alors, on ne peut rien faire ? demanda-t-il en picorant la mie.

— Si, nous allons nous référer au recueil des ordonnances des magistrats lillois qui se trouve à la bibliothèque.

— Vous voulez bien m'accompagner à l'hôtel de Fléchère, maître ? Je ne comprends goutte aux textes de loi.

— C'est inutile. Asseyez-vous.

Antoine déchira une feuille d'un cahier, ouvrit son encrier et prit la plus longue plume d'un pot qui en contenait une dizaine.

— Voici ce que votre frère va faire, dit-il tout en faisant crisser la plume sur le papier. Dans un premier temps, il va écrire au marchand pour se plaindre de la longueur manquante de fil de lin.

— Il va se plaindre... répéta Szabolcs en fronçant les sourcils comme pour mieux le retenir.

— Le maraud va répondre qu'il lui a vendu la bonne quantité, soit cent aunes de Lille, précisa Antoine en insistant sur le dernier mot.

— Il va répondre... continua le facteur.

— À partir de ce moment-là, votre frère peut considérer qu'il a d'ores et déjà obtenu gain de cause.

— Ah ? s'étonna Szabolcs, surpris. C'est tout ?

Antoine plongea la rémige dans l'encre et continua à expliquer tout en rédigeant :

— Dès que notre homme aura reconnu qu'il a fait sa mesure en aunes de Lille, votre frère lui enverra la référence de ce recueil où est inscrite l'ordonnance qui règle les conditions de vente chez les filetiers : la longueur doit être mesurée en aunes de France, qui correspond à quarante-huit tours d'un écheveau, précisa-t-il tout en s'appliquant à rendre son écriture lisible. Elle se trouve au chapitre douze, paragraphe quatre... du moins je crois, ajouta-t-il devant le regard ébahi du postier.

— Ben ça alors, comment vous faites pour savoir tout ça ?

— Je l'ai lu il y a peu de temps, dit Antoine. (*Trois ans*, songea-t-il sans oser le lui avouer.) Votre frère terminera sa missive en donnant un mois au filetier pour corriger son erreur, faute de quoi il saisira le siège de la Bourgeterie pour contravention à l'ordonnance. Mais ne vous inquiétez pas, je suis persuadé qu'il recevra rapidement ses quarante aunes manquantes, avec les excuses du marchand, conclut-il en lui tendant la feuille.

Le facteur regarda le papier comme il l'eût fait d'une carte au trésor avant de le rouler et de le ranger avec soin dans sa sacoche.

— On vous doit une fière chandelle, maître. Je ne l'oublierai pas. Et votre pain est souverain, mon ventre ne me fait plus mal !

Antoine coupa la miche et lui en donna la moitié.

— La prochaine fois, Szabolcs, dites bien à votre frère de faire attention à l'unité de mesure, conseilla-t-il en faisant disparaître son couteau dans la poche extérieure de sa veste. Quant à vous, crachez les pépins plutôt que de les avaler.

Szabolcs le remercia avec l'emphase et la retenue mélangées que lui procuraient ses origines hongroises. Décidément, l'avocat était un homme plein de ressources et, pour couronner le tout, le seul dans toute la ville à l'appeler par son prénom sans jamais l'écorcher.

— Pour le gouverneur, dois-je déposer une réponse ? demanda-t-il au moment de le quitter.

— Inutile. Elle lui est déjà parvenue il y a une semaine, répondit Antoine. Mais M. de Villeroy a bien du mal à l'accepter.

Resté seul, Antoine déposa la lettre dans le tiroir de son bureau où elle rejoignit les précédentes. Szabolcs avait vu les domestiques de Villeroy charger des malles sur son carrosse : Versailles le réclamait. Antoine allait avoir plusieurs semaines de répit. Il sortit un des cahiers de sa besace. Le livret contenait la copie d'un codice de Louern dont la traduction était presque terminée. Les indications laissées dans les parois du coffre ne lui fournissaient les clés que d'un nombre limité de mots et il devait deviner le sens des autres par la compréhension du contexte des phrases, ce qui pouvait se révéler fastidieux et hasardeux, mais il n'avait pas d'autre choix. Antoine avait regroupé les termes inconnus en fonction de leurs racines phonétiques et de leurs contextes. Par chance, la langue utilisait de nombreux mots composés à partir de termes simples, ce qui en facilitait la compréhension. Petit à petit, la vie quotidienne des druides s'alignait sur ses cahiers.

— *Ne immi uiro-uarnos*, murmura-t-il après avoir soufflé sur l'encre fraîchement étalée.

La phrase lui avait longtemps résisté, mais il avait fini par comprendre. *Nous ne sommes pas des tueurs d'humains*. Louern l'avait écrite comme un cri de rage. Alors que les autres codices étaient remplis de maximes joyeuses ou énigmatiques, ce texte dénonçait l'image des druides sacrifiant des innocents lors de cérémonies rituelles dans des forêts de chênes. *S'il savait*, songea Antoine, *que nos historiens l'enseignent encore, aidés par les religieux*. Louern expliquait que les auteurs romains, Pline l'Ancien, Lucain, Cicéron, repris par tant d'autres, avaient transformé des légendes ancestrales en réalités contemporaines. *Il n'y a même plus d'animaux sacrifiés depuis deux siècles*, avait ajouté le druide. *Les colonisateurs romains peuvent-ils en dire autant ?*

Antoine relut le passage où Louern expliquait que les druides avaient la place la plus importante dans la société gauloise. Ils enseignaient au peuple qu'il devait honorer les Dieux, ne rien faire de mal et s'entraîner à la bravoure. Ils détenaient la connaissance, pratiquaient la justice et s'occupaient de l'éducation des personnes destinées à régner. *Ils régnaient eux-mêmes*, avait écrit l'avocat en marge de sa traduction. Il s'était procuré à la *Boule du monde* une réédition des textes de Posidonios d'Apamée. Le Grec avait été, selon Antelme de Jussieu, le meilleur observateur de la société gauloise et Louern, cent ans plus tard, ne faisait que confirmer ses propos, avec un luxe de détails et d'anecdotes qui donnaient à Antoine la certitude de ne pas avoir affaire à un faussaire.

La pensée de son ami historien lui donna envie de lui rendre visite afin de partager avec lui ses dernières avancées. Il mit sa besace en bandoulière et attrapa une des clés du trousseau qui pendait au mur, faisant cliqueter les autres. Il était temps qu'Antelme prenne l'air.

18

Mardi 21 octobre

Le paysan retournait la terre humide de sa binette. La glaise collait à chaque passage, soulevant des mottes qu'il faisait retomber comme une pâte à pétrir, avant de les couper en petits morceaux. Il devait finir la rangée avant la fin de l'après-midi et s'arrêtait fréquemment, se redressant avec difficulté, une main sur son dos meurtri par des années de batailles avec un sol revêche, l'autre posée comme une visière sur le front pour mieux constater son avancée. Il avait repéré la progression de l'étonnant équipage qui grimpait le sentier menant à la bâtisse jouxtant son champ. Dès les fortifications passées, après les premiers lacets du chemin, la carriole s'était arrêtée. Antelme s'en était extirpé, aidé de ses deux serviteurs qui l'avaient installé dans son siège roulant. Leur marche n'avait duré que quelques mètres, cahoteuse, bringuebalante, avant qu'Antoine ne vienne à leur rencontre et que l'historien ne se hisse sur son dos. L'homme était moins lourd que l'avocat ne l'avait imaginé et il parcourut le kilomètre les séparant de sa propriété en moins de vingt minutes, suivi par les domestiques, à la peine avec le fauteuil qui, bien que vide, restait d'un grand inconfort à transporter. L'agriculteur les salua à leur passage avant de retourner à son labour en se demandant quel genre de client avait son voisin avocat pour qu'il se transforme ainsi en bête de somme.

Arrivés au seuil de la Bergerie, Antoine et les deux aides déposèrent Antelme dans sa chaise, qu'il poussa à l'intérieur grâce au système de manivelles.

— Je suis le seul roi qui ne se sépare jamais de son trône, plaisanta-t-il avant de promener un regard impressionné sur les machines entreposées. Expliquez-moi votre drôle d'alchimie, ajouta-t-il, intrigué.

Antoine lui fit une démonstration de sa râpe à poire de terre et de la fabrication d'un pain. Jussieu fit montre d'un intérêt non feint et le questionna avec pertinence. Les flammes du four léchèrent les briques de terre cuite et dorèrent rapidement la miche, laissant dans la pièce une odeur alléchante.

— M. de Parmentier est membre de l'académie des sciences de notre bonne ville, fit remarquer Antelme lorsque Antoine évoqua son admiration pour l'homme. Je vous le présenterai à sa prochaine venue, nul doute qu'il tiendra vos travaux en la plus haute estime.

Vous avez le même but, du pain au juste prix et pour le plus grand nombre.

Il approcha son fauteuil de la table sur laquelle Antoine venait de poser la boule cuite. L'avocat prit son canivet. La croûte dorée craqua sous la lame. Il en posa un morceau devant Antelme, qui le rompit et en huma les arômes.

— D'ailleurs, où en est votre requête concernant le monopole des boulangers ? interrogea l'historien après avoir déchiré la mie de ses gencives nues.

Antoine lui relata la mésaventure de Prost.

— Nous avons pu démontrer que les hommes qui s'étaient fait passer pour des représentants de la corporation étaient partis pour Châlons en coche d'eau le jour même. Ils ont ensuite pris une diligence pour Paris. Je me suis procuré leurs permis de transport au Bureau général des coches du Rhône et j'ai obtenu le témoignage du commis conducteur, qui se souvenait très bien d'eux.

— L'affaire est en bonne voie, constata Antelme.

— Nous avons déjà perdu un mois. À partir de janvier, Mallets d'Arpheuillette risque de ne plus être le juge du dossier et il sera alors très difficile de faire passer cette réforme, objecta Antoine en jetant un regard par la fenêtre.

— N'est-ce pas lui que l'on surnomme « Pain bénit » ? nota, amusé, l'historien.

Antoine acquiesça.

— Espérons que son sobriquet nous portera chance, ajouta-t-il. Mais il nous reste peu de temps pour réussir. Venez, allons profiter des derniers rayons de soleil.

Lorsqu'ils sortirent, les deux serviteurs dormaient profondément, allongés dans un carré d'herbe sous le cerisier nu. La carriole avait disparu. L'âne qui la tractait avait tiré sur sa longe et s'était promené de buisson en chardon, jusqu'à finir embourbé dans le champ tout juste labouré du voisin. Antelme réveilla ses domestiques d'un coup de clochette et les invita à récupérer l'ensemble avant que le paysan, alerté, ne vienne réclamer réparation et dommages. Antoine constata qu'aucune situation ne semblait agacer l'historien, qui jamais ne se départait de son calme.

— En quoi cela nous aiderait-il de les vilipender ? Regardez les malheureux : ne sont-ils pas assez fautifs ainsi ?

Les domestiques tentaient de faire avancer la bête que les roues de la carriole, fichées dans la glaise, empêchaient de bouger. Ils jetaient des regards furtifs autour d'eux, s'attendant à voir le paysan fondre sur eux binette à la main.

— En les tançant, je leur aurais donné l'occasion de m'en vouloir et de rassembler leur frustration sur ma personne. Alors que, ainsi, ils ne s'en prennent qu'à eux-mêmes.

Antoine observa le corps de Jussieu qui s'était ratatiné dans son fauteuil, les épaules voûtées, les mains recroquevillées. Même son visage s'était refermé. La douleur était visible partout sur lui. Il l'incarnait. L'avocat tira de l'eau du puits et lui en porta une louche. Antelme but avidement et sembla se détendre.

— Parlez-moi d'eux, dit-il en se redressant. Parlez-moi des Gaulois.

— J'en sais encore si peu, reconnut Antoine. Ils n'avaient rien de sauvages ni de barbares. Louern décrit avec beaucoup de précisions la partie celte de Lugdunum. Il l'appelle Condate. Le confluent, conclut-il en observant les flots de la Saône et du Rhône fusionner.

— La Croix-Rousse est donc la ville gauloise? Peut-être même notre homme s'est-il assis à l'endroit où nous sommes pour regarder ce paysage? imagina Antelme.

Antoine y pensait chaque fois qu'il venait à la Bergerie.

— Il y avait, près d'ici, un grand sanctuaire appelé par lui les « Trois Gaules », ainsi qu'un amphithéâtre, où se réunissaient une fois par an les représentants des peuples gaulois, ajouta-t-il en le localisant des yeux.

— C'est ce grand champ ovale en contrebas, avec les trois arches en ruine? s'enthousiasma Jussieu, qui avait suivi le regard d'Antoine.

— Oui, c'est ce que j'en ai conclu.

— Il est indiqué sur tous les plans comme un vestige romain! s'exclama-t-il. Je suis persuadé qu'en creusant sur quelques mètres, on pourrait retrouver des gradins, des statues, que sais-je? Mais qu'attend-on? tonna-t-il en prenant appui sur ses bras.

Antoine crut que l'historien allait se lever, mû par une force surhumaine. Mais Antelme se laissa choir lourdement, rattrapé par la réalité.

— Tout le monde n'a peut-être pas envie de remonter le temps, Antelme.

— Vous avez raison. L'Église est l'alliée de la noblesse: la chrétienté ne veut pas de ces Gaulois païens, de ces ancêtres honteux qui vénéraient plusieurs Dieux, elle préfère les Francs convertis à leur religion, fulmina l'historien, qui semblait à nouveau subir la pesanteur de la douleur. Merci, Antoine, merci pour ce cadeau que je n'espérais plus, ajouta-t-il.

Il se tut. Ses mains serraient les bras du fauteuil dans une grande crispation.

— Comment êtes-vous devenu infirme ? Si vous me permettez de poser cette question, dit Antoine, qui était resté debout à l'arrière de la chaise.

Antelme aurait pu se croire seul face à la cité qui s'étendait en contrebas. Même les serviteurs s'étaient calmés, ayant compris que leurs encouragements ne faisaient qu'accentuer la panique de l'âne. Tout était paisible. Les bruits de la ville parvenaient étouffés, les coups de marteau des ferblantiers du quartier Saint-Vincent, les harangues des bonimenteurs de la place des Terreaux, les cris des marins débarquant les marchandises au port Saint-Clair. Ils restèrent plusieurs minutes silencieux avant que Jussieu ne parle, d'une voix douce, au timbre apaisant, très loin de son physique en souffrance.

— Il y a quinze ans de cela, j'étais le meilleur bailleur d'eau de tout Lyon. Savez-vous en quoi consistait ce métier ? commença-t-il en levant les yeux pour deviner la réponse de son interlocuteur. Nous étions peu nombreux sur la place et bien discrets.

— Racontez-moi, l'enjoignit Antoine, qui connaissait déjà la réponse.

Il se souvenait d'avoir lu à Fléchère un livre qui décrivait la curieuse aventure d'Octavio Mai, marchand du siècle passé. L'homme avait découvert en mâchant des brins de soie la manière d'obtenir un éclat particulier, qui devint celui des taffetas lustrés de Lyon. Pour le reproduire, les bailleurs d'eau devaient humidifier la soie, puis la brûler afin de la sécher au moment idéal. Le tour de main faisait toute la différence et certains d'entre eux pouvaient y gagner des sommes considérables.

— Personne ne maniait la soie mieux que moi pour en faire un taffetas lustré qu'on s'arrachait sur toutes les foires d'Europe et du Nouveau Monde, affirma Antelme. Le Nouveau Monde... Je fus rapidement courtisé par la Compagnie française des Indes orientales, qui tentait de relancer son activité à Madagascar.

— L'halabé ?

— Non, l'idée de l'araignée m'est venue plus tard, une fois sur l'île. Ils m'y ont envoyé pour mettre en place un atelier de production de soie et de taffetas qui ne soit pas dépendant des conditions climatiques. Le gel des mûriers était leur obsession : moins de chenilles, moins de soie, moins de profits. Au bout de deux ans, j'avais obtenu tout ce qu'ils désiraient : plus, plus, plus...

Antelme fit une pause. Parler l'essoufflait. Ils observèrent les deux valets qui, après avoir attaché l'âne à un arbre, tentaient de tracter la charrette hors du labour à la force des bras.

— Lorsque la Compagnie perdit son monopole, il y a huit ans, je décidai de rester, continua Jussieu. Mais le pays s'est vite révélé dangereux pour un étranger comme moi, qui n'avait plus la puissance colonisatrice de la France pour le protéger. L'île était une mosaïque de royaumes, les relations avec chacun se révélaient compliquées, sans compter les pirates qui commerçaient avec tous. J'étais de trop dans ce jeu, mais je ne m'en suis pas rendu compte. L'abbé Bertholon dit que le destin de tous les êtres est de se voir sans cesse entourés de causes destructrices contre lesquelles il faut lutter en permanence. Qu'il a raison ! Je n'ai baissé ma garde qu'une fois, une seule petite fois, en confiance. Et une dague m'a déchiré le dos. Voilà mon originalité : Dieu peut vous retirer la vie d'un coup, chez moi il a choisi de le faire par morceaux. Depuis, je suis revenu dans ma ville pour attendre l'achèvement de sa tâche.

Un bruit de dispute l'interrompit : le paysan, revenu sur son champ avec ses deux frères, avait pris à partie les domestiques et les menaçait de garder la carriole. Antelme éclata de rire :

— Voilà du travail pour vous, maître. Vous ne pouvez que réussir, sinon vous allez devoir me transporter à dos d'homme jusqu'à mon antre !

19

Mardi 28 octobre

Férrère se massa les mains : la leçon de clavecin qu'il venait de donner était la troisième de la journée et ses doigts n'avaient pas leur agilité habituelle. Sans doute le froid qui s'était abattu sur la ville sous la forme d'un brouillard épais et qui semblait vouloir s'installer pour la journée. Il sourit à son élève, Marie-Lyon Prost de Royer, et la gratifia d'un encouragement mérité. De tous ses étudiants, elle était la plus assidue et montrait des dispositions pour l'instrument. Il lui donna sa partition pour la leçon suivante, enfila le long manteau qu'il tenait de son père, un *gambeto* couleur de mûre maintenu par une large ceinture, symbole de ses origines catalanes, ainsi qu'un chapeau de laine, et se rendit en frissonnant à sa leçon suivante. Il finit avant midi, ce qui lui permit de s'arrêter au Bureau d'avis des halles de la Grenette, pour y déposer son annonce.

— *Le sieur Férrère, connu de plusieurs personnes recommandables de celle ville, ayant appris l'art des Muses auprès de M. Rigel, de l'Académie royale de musique, se propose de donner des leçons de clavecin et solfège aux enfants. Il se flatte de satisfaire les parents des élèves qui lui seront confiés et d'obtenir des résultats probants de tous. Sa nouvelle façon d'enseigner les principes de musique vocale et instrumentale paraît plus courte et intelligible que l'ancienne. S'adresser au portier de la poste rue Saint-Dominique*, lut le préposé d'un ton monocorde avant de lui demander quatre liards pour tout compte.

Férrère avait besoin d'augmenter ses revenus s'il voulait pouvoir payer son loyer ainsi que le bois de chauffage et se nourrir correctement. Le propriétaire l'avait prévenu : plus aucun crédit ne lui serait accordé. Il devait trouver l'argent avant la Toussaint. Il consulta les annonces de la semaine. Son front se plissait au fur et à mesure de ses lectures : même les chambres garnies lui semblaient horriblement chères.

Pourquoi mon père est-il mort le jour de mes seize ans en laissant tout à ma marâtre ? se lamenta-t-il intérieurement avant de relever son col de veste et de sortir en saluant les personnes présentes. Le préposé lui rendit son salut et se tourna vers Camille, qui se trouvait à son côté.

— En voilà une dernière ! annonça-t-il en déposant l'annonce de Férrère dans les mains du jeune rédacteur.

— Cela suffira pour la semaine, sinon il nous faudra encore faire un supplément aux *Affiches* ! répondit Camille en la pliant avant de la mettre dans sa sacoche. Je file !

Il se rendit à l'imprimerie toute proche, où le typographe l'attendait avec impatience. Le local, de petite taille, était un fourbi organisé autour de deux volumineuses presses à bras. Il y régnait une odeur constituée d'un mélange d'encre, de graisse et de papier chiffon.

— As-tu conscience de l'heure, jeune Camille ? dit-il en rangeant ses dernières lettres de plomb dans un ordre qu'il était le seul capable de comprendre. Nous allons encore travailler jusque tard ce soir ! Vas-y, je t'écoute !

Camille prit le temps de trier les annonces selon leur type et commença :

— *Affiches de Lyon quarante-quatrième feuille hebdomadaire du mercredi 29 octobre 1777.*

L'ouvrier composa les mots en utilisant les lettres sans même regarder les cases où il les piochait. En moins d'une minute, la phrase fut prête. Camille lui indiqua la rubrique – les maisons à vendre – puis les cinq annonces proposées. Des deux typographes, Charles était le préféré de Camille. Il l'avait toujours connu. L'homme travaillait pour son oncle depuis plus de trente ans, et, surtout, Charles était intarissable pour commenter les avis de toutes sortes. On eût dit qu'il connaissait chaque famille de Lyon et tous les secrets qui s'y rattachaient. Peut-être les inventait-il, mais Camille s'en moquait.

— *Très bel appartement bien clair, composé de cinq pièces, au premier étage, avec cave, grenier et souillarde, dans la rue du Bœuf, près de la place Neuve*, lut-il avec entrain. *À louer à présent, M. Jacquenod fils, négociant, rue Dubois, à côté de la pompe.*

— Tiens donc, dit Charles tout en accolant les lettres, voilà qu'il a besoin d'argent, le bonhomme, les affaires ne doivent pas aller fort. Je ne lui confierai pas tes économies, mon garçon.

— Tu veux dire les tiennes ? corrigea Camille en vérifiant l'annonce suivante.

— Moi je n'en ai pas et n'en aurai jamais. Je les ai toujours bues et jouées. Parfois perdues avec des femmes de mauvaise vie. Non, je parlais des tiennes. On ne te connaît pas encore de vices, dit-il d'un ton taquin.

— On passe aux carrosses ? proposa le jeune rédacteur.

— Vas-y, fais-moi souffrir de ne point être bien né !

— Il te faudra une colonne entière. Huit sont à vendre.

— Cela confirme ce que je te disais : le négoce se porte mal ! Ça, c'est la concurrence des comptoirs !

— Écris : *Carrosse verni en vert, avec les corps dorés, doublé de velours ciselé cramoisi, à vendre. On en fera bonne composition : s'adresser au portier de Mme Belleville.*

— Je le connais, celui-là, ils auraient pu ajouter : habitacle vermoulu sous le velours cramoisi. Les ressorts sont bons à changer. Et c'est sur ces sièges que le sieur Belleville a eu son apoplexie fatale qui a laissé une veuve : ce n'est pas un véhicule, c'est un corbillard ! Même offert, je ne le prendrais pas, conclut-il, convaincu par son propre discours.

Camille le regarda déposer les carrés de plomb entre les glissières et attendit la fin de l'annonce avant de poursuivre :

— En voilà un pour toi, Charles : *Berline allemande, à fond vert, dont les corps sont dorés, doublée de velours d'Utrecht gris, bonne pour la ville et très solide pour faire des voyages, à vendre. S'adresser à M. Devilieu, rue Sala.*

— Mais qu'ont-ils tous à utiliser des fonds de la même couleur ? Vert ? C'est à croire qu'il n'y a qu'un seul teinturier pour toute l'Europe ! dit le typographe tout en plaçant ses lettres avec une dextérité qui ne laissait pas d'impressionner le jeune rédacteur. Il est vrai que l'Empire germanique produit les véhicules les plus robustes qui soient, mais qui demandent une constitution à toute épreuve. Je passe mon tour.

— *Très beau carrosse à sept glaces*, continua Camille, *verni en blanc, orné de belles peintures et dont le train est des mieux conditionnés et dans le dernier goût, à vendre : s'adresser au sieur Bernuzet, tapissier, place Louis-le-Grand.*

— Mazette, je n'ose imaginer le prix. Remarque, si j'avais une bonne rente, c'est ce genre de véhicule que je prendrais. Sept glaces... il faut être au moins consul pour s'en offrir un !

— Ou tapissier.

— C'est un tapissier qui descend d'un consul ! Voilà, la première page est finie, annonça-t-il.

Ils la lurent ensemble à voix haute avant de placer le cadre contenant la composition sur le marbre de la presse. Le typographe l'enduisit d'encre grasse à l'aide de boules de cuir et de chiffon, posa le papier et descendit le plateau qui comprima l'ensemble avant de tourner la vis pour remonter la presse. Camille détacha la feuille imprimée qu'ils inspectèrent, satisfaits.

— À faire sécher, valida Charles. Faisons une pause, mon garçon.

Camille servit des verres de vin qu'ils burent comme deux assoiffés. Le typographe s'essuya les mains, puis le front, avant de se rendre compte qu'il utilisait un chiffon couvert de taches d'encre.

— Bah, ils le sont tous, dit-il en réponse au regard amusé de son acolyte. Tant que ce n'est pas ma langue qui est recouverte d'encre, ajouta-t-il, malicieux.

Camille, qui n'avait pas envie de se faire rappeler un épisode peu glorieux, décida la reprise du travail.

— Qu'avons-nous dans les « divers » ? demanda Charles, ragaillardi par cette rasade de vin.

— Je débuterais bien la page par un vendeur de pot à eau et de sa cuvette, proposa-t-il.

— Après les carrosses à sept glaces, la transition est sévère. Rien d'autre de plus engageant ?

— *Deux paons d'Espagne, mâle et femelle, âgés de quatre ans, à vendre ; ils sont très familiers : s'adresser à M. Los-Rios, rue Saint-Dominique*, lut Camille avant d'agiter le papier pour approbation.

— Ils pourraient être utiles pour monter une ménagerie, plaisanta Charles. Ou comme porte-plumes.

Le typographe joua l'animal présentant son plumet et Camille en tira une plume imaginaire :

— Je te remercie de ton sacrifice, paon, dit-il en s'inclinant, ton dépouillement ne sera pas vain.

Il mima une tentative d'écriture avec une rémige trop grande, dont l'extrémité venait lui chatouiller le nez. Leur pantomime dura plusieurs minutes, entrecoupée de fous rires.

Une fois calmé, Camille empoigna la liasse des avis et prit une profonde inspiration.

— Il nous faut avancer. Commençons la rubrique par celle-ci, décida-t-il : *Tableau peint sur bois, par Raphaël, à vendre. Ce tableau a trois pieds six pouces de hauteur, sur six pieds quatre pouces de largeur. Il représente un Christ mort, couché par terre, aux pieds duquel sont saint Jean, la Magdelaine, Nicodème et les autres Marie. Ce tableau, malgré son ancienneté, conserve toute sa beauté et son coloris et il est admiré de tous les connaisseurs : s'adresser chez le sieur Borde, aubergiste de la rue de la Bombarde.*

Charles lui envoya un regard complice :

— Tu veux assassiner notre bonne humeur, mon garçon ? Je ne connais pas ce Raphaël, mais il ne m'a pas l'air d'être un Roger Bontemps. Quelle tristesse de reproduire des bondieuseries aussi funestes !

— Charles... Raphaël est l'un des plus grands peintres de toute l'Histoire.

— De l'histoire de Lyon ?

— Il est italien.

— Du quartier de la Croix-Rousse, alors ?

— Non, il vécut à Florence et Rome.

— Alors pourquoi a-t-il fini miséreux ici ?

— Mais il n'a pas fini miséreux !

— Tu appelles cela comment, toi, quand tu es obligé de donner un tableau à un aubergiste comme le sieur Borde pour payer ton repas ?

L'œuvre devait être la reproduction sans valeur d'un graveur local, mais Camille abandonna l'idée de le lui expliquer, ainsi que le fait que l'artiste était mort deux cent cinquante ans plus tôt.

— Tu as raison, dit-il simplement.

Ils ajoutèrent au tableau de Raphaël des chocolats de santé vendus cinquante sous la livre par l'apothicaire de la rue de la Lanterne, des pruneaux de Suisse et de la moutarde de Besançon proposés par l'épicier Chatard, des duvets d'édredon – bien trop chers selon Charles –, un cylindre pour lustrer les étoffes de soie, un billard avec sa couverture de peau, des macaronis et vermicellis de Gênes, une batterie de cuisine en cuivre comme neuve, une forêt de cinq cents arpents, quatre paires de serins – en état de nicher, précisait le billet –, une paire de pistolets anglais à quatre coups ainsi que du vin vieux de Sainte-Foy, de 1764 et 1766, à vendre à seize et vingt sous avec le verre.

— De Sainte-Foy ? Montre-moi l'annonce ! demanda le typographe en abandonnant ses lettres de plomb.

Camille lui tendit le billet.

— *M. Prelier, marchand épicier en vis-à-vis de l'église Saint-Georges*, lut Charles à voix haute.

Il déchira le papier avant de le lui rendre.

— Celui-là vient de trouver preneur, dit-il dans un large sourire. Voilà des mois que j'en cherchais. Un sainte-foy de plus de dix ans d'âge... Vite, mon garçon, dépêchons-nous de finir, j'en ai soif d'avance !

— Il ne reste plus que les objets perdus, indiqua Camille en se redressant.

Il étira ses muscles et fit craquer ses articulations avant de lire les deux derniers avis des *Affiches* de la semaine :

— *Il a été perdu, lundi dernier, 27 du présent mois, une reconnaissance, prise au bureau de loterie du sieur Alex, receveur, rue Saint-Dominique, contenant cinq billets. Celui qui l'aura trouvée est prié de s'adresser au Bureau d'avis. Il sera donné une généreuse récompense.*

— « Celui qui l'aura trouvée » ferait mieux d'attendre le tirage avant de savoir s'il les rend, fit remarquer Charles.

— Peut-être, mais s'ils sont perdants, plus de récompense, objecta Camille.

— C'est un risque à prendre, non ? Paraît-il que les chances de gagner sont plus grandes avec la nouvelle Loterie royale.

— Quand est prévu le tirage ?

— Demain, mercredi, au Bureau général des loteries. Imagine la berline que je pourrais m'acheter avec un billet gagnant, dit Charles en fermant les yeux. Bien, soupira-t-il en les rouvrant, finissons notre labeur. Quel est le dernier ?

— *On a perdu hier 12 février, entre midi et une heure, dans l'intervalle qu'il y a de la place Louis-le-Grand au bureau des coches d'Avignon, une chienne épagneule, blanche*... commença Camille.

— Il m'aurait étonné que personne n'ait égaré un animal cette semaine, s'amusa Charles, alors que les amputés perdent leurs cannes, les militaires leurs médailles, les femmes leurs bagues et boucles d'oreilles, leurs maris leurs traites et billets de loterie, les domestiques les cuillères en argent, et que certains originaux égarent leur perruque !

— ... *un peu vieille, à qui il manque plusieurs dents et qui a une oreille jaune*, continua le jeune rédacteur avant de rire aux éclats. Mais qui donc aurait envie de retrouver une telle gorgone ?

— Qui voit le chien voit le maître, cita Charles. Connais-tu quelqu'un dans cette ville avec une oreille jaune ?

— Le père Guimpier ?

— Lui, c'est tout son visage qui a le teint de la cire d'abeille ! Ou alors, c'est un étranger qui l'a perdue en ville ?

Le typographe prit le papier des mains de Camille, qui ne pouvait plus aligner deux mots sans pouffer, et lut :

— *On prie celui qui l'aura trouvée de s'adresser au même bureau. On donnera la récompense qu'on exigera. Comme cette chienne est pleine, on offrira un de ses petits à celui qui la rendra.*

Les deux hommes partirent à nouveau d'un fou rire irrépressible.

— Plutôt la laisser en liberté que se voir attribuer un petit !

— Sans dents... et avec une oreille... jaune ! renchérit Camille, au bord de l'asphyxie.

Il s'essuya les yeux, qui s'étaient remplis de larmes, avec un des chiffons du typographe et étala involontairement les restes d'encre tout autour de ses orbites et sur ses paupières. La vision de Camille au visage peint comme ceux des guerriers du Nouveau Monde fit se plier Charles de rire. Il ne parvenait plus à recouvrer sa respiration, ses côtes le faisaient souffrir. Il se tourna pour éviter de le voir et se concentra sur les pensées les plus grises qui étaient en lui, mais même l'enterrement de son oncle, le plus triste auquel il ait jamais participé, n'arrivait pas à endiguer les vagues de spasmes qui le secouaient. Il dut poser les lettres qu'il tenait encore et enfouir sa tête dans ses mains pour tenter de reprendre son souffle. De son côté, Camille, devant l'hilarité communicative de son ami, était aussi en pleine apnée.

Il fallut un long moment aux deux hommes, qui se tournaient le dos, avant de retrouver leur calme.

— Si Aimé était là, que dirait-il ? glissa Camille après avoir repris sa respiration.

— Cessez vos enfantillages ! clama Charles en imitant la voix et la gestuelle de l'imprimeur, mains dans le dos.

Au même moment, la clochette de la porte d'entrée retentit.

— Le patron ! murmura Charles, affolé, avant de chercher le groupe de lettres qu'il avait abandonné quelque part dans la pièce.

— Mon oncle ? interrogea Camille.

Aucune réponse ne parvint de la pièce voisine. Le jeune homme fut pris d'un hoquet bruyant et irrépressible.

— Qui est là ? demanda-t-il entre deux soubresauts.

Anne apparut. Il ne lui avait jamais vu une telle expression sur le visage. Ses yeux étaient encore rougis par les pleurs, ses lèvres pincées, ses poings fermés, tout son corps était crispé autour de sa souffrance.

— Mon Anne, que se passe-t-il ?

Elle eut un mouvement de recul lorsqu'il s'approcha et mit sa main devant sa bouche pour étouffer un cri.

20

Mercredi 29 octobre

— Regardez ça, regardez cette merveille !

Marc de Ponsainpierre montra à sa femme Edmée l'halabé qu'il venait de sortir de son pot et qu'il tenait entre ses doigts. L'animal fauchait l'air de ses pattes rouge et noire dans des mouvements désordonnés.

— Mon ami, n'insistez pas, répondit-elle en détournant la tête vers la fenêtre. Vous savez bien comme leur seule présence me met mal à l'aise.

— Mais vous ne risquez rien, assura-t-il. Venez, je vais vous montrer comment cette bête produit sa soie.

Il prit une loupe au manche en cuivre et la positionna près de l'araignée de façon à grossir l'extrémité de son abdomen. Ponsainpierre dut s'y reprendre à plusieurs fois avant que sa femme ne cède à ses injonctions.

— Voyez-vous son anus ? demanda-t-il alors qu'elle tendait le cou au maximum de façon à ne pas s'approcher trop près.

— Croyez-vous que ce soit là une matière à montrer à une dame ? dit-elle sans espoir que l'argument n'infléchisse la volonté de son mari.

Elle le connaissait trop pour savoir qu'il se passionnait à l'extrême pour tout ce qu'il entreprenait, bien au-delà des limites de ce qu'elle considérait comme raisonnable, et qu'il conduisait ses affaires de manière obsessionnelle sans se soucier de l'avis de son entourage, Antoine mis à part.

— Vous êtes sûre de bien voir ? la pressa-t-il en tentant de la tirer par le bras pour qu'elle se rapproche. Tenez la loupe pour la mettre à votre vue !

Elle obtempéra afin d'en finir au plus vite.

— Distinguez-vous les cinq mamelons autour de cet anus ? Comme des papilles ?

Edmée ne vit rien mais fit signe que oui.

— Très bien ! Plus à l'intérieur, il y en a deux autres. Regardez-les bien, c'est à partir de ceux-là que sont produits les fils de soie.

Marc appuya fermement sur le corps de l'halabé.

— Je vois une sorte de gelée qui sort, dit-elle en masquant son écœurement.

— C'est la liqueur qui forme les fils, expliqua Ponsainpierre. C'est elle qui forme les fils d'or ! Ils sont si fins qu'on ne peut les voir à l'œil nu.

Elle posa l'oculaire sur la table.

— Très intéressant, commenta-t-elle en reprenant sa place près de la fenêtre. Maintenant, pouvez-vous la remettre dans son pot, s'il vous plaît ?

Son mari s'exécuta et recouvrit le récipient d'un papier percé de trous d'épingle.

— Ne vous inquiétez pas, Edmée, dit-il, devançant sa question. Elle ne risque pas d'en sortir.

— Et de déchirer le papier avec ses dents ?

— Non plus. Ce n'est pas un rat, ma mie !

— Sachez que je désapprouve fortement vos expériences, d'autant qu'elles ne vous mèneront à rien.

— Vous avez tort. Un jour, nous fabriquerons la soie la plus résistante et la plus rentable qui soit. Et sa couleur est inaltérable. Imaginez-vous tout le bénéfice que nous pourrons en tirer ?

— Pour l'instant, j'en constate tous les désagréments. Vous avez investi la buanderie et la chauffez jour et nuit à outrance.

— J'en ai grand besoin, si je veux augmenter mon cheptel, répondit Marc en regrettant aussitôt sa parole.

— Votre... cheptel ?

— Il se trouve que M. de Jussieu m'a vendu la plus grande partie de ses halabés, mais ce n'est pas suffisant. La quantité de soie nécessaire à la fabrication d'une paire de gants nécessite des milliers de coques comme celle-ci.

Ponsainpierre lui montra un objet jaunâtre, de la forme et de la taille d'un petit œuf de caille.

— Qu'est-ce donc ? s'enquit-elle en s'approchant, piquée par la curiosité.

— Un fuseau de fil fait en cette matière.

Il le lui posa dans le creux de la main. Elle se laissa faire mais prit une mine de dégoût.

— Qu'y a-t-il dans cette coque ? Elle semble pleine.

— Normal, ce sont des cocons.

— Cocons ? Que voulez-vous dire ? demanda-t-elle, soudainement inquiète, en la prenant entre pouce et index.

Une onde de contrariété traversa le visage de Marc de Ponsainpierre, qui hésita avant de répondre :

— Elle contient des œufs.

Le serviteur entendit le hurlement depuis les écuries où il bouchonnait les chevaux de l'attelage. Un cri primal, suraigu, qui provenait de l'office. Madame avait eu une attaque d'apoplexie ou avait vu le diable, il ne pouvait en être autrement. Il entra en même temps que la bonne, qui revenait du marché et avait laissé tomber ses paniers pour se précipiter à la cuisine.

Leur maîtresse avait les mains plongées dans un baquet d'eau et se les lavait frénétiquement. M. de Ponsainpierre était agenouillé près de la table, la coque dans la paume droite. Il l'avait rattrapée avant qu'elle ne tombe lorsque sa femme l'avait jetée.

— Tout va bien, Claude, tout va bien, le rassura Ponsainpierre. Elle n'a rien.

— Tout va bien, madame ? s'inquiéta la cuisinière.

— La coque n'est pas brisée. Tout va bien, annonça son maître en se relevant.

Edmée avait recouvré ses esprits. Elle s'essuya consciencieusement chaque doigt avec le chiffon que la servante lui avait tendu et fit face à son mari.

— Vous n'avez pas pu vous empêcher de m'effrayer avec vos... bêtes.

— Je n'ai rien prémédité, je ne l'ai pas voulu, veuillez me pardonner, mon amie, dit-il en baissant les yeux en signe de repentir. Mais jamais je n'aurais imaginé une telle sensiblerie, ajouta-t-il en guise de justification.

— Gardez vos serments fallacieux pour vos ouvriers ! Combien ? Combien en avez-vous ?

— Il m'en a vendu huit cents.

Edmée sentit la tête lui tourner. Elle n'avait pas imaginé une telle invasion.

— Voilà trois semaines que vous les avez entreposées chez nous, continua-t-elle. Combien de cocons avez-vous ? J'imagine que votre but est de multiplier ces monstres, n'est-ce pas ?

Son mari lui avait montré le premier et le seul qu'il avait obtenu. La saison n'était pas favorable à la ponte, qui, sous le climat lyonnais, avait lieu en août et septembre. Marc avait transformé la buanderie en pièce tropicale à l'aide de deux poêles qu'il faisait activer en permanence et de baquets remplis d'eau chaude afin d'élever le taux d'humidité.

— J'espère en avoir beaucoup plus avant le mois de janvier, grâce à mon système. Chaque halabé peut pondre six cocons par an.

— Et combien de bêtes par œuf ?

— Disons... six cents... je crois, dit-il pour relativiser le chiffre.

Les vertiges s'accentuèrent. Edmée s'assit et demanda un verre de liqueur à sa cuisinière.

— Donc, si vos prévisions sont exactes, combien aurons-nous d'araignées dans la buanderie à l'automne prochain ? poursuivit-elle en avalant son alcool en prévision de la réponse.

— Environ trois millions, lâcha-t-il de sa voix la plus douce dans l'espoir d'atténuer la valeur annoncée.

— Mon Dieu, quelle horreur ! dit-elle en portant la main à son front. Quelle horreur, répéta-t-elle en détachant les syllabes.

Les images de vagues d'araignées déferlant sur leur maison défilaient devant ses yeux.

— Mais il y en aura moins : elles sont cannibales et je ne pourrai pas les isoler toutes dans des pots, précisa-t-il.

— Cannibales, qui plus est ! Des bêtes qui mangent de la chair ! Dieu du ciel, Marc de Ponsainpierre, vous voulez transformer notre Fourvière en la colline d'Armageddon ?

Edmée s'était levée. Claude et la cuisinière regardaient fixement le sol et Marc cherchait désespérément un argument en sa faveur.

— Bientôt, j'aurai assez de fil pour tisser une paire de gants pour le roi et nous pourrons transférer l'élevage...

— Il suffit, mon ami, c'en est trop ! C'est moi qui vais me transférer : demain, j'irai m'installer chez ma fille. Madeleine a davantage besoin de moi que vous, qui portez plus d'attention à vos insectes qu'à votre femme !

— Mais Edmée...

— Qu'avez-vous à ajouter ? dit-elle dans l'espoir de voir son ultimatum porter ses fruits et son époux détruire l'élevage.

— Edmée, ce n'est pas un insecte, assura-t-il posément. Il a huit pattes. C'est un arachnide.

Mme de Ponsainpierre resta bouche bée un bref instant, avant de répéter pour elle-même : « Un arachnide ? », ce que son mari confirma d'un signe de tête.

— Soit, monsieur le seigneur des arachnides. Apprenez que, tant qu'il restera une seule de ces créatures dans cette maison, je n'y mettrai plus les pieds, m'entendez-vous ?

Edmée sortit sans un regard pour lui, suivie des deux domestiques qui ne savaient quel comportement adopter. Resté seul, Ponsainpierre eut un mouvement de colère et voulut écraser la coque de soie contre le sol. Il arrêta son geste dans sa lancée, s'assit et resta longtemps prostré à l'office.

À six heures du soir, il se rendit à l'écurie où il constata que sa femme avait mis sa menace à exécution : le carrosse avait disparu. Marc s'enferma alors à la buanderie. La chaleur et l'humidité qui y régnaient l'obligeaient à travailler torse nu. Il enleva veste, chemise et jabot, tout en regardant la pièce remplie des centaines de pots en terre cuite renfermant les halabés et leurs futurs cocons. L'atmosphère était calme, seuls les grands bocaux contenant des larves et des mouches adultes, posés sur une étagère à plusieurs niveaux, témoignaient par leur bruit de fond d'une activité bourdonnante.

Marc rechargea les deux poêles à l'aide de rondins de bois et alluma le candélabre posé sur sa table de travail. Il prit une plaque de liège qu'il avait découpée de façon à y adapter des montants de fil de fer et y déposa une halabé sur le dos. Il ceintura l'araignée avec les fils de manière à l'immobiliser à la base de l'abdomen et de façon que ses pattes ne puissent pas couper le fil de soie qu'elle allait produire. Des gouttes de sueur perlaient sur son front. L'une d'elles tomba juste à côté de la plaquette. Il s'épongea de son avant-bras et souffla avant de reprendre sa manipulation. Il sortit une mouche morte d'un bocal et la donna à l'halabé, qui la prit entre ses pattes. L'animal ouvrit sa filière pour laisser passer le fil de soie qui devait momifier sa proie. En s'aidant de sa plus puissante loupe, Ponsainpierre s'empara du minuscule brin et l'attacha à une sorte de dévidoir de quatre pouces et demi qu'il avait fait préparer dans son atelier. Il tira doucement sur le bras cylindrique en verre et commença à enrouler le fil dans le dévidoir. Le brin se rompit une première fois. Il le renoua avec difficulté, tant celui-ci était fin, et continua l'opération. Le fuseau grossit lentement. Le fil se rompit à nouveau. Il le renoua une seconde fois. L'araignée, qui avait rejeté la mouche, se débattait dans ses liens. Ponsainpierre resserra le fil de fer et tourna la minuscule manivelle. La soie, d'un jaune luisant, sortait de l'animal comme s'il se vidait de ses entrailles. Au bout de quelques secondes, l'araignée releva d'un coup sec son abdomen et se brisa en deux. La tête et le thorax restèrent prisonniers de la plaque alors que le reste de son corps rejoignait le dévidoir, tel un poisson au bout d'un fil de pêche.

Marc souleva le fuseau et le regarda avec dépit.

— Je n'y arriverai jamais ! Il en faut au moins cent comme celui-ci pour avoir la grosseur d'un fil de ver à soie. Edmée a raison. C'est une folie...

Quatre onces de fil d'halabé étaient nécessaires pour pouvoir fabriquer la paire de gants. Avec cette méthode, il pourrait espérer l'obtenir d'ici à cinquante ans, en filant la soie de vingt araignées par jour. En utilisant directement les coques, il avait calculé que quinze mille suffiraient pour arriver au même but. Mais la qualité et la couleur du fil seraient inférieures à ses attentes. Il regarda les centaines de pots alignés sur le sol. Dans quelques mois, ils seraient des milliers. En attendant de pouvoir améliorer son procédé, il décida de récolter les cocons et d'en extraire la soie selon la méthode décrite par Bon de Saint Hilaire, à base de lavages, de cuisson et de séchage. Après avoir vérifié le protocole utilisé par le scientifique, il fit tremper son unique coque dans un récipient contenant du savon, du salpêtre et de la gomme arabique, qu'il laissa bouillir sur le feu tout en remuant lentement.

Claude le trouva assis, deux heures plus tard, à regarder la masse informe frémir dans l'eau au gré des bulles.

— Deux hommes sont à l'entrée qui désireraient vous rencontrer, monsieur.

Ponsainpierre leva lentement la tête et lui lança un regard vide :

— Qui sont-ils ?

— L'un est de notre police. L'autre vient de Paris, semble-t-il.

— Madame a-t-elle déjà alerté toute la maréchaussée ? hasarda-t-il en haussant les sourcils.

— Je ne crois pas, monsieur. Ils ont des questions à vous poser sur le coffre que vous avez trouvé dans la galerie souterraine. Mais je peux leur dire que vous vous êtes absenté, proposa Claude, constatant l'air amorphe de son maître.

— Non, allons-y. Cela me changera les idées.

Il se leva et se dirigea vers la porte d'entrée.

— Monsieur, dit Claude, qui n'avait pas bougé.

— Oui ?

— Votre... tenue, expliqua le serviteur en lui montrant son torse nu.

Ponsainpierre enfila sa chemise sans la boutonner, ainsi que la veste que Claude lui tendait.

— Voilà qui est mieux, dit-il sans y prêter attention. Madame est rentrée ?

— Non, monsieur. Elle...

— Elle ne devrait pas tarder. Je l'attendrai pour souper.

CHAPITRE IV

Novembre 1777

21

Samedi 1er novembre

Debout devant le comptoir de l'imprimerie, Camille s'était défendu comme un beau diable. Face aux accusations d'Anne, il avait reconnu s'être promené en bèche avec une batelière. Rien de plus.

— Pas avec une simple bêcheuse, avait rectifié Anne entre deux pleurs. Avec cette gourgandine qui te faisait des œillades ! Et vous avez été aperçus près du tombeau des Deux-Amants, avait-elle ajouté. Te rends-tu compte ?

Du tombeau ne subsistait plus qu'une stèle au sol. L'autel, d'origine antique, avait été démoli soixante-dix ans auparavant, mais son origine et son nom avaient alimenté tant d'hypothèses et de fantasmes que les jeunes gens continuaient de s'y rendre pour se jurer leur amour éternel. Camille avait tenté de lui expliquer qu'à l'origine se trouvait un cénotaphe élevé par un frère, nommé Amandus, à sa sœur décédée. Et qu'aucun couple d'amants n'y avait jamais été enterré. Anne avait jugé l'explication fantaisiste. L'endroit était tellement chargé de symboles que rien n'aurait pu la convaincre : sa présence à cet endroit avec la batelière ne pouvait être fortuite.

— Nous sommes passés près des Deux-Amants, je ne le nie pas, mais nous sommes allés ailleurs et je n'ai pas touché cette fille, je te le jure ! avait-il imploré en cherchant le regard de son amante qui se dérobait à lui.

— Arrête de blasphémer ! Tu offenses Dieu par tes mots ! Et tu m'offenses, moi, par ton attitude. Comment as-tu osé ? avait-elle crié en reculant encore d'un pas.

Camille s'était tu. Les circonstances étaient contre lui. Tout l'accusait et Anne allait le maudire pour le restant de ses jours à cause d'un malentendu. Au moment où il allait abandonner et se résigner à une rupture définitive, il se révolta. Il ne voulait pas la perdre.

— Donne-moi une dernière chance de te convaincre de ma bonne foi, avait-il demandé. J'ai un secret. Je te le dirai, mais pas ici. Pas maintenant, avait-il ajouté en sentant la présence du typographe dans son dos.

Anne avait pleuré longuement puis, entre deux sanglots, avait accepté de le revoir. Sur le lieu du crime et pas ailleurs.

La clochette avait retenti à sa sortie. Camille avait baissé la tête, sonné après la tempête des reproches qui s'était abattue sur ses épaules. Il s'était retourné vers Charles, qui était resté près des presses sans rien perdre de l'échange.

— Je n'ai rien vu ni entendu, mon garçon. Je sais me taire quand il le faut, avait-il précisé en doutant de la confiance que Camille pouvait porter à ses paroles et sans illusion sur sa propre volonté à y parvenir.

Ils avaient imprimé les deux cents numéros des *Affiches* dans le silence. Au moment de partir, Charles l'avait encouragé d'une tape sur l'épaule. Camille ne s'en était même pas aperçu.

Il avait répété tout au long de la semaine ce qu'il avait l'intention de dire à Anne et s'était trouvé si peu convaincant qu'il avait envisagé un moment de ne pas aller à leur rendez-vous. L'idée qui l'avait traversé alors lui avait d'abord semblé insensée. Mais il avait fini par croire qu'elle était sa seule chance : il allait trouver Antoine afin que le meilleur avocat du barreau l'aide à formuler ses arguments et à construire sa défense. Grâce à lui, il pourrait persuader Anne de sa sincérité.

En ce premier jour du mois de novembre, Camille quitta la rue Mercière plein d'espoir et envoya un grand salut à la Vierge du pont de pierre. Une fois de plus, la Sainte Mère le protégerait. Au palais de justice, un employé peu enclin à l'échange lui indiqua que maître Fabert s'était rendu à une médiation chez un particulier. L'homme replongea le nez dans ses écritures sans attendre le départ du jeune rédacteur. Camille insista pour connaître l'heure de son retour, arguant du caractère urgent de sa démarche, ce à quoi il lui fut répondu un « Je n'en sais rien » aussi chaleureux que la montée de Tire-Cul un soir d'hiver. Le copiste n'avait même pas relevé les yeux.

— Monsieur... insista Camille, qui avait décidé de rester tant qu'il n'aurait pas obtenu l'information.

Seul le crissement de la plume sur le papier lui répondit. Camille posa la main sur l'encrier. L'homme leva lentement les yeux et soupira.

— Dites-moi au moins où se trouve sa médiation, c'est important, il y va de l'honneur d'un homme ! argua-t-il en élevant la voix pour prouver sa conviction.

— Je n'en sais rien, répéta l'homme, toujours impassible. Maintenant, laissez-moi...

— ... travailler, oui, je sais ! Mais vous ne voulez pas me rendre malheureux pour la vie entière, monsieur ?

— Monchanin ! tonna une voix dans le couloir.

Le gratte-papier haussa les sourcils et prit un air épuisé. Le juge d'Arpheuillette entra dans le bureau, apprêté pour une cérémonie, d'un pas énergique que Camille ne lui avait jamais vu.

— Avez-vous fini la copie de l'acte ? Il me la faut pour cet après-midi, dit-il sans attendre la réponse.

Il tapota sur le bois de la table et répéta :

— Cet après-midi, Monchanin ! Et vous, que faites-vous là ? demanda-t-il en semblant s'apercevoir seulement de la présence de Camille. Toujours à quémander des nouvelles ?

Le jeune homme n'eut pas le temps de réagir, juste celui d'ouvrir la bouche.

— Cessez d'importuner mon personnel, ajouta le juge. Et restez à votre place. Continuez à faire de l'utilitaire avec vos *Affiches*, c'est tout ce que les lecteurs attendent.

Il se retourna dans un impeccable mouvement de robe et les quitta sans un mot. Le copiste leva les épaules en signe d'indifférence et d'impuissance. Camille s'excusa de l'avoir dérangé.

— Peu importe, grommela-t-il. Bonne journée, monsieur, ajouta-t-il en reprenant son activité.

Le sieur Monchanin attendit que Camille lui ait tourné le dos et glissa :

— Tentez votre chance dans le quartier de Confort, rue Belle-Cordière.

Camille dévala les escaliers du palais de Roanne et parcourut un quart de lieue au pas de course, jusqu'à la place Confort où il fut forcé de ralentir l'allure pour reprendre son souffle. La rue Belle-Cordière était une des plus petites de la ville et ne comportait que quelques maisons. *La recherche devrait se révéler aisée*, songea-t-il avant de tourner sur sa droite pour y pénétrer.

— Encore plus facile que prévu, s'écria-t-il, joyeux.

Un attroupement était visible devant la maison qui faisait l'angle avec la rue de la Barre.

Lorsqu'il rejoignit le groupe de riverains, l'un d'eux le reconnut et l'empoigna par le bras :

— Tu viens pour le meurtre ?

Antoine serra longuement Edmée dans ses bras. Il aimait son parfum qui, mélangé à l'odeur de sa peau, offrait une fragrance unique, celle qui le rassurait quand, enfant, il allait se réfugier contre elle, après les nuits d'angoisses et de cauchemars. Ils étaient devenus sa famille voilà vingt-cinq ans et, depuis lors, Edmée n'avait pas vieilli. Sa peau, d'une blancheur parfaite, avait gardé une fraîcheur virginale. Aucun sillon n'était venu la marquer. À quarante-huit ans, elle en paraissait beaucoup moins. Sa chevelure faisait toujours l'admiration des autres bourgeoises de Lyon. Edmée ne portait jamais de perruque, ne se poudrait pas et paraissait élégante dans n'importe quelle robe, même les plus quelconques, ce qui lui avait valu des jalousies un long moment, avant que l'hydre de la médisance ne choisisse d'autres victimes.

— Je suis sincèrement heureuse de ta présence, dit-elle en lui prenant les mains, mais tu n'as pas à te sentir responsable de ce qui arrive.

— C'est moi qui ai parlé à Marc des tisseuses d'or et moi qui lui ai donné une halabé, répliqua-t-il. Tu comprendras que je prenne cette affaire à cœur, en plus des liens qui me lient à vous.

Mme de Ponsainpierre sourit.

— Ce n'est pas Marc qui m'envoie, expliqua-t-il.

— Je sais.

— Du moins, il ne me l'a pas encore demandé.

— Ce qui ne saurait tarder, compléta Edmée. Veux-tu un thé saotchaon ? Il vient de chez Goisson, l'épicier. C'est du sonchay, du véritable, précisa-t-elle.

Ils le savourèrent en silence. Elle avait réussi à lui faire apprécier le thé et à en reconnaître les différentes provenances.

— Et à te méfier des adultérations. La dernière fois, c'était un ankay, que la domestique avait acheté à un marchand ambulant.

— Couleur verdâtre, odeur forte et arôme âcre, impossible à confondre avec un saotchaon de qualité supérieure, se souvint Antoine. Le larron a fini au poste de police.

Il admirait la passion que mettait Edmée dans chaque chose, même les plus infimes détails. Elle n'était pas que l'épouse de

Marc de Ponsainpierre, elle avait adouci son caractère et affiné son jugement. Il ne prenait aucune décision sans l'avoir consultée et suivait toujours son avis.

— Marc disait qu'il n'était qu'une balle de coton brut avant de me connaître et que je l'ai cardé pour en faire une étoffe fine, mais j'ai l'impression que ce temps est déjà loin, affirma-t-elle en se levant.

L'année avait été difficile et l'atelier, comme celui de nombreux autres tisserands, était au bord du gouffre. Les tissus venaient d'Italie et la mode d'Angleterre. Lyon n'était plus qu'à six jours de trajet de Paris. Les marchandises, les hommes, les idées voyageaient de plus en plus vite et Ponsainpierre, acculé, avait vu en l'halabé le seul moyen de sauver son industrie. Pour la première fois, contre l'avis de sa femme.

— Je suis très bien, ici, avec Madeleine. Et j'ai toujours préféré cette maison de Belle-Cordière à notre observatoire de Fourvière, dit-elle en ouvrant la fenêtre. Je te remercie d'autant plus de ta visite que je sais ce qu'il te coûte de venir dans ce quartier, conclut-elle en regardant la vue sur le Rhône et le pont de la Guillotière.

Elle chercha son regard, mais il avait baissé les yeux et restait silencieux, les mains jointes. Edmée capta ses pensées.

— Un jour, il te faudra avancer vers le futur. Il te faudra passer ce maudit pont, avec ou sans ma fille. D'ailleurs, elle ne devrait plus tarder.

Camille interpella un des deux hommes de la milice bourgeoise qui empêchaient l'accès à la maison. Le crime avait eu lieu en début de matinée et le meurtrier était toujours présent. Il n'avait pas tenté de fuir. Les gardes attendaient l'arrivée des gens d'armes.

— Le chirurgien est déjà sur place, lui apprit le milicien. Il va emmener le cadavre et faire une autopsie.

— Quel foin ! dit le second, qui s'était rapproché. Juste le jour où on est de garde. Heureusement, l'autre a tout avoué.

— Savez-vous ce qui s'est passé, messieurs ? Je suis rédacteur dans une grande gazette, affirma Camille.

Les versions divergeaient selon les témoignages des voisins. Traquenard selon les uns, querelle ayant dégénéré selon les autres, le propriétaire des appartements était venu chercher son loyer et n'en était jamais reparti.

— C'est quoi votre journal ? s'inquiéta le premier garde.

Lorsque Camille annonça fièrement *Le Glaneur*, les deux hommes échangèrent un regard interrogateur. Pourquoi une revue agricole s'intéressait-elle aux faits divers les plus sordides ? Il tenta de leur expliquer que *Le Glaneur* était une feuille d'actualités mais, devant leur indifférence, revint au but de sa visite.

— Maître Fabert est-il toujours là ? Savez-vous qui l'a mandé ?

— On l'ignore, dit l'un d'eux. Ceux qui sont dedans restent dedans et ceux qui sont dehors...

— ... restent dehors, c'est bien ça ? railla Camille.

— ... et feraient bien de rentrer chez eux, acheva le garde. Nous, on attend la maréchaussée.

— Pour rentrer chez vous, comme eux ?

— Allez, dégagez ! s'énerva l'homme, qui ne savait pas quoi répondre.

La foule avait gonflé, chaque strate dans l'attroupement en entraînant une supplémentaire. La curiosité attirait la curiosité et les commentaires allaient bon train. Camille parcourut les différents groupes pour y recueillir des informations. La victime était le dernier descendant direct de Louise Labé, dont le mari avait fait fortune dans les câbles et dont la postérité avait gravé la beauté au point de lui donner le nom de la rue. *C'est la Belle Cordière qu'on assassine*, songea Camille. *Voilà un bon début pour un article !* L'homme, qui possédait plusieurs maisons et locaux commerciaux, vivait de ses rentes. Il était connu pour son intransigeance et sa rudesse en affaires, mais aussi pour sa générosité envers les charités de la ville. Le meurtrier était un des deux locataires du rez-de-chaussée. Camille sut par un groupe qu'il avait tenté de s'enfuir mais avait été rattrapé par des témoins et apprit par un autre qu'il avait été retrouvé prostré à côté de sa victime. Les rumeurs contradictoires étaient déjà nombreuses. Une blanchisseuse venue livrer son linge lui expliqua que c'était un doux jeune homme aux mains fines qui vivait des leçons de musique qu'il donnait et qui avait de bonnes manières. Son voisin s'immisça dans la conversation pour affirmer qu'il n'avait rien à lui reprocher, à part son accent et ses tenues vestimentaires excentriques.

— Il est originaire de Catalogne, expliqua la blanchisseuse. Il m'en parlait parfois.

— Que faisait-il à Lyon ? s'indigna l'homme. Il aurait dû y rester, au lieu de venir étripailler nos familles les plus honorables.

— Il paraît que le sieur Labé venait pour l'expulser, il ne pouvait plus payer son loyer, confia un homme à l'odeur de cheval.

Le chirurgien sortit, suivi de ses aides portant sur un brancard improvisé le corps de M. Labé recouvert d'un drap d'où dépassait une main.

— À mort l'étranger ! cria une voix.

Madeleine était d'humeur taffetas, changeante comme les reflets de la soie au gré de la lumière. Elle rentra contrariée par l'agitation qui régnait dans la rue, le carrosse ayant été obligé de la déposer loin de l'entrée, mais retrouva sa bonne humeur en découvrant Antoine au côté de sa mère.

— Je suis heureuse de te voir. J'ai tant à te raconter ! confia-t-elle en lui tendant la main pour un baiser. Mère, lui as-tu appris pour Jacques ?

— Nous avons juste parlé de la situation avec ton père, répondit Edmée, dont la gêne était visible.

Madeleine chercha du regard la domestique et, ne la trouvant pas, posa son manteau et son manchon de fourrure sur la méridienne puis s'assit à côté d'Antoine.

— J'ai eu un nouveau contact avec notre fils !

Le regard furtif entre son mari et sa mère ne lui échappa pas. Elle savait que leur opinion oscillait entre perplexité et incrédulité. Elle aurait tant voulu qu'ils voient, eux aussi, qu'ils comprennent. Le prêtre magicien et la petite Colombe lui avaient redonné goût en la vie. Le lien avec l'au-delà était possible et elle en était la preuve. Jacques avait communiqué, par l'intermédiaire de la jeune fille, avec ses mots à lui, avec leurs secrets à tous les deux, dont elle savait qu'ils ne pouvaient être l'œuvre du hasard.

— Jacques m'a parlé de l'Éden, il m'a dit qu'il était composé de montagnes, de vallées, de bois épais, de plaines découvertes et de ruisseaux qui fuient en murmurant. Tout est douceur et volupté : des oiseaux chantent sur les branches, des zéphyrs charmants font entendre aux bois leurs tendres soupirs et de leurs ailes secouent les roses et les parfums des arbrisseaux. Jacques a vu l'arbre de vie, qui est le plus haut du paradis, avec son fruit d'ambroisie d'or. Alors qu'il me parlait, autour de lui folâtraient les animaux de la Création. Le lion se cabrait en jouant et dans ses griffes berçait un chevreau, te rends-tu compte, un chevreau ? Son cœur apaisé nage dans la joie, il me l'a dit et j'en suis si heureuse...

Antoine ressentit une profonde tristesse : il avait reconnu des textes du *Paradis perdu* de John Milton. Il n'avait aucun doute sur leur origine. La petite Colombe n'avait fait que réciter des pages du poème héroïque de l'auteur anglais.

— Tu me crois, maintenant ?

Il aurait tant aimé en être convaincu, tant aimé que leur fils leur envoie des signes, tant aimé que s'apaise sa douleur intérieure. Celui qui se faisait passer pour un prêtre magicien n'était qu'un manipulateur qui avait sans doute glané des informations auprès du personnel de la famille Ponsainpierre. Elle ne devait pas savoir.

— Tu me crois ? répéta-t-elle.

— Oui, je te crois, Madeleine. Notre Jacques est parmi les anges et il t'a parlé, répondit-il, les larmes aux yeux.

Elle le prit dans ses bras.

— C'est important, tu sais, important pour lui que tu sois là, toi aussi. On a besoin de ton soutien, dit-elle en plongeant sa main dans la fente de sa sous-jupe à la recherche de sa poche à cordon.

Madeleine chercha un mouchoir et rit de voir que sa mère en avait fait de même.

— Allons, ne soyons pas tristes ! La prochaine fois, nous irons ensemble. Jacques en sera heureux.

La domestique était entrée sans un bruit et vint annoncer la venue d'un gendarme. Edmée passa en un instant de l'émotion à l'inquiétude et sortit pour recevoir son visiteur.

Madeleine gagna la fenêtre et regarda avec curiosité la foule regroupée autour de la maison d'en face.

— As-tu un problème d'argent ? demanda Antoine, qui s'était approché. Je n'ai pu m'empêcher de voir la liasse de billets que tu avais dans ta poche, expliqua-t-il.

Le marquis de Willerm avait refusé de continuer à payer les séances de spiritisme, qui coûtaient cher, trop cher selon lui pour des démonstrations qui ne l'avaient jamais convaincu. Le prêtre magicien demandait cinq écus pour l'achat de l'huile, dont il prétendait qu'elle venait de Jérusalem, et pour les dons de médium de l'enfant, dont l'éducation devait se faire malgré leurs voyages incessants. Madeleine était passée au mont-de-piété, qui venait d'être rétabli dans le royaume, mettre des bijoux en gage.

— Surtout pas un mot à mère, l'adjura-t-elle. Willerm n'est pas un gentilhomme. Il prend prétexte de crier à l'affabulation pour ne plus débourser un seul sou. Il a même l'intention de porter l'affaire devant le sénéchal. Je n'ai que faire de sa dérobade, rien ne m'empêchera de communiquer avec mon Jacques !

Au-dehors, la foule cria.

Edmée revint, bouleversée, leur annoncer que leur voisin, le jeune Férrère, venait d'être emmené en prison pour avoir sauvagement tué M. Labé.

22

Samedi 1er novembre

Marc de Ponsainpierre s'était levé tôt, avait envoyé Claude porter un billet à sa femme, avait attendu son retour debout sur les marches de la montée, s'était emporté en apprenant qu'il n'y avait pas de réponse, avait rédigé un autre billet, pour Antoine, puis avait tenté sans succès d'apercevoir à la lunette l'endroit où elle s'était réfugiée, tout en ruminant son incompréhension – sa lettre d'excuse n'était-elle pas la preuve de son repentir sincère ? –, avait fini par déjeuner après que la tête lui eut tourné et s'était recouché dans l'attente d'un message dont il avait fini par douter.

Il fut réveillé en sursaut alors que des milliers d'halabés rouge et jaune s'étaient enfuies de leurs récipients et s'étaient précipitées dans sa chambre afin de le recouvrir de fils d'or aussi solides que des cordes de navire, l'empêchant de se débattre et d'appeler au secours. Ponsainpierre se frotta le visage et les cheveux afin de vérifier qu'aucune toile ne s'y trouvait et que sa momification n'était qu'un cauchemar, qu'il mit sur le compte d'une mauvaise digestion. Encore imprégné de son rêve inquiétant, il gagna la buanderie et constata que les quarante rangées de pots étaient intactes. Le calme régnait dans la moiteur étouffante. Même les mouches avaient cessé de bourdonner. Sur sa table de travail, le corps coupé en deux de l'araignée était déjà si sec qu'il s'effrita à son simple contact. Marc prit la coque qu'il avait fait bouillir et la ramollit entre ses doigts. Elle avait une couleur d'ambre sale et la taille d'un noyau d'olive. Il l'emmènerait malgré tout à l'atelier pour la faire carder par son meilleur ouvrier et en tirer un fil, si petit soit-il. La pensée le conforta dans son idée de ne pas abandonner. Toutes les plus grandes découvertes s'étaient enfantées dans la douleur. Son naturel optimiste retrouvait de la vigueur. Il devait sortir.

L'austère façade du palais de Roanne dépassait des maisons avoisinantes de la rue Porte-Froc. Marc croisa un couple de ses connaissances dont il lui sembla qu'il le regardait en coin tout en chuchotant sur ses déboires conjugaux. Toute la ville devait être au courant. Il accéléra le pas et monta les marches du palais sans regarder autour de lui. Quelqu'un le salua sur le parvis de l'entrée, à qui il répondit sans dévier son regard de ses souliers. Ponsainpierre monta directement au premier étage, dans une des pièces qu'utilisaient les avocats, mais n'y trouva personne. La fenêtre donnait sur une des quatre cours intérieures du bâtiment où Marc aperçut Antoine en grande conversation avec Camille Delauney. Il l'appela, sans succès, tenta d'ouvrir la fenêtre, brisa la poignée à la torsion, poussa un juron dont la seule grossièreté aurait pu le faire embastiller et descendit en trombe l'escalier d'honneur. Son pied manqua l'avant-dernière marche et, emporté vers l'avant par son poids, il fit un plongeon digne des nageurs du pont de pierre le jour de la fête des Nautes. La réception sur le marbre du sol fut rude, ses mâchoires claquèrent et sa perruque roula à plusieurs mètres. Elle vint s'échouer devant une paire de bottes qu'il reconnut et qu'il aurait voulu éviter en pareille circonstance. L'homme ramassa le postiche et l'aida à se relever.

— Comment allez-vous ? demanda-t-il. Voulez-vous vous asseoir, monsieur de Ponsainpierre ?

— Pas la peine, je vais comme un charme ! répondit Marc sèchement, alors que la tête lui tournait.

Le goût de ferraille dans sa bouche lui indiqua que sa langue était entaillée alors qu'une douleur irradiait depuis ses cervicales dans tout son dos. Mais ce qui le navrait plus que tout était que le marquis de Willerm allait relater à sa fille et à sa femme l'incident dont il avait été témoin. Il imaginait déjà la réaction d'Edmée, voyant dans sa chute un geste de Dieu.

Marc remercia vaguement le marquis et traversa en boitant le couloir central. Il trouva Antoine au moment où ce dernier allait entrer dans la salle des audiences.

— Le Ciel te met à l'épreuve, résuma l'avocat après que son ami lui eut relaté sa dernière journée.

— C'est simple, tout va de travers depuis qu'Edmée est partie ! exagéra Ponsainpierre. Tu sais ce que j'aimerais ?

— Je sais, dit Antoine, qui trouvait le moment peu opportun pour lui relater son entrevue avec Edmée.

— Tu iras la voir dès aujourd'hui ? l'implora-t-il. Tu es l'avocat des causes désespérées, tu vas me sortir d'affaire !

— Je n'irai pas en tant qu'avocat, Marc. J'ai trop d'affection pour vous deux. Il te faudra respecter sa décision si elle refuse de rentrer. Attends-moi ici, je vais chercher une canne.

Ponsainpierre s'assit sur la chaise de l'huissier de porte et regarda fixement le mur en face de lui. Il était toujours figé dans la même attitude au retour d'Antoine.

— Où est passé le tableau ? demanda-t-il. Celui de Thomas Blanchet qui était sur ce mur, précisa-t-il en le lui indiquant du doigt.

— Transféré dans l'antichambre de la salle d'audience, répondit Antoine en posant la canne contre la chaise. Pourquoi ?

— C'était mon préféré.

— Alors tu as les mêmes goûts que le sénéchal.

— C'est bien là notre seul point commun, dit Marc en tirant sur sa perruque pour la remettre droite. Mais j'ai failli en oublier le but de ma venue.

— Ton billet m'indiquait la visite de deux hommes.

Ponsainpierre relata leur rencontre. Le premier, le plus jeune, était inspecteur à la police de Lyon. Le second s'était présenté comme un envoyé du gouverneur.

— C'est lui qui posait les questions et donnait les ordres, confirma Marc. L'autre n'était là que par pure obligation.

— Peux-tu me le décrire ?

L'homme, grand et élancé, avait un visage émacié aux traits anguleux et à la peau grenelée, des cheveux bruns bouclés, des yeux en amande aux iris sombres et une bouche esquissant en permanence une ébauche de sourire qui laissait entrevoir ses incisives.

— Une tête de rat. Impénétrable, résuma-t-il, du genre dont tu te demandes toujours s'il va te donner une accolade, te planter une dague dans le cœur ou les deux en même temps. Il portait des habits civils, un gilet blanc avec col et une veste bleue aux revers rouge qui lui montaient jusqu'au coude. Une perruque volumineuse et des bas de soie garance, plutôt voyants, peut-être la nouvelle mode à Paris. Le tout en parfait état. Pas de la défroque.

Ils avaient visité la galerie souterraine, posé de nombreuses questions et demandé à Marc de Ponsainpierre de leur décrire précisément le contenu du coffre.

— Ont-ils fouillé l'hypocauste ?

— Je ne le leur ai pas indiqué, pardi ! Dès le début ils se sont montrés désagréables et inquisiteurs. J'ai prétendu que le coffre était posé sur le sol quand nous sommes entrés. Ils ont dit qu'ils reviendraient pour d'autres questions. Je vais faire boucher ce tunnel, toute cette agitation autour de lui commence à m'indisposer !

— François va se renseigner, nous en saurons plus bientôt. Mais, pour commencer, je vais t'amener chez le chirurgien, dit Antoine en lui montrant sa cheville gonflée.

— Quelle guigne ! grogna Marc en s'apercevant de l'ampleur de l'œdème. Et Edmée qui est partie avec le carrosse !

Il prit appui sur sa béquille improvisée et sur l'épaule de son gendre. Lorsqu'ils sortirent, Antoine repéra l'homme, adossé à un mur à l'angle du quai de la Baleine, qui le suivait depuis deux jours. Il ne correspondait pas à la description de Ponsainpierre. Le quidam, habillé d'un caban de drap et d'un pantalon bleu propre aux marins, se retourna vers la Saône et fit mine de s'intéresser aux barques alignées devant lui mais continua à observer l'avocat. Il ne s'était montré ni discret ni très habile. Juste très présent.

23

Lundi 3 novembre

Antoine avait suivi les consignes de Prost. Il s'était rendu au palais de Roanne par la grande porte, s'était changé pour mettre un pantalon d'ouvrier, avait quitté les lieux par l'entrée de la rue des Fouettés, puis était allé en faisant plusieurs détours au Bureau des coches d'eau, situé au port Neuville. Son suiveur ne s'était pas montré. Il avait acheté un billet pour Trévoux et s'était posté sur le pont du bateau qui avait quitté le quai à sept heures alors que la nuit tirait élégamment sa révérence pour une aube claire.

L'embarcation était tractée par quatre percherons groupés par deux sur le chemin de halage. Il les avait regardés aller leur train de poste jusqu'au passage de la porte d'Alincourt où, toujours selon les instructions, il était descendu dans la plus grande des trois cabines. François l'y attendait.

— Que de mystères pour nous retrouver, fit remarquer Antoine en s'asseyant sur l'unique banquette, face au hublot. Avoir dirigé notre police t'a laissé des traces !

— Je ne l'ai pas seulement dirigée, je l'ai créée, corrigea son ami. Je la connais dans ses moindres détails et dans tous ses travers. En pêchant ton trésor, tu as aussi remonté du poisson, du très gros poisson. Nous attendons un invité qui préférerait ne pas être vu en notre compagnie.

En cette période de l'année, la barque de quatre-vingt-dix pieds de long était surtout occupée de marchandises et de ballots. Les voyageurs ne se pressaient pas. Antoine en avait compté quatre, outre leur présence. Et aucun d'entre eux ne lui semblait en mesure d'être leur interlocuteur.

— Bonne déduction, reconnut Prost. Notre ami n'est pas encore à bord. Il nous faut prendre toutes les précautions. Regarde ce paysage, quelle beauté, ajouta-t-il en s'émerveillant devant les rayons du soleil levant qui moiraient les eaux de la Saône.

Ceux-ci formaient un halo de lumière ambrée autour de la rangée d'arbres du chemin devant laquelle les chevaux exhalaient un fumet de vapeur de leurs naseaux.

— Quelle peinture formidable, conclut François, qui s'était posté devant la fenêtre. On dirait un tableau de M. Watteau. T'ai-je dit que Marie-Lyon allait se mettre au dessin ?

Il revint à sa place et prit une profonde inspiration :

— Le jeune Férrère a demandé qu'on le défende.

La nouvelle ne surprit pas Antoine, qui avait l'intention de le lui proposer.

— J'ai accepté, bien sûr, dit François en anticipant sa question. L'affaire n'est pas bien engagée, n'est-ce pas ?

— L'opinion publique est divisée. Il nous faudra récuser l'assassinat et plaider une défense légitime.

— À nous de trouver des arguments imparables. À toi. Pas question que ma fille arrête le clavecin, plaisanta-t-il pour conjurer le mauvais sort.

Au niveau de la tour de la Belle-Allemande, le capitaine laissa l'embarcation dériver lentement vers la berge où le haleur avait arrêté les chevaux. Au moment où le bateau s'arrêtait en douceur à leur hauteur, le tireur claqua la langue pour faire repartir l'attelage. Le marin donna un coup de gouvernail pour s'éloigner et jeta un regard vers l'arrière : la manœuvre avait permis à un passager de monter à bord. Elle était strictement interdite par le règlement, mais la demande émanait de maître Prost, à qui il ne pouvait rien refuser. L'avocat l'avait aidé à plusieurs reprises alors qu'il avait eu maille à partir avec la police de Lyon. Depuis, son coche d'eau était devenu le lieu où François recevait ses visiteurs incognito. Le passager, un habitué, salua le capitaine, qui lui indiqua la cabine avant de siffloter à la barre en se souvenant du temps où, à la place des percherons, il halait son bateau à dos d'homme. Il se massa l'épaule, qui ne s'en était jamais remise, et héla son acolyte afin d'accélérer le train : dans moins d'une heure, ils devaient être à l'île Barbe où il débarquerait les deux avocats.

— Antoine, je te présente Jeanson, inspecteur dans notre police de Lyon, dit Prost sans se lever. Jeanson fait partie des plus belles réussites de mon passage dans cette institution. Quand nous nous sommes connus, il venait de faire un plongeon dans cette même Saône, depuis l'arche de la Mort-qui-Trompe.

L'homme, qu'il avait recruté alors qu'il avait eu un différend avec l'organisateur d'une salle de jeux clandestine pour des dettes impayées, était devenu son adjoint le plus fidèle.

— Je serai éternellement votre obligé, justifia le policier tout en restant debout devant eux, son chapeau à la main.

— Jeanson était présent lors de la visite chez Ponsainpierre, expliqua François. Celui qui l'accompagnait chez Marc n'est pas un agent du gouverneur de Lyon. Il rend ses comptes plus haut.

L'homme à la tête de rat, qui se faisait appeler M. Marais, était apparu une semaine auparavant avec un ordre signé : toute la police de Lyon devait se mettre à sa disposition.

— Signé par qui ? demanda Antoine. Lenoir ?

Jeanson fit un signe négatif de la tête.

— Le lieutenant général de police de Paris a bien assez de soucis sur son territoire, fit valoir Prost. Plus haut, dit-il en accompagnant sa phrase d'un geste de la main.

— Était-ce M. de Sartine ?

Toujours le même signe négatif de la part du policier.

— Officiellement, il ne s'occupe plus que de la marine, même si je suis convaincu qu'il a gardé un cabinet noir, commenta François en envoyant un regard à son ancien assistant pour faire cesser le suspense.

— L'ordre était signé du comte de Maurepas, dit Jeanson en triturant son chapeau.

— Le principal ministre du roi ?

— En personne, grimaça François. Apparemment, nous serions dangereux pour la sécurité de l'État.

Antoine s'était levé. En tenant tête au gouverneur Villeroy, il avait sous-estimé le risque et l'ampleur de la réaction.

— Maintenant, nous sommes fixés sur ce que représente Louern pour eux, murmura-t-il.

— Il y a une autre mauvaise nouvelle, lui apprit Prost. Le sieur Marais n'émarge nulle part. Officiellement, il n'a aucun lien avec les forces de police. Je ne suis même pas sûr que ce soit son vrai nom. Notre adversaire est un mystère.

— Et l'individu qui me suit? Qui est-il? interrogea Antoine.

— Un garçon qu'il a recruté directement sur les quais, dit Jeanson. Il faisait partie des Trente-trois.

Ainsi dénommée en raison du nombre de ses membres, la Compagnie des jouteurs de Lyon avait toujours une flatteuse réputation, bien que l'intérêt que la population portait aux joutes nautiques eût baissé. L'homme avait, cinq ans auparavant, été déclaré champion de la fête des Nautes en envoyant son adversaire à l'eau deux fois consécutives. Son heure de gloire avait duré plusieurs jours, avant qu'il ne soit rendu responsable d'un accident au niveau du pont de pierre. Le bateau, qu'il halait avec d'autres modères, s'était retourné après qu'il eut mal attaché une maille et s'était écrasé contre les rochers du pont, faisant deux morts. Depuis, il vivait de petits larcins et de charité qu'il transformait en vin dans tous les établissements des quais de la Saône.

— Il n'est pas dangereux et pas bien malin, voyez comme vous l'avez semé aujourd'hui, sourit Jeanson.

— Voilà bien ce qui m'inquiète, intervint François : une surveillance aussi ostentatoire.

— Il veut sans doute nous effrayer, dit Antoine. Je suppose qu'il est ici pour une longue durée. Il prend ses marques.

— Marais n'a aucune confiance en moi et ne me rapporte rien, ajouta Jeanson. Il est complaisant comme la porte de Roanne[1] ! Je sais juste qu'il est logé chez le gouverneur et qu'il semble avoir d'énormes crédits.

Prost frappa dans ses mains :

— Sa première erreur, messieurs. L'hôtel de Villeroy est une volière d'où les secrets s'échappent comme des pigeons voyageurs. Je vous promets que, d'ici moins d'un mois, nous lui aurons arraché son manteau d'ombres !

Le capitaine aperçut le clocher de l'abbaye de Saint-Loup située du côté septentrional de l'île Barbe. Le récif avait la forme d'un navire effilé qui se découvrait de la proue à la poupe, et était

1. La prison, située à côté du palais de Roanne.

recouvert d'une végétation luxuriante et variée : sycomores, tilleuls, ormes et marronniers accueillaient les visiteurs venant de Lyon.

Le coche d'eau s'engagea dans le bras gauche et s'arrêta en douceur sur le petit quai qui voyait accoster des centaines de bateaux lors de la fête annuelle.

— Le reste du temps, elle est désertée. Le monastère n'est plus qu'un moignon entouré de ruines, dit François après avoir débarqué. Notre bèche n'est pas encore arrivée, allons marcher.

Ils traversèrent l'îlot d'ouest en est et s'assirent sur un muret près de l'église Notre-Dame. La cloche de Saint-Jean-Baptiste sonna, au loin, dix coups selon Antoine et neuf selon François, qui prit un pari sur l'heure exacte. Lorsque le rappel vint, il s'avoua vaincu et promit de lui faire livrer, dès le jour même, l'enjeu : une livre de marrons de Vesoul. « De chez la dame David », précisa Prost en gage de qualité.

— J'aurais un service à te demander, François, dit Antoine, qui s'était positionné devant son ami, les mains dans les poches de son pantalon d'ouvrier, la besace en bandoulière sur la hanche.

— J'accepte, sous la menace, de remplacer les marrons par du chocolat de santé, plaisanta son ami. Mais je ne gagerai plus jamais rien avec toi, je n'ai pas souvenir d'avoir jamais gagné un seul de nos paris.

— Il s'agit de Madeleine.

Prost se leva et l'entraîna à l'écart de l'abbaye, ce qui amusa Antoine, qui n'avait pas vu âme qui vive. Il lui relata les séances de spiritisme de sa femme et la tromperie dont elle était victime de la part de celui qui se faisait passer pour un prêtre magicien.

— Jeanson va confondre le filou. Il va lui rendre son argent et quittera la ville, assura François.

— Non, il faut qu'il continue, le détrompa Antoine. Madeleine ne doit pas savoir. Mais il doit arrêter de la faire débourser. Je paierai à sa place, tu prendras sur mes honoraires.

François acquiesça tout en songeant au moyen de faire pression sur l'escroc afin que son ami n'ait rien à dépenser. Il admirait la tendresse dont Antoine faisait preuve envers elle malgré leur parcours chaotique depuis la mort de Jacques.

Ils étaient arrivés à l'extrémité de l'île, sur les ruines de l'église Saint-André-et-des-Apôtres, dont ne subsistaient plus que des dalles en marbre sur le sol, ainsi que quelques pierres qui avaient formé un mur. Un vieux chêne solitaire et tordu au tronc creux, couvert de gui, se dressait comme une vigie, à quelques mètres des eaux de la Saône. Antoine vint caresser son écorce comme d'autres eussent flatté l'encolure d'un animal familier.

— Cet endroit est si calme, c'est ici que je devrais bâtir une maison, mon quartier est de plus en plus fréquenté, confia-t-il.

— Sais-tu que l'empereur Charlemagne avait choisi ce lieu comme demeure pour y finir ses jours ? affirma François.

Il n'était pas sûr de la véracité de son anecdote, qu'il avait toujours entendue comme une légende destinée à valoriser le site, mais il aimait à le croire et il s'empressait de la répéter à tout-va.

— Ce dont je suis sûr, ajouta-t-il, c'est que les moines y ont fait installer une bibliothèque sur la cassette de l'empereur et qu'elle était connue dans toute l'Europe pour la qualité de ses ouvrages.

— Alors, l'île Barbe est un éden ! conclut Antoine.

Ils regagnèrent Notre-Dame par le sentier principal, un moment accompagnés d'un lièvre curieux qui les précédait de plusieurs pas. L'animal disparut dans les herbes hautes à l'entrée des bâtiments de l'abbaye. À une centaine de mètres d'eux, la silhouette fantomatique d'un moine encapuchonné dans sa robe de bure se découpait sur le vert Véronèse des eaux de la Saône. Aucune partie de son corps n'était visible, même ses pieds étaient recouverts par les plis de sa robe. Il semblait avancer sans mouvements, comme par lévitation. Seul le balancement du cordon de la ceinture nouée autour de sa taille indiquait son effort. Il disparut entre les deux murs d'une ruelle. Antoine tenta de le suivre, mais l'allée était déjà déserte lorsqu'il s'y présenta.

— Les habitants sont plus sauvages que les animaux, remarqua François.

— Qu'est devenue cette bibliothèque ? demanda Antoine, qui essayait d'apercevoir les occupants derrière les rangées de fenêtres des façades.

— Je ne sais pas. Peut-être viens-tu de voir le fantôme du conservateur, plaisanta François. On a du mal à imaginer qu'à Pâques le champ est transformé en une gigantesque foire, n'est-ce pas ? Avec des tentes, de la musique, de la danse et toutes sortes de débauches. Dire qu'à l'origine c'était une fête votive !

Une corne retentit non loin.

— Voilà notre embarcation de retour, expliqua Prost. Ayons une pensée pour Jeanson, qui devra attendre Neuville pour débarquer !

Antoine quitta à regret l'endroit qui, indépendamment du calme et de la sérénité, l'attirait irrésistiblement sans qu'il ne comprenne pourquoi. Il y trouvait plus de vie que dans certaines rues animées de Lyon. Mais il n'aurait pu le faire comprendre à son ami.

— Où l'as-tu caché ? demanda soudainement François. Et ne me demande pas, de ton air innocent, de quoi je parle, tu le sais très bien ! Où est ce trésor ?

Antoine lui envoya un regard complice sans répondre.

— Où ? insista-t-il. Secret de deux, secret de Dieu !

— Même Dieu serait en danger s'il savait, François. Le contenu de ce coffre est de nature à faire vaciller la royauté, crois-moi. Et je suis loin d'avoir tout traduit.

— Tu as mis les originaux en sûreté et tu travailles sur les copies des textes dont tu ne te sépares jamais, affirma François en lui montrant sa besace en bandoulière.

Antoine l'ouvrit : le sac ne contenait qu'un livre de jurisprudence écrit par Prost.

— Alors, je ne comprends plus.

Ils s'arrêtèrent à une centaine de mètres du quai et tournèrent le dos à la batelière qui les attendait, assise dans sa bèche, son chapeau de paille blanc sur la tête.

— En me faisant suivre, le sieur Marais m'a fait prendre conscience à quel point j'étais stupide de vouloir garder les traductions sur moi. Il suffisait à son agent de m'occire et de récupérer les cahiers pour obtenir toutes les informations. J'ai failli leur offrir le trésor sur un plateau d'argent !

— Où sont tes cahiers, Antoine ?

— Là, répondit-il en se touchant le front.

— Tu ne veux pas dire que...

— Je les ai appris et je les ai brûlés. Il ne me reste que le cahier de textes en gaulois et le trésor. S'ils arrivaient à s'en emparer, ils ne pourraient rien traduire : j'ai fondu les plaques de plomb sur lesquelles étaient établis le lexique et les règles de grammaire. Eux aussi se trouvent là, ajouta-t-il en répétant son geste.

— Dieu du ciel, Antoine, qu'as-tu fait ? Imagines-tu que, s'ils veulent effacer cette preuve de notre passé, il leur suffirait de te brûler la cervelle d'un coup de pistolet ? s'énerva François.

Il vérifia d'un coup d'œil que la batelière ne pouvait pas les entendre.

— Y as-tu pensé ?

Antoine avait envisagé toutes les possibilités. Des jours entiers. La solution lui était apparue comme une évidence. Elle lui avait été inspirée par Louern.

— Je fais ce qu'ont toujours fait les druides pour transmettre un savoir : utiliser leur mémoire. Ils peuvent fouiller la Terre entière, mais pas mes souvenirs.

— Tu es fou ! Mon ami est devenu fou ! Les agents du roi vont te tuer, malheureux !

Antoine le prit par l'épaule et lui parla d'une voix basse et assurée :

— Ils ne tenteront rien contre moi tant qu'ils n'auront pas eu accès aux textes, tant qu'ils n'auront pas connaissance de ce qu'ils contiennent. Ils ont trop besoin de savoir. Sinon, je serais déjà mort, ne crois-tu pas ?

Prost répondit d'une moue dubitative.

— Mais, pour cela, ils doivent continuer de croire que mes cahiers existent, ajouta Antoine. C'est essentiel. Tant qu'ils les chercheront, j'aurai toute la tranquillité nécessaire pour finir ce travail. Et après...

La corne retentit à nouveau : la bêcheuse s'impatientait. François lui fit un signe de la main.

— Après ?

— Je dévoilerai le trésor à M. de Diderot pour qu'il modifie son article sur l'histoire de la Gaule dans son *Encyclopédie*. Antelme de Jussieu m'y aidera. Une fois qu'il sera rendu public, je ne craindrai plus rien.

François fit quelques pas pour se calmer et réfléchir. Antoine attendit sur le chemin le retour de son ami qui passait et repassait devant lui, à soliloquer, les sourcils froncés et le regard réprobateur.

— C'est diablement risqué, dit-il lorsqu'il s'arrêta enfin, mais je dois admettre que ton raisonnement se tient. Tant que tu leur es indispensable, ils ne t'élimineront pas, non... mais ils peuvent te laisser croupir des années dans un cachot jusqu'à ce que tu leur révèles ton secret !

— Dans trois mois, tout au plus, j'aurai traduit l'ensemble des codices.

— Laisse-moi au moins te protéger dans ton entreprise insensée, proposa François.

— Ta meilleure façon de me protéger est de découvrir les intentions de M. Marais. Et de rattraper la bèche qui s'en retourne, ajouta-t-il en jetant un regard amusé vers le quai.

— Sacrelote ! hurla François. Je crois que notre batelière en a eu assez nos messes basses !

Il détala en gesticulant en direction du batelet, qui finit par faire demi-tour. Au premier coup de midi, ils posaient le pied au quai de la Baleine. Au douzième, son suiveur emboîtait le pas à Antoine. L'homme l'avait patiemment attendu près du palais de Roanne. La traque avait repris.

24

Mardi 4 novembre

Camille était nerveux. Il n'avait pas fermé l'œil de la nuit, répétant mentalement tous les arguments qu'il voulait faire entendre à Anne. Il n'avait pas parlé de tout le chemin, Anne ayant exigé de ne pas remonter le fleuve en bateau, ni de passer par les quais, pour se rendre à l'endroit qu'il avait indiqué. Elle refusait d'être vue en sa compagnie sur les chemins qu'il avait empruntés tantôt avec la batelière, cette femme qui avait détourné son amant du droit chemin. Elle écouterait ce qu'il avait à dire, puis elle le chasserait d'un revers de la main et rentrerait au *Cygne noir*, pleurer en cachette et servir des clients à l'œil torve et aux remarques grossières. Elle ne s'en remettrait pas, elle en avait décidé ainsi. La vie venait de lui apprendre que la plus grande fourberie pouvait se cacher sous le regard le plus sincère. Anne n'était pas d'une grande ferveur religieuse, mais Dieu, lui, au moins, ne la trahirait pas.

Ils étaient passés par la montée des Capucins, puis redescendus jusqu'au château de Pierre Scize, avant de rejoindre la rue de l'Observance. Anne marchait devant lui, Camille fixait son dos et ses cheveux qu'elle avait attachés avec un ruban blanc. Toujours en silence. Elle sentait toute la détresse dans le pas pesant de son prétendant et eut, un court instant, pitié de lui. Mais elle se força à ressasser les événements pour ne pas se laisser envahir par la moindre faiblesse.

— Alors, où est-ce ? demanda-t-elle du ton le plus froid qu'elle put.

Ils étaient arrivés devant le couvent des Cordeliers de l'Observance, qu'un mur élevé protégeait des regards. Anne ne s'était jamais aventurée dans cette partie de la ville, proche de la porte de Vaise. Sur leur droite, un petit muret surplombait le port de l'Observance et quelques embarcations ondulaient au gré des vaguelettes. Camille lui proposa de s'y asseoir.

— Je vais juste vérifier que l'on peut passer sans risque, expliqua-t-il. Attends-moi là, je reviens très vite.

— Tu te donnes bien du mal pour me faire croire à ta fable. Dans cinq minutes, je serai partie, répliqua-t-elle sans le regarder.

— Je reviens tout de suite.

Il disparut entre deux bâtiments. Anne tourna le dos au port et admira la silhouette massive de l'église des Cordeliers. Sa gorge était nouée. Elle ne pouvait se résoudre à rompre ses liens avec Camille. Mais elle se sentait incapable de lui pardonner sa trahison.

— Hé, mademoiselle ! cria une voix d'homme en face d'elle.

Anne écarquilla les yeux : il n'y avait personne dans la rue.

— Mademoiselle ! répéta la voix. Je suis là !

Dépassant du haut de l'enceinte des Cordeliers, Anne aperçut un abri en bois, surmonté d'un treillis de métal, qui se trouvait entre deux des arcs-boutants soutenant l'église. Elle vit une main s'agiter et devina une silhouette à l'intérieur de la minuscule cabane.

— Approchez-vous, n'ayez pas peur !

Elle s'avança jusqu'à une demi-toise du mur, d'où elle put distinguer les traits d'un jeune homme d'une vingtaine d'années, à la longue chevelure blonde et aux vêtements de bonne facture, derrière une ouverture grillagée.

— Vous n'êtes pas un novice ?

Il rit de sa surprise.

— Et vous, vous n'êtes pas d'ici, ma belle !

— Je vous interdis de m'appeler « ma belle » !

— Pourquoi donc ? N'est-ce pas ce que vous êtes ? Un éclat de lumière dans ma grise journée. Je vous ai repérée, assise en face.

Le compliment, bien que direct, toucha Anne, qui crut rosir et baissa les yeux.

— Que faites-vous là, ainsi, en cage ? demanda-t-elle après s'être assurée que Camille n'était pas revenu.

Les Cordeliers, en plus d'un couvent, s'étaient dotés d'une institution de correction pour la jeunesse et toute famille de haut rang pouvait y enfermer son garçon indiscipliné dans l'espoir de le voir y retrouver vertu et bonnes mœurs, tout en lui évitant la prison.

— Mais cet endroit n'est-il point une prison ? clama-t-il en empoignant les barreaux de la fenêtre. Voilà la seule vue que nous ayons sur le monde extérieur. Seulement, aujourd'hui, Dieu m'a fait le cadeau d'y mettre un ange ! Restez, restez encore un peu, mademoiselle, implora-t-il alors qu'Anne faisait mine de partir. Voilà trois mois que je suis reclus et que je viens chaque jour ici, respirer l'air de la liberté. Vous êtes ma liberté !

— Vos compliments me touchent, mais je dois m'en aller, j'aperçois mon fiancé qui revient me chercher, s'excusa-t-elle.

Au même moment, une idée lui traversa l'esprit et Anne revint sur ses pas :

— Vous me semblez une personne bien. Voulez-vous m'aider, monsieur ?

Il colla son visage contre les barreaux.

— Demandez-moi ce que vous voulez, mon ange du ciel. Dans la limite de mes moyens actuels...

— Justement, il n'y a que vous qui puissiez le faire.

Lorsque Camille vint la chercher, Anne semblait plus détendue. Ils s'engagèrent sur un sentier qui longeait le mur des Cordeliers à flanc de colline et se trouvait sur la propriété du couvent des Deux-Amants. Elle lui relata son échange.

— Tu aurais dû te méfier, lui reprocha Camille. Il n'y a pas que des jeunes écervelés aux Cordeliers. Certains malandrins viennent s'y réfugier alors qu'ils sont poursuivis par les gens d'armes. Les observantins ont certains privilèges, dont le droit d'asile.

— Alors pourquoi m'as-tu abandonnée seule à côté de cet endroit de débauche ?

— Je ne... commença Camille, qui peinait à trouver un argument.

— Tu ne... ? Tu ne recommenceras plus ?

— C'est cela, répondit-il, vexé. Fais attention, le chemin est plein de ronces et la pente est grande.

Camille lui tendit la main pour l'aider à progresser. Elle l'ignora et lui montra une pierre rectangulaire au milieu d'une petite clairière.

— N'est-ce pas la stèle des Deux-Amants que je vois là ?

— Nous sommes presque arrivés. Tu devrais te tenir à moi, éluda Camille, qui n'avait pas envie de continuer la conversation sur le sujet.

Elle le fit après avoir manqué de tomber dans un buisson de mûriers.

— La gourgandine aussi, tu lui as tenu la main ?

— Non, elle avait enlevé ses chaussures, répondit-il si spontanément qu'il ne pouvait mentir.

— Qu'à cela ne tienne, annonça Anne en déposant ses mules près de l'emplacement du tombeau.

— Pas étonnant que tu glisses, tes talons ont au moins trois pouces de haut ! fit-il remarquer. Nous sommes presque arrivés.

Il lui montra une brèche dans le mur entre les deux abbayes, qu'ils franchirent avant de traverser le sommet de la propriété.

L'église, le cloître et le couvent formaient un rectangle à leurs pieds. Ils redescendirent en leur direction jusqu'à un bosquet où se trouvait une bâtisse en ruine.

— Quel est cet endroit ?

— Ce sont d'anciennes cellules pour les pensionnaires des Cordeliers. Elles ne sont plus utilisées depuis des années, la rassura-t-il. Même les pères observantins n'y viennent pas. On ne risque rien.

Camille sortit une clé et déverrouilla le cadenas.

— Maintenant, tu vas connaître mon secret. Et tu vas comprendre.

Elle ne sait même pas que je m'appelle Valentin, songea le garçon qui n'avait pas bougé. *Moi, je sais qu'elle s'appelle Anne et qu'elle s'est amourachée de ce cachotier de Camille.* Il s'approcha de l'ouverture et passa les bras entre les montants avant de joindre ses mains. *La seule chose que je peux étreindre est froide comme la mort*, pensa-t-il en posant sa joue contre un des barreaux, *et a le goût du métal. La beauté de cet ange me donne envie de bêler avec les agneaux pour sortir d'ici au plus vite. Mais pourquoi lui ai-je dit la vérité ?*

Depuis son poste d'observation, Valentin avait, quelque temps auparavant, aperçu Camille, accompagné d'une batelière aux formes gracieuses et à l'air engageant, qui l'avait littéralement tiré par le bras hors de la barque et l'avait pris de force par la taille. « En aucun cas il n'avait l'air engagé ni amoureux, avait confirmé Valentin lorsque Anne l'avait questionné. Plutôt comme un condamné que l'on emmène aux galères les fers aux pieds, ce qui m'a surpris », avait-il ajouté en se gardant de préciser qu'il connaissait bien Camille. Sa description avait semblé soulager Anne, qui l'avait remercié avant de disparaître, appelée par son amoureux.

Valentin regarda le quai de l'Observance rayé par les barreaux de sa cabane, le seul paysage auquel il avait droit en dehors du cloître et des cellules, sa fenêtre sur le monde. Pour la première fois, il se mit à regretter l'attitude de rébellion qui l'avait conduit ici, son entêtement, ses provocations. Lorsque son père lui avait appris qu'il allait partir faire ses études à Genève, pour ensuite reprendre son négoce de tissus, il s'était présenté à lui habillé des vêtements de sa sœur, jupon, robe de broderie fleurie, escarpins, le visage poudré et la tête couverte d'une coiffe fontange, lui précisant qu'il la porterait chaque jour à la faculté s'il n'avait d'autre choix que de s'y rendre, afin de mieux percer l'esprit de ses futures clientes. Deux heures plus tard, il faisait connaissance avec le père correcteur et le paysage du quai. Il avait été amené de force, toujours dans le même accoutrement, pour une durée liée à celle de sa rédemption. Qui, depuis lors, était en phase de stagnation. Mais aujourd'hui, il prenait conscience que rien n'était plus cher que la liberté et que celle-ci valait parfois de courber l'échine. Anne, l'ange du ciel, en était la démonstration.

Un peu avant que la lumière du jour ne décline du côté de Pierre Scize, il l'avait revue. Anne était passée, transformée, rayonnante, au bras de Camille. Il l'avait appelée. Elle l'avait regardé et lui avait souri. Il l'aurait juré, malgré la pénombre.

25

Vendredi 7 novembre

Le sieur Marais constata les dégâts en se regardant dans l'immense miroir de sa chambre : le barbier lui avait entaillé la peau à deux endroits, sur la joue gauche et dans le cou. Il émit un grognement et se retourna, silencieux, devant l'artisan dans l'attente d'une explication. L'homme n'en menait pas large et se confondit en excuses avant d'oser une remarque liée à l'attitude impatiente de son client. Marais le fit congédier sans ménagement et sans dû par ses gardes du corps, puis finit de s'habiller avec soin. Il poudra outrageusement sa perruque avant de la poser délicatement et d'éliminer l'excès d'amidon sur sa veste d'un revers de main. La pendule indiquait une heure de l'après-midi passée de cinq minutes. Tout en marbre et en dorures, elle était posée sur le rebord de la cheminée au niveau du centre de l'âtre. Son cadran triangulaire et les compas gravés à l'intérieur revendiquaient l'appartenance du gouverneur à la franc-maçonnerie. Ce n'était pas une des loges lyonnaises, Marais l'avait fait vérifier. Il aboya le nom du lieutenant qu'on lui avait imposé pour cette mission. Il préférait travailler seul, selon ses habitudes, mais il n'avait pas eu d'autre choix que d'accepter de s'entourer d'hommes de main. L'affaire était d'importance.

Le soldat, qui se trouvait dans le cabinet à côté, se présenta à lui dans une vareuse aux boutons ouverts et sans le saluer. Marais n'était pas un militaire et, bien que les gardes lui obéissent scrupuleusement, la discipline s'était relâchée depuis leur arrivée.

— Où en est notre homme ? demanda-t-il tout en vérifiant dans la glace la symétrie de son postiche.

— Il est en train de décacheter la première lettre, monsieur.

— Qu'il se dépêche ! Le destinataire ne doit se méfier de rien.

— C'est que le cachet est d'une matière difficile à travailler sans l'abîmer...

— Qu'importe ! À quoi bon le payer si cher s'il n'est pas plus capable d'ouvrir une enveloppe sans abîmer le sceau que ce vilain barbier de couper le poil sans entailler la peau ? Mais qu'ont-ils donc tous aujourd'hui ? Est-ce l'humidité ou l'angoisse qui raidit leurs mains ?

Marais récita mentalement une série de jurons, de ceux qui le calmaient généralement, sans parvenir à se détendre.

— Allez, retournez-y, ordonna-t-il au soldat, qui attendait une indication. Je lui donne un louis supplémentaire si le billet parvient à Antelme de Jussieu dans moins d'une heure. Voilà de quoi retrouver l'agilité de ses mains !

Le facteur Szabolcs se massa longuement les doigts avant de les essuyer dans un chiffon et de faire craquer ses articulations. Il tâta la boule qu'il avait posée près de la flamme de la bougie. L'amalgame de vif-argent[1] et d'étain avait suffisamment ramolli pour pouvoir être utilisé. Il le posa avec précaution sur le sceau de cire et pressa jusqu'à obtenir une empreinte suffisamment nette. Szabolcs prit ensuite un gobelet rempli d'eau et y trempa la langue afin de vérifier qu'il était à la bonne température : tiède, sans être trop chaud, ce qui aurait humidifié le papier et lui aurait donné une ondulation irréversible. Il posa la lettre sur le gobelet, cachet vers l'intérieur, attendit plusieurs minutes en vérifiant avec l'ongle que la cire ramollissait, puis posa le billet sur la table et fit pénétrer la pointe arrondie d'un couteau à la lame effilée sous le sceau, petit à petit, sans à-coups. Il s'arrêta plusieurs fois pour s'essuyer les mains afin de ne pas humidifier le papier. Au bout de plusieurs minutes, le cachet céda d'un bloc, arrachant un sourire au facteur :

— Que vous avais-je dit, annonça-t-il en tendant le papier entre index et majeur : l'essentiel est de bien maîtriser la température de l'eau et les tremblements des doigts. Le reste n'est qu'une question de temps.

Tout en sifflotant, il fit un moulage de l'empreinte qui lui servirait à reproduire le sceau une fois la lettre remise à sa place.

— Alors, intéressantes, ces informations ?

---

1. Mercure.

L'homme à la tête de rat ne manifesta aucune réaction à la lecture du billet, qu'il rendit à son lieutenant tout en continuant à se regarder dans le miroir. Les deux cicatrices fort visibles laissées par le rasage l'agaçaient au plus haut point.

— Monsieur, dit le soldat, dont l'attitude trahissait l'embarras, avec tout le respect que je vous dois, ne croyez-vous pas qu'il soit dangereux de transmettre nos messages par la poste royale ?

Marais le regarda avec condescendance et se gratta le cou avant de répondre :

— Qu'est-ce à dire ? N'auriez-vous pas confiance dans notre vénérable établissement ?

L'homme n'osait affronter son regard.

— Mais si d'autres faisaient comme nous ? hasarda-t-il en fixant les boucles de ses bottes. S'ils ouvraient les lettres ?

— Les messages qui me parviennent de Paris sont sous la responsabilité directe du directeur du Bureau des postes de Lyon, assura Marais en tendant les bras.

Un serviteur lui enfila sa veste avant de reprendre sa posture près de la porte, figé comme un mannequin. Marais s'approcha de son lieutenant et attendit que le soldat soutienne son regard avant de répondre.

— Il sait à quoi il s'expose. Tout le monde sait à quoi il s'expose en me trahissant.

Il lui envoya une tape sur l'épaule qui se voulut rassurante.

— Aucun facteur n'a osé ouvrir une lettre ici depuis 1748, ajouta-t-il. Le dernier qui a eu cette folle idée a fini au carcan et été banni trois ans pour avoir décacheté le courrier. Il a servi d'exemple pour toutes les générations suivantes. Je suis l'envoyé du roi. Le seul à pouvoir constituer un cabinet noir.

— Ne préféreriez-vous pas utiliser un de nos hommes comme messager ? insista le soldat.

Marais tira sur les pans de sa veste et soupira :

— Mon pauvre ami, aucun de vous ne peut rivaliser avec la messagerie royale ! Combien de temps vous faudrait-il pour remettre un pli à Versailles ? Dites ?

— En changeant suffisamment souvent de monture, en une semaine, monsieur ! s'exalta son aide de camp.

— Quelle gabegie ! pouffa Marais en haussant les épaules. Quelle perte de temps !

Il s'approcha de son assistant et le toisa d'un mépris sincère.

— Deux jours et demi. Il me faut deux jours et demi pour remettre mon billet en main propre. Savez-vous pourquoi ? Grâce à des relais toutes les quatre lieues. Imaginez-vous ? Cent chevaux, quarante-cinq lieues par jour, vous ne pouvez pas lutter, mon pauvre ami, vous ne pouvez pas. Maintenant, je vous demanderai de ne plus jamais m'interpeller avec vos doutes. Vous n'êtes pas ici pour douter. Ni même pour penser. Juste pour obéir.

Il pointa la lettre que tenait le lieutenant :

— Remettez ce billet dans son enveloppe et que votre homme aille le porter au plus vite à ce Jussieu.

— Qu'avez-vous appris, monsieur ?

Le visage de Marais changea d'expression :

— Une information d'une importance capitale.

Szabolcs manipula la crécelle dont il se servait pour prévenir les clients de son passage. La lame de bois émit un bruit sec et puissant en craquant sur la dent du manche. Il était satisfait de son travail : l'enveloppe ne montrait aucune trace d'ouverture. Prost, qui avait supervisé l'opération, se détendit. Il avait longtemps hésité avant d'impliquer le facteur, dont il savait qu'il accepterait, malgré le danger potentiel, d'ouvrir les lettres destinées à M. Marais, par reconnaissance envers Antoine. Ce dernier n'avait pas été mis au courant : Prost était persuadé, pour le connaître bien, qu'il aurait refusé de faire prendre le moindre risque à Szabolcs. François lui transmettrait les informations sans lui indiquer la nature de sa source.

La manipulation l'avait rassuré sur la dextérité du facteur et sur la relative sécurité de l'opération. Jeanson avait été tenu au courant. La police de Lyon fermerait les yeux : elle avait en horreur que les sbires du roi se mêlent de ses affaires.

— Je vais pouvoir la porter au destinataire, assura Szabolcs. Aussi neuve qu'au départ de Versailles.

La lecture de la missive avait permis à Prost de confirmer que Marais s'entretenait directement avec M. de Maurepas mais ne contenait pas d'ordre explicite autre que de continuer à chercher les codices, dont ils étaient persuadés qu'ils n'avaient pas été fondus en bougies.

Le facteur le salua et quitta la maison de la rue Saint-Jean en faisant tourner sa crécelle, ce qui amusa la bande d'enfants occupés à jouer aux osselets dans la rue, qui le suivirent jusqu'à la place du Change dans un joyeux brouhaha.

Le lieutenant se redressa à l'annonce de son chef.

— Vous avez l'information ? Vous savez où se trouve le coffre, monsieur ?

— Bien mieux ! dit Marais d'un air assuré.

— Alors ?

— Je sais que M. de Jussieu a pris rendez-vous avec un médecin venu d'Autriche pour tenter d'améliorer son sort peu enviable de misérable paralytique.

— Ah ? Et quel rapport avec notre mission ? demanda le soldat sans cacher son incompréhension.

— Ainsi donc vous ne voyez pas ?

— Euh... non !

— C'est qu'il n'y en a pas, bougre d'âne ! Nous avons perdu cinq louis et notre temps à ouvrir un papier qui contenait une demande de rendez-vous ! À votre avis, quel est mon état d'esprit ?

— Seriez-vous en colère, monsieur ?

La porte du cabinet s'ouvrit sur l'homme en habits de marin qui suivait Antoine depuis des jours.

— Quoi encore ? s'énerva Marais.

— Il y a un problème, monsieur, dit l'ancien membre de la Compagnie des jouteurs.

Marais fronça les narines et regarda le lieutenant :

— Un expert, c'est bien ainsi que vous me l'avez présenté ? lui murmura-t-il. Qu'avez-vous, l'expert ? demanda-t-il à l'homme, qui s'approcha en lui montrant l'enveloppe.

— La réplique du sceau est de mauvaise qualité. Les armoiries sont illisibles, annonça-t-il.

Marais s'emporta, prit l'enveloppe, la laissa tomber et marcha dessus :

— Un accident de transport, voilà ce qui est arrivé ! Cette lettre est tombée sous le sabot d'un cheval. Une sale bête, née à Paris, et qui se met à piétiner dès qu'elle reconnaît les faubourgs de Lyon ! Rien de plus, messieurs ?

Tous les présents baissèrent la tête. Marais couvrit la sienne d'un tricorne et sortit sans un mot. Arrivé place du Change, il croisa un des facteurs de la ville occupé à jouer avec un groupe d'enfants. *Décidément, les postes de Lyon ne seront jamais prêtes pour un cabinet noir*, songea-t-il alors qu'il n'arrivait pas à décolérer. *Heureusement, ni Fabert ni même ces stupides soldats qu'on m'a imposés ne se doutent de rien. Tout se passe comme je l'ai prévu. Mes lugduniens sont à l'œuvre.*

26

Samedi 8 novembre

Antoine était resté longtemps près de la tombe de Jacques à l'autel de saint Thomas. Les carillons de l'horloge astronomique avaient annoncé deux fois les automates sans qu'il ne se déplace pour les regarder. Il ressentait le souffle de son fils sur son visage, ses bras qui le serraient autour de son cou, l'odeur de ses cheveux que Madeleine lavait avec des infusions de tilleul, cette agitation incessante qu'ont les enfants, même dans la contemplation, ses cris de joie à l'apparition des figurines, qui, malgré le caractère immuable de leur ronde, provoquait toujours sur lui le même émerveillement.

Il ne pouvait blâmer sa femme de s'être perdue dans les chemins tortueux d'une pratique occulte alors que, au fond de lui, il savait sa démarche similaire. Antoine s'arracha à ses méditations et quitta l'église Saint-Jean, toujours suivi par l'homme de main du sieur Marais, qu'il avait surnommé Trente-trois, en référence à son ancienne appartenance à la Compagnie des jouteurs. Il eut envie de faire demi-tour et de l'accoster afin de lui signifier qu'il se savait suivi depuis dix jours, mais il se ravisa, persuadé que l'agent de Paris attendait cette réaction : Trente-trois était utilisé par Marais pour faire la mouche du coche. Antoine devait se montrer indifférent.

Il chassa l'inquiétude sourde que la situation commençait à provoquer en lui et grimpa les marches du palais de Roanne pour se rendre à la prison attenante.

Paul Férrère avait conservé une bonne figure depuis son incarcération.

— Je suis suffisamment nourri et je passe mon temps à dormir, lui dit-il en guise d'explication. Ce qui me manque le plus, c'est mon clavecin, ajouta-t-il à la suite de la question d'Antoine.

L'avocat demanda une chaise et une table afin de prendre la déposition de son client. Des cris leur parvinrent de l'étage inférieur.

— Les geôles communes sont parfois surpeuplées, expliqua Antoine. Les prévenus finissent par se battre entre eux.

— Je sais, voilà une semaine que je les entends. Êtes-vous en train de me dire que mon sort est enviable, maître ?

— Non, que le leur l'est encore moins, Paul.

Antoine savait plus que quiconque ce que représentait la sensation d'étouffement liée à l'enfermement. Ce qui lui parvenait du dessous le mettait mal à l'aise. Il contrôla sa respiration pour éviter qu'elle ne s'emballe.

— Je vous remercie de votre aide, dit le jeune homme pour s'excuser, alors que les cris reprenaient de plus belle.

Le geôlier et les deux gardes présents dans la salle contiguë descendirent. Les bruits cessèrent immédiatement.

— Savez-vous pourquoi je vous ai choisi? interrogea Paul. À cause de ceci.

Il s'approcha du mur recouvert d'inscriptions et lut:

— *Je ne crois pas en Dieu. Je crois en maître Fabert. M. F., 1774, 12 juin...* Vous avoir à mes côtés me redonne confiance, dit-il en effleurant la phrase des doigts.

— Ceux qui sont allés sur l'échafaud n'ont pas la même opinion, objecta Antoine.

— Combien y en a-t-il eu?

Les surveillants, qui venaient de remonter, firent irruption pour une ronde à l'étage. Les autres prisonniers, au nombre de trois, levèrent à peine la tête de leur paillasse, drogués à l'ennui des journées sans fin.

— Pouvons-nous commencer? demanda l'avocat dès que les soldats furent retournés dans leur salle.

Antoine lui relata tous les chefs d'inculpation qui pesaient sur sa tête tout en surveillant la moindre réaction de Paul. Son calme rassura l'avocat. Il serait essentiel le jour du procès.

— Nous allons démontrer qu'aucune de ces accusations n'est fondée, conclut-il. Maintenant, Paul, voulez-vous bien me raconter ce qui s'est passé en ce 1er novembre?

Le jeune musicien se cala sur sa paillasse, se massa le front avec les paumes des mains et souffla.

— Il est huit heures du matin et j'ai froid. Je n'ai ni cheminée ni poêle dans mon appartement. Je devrais dire ma chambre, il n'y a qu'une pièce. Tout sent le moisi, la paillasse, les murs, les poutres. Parfois j'ai l'impression au réveil que ma peau aussi sent le moisi. La fenêtre est faite de planches de bois ajourées qui ne laisse passer que des miettes de lumière. Pour voir clair, je dois brûler des bougies toute la journée sinon je reste dans la pénombre. Et, pour ce logement digne de Versailles, je paie douze louis la semaine, un mois d'avance. Toujours un mois d'avance. Quarante-huit louis à chaque traite. Avec mes cours, je gagne au mieux trente louis la semaine.

Je fais parfois d'autres tâches, au Bureau des copies, cela me permet d'avoir de quoi mieux manger. Quant aux vêtements, j'en ai assez, une malle pleine. Tout ce qui me reste de l'héritage de mon père. Un peu trop voyants, un peu trop catalans, mais, au moins, je n'en ai pas besoin d'autres. Quand je peux, j'achète des partitions à la *Boule du monde*. Ils me font crédit. Et le clavecin, je le pratique chez mes élèves, là où il fait chaud et il y a de la lumière, toujours. Voilà ma vie, telle qu'elle était le premier du mois de novembre 1777. Vous ne prenez pas de notes ?

Antoine s'était assis, les bras croisés devant la table nue.

— Je le ferai une fois rentré. Continuez. N'oubliez rien, chaque détail compte.

— Quand M. Labé rentre, je viens de me raser, je suis encore torse nu. Il ne toque jamais, il a la clé et fait comme s'il était chez lui. D'ailleurs, il est chez lui... Je lui demande un peu de temps pour m'habiller, pendant lequel il me fait remarquer que l'endroit est mal entretenu. Je mets ma chemise et mon *gambeto*, il s'impatiente. Je sors alors ma bourse du coffre où je la range toujours et la lui tends. Je sais qu'il n'y a pas assez, il me manque huit louis. Mais j'ai deux leçons dans la journée et je pourrai lui donner le solde le soir même. Il refuse. Je lui répète : le soir même j'aurai gagné un écu, plus qu'il n'en faut pour le rembourser. Quelle différence pour lui ? Son escarcelle est déjà pleine des loyers encaissés le matin. Il refuse. Question de principe. Il me dit que c'est chaque mois le même problème avec moi. Il me demande de prendre mes affaires et de quitter la chambre définitivement. Je lui propose de prendre mes vêtements en gage. Je le paierai avant le coucher du soleil. Il refuse, attrape mes habits et me les jette aux pieds. Il hurle. Veut que je parte tout de suite. Mais je n'ai nulle part où aller. Encore quelques heures et j'aurai l'argent, Dieu du ciel ! Je lui demande de la compréhension, j'implore son humanité. Il prend la clé qui était sur la porte et la met dans sa poche. Il répète sans cesse : « Dehors, dehors, dehors... » C'est pour moi comme une condamnation. Alors, je refuse cette sentence. Je refuse de sortir. Je prends mes vêtements et les repose dans mon coffre. Au moment où je le referme, je ressens une douleur dans les reins : il m'a frappé avec sa canne. Et il frappe. Il frappe encore. « Dehors l'indigent, dehors l'étranger. » Les coups arrêtent de pleuvoir. Je peux me retourner. Il me regarde et fait tournoyer sa canne en me montrant la porte. J'ai du sang devant les yeux. J'enlève ma ceinture et m'essuie le visage dedans. Il tente à nouveau de me frapper. Sur les mains. Mes doigts sont mon seul trésor, mon gagne-pain, tout ce que je possède de valeur. Je pare le coup. Il est emporté par son élan, je le plaque sur le sol. Il se débat. Je hurle pour qu'il arrête. Je suis fou de colère, il a voulu me casser les doigts ! Il est lui aussi enragé et essaie de m'attraper le visage. Après...

Paul s'arrêta, le souffle court.

— Après, tout est si flou, tout est si désordonné dans ma tête. J'ai reçu des coups, j'ai voulu l'immobiliser, je me sentais suffoquer et j'ai tiré, tiré de toutes mes forces.

— Vous l'avez étranglé. Vous en souvenez-vous ?

Férrère s'agenouilla sur le sol, épuisé d'avoir eu à revivre la scène. Il avait enfoui sa tête dans ses mains et confirma d'un signe.

— S'il m'avait écouté... Le soir, le soir même, j'avais l'argent ! Il serait toujours vivant...

Antoine s'assit à côté de lui et attendit un moment que le jeune homme recouvre ses esprits.

— Je vais vous poser quelques questions, dit-il doucement.

Paul s'adossa contre le mur et acquiesça.

— Allez-y, maître.

— Les voisins interrogés disent avoir entendu une dispute.

— Quels voisins ? L'appartement à côté est inoccupé.

— Une blanchisseuse qui était dans le bâtiment. Deux quidams qui discutaient dans la rue.

— Ce n'était pas une querelle. Il m'a agressé et nous nous sommes battus.

— Ils n'ont pas encore officiellement déposé. Nous irons les interroger de notre côté. Je vais essayer de me procurer le rapport d'autopsie du chirurgien. J'espère qu'il n'a pas relevé trop de traces de coups sur le corps.

— C'est moi qui les ai pris, les coups, répondit Paul en ôtant sa chemise pour lui montrer les nombreuses ecchymoses sur son dos et son thorax. Les miens n'ont pas porté. Je ne suis pas un combattant aguerri. Je suis un musicien.

— Nous allons plaider la défense légitime. L'inspecteur Jeanson a retrouvé une bourse près du corps. Celle du sieur Labé. Elle contenait cinquante écus.

— Un musicien. Pas un voleur.

Antoine se leva et appela le gardien.

— Le sac à procès risque d'être rempli d'accusations. Le sort pourrait ne pas nous être favorable. Dire la vérité ne suffira pas, il nous faudra travailler dur sur votre défense. Et ne rien négliger.

— Je commence à le comprendre, maître. Maintenant vous pouvez me le dire : combien avez-vous eu de clients qui ont fini sur l'échafaud ?

Antoine hésita avant de répondre :

— Aucun.

Il mit sa besace en bandoulière, le salua et se retourna une fois sorti du cachot.

— Une dernière question : avez-vous de la famille que nous pourrions faire témoigner ?

— Hélas, non. Je suis seul depuis que mon père est mort. C'était important ?

— Pour un avocat, oui. Nous avons gagné de nombreuses affaires grâce à la famille des accusés. Ou nous avons évité la corde.

Antoine se rendit directement au palais de justice et rejoignit Prost, qui plaidait auprès du juge d'Arpheuillette afin de faire reprendre son procès contre le monopole de la boulangerie. Au sortir de la salle d'audience, François arborait un large sourire :

— J'ai enfin été lavé de tout soupçon d'infamie. Le juge a reconnu le piège qui m'a été tendu à la halle aux blés. Tes mots ont fait mouche, mon ami.

Il prit Antoine par l'épaule et l'entraîna à l'extérieur. Une pluie fine et oblique les accueillit sur le parvis. Devant eux, la foire marchande des Saints étendait ses tréteaux jusqu'à la place du Change. Les acheteurs et les curieux avaient bravé l'humidité et s'étaient dilués tout autour des tentes, dont certaines proposaient des marchandises provenant d'Europe ou du Nouveau Monde. Antoine repéra très rapidement Trente-trois, adossé contre le mur de l'angle de la rue des Fouettés.

— Ne fais pas attention à lui, conseilla François. Jeanson trouvera un moyen de le faire déguerpir. Viens, allons faire un tour au marché. J'ai du temps avant la prochaine audience.

Antoine n'arrivait pas à comprendre les motivations de Marais qui, jusqu'à présent, s'était contenté de le faire suivre sans discrétion.

— Comment cela s'est-il passé avec le jeune Férrère ? questionna Prost en tentant de se protéger de la pluie avec sa perruque, qu'il avait descendue sur son front.

Antoine lui relata l'entrevue et son inquiétude quant à leurs chances de succès.

— Il va nous falloir mener l'enquête afin de démontrer la fragilité de tous les témoignages. Personne n'a vu ce qui s'était passé, expliqua-t-il. Le juge ne sera pas d'Arpheuillette, mais le sénéchal en personne.

— Belle bataille en perspective... Voilà un autre combat que le sénéchal a perdu, remarqua François en s'arrêtant devant un forain qui leur proposait une partie de cartes.

Le juge renouvelait régulièrement les ordonnances interdisant les jeux de hasard sous peine d'amendes importantes. Mais la plupart des bateleurs comptaient sur la tolérance relative des autorités pour les jeux de commerce, qui introduisaient une part de réflexion dans un contexte de chance, contrairement aux jeux de hasard pur.

— Subtile distinction entre ce qui offense les oreilles de l'Église et ce sur quoi ils ferment les yeux, sourit Prost, qui avait maintes fois eu à plaider pour des joueurs pris sur le fait. Le hasard doit rester l'œuvre de Dieu.

La simple possession de dés et de cartes à la maison pouvait être source d'ennuis juridiques.

— Je connais certains valets qui se sont fait une petite fortune à empocher un tiers de l'amende en dénonçant maître ou serviteurs, dit Antoine en tentant d'observer les discrets joueurs qui venaient de commencer une partie.

— Crois-tu qu'ils parient de l'argent ?

— Regarde bien le quidam : aux yeux de tous, il ne fait payer que les verres de vin. Mais tu remarqueras que le coût n'est pas le même pour chacun. Quand les enchères vont monter, le vin sera hors de prix, plaisanta-t-il en entraînant François à l'écart de l'allée. Éloignons-nous, je ne voudrais pas que la maréchaussée nous prenne pour des joueurs. Le sénéchal se ferait un plaisir de nous interdire de procès.

— Tu as raison. Arrêtons-nous ici ! dit François devant une tente qui vendait des chapeaux pour homme. Les produits sont de qualité, je m'y approvisionne tous les ans.

Il essaya plusieurs tricornes, sans paraître convaincu, avant d'opter pour un couvre-chef noir dont trois des quatre bords étaient rabattus. Le quatrième formait une sorte de protection vers l'avant, à l'image d'une visière.

— Celui-là me plaît, approuva Prost.

— Dernière mode anglaise, précisa le marchand.

Ce qui lui fit emporter la vente.

— En ce qui concerne Férrère, j'ai une nouvelle pièce à apporter au dossier, dit Prost tout en rangeant sa bourse. Elle se trouve chez moi.

— Qu'est-ce donc ? Pourras-tu me la faire apporter demain à la maison ? demanda Antoine, qui ne pouvait s'empêcher de fureter du regard à la recherche de leur suiveur.

— Je ne peux t'en dire plus et je ne peux la faire livrer, vraiment non, répondit son ami en positionnant sa coiffe au-dessus de sa perruque. Tu devrais t'y rendre maintenant. Alors ? demanda-t-il dans l'attente d'un compliment sur son achat.

— Alors tu as raison, j'y vais de suite, décida Antoine en lui prenant son chapeau. J'ai aussi besoin de ta perruque, ajouta-t-il en tendant la main.

— Non, Antoine, non ! protesta mollement François.

— Je dois semer Trente-trois. Pas question qu'il rapporte où je vais. Ta perruque...

L'avocat s'exécuta, découvrant son crâne lisse.

— Tu en as une de rechange au palais, je le sais, soutint Antoine.

— Fais attention, c'est de la peau de castor ! prévint François.

— Parlerais-tu de ton crâne ? plaisanta-t-il en faisant s'esclaffer le marchand.

— Vous, je regrette de vous l'avoir acheté, grogna Prost en direction du vendeur. Comment sais-tu, toi, qu'il y en a une au palais ? ajouta-t-il à l'intention d'Antoine, qui s'était coiffé.

— Tu l'as fait faire pour remplacer celle que tu avais jetée sur l'arbre.

— Mais... mais... personne n'est au courant !

— C'est bien là mon avantage : je ne suis personne.

Il disparut dans la foule. Trente-trois le cherchait encore place de la Baleine lorsqu'il toqua à l'imposante porte de bois de la maison de François, à l'angle de la rue Saint-Jean et de la place Neuve. La pluie avait cessé.

Marie-Lyon, qui égrenait tristement ses gammes au clavecin, bondit en voyant son parrain. La fillette sauta dans ses bras et l'embrassa, lui chipa son chapeau et partit se regarder dans le grand miroir du boudoir. Il la suivit.

— Je n'arrive plus à jouer depuis qu'il n'est plus là. Tu le sauveras, dis, tu me le promets ? demanda-t-elle avec l'insistance naturelle de son âge.

— Cela ne dépend pas que de moi, ni de ton père, tu le sais, Marie-Lyon, répondit Antoine, qui s'était accroupi à sa hauteur.

— Promets-le ! insista-t-elle, le doigt levé.

— Si je le faisais, je ne serais pas honnête avec toi.

— Alors, il va mourir ? C'est cela ? Il va mourir !

— Je n'ai pas dit cela, fillette. Mais il est accusé des faits les plus graves.

— Ainsi donc, l'espoir est-il si mince ? dit une voix derrière eux.

La jeune femme était entrée sans autre bruit que le léger froissement de sa robe de taffetas. Elle avait le visage d'un ovale d'amande, une peau fine aux reflets d'opale, une mouche sur la joue droite et une autre au-dessus de la bouche, dont les lèvres boudeuses semblaient interroger en permanence ses interlocuteurs, des cheveux de jais à la coupe courte, qui contrastaient avec les perruques volumineuses et blanches des canons de la mode féminine, et l'air d'un ange perdu à la recherche de ses ailes. Antoine regarda l'inconnue en se demandant si elle était liée à la nouvelle pièce du dossier que François devait lui communiquer.

— Qui êtes-vous, madame ? demanda-t-il après l'avoir saluée d'une révérence.

— Je m'appelle Michèle Masson. Je suis la sœur de Paul.

27

Samedi 8 novembre

Prost avait terminé sa journée par une conciliation réussie entre deux époux. L'homme, joueur invétéré, avait engagé les meubles du couple dans des paris risqués, qui s'étaient avérés payants, mais son épouse l'avait menacé d'une séparation de biens auprès d'un juge. François avait réussi à les amener sur la voie du compromis et le mari s'était engagé à ne plus jamais s'aventurer dans un cercle de jeu. L'avocat savait, par expérience, qu'il finirait par rompre ce pacte, mais le temps de tranquillité gagné semblait avoir satisfait tout le monde. Quand le cas serait désespéré, il passerait le relais à Antoine.

François songea à la situation de Paul. Il connaissait, pour avoir défendu les intérêts de son père, Simon Férrère, l'existence d'une descendance à son union en secondes noces. La belle-mère avait une fille, plus âgée que Paul d'une dizaine d'années, et qui vivait à Paris. La mère et la fille avaient été placées à l'égal du fils dans les dispositions testamentaires de M. Férrère, ce qui avait mis Paul dans un grand désarroi et avait contribué à son départ de la maison tenue par l'épouse de feu son paternel. François avait écrit aux deux femmes pour leur apprendre le sort de Paul et, alors qu'il n'avait eu aucune nouvelle de la marâtre, Michèle venait de débarquer à Lyon dans l'espoir de sortir le fils de son beau-père de prison.

Un fiacre de la ville était stationné devant sa maison. François salua le cocher et observa avec désolation sa porte d'entrée maculée de boue. La ferronnerie avait été repeinte et les bois vernis récemment. Il se retourna vers le chauffeur, qu'il tint pour responsable du résultat, et l'invectiva. L'homme, bien décidé à se défendre, réfuta les accusations, se leva de son siège et brandit son fouet en guise de menace. Au même moment, Antoine sortit, une malle en main. François le prit à témoin de l'incident et de l'agressivité du cocher. Fabert déposa le bagage à l'arrière de la berline et attira son ami à l'écart sans ménagement.

— François, je te voue aux gémonies, à toutes sortes de tortures, de préférence les plus cruelles ! Ce que tu viens de me faire mérite un châtiment exemplaire, comme de mourir étouffé sous des livres de pâte à poire de terre !

— Quoi ? Il faut bien que cette femme ait un logement, se défendit Prost, qui avait proposé à Michèle Masson de résider chez maître Fabert.

Antoine avait la capacité de s'énerver sans hausser le ton ni gesticuler inconsidérément et François, qui connaissait bien l'échelle de sa colère, savait qu'il affrontait là un orage violent mais passager.

— Pas chez moi ! insista Antoine.

— C'est chez moi ! Après tout, je suis le propriétaire de ta maison !

— Bon, je fais quoi, moi ? dit le cocher, voyant qu'ils ne s'intéressaient plus à lui.

— Vous attendez ! cria François, faisant s'envoler une famille de pigeons agglutinée autour d'une croûte de pain.

— Mais je n'ai pas que vous comme client ! répondit-il en faisant mine de claquer du fouet.

— Je paierai, alors, asseyez-vous ! lui intima Prost. Et j'ai votre numéro de fiacre, pas de coup tordu.

L'homme s'exécuta en grognant.

François entraîna Antoine plus loin encore.

— Tu ne veux quand même pas que son nom apparaisse sur la liste des étrangers présents en ville ? Elle ne peut pas loger dans une hostellerie, il nous faut la plus grande discrétion jusqu'à ce qu'elle ait témoigné.

— Est-ce là la seule raison ? s'interrogea Antoine.

— Une compagnie féminine te fera le plus grand bien ! Et je te jure que je n'y ai pas pensé au moment de le lui proposer ! concéda Prost.

— Je t'ai connu plus convaincant en plaidoirie, tu n'es qu'un perfide individu ! Je vais chercher un autre logeur, déclara-t-il en s'éloignant.

— Allons, dans quelque temps, tu me remercieras, dit François en regardant Michèle monter dans le carrosse. Cette femme a la grâce et la beauté pour elle.

— Je te signale que nous sommes suivis par des envoyés du roi qui recherchent quelque chose que je possède et que nous ne savons rien de cette personne que tu introduis avec légèreté chez moi.

— Chez moi ! rectifia Prost.

— Tu veux vraiment finir comme le sieur Labé, mon cher propriétaire ?

Les deux hommes ne purent garder leur sérieux plus longtemps et tombèrent dans les bras l'un de l'autre en riant, sous le regard défait du cocher qui désespérait de pouvoir démarrer son fiacre. Ses collègues de la place Louis-le-Grand avaient déjà dû faire deux trajets pendant le même temps.

La délivrance vint enfin et il put, au signal de maître Prost, quitter les lieux, la bourse remplie des cinq louis de sa course et de quatre liards en guise de dédommagement. François ordonna à son serviteur de nettoyer la porte sans attendre et lui précisa les cires à utiliser pour y parvenir. Il en avait acheté une dizaine à un marchand l'année passée, convaincu par les arguments du bonimenteur. La propreté de sa maison était devenue une obsession qu'il refusait de reconnaître. Il avait surtout peur des maladies, qui se transmettaient si facilement, et tentait d'en protéger sa femme et sa fille. Il les retrouva, assises dans le salon, occupées à la lecture d'un poème du fabuliste Jean de La Fontaine. Leur vue fit sourdre en lui de tendres sentiments. La vie avait été généreuse et avait épargné sa famille des malheurs du destin. Il s'en sentait parfois presque coupable vis-à-vis d'Antoine. Il les regarda un moment, à l'abri du rideau qui séparait les deux pièces, avant de les rejoindre, accueilli par leurs rires facétieux.

Antoine avait installé les bagages au premier étage, dont les pièces étaient restées inoccupées depuis le départ de Madeleine.

— Où est madame votre femme ? s'inquiéta Michèle après que son hôte lui eut fait effectuer une rapide visite des lieux.

— Elle n'habite plus ici, indiqua Antoine laconiquement.

Mlle Masson ne montra aucune curiosité supplémentaire et le regarda disposer un fagot de bois mort dans l'âtre avant de l'enflammer.

— Et où sont les domestiques ?

— Dès demain, maître Prost mettra à notre disposition sa cuisinière mais, pour le moment, vous les avez devant vous. Si vous avez la moindre demande, n'hésitez pas.

Les branches crépitèrent sous les flammes drues et firent rapidement des braises. Antoine installa une bûchette sur les chenets.

— Êtes-vous mariée ? la questionna-t-il, agenouillé devant le foyer à regarder le bois rosir.

— Je suis promise, dit-elle en s'approchant pour s'y réchauffer.

— Et quel est le nom de l'heureux élu ? insista-t-il après s'être relevé à la recherche d'un nouveau rondin.

— Ils sont nombreux.

La réponse atteignit son objectif et Antoine posa sur elle de grands yeux étonnés :

— Est-ce là ce qu'on appelle la modernité des sentiments amoureux ?

Elle éclata d'un rire bref et mélodieux.

— Ils ont pour nom messieurs Corneille, Molière et Voltaire. Je suis comédienne. Ne faites pas cette tête, monsieur Fabert !

— Vous avez ri, dit-il pour expliquer son attitude.

— Oui, qu'y a-t-il d'étonnant à cela ?

— Il y a des années que cette maison n'avait pas entendu de rire.

La jeune femme ne sut déceler si la phrase avait été prononcée comme un compliment ou un reproche. Maître Fabert lui semblait être un écrin fermé à double tour.

La cheminée avait rendu ses derniers feux depuis un long moment et la cloche de Saint-Jean venait de sonner deux heures. Antoine lisait le texte d'un des codices recopiés sur son cahier. La traduction avançait plus rapidement depuis qu'il maîtrisait les règles de grammaire et de conjugaison indiquées par Louern. Les mots inconnus prenaient un sens dans leur contexte et son vocabulaire s'enrichissait de jour en jour. Plus de quinze tablettes avaient déjà été traduites et le paysage gaulois s'affinait petit à petit sous ses yeux.

Le druide avait décrit son passage dans un oppidum en territoire éduen, dont le nom, Bibracte[1], semblait signifier le « castor ».

1. Oppidum situé au sommet du mont Beuvray, dans le Morvan.

Antoine n'avait pas su le localiser sur une carte. Louern y était resté plusieurs mois et, possédant l'écriture, avait participé au recensement de la population. Dix mille personnes... Antoine avait relu le passage plusieurs fois afin de vérifier qu'il ne se trompait pas dans sa traduction. Mais Bibracte était réellement une ville fortifiée possédant près de deux lieues de remparts de bois et de pierres pour la protéger. Une ville organisée en quartiers, avec ses artisans du verre, des métaux, des tissus, ses commerçants de marchandises importées, ses rues pouvant atteindre huit toises[1] de large et ses maisons d'habitation en bois et torchis aux étranges toits de chaume qui descendaient presque jusqu'au sol. *On est si loin de la description de César dans* La Guerre des Gaules, songea-t-il, *celle de barbares vivant dans des huttes au cœur de la forêt.*

Louern avait quitté Bibracte précipitamment l'année précédant son arrivée à Lugdunum. *Ils ont retrouvé ma trace. Je suis comme un animal traqué. La bataille sera sans fin*, avait-il écrit. Comme à chaque fois, Antoine relut tous les textes qu'il avait déchiffrés et détruisit les notes qu'il avait prises. La seule traduction du codice se trouvait maintenant dans sa mémoire.

Le parquet craqua au-dessus de sa tête au rythme des pas de son invitée, puis se tut. Il n'aimait pas sentir cette nouvelle présence qui dérangeait sa réclusion volontaire. Quelques secondes plus tard, Michèle Masson apparut dans l'encadrement de la porte.

— Je n'arrive pas à dormir. Je pense à Paul, s'excusa-t-elle.

Elle s'approcha de la table où Antoine s'était installé pour travailler. Il avait revêtu une épaisse couverture de fourrure qui lui tenait chaud alors que le feu avait viré aux cendres depuis longtemps. La nuit était froide et les premières gelées avaient fait leur apparition quelques jours plus tôt. La jeune femme était habillée d'une robe à plis larges, qui lui descendait jusqu'aux pieds – dont on ne voyait dépasser que le bout des escarpins – et d'une chemise de mousseline blanche. L'absence de panier mettait en valeur la finesse de son corps et donnait une grâce et une élégance supplémentaires à sa démarche.

Elle frissonna. Antoine lui proposa son vêtement improvisé, dans lequel elle s'enroula avec bonheur avant de s'asseoir à côté de lui.

— Sur quoi travaillez-vous ? demanda-t-elle en regardant les pages recouvertes de phrases en gaulois.

---

1. Une toise équivaut à 1,949 mètre.

— Un dossier un peu spécial, un héritage difficile à assumer, répondit-il en fermant le cahier. Voulez-vous manger ou boire ?

Elle refusa poliment tout en observant la pièce aux tentures usées. Antoine la questionna sur sa relation avec celui qui était devenu son frère par le biais d'une alliance matrimoniale.

— Je vais peut-être vous surprendre, mais je connais très peu Paul. Nous nous sommes vus deux fois, avoua-t-elle alors qu'Antoine allumait une bougie neuve sur le dernier souffle de la chandelle de table.

Il la posa près d'eux, faisant danser des ombres sur le visage de la jeune femme.

— Vous devez vous demander pourquoi j'ai fait tout ce chemin pour venir défendre un presque inconnu, n'est-ce pas ? ajouta-t-elle en fixant son regard sur la flamme effilée qui ondulait légèrement.

— L'important n'est pas mon opinion, mais ce qu'en pensera le juge, mademoiselle Masson. L'important est ce que votre témoignage pourra lui apporter. Que direz-vous de lui si vous êtes interrogée ?

Michèle décrivit un être sensible et fragile, dont la mort prématurée de la mère avait bouleversé l'équilibre auprès d'un père rigoriste et distant. Paul était devenu à seize ans l'un des plus jeunes professeurs de clavecin de l'Académie royale de musique, où son père Simon l'avait envoyé depuis la ville de Perpignan, fief de leur famille. C'est aussi à Paris, où il se déplaçait fréquemment pour y voir son fils et mener ses affaires, que Simon avait rencontré la mère de Michèle. Les deux veufs avaient conclu un mariage avec dot et s'étaient établis en Catalogne.

— Ma mère vivait d'une rente laissée par mon père, deux boutiques de sellerie, dont une à Versailles. L'argent n'a pas été sa motivation dans cette union, croyez-moi. Mais M. Férrère a toujours été rude avec son fils et plus Paul se cabrait, plus il se rebellait, plus son père jouait du fouet. En partageant son héritage entre Paul et nous, il a voulu lui donner une leçon. Depuis ce jour, je n'ai plus revu mon frère. J'ai bien tenté, à plusieurs reprises, mais il a refusé de me recevoir. Puis il a quitté Paris. Je ne savais pas qu'il se trouvait à Lyon.

Antoine s'était levé. Il s'approcha de la fenêtre, qu'il entrouvrit, laissant entrer une fraîcheur aux senteurs d'herbe humide.

— Quand il venait chez mes voisins donner sa leçon de musique, j'ouvrais pour entendre son clavecin au doigté si mélodieux et brillant, expliqua-t-il en la refermant aussitôt.

— S'il le faut, je mentirai, conclut-elle en remontant la couverture sur ses épaules. Pas question qu'il aille en prison, encore moins qu'il risque la mort. Paul est innocent, je le sais, il s'est défendu face à quelqu'un qui voulait le priver de ses doigts, de sa plus grande richesse !

— Nous ferons le maximum, soyez-en certaine. Mais vous allez devoir rester plusieurs semaines. Il nous faudra d'abord convaincre le juge de vous interroger afin que votre témoignage figure dans le sac à procès.

— J'y suis prête. Je proposerai mes services à un théâtre de la ville. Il y en a bien un ? s'inquiéta-t-elle soudain.

— Le plus grand est celui des jardins de l'hôtel de ville. Il est brillant comme un sou neuf, Soufflot l'a construit il y a vingt ans, précisa Antoine. Ils seront honorés d'avoir une actrice du « Français », mais vous devrez attendre d'avoir déposé votre témoignage.

Elle réprima un bâillement.

— En fait, j'ai faim, avoua-t-elle.

Antoine apporta une terrine contenant un pâté de lièvre, qu'il étala sur une tranche de pain.

— Il nous arrive, avec la troupe, de souper après le spectacle, expliqua-t-elle entre deux bouchées. Les représentations sont le soir et je ne suis jamais couchée avant le changement de jour. Dieu que votre pain est bon et ce pâté, un vrai délice ! Vous féliciterez votre cuisinière.

Antoine, qui était l'auteur des deux mets, lui promit de le faire. Michèle prit un livre de sa bibliothèque – il sut à l'emplacement qu'elle avait choisi Pierre de Marivaux, *Le Jeu de l'amour et du hasard*, la nouvelle édition parue chez Delalain trois ans auparavant –, demanda à garder la fourrure qui lui tenait si chaud et monta se coucher. Il entendit le bois du plancher craquer, puis ce fut le silence. Son parfum et sa présence flottaient encore dans la pièce longtemps après son départ.

28

Lundi 10 novembre

Le docteur Mesmer était las. Le voyage depuis l'Autriche, qui avait duré trois semaines, l'avait fatigué. Il n'était arrivé à Lyon que la veille, mais l'insistance de son malade avait eu raison de lui. Il allait procéder à une séance de magnétisme animal dans la maison d'Antelme de Jussieu. Le grand salon du rez-de-chaussée avait été aménagé et les murs dépouillés de sa collection d'insectes. «Afin de ne pas perturber la sérénité de la cérémonie», avait précisé le médecin. Il inspecta le baquet qui avait été installé en son centre. La caisse, en bois de chêne, avait été confectionnée spécialement pour l'occasion, selon ses directives. Il vérifia que la taille et la hauteur avaient été respectées et se pencha à l'intérieur après qu'un domestique eut porté un chandelier au-dessus du récipient. Il était rempli aux trois quarts d'une eau de source dont il s'était enquis qu'elle soit la plus ferrugineuse de la région, dans laquelle avaient été déposés de la limaille et du verre pilé en grande quantité. Au signal de Mesmer, deux aides déposèrent sur le baquet un lourd couvercle percé de six trous, dans lesquels ils introduisirent des barres de fer courbées.

— Très bien, dit le médecin en leur faisant signe de s'éloigner. Ne touchez plus à rien.

Il vérifia que les rideaux tirés ne laissaient plus passer aucune clarté de l'extérieur et fit déplacer le pianoforte près de l'entrée afin qu'il ne soit pas visible des participants une fois installés. Lorsque le musicien se présenta, Mesmer lui indiqua les airs qu'il aurait à jouer et le signal d'arrêt de la musique. Il vérifia le nombre et l'emplacement des chandelles qui devaient diffuser une lumière douce et tamisée et jeta un dernier regard à l'ensemble. Tout était prêt.

— Je sais ce que vous en pensez, dit Antelme en prenant Antoine par le bras, mais je voulais vous remercier de votre présence.

Malgré son scepticisme, l'avocat avait accepté de collaborer à la séance de thérapie du baquet de Mesmer. Aimé aussi avait été convié. Il avait longuement discuté en aparté avec le médecin avant que celui-ci ne se retire pour se préparer. Camille était venu en observateur pour le futur *Glaneur*. Le quatrième participant était Marc de Ponsainpierre, dont le pied, mal remis de sa chute, le faisait toujours souffrir.

— Messieurs, dit le médecin qui venait d'entrer, approchez-vous du baquet et touchez la coudée de fer par l'endroit de votre corps qui est en souffrance.

Deux domestiques portèrent Antelme et son fauteuil sur une petite plateforme en bois disposée contre le baquet. Jussieu prit deux barres de métal qui dépassaient de la caisse et les porta contre ses jambes. À sa droite, Aimé s'agenouilla afin de poser une branche de fer sur sa tempe gauche, près de ses yeux dont il rêvait qu'ils retrouvent leur acuité d'antan. Marc se positionna en face de son hôte et tenta de porter sa cheville à la hauteur d'une des barres, mais cessa vite devant l'inconfort de la position. D'un signe de la main, Mesmer fit installer par un aide un prolongement sous la forme d'un tuyau creux qui descendit jusqu'au sol et permit à Ponsainpierre d'y appliquer sa cheville tout en restant debout. Antoine, à la gauche d'Antelme, toucha le sien avec son dos pendant qu'un domestique reliait tous les participants à l'aide d'une corde.

— Maintenant, messieurs, tenez-vous tous la main, par le pouce. Le magnétisme va passer par les branches de fer, par les cordes et par vos corps.

Il avisa le pianiste, qui entama la *Sarabande* de Haendel. Mesmer portait une veste en soie de teinte lilas, un pantalon de la même couleur et des bas blancs. Ses vêtements ajoutaient une élégance à son charisme naturel. Il prit une baguette de coudrier et se porta près d'Antelme de Jussieu, dont l'émotion était palpable. Mesmer toucha ses jambes du bout de la baguette, en descendant et en remontant lentement. Le visage du médecin avait pris une expression de souffrance, comme s'il tentait de toutes ses forces de faire sortir le mal des organes atteints. Il répéta l'opération plusieurs fois de suite, toujours avec beaucoup de lenteur et de concentration, avant de passer aux autres participants. Marc ressentit une légère chaleur au passage de la baguette, Antoine et Aimé n'éprouvèrent rien alors qu'Antelme fut pris de sueurs et de quintes de toux. Mesmer lui fit servir une eau contenant de la crème de tartre qui l'apaisa. La séance reprit comme elle avait commencé, par des contacts entre les mains du magnétiseur, ou sa baguette, et les malades.

À l'écart dans un coin de la pièce, Camille avait été autorisé à prendre en note tout ce qu'il voyait, ce dont il ne se priva pas, faisant crisser si vite sa plume sur le papier qu'il en cassa la pointe et en changea prestement. Il voulait graver dans sa mémoire l'image des quatre hommes qui formaient un cercle autour du baquet, ces hommes qu'il admirait le plus de toute la ville de Lyon et qui étaient présents pour aider Antelme à améliorer son sort grâce au magnétisme animal. Il voulait retenir l'intensité émotionnelle qui se dégageait de la soirée, cette atmosphère de recueillement et d'espoir insensé mêlés. Camille s'était mis à rêver de voir le paralytique se lever. Il avait entendu parler des guérisons obtenues par le docteur Mesmer et sa méthode originale. Trois ans plus tôt, le directeur de l'académie des sciences de Munich s'était rétabli d'une semblable pathologie grâce aux aimants de son médecin. Quelques semaines auparavant, l'homme était à Vienne où il avait réussi à rendre la vue à une jeune musicienne aveugle, argument qui avait décidé Aimé à participer lorsque Antelme le lui avait proposé : ce qui avait guéri une malvoyante ne pouvait qu'être bénéfique à un vieil œil myope, comme il se dénommait lui-même.

La séance prit fin au bout de deux heures. Mesmer était épuisé et en sueur. Antoine et Marc avaient contracté des crampes à force de tenir la coudée, Aimé avait une large trace rouge au-dessus de la joue droite, mais avait le sentiment que sa vision était améliorée. Quant à Antelme, il semblait dans un état de torpeur proche de l'abattement. Le médecin l'examina et le fit transporter dans son lit, jugeant le premier traitement concluant, et proposa le second pour la semaine suivante. Tous acceptèrent. Mesmer remercia le pianiste qui avait joué sans discontinuer, notamment une sonate pour piano de Wolfgang Amadeus Mozart qu'il aimait particulièrement pour avoir vu l'auteur l'interpréter deux ans auparavant à Salzbourg.

Le médecin avait quitté l'Autriche à contrecœur, ce que personne ne savait, pour éviter un scandale qui eût tôt fait de le poursuivre. Paris serait une ville plus accueillante pour sa méthode et Lyon en tenait lieu de répétition générale. Son mémoire sur le magnétisme animal était presque achevé et il lui tardait d'en découdre avec les facultés de médecine.

La session l'avait vidé de ses forces. Sa baguette lui avait indiqué une force magnétique d'une rare intensité chez l'un des quatre participants. *Il aurait pu mener la thérapie à ma place*, se dit-il en s'épongeant le front avec un linge. *Il me faut songer à avoir des disciples*. Mesmer regarda Antoine s'éloigner vers le chemin qui menait à la tourelle et supervisa le démontage de son baquet aux deux cents litres d'eau et de ferraille tout en sifflotant une des musiques dont il n'arrivait plus à évacuer l'air de sa tête.

Jussieu était allongé sur la chauffeuse installée dans son pigeonnier, une nuée d'oreillers calés dans son dos.

— Je vais mieux, dit-il à Antoine venu prendre de ses nouvelles. Mais quelle expérience ce fut là ! J'ai senti des fourmillements dans les jambes. Pendant un moment, j'ai réellement senti mes membres !

Il prit la fourchette du plat de viande que son domestique avait installé pour le dîner et la piqua sur sa cuisse, doucement d'abord, puis plus fermement.

— Mais je ne sens plus rien, se désola Antelme, à part une immense fatigue. Je suis à nouveau un infirme, conclut-il en la lançant de dépit dans l'assiette.

— La méthode du docteur Mesmer requiert de nombreuses séances, il vous faudra de la patience, l'avertit Antoine.

— À vous aussi, mes amis. Je compte sur votre soutien. Et comment va votre chien de garde ? demanda-t-il en changeant de sujet.

— Je n'ai pas éprouvé le besoin de le semer, dit Antoine, notre réunion d'aujourd'hui est de notoriété publique.

— Est-il là ?

— Oui, je l'aperçois, en bas de la rue, répondit Antoine, qui s'était approché de la fenêtre.

Trente-trois faisait les cent pas devant l'auberge des Trois-Fontaines, hésitant à interrompre sa garde pour y prendre une pause.

— Le pauvre hère. La prochaine fois, je lui ferai porter à boire !

— Laissons-le croire à l'efficacité de son travail, le dissuada Antoine. Ainsi, je peux le mener où je veux.

Un serviteur entra et chuchota à l'oreille de son maître sans qu'Antoine, à deux mètres d'eux, n'entende le moindre son. L'avocat reconnut son homme de confiance. Il avait un visage métissé de Malgache et d'Européen. Il tenta de lui trouver des ressemblances avec Antelme, sans réussir à se convaincre totalement. Jussieu lui donna la clé qu'il portait toujours autour de son cou. Sa discrétion semblait aussi exemplaire que son dévouement.

— Ne vous méprenez pas, dit Antelme une fois le valet parti, Radama et moi ne sommes pas du même sang. Mais j'ai une dette envers ses parents. C'est pourquoi il m'a suivi jusqu'ici.

Sa pensée divagua dans ses souvenirs et son visage se rida dans un grand sourire :

— Finalement, nous ne faisons que reproduire ce que les Gaulois pratiquaient, n'est-ce pas ? Le clientélisme.

Codice numéro sept, pensa Antoine : chaque homme se plaçait, avec sa famille, sous la protection d'un patron, riche marchand ou aristocrate gaulois, et devenait son client, lui devant fidélité et obéissance, souvent en échange d'une somme d'argent.

— Les Gaulois étaient une mosaïque d'ethnies sans réel ciment, sauf quand il s'est agi de combattre un ennemi commun, fit remarquer Antoine.

Au salon, le déplacement du baquet vide posait des difficultés. Les hommes avaient dégondé la porte et tentaient de le sortir en le faisant rouler sur le côté. Chacun y allait de son avis lorsque la voix de Mesmer calma les esprits et dirigea la manœuvre.

— Le génie de César fut de les intégrer dans la Gaule romaine en leur proposant les mêmes avantages que les citoyens de son empire, assura l'historien.

Il déplaça un oreiller qui le gênait.

— Les druides n'ont plus voulu s'opposer à eux, ils ont fini par s'intégrer au système pour y trouver un nouveau pouvoir, conclut-il.

— Un appât bien facile mais toujours aussi efficace. En moins de deux siècles, c'en était fini. Ils ont été digérés en douceur, commenta Antoine. Je me demande comment a fini Louern, ajouta-t-il en jetant à nouveau un regard vers la rue, et si ses poursuivants l'ont rattrapé.

— Auquel cas je ne donne pas cher de sa peau ! dit Antelme en faisant un effort pour se redresser. Quoi qu'il en soit, ses codices lui ont survécu. Cachés plus de mille sept cents ans. Avez-vous des nouvelles du « trésor des trésors » dont il parle dans ses textes ?

— Non, rien de plus. Je n'ai aucune idée de ce qu'il représente. Peut-être l'a-t-il emporté dans sa tombe ?

— Ou bien est-il encore caché quelque part ?

Antelme se redressa, prit ses jambes atrophiées et les posa au sol. Elles semblaient minuscules, emballées dans leurs collants moulants, par rapport au reste de son corps obèse. Il refusa l'aide d'Antoine et bascula pour s'asseoir avec une vivacité inattendue.

— J'ai mis des mois à réussir à le faire sans l'aide d'un domestique, expliqua-t-il. Avant, il me fallait agiter la clochette et attendre simplement pour qu'on me change de position. Il est des gestes insignifiants chez les autres qui sont pour moi d'immenses victoires.

Le docteur Mesmer vint les interrompre pour les saluer. Le baquet avait été chargé dans une carriole et il se rendait chez le directeur de l'École royale vétérinaire qui allait être son hôte pour le restant de son séjour. Les deux hommes avaient le projet de tester le magnétisme animal sur des moutons et des chiens malades.

— Afin d'offrir une démonstration éclatante aux yeux des sceptiques qu'il n'y a aucune ruse ni mystification dans ma méthode, conclut le médecin. Prenez des forces pour la semaine prochaine, la deuxième séance est toujours plus éprouvante, dit-il avant de les quitter.

Une fois Mesmer parti, Antoine interrogea Antelme sur l'île Barbe, mais l'historien avait peu de connaissances de l'endroit. Il avait entendu parler de la collection de livres du monastère, sans s'y être vraiment intéressé.

— Le fonds se trouve à la bibliothèque des comtes de Lyon, si l'envie vous tente, les plus anciens remontent au IXe siècle. Mais vous perdrez votre temps, les moines passaient le leur à commenter la Bible.

Radama vint redonner la clé à son maître et sortit sans un mot.

— Votre ami, M. de Ponsainpierre, m'a demandé d'acheter d'autres halabés, expliqua Antelme. Je lui ai cédé la centaine de bêtes qui me restait. Ses travaux avancent, il en aura plus l'utilité que moi. On ne devrait jamais s'encombrer de souvenirs.

Marc fit une halte pour reprendre son souffle. Claude massa sa main rougie par la pression de la poignée. Les deux hommes transportaient le coffre contenant les araignées depuis le quartier des Terreaux et venaient d'arriver en bas des escaliers qui menaient à la maison de Fourvière. Il avait refusé de les ramener en carrosse de peur de renverser ou briser des pots, ce qui aurait conduit à un festin cannibale. Le poids des récipients et de la malle avoisinait les soixante livres. *Cent fois plus que le poids des araignées*, songea-t-il en manipulant sa cheville.

Sa jambe lui faisait toujours mal et le traitement par magnétisme n'y avait rien changé. Il tenait le médecin pour un charlatan, mais avait accepté la proposition de Jussieu dans l'idée d'acheter les halabés. Il avait insisté pour les prendre avec lui sans attendre.

— Satanées bestioles, maugréa-t-il en envoyant un regard vers Claude signifiant la fin de la pause.

Ils gravirent la montée marche après marche, en rythme, s'appliquant à conserver la malle la plus horizontale possible.

Arrivé à la buanderie, Marc vérifia que les poêles fonctionnaient correctement, ce que la chaleur ambiante étouffante qui les avait accueillis laissait supposer. Un soir de la semaine précédente, le domestique chargé d'entretenir les feux ne s'était pas réveillé et les gelées de la nuit avaient été dévastatrices pour les araignées, dont près d'un quart étaient mortes de froid. Les deux hommes placèrent les pots dans les rangées décimées et vérifièrent que les halabés ne manquaient pas de nourriture. Ponsainpierre remercia son aide et resta seul à récolter quelques coques, qu'il fit macérer avant de les faire bouillir et de les sécher. Bien que l'opération fût pleinement réussie et allât lui permettre d'ajouter quelques brins à son stock, il n'arrivait pas à chasser la mauvaise nouvelle du jour : il avait appris par Madeleine que sa femme avait l'intention d'ouvrir un salon littéraire dans leur maison de la rue Belle-Cordière.

CHAPITRE V

Novembre 1777

29

Mardi 11 novembre

Les chanoines de Saint-Jean veillaient jalousement sur la bibliothèque des comtes de Lyon, à laquelle ils avaient réservé une partie de leur nouvelle manécanterie. Le bâtiment, cossu, était adossé à la cathédrale. Antoine avait obtenu l'autorisation de l'archevêché d'y effectuer ses recherches, l'endroit étant d'ordinaire réservé aux membres du clergé. L'abbé Gouvilliers, qui la dirigeait, était un homme affable et souriant. Il venait d'hériter de la charge et s'était employé à faire un inventaire minutieux.

— Nous en avons plus de trois mille, dit-il en montrant les ouvrages alignés sur huit rangées dans d'immenses meubles aux encadrements sculptés. Je vais aller chercher le catalogue, nous sommes en train de le finir.

La salle capitulaire était d'une grande sobriété. Outre les meubles, elle ne comportait que des chaises et tables très ordinaires, ainsi que deux statues de saints en marbre, le genre de lieux qu'affectionnait Antoine, propices à l'oubli.

Il profita de l'absence de son hôte pour regarder les titres placés à sa hauteur. Les livres liturgiques, bien que prédominants, côtoyaient des ouvrages d'histoire, de sciences, d'arts et quelques traités philosophiques. Jean-Jacques Rousseau était présent avec *Émile ou De l'éducation*. Le profane grignotait le sacré.

— Voilà, dit le religieux en posant le cahier rempli de lignes serrées devant lui. Avez-vous une idée des titres que vous recherchez ?

— Je voudrais consulter le fonds documentaire de l'ancienne bibliothèque de l'île Barbe.

L'abbé Gouvilliers parcourut ses listes, plusieurs fois. Son front se plissait au fur et à mesure des allers et retours dans les pages.

— Je ne le trouve pas, conclut-il. Il est peut-être dans une autre bibliothèque. Ou aux archives. Attendez-moi ici, je vais me renseigner.

Antoine feuilleta le *Dictionnaire économique* de l'abbé Chomel et se laissa envahir du souvenir de sa mère, Marie-Jeanne, sur les genoux de laquelle il regardait les illustrations du même traité et dont il lui récitait par cœur des paragraphes entiers, provoquant chez elle une admiration dont il savait, pour le lire dans ses yeux, qu'elle n'était pas feinte. Elle-même le tenait de son père. Le livre avait été vendu à la mort de ses parents, comme la plus grande partie de leurs affaires, avant que le juge ne donne la tutelle d'Antoine à Marc et Edmée. Sans trop y croire, il regarda la première page dans l'espoir d'y trouver le nom de son aïeul, mais seul l'ex-libris de la bibliothèque s'y trouvait. La vignette représentait les armes du chapitre agrémentées de deux anges. Le souvenir de Jacques l'envahit à nouveau. La recherche des textes de Louern avait repoussé la mélancolie de l'absence.

— Je les ai trouvés !

La mine réjouie de l'ecclésiastique le tira de sa rêverie.

— Ils sont dans la salle des archives les plus anciennes. Normalement, nous sommes les seuls à y avoir accès...

Il s'interrompit pour lui montrer une énorme clé.

— ... mais je suis persuadé que Mgr de Montazet vous accorderait la permission dans la journée, argua-t-il avec conviction. Je vais vous éviter de revenir. Suivez-moi !

La salle, située dans le même bâtiment, ne possédait aucune fenêtre et n'était pas éclairée.

— Nous avons tellement peur des incendies, avoua l'abbé en allumant les bougies d'un immense lustre à douze bras.

Il tira sur la corde pour le faire monter et la noua dans l'anneau de bronze disposé au mur.

— Voilà, vous serez bien, dit-il en lui montrant l'unique table de la pièce. Venez me trouver si vous avez besoin de quoi que ce soit. Puis-je vous demander un service, mon fils ?

Il lui tendit un livre de la taille d'un missel.

— Comme vous l'avez constaté, nous sommes peu nombreux et cette salle n'est pas complètement inventoriée. Auriez-vous l'amabilité de noter les références que vous allez consulter ? J'en ferai une copie dans le livre d'inventaire.

— Je suis votre obligé, répondit Antoine en ouvrant le cahier où seulement quelques dizaines d'ouvrages avaient été répertoriés sur les trois cents du fonds.

Une fois seul, il parcourut les volumes des deux meubles qui contenaient les rescapés de la bibliothèque de l'île Barbe, s'aidant de l'échelle pour les rangées les plus hautes, notant mentalement tous les titres, puis il s'attabla pour les recopier. Une heure plus tard, il achevait sa liste. Exercer sa mémoire ne lui demandait pas d'effort de concentration et, tout en écrivant, il avait réfléchi à l'ordre de ses consultations. Il débuta par les livres les plus anciens, les ouvrant et les feuilletant avec soin avant de les reposer à leurs emplacements. La plupart n'avaient pas été touchés depuis leur arrivée, après le saccage de l'abbaye par les protestants en 1562, où la plus grande partie du fonds de la bibliothèque avait été brûlée. Il s'attarda sur une bible en grec, annotée de la main même de Charlemagne. Les bords des pages étaient jaunis, mais l'état de conservation restait excellent pour un ouvrage millénaire. Il passa ses doigts sur le sceau de l'empereur et ressentit un étrange sentiment, le même frisson que celui qui le parcourait quand il touchait les codices de Louern, la sensation de pouvoir faire revivre le passé. Un manuscrit en carolingien, comprenant des extraits du Pentateuque[1] et daté du VIe siècle, figurait aussi dans la même rangée. Un peu plus haut, coincé entre deux livres de théologie, il dénicha la première édition des œuvres d'Ausone, le poète bordelais, petit-fils de sénateur romain. Le temps refusa de remonter plus loin. Tous les autres ouvrages dataient du second millénaire. Aucun ne mentionnait la présence de Gaulois, encore moins de druides, sur l'île. Seule une allusion évasive éveilla son attention, dans un poème écrit peu avant la destruction de la bibliothèque. Composé par Bonaventure des Périers, le valet de Marguerite de Navarre, il était dédié à François Ier. Au milieu d'interminables tirades sur l'ancienne fête de l'île Barbe, Antoine avait repéré six vers évocateurs :

Roy Françoys
Qui des Françoys
Semble fundateur antique
Veu de son nom
Le renom
Et l'effect plus authentique

1. Désigne les cinq premiers livres de l'Ancien Testament.

L'insinuation avait ravivé sa concentration et stimulé son intérêt. Il se remit au travail mais ne trouva pas d'autre indice : selon tous les manuscrits, les plus anciens habitants cités étaient des chrétiens, qui s'étaient cachés là des persécutions romaines après plusieurs massacres. Antoine restait pourtant convaincu que son intuition était la bonne. Lorsqu'il s'était trouvé debout, près du chêne, à la pointe de l'île, comme à la proue d'un bateau flottant sur les eaux de la Saône, il avait imaginé Louern y trouvant refuge, cent ans avant les premiers chrétiens, et y cachant le trésor des trésors. Quel pouvait être ce secret encore plus précieux que la somme des connaissances du peuple gaulois ?

— Vous voulez toute la lumière ?

L'abbé Gouvilliers se tenait devant lui. Il ne l'avait pas entendu entrer.

— Cela vous intéresserait-il d'y voir plus clair, mon fils ?

Devant l'absence de réponse d'Antoine, il lui montra le paquet de bougies qu'il était venu lui apporter.

— En prévision de l'après-midi, ajouta-t-il en observant le lustre sur lequel les chandelles avaient déjà brûlé plus de la moitié de leur vie. Et vous pouvez aussi allumer le lustre qui est au fond. À condition de bien éteindre en partant.

Il les posa sur la table. Une fraction de seconde, Antoine avait eu l'espoir que l'homme lui révélerait une partie du mystère.

— Tout va bien ? demanda l'ecclésiastique. Vous avez l'air déçu. Peut-être avez-vous faim ? Je vais me restaurer avant l'office, si le cœur vous en dit, joignez-vous à moi. Les deux pains que vous avez apportés ont fait les délices de nos frères !

— Je dois finir mes recherches, indiqua Antoine après avoir décliné l'invitation.

— Je suis désolé, mais je ne peux vous laisser emporter aucun d'entre eux.

Le religieux se plaignit des comtes de Lyon, qui rendaient rarement les ouvrages qu'ils lui empruntaient.

— Mais que voulez-vous faire ? Ils sont mes supérieurs, je ne peux rien leur imposer, conclut-il. Au fait, j'allais oublier : nous avons quelques livres dans un coffre qu'un de nos novices va vous apporter. Les ouvrages ne proviennent pas de la bibliothèque Charlemagne, mais ils traitent de l'histoire de l'île. Vous y trouverez peut-être des renseignements intéressants pour votre étude.

Il souffla avec satisfaction.

— Maintenant, je peux me restaurer tranquillement ! N'oubliez pas mon cahier, ajouta-t-il en le voyant fermé près de la clé qu'il venait de déposer.

Antoine acquiesça et évita de lui expliquer qu'il avait déjà listé dans l'ordre alphabétique les deux cent cinquante-sept ouvrages du fonds. L'abbé aurait cru à une diablerie. Ou à une complicité.

Un jeune moine vint déposer le coffre de cuir en le traînant sans effort et sortit en saluant l'avocat d'un timide signe de tête. Antoine s'en occuperait plus tard. Il disposa les bougies dans le lustre et le monta jusqu'au plafond. Il lui restait la moitié des volumes à consulter.

Le timbre civil de Saint-Jean sonna deux heures de l'après-midi. Antoine n'avait trouvé que l'interminable liste des religieux qui s'étaient succédé dans les différentes abbayes de l'île, des titres de propriété échangés, des actes notariés, des lettres patentes, des bulles papales et toutes sortes de documents relatifs aux immunités et prérogatives de l'église de Lyon.

Il s'accorda quelques minutes de repos hors de la pièce borgne dont l'absence d'ouverture avait un côté étouffant. Antoine fit le tour du pâté de maisons pour emplir ses poumons de grandes brassées d'air frais. Sur le parvis de Saint-Jean, il fut hélé par un mendiant à qui il donna les deux liards qu'il avait sur lui, avant de reprendre son chemin. Arrivé à l'angle de la ruelle Sainte-Croix, il entendit le quémandeur se faire refouler sans ménagement par Trente-trois. Antoine continua sa promenade sans se retourner, mais la présence du marin le perturbait : il pensait l'avoir facilement semé le matin dans le palais de Roanne, d'où il était sorti par une porte annexe. Il retourna à la manécanterie en se promettant d'être plus vigilant.

La clé tourna sans difficulté dans la serrure du coffre. Celui-ci contenait une douzaine d'ouvrages, qu'il déposa sur la table. Il choisit celui de l'abbé Le Laboureur, *Les Mazures de l'abbaye royale de l'isle Barbe,* constitué de deux tomes, dont la lecture ne lui apporta aucune information, pas plus que celle des autres livres. Il remarqua le petit fascicule en deux exemplaires, d'une trentaine de pages, resté au fond de la malle. Il constituait un supplément au premier tome des *Mazures*. Dans une longue introduction, l'auteur retraçait l'histoire de l'île avant la construction de l'abbaye, citant une source dont Antoine était sûr qu'elle ne faisait pas partie des ouvrages présents :

— *Origenis in maxime pretiosum insula barbara.* « Origine de ce qu'il y a de plus précieux à l'île barbare », traduisit-il en tentant de refréner son enthousiasme.

Un détail venait de le conforter dans l'idée qu'il était sur la bonne voie : dans le second exemplaire, issu d'une édition plus récente, le paragraphe citant la référence avait disparu.

Juché sur une échelle, l'abbé Gouvilliers était affairé à nettoyer le cadran des minutes de l'horloge astronomique lorsque Antoine le rejoignit dans la cathédrale Saint-Jean.

— Notre astrolabe nous demande bien du labeur, expliqua-t-il en descendant les échelons.

Il admira le résultat de son travail d'un air satisfait et surprit le regard d'Antoine sur la porte entrouverte du caisson.

— Seriez-vous intéressé par la découverte des entrailles de cette merveille ?

Il s'engouffra dans le corps de l'horloge sans lui laisser le temps de répondre. L'avocat sembla hésiter, leva la tête vers le dôme et son coq, qui culminait à neuf mètres de hauteur, et le suivit. L'intérieur était plus spacieux que la situation de l'ensemble ne pouvait le laisser présager. La base était suffisamment large pour y tenir à plusieurs adultes. À gauche de l'entrée, le gigantesque balancier fauchait l'air de son majestueux mouvement pendulaire. Tout autour, des dizaines de roues dentées formaient un immense engrenage d'où sortaient les différents arbres d'entraînement qui rejoignaient les automates et les cadrans du calendrier et de l'astrolabe.

— Tout est contrôlé par le seul mouvement de ce pendule, commenta l'abbé. Jamais horlogerie n'a connu une telle précision. Le monde entier nous l'envie, conclut-il en levant la tête vers les rouages qui montaient dans la tourelle octogonale.

Il prit une manivelle et la tendit à Antoine :

— Pourriez-vous m'aider ? Mes articulations me font tellement souffrir en ce moment, s'excusa-t-il.

— N'avez-vous pas un horloger pour s'en occuper ? s'étonna Antoine en calant la manivelle dans l'axe du cylindre d'enroulement.

L'archevêché avait passé un contrat avec Pierre Charmy.

— Nous le payons cent vingt livres par an pour la maintenance et le remontage des poids deux fois par jour. Mais un autre chantier l'occupe en ce moment et je ne veux pas donner ce travail à n'importe qui. Les frères et moi le prenons en charge jusqu'à son retour.

L'abbé Gouvilliers emboîta un petit contrepoids sur une roue dentée.

— C'est pour éviter à l'horloge de s'arrêter : si en plus il fallait la remettre à l'heure, nous n'aurions plus de temps pour les prières, commenta-t-il en s'asseyant sur la seule chaise présente. J'ai oublié de vous dire : le câble fait quarante mètres, il vous faudra deux cent cinquante tours de manivelle pour le remonter complètement, ajouta-t-il en achevant sa phrase d'un sourire complice.

Antoine entama la manœuvre en calant son effort sur le rythme des à-coups des roues dentées qui entraînaient l'avancement de l'aiguille des minutes. Les trois cents kilos du contrepoids firent grincer une des poulies d'entraînement.

— Avez-vous trouvé ce que vous cherchiez ? demanda le religieux en se penchant pour entendre sa réponse.

Antoine lui expliqua la présence de deux versions différentes du supplément des *Mazures*.

— Effectivement, il y a une anomalie, sans doute une erreur de l'imprimeur, hasarda le prêtre sans conviction. Qu'importe, vous avez pu consulter la version originale.

— Malheureusement, je n'ai pas trouvé le livre *Origenis in maxime pretiosum insula barbara* dans vos archives. Et c'est lui qui m'intéresse.

— Je me souviens très bien de ce document, mais ce n'est pas un livre.

Antoine s'arrêta de tourner.

— Mais alors, qu'est-ce donc ?

— Continuez, mon fils, continuez, lui intima l'abbé Gouvilliers en s'inquiétant du petit contrepoids.

Une fois le rythme retrouvé, le religieux se cala dans la chaise, rasséréné.

— Ce dont vous me parlez est un rouleau, une trentaine de peaux cousues ensemble. J'ai d'abord cru à un cartulaire, comme celui que nous possédons des abbayes de l'île Barbe. Mais le texte parlait des premières communautés de l'île. Impossible à oublier, il était aussi lourd à transporter qu'un tapis !

— Qu'en avez-vous fait ? Où l'avez-vous mis ? insista Antoine, qui eut bien du mal à ne pas lâcher la manivelle.

— Il nous a été emprunté par un de nos comtes de Lyon voilà deux ans maintenant. À chaque inventaire, je le redemande très officiellement. Mais je désespère de le revoir un jour.

— Qui ? Qui est-il ?

Un cliquetis plus fort que les autres retentit au-dessus d'eux. L'abbé se boucha les oreilles juste avant que la cloche de l'horloge ne sonne quatre heures de l'après-midi. Il attendit que le silence fût revenu avant de répondre :

— Notre gouverneur, le duc de Villeroy.

30

Jeudi 13 novembre

Camille et Anne franchirent les fortifications au niveau de la porte Saint-Sébastien et longèrent les murailles jusqu'à la porte de la Croix-Rousse avant d'entamer la montée sinueuse qui menait à la Bergerie. Le jeune homme se retournait fréquemment, ce qui fit rire Anne.

— Après tous les détours que tu nous as imposés, même un renard aurait été semé, dit-elle en lui caressant la nuque.

Il se retourna une dernière fois et l'entraîna à l'écart du sentier, derrière les restes d'une fermette en ruine, où ils s'accroupirent pour se cacher.

— Qu'y a-t-il ? Qu'as-tu vu ? s'inquiéta-t-elle.

Camille lui fit signe de se taire et l'embrassa.

— Personne ne nous suit, expliqua-t-il entre deux baisers. J'ai juste envie de toi !

Il passa la main sous ses vêtements et lui caressa le dos.

— Moi aussi, lui dit-elle en lui rendant ses bécots. Seulement, maître Fabert nous attend. Et je t'en veux encore un peu de m'avoir fait pleurer.

— Mais maintenant tu connais la vérité, tu connais mon secret, s'insurgea-t-il en se relevant.

— La batelière aussi le connaît, se renfrogna Anne.

— Avais-je le choix ?

— Pour sûr, oui ! s'exclama-t-elle en lui prenant la main pour adoucir sa réponse.

Camille se rassit à côté d'elle et fit une moue :

— Qu'aurais-tu fait à ma place ?

— Jamais je ne me serais empêtrée dans une telle situation, mon pauvre Camille !

— Je maudis ce Valentin ! Qu'il reste sa vie entière prisonnier des observantins ! se récria-t-il tout en pensant qu'Anne avait raison.

— Tu devrais le remercier, ajouta-t-elle, sans lui je ne t'aurais pas cru.

— Sans lui, je ne me serais pas fourré dans ce guêpier !

Ils se turent pour laisser passer une carriole à bras tirée par une femme âgée et un enfant, qui ne les regardèrent pas. Une fois le véhicule disparu sur le sentier, Camille tenta d'enlacer Anne. Elle se retira doucement et lui caressa la joue.

— Il fait trop froid ! dit-elle en lui soufflant un nuage de vapeur sur le visage.

Antoine était assis à côté de la margelle du puits lorsqu'ils arrivèrent à la Bergerie. Il enlevait la glaise des poires de terre qu'il venait de biner.

— Ce sont les dernières de la saison, dit-il en se lavant les mains dans un baquet d'eau de pluie.

Il prit le panier rempli des tubercules et les invita à entrer dans son atelier, dans lequel le four dispensait une douce chaleur et l'odeur prometteuse d'un pain en cours de cuisson. Antoine les fit s'asseoir et leur servit une soupe chaude de lentilles aux croûtons afin de les aider à se réchauffer. Camille piaffait d'impatience de lui annoncer le résultat de leur recherche, mais il se rassasia avec délice. Anne garda longtemps le bol dans ses mains pour revigorer sa circulation sanguine. Elle ne sentait plus le bout de ses doigts et n'avait pas osé le dire à Camille. Le liquide chaud était le bienvenu. Elle détailla son hôte, dont elle admirait les tenues si peu respectueuses des usages et des modes. Antoine portait une culotte d'ouvrier, composée de pièces sombres cousues ensemble, dont il avait rentré les jambes à l'intérieur de bottes lui montant jusqu'aux genoux. Sa chemise, faite en gros drap de couleur noire, flottait avec une grande liberté au-dessus du pantalon. Il avait enlevé son bonnet, découvrant ses cheveux qui descendaient jusqu'aux épaules, noués en arrière par une discrète ficelle en satin. L'ensemble lui donnait l'air d'un pirate, du moins selon la représentation qu'elle se faisait des flibustiers. Sa peau, de la matité des travailleurs des champs, n'avait pas la blancheur requise pour prétendre à une quelconque noblesse, mais son grain était lisse et fin, et elle se trouvait exempte de rides et de plis. Ses doigts étaient longs et fins. Ses yeux avaient une expression mélangée de tristesse et d'énergie, de douceur et d'assurance. Son corps semblait à la fois protecteur et fragile. Anne se sentit honteuse de l'attraction qu'il exerçait sur elle et dont elle pensa, pour se déculpabiliser, qu'elle était la même sur toutes les femmes. Il surprit son regard, qu'il interpréta comme un reproche sur sa tenue, et en sourit. Elle baissa les yeux et serra la main de Camille en tentant d'effacer ses dernières pensées.

Alors qu'Antoine leur servait une nouvelle ration de soupe, Camille lui relata leur entrevue avec le sieur Saubin, libraire au quai Saint-Antoine. L'homme était l'imprimeur de la seconde édition des *Mazures de l'abbaye royale de l'isle Barbe*. Il n'avait fait aucun secret de la difficulté qu'il avait eue à obtenir l'autorisation royale deux ans auparavant.

— Il a fini par accepter de retirer certains paragraphes afin de pouvoir l'éditer, expliqua Camille. Et savez-vous qui lui a fourni le texte corrigé ? déclara-t-il en faisant monter le suspense.

— Le duc de Villeroy, répondit Antoine nonchalamment tout en jetant les poires de terre épluchées dans la râpe tournante. Est-ce exact ? ajouta-t-il devant la mine déçue du jeune homme.

— Oui, c'est bien monsieur le gouverneur. Comment avez-vous deviné ?

— Simple hasard, éluda-t-il.

Antoine n'avait relaté à personne l'existence du rouleau manuscrit. Sa présence chez M. de Villeroy lui donnait encore plus de valeur. Il contenait des informations que le pouvoir voulait cacher, ce qui était une raison supplémentaire pour parvenir à le trouver et le lire. Antoine avait idée de l'endroit où il se trouvait et voulait suivre son intuition sans mettre Anne et Camille dans le secret. Leur ignorance les protégerait.

— J'ai une autre mission à vous confier, leur dit-il. D'une importance sans pareille, puisqu'il y va de la vie d'une personne.

— Voilà qui me plaît, lança Camille en se redressant. De quoi s'agit-il ?

— Nous attendons quelqu'un, dit Antoine en ouvrant le four. Quelqu'un que nous allons aider.

L'odeur alléchante de la croûte dorée les détourna un instant du sujet. Camille et Anne se rapprochèrent du fournil, d'où Antoine sortit un pain long. Le claquoir retentit à l'entrée.

— L'attente n'aura pas été longue, se réjouit le jeune homme en ouvrant énergiquement la porte.

Devant lui se trouvaient la vieille femme et l'enfant croisés sur le chemin. Elle était plus âgée encore que ce que son regard furtif et inattentif ne lui avait laissé paraître. Ses habits étaient en haillons et ses sabots couverts de boue. La vieille lui sourit, découvrant des gencives violacées et dénudées, à l'exception d'une incisive qui restait insérée à la mâchoire supérieure par un chicot d'émail et par la grâce de Dieu. L'enfant était un garçon au visage crasseux et morveux et à l'attitude craintive.

— Entrez, dit-il en tentant de masquer sa surprise.

— Venez vous réchauffer, ajouta Antoine. *Venit peu mingie*[1].

Antoine, Anne et Camille regardèrent les deux invités assis à table se délecter de soupe et de pain. Le jeune homme attendait le moment où la dernière dent finirait plantée dans la mie chaude, ce qui n'arriva pas.

Une fois rassasiée, la vieille femme joua à faire bouger son chicot avec sa langue, ce qui dégoûta Camille, qui s'abstint dès lors de la regarder.

— Nous allons vous aider, nous allons vous sauver la vie, dit-il à l'enfant d'un ton solennel en lui ébouriffant les cheveux.

La poussière qui s'en échappa le dissuada de recommencer et fit ricaner la vieille.

— Camille... intervint Antoine.

— Je suis tout ouïe ! Que devons-nous faire ?

— Ce n'est pas la personne que j'attends.

— Ce n'est... Alors, qui sont-ils ? demanda-t-il en les désignant.

— Deux pauvres qui viennent régulièrement à la Bergerie manger un morceau.

Camille chercha du secours du côté d'Anne, dont le regard lui indiqua qu'il n'avait pas fini d'être brocardé pour sa méprise. Il se renfrogna et ignora les deux vagabonds jusqu'à ce qu'ils fussent partis, un gros pain dans leur besace et quelques pièces dans leur bourse.

La chaise à porteur avait déposé Michèle sur le chemin deux cents mètres avant la Bergerie, quand les deux hommes avaient dû renoncer devant la plus forte inclinaison de la pente. Ils avaient tenté de monter en crabe, puis avaient abandonné face au risque de basculement de l'habitacle. Au moment où elle avait posé le pied sur le sol, Michèle avait regretté de ne pas avoir suivi les conseils d'Antoine, qui l'avait prévenue de l'état du sentier. Les fortes pluies des jours précédents, conjuguées aux passages fréquents des charrettes et autres véhicules à roues, qui rentraient les dernières récoltes

1. « Venez un peu manger » en patois lyonnais.

avant les gelées, avaient creusé de profonds sillons de part et d'autre du sentier dont le centre était devenu la seule partie praticable à pied, bien que fort boueuse.

Michèle avait relevé sa robe et la tenait des deux mains pour lui éviter de patauger dans la terre glaise. Les cerceaux de bois qui ceignaient sa taille et descendaient en s'évasant jusqu'aux chevilles venaient taper contre ses jambes à chaque pas. *Heureusement que je ne porte pas une criarde*, songea-t-elle pour se rasséréner. Sous l'effet de la mode, les cercles des baleines s'étaient faits de plus en plus larges. Les criardes bien nommées, modèles surdimensionnés, avaient transformé les femmes coquettes en prisonnières d'un carcan qui les empêchait d'entrer dans un carrosse ou parfois même de s'asseoir. Michèle en était restée aux « considérations », plus sobres et plus fines et, tellement habituée à en mettre en toute circonstance, elle n'avait pas su évaluer l'importance de la remarque d'Antoine de surtout ne pas en porter pour le rejoindre à la Bergerie.

Ses talons, hauts de trois pouces, s'enfonçaient à chaque pas, ce qui ne manquait pas de la déséquilibrer et ralentissait sa progression. Une goutte d'eau vint s'écraser sur son front au moment même où elle se rassurait de l'absence de pluie et alors que la bâtisse était en vue. Elle se félicita d'avoir gardé son chapeau bonnette et redoubla d'efforts pour arriver au plus vite. Elle fit à peine trois pas que sa chaussure gauche se bloqua dans le sol, lui tordant la cheville. Elle s'aperçut, en la retirant, que le talon s'était cassé.

— Des escarpins de chez Waltrain, quelle poisse ! râla-t-elle. Je ne trouverai jamais ici un bottier qui sache le réparer.

Elle ne comptait pas rencontrer beaucoup de réconfort auprès de maître Fabert, chez qui elle n'avait jamais vu poindre le moindre intérêt pour la mode. *Tout au contraire*, pensa-t-elle en détaillant mentalement ses accoutrements, dont elle ne pouvait conclure s'ils étaient délibérés ou inconscients. Michèle ôta sa seconde chaussure : il lui serait impossible de progresser dans un tel terrain avec des jambes d'une taille différente. L'image la fit sourire, sourire qui se transforma en grimace lorsqu'elle se rendit compte que le bas de sa robe était taché. Elle regarda autour d'elle afin de vérifier que personne ne l'observait et releva le taffetas au-dessus des genoux, dévoilant un jupon blanc aux extrémités de dentelle brodée. Elle mit le tissu en boule, qu'elle tint dans sa main gauche, et prit ses deux escarpins dans la droite. Les accotements du chemin lui semblaient plus accueillants : elle préférait marcher dans les herbes hautes et humides plutôt que sur une glaise boueuse truffée de cailloux.

Ses premiers pas confirmèrent son choix, le contact moelleux du tapis végétal se révélant être une sensation presque agréable. Elle porta son regard sur la maison : son épreuve allait prendre fin dans cinquante mètres. Antoine lui avait raconté l'histoire de la Bergerie et son attachement au lieu. Il lui avait aussi relaté comment il avait porté Antelme de Jussieu sur son dos jusqu'à la propriété.

— Je comprends maintenant pourquoi aucun véhicule, même un fauteuil à bras, ne peut monter jusqu'ici, marmonna-t-elle, essoufflée.

Elle s'arrêta, traversée par une pensée.

— Il sera obligé de me porter pour redescendre...

La perspective lui semblait agréable et sans culpabilité possible : ils n'avaient pas d'autre choix.

— Voilà qui valait bien quelques sacrifices, ajouta-t-elle en appuyant sa phrase d'une mimique à l'adresse de ses chaussures.

Michèle reprit sa marche d'un pas décidé. Elle sentit soudain son pied droit se dérober dans le vide et bascula en avant dans le fossé.

— Vous n'avez pas entendu un cri ? demanda Camille, qui s'était approché de la porte.

Antoine et Anne, occupés à exprimer le jus des poires de terre, répondirent par la négative.

— Pourtant, j'aurais cru, dit-il en prenant un grand chiffon qu'il lui donna. Un cri étouffé, presque une plainte.

— L'endroit n'est pas un coupe-gorge, le rassura Antoine. Si vous voulez, je vous raccompagnerai jusqu'à l'enceinte.

La proposition vexa Camille, qui se sentait capable de veiller seul sur Anne. Il lui envoya une œillade pour la rassurer. Le heurtoir cogna de nouveau son battant.

— Enfin votre invité mystérieux, dit-il avant d'ouvrir en grand.

Camille resta interdit plusieurs secondes devant la vision de la personne qui se présentait à lui. Il lui fit signe d'attendre à l'extérieur et rejoignit Antoine.

— Encore une vagabonde, une vraie souillon, lui indiqua-t-il. Je lui dis de passer son chemin ?

Antoine regarda la silhouette qui se découpait à contre-jour dans l'encadrement de la porte et ne reconnut ni Michèle, ni aucun des mendiants du lieu. Il identifia la sœur de Paul Férrère à un détail : elle était la seule femme qu'il connaissait capable de porter un bracelet à la cheville.

Michèle n'avait pas pu voir la dépression du terrain, creusée par une roue, cachée par les hautes herbes de l'accotement, et avait chuté dans la rigole sur une touffe d'orties. Les plantes avaient giflé son visage et ses mains, provoquant des cloques et des rougeurs sur sa peau. Son panier s'était brisé, ainsi que le talon de la seconde chaussure, sa robe et ses bras s'étaient couverts d'une boue collante, qu'elle avait étalée sans s'en apercevoir sur son visage qui lui démangeait. Elle avait parcouru les derniers mètres hébétée et dans un état second. Au moment où elle avait frappé à la porte de la Bergerie, Michèle tenait dans une main les restes des lattes de bois du cerceau et dans l'autre ses escarpins abîmés.

— Avez-vous encore mal ? interrogea Antoine après lui avoir retiré l'emplâtre de feuilles d'oseille sauvage qu'il avait appliqué sur les cloques.

— Je ne sens plus les piqûres, mais ma cheville et ma nuque sont douloureuses, dit Michèle en se massant au-dessus de l'épaule gauche.

Elle se leva et marcha quelques pas en claudiquant. Anne lui avait prêté les vêtements de rechange qu'elle avait emportés, jupe et chemise, « en prévision des tâches à faire dans la Bergerie », avait-elle précisé. Bien que légèrement trop grands, ils n'enlevaient rien au charme magnétique de Michèle.

— Je crois que je vais lancer une nouvelle mode, plaisanta-t-elle en roulant les manches sous lesquelles ses mains disparaissaient.

Elle pourrait se couvrir d'une toile de lin qu'elle la rendrait attirante, songea Anne, admirative de la beauté de la sœur de Paul.

— Je vais faire quérir un médecin, proposa son hôte. Mes connaissances en soin s'arrêtent à quelques plantes.

— Non, laissez là, je vais mieux. Nous avons perdu assez de temps, répondit-elle en s'asseyant à la table en face de Camille et Anne.

— Je suis encore désolé de ma confusion... dit le jeune homme, qui n'osait plus la regarder en face.

— La seconde en quelques minutes, chuchota Anne à son oreille. Ta vue devient aussi mauvaise que celle de ton oncle !

— Je suis surtout impardonnable d'avoir confondu une belle personne comme vous avec une pauvresse en errance, ajouta-t-il.

Anne lui envoya un léger coup de coude dans les côtes en guise de semonce. La compassion de son galant devait avoir des limites qu'elle se chargeait de lui rappeler.

— Les apparences étaient plutôt contre moi, je le reconnais, dit Michèle. Pouvons-nous commencer la répétition ?

Deux paires d'yeux interrogateurs se tournèrent vers Antoine.

31

Jeudi 13 novembre

Marais attendit patiemment que le lugdunien ait repris son souffle. Il lui servit un verre de la réserve d'eau thermale du Mont-Dore qu'affectionnait Villeroy, malgré les récriminations du valet du gouverneur, qui avait reçu l'ordre de n'en donner à personne pendant ses absences. L'homme de main de Maurepas n'en avait que faire et son respect pour le potentat local se limitait à la simple politesse qu'il devait à son hôte. Il détestait la décoration du cabinet du silence, où ils s'étaient enfermés, qui ressemblait à un assemblage de strates à la gloire de la splendeur passée de la lignée des Villeroy, noblesse d'épée pour qui il n'avait pas la moindre considération. Il avait laissé avec amusement son agent s'asseoir sur le long coffre recouvert d'une tapisserie, ce qui, en présence du gouverneur, aurait conduit le profanateur à un châtiment exemplaire.

Lorsque son sbire lui demanda un second verre, il lui laissa la bouteille aux formes arrondies. Le lugdunien en but deux gorgées sans se désaltérer complètement et la lui rendit en le remerciant. Son employeur lui faisait peur. Marais payait très cher pour des informations précises mais il ne fallait surtout pas le décevoir. Les lugduniens, gavés de rumeurs au sujet de leur patron, se méfiaient de lui et le craignaient. L'agent lui détailla ce qu'il avait vu, en haut de la colline de la Croix-Rousse, à la maison de maître Fabert et lui donna la description de tous ceux qui s'y trouvaient. Conformément aux instructions, le lugdunien n'était pas resté à espionner, mais était venu au rapport aussi vite qu'il avait pu, parcourant la demi-lieue en moins de vingt minutes. Il savait que d'autres guetteurs allaient prendre le relais pour surveiller Antoine et ses proches sans les suivre. La ville était quadrillée par les informateurs de Marais. Chacun avait son secteur. Leur seule mission était de rapporter au plus vite la présence de leur cible dans leur zone et de capter ses conversations sans rien changer à leur activité quotidienne. Aucun des lugduniens ne connaissait les autres. Ils pouvaient être un serviteur, un voisin, un client, un collègue, familiers ou inconnus de leur victime, leur seule motivation étant le besoin d'argent. Trente-trois était, au même moment, toujours posté près du palais de Roanne, là où Antoine l'avait facilement semé. Il n'était que le leurre visible d'une armée d'ombres que Marais manipulait comme des pions déplacés sur l'échiquier de la ville. Il reproduisait à Lyon un système qu'il avait déjà expérimenté avec succès dans certains quartiers de Paris. Il était persuadé qu'Antoine finirait par lui livrer ses secrets. Tout n'était qu'une question de temps et de moyens. Il disposait des deux.

Une fois l'entretien fini, Marais raccompagna son agent par un escalier qui menait à une partie inutilisée de l'office, dont une porte donnait en cave sur une ruelle proche des remparts. Dès son arrivée à Lyon, il avait consulté les plans du bâtiment afin de trouver l'accès le plus discret pour ses lugduniens. Personne dans l'hôtel, même Villeroy, ne connaissait l'existence de ce passage, ce qui avait conforté l'opinion de Marais sur l'impéritie du gouverneur. *Celui qui n'est pas maître de son propre palais ne peut diriger sans risques une ville ou un pays*, songea-t-il en faisant appeler son aide de camp. Il s'assit au bureau du gouverneur, regarda la tapisserie qui lui faisait face et grimaça devant la scène de chasse qu'il trouvait stupide de mièvrerie, avant de rédiger un billet pour Versailles.

Lorsqu'il tourna rue de la Charité, Szabolcs énumérait tous les motifs de satisfaction de sa journée : il portait depuis le matin sa nouvelle tenue de postier, un justaucorps d'un bleu de Prusse éclatant, aux boutons dorés brillants, dont il était fier et qui lui avait valu les compliments de nombreux clients ; son frère avait reçu la quantité manquante de fil de lin des écheveaux achetés et, surtout, il avait réussi à ouvrir, recopier et recacheter en un temps record la lettre arrivée par la diligence du matin pour le sieur Marais. Szabolcs avait effectué l'opération dans les locaux mêmes du Bureau général des postes, ce qui lui permettait de ne pas sortir le courrier de son circuit habituel et d'éviter une accusation de détournement. Et, pour couronner le tout, le cachet de cire semblait aussi intègre que s'il venait d'être coulé par son expéditeur.

Il attendit en sifflotant que le garde de faction lui ouvre le battant gauche de la lourde porte verte pour pénétrer sous le porche de la résidence du gouverneur et sourit devant un autre motif de satisfaction : le premier valet, qui venait de l'apercevoir, se dirigeait vers lui afin de réceptionner le courrier du jour. L'homme était le plus souvent généreux avec le préposé de la poste, ce qui n'était pas le cas des autres membres de l'hôtel de Villeroy.

— Quelle belle journée, dit le facteur en lui remettant les lettres.

L'homme regarda le ciel gris qui déversait de temps à autre une pluie fine, pénétrante et froide, puis fixa le facteur à la mine réjouie sans comprendre la raison de sa remarque, qu'il prit pour un trait d'humour inattendu chez son interlocuteur, avant de lui donner deux liards.

— Que vous avais-je dit ? lança Szabolcs en faisant tinter les pièces. Voilà comment les journées sont belles !

Il traversa la cour en direction du porche, que le soldat commença à ouvrir.

— Attendez, restez ici ! cria une voix d'une des fenêtres du premier étage. Ne partez pas !

Dans l'expectative, le garde referma le battant. Szabolcs se souvint alors seulement qu'il possédait sur lui la feuille sur laquelle la lettre avait été recopiée et s'en voulut de son inconséquence. Il renfonça le billet qui dépassait du revers de sa manche.

L'aide de camp de Marais sortit du bâtiment principal en courant.

— Vous..., cria-t-il à quelques mètres du facteur avant d'arriver jusqu'à lui. Vous retournez à la poste principale ?

— Pour sûr, monsieur, répondit Szabolcs, sur la défensive.

L'homme lui tapa sur l'épaule :

— Alors vous êtes mon sauveur, mon ami. Pouvez-vous y déposer un document qui doit partir en urgence pour Paris ?

— Cela va être difficile, répondit le facteur en retrouvant son assurance. La diligence pour la route de Moulins démarre à onze heures.

— Fort bien, et quelle heure est-il ?

— Quelques poignées de minutes avant les onze coups, tout au plus, dit Szabolcs en levant la tête comme si le ciel allait l'aider dans son évaluation.

— Alors, qu'attendez-vous ? s'impatienta le militaire en faisant signe au soldat de faction de se dépêcher d'ouvrir la porte. Allez-y vite et revenez me tenir au courant, vous aurez gagné votre journée si vous y arrivez, ajouta-t-il en frottant son pouce contre son index.

Le facteur comprit l'enjeu et partit en se hâtant visiblement. À peine tourné l'angle de la rue Sainte-Hélène, il reprit un pas nonchalant. Onze heures sonnèrent à l'église des jésuites de Saint-Jospeh. Szabolcs savait qu'il avait tout son temps, un des rayons de la roue arrière gauche de la diligence s'était fissuré et menaçait de se briser, le départ n'était pas prévu avant midi. Il traversa la place Louis-le-Grand et se rendit dans le quartier de la Croisette chez le charron réquisitionné pour la réparer. L'homme était affairé au-dessus d'un billot sur lequel il avait posé la roue dépourvue de son contour et du rai abîmé.

— Alors, messire Savarin, contre qui allez-vous pester aujourd'hui ? demanda Szabolcs, qui aimait se rendre dans son atelier et refaire le monde avec lui à grands coups de grogne.

— Mon cher facteur ! le salua l'artisan d'une voix rocailleuse. Pas de courrier pour moi, j'espère ?

Les seules lettres que recevait Savarin concernaient des créances ou des plaintes du voisinage lorsqu'il travaillait tard la nuit.

— Il y a tellement de demandes en ce moment, comment pourrais-je faire autrement ? expliqua-t-il en buvant une louche d'eau avant de la passer à Szabolcs. Ce sont les dernières récoltes et tout le monde casse ses roues sur des chemins trop meubles, ajouta-t-il en s'essuyant la bouche du revers de la main.

— Ne vous plaignez pas, objecta le facteur, vous faites vos affaires.

— Je n'aime pas travailler ainsi. Je n'ai même pas pu proposer une roue de rechange pour votre diligence, je suis obligé de réparer dans l'urgence. Non, vraiment, je n'aime pas.

Ils burent une nouvelle louche avant que le charron ne reprenne son travail.

— Mais je ne suis pas surpris de ce qui arrive. Combien de fois ai-je dit aux cochers et aux charretiers qu'il y avait des règles à respecter, combien de fois ? Vous êtes témoin, j'en ai même parlé à votre directeur !

Szabolcs approuva de la tête. Le poids des chargements augmentait sans cesse, malgré les directives et les décrets, les cadences des rotations aussi, alors que tout le monde rognait sur le matériel.

— Ce n'est pourtant pas compliqué à retenir, continua-t-il, quatre roues de six pouces pour quatre chevaux, six roues pour six chevaux, et un tonneau[1] de chargement par cheval. Mais plus personne ne respecte les règles et tous utilisent n'importe quelle largeur de jante sans réfléchir.

Une fois lancé, le charron était intarissable sur le sujet, récurrent à chacune de leurs conversations. Le regard de Szabolcs flâna sur l'atelier impeccablement tenu, les rais rangés selon leur calibre, les bois bruts entassés selon leur nature, les jantes selon leur largeur, les outils utilisés pour débiter, percer, assembler, polir le bois,

---

1. Environ 979 kilos.

disposés dans des tiroirs sans qu'aucun ne fût dans une niche qui ne lui correspondît pas, tout était à sa place et n'en sortait que le temps nécessaire à son utilisation. Même le sol n'était pas jonché de monceaux de copeaux de bois et de limaille de métaux. Savarin était un charron qui aurait pu être horloger.

— Vous n'êtes pas d'accord avec moi ? demanda-t-il alors que Szabolcs avait abandonné le fil du monologue depuis longtemps.

— Faut voir, répondit-il prudemment.

— Mais c'est tout vu, mon pauvre ami ! Les avant-roues doivent être plus petites que les arrière-roues pour éviter la coupe des soupentes lors d'un brusque détour, sinon c'est l'accident ! Évidemment, elles s'usent plus vite, mais il faut basculer le gros du chargement vers l'arrière, voilà tout.

— Le roi devrait vous nommer ministre des Transports, proposa Szabolcs afin d'éviter une autre question. Avec vous, les routes seraient plus sûres.

— En tout cas, elles seraient moins abîmées. J'augmenterais par décret la largeur des jantes, jusqu'à neuf pouces, et vous verriez le résultat dès l'année suivante : un vrai velours. Attention, pas plus de neuf pouces, pas seize, comme les Anglais – sont-ils si peu attentifs à la santé de leur attelage ? Les pauvres bêtes doivent développer une force de tirage colossale avec tant de frottements !

— Cela doit expliquer pourquoi leurs chevaux ont l'air plus robustes que les nôtres, plaisanta le facteur.

— Ah ? Vous croyez ? Je n'y avais pas pensé, dit-il sérieusement. Quand je serai ministre, je nommerai une commission pour répondre à cette question. Et j'imposerai les roues écuées pour que les rais de vos diligences ne cèdent plus au moindre effort. Quelle misère !

Le charron lui montra comment le rayon de bois, trop perpendiculaire à l'axe du moyeu, avait cédé au moment de supporter toute la charge. Il le remit dans une caisse qui contenait d'autres rais cassés ou défectueux qu'il se plaisait à montrer à chacun de ses interlocuteurs.

— Il a fait chapelet. Avec un angle d'écuage, ce ne serait pas arrivé. En plus, j'ai trouvé de l'aubier dans son bois. Celui qui l'a fabriqué devait être charpentier ou bottier, mais pas charron, foi de Savarin ! Toujours utiliser le cœur du chêne, *naidiu* ! tonna-t-il pour conclure son envolée verbale.

Tout en continuant à maudire les moutons noirs de sa corporation, l'artisan changea le rai abîmé pour un neuf, disposa les jantes d'orme autour de l'étoile boisée et ranima le feu de sa forge.

— Dans une heure, j'aurai fini le cerclage et dans deux heures, votre malle-poste pourra quitter la ville, facteur.

Szabolcs frappa dans ses mains en signe de contentement : il avait tout le temps d'ouvrir la lettre de Marais à destination de son commanditaire avant le départ du courrier et, comble d'ironie, d'aller recevoir une récompense des hommes de Paris pour ce travail.

— N'est-elle pas vraiment belle, cette journée ? s'écria-t-il tout haut alors qu'en face de l'atelier un grain, plus fort que les autres, faisait s'éloigner un groupe de religieux et plaquait à terre la poussière de la rue.

Savarin acquiesça d'un tonitruant :

— Pour sûr, parole de ministre !

32

Jeudi 13 novembre

Alors qu'ils étaient attablés à la Bergerie, Antoine avait expliqué à Camille et Anne la raison de la présence de Michèle à Lyon. Le jeune homme se remémora le moment où le corps sans vie de M. Labé avait été sorti de la maison. Il sentit un frisson glacé remonter de son dos jusqu'à ses cheveux et tenta de le chasser. Il témoigna de la réaction violente de la foule quand Paul avait été emmené par la milice bourgeoise. Ils avaient dû attendre le renfort d'hommes de la Compagnie du guet afin d'éviter qu'il ne soit malmené par les plus virulents.

— Notre première difficulté sera d'éviter que l'opinion publique n'en fasse le procès d'un étranger venu assassiner un honorable bourgeois de Lyon, expliqua Antoine. Nous sommes convaincus, Michèle et moi, qu'il n'a fait que se défendre. Il va nous falloir non seulement le prouver, mais aussi faire en sorte d'infléchir le point de vue de nos concitoyens. C'est pour cela que j'ai besoin de votre aide à tous les deux.

Antoine demanda au jeune rédacteur d'interroger tous les témoins indirects présents dans la maison ou la rue le jour du drame et de vérifier leurs dires, de les comparer entre eux et pointer ceux qui présenteraient des faiblesses.

— Plus le temps passe, plus l'esprit humain a tendance à gommer les détails, à chasser les éléments qui n'iraient pas en faveur de ses certitudes et, au final, à fournir une version des faits qui relève autant de son désir de justice que de la réalité elle-même, expliqua-t-il. C'est pourquoi vous devez agir vite, ne pas hésiter à revenir voir un témoin plusieurs fois, à lui montrer ses incohérences, avant que l'argile de sa conviction ne soit figée dans sa mémoire.

— Je m'y mettrai dès demain, affirma Camille, gonflé par l'importance de sa mission.

Michèle les remercia par avance. Elle savait pouvoir compter sur leur enthousiasme, mais la tâche qui les attendait aurait nécessité une armée d'enquêteurs chevronnés et le temps pressait. Elle fixa du regard les tiges de bois courbes posées sur la table et qui, une heure auparavant, composaient encore son fringant panier de coquette. Les extrémités avaient éclaté et de grandes fissures parcouraient leurs longueurs. *Irréparable.* Le mot lui trotta dans la tête alors qu'Antoine égrenait les patronymes des témoins que l'accusation ne manquerait pas de citer. Irréparable comme le geste de son frère. *Irréversible.* Elle pensa à l'instant d'avant, au moment où il était encore un jeune professeur de clavecin talentueux et plein d'avenir, qui attendait la visite de son propriétaire. Elle pensa au dernier instant de légèreté de Paul Férrère. *Dire que c'est à moi, qui le connais si peu, qu'incombe le devoir de le défendre. N'est-ce pas là une seconde injustice ?* songea-t-elle en triturant machinalement les lattes brisées.

— Ne vous inquiétez pas, lui dit Antoine en la tirant de sa méditation. Je la confierai à quelqu'un qui fait des miracles. Votre « considération » sera comme neuve.

— J'en serai heureuse, mais son état contredit votre optimisme. Vu ce qu'il en reste, utilisez-la plutôt comme bois pour votre four.

— Ne voudriez-vous pas laisser une seconde chance à votre panier plutôt que de lui proposer une fin aussi commune ? dit-il en rassemblant les morceaux, qu'il déposa dans un coffre à outils. Faites-nous davantage confiance, mademoiselle Masson. Je ne vous cacherai pas que l'acte de votre frère arrive à un bien mauvais moment, je crains que la sénéchaussée n'ait tendance à suivre l'avis de la rue et à lui donner Paul en pâture pour ne pas lâcher prise dans le procès qui nous oppose au monopole de la boulangerie. Mais nous avons l'habitude de ne jamais abdiquer en défendant des causes justes.

— Vous pouvez le croire, renchérit Camille, j'ai vu maîtres Prost et Fabert à l'œuvre : même le juge d'Arpheuillette les admire et les craint. « L'hydre à deux têtes, la perfection du barreau lyonnais ! » ajouta-t-il en imitant l'intonation et la gestuelle du magistrat.

Satisfait de l'effet produit sur son auditoire, il détailla l'anecdote de sa première visite au palais, omettant de signaler qu'il avait pris le sac à procès du juge pour une gibecière et le chauffe-cire, huissier chargé de cacheter les documents, pour un chandelier. La bonne humeur du jeune homme semblait avoir redonné le moral à Michèle. Antoine continua :

— Dans un second temps, il nous faudra trouver des relais pour informer les Lyonnais du résultat de nos recherches. Anne en parlera aux clients du *Cygne noir* et Camille au *Charbon blanc*.

— Comment savez-vous que j'y suis déjà allé ? Ce ne fut que deux fois, avec Aimé, se défendit-il en sentant le regard accusateur d'Anne sur lui.

— Peu importe, il vous faudra y retourner et parler avec les clients. Beaucoup de membres du palais y vont à l'heure du dîner ou pour y boire du café. Il ne faut négliger aucune piste, ni ménager nos efforts.

— Nous le ferons, s'engagea Anne, bien décidée à ne pas quitter son amoureux d'un pied de roi[1].

— La raison principale de votre présence ici est la suivante, commença Antoine en sortant de son sac un des cahiers qu'il utilisait pour prendre des notes lors des affaires. François a réussi à obtenir la date de la convocation de Michèle par le juge. Elle a été fixée au 20 novembre. Pour l'instant, rien n'est officiel. Nous avons donc quelques jours devant nous afin d'affiner ses réponses aux interrogations de la justice. L'affaire ne sera pas instruite par d'Arpheuillette, mais par le sénéchal en personne. Camille, vous allez prendre son rôle et vous poserez à Michèle toutes les questions possibles sur elle et sur son frère. Par chance, ce ne sera pas un *brief intendit*. Ne vous censurez pas, il nous faut être sûrs d'avoir pensé à tout, même aux questions les plus...

— Les plus stupides, compléta Anne. Je crois que monsieur mon fiancé est tout désigné pour cette tâche, dit-elle en lui caressant la joue afin d'adoucir sa pique.

Camille rit de bon cœur avant d'ajouter :

— C'est l'esprit du juge qui va parler à travers moi ! Je vais vous surprendre.

— C'est bien le but recherché, approuva Antoine, plume en main. Nous avons déjà répété celles dont je sais qu'elles seront

---

1. Unité de mesure correspondant à la longueur d'un pied humain, censé être celui de Charlemagne, soit 32,5 centimètres.

évoquées. Je compte sur vous pour l'inattendu. Quant à vous, Anne, vous nous serez utile pour affiner les réponses de votre point de vue féminin.

— On commence ? s'impatienta Camille.

— Je suis prête, assura Michèle.

Anne chuchota à l'oreille de Camille, qui prit le cahier d'Antoine et le referma en le claquant.

— Madame, pouvez-vous prêter serment sur les saints Évangiles ? demanda-t-il en le tenant devant elle.

Michèle posa sa main sur le cahier et jura de dire la vérité.

— L'interrogatoire peut commencer ! déclara-t-il en rendant le carnet à Antoine. Pouvez-vous décliner votre identité ?

— Mon nom est Michèle Léonie Masson, fille de Blandine Bassville, veuve de Jacques-Joseph Masson, sellier à Paris.

— Madame Masson, vous êtes ici par la grâce de Dieu et de notre roi Louis le seizième en tant que témoin de moralité dans l'affaire du sieur Férrère, dit Camille avec autorité. Vous devez considérer que cet interrogatoire n'est pas un bref interdit...

— Un *brief intendit*, corrigea Antoine, amusé. On dit un *brief intendit*.

— Interdit... intendit... je ne sais pas ce que c'est ! avoua le jeune homme.

— Le *brief intendit*, mon garçon, est une liste de questions, les mêmes pour tous les témoins et l'accusé. Elles sont préparées à l'avance et ne peuvent être adaptées en fonction des réponses. Avec notre sénéchal, cela aurait abouti à un dialogue de sourds, croyez-moi, et Michèle se serait déplacée pour rien. On a la chance d'avoir un interrogatoire ouvert, profitons-en.

— Vous portez toujours le nom de votre père, enchaîna Camille. Il semble donc que vous ne soyez pas mariée. Est-ce exact ?

— Je ne le suis pas, en effet.

— Êtes-vous dans les ordres ?

— Non plus.

— Quel est votre âge, madame... pardon, mademoiselle Masson ?

— Camille ! ne put s'empêcher de crier Anne.

— C'est le juge qui demande ! se défendit-il.

— Continuez, c'est intéressant, intervint Antoine.

— J'ai vingt-huit ans.

— Votre mère a-t-elle des rentes ?

— Les deux magasins de sellerie de feu mon père. Mon beau-père m'a légué quelques revenus de ses commerces.

— Comment se fait-il qu'à votre âge, et dans votre situation, vous ne soyez toujours pas mariée, mademoiselle Masson ? Un parti comme vous...

Michèle réfléchit avant de répondre. Elle chercha Antoine du regard, qui lui fit signe de continuer. Le sénéchal avait le don d'exploiter les plus petites faiblesses qu'il décelait chez ses interlocuteurs et la moindre hésitation serait interprétée par lui comme une volonté d'empêcher la manifestation de la vérité.

— J'exerce la profession de comédienne dans un théâtre parisien. C'est un métier qui implique un engagement de tous les instants, tout comme le mariage. Aujourd'hui, les deux ne me sont pas compatibles. Mais j'aspire à fonder un foyer.

— Ainsi donc, vous êtes comédienne ? Je crains qu'une saltimbanque ne soit pas...

Camille s'était interrompu net et s'était levé.

— Masson ? Seriez-vous LA Masson ? De l'Ambigu-Comique ?

— C'est moi, en effet. Je joue chez M. Audibert, boulevard du Temple, depuis quatre ans.

— Alors là ! s'exclama le jeune homme. Ce n'est plus le juge qui parle, mais l'admirateur ! Permettez-moi de m'incliner, mademoiselle, et de vous tirer mon chapeau.

— Boulevard du Temple ? demanda Antoine.

— Elle a obtenu un grand succès dans *Le Maréchal-des-Logis* et un triomphe avec *La Belle au bois dormant*, expliqua-t-il pour les deux autres, qui ne réagissaient pas à son enthousiasme.

— Boulevard du Temple ? répéta Antoine, poursuivant son idée. Mais vous n'êtes pas à la Comédie-Française ?

— Merci, dit Michèle à l'intention de Camille. Il est vrai que tout Paris est venu nous voir, même Papillon de la Ferté. Auriez-vous assisté à une des représentations ?

— Non, répondit le jeune rédacteur, mais je m'occupais de sélectionner les articles des journaux de Paris pour notre ancien *Glaneur* et j'ai plusieurs fois mentionné vos succès.

— Pas de Comédie-Française, alors ? insista Antoine.

— C'est vous qui m'avez parlé de Comédie-Française, pas moi, répliqua Michèle, qui sembla seulement alors s'intéresser à Antoine.

— Mais vous ne m'avez pas contredit, que je sache, insista l'avocat.

— Je ne sais plus, il était tard quand nous avons eu cette conversation.

— Je m'en souviens très bien.

— Je n'en doute pas un seul instant, mais quelle importance ? Je suis comédienne, voilà tout, et cela je ne vous l'ai pas caché.

— Si je m'attendais à vous rencontrer... dit Camille. Vous êtes celle qui a affolé la Cour et la Ville ces deux dernières années !

— Voilà bien ce qu'il ne nous fallait pas avant le procès ! se lamenta Antoine, désabusé.

Il se leva et se posta à la fenêtre dans son attitude favorite, épaule contre chambranle, bras croisés, à regarder le ciel.

— Que voulez-vous dire ? demanda Michèle.

Elle affichait un angélisme de façade, mais avait compris ce qui contrariait Antoine. Le milieu qu'elle fréquentait était entouré d'un halo de suspicion sur son peu de moralité et sa débauche supposés. Au cours des vingt dernières années, le boulevard du Temple avait été petit à petit occupé par des troupes provenant de la foire Saint-Germain, des saltimbanques qui étaient passés de spectacles de rue à des pièces de théâtre où les pantomimes côtoyaient des textes flirtant en permanence avec la censure et les bonnes mœurs. Ils étaient tolérés par l'Église et par les théâtres royaux officiels, qui avaient le pouvoir de faire interdire les pièces et, malgré ses fréquentations mondaines, Michèle avait depuis longtemps compris que ses admirateurs s'intéressaient plus à son beau minois qu'à ses talents théâtraux. Elle ne se faisait plus aucune illusion sur le sujet, après de nombreux déboires sentimentaux : une comédienne se débauchait, mais ne s'épousait pas.

— Pensez-vous que ma présence puisse nuire à Paul ? demanda-t-elle d'une voix alourdie sous le poids des regrets.

— Elle ne va pas aider à donner aux yeux de ce juge l'image d'une famille idéale, je suis désolé, répondit Antoine sans détour. Une sœur saltimbanque et un frère musicien sans le sou et querelleur... Le sénéchal faisait-il partie des abonnés du *Glaneur* ? s'inquiéta-t-il en s'asseyant à côté de Camille.

Le rédacteur baissa les yeux en guise de réponse.

— Alors on peut être sûr qu'il sait déjà qui vous êtes. Impossible de reculer. Nous avons sollicité votre témoignage, il nous faudra trouver le meilleur angle de présentation. Tout n'est pas joué, loin de là, proféra-t-il devant leurs mines déconfites. Jamais je n'ai perdu un procès face au sénéchal.

Camille proposa d'accélérer la parution du premier numéro du nouveau *Glaneur* et de l'utiliser comme tribune pour faire progresser leur point de vue sur l'affaire, ce qui remonta inconsidérément leur moral. Tous avaient besoin de croire en leurs chances de réussite.

Antoine avait omis de leur préciser qu'il n'avait été confronté qu'à trois reprises au sénéchal, toujours en appel. Il reprit sa position à la fenêtre et contempla les branches à moitié nues du cerisier se balancer sous les coups d'aiguille des trombes d'eau. Un problème plus urgent le préoccupait depuis que Camille lui avait confirmé le rôle du gouverneur dans la censure des *Mazures de l'isle Barbe*: il était persuadé d'avoir identifié l'endroit où se trouvait le rouleau et devait trouver un moyen de pénétrer dans l'enceinte de l'hôtel de Villeroy. La mésaventure de Michèle venait de lui donner une idée.

33

Samedi 15 novembre

Szabolcs avait transmis à Prost le contenu du billet de Marais, qui avait attendu deux jours avant de le montrer à Antoine. Il décrivait minutieusement la réunion à la Bergerie.

— Cela ne veut rien dire, relativisa Antoine. N'importe qui, caché dans la futaie voisine, aurait pu donner le nom des participants et les heures de nos entrées et sorties.

— Avoue quand même que cela est troublant. Je peux t'assurer qu'au même moment Trente-trois était assis sur les marches, à t'attendre en vain.

Les deux hommes s'étaient isolés, entre deux plaidoiries, dans la cour intérieure du palais de Roanne.

— Que veux-tu insinuer? Cela ne peut venir de Camille, Anne ou Michèle.

François grimaça à l'évocation du dernier nom.

— C'est la sœur de Paul, jamais elle ne serait ici s'il n'avait pas tué M. Labé, répliqua Antoine. Il ne peut y avoir de lien entre les deux affaires. Et c'est toi qui me l'as présentée, tu t'es porté garant d'elle.

— Et si j'avais été abusé? s'interrogea Prost. Est-elle bien Michèle Masson? Je ne l'avais jamais vue avant. Je n'ai fait qu'envoyer une lettre à son adresse à Paris et, dix jours plus tard, cette femme débarquait à Lyon. Je me pose des questions, conclut-il en montrant le papier recopié par Szabolcs.

— Que veux-tu faire?

François l'entraîna vers le fond de la cour alors qu'un de leurs confrères, qui les avait aperçus, venait à leur rencontre. L'homme, comprenant qu'il dérangeait, fit demi-tour.

— J'ai demandé à un ancien inspecteur à moi, qui est maintenant à Paris, de vérifier que notre invitée est bien la sœur du jeune Férrère.

— Tu la soupçonnes donc ?

— Je vérifie juste une hypothèse qui ne me plaît pas plus que toi, mais nous devons assurer notre sécurité, s'agaça Prost. Je crois que, parfois, tu prends pas la pleine mesure de la menace qui plane sur toi. Sur nous.

— Je fais tout pour vous laisser en dehors de mon secret, protesta Antoine, qui n'aimait pas aborder ce sujet.

La sécurité de ses proches le préoccupait au plus haut point et l'avait, plusieurs nuits entières, empêché de dormir. Il avait décidé de s'en tenir à cette ligne de conduite et de ne jamais s'en écarter.

— Je sais, mon ami, le rassura François, mais parfois tu ferais mieux de m'en dire davantage. Je pourrais t'être très utile. Surtout quand tu veux t'introduire chez le gouverneur.

— Pourquoi crois-tu cela ?

— Antoine, Antoine... Il m'est si simple de savoir ce qui t'a intéressé auprès du bibliothécaire de Saint-Jean. Et si facile d'en déduire tes intentions !

— Crois-tu que Marais soit au courant ?

— Il n'a pas interrogé les chanoines, j'ai vérifié. Mais il se méfie de moi, il cache tout à Jeanson et aux inspecteurs d'ici, cela ne me facilite pas la tâche. Nul doute qu'un autre comparse que Trente-trois te suit.

— Je n'ai vu aucune tête inconnue ces derniers jours. Je suis prudent, fais-moi confiance.

Un huissier vint les trouver pour leur indiquer la reprise des auditions.

— J'ai parlé avec Antelme de Jussieu. Il nous faut trouver des appuis solides, bien au-delà de Lyon, qui te protégeront, affirma François en quittant la cour. Lui et moi sommes d'accord : il ne faut plus attendre.

— Toi, tu as contacté quelqu'un, supposa Antoine, qui connaissait bien les précautions oratoires de son ami.

— J'ai rappelé à mon bon souvenir M. de Voltaire. Nous avions correspondu il y a quinze ans. Il se trouve qu'il s'est très bien souvenu de moi et de mon opuscule, dont il avait eu la bonté de faire l'éloge. Malheureusement, il ne peut quitter son domaine de Ferney.

— Pas question d'emmener mon trésor loin de sa cache, prévint Antoine.

— Tu n'y seras pas obligé. Il a contacté M. Diderot et nous attendons sa réponse. Mais il faudra te préparer à le partager, ce trésor.

Antoine regarda les nuages avant de rentrer dans le couloir principal. Leur course dans le ciel lui rappelait invariablement l'idée du druide pour les identifier.

— Louern et les Gaulois ne m'appartiennent pas, concéda-t-il.

— Les ennuis qu'ils procurent, si ! J'espère que ta découverte en vaut la peine.

Pendant que François continuait à enchaîner les audiences, Antoine se rendit chez Edmée. La rue Belle-Cordière avait gardé des stigmates du drame. Les volets de l'appartement de Paul avaient été clos par de grosses planches, sur lesquelles des inconnus avaient gravé au couteau des mots de vengeance à l'encontre du jeune Férrère, et nombreux étaient ceux qui faisaient un crochet par la rue Bourchanin, parallèle, afin d'éviter de passer devant la maison, comme si le malheur allait les contaminer par simple contact.

Edmée lui fit goûter son dernier achat de thé saotchaon, et relata tout le travail que lui donnait l'ouverture prochaine de son salon littéraire. La première séance était prévue une semaine plus tard, le jeudi 20 novembre, sous le haut patronage de Charles Mathon de la Cour, auteur pétri de l'esprit des Lumières et collaborateur du *Journal des Dames* et de l'*Almanach des Muses*, dont Edmée était une fervente lectrice. Antoine avait décidé d'y participer, ce qui la toucha, tout en la surprenant, son fils adoptif évitant systématiquement les rassemblements de plus de trois personnes.

— Je te garantis que je ne m'enfuirai pas en courant, plaisanta-t-il. Je serai là pour l'ouverture.

— Mon époux a aussi promis de venir, ce seront nos retrouvailles depuis mon départ. Antoine, je suis inquiète.

— Tout se passera bien, assura-t-il en lui prenant la main.

— Ce n'est pas cela qui me tourmente, soupira-t-elle en se tournant vers la fenêtre comme si elle n'osait avouer ses craintes à Antoine. Il consacre tout son temps à son élevage de monstres, expliqua-t-elle en insistant sur le dernier mot. À tel point qu'il en perd sa santé. Voilà quelques jours qu'il tousse et a contracté une fluxion de poitrine. Je ne peux pas m'y rendre, je ne voudrais pas lui donner de faux espoirs de retour, tu le connais.

— J'irai le voir en sortant d'ici.

Les doux yeux d'Edmée le remercièrent infiniment.

— Bagatelle ! Broutille ! clama Ponsainpierre au sujet de son état de santé.

Antoine l'avait trouvé endormi dans le lit placé dans l'élevage d'halabés. Le réveil avait été difficile et à peine s'était-il assis que Marc avait expectoré des glaires jaunâtres qui lui avaient fait perdre sa respiration de longues secondes.

— Je suis rentré à la maison habillé de ma seule chemise après avoir travaillé longuement dans la buanderie et j'ai pris froid, voilà tout, se défendit-il devant Antoine. Il n'y a pas de quoi botter le potron d'un Raminagrobis !

— Il règne ici une chaleur digne des tropiques, remarqua Antoine, qui avait abandonné son justaucorps.

— Il règne, ici, une chaleur idéale pour la reproduction des halabés et pour la maturation des cocons ! rectifia Ponsainpierre.

— Claude m'a dit que tu n'es pas sorti de ton antre depuis deux jours, insista Antoine. Tu as toussé toute la nuit et refusé qu'il fasse venir le médecin.

— Le vil traître que ce valet ! grogna Marc en se levant.

— Il a raison de s'inquiéter.

— Mais je vais bien ! La production de fil avance et, dès la nouvelle année, j'en aurai assez pour commencer le filage.

Il lui présenta la petite pelote confectionnée à partir de ses récoltes de soie comme s'il s'agissait d'une pépite d'or.

— Ton avancement est impressionnant, admit Antoine, mais tu as besoin de repos et de soins.

— Ne joue pas au père avec moi, attention à ne pas inverser les rôles ! Viens, allons déjeuner sur les escaliers, comme avant.

Antoine l'obligea à enfiler le justaucorps qui pendait au mur, accroché à un clou, près de l'entrée.

— On ne peut pas dire que tu sois sensible aux dernières modes, pour un tisserand, constata-t-il en inspectant le vêtement usé et rapiécé, à la coupe du début du siècle.

— Ne le répète à personne, c'est une défroque, achetée à un voisin. Pourquoi devrais-je me ruiner en vêtements coûteux alors que je vis la moitié du temps le torse nu ? argua Marc en se grattant le poitrail. Pour qui devrais-je être élégant ? Edmée n'est plus là. Les domestiques ? Mes araignées ? dit-il en faisant une moue désabusée.

— Pour toi-même, Marc.

La réponse lui parut si curieuse qu'il se tut en se promettant d'y réfléchir.

Ils contournèrent la maison par le jardin et longèrent la galerie souterraine où Claude s'affairait à déposer du remblai près de l'entrée du boyau.

— Je vais la faire combler, expliqua Ponsainpierre. J'en ai assez de voir ce trou dans mon parc.

— Tu devrais attendre. J'ai eu ce matin des informations m'indiquant que Marais avait l'intention de venir y faire des fouilles jeudi prochain. Il a réquisitionné tous les inspecteurs locaux.

— Mais mon souterrain n'est pas un lieu de rendez-vous ! Je vais dire à Claude d'accélérer la manœuvre. Je ne veux voir personne chez moi !

— Ne le fais pas, je te le demande comme un service. J'ai besoin qu'ils y passent toute la journée. Tu t'occuperas du sieur Marais, accapare-le. Montre-lui tes halabés.

Marc s'arrêta et le dévisagea d'un air soupçonneux. Il toussa, fut pris d'une longue expectoration, et se retourna pour cracher.

— C'est important pour toi ? interrogea-t-il après avoir recouvré son souffle.

— Très important, répondit Antoine. Je ne peux t'en dire plus.

— Tu fais bien, je ne sais pas tenir ma langue, avoua Marc. Alors, soit ! Je suspends les travaux jusqu'à ce que ces messieurs se soient collé le cul à la glaise de la galerie. On l'attaque, ce déjeuner ? conclut-il en se frottant les mains.

Le froid vif et pénétrant les fit changer d'avis et ils prirent leur collation à l'intérieur, dans le salon qui dominait toute la ville.

— Quel panorama... Je ne m'en lasserai jamais. Tu vas me trouver stupide, mais, parfois, je regarde dans la longue-vue en espérant apercevoir Edmée sortant de chez elle.

— Tu ne pourrais même pas la reconnaître, à cette distance, objecta Antoine.

— Peut-être, mais je saurais que c'est elle. J'arrive bien à distinguer ta maison rue Sala. Tu veux voir ?

Marc ouvrit la fenêtre, pointa sa longue-vue et régla la molette afin d'obtenir le plus fort grossissement.

— Voilà, dit-il, en plein dans le mille ! Facilement reconnaissable, elle fait l'angle avec l'arsenal et n'est entourée que de jardins.

— Tu as raison, dit Antoine après avoir habitué son œil droit à fixer l'image dans l'optique tout en fermant l'œil gauche. Je n'aurais jamais pensé observer autant de détails.

— On peut même apercevoir le carrosse noir garé devant chez toi. Tu devrais rentrer, tu es attendu, plaisanta Marc.

— Ce doit être une visite pour mon invitée.

— La sœur de ton client ? Il paraît qu'elle est d'une grande beauté. Tu sais, je ne verrais aucun inconvénient si tu...

— Marc, je t'en prie, pas toi aussi ! implora Antoine tout en pointant la lunette vers l'hôtel de Villeroy.

— Tu ne sais pas ce que j'allais te dire, protesta Ponsainpierre.

— Sacrelote ! s'écria Antoine en découvrant que la résidence du gouverneur était cachée par les maisons avoisinantes.

Son idée venait de s'évanouir. Elle lui aurait donné un avantage essentiel : surveiller les allées et venues de Marais sans jamais être vu.

— Pas la peine de jurer, dit Marc, surpris. Je voulais juste te préciser qu'il n'y avait aucun inconvénient si tu préférais que cette personne loge ici pour couper court à toute rumeur.

Antoine essayait de localiser à la lunette le bâtiment le plus haut du quartier de la rue de la Charité. Il finit par identifier la tour de l'horloge qui dépendait de l'hôpital de la Charité.

— Ce ne sera pas possible, murmura-t-il en songeant au moyen de l'investir. Trop de monde.

— Je comprends, mais tu peux lui dire que je ne serais pas un hôte envahissant, continua Marc. Je vis à la buanderie et Edmée sur l'autre rive.

— Vu la description que tu viens de faire, crois-tu que quiconque de sensé ait envie de vivre ici ? plaisanta Antoine en reprenant le cours de la conversation. Je te remercie, sincèrement, de ta proposition. Mais je crois qu'il vaut mieux pour l'instant qu'elle reste chez moi. Nous avons beaucoup à faire pour aider son frère.

Lorsque Antoine rentra chez lui, Michèle était absente. Elle ne revint qu'au crépuscule, après six heures du soir, assurant être sortie toute la journée. L'avertissement de François bourdonna en lui toute la soirée et le sommeil fut long à s'imposer.

34

Mardi 18 novembre

La lettre « E » de l'enseigne était réapparue, posée sur le seuil de la devanture. Ce qui aurait dû être une bonne nouvelle avait mis Aimé de La Roche très en colère.

— Celui qui m'en veut ainsi ne s'en tirera pas à si bon compte, fulmina-t-il, debout derrière le comptoir de sa librairie, à l'adresse de son neveu qui venait d'entrer.

Camille l'embrassa affectueusement sur la tempe et lui fit remarquer que cette mésaventure, tout étrange qu'elle fût, avait fait parler de la boutique dans toute la ville.

— Charles m'a appris que, ce matin, lorsqu'il a remis la lettre en place, il y avait un attroupement autour de lui pour regarder et commenter. Les gens commencent à parier sur la prochaine lettre qui va disparaître. Tout cela est bon pour notre commerce, mon oncle, ajouta-t-il en déposant papier, plume et encre sur le secrétaire qui prolongeait le comptoir.

Aimé soupira. Le commerce du livre ne se portait pas bien, mais il ne pouvait lui en vouloir de sa candeur et de son insouciance, la *Boule du monde* était une exception dans le paysage lyonnais. La Roche avait réussi à obtenir le privilège d'être l'imprimeur du gouverneur, de l'hôtel de ville, des collèges et des hôpitaux, ce qui l'avait mis à l'abri de la pénurie de travail qui secouait les imprimeries de province.

Camille ralluma plusieurs des bougies du lustre qui s'étaient éteintes. Malgré les imposantes fenêtres à petits carreaux dont les rangées occupaient presque toute la devanture, la luminosité était parfois insuffisante, y compris dans le cabinet de lecture installé à l'entrée. Il jeta un regard discret à la niche, protégée par un pan de boiseries gravées à la marque du libraire, un lion entouré de deux cornes d'abondance, dans laquelle les clients pouvaient venir consulter à loisir les livres, moyennant une somme fixe. L'endroit avait été son refuge durant toute son enfance et son adolescence, jusqu'au moment où il était devenu trop grand pour pouvoir se cacher sous l'écritoire qui en composait l'unique mobilier. Il y distingua un homme, penché sur un ouvrage, les coudes sur le plan incliné du meuble et le visage caché par les paumes de ses mains, qui semblait peiner à sa lecture.

— La faute à ces maisons à qui il ne cesse de pousser des étages, maugréa Aimé comme à son habitude. Elles nous cachent le soleil, elles nous volent notre lumière.

— On commence ? proposa Camille, plume en main, qui voulait éviter le sujet d'agacement favori de son oncle.

Le libraire se détendit, porté par l'enthousiasme communicatif de son neveu.

— Je voudrais débuter notre nouveau *Glaneur* par un cahier de huit feuillets, in-octavo, indiqua Aimé. Pas moins.

— Quel format ? s'enquit Camille tout en prenant note.

— Ton opinion ?

Le jeune homme releva la tête, surpris. C'était la première fois que son oncle lui demandait son avis sur la fabrication d'un magazine.

— Quatre pouces et demi sur sept pouces et trois lignes[1], répondit-il avec assurance.

L'imprimeur acquiesça d'un geste de la main. Il pria son neveu de lui lister les sujets qu'il comptait développer.

— Le meurtre de M. Labé par le jeune Férrère, avança-t-il sans hésiter. Nous pourrons développer la version des inspecteurs et celle de l'accusé, maître Fabert nous fournira tous les détails. J'ai aussi l'intention de faire connaître l'opinion publique.

— Nous avons tout le temps, tempéra Aimé, le procès n'interviendra pas avant plusieurs semaines.

— Raison de plus, mon oncle. Soyons actifs, nous pouvons donner la parole à un proche de la victime et du meurtrier. Cette histoire peut nous attirer de nombreux lecteurs.

La clochette de la porte d'entrée tinta.

— Monsieur Etevenard, s'exclama La Roche après avoir chaussé ses lunettes. J'ai votre ouvrage, je vous l'apporte.

Il grimpa sur un tabouret et se mit sur la pointe des pieds afin d'atteindre le livre, situé sur le mur arrière du comptoir, au niveau du septième rayonnage, le plus élevé. Camille l'aida en bloquant l'échelle, qui menaçait de basculer.

— Je vois que les sciences sont toujours aussi inaccessibles, plaisanta le client.

— Je l'ai ! annonça Aimé. *Opuscules mathématiques*, tome second. De M. d'Alembert.

---

1. Environ 12 centimètres sur 20.

L'homme, qui enseignait le calcul, la navigation et la mécanique, le remercia chaleureusement pour un ouvrage qu'il n'avait pas réussi à trouver jusqu'alors. Tout en payant, il leur relata, encore choqué, qu'il avait entendu les cris du sieur Labé au moment de sa mise à mort, alors que son domicile était situé deux rues plus à l'est.

— Dire que cela aurait pu m'arriver, j'avais reçu l'assassin l'année dernière : il voulait louer la chambre que je proposais, rue Grolée, ajouta-t-il. Vous rendez-vous compte ?

— Il avait pourtant l'air bien, ce jeune homme, dit le libraire en lui rendant la monnaie. Il paraît qu'il était très apprécié de ses élèves.

— Trop poli pour être vraiment honnête ! Et n'oubliez pas qu'il avait déjà tâté de la prison à cause d'un charivari où il s'était fait remarquer. S'il avait été banni de la ville à ce moment-là, notre sieur Labé serait toujours de ce monde ! Si j'étais son avocat, je m'en sentirais responsable !

Une fois le client parti, Camille pavoisa :

— N'est-ce pas la preuve, mon oncle, que nous tenons là le sujet sur lequel tout le monde a son opinion ?

— Je ne suis pas sûr que ce soient nos affaires, ce n'est pas dans l'habitude des journaux que d'intervenir avant la sentence d'un procès.

Camille referma la porte, restée ouverte, afin d'empêcher la fraîcheur humide d'entrer plus avant. La ville était nimbée d'un léger brouillard qui semblait installé pour la journée.

— Mais nous serons la voix de la vérité : *Vitam impendere vero !*

— Oui, oui, oui, je connais ta devise, tu l'exprimes à tout bout de champ, sourit Aimé. Mais frotte-toi un peu à la vie et nous en parlerons à nouveau, mon neveu.

Camille prit un exemplaire du *Mercure de France* et l'exhiba devant le visage du libraire.

— Que font les autres gazettes ? Elles vivent au travers des nouvelles et des rumeurs de cour, voilà tout. Il y a une place à prendre.

— Lyon n'est pas Versailles, Dieu nous en préserve. Mais, soit, tentons l'aventure. Second thème ?

Camille fit mine de chercher dans ses feuillets, alors qu'il connaissait par cœur l'ordre de ses sujets. Il proposa les travaux d'Antoine sur la farine de poire de terre, et les tentatives de Ponsainpierre de tisser du fil d'araignée, ce que son oncle accepta sans y trouver à redire.

— Je n'oublie pas ton article sur la perruque, rappela Aimé. Nous ne savons toujours pas à qui elle appartenait ?

— Non. Le propriétaire s'est adressé au directeur du Bureau d'avis, expliqua Camille. Il est venu la chercher en dehors des heures d'ouverture. Mais je vais enquêter.

— Ce qui nous fera un autre article, annonça le libraire.

— Vous voyez, mon oncle, comme cela est simple de capter l'attention de nos futurs abonnés !

Un nouveau client s'était présenté sur le pas de la porte, qu'Aimé rejoignit promptement. Les deux hommes parlèrent discrètement, à voix basse, si bien que Camille ne put rien entendre de leur conversation. Le lecteur, immobile en face de la fenêtre, semblait indifférent à l'animation de la boutique.

Aimé salua l'homme, qui sortit aussitôt, sans livre ni magazine.

— Un ami, venu prendre des nouvelles de ma santé, expliqua-t-il devant le regard interrogateur du jeune homme. Alors, où en étions-nous ?

Ils ajoutèrent une rubrique sur les livres, les concerts et les actualités des différentes académies de la ville, avant que Camille ne se décide à lui poser la question qui l'intriguait :

— Depuis quand le docteur Mesmer vient-il prendre des nouvelles de votre santé à la librairie, mon oncle ?

— De quoi parles-tu ? demanda Aimé sur un ton qui trahissait son embarras.

— J'ai eu le temps d'apercevoir son visage et je vous ai vu lui remettre une lettre. Avez-vous des problèmes que vous tairiez ?

Aimé grimaça, vérifia l'heure et s'adressa au lecteur :

— Monsieur, je suis désolé, il est midi, nous fermons !

Puis, chuchotant à l'oreille de Camille :

— Allons au *Charbon blanc*, j'ai à te parler.

Le bouchon était bondé des habitués du dîner et des amateurs de café. Toutes les odeurs s'y mélangeaient, celles de la nourriture qui s'échappaient des plats, des parfums entêtants qui imprégnaient les vêtements, du tabac doux des pipes et de celui, plus âcre, chiqué et craché sur le sol, odeurs des quatre chiens qui se faufilaient entre les forêts de jambes et de pieds de table à la recherche de reliefs de repas, de la poussière amoncelée sur le sol et mélangée à la terre battue, odeurs accumulées des journées entières dans un cloaque à l'absence criante de ventilation. Mais personne n'aurait manqué à l'appel pour déguster les meilleurs vieux vins de la ville, le moka au sucre ou le chocolat de santé, tout en discutant bruyamment, assis à des tables collées les unes aux autres, ou debout, le verbe haut, la main virevoltant au gré des démonstrations aux arguments qui se voulaient définitifs. Presque tous les sujets étaient permis, même si, tout le monde le savait, les mouchards de la police se glissaient souvent dans l'assemblée, sans grandes conséquences, ni le tenancier, ni ses clients n'ayant jamais été arrêtés pour un débordement verbal quelconque. On savait jusqu'où il était possible d'aller, seuls les étrangers ignorants des règles tacites et qui, par le plus grand des hasards, s'étaient échoués au *Charbon blanc* finissaient au palais de Roanne, pour leurs propos jugés inconvenants envers le roi ou ses représentants. Les autres savaient se taire à bon escient.

Aimé et Camille avaient pris possession d'une minuscule table, à l'angle le plus reculé de la petite pièce, sous l'escalier de bois qui menait à une salle de jeu, située à l'étage et officiellement limitée au billard. Ils recevaient une fine pluie de poussière et de moisissures à chaque montée ou descente des habitués, qui venaient en réalité jouer clandestinement aux cartes et aux dés.

— Il y a deux mois, je suis venu ici et j'ai offert une tournée générale, dit Aimé en sirotant un verre de vin de Millery. Sais-tu pourquoi ? Parce que, le 30 août, continua-t-il sans lui laisser le temps de deviner, le conseil d'État a commis un arrêt qui permettait la fin de la saignée de nos librairies de province.

Ordre avait été signé par le roi de modifier le Code de la librairie afin de faire cesser le renouvellement des privilèges accordés à certains imprimeurs de la capitale sur l'œuvre des auteurs, dont ils devenaient les propriétaires *ad vitam æternam*. Les libraires de province allaient pouvoir publier sans plus de crainte des exclusivités.

— Le monopole de la vente va être limité à dix ans maximum, ajouta le libraire en époussetant sa perruque. Après, c'est la libre concurrence ! Viens, allons ailleurs, dit-il en montrant deux places qui venaient de se libérer dans une grande tablée.

L'endroit était plus bruyant, en raison de l'état aviné de leurs voisins, mais avait l'avantage de ne pas les saupoudrer de pourriture de bois.

— Sans compter que ces marches vont finir par se rompre, prédit Aimé. Je préfère ne pas être en dessous lorsqu'un gaillard rempli comme une outre tombera sur la table.

— Quel est le rapport avec le docteur Mesmer ?

La Roche finit son verre et fit claquer sa bouche de plaisir.

— Le magnétisme animal.

— Quoi, le magnétisme ?

— C'est l'avenir de la médecine, clama le libraire pour se faire entendre alors que le brouhaha allait croissant.

Aimé se tourna vers son voisin de droite, aux habits de laquais usés et tachés, dont les yeux tanguants peinaient à rester ouverts.

— Pourriez-vous, s'il vous plaît, faire moins de bruit dans vos échanges, monsieur ?

L'homme sembla seulement découvrir la présence du libraire et lui décocha sans répondre un regard imbibé de rhum et vidé de sens.

— Ne vous inquiétez pas, m'sieur, intervint son vis-à-vis, il est pas méchant, juste plein jusqu'à la troisième capucine. Il a pas eu une vie facile ces derniers temps.

— Si vous voulez la rendre meilleure, commencez par respecter vos propres oreilles, ainsi que les nôtres. Il y a d'autres établissements plus adaptés pour les soûlards, dit Aimé en sortant de sa bourse une pièce qu'il remit au moins aviné des deux.

Le gaillard le remercia d'un clin d'œil et aida son compagnon à se lever en le prenant par le col. L'homme salua machinalement l'assemblée de son chapeau et sortit en marmonnant un juron incompréhensible.

— Nous voilà plus tranquilles et moins serrés, conclut Aimé en prenant ses aises. Où en étions-nous ?

Franz-Anton Mesmer avait quitté précipitamment l'Autriche, en butte aux parents de la jeune malvoyante, malgré une amélioration de son état.

— Certains ont dit que le père, croyant la guérison possible, avait préféré chasser le médecin plutôt que de perdre la pension d'invalidité de sa fille, déclara le libraire. D'autres que le baquet avait aussi la vertu d'éveiller les émotions des femmes.

L'impératrice avait demandé au médecin de cesser les expériences. Au moment de quitter Vienne, il avait achevé l'écriture d'un manuscrit sur sa théorie.

— Avec le nouveau Code de la librairie, j'ai toutes mes chances d'obtenir le privilège sur son ouvrage, affirma Aimé. Je peux t'assurer que M. Mesmer ne serait pas contre l'idée que je devienne son imprimeur. Je viens de lui faire une proposition pour l'achat de *Mémoire sur la découverte du magnétisme*. Et il l'a rédigé en français. Voilà pour ce secret que je te livre, conclut-il en se frottant les mains.

Camille félicita son oncle, qui lui proposa de trinquer.

— Ce sera un immense succès, nous pourrons en vendre deux mille, peut-être plus ! s'enthousiasma Aimé.

Ils quittèrent rapidement le *Charbon blanc* pour la réouverture de la librairie. À leur arrivée grande rue Mercière, deux clients, qui attendaient devant la porte close, levèrent les bras en signe de soulagement. L'un d'eux regarda sa montre de gousset pour leur signifier leur retard.

— Bientôt, il faudra ouvrir au dernier coup du carillon ! Qu'en auront-ils de plus d'avoir leur livre une heure plus tôt ? grogna Aimé en cherchant du regard l'approbation de son neveu, qui ne répondit pas. À quoi penses-tu, Camille ?

— À votre avis, mon oncle, quelle sera la prochaine lettre à disparaître de la devanture ?

Chapitre VI

Novembre 1777

35

Jeudi 20 novembre

Savarin arrêta sa carriole devant la maison d'Edmée. Il sauta du siège afin d'inspecter les roues puis son chargement, dont il sentit l'excitation monter. Il vérifia que les cages étaient suffisamment fermées pour ne pas céder sous l'impatience des coups de tête ou de pattes et calma son petit monde par une distribution de nourriture. Le charron traversa la rue pour s'informer du contenu des quelques phrases gravées au couteau sur les planches qui obturaient la fenêtre de la chambre de Paul Férrère. Il haussa les épaules à leur lecture, flatta l'encolure de son âne et remonta sur son perchoir. Antoine lui avait demandé de l'attendre.

Une berline légère, tirée par deux alezans impeccables, vint se garer devant lui en effectuant une manœuvre difficile. Le cocher lui montra d'un œil noir sa désapprobation de voir son modeste véhicule garé à l'endroit où il allait déposer son maître.

— C'est ainsi, maugréa Savarin. Premier arrivé, premier servi !

Le laquais, debout à l'arrière, était resté indifférent à la présence de Savarin. Il déplia le marchepied, ouvrit la porte et s'inclina avec la même impassibilité. Une femme en descendit, ornée d'une parure de bijoux vaniteuse et d'une coiffure à la verticalité imposante, dans laquelle des bandeaux de soie colorés formaient une tresse des racines au sommet des cheveux. Elle ouvrit son ombrelle dont elle se servit pour se protéger des regards de la rue, qui se réduisaient à celui du charron, et entra en laissant sa robe agrémentée de mousseline et de rubans traîner sur le sol. L'un d'eux se détacha et roula sur la terre battue de la rue jusqu'à finir sous la carriole.

Savarin prit le temps de détailler en connaisseur l'habitacle aux vitres entourées de moulures fines, les suspensions aux impressionnantes soupentes et les roues aux jantes larges et aux rais à l'écuage parfait. Il prit un petit morceau de bois brut et commença de le tailler tout en jetant des regards en direction de la fenêtre de l'étage, d'où il entendit les acclamations saluer l'arrivée de la dernière participante.

Edmée avait opté pour une robe de soie bordeaux aux arabesques de dentelle grise. Elle avait d'abord choisi une tenue de taffetas noire, qui rehaussait sa beauté diaphane, mais dont la couleur de deuil lui avait fait prendre conscience que la plupart des salons étaient tenus par des veuves. *Marc est si superstitieux qu'il y verra un signe*, avait-elle songé. Elle ne voulait pas gâcher leurs retrouvailles, même en des circonstances où elles allaient se limiter à quelques banalités et des échanges de regards. Son mari avait envoyé plusieurs billets dans les jours qui avaient suivi son départ, puis plus rien ne lui était parvenu. Ils prenaient des nouvelles de chacun par l'intermédiaire de Claude et de la cuisinière, qui travaillaient alternativement au clos Billion et rue Belle-Cordière. Même s'ils savaient ne pas pouvoir se passer l'un de l'autre, aucun des deux ne voulait céder le premier. Le salon était l'occasion de renouer un fil rompu un mois auparavant. Du moins Edmée l'espérait-elle.

Comparés aux sociétés littéraires parisiennes, le lieu et le nombre d'invités étaient fort modestes. Le salon donnant sur la rue était occupé par deux rangées de chaises, disposées en demi-cercle, qui faisaient face à un canapé où prendraient place la maîtresse des lieux et son invité du jour: Charles Mathon de la Cour. Marc était arrivé le premier, en compagnie d'Antoine, et s'était montré d'une grande nervosité qu'elle avait mise sur le compte de l'émotivité. Elle-même se sentait plus anxieuse de sa présence que de la réussite de sa première séance. Il s'était placé au premier rang, du côté des fenêtres, endroit qu'il affectionnait particulièrement lors des soirées d'hiver qu'ils passaient en tête à tête, quand, désertant leur maison de Fourvière, trop froide et exposée aux vents, ils venaient s'y réfugier et qu'Edmée lui faisait lecture des romans et ouvrages de philosophie qu'elle voulait partager avec lui. Avant qu'Antoine n'aille s'installer au fond, près de la porte, Marc lui avait avoué que, pour la première fois, il se sentait tel un étranger chez lui.

— Antoine ! s'exclama Madeleine en franchissant le seuil de la porte, ravie de voir son mari.

Elle avait aidé sa mère à préparer la séance, puis, en compagnie de Claude, était allée chercher l'homme qui se trouvait à son côté et qu'Antoine n'eut aucun mal à identifier.

— Je te présente mon grand ami, mon guide, continua-t-elle, qui me permet de dialoguer avec notre fils. Je lui dois tant, ajouta-t-elle. Il voulait te rencontrer. N'y a-t-il pas meilleure occasion ? Tu es si sauvage en ce moment. Peut-être est-ce dû à la présence d'une certaine invitée chez toi, lui chuchota-t-elle à l'oreille. Je vous laisse, je vais voir si mère a encore besoin de moi.

— Maître Fabert, dit le prêtre magicien après que les deux hommes l'eurent regardée, silencieux, s'éloigner, j'aimerais beaucoup que vous participiez à une de nos séances avec Jacques. Vous lui manquez et...

Il ne put finir sa phrase : Antoine l'avait pris par le bras et entraîné dans le couloir.

— Écoutez-moi, écoutez-moi bien, lui dit-il tout en maintenant la pression de sa main, je ne suis pas dupe de votre commerce. Aujourd'hui, je le tolère parce que vos mystifications ont redonné à ma femme un certain goût de la vie et que vous continuiez à l'entretenir dans cette illusion ne me dérange pas. Mais plus jamais, m'entendez-vous, ne venez plus jamais me dire que je manque à mon fils et qu'il veut me parler. Il est mort et ni vous ni votre « Colombe » n'avez de contact avec lui, ni avec aucun de nos disparus.

— Lâchez-moi, vous me faites mal, protesta le prêtre magicien sans se départir de son calme. Je comprends votre douleur et je pardonne votre égarement.

Antoine desserra son étreinte.

— Vous devriez quand même venir, insista l'homme en se massant exagérément le bras. Cela pourrait changer votre opinion.

Ils s'écartèrent pour laisser passer la femme aux bijoux, dont la robe, au panier ovale, prenait presque toute la largeur du couloir.

— Je crois que vous ne m'avez pas compris, reprit Antoine une fois qu'elle fut entrée au salon. Vous vous appelez Joseph Rousset et vous parcourez le royaume en compagnie d'une enfant qui n'est pas votre fille en usurpant une fonction de prêtre, ce que vous n'êtes pas non plus. Vous êtes né à Autun où vous avez exercé le métier de fossoyeur avant de vous être déclaré touché par la grâce divine et capable de dialoguer avec les morts. Vous avez fait plusieurs séjours en prison, notamment à Venise, pour charlatanisme. L'Église vous a excommunié voilà trois ans maintenant, c'est pourquoi vous avez inventé ce subterfuge de faire parler les esprits par la voix d'une enfant et non plus directement par la vôtre. Voulez-vous que je continue ?

— Non... je ne crois pas, non. Il doit s'agir d'un malentendu... C'est cela : un malentendu, rétorqua l'homme en tentant de garder un ton ferme alors que sa voix trahissait son trouble.

— Alors, faites en sorte qu'il dure avec Madeleine, mais ne m'impliquez plus jamais dans vos affaires.

— Les comploteurs ! les appela Madeleine depuis l'entrée du boudoir. Tous nos invités sont arrivés. Nous commençons !

Antoine ne parvenait pas à dissiper sa colère. La douleur de la disparition de Jacques ne diminuait pas, elle ne s'éteindrait jamais, et qu'un quidam tente d'en tirer parti lui était insupportable.

— Jamais, répéta-t-il à l'oreille du prêtre magicien au moment de pénétrer dans le salon.

Edmée avait accueilli la comtesse de Beauharnais, une amie de Charles Mathon de la Cour, poétesse et auteur, elle aussi, de textes publiés dans l'*Almanach des Muses*, qu'elle avait placée au premier rang, juste en face d'elle, au côté de M. Terrasson de la Barollière, le seul académicien présent. Elle détestait la vanité et la suffisance de la plupart des membres de l'Académie, mais avait cédé à l'instance d'Antoine, dont le sieur Terrasson de la Barollière était le voisin rue Sala. Elle fit jouer son éventail en bois parfumé, orné de motifs chinois, que son mari lui avait offert, et vérifia qu'aucun invité ne manquait. Charles Mathon regarda tous les participants les uns après les autres, comme s'il les remerciait de leur présence en silence, puis, d'un air gourmand, annonça :

— Je déclare officiellement ouverte la première séance du « Cercle de la Belle Cordière ».

La toux étouffée de Marc lui répondit.

— Et, comme texte inaugural, j'ai choisi de vous lire le si joli libelle de mon amie la comtesse de Beauharnais : *À tous les penseurs, salut*.

La perruque verticale opina du bonnet. Ponsainpierre se racla la gorge discrètement pour atténuer le feu qui la parcourait.

— *Nous autres femmes*, lut Charles Mathon avec application et emphase, *le Ciel ne nous fit point naître pour régenter les humains, mais pour les adoucir, leur plaire. Leur donner, non des préceptes, non des volumes, mais des jours de bonheur, mais des exemples de vertu.*

Un murmure d'approbation parcourut l'assistance. *Maintenant!* pensa Antoine. Marc fut pris d'une puissante quinte de toux qui se répliqua en s'amplifiant à chaque inspiration. Il n'arrivait plus à reprendre son souffle et semblait s'étouffer peu à peu. Edmée et Madeleine se précipitèrent vers lui, lui donnèrent un verre d'eau, qui calma la crise, puis des sels, qui n'eurent d'autre effet que d'en déclencher une nouvelle. Au bout de plusieurs minutes et d'une carafe entière d'eau, le feu était éteint. Marc s'excusa auprès de l'assistance et Charles put continuer:

— *Notre siècle est exigeant, il veut davantage, et nous sommes mal avec lui...*

Savarin posa le bois qu'il avait presque fini de sculpter et héla son âne. La bête démarra sans qu'il ait recours au fouet. Il fit le tour du quartier de Confort et s'engagea au pas sur la place Louis-le-Grand.

— Tout va bien, maître Fabert? demanda-t-il sans se retourner. Vous avez été long!

Antoine, calé entre les deux cages, lui relata comment il s'était éclipsé pendant le numéro d'étouffement de Marc après s'être assuré que tous avaient remarqué sa présence. Qui plus est, il n'arrivait pas à évacuer la colère de son échange avec le faux prêtre.

— Votre système est-il prêt à fonctionner? s'inquiéta-t-il afin de mobiliser son esprit vers ce qui les attendait.

Le charron lui expliqua qu'il avait remplacé trois des huit rais de la roue avant gauche par des bois fissurés provenant de roues qu'il avait eu à réparer et qu'il avait retiré la moitié des rivets de la jante.

— Ce sera imparable, assura-t-il. Je ferai passer le chariot dans la vilaine ornière qui traverse toute la rue juste avant l'hôtel du gouverneur. Celle-là, elle en a déjà fait, des dégâts, croyez-moi. Voilà des mois qu'on demande son remblaiement, sans succès. Une fois ma carriole immobilisée, j'ouvrirai les cages des paons pour qu'ils s'échappent. Je vois d'ici la tête des gardes. On en a au moins pour une heure avant de libérer le passage!

Antoine jeta un regard dubitatif aux deux bêtes assoupies qui l'entouraient. L'idée venait de Savarin, qui avait remarqué dans les *Affiches* l'annonce de leur vente depuis plusieurs mois. Le propriétaire, M. Los-Rios, n'avait toujours pas trouvé preneur.

Ils traversèrent la rue Saint-Joseph, remontèrent la rue Sainte-Hélène sur vingt mètres, avant de tourner sur leur gauche: l'allée Dauvergne menait droit à une ruelle qui longeait les remparts sur l'arrière de l'hôtel de Villeroy.

— Croyez-moi, il était content que je l'en débarrasse, de ses bestioles, même pour un prix aussi dérisoire. La seule question que je me pose est : qu'en fera-t-on si les gardes les récupèrent ? Il y a un mâle et une femelle, voulez-vous vous lancer dans un élevage, maître Fabert ? demanda le charron en riant de sa plaisanterie.

Devant l'absence de réponse, il se retourna : Antoine avait déjà sauté. Savarin fit claquer sa langue. Il devait prendre suffisamment de vitesse avant de déboucher dans la rue de la Charité.

Antoine était entré par la porte toujours ouverte de la cave et s'était retrouvé dans la partie abandonnée de l'office, endroits qu'il avait découverts lors de son passage chez le gouverneur. Il s'était assis sous un escalier de pierre qui allait le mener jusqu'au cabinet du silence, une fois la voie libre. Le temps passa sans qu'aucun bruit ne lui parvienne de la rue. Long, trop long.

— Mais que fait-il ? chuchota-t-il après avoir évalué le temps écoulé à un quart d'heure.

Bien que la niche dans laquelle il se trouvait fût dans l'obscurité, il ne pourrait rester longtemps sans risquer de se faire repérer. Au moment où il se leva pour quitter la bâtisse, il entendit le bruit caractéristique d'un attelage dans la rue. L'animal était au galop.

36

Jeudi 20 novembre

Savarin avait raté son coup. Au dernier moment, sa monture avait freiné et était passée au pas, malgré les encouragements du conducteur. Le charron avait emmené son véhicule jusqu'à la place Louis-le-Grand où il avait fait demi-tour. Il devait empêcher son âne de franchir en douceur la partie accidentée de la chaussée de terre et avait décidé de parcourir la rue dans le sens opposé, ce qui lui permettrait d'atteindre une plus grande vitesse. Savarin donna un coup de fouet au-dessus de la tête de l'animal qui, surpris, prit le trot. Le charron continua à l'encourager. Il accéléra encore. À l'arrière, le chargement bringuebalait de gauche et de droite, faisant criailler les deux paons.

Le garde de faction devant le porche de l'hôtel du gouverneur se frotta la mâchoire, endolorie à force de bâiller. La soirée avait été festive, il allait bientôt quitter sa compagnie pour une autre affectation plus valorisante et mieux payée. Il avait offert plusieurs tournées aux habitués du *Charbon blanc* et n'avait qu'un souvenir approximatif de son retour dans sa chambre. Heureusement, ce 20 novembre était son dernier jour de garde dans cette rue qu'il avait fini par haïr à force d'en connaître les moindres détails. À l'écart du centre de la ville, elle était aussi animée qu'une nature morte de Chardin. La tête lui faisait mal, mais il n'avait pas le souvenir de s'être cogné. Seul le vin de Millery, dont il avait abusé, pouvait être à l'origine de la douleur qui lui vrillait les tempes. Heureusement, il n'avait plus que quelques heures à tenir avant de s'écrouler sur sa couche. L'hôtel était, de plus, presque déserté. Marais et ses hommes étaient partis fouiller la galerie à Fourvière et les domestiques présents en ressentaient un grand soulagement, tant le personnage était intransigeant et inique avec eux. Il bâilla à nouveau, ce qui augmenta sa migraine, et entra dans la cour intérieure afin de héler le premier valet venu pour lui demander une bouteille d'eau. Sa soif était irrépressible. Au même moment, un braiement effrayant parvint de la rue.

Devant l'hôtel du gouverneur, les roues avant de la carriole s'enfoncèrent dans la dépression, décollèrent d'un pied à sa sortie et retombèrent lourdement sur le sol dans un bruit de craquement. La bande métallique de la roue gauche se détacha, plusieurs rais cédèrent et la jante, sous la pression de la charge, prit une forme ovale avant de casser définitivement, déséquilibrant le chariot qui bascula du côté gauche et s'écroula à terre, faisant s'arrêter le véhicule en travers de la rue dans un bruit d'apocalypse. Puis ce fut le silence. La poussière soulevée entoura la carriole quelques secondes et se redéposa rapidement. Savarin avait été éjecté peu avant que la charrette ne se couche, avait roulé sur lui-même et était venu heurter une façade de la tête. Les cages avaient rebondi plusieurs fois sur la bâche, comme des balles folles, avant de la déchirer et de finir leur course, portes arrachées, au milieu de la rue.

Le garde contempla, incrédule, le spectacle du véhicule accidenté. Comment une si petite ornière avait-elle pu retourner un aussi lourd chariot ? Le conducteur était assis, hébété, la figure sanguinolente et éraflée. Le soldat crut percevoir chez lui un sourire de contentement. Il reconnut un des consommateurs de la veille avec qui il avait échangé tant de tournées. *Voilà ce qui arrive quand on boit trop*, pensa-t-il en se rapprochant de lui, alors qu'une éructation chargée de vapeur d'alcool lui rappela son propre état. Il l'aida à se relever. Lorsqu'il prit appui sur le membre gauche, le charron hurla et tomba à terre en se tenant la cuisse : son pied n'était plus aligné avec sa jambe et faisait avec le membre un angle inconnu des cours d'anatomie.

— Allez chercher un chirurgien... non, un rebouteux ! cria le soldat.

Dans la maison du gouverneur, tout le personnel présent, alerté par le bruit, s'était porté dans la rue au secours du malheureux conducteur. Les paons, affolés et désorientés, avançaient en titubant. Le mâle déployait et rentrait ses plumes bleues comme un éventail géant, de façon anarchique, alors que la femelle cherchait désespérément à rentrer dans la cage aplatie par les chocs successifs. Elle parvint à y introduire la tête mais s'y trouva coincée et tenta d'échapper à tous ceux qui voulaient l'attraper, gênée par le cube grillagé qui formait une improbable coiffure d'apparat. Le mâle finit par s'envoler, après avoir laissé quelques plumes dans les mains de ses poursuivants. Il se posa au-dessus de la porte cochère, émit un braillement désespéré avant de disparaître dans la propriété du gouverneur.

Antoine ne rencontra pas âme qui vive sur le chemin qui le mena au cabinet de Villeroy. La porte, comme celles des autres pièces, était grande ouverte. Il jeta un rapide coup d'œil depuis le seuil pour s'assurer que personne ne s'y trouvait, entra et referma derrière lui. La clé n'était pas dans la serrure : il ne prit pas le temps de la chercher et posa une chaise en porte-à-faux contre la clenche. Il avait imaginé tous les cas de figure et avait mémorisé toutes les façons d'y répondre afin de gagner le maximum de temps et d'éviter toute hésitation. Il se dirigea directement vers le long bahut situé près du bureau et ôta la tapisserie qui le recouvrait. Il avait compris en fouillant ses souvenirs qu'il s'agissait du seul meuble qui pouvait contenir un rouleau de trente peaux, de deux pieds de roi de largeur, cousues ensemble. Dans ce cas aussi, pas la peine de chercher une clé qui devait être cachée, peut-être même au cou du gouverneur. Antoine avait lu dans *L'Art du serrurier* le chapitre de M. de Réaumur sur le fonctionnement des mécanismes de fermeture et s'était exercé aux façons les plus courantes de les ouvrir sans en posséder la clé.

Des cris lui parvinrent du dehors : dans le parc, la chasse au paon avait l'air d'amuser tout le monde. Il sortit le matériel de sa sacoche et le posa devant lui. Il révisa mentalement les figures du traité tout en observant la ferronnerie ciselée du bahut.

— Serrure à broche, en bec de canne et gâche à pointe, commenta-t-il pour lui-même.

Antoine visionna en pensée le système, dont la pression du couvercle forçait la gâchette à s'ouvrir, laissant entrer un crampon de fer qui s'y trouvait coincé. L'*auberon*, selon la description de Réaumur. La clé, en tournant, permettait d'ouvrir la gâchette et de libérer l'auberon.

— Rien de bien sorcier, dit-il comme pour amadouer le fermoir.

Antoine introduisit deux tiges terminées par des bouts métalliques formant un angle droit, qui allaient se substituer au paneton. Il racla lentement l'intérieur de la serrure avec la première en tentant de ressentir les variations de pression, tout en exerçant une rotation avec la seconde. Il répéta la manœuvre plusieurs fois : rien ne se produisit. La gâchette restait bloquée. Sans perdre son calme et sa concentration, il fit défiler à nouveau les planches du traité devant ses yeux. *Les garnitures sont peut-être plus complexes, avec des entailles sur le haut de la clé.* Il fit une nouvelle tentative sans plus de succès.

— Ou bien il s'agit d'un nouveau type de serrure, murmura-t-il, ou bien...

Il posa ses instruments, attrapa le couvercle et le souleva. Celui-ci n'opposa aucune résistance : le coffre avait déjà été forcé et la figure de la tête de la gâchette, tordue, ne retenait plus l'auberon. *La seule possibilité que je n'avais pas envisagée*, maugréa-t-il en se maudissant intérieurement.

Une autre surprise l'attendait : il ne trouva aucun rouleau à l'intérieur, pas même des livres ou des lettres. Le bahut était rempli de bouteilles d'eau du Mont-Dore, bouchées à la cire. *La réserve personnelle du gouverneur, ou ce qu'il en reste*, constata-t-il en notant que près de la moitié des flacons étaient vides.

Antoine se leva et balaya du regard l'ensemble du cabinet. Il devait se rendre à l'évidence : le document était ailleurs. Tout était à refaire.

— Pourtant je suis sûr que Villeroy l'a caché ici, dit-il tout haut. Le cabinet du silence...

Il inspecta la bibliothèque, puis le secrétaire, sans grande conviction et s'attarda sur les scènes de la tapisserie murale. Un détail retint son attention. Elle possédait de légers renflements horizontaux, qui n'étaient visibles que de près, sortes de traits parcourant le tissu de soie, d'une taille toujours identique.

— Deux pieds de roi, nota-t-il en les effleurant. La même largeur...

La tenture était fixée par une rangée de clous dorés sur tout son pourtour. Antoine sortit son couteau, s'agenouilla et entailla la tapisserie à l'angle du mur, au niveau du sol. Il retourna le tissu.

— Je l'ai, murmura-t-il, je l'ai !

Le revers était constitué des peaux du rouleau dont les coutures avaient formé les renflements. Il en compta trente. Le mur entier en était rempli.

Il s'approcha de la fenêtre pour vérifier que personne n'avait l'intention de monter à l'étage. Le paon trônait, assis, sur le faîte du kiosque du jardin, entouré par les serviteurs et le garde. Antoine s'assit en face du mur recouvert de tableaux où tous les aïeux de Villeroy semblaient le narguer, souriants et ravis de l'astuce de leur descendant. S'il voulait lire le document, il devrait démonter la tapisserie. Il lui serait alors impossible de dissimuler son intrusion. La cache était bien plus efficace que tous les coffres-forts du royaume. Les lignes qu'il avait aperçues étaient écrites en carolingien, langue qu'il maîtrisait moins que le latin ou le grec, et il évalua le temps de lecture total à une heure minimum. Il disposait de dix minutes tout au plus.

Les textes étaient là, si près qu'il pouvait les toucher. Quel secret leur était-il lié ? *Ce qu'il y a de plus précieux à l'île Barbe*, songea-t-il en posant la main sur la tapisserie.

Antoine hésitait. Il souffla profondément afin de calmer l'emballement de son cœur. Il devait prendre une décision. Il se trouvait face à une option qu'il n'avait pas prévue.

37

Jeudi 20 novembre

Charles Mathon de la Cour fit durer le silence avant de conclure :

— *Sans ce petit nombre, j'aurais fait comme la jolie marmotte. J'aurais dansé, dormi et rêvé. Je m'éveille...*

Il referma doucement *À tous les penseurs, salut* et dirigea les applaudissements vers la comtesse de Beauharnais, qui remercia l'assistance avec difficulté, tant sa coiffe était lourde et haute. Elle dut se faire aider afin de se rasseoir. Son voisin l'académicien lui sourit en guise de compliment, tout en tentant de repousser le cerceau de la robe qui lui comprimait les jambes.

— Veuillez me pardonner, dit la comtesse en s'apercevant de sa gêne, les femmes ont tendance à envahir le royaume de leurs tenues et de leurs idées.

L'auguste lettré ne trouva aucune repartie, lui sourit à nouveau et se renfrogna. L'idée d'un cercle mixte ne lui plaisait définitivement pas.

— Lyon a trouvé sa muse ! proclama Mathon de la Cour, emphatique, en redoublant la claque.

Il se pencha vers Edmée, qui préparait la lecture choisie pour la seconde partie de la réunion.

— Peut-être serait-il bon de le faire sortir, lui chuchota-t-il à l'oreille.

— Qui cela ? Terrasson ? Il s'ennuie ferme, mais c'est notre caution officielle, répondit-elle distraitement.

— Mais non, voyons, l'autre !

Devant le regard distraitement interrogateur de son hôtesse, il fit un mouvement de tête pour désigner Marc.

— Il n'a pas arrêté de m'interrompre par ses raclements de gorge, ses crises de toux, ses reniflements, et j'en passe. C'est, à lui seul, un vrai traité de toutes les maladies expectorantes. Il va tomber en apoplexie avant la fin de la séance, ce qui gâcherait notre toute première session. Croyez-moi, Edmée, évitons-lui la gêne et le déplaisir d'un malaise en société et allez lui demander de se retirer.

Elle lui présenta la page ouverte.

— Cela vous convient-il comme extrait, mon cher Charles ?

Le visage de Mathon de la Cour rosit légèrement.

— C'est-à-dire que... N'est-ce pas un peu... un peu...

— Un peu... ? reprit-elle pour accélérer l'accouchement verbal.

— ... osé, comme sujet, pour les débuts de ce salon ?

— Le libertinage comme loi dans la Sparte ancienne ? Peut-être, mais je ne l'ai pas inventé. *Par quelles causes et par quels degrés les lois de Lycurgue se sont altérées chez les Lacédémoniens jusqu'à ce qu'elles ayent été anéanties.* Vous en êtes l'auteur ? demanda-t-elle en faisant mine de vérifier la couverture. Oui, regardez, vous êtes là ! dit-elle en lui montrant son nom de la main.

— Certes, mais il y a tant d'autres parties dans ma démonstration que j'aurais pensé en aborder une plus... moins... délicate. Nous pourrions disserter sur la pauvreté et l'égalité des biens, sur la corruption des magistrats irrévocables, avant d'aborder ce chapitre ?

— C'est justement celui-ci qui m'intéresse, mon cher ami. Ce que les Spartes ont fait de la femme en cherchant l'égalité parfaite, jusqu'à laisser aux hommes l'usage de prêter leurs épouses. Vous écrivez que leurs lois ont ôté la pudeur à la chasteté même. Mon salon se veut un espace de parole pour ceux qui défendent les femmes. Nous ne recherchons pas l'égalité, mais le respect de notre différence.

— Voilà qui est bien parlé. Vous savez que je vous suis entièrement dévoué sur ce thème, concéda l'orateur. Faites comme il vous plaira, madame de Ponsainpierre.

— Ne vous inquiétez pas, notre auditoire vous sera acquis. À une exception près, ajouta-t-elle en observant l'académicien se rabougrir sur sa chaise. Quant à votre homme, je ne crois pas qu'il serait de bon ton de le chasser d'ici, même avec toutes les précautions et tout le tact possibles.

— Mais pourquoi donc ? Qui est ce quidam qui oserait vous résister ?

— Mon mari, cher Charles. Je suis heureuse qu'il soit venu aujourd'hui et j'ai l'intention de lui faire une déclaration à la fin de notre session.

Le garde caressa la plume de paon qu'il tenait en main. Elle était le seul trophée qu'ils avaient pu récupérer de l'animal. L'oiseau avait quitté le kiosque pour se promener sur le mur d'enceinte et avait fini par disparaître dans la ruelle, répondant aux cris de la femelle, qui, après s'être débarrassée de sa coiffe de ferraille, s'était volatilisée.

— Quelle soif, se lamenta le militaire en frottant sa langue râpeuse dans sa bouche desséchée.

Après avoir aidé Savarin à s'asseoir sous le porche, il avait attendu le rebouteux pendant qu'une des filles de l'office nettoyait les plaies du blessé. La manipulation lui avait rendu sa mobilité dans l'instant et le charron avait dirigé lui-même la manœuvre de redressement de sa charrette. L'âne, qui s'était sorti indemne de l'accident, avait définitivement refusé de se laisser monter et Savarin était parti à pied à son atelier chercher une roue neuve pendant qu'un des serviteurs de Villeroy nettoyait la chaussée des derniers débris qui jonchaient le sol sur plusieurs mètres. Tout était rentré dans l'ordre et le soldat s'était accordé une pause. L'accident l'avait empêché de boire et il se sentait prêt à tuer pour un verre d'eau. *Même de l'eau...* songea-t-il, quelque peu inquiet par sa réaction pour un breuvage qu'il détestait au plus haut point, à l'exception de l'eau du Mont-Dore, au goût si particulier. Il grimpa l'escalier d'honneur, entra dans le cabinet du silence et se rendit directement au coffre où se trouvait la réserve. Il ouvrit une première bouteille qu'il ingéra en prenant le temps de jouir à chaque gorgée du plaisir de la satiété. Quelque chose était transformé dans la pièce, mais il n'aurait su dire quoi. Il chassa la pensée parasite, reposa la bouteille vide dans le bahut et en prit une seconde pour l'accompagner dans la fin de sa garde.

— Mais que faites-vous là ?

Le premier valet du gouverneur, qui l'avait aperçu depuis le couloir, venait d'entrer.

— Savez-vous qu'il vous est strictement interdit de vous servir de ce breuvage ? De quel droit...

— Allez vous plaindre auprès du sieur Marais, rétorqua le soldat, plein de morgue.

Le serviteur fixa le mur derrière l'homme et se prit la tête à deux mains.

— Par tous les saints ! Mais que s'est-il passé ?

Le garde comprit seulement alors ce qui avait changé dans le cabinet : le mur du fond était nu. La grande tapisserie avait disparu.

— Mais qu'avez-vous fait ? Qu'avez-vous fait ? hurla le valet en se dirigeant vers son emplacement.

— Hé, rien, je n'y suis pour rien ! se défendit-il en s'approchant du mur.

Les clous dorés de l'encadrement étaient déposés en tas sur le sol.

— C'était ainsi quand je suis arrivé, confirma-t-il.

— Alors qu'attendiez-vous pour donner l'alerte ? Pour agir ?

Le garde comprit seulement à cet instant qu'il s'agissait d'un vol. Il avait abandonné son poste à l'entrée de l'hôtel à plusieurs reprises et il devrait en rendre compte. Il serait sanctionné et sa mutation serait compromise. Il sentit la panique monter en lui et se précipita dehors, bousculant la femme de chambre en charge de la blanchisserie, qu'il fit tomber.

— N'avez-vous rien vu de suspect ? lui demanda-t-il en l'aidant à se relever.

— Si, un soldat qui a l'air d'avoir dîné avec le diable ! répondit-elle, courroucée.

Elle apostropha le valet qui les avait rejoints.

— Dites, vous pourriez prévenir quand vous voulez faire le ménage des tentures !

— Que voulez-vous dire ?

— Que vous avez déposé à la buanderie la grande tapisserie de notre maître, mais je ne saurais la laver facilement, c'est de la soie, pas de la laine ! Il va falloir que je demande de l'aide pour l'apporter au lavoir et que je fasse acheter un savon à l'huile d'œillet. La foire des Saints vient de se terminer, je ne pourrai pas m'en procurer facilement, sachez-le. En tout cas, je vous préviens : je ne ferai rien avant d'avoir tous les ingrédients, j'aurais trop peur de l'abîmer, monsieur le gouverneur y tient tellement !

Le soldat arbora un immense sourire. Les nuages noirs qui s'étaient amoncelés au-dessus de sa tête venaient de changer de couleur.

Mathon de la Cour était aux anges : sa dissertation sur la décadence de Sparte, qui n'avait auparavant intéressé que quelques lecteurs érudits et disparates, venait d'être le socle d'un débat passionné où tous les participants, même l'académicien, avaient apporté leur opinion. Et qu'importe si le Cercle de la Belle Cordière n'était encore qu'un salon inconnu d'une ville de province, il se sentait, en ce 20 novembre, comme un prince au royaume des Lumières.

— Y a-t-il une dernière question ou un avis à soumettre à la connaissance de tous ? demanda Edmée.

— Si je puis apporter ma contribution, dit une voix s'élevant du fond de la salle.

L'assemblée se retourna, à l'exception de la comtesse de Beauharnais, engoncée dans sa robe et dont la nuque était endolorie par le port de sa coiffure, qui fut contrainte à rester droite et raide face à Edmée.

Antoine eut l'impression d'étouffer sous les regards. Toute apparition en public, dans un lieu clos, était une épreuve qui l'avait toujours empêché de plaider. Les années n'avaient rien arrangé, même s'il contrôlait mieux les manifestations de l'angoisse qui s'emparait de lui en de telles circonstances. Cela le ramenait à chaque fois à l'accident du pont de la Guillotière. À l'étouffement. À sa mère, à son père, qui avait péri en le sauvant, à son dernier souffle chaud sur sa joue. Il calma sa respiration, qu'il avait sentie s'accélérer, tenta d'ignorer le vertige qui naissait en lui et parla :

— Vous écrivez, monsieur Mathon de la Cour, que Lycurgue a pu, à lui seul, faire changer la Constitution de son État, alors qu'il n'était qu'un simple citoyen, pour en faire un mélange de démocratie et de royauté, applaudie par le peuple et les deux rois qui gouvernaient. Pensez-vous cela possible en d'autres royaumes et d'autres temps ?

— Pouvez-vous préciser votre question, maître Fabert ? demanda Mathon de la Cour.

— Croyez-vous que le génie d'un seul homme puisse opérer une révolution sur toute une nation ?

Antoine avait utilisé les propres mots de l'auteur, qui ne pouvait les renier. L'allusion à la France était manifeste et le débat reprit de plus belle, jusqu'à ce qu'Edmée fasse servir son thé favori à ses invités. La séance avait été une réussite.

Tous la félicitèrent en partant. Marc de Ponsainpierre s'était arrangé pour être le dernier, ce qu'Edmée avait remarqué avec satisfaction. Il la complimenta longuement pour le succès de son salon.

— Votre toux a empiré, selon Claude, et ce que j'ai vu aujourd'hui m'inquiète, dit-elle après qu'ils eurent échangé quelques banalités.

— Non, cela ira très vite mieux, croyez-moi, assura-t-il, quelque peu honteux de ne pouvoir lui révéler le subterfuge d'Antoine. Vraiment, ne vous inquiétez pas.

Un silence gêné s'installa. Aucun des deux n'osait initier la conversation qu'ils souhaitaient chacun intimement. Alors qu'il prenait congé, elle le retint par le bras.

— Marc, j'aurais voulu vous parler. De nous.

— Oui, répondit-il, plein d'espoir. Moi aussi. Mais je ne savais pas si le moment était le meilleur, ajouta-t-il en montrant la salle vide et sa forêt de chaises.

— Il l'est, je vous assure. J'ai longuement réfléchi.

— Moi aussi, si vous saviez ! dit-il en lui prenant les mains. Edmée, je m'en veux tellement de mon attitude.

— Marc...

— Je regrette, ma mie. Je regrette profondément de vous avoir effrayée. Je regrette profondément d'avoir transformé notre maison en élevage. Je regrette profondément mon attitude égoïste. Je ne peux, je ne sais vivre sans vous.

Edmée sentit le léger tremblement des mains de son mari, elle sentit le souffle de son âme nue dans ses paroles.

— Marc... dit-elle, interrompue par des larmes qui noyèrent le bleu de ses yeux.

— Je suis venu vous demander de revenir, de rentrer à la maison, je serai pour vous un bon époux, présent, respectueux, revenez, je vous en prie, sans vous je me sens vide. Si vide...

— Seriez-vous prêt à arrêter votre élevage d'araignées ? s'étonna-t-elle.

— Je travaille dur, Edmée, j'ai beaucoup avancé, bientôt j'aurai assez de fil pour fabriquer les gants du roi, s'enthousiasma-t-il. Après, je fermerai la buanderie et je me débarrasserai des halabés.

Le désarroi se lut sur le visage de sa femme. *Un geste, j'attendais juste un geste*, pensa-t-elle en le rudoyant du regard.

— Ce n'est plus qu'une question de semaines, je touche au but ! insista-t-il. Tous ces sacrifices n'auront pas été vains, Edmée.

— C'est moi qui me suis sentie sacrifiée, Marc. Pas vos cocons, avoua-t-elle en lâchant la main de son mari.

Elle recula d'un pas. Les larmes traçaient un chemin sur ses joues.

— Je ne souhaite pas remonter au clos Billion. Ce que je fais ici me comble. Je suis désolée, Marc, mais, depuis notre séparation, je me sens épanouie comme jamais je ne l'ai été. Je n'ai pas l'intention de reprendre une vie commune. Je suis vraiment désolée.

38

Lundi 24 novembre

Le docteur Mesmer était parcouru de sentiments contradictoires. La troisième séance de baquet n'avait pas été à la hauteur des deux autres. Il en imputait la faute aux participants chez qui il n'avait pas senti la même implication que les fois précédentes. Marc de Ponsainpierre avait semblé patienter en attendant de pouvoir remonter à son élevage. Antoine Fabert n'avait pas conduit le fluide comme à son habitude. Seul son patient et Aimé de La Roche s'étaient appliqués à se concentrer tout au long des passes magnétiques. Malgré tout, Antelme de Jussieu avait, à nouveau, senti des fourmillements aux jambes et avait fait un léger malaise à la fin de la séance. *Il répond positivement*, songea le médecin. *Je devrais prolonger mon séjour si je veux des résultats plus probants*, conclut-il en supervisant du geste le démontage du baquet. Il s'imagina arrivant à Paris auréolé de la guérison d'un paralytique au moment où son ouvrage serait prêt à être vendu dans toutes les librairies de la capitale : la Cour et Versailles lui seraient grandes ouvertes. Il avait accepté l'offre d'Aimé et son nouvel éditeur avait toutes les attentions pour lui. Mesmer avait déménagé chez lui et Aimé avait donné le manuscrit pour relecture à Mathon de la Cour. Le livre serait imprimé au printemps suivant.

— J'ai envoyé Camille chercher un fiacre, lui signifia l'imprimeur, qui l'avait rejoint.

— Je vous remercie de toutes vos attentions, cher Aimé, et de ce que vous faites pour la diffusion de mon mémoire.

— Non seulement je suis un éditeur comblé, mais je suis aussi un patient ravi. Ma vue s'améliore à chaque séance, affirma-t-il en enlevant ses bésicles. D'ailleurs, voilà mon neveu qui revient avec le carrosse, ajouta l'imprimeur en désignant un véhicule qui entamait la montée de la rue du Griffon.

L'affirmation impressionna Mesmer, qui n'était pas même capable de distinguer à cette distance un carrosse privé d'un fiacre de la ville.

— Vous êtes mon cas de guérison le plus rapide, concéda-t-il.

— Nous sommes faits pour nous entendre ! conclut le libraire, en omettant de lui préciser qu'il avait reconnu son neveu à son justaucorps jaune canard qui formait une tache solaire à côté du cocher à la tenue sombre.

Le jeune homme descendit avant l'arrêt complet de l'attelage et leur ouvrit la porte, l'air radieux :

— Mon oncle, êtes-vous au courant de la grande nouvelle qui circule en ville ?

— L'accident du charron rue de la Charité ? C'est un vrai miraculé !

— Non, ce n'est point cela. Devinez ce qu'il va se passer au pont de pierre au printemps prochain !

Antelme était assis sur son lit, engoncé dans un amoncellement d'oreillers qui l'accueillaient comme une bouche géante prête à l'avaler. Cette conformation était la position qui le faisait le moins souffrir et l'historien passait de plus en plus de temps ainsi allongé dans sa chambre, délaissant son fauteuil qui lui brûlait la peau, malgré les onguents de son médecin. Il avait aménagé sa couche en bureau d'où il lisait et écrivait, la fenêtre ouverte sur la rue, quelle que soit la température, afin de happer la vie du dehors.

Antoine avait décousu les pages de cuir du manuscrit carolingien pour les empiler comme de vulgaires documents administratifs et observait son ami avec un plaisir non dissimulé. Antelme avait les yeux d'un enfant découvrant la lecture. Il passait ses doigts sur les mots au fur et à mesure de leur traduction, chuchotant les phrases comme pour mieux s'en imprégner.

— Je n'en reviens pas, dit-il, admiratif, que vous ayez eu le sang-froid d'imaginer ce stratagème.

— Je crois surtout que je n'ai pas eu le choix. Je n'avais pas l'intention de l'emporter avec moi, mais le temps me manquait pour tout lire. Et, surtout, je suis convaincu que personne, à part Villeroy, n'est au courant pour ce rouleau. En le laissant à Marais, je lui fournissais une piste vers l'île Barbe. C'était hors de question !

— Et vous avez déposé la tenture à la buanderie pour semer le doute : c'est du grand art, mon cher, assura Jussieu en joignant les mains en signe de respect.

— La confusion ne tiendra que tant que le gouverneur restera absent, minimisa Antoine. Nous avons juste gagné un peu de temps. Et je me suis rendu coupable de vol.

— Le voleur, c'est lui, qui a pillé la bibliothèque de l'archevêché ! rétorqua Antelme avant de reprendre sa lecture.

Origenis in maxime pretiosum insula barbara révélait la façon dont l'île s'était peuplée, jusqu'à accueillir les premiers moines bénédictins de l'abbaye. Avant l'année 200, la persécution des chrétiens par l'empereur Septime Sévère avait conduit à la fermeture des portes de Lyon. Quelques-uns réussirent à s'enfuir de la ville et se réfugièrent dans l'île, où la nature avait tout fait pour rendre leur survie agréable : des forêts, quelques champs, des arbres fruitiers et plusieurs sources d'eau. La première communauté se regroupa autour de deux réfugiés qui avaient pour nom Étienne et Péregrin et la première église, Saint-André-et-des-Apôtres, sortit de terre en 240.

— Jusque-là, rien de bien nouveau, avoua l'historien. Ce texte confirme toutes les rumeurs dont j'avais grossièrement connaissance.

— Est-ce la première église sur le sol français ?

— Si la date est exacte, sans aucun doute. Mais ceux qui ont écrit ce rouleau sont des moines bénédictins, contemporains de Clovis II.

Antoine sortit deux feuilles du bas de la pile et les posa devant Antelme.

— À quoi dois-je m'attendre ? demanda-t-il, impatient.

— Lisez, répondit Antoine en se tournant vers la fenêtre pour profiter d'une déchirure dans la toile de nuages et pour vérifier que Trente-trois l'attendait toujours au coin de la rue.

La réaction d'Antelme fut prompte à venir.

— Dieu du ciel ! cria-t-il en se redressant.

— Alors, qu'en pensez-vous ?

— Que vous avez trouvé le lien qui manquait !

Lorsque les chrétiens accostèrent à l'île Barbe, ils ne trouvèrent pas un endroit vierge de tout habitant. Une petite communauté de plusieurs dizaines de personnes s'y trouvait, cachée dans le bois du centre rocheux de l'île.

— Avez-vous lu comment ils nomment ces autochtones ? interrogea Antoine.

— *Dru-wids*... les maîtres du chêne.

— Les druides.

— Fantastique ! s'emporta Antelme. Les premiers habitants de l'île étaient bien des Gaulois !

Il posa ses jambes à terre en s'aidant de ses bras pour se trouver face à Antoine :

— Mais comment être sûrs que ces moines ne colportaient pas des rumeurs ou une légende inventée de toutes pièces ?

— Lisez le second feuillet.

Lorsque Étienne et Péregrin firent construire la première église, ils découvrirent de nombreux objets enterrés, poteries, amphores, gobelets, pièces, aiguilles taillées, pinces médicales, statuettes, dont une liste détaillée avait été dressée par les auteurs.

— Ainsi donc, les bénédictins ont conservé ce trésor ? demanda Jussieu en approchant le fauteuil roulant de son lit.

— J'aimerais savoir ce qu'il en reste, surtout ceci, répondit Antoine en posant le doigt sur une ligne de l'inventaire.

— *Mater insula barbara*... la mère de l'île Barbe ?

— Une statuette décrite comme l'origine de ce qu'il y a de plus important dans l'île, confirma Antoine pendant que l'historien se translatait dans son fauteuil à la force de ses bras avec une dextérité qui l'impressionna.

— Vous pensez à la même chose que moi ? s'écria Jussieu en tournant les deux manivelles pour faire mouvoir les roues.

— Le trésor des trésors de Louern, confirma Antoine.

— Laissez-moi entrer, dit une voix dans le couloir.

— Radama ! cria Antelme.

Le serviteur malgache passa la tête dans l'entrebâillement de la porte et expliqua que le jeune rédacteur du *Glaneur* insistait pour le voir.

— J'avais demandé que personne ne nous dérange, justifia Antelme.

— Laissez-le venir, conseilla Antoine, sinon il sera capable de grimper par cette fenêtre pour nous retrouver.

Jussieu fit un signe à Radama, qui introduisit Camille.

— Messieurs, dit-il en rajustant sa veste canari que le hourvari avec le serviteur avait quelque peu chiffonnée, avez-vous appris l'excellente nouvelle ?

La maison de la rue Sala était remplie du parfum de Michèle. Une eau de senteur, mélange de jasmin, violette et bergamote. Quelle que soit la pièce où il se trouvait, Antoine ne pouvait y échapper. De retour de la séance chez Antelme, il s'était allongé, pris d'une fatigue irrépressible, tout comme les fois précédentes, et s'était endormi. À son réveil, le parfum l'avait enveloppé alors que la sœur de Paul était absente depuis le début de l'après-midi. Il constata avec agacement que tout le ramenait à elle. En moins de deux semaines, Michèle avait pris possession des lieux.

Antoine vérifia que le repas était cuit et rompit plusieurs morceaux de pain qu'il jeta dans le chaudron de soupe. Les tranches s'enfoncèrent lentement dans la texture fibreuse du mélange de poires de terre et de citrouille, au prix de quelques bouillons. Il ajouta une pinte de lait et posa le chaudron sur la cendre chaude quelques minutes, recette qu'il tenait d'Edmée. À six heures du soir, avant même le dernier coup du bourdon de l'abbaye d'Anay, Michèle était rentrée. Jamais elle ne ratait le souper, où elle faisait à Antoine le compte-rendu de ses journées de recherches, qui se terminaient invariablement par une visite à son frère. Elle avait jeté son dévolu sur la blanchisseuse, dont elle avait pressenti que le sort de Paul ne lui était pas indifférent. La jeune femme avait été le témoin le plus proche du drame.

— Elle se trouvait dans le couloir, révéla Michèle en savourant le potage au lait. Elle a entendu la dispute, sans en comprendre tous les mots, mais elle est formelle : M. Labé criait fort. Puis elle est montée à l'étage pour livrer son linge. En redescendant, il y avait un attroupement devant la porte.

— Et Paul ? Qu'a-t-il dit ?

— Elle n'a pas compris les paroles, mais sa voix était suppliante, répondit-elle avant d'avaler un morceau de pain trempé de soupe.

Michèle avait une façon de manger toute en douceur et en fluidité, en grâce, qui donnait de la noblesse aux gestes les plus triviaux et Antoine n'arrivait pas à détacher ses yeux du charme que lui procurait sa vue. Devant son regard insistant, elle crut avoir laissé quelques gouttes de soupe sur son menton et s'essuya la peau en la tamponnant légèrement. Antoine tenta de se concentrer.

— Saura-t-elle le jurer sur la Bible ? demanda-t-il en fixant la table. Saura-t-elle ne pas varier dans sa déclaration ?

— Elle m'a l'air d'être une femme forte.

Il leva les yeux sur elle :

— Le tribunal est un endroit impressionnant et le sénéchal ne se privera pas d'en jouer. J'ai connu beaucoup de témoins qui ont reculé durant l'épreuve. Et beaucoup d'autres qui refusent de témoigner pour ne pas se retrouver accusés de complicité. La justice humaine est plus hasardeuse qu'une loterie.

— Faisons-lui confiance. Son aide sera précieuse. Et il y avait un autre témoin dans la maison, ajouta-t-elle en jaugeant l'intérêt d'Antoine à l'expression de son regard.

Lorsque la blanchisseuse était montée livrer le linge à son client, elle avait croisé chez lui un jeune homme venu donner des soins à son chien. L'animal était, depuis plusieurs semaines, à un stade terminal d'une tumeur qui l'empêchait de marcher. L'homme était descendu peu après l'arrivée de la blanchisseuse.

— Elle s'en souvient bien, la chemise du bonhomme était souillée des pissats de la bête, précisa-t-elle. Elle lui a proposé de la laver pour deux liards mais il n'a pas répondu et a quitté l'appartement d'un pas pressé.

— Combien de temps s'était-il écoulé ? demanda-t-il en pendant le chaudron à la crémaillère de l'âtre chaud.

— Moins de cinq minutes, elle me l'a affirmé.

— Ce qui veut dire qu'il a peut-être entendu des bribes de la dispute juste avant le meurtre, conclut-il en déposant des noix sur la table.

— Il l'a sûrement entendue ! rectifia Michèle. Quand ma blanchisseuse est redescendue, il y avait déjà un attroupement autour de la porte.

Antoine réfléchit tout en faisant rouler deux noix dans sa main. Le jeune homme n'était mentionné nulle part dans les comptes-rendus des inspecteurs. Ils venaient de tirer la carte qu'il préférait : celle du témoin surprise. En guise de conclusion, il ferma la main. Les deux coques s'ouvrirent sous la pression dans un bruit sec.

— Nous devons nous mettre à sa recherche, dit-il en lui proposant un cerneau à la couleur claire et uniforme. Je demanderai à Camille de se rendre à l'École royale vétérinaire. Au vu de son âge, ce doit être un de leurs étudiants.

— Ces noix sont délicieuses, dit-elle en grappillant les miettes qui s'étaient effritées sur la table. Qu'avez-vous appris de votre côté ?

Antoine avait peu progressé, son temps ayant été accaparé par la préparation de sa visite à l'hôtel du gouverneur, ce dont il se garda de lui parler. Il avait pu lire l'acte d'autopsie de M. Labé grâce au chirurgien qui l'avait rédigé.

— Pas question de vous le détailler, ce n'est pas à mettre dans les mains d'une dame, mais ce que l'on y trouve peut nous être favorable, résuma-t-il.

Le propriétaire n'avait reçu aucun coup et présentait plusieurs fêlures au niveau des articulations des doigts de la main droite, ainsi que des morceaux de peau sous ses ongles.

— Il a dû frapper fort, très fort et s'acharner sur Paul pour en arriver à cet état. Ce genre de détails nous sera très utile, affirma-t-il en imaginant la plaidoirie de Prost.

— Est-ce que l'autopsie confirme ce qui l'a tué ? s'enquit Michèle tout en continuant de manger.

Antoine admira la détermination de la sœur de Paul. Rien ne semblait devoir la détourner de son but.

— Strangulation et déplacement des vertèbres, répondit-il. Le chirurgien ne sait pas lequel des deux a causé la mort.

— Cela prouve qu'ils se sont battus au corps-à-corps, n'est-ce pas ?

— Nous tenterons de l'imposer à l'accusation.

— Quand je pense que c'est Paul qui aurait pu être à sa place, dit-elle, prise d'un frisson.

Antoine sentit qu'il devait clore le sujet.

— Comment trouvez-vous le livre de M. de Marivaux ? interrogea-t-il en lui désignant la bibliothèque.

— *Le Jeu de l'amour et du hasard* ? Je ne l'ai pas lu, il m'a servi à presser des fleurs que j'avais ramassées pour les sécher. Aurais-je commis un sacrilège ? s'inquiéta-t-elle devant la mine surprise de son hôte.

— Non, ce n'est pas cela, je n'ai pas pour Marivaux une admiration votive, se reprit-il. Mais vous êtes parfois... imprévisible.

Antoine avait été rassuré par les nouvelles du contact de Prost, qui lui avait confirmé que son invitée était bien Michèle Masson, pensionnaire du théâtre de l'Ambigu-Comique, coqueluche du Tout-Paris, promise au plus bel avenir. Le carrosse noir entrevu devant chez lui n'était dû qu'à un hasard.

— Et vous-même ? demanda-t-elle en posant son menton sur ses mains jointes.

— Moi ?

— Vous. Qu'avez-vous pensé de cette pièce ?

— Une impression de faux-semblants, dit-il spontanément. Tout le monde se fait passer pour ce qu'il n'est pas, le maître se déguise en valet, la servante en maîtresse, et inversement, personne n'est à sa place...

— Cela vous perturbe-t-il ? Ils brisent l'ordre établi, changent les rôles et, pourtant, les liens restent crédibles, n'est-ce pas étonnant ? Mais la vie n'est-elle pas parfois ainsi ? conclut-elle en décrivant une arabesque de ses mains avant de finir son bol de soupe. Délicieuse, dit-elle en arrondissant ses yeux.

— La vie ?

— Votre soupe ! La vie aussi, parfois, ajouta-t-elle en évitant de le regarder.

— Pour parler ainsi du *Jeu de l'amour*, c'est que vous l'avez lu, déduisit-il.

— Je ne vous le cacherai pas plus longtemps, sourit-elle. J'ai même joué la pièce il y a deux ans, à Paris.

La chaleur de l'âtre s'était portée sur eux comme un manteau de fourrure. Il ouvrit la fenêtre et regarda les étoiles : le ciel était couvert.

— Quel était votre rôle ?

— Allez, devinez ! dit-elle en le rejoignant pour profiter de la fraîcheur extérieure. Vous avez une chance sur deux : Silvia ou Lisette ? La maîtresse ou la servante ?

Antoine hésita.

— Alors ? Ce n'est pas bien compliqué, le pressa-t-elle.

— Vous tentez de me piéger...

— Pourquoi ? Je jure sur la Bible que je n'ai jamais joué de rôle masculin ! Voulez-vous que je vous aide ? Vous avez, paraît-il, une mémoire sans faille. Un extrait ?

— À votre aise, sourit-il, amusé par le défi.

Il ferma les yeux, faisant mine de se concentrer.

— *Mon cœur est fait comme celui de tout le monde. De quoi le vôtre s'avise-t-il de n'être fait comme celui de personne ?* dit-elle en prenant l'intonation du jeu.

— Lisette, répondit-il, confiant. Lisette ? répéta-t-il devant sa moue dubitative.

— *Quelle si grande différence y a-t-il entre être marié ou ne pas l'être ?*

— Cette fois, c'est Silvia, j'en suis sûr, dans un échange avec Pasquin, commenta-t-il.

— Alors ?

— J'ai trouvé : vous avez joué les deux rôles. N'est-ce pas ?

— Vous voyez, la réalité n'est pas toujours là où on l'attend.

Ils s'étaient insensiblement rapprochés l'un de l'autre, leurs vêtements se frôlaient, leurs regards se croisaient, s'évitaient, se cherchaient. Antoine s'écarta pour refermer la fenêtre. Ils se savaient troublés l'un par l'autre.

— *Renverse, ravage, brûle, enfin épouse ; je te le permets si tu le peux,* déclama-t-il.

— M. Orgon ? Je dois vous avouer que vous m'impressionnez.

— Je n'ai pas de mérite. Je l'ai lu deux fois, dit-il sans fausse modestie.

— De mon côté, ce serait plutôt deux cents fois, plaisanta-t-elle. Et j'ai eu du mal à me souvenir de mon texte, même à la dernière représentation.

Ils rirent sans retenue. L'hilarité d'Antoine était comme une libération, qu'il tentait de contrôler, sans y parvenir. Michèle sentit le malaise qui s'empara de lui juste après.

— Il n'y a aucun mal à se sentir bien, rire n'est pas un sentiment honteux, protesta-t-elle. Pourquoi avez-vous décidé de le bannir de votre vie ?

Antoine s'éloigna de quelques pas.

— Vous ne pouvez pas comprendre, murmura-t-il, le dos tourné.

— Le croyez-vous ? riposta Michèle en s'approchant si près de sa nuque qu'il sentit son souffle chaud. Vous vous empêchez de rire, vous vous empêchez de vivre depuis la mort de votre enfant. Avez-vous l'intention de vous repentir toute votre vie ? Vous n'êtes pas coupable de sa disparition.

Antoine se retourna et la prit par les épaules.

— Vous ne pouvez pas comprendre, répéta-t-il.

— Et pourquoi ne le pourrais-je pas ? répliqua-t-elle en effleurant ses mains.

— Vous ne savez pas ce qu'est la douleur de perdre un enfant.

La phrase lui fit l'effet d'une gifle. Michèle se laissa choir sur le banc de la table. Antoine vint s'asseoir à son côté. Ils restèrent un moment silencieux, pendant lequel il ressentit le tourment intérieur qui parcourait la jeune femme.

— Détrompez-vous, dit-elle enfin. Détrompez-vous... Mon nouveau-né est mort dans mes bras juste après sa naissance.

— Mon Dieu, je suis désolé, sincèrement, dit Antoine, qui se sentit stupide. A-t-il été ondoyé ?

Michèle ne put répondre, en proie à des émotions maintes fois ressenties et qu'elle avait pris l'habitude de maîtriser.

— Non, répondit-elle après les avoir refoulées. Le prêtre est arrivé trop tard. Mais je me refuse à croire que mon enfant erre dans les limbes. Depuis ce jour, je demande à la vie de me donner le plus possible, comme si cela était un dû. Un dû...

La confession de Michèle avait ébranlé Antoine :

— Vous devez me trouver ridicule, ainsi centré sur ma tristesse, s'excusa-t-il.

— Non, je vous trouve malheureux, juste malheureux. Mais arrêtons de faire de nos vies brisées le miroir des limbes, lança-t-elle avec conviction en se levant. J'ai décidé de sourire, puis de rire, chaque jour, chaque instant, pour défier le destin qu'on voudrait m'imposer. Mon enfant ne sera pas plus heureux de me savoir triste, j'en suis sûre ! Et être gai n'est pas manquer de respect à nos disparus.

— Je vais y songer, concéda Antoine en lui effleurant la paume de la main. *De quoi votre cœur s'avise-t-il de n'être fait comme celui de personne ?* murmura-t-il la regardant s'éloigner.

CHAPITRE VII

Décembre 1777

39

Jeudi 4 décembre

Trente-trois avait suivi maître Fabert jusqu'à l'archevêché et l'attendait en contemplant les mouvements des barques sur la Saône. Il savait que l'avocat y tenait tous les jeudis matin une permanence du Bureau du conseil charitable où il faisait office de médiateur de justice. Il avait hésité à aller dépenser son argent dans une taverne du quai le plus proche pour tuer le temps avant de revenir à midi, mais il craignait encore plus son employeur que de se faire semer par Antoine. Jusqu'à présent, il n'avait eu à rapporter au sieur Marais que les activités bien anodines de son gibier, qui passait son temps à travailler au palais de Roanne, dans les bibliothèques ou à son domicile. Ce qui, à sa grande surprise, avait eu l'air de satisfaire son commanditaire. Il ne comprenait pas l'intérêt de surveiller un homme à la vie aussi ennuyeuse. *C'est égal, tant que je suis payé, et bien payé*, pensa-t-il en balançant ses jambes, assis sur le muret qui séparait la rue de la berge du quai.

— Hé, mon vieux pirate, dit une voix dans son dos, tu es au courant de la grande nouvelle dont tout le monde parle ?

Il sentit une main frapper son épaule avec la force d'un fouet, massa sa peau endolorie et répondit sans se retourner :

— Querré, sale fripouille, comment pourrais-je l'ignorer ? Allez, viens asseoir ta carcasse puante à côté de moi.

Le marin s'exécuta en ricanant.

— Quand même, c'est une sacrée bonne surprise que le gouverneur relance la fête des Nautes, après si longtemps ! dit-il avant de se moucher entre l'index et le majeur, ayant perdu son pouce, sectionné par un câble lors d'un halage.

— Ce n'est pas le gouverneur, c'est le prévôt des marchands qui l'a voulu, rectifia Trente-trois.

— Ah ? Qu'importe, il y aura une joute au pont de pierre ! Te rends-tu compte ? meugla-t-il en lui décochant une seconde claque à l'épaule.

Plus que quiconque, pensa Trente-trois, qui attendait ce moment depuis des années.

Il avait été le champion de l'avant-dernière joute, avant d'être éliminé dès le premier tour de celle de l'année suivante, et n'avait jamais pu prendre sa revanche.

— Cette fois-ci, on la tient, mon gars, lui dit Querré. On a décidé de reformer l'équipe, tu en es ?

— À condition d'être le premier jouteur, exigea Trente-trois. Je veux être celui qui ouvrira la compétition de la nouvelle fête des Nautes !

Une fois le marin parti à la recherche des autres anciens de l'équipe, Trente-trois jeta un œil vers la porte d'entrée de la résidence archiépiscopale, devant laquelle un garde avait l'air de s'ennuyer autant que lui, et admira une barge chargée qui descendait le cours d'eau au ras des flots. Si sa mission était un succès, l'influent M. Marais avait promis de le faire engager dans la marine marchande de Sa Majesté. Il allait pouvoir connaître le Nouveau Monde et quitter enfin les arrière-salles crasseuses des bouges de la ville, auréolé de son nouveau titre de jouteur de l'année.

Trente-trois sentit un souffle chaud dans son dos.

— Querré, qu'est-ce qu'il y a encore ? demanda-t-il en anticipant la claque sur l'épaule par un moulinet de la main.

Ses doigts sentirent une peau lisse et dure comme du cuir. Trente-trois se retourna prestement et se trouva face aux naseaux fumants d'un cheval d'attelage, dont le hennissement le fit basculer sur la berge. Il se releva, furieux, et se mit debout sur le muret, les poings fermés, menaçant, invectivant le cocher qui ne semblait pas impressionné.

— Je suis désolé ! Ça va, l'ami ? dit ce dernier, après avoir essuyé une dernière bordée de «*Naidiu !*» de la part de sa victime.

— Non, ça ne va pas ! affirma Trente-trois, qui n'avait pourtant été blessé que dans son amour-propre.

— Je montrais les quais à mon maître, s'excusa le cocher en indiquant l'habitacle dans lequel le marin distingua l'ombre d'une perruque derrière le rideau tiré.

— Hé, dégagez, dégagez ! cria-t-il en s'apercevant que le carrosse lui obstruait la vue sur l'archevêché.

Le véhicule s'ébranla sous le fouet du conducteur. Le garde n'avait pas bougé, impassible devant la tourelle d'entrée située à l'angle du bâtiment. Trente-trois hésita, grogna et traversa la rue jusqu'à la place de l'Évêché. Il devait en avoir le cœur net.

Le soldat, qui l'avait repéré, refusa de répondre à sa question et lui intima d'entrer ou de quitter les lieux, sous peine d'avoir affaire à ses collègues. Le Bureau du conseil charitable attirait souvent les miséreux et il n'avait pas l'intention de se laisser importuner. Trente-trois marmonna une excuse et se sentit obligé de s'y rendre.

La permanence se trouvait au premier étage. Par chance, personne n'attendait dans le couloir. Il entendit la voix du médiateur derrière une porte entrebâillée et s'adossa à côté du chambranle tout en faisant mine d'attendre son tour. *Finalement, je suis bien mieux aux premières loges et j'ai moins froid*, songea-t-il tout en prêtant l'oreille. Il pouvait écouter la conversation. Même si cela n'entrait pas dans ses attributions, il s'empresserait d'aller la répéter à son patron, ce qui ne manquerait pas de lui valoir sa considération et, peut-être, des missions plus dignes d'intérêt.

Une femme tentait d'expliquer, des sanglots dans la voix, tout le mal que son mari lui avait fait depuis des années en dilapidant l'argent du ménage dans des jeux de hasard et des paris. *Hé, c'est le sien, il en fait ce qu'il veut !* pensa Trente-trois si fort qu'il eut peur d'être entendu. L'époux marmonnait un mélange d'excuses et de regrets qui n'avaient pas l'air de la convaincre. *Ne te laisse pas faire, bonhomme, montre-lui qui est le patron !* dodelina-t-il de la tête.

Une gifle claqua. *Voilà qui est mieux*, sourit-il en se redressant. À nouveau des sanglots lui parvinrent. Masculins. *Non... Mais quel genre d'homme peut se laisser faire par une mégère ?* s'offusqua Trente-trois, qui se retint d'entrer. Il mit les mains à sa ceinture et cracha par terre. Il ne supportait pas la faiblesse de certains de ses congénères. *Une femme, ça se lutine et ça se tait, voilà tout !*

— Surveillez votre langage, mon fils !

Il avait parlé tout haut et n'avait pas vu le prêtre passer dans le couloir.

— Désolé, mon père, je suis désolé, répondit-il en baissant la tête jusqu'à ce que l'homme ait disparu.

Il cracha à nouveau, de dépit. Les curés aussi étaient une plaie, qu'il mettait à égalité avec les gens d'armes et la vérole qui le faisait tant souffrir.

La médiation touchait à sa fin. L'avocat sermonna le mari dont les bonnes résolutions n'avaient pas tenu un mois. Désormais, il acceptait de remettre l'argent de son travail à sa femme qui en ferait bon usage pour le foyer, ce qui scandalisa Trente-trois. Jamais il ne se marierait : il tenait trop à sa liberté de marin. Et à dépenser sa bourse comme bon lui semblait.

Lorsqu'il les entendit se quitter, il se dirigea sans se précipiter vers la tourelle.

— Monsieur, c'est à votre tour ! cria l'avocat à Trente-trois, qui n'avait pas encore atteint l'escalier.

Le marin se retourna, surpris par la voix, et vit un homme qui n'était pas maître Fabert.

— Venez, vous allez me raconter vos problèmes, dit l'avocat en joignant sa parole d'une invite de la main.

— Mais il est où, l'avocat ? rugit Trente-trois en revenant sur ses pas.

— Vous l'avez devant vous : maître Prost du Royer, doyen du barreau de Lyon.

— Non, l'autre, qui était là tout à l'heure ! Il est où ? s'énerva le marin.

— Vous voulez sans doute parler de maître Fabert ?

— C'est ça ! grogna Trente-trois en tentant de regarder à l'intérieur de la permanence.

— Malheureusement, il a dû rentrer chez lui. Il souffrait des reins. Cela lui arrive régulièrement : des cailloux, ajouta-t-il à voix basse, comme une confidence.

L'homme manifesta son agacement en serrant les poings.

— Mais vous pourrez le retrouver ici la semaine prochaine. Sinon, je peux vous recevoir dès maintenant, conclut François.

Trente-trois éructa un juron qui resta à moitié étranglé dans sa gorge et se précipita dans l'escalier. Prost sourit : il n'avait aucune chance de le retrouver. Antoine n'était plus en ville.

Le froid vif, couplé à la vitesse du bateau, giflait les visages. L'embarcation, sorte de longue bèche à fond plat, possédait deux voiles triangulaires, une à chaque extrémité, ainsi qu'un auvent de bois qui faisait office de cabine arrière et dans lequel Antelme et Antoine avaient pris place. L'historien, calé dans son fauteuil, avait fermé les yeux et respirait profondément et goulûment l'air envahi des parfums de la végétation au réveil.

— Quel bonheur de retrouver toutes ces sensations et quelle joie de voguer à nouveau sur ce bateau, dit-il en tapotant la coque. Je l'utilisais toutes les semaines là-bas, c'est moi qui ai appris la navigation à Radama, ajouta-t-il en désignant son serviteur qui manœuvrait à la barre. Depuis notre retour, mon vieux compagnon croupit au port de Neuville. Mais que n'a-t-il pas vécu avant... La Tsiribihina, docile comme la Saône, la Betsiboka, aux eaux rouges et parfois si tumultueuses, tous ces fleuves que nous avons sillonnés pour le compte de la Compagnie française des Indes orientales.

— Est-ce que Madagascar vous manque ?

— Ce sont surtout mes jambes qui me manquent. La dernière fois où j'ai pu les utiliser, c'était là-bas. Difficile pour moi de dissocier les deux. Lyon est devenue la ville de mon immobilité. Ah, voilà la Belle-Allemande ! s'exclama-t-il en montrant l'extrémité de la tour qui dépassait des hauteurs du quai de Serin.

L'ouvrage glissa sur leur droite et, après avoir passé la courbure d'un méandre, la pointe de l'île Barbe apparut, poupe immobile au milieu des eaux de la Saône.

— Il y a tellement d'histoires qui entourent cet îlot, fit remarquer Antelme, mais la plupart sont des légendes. À commencer par son nom.

— *Insula barbara*. L'île barbare ?

— Le terme latin doit être pris dans son acception de « sauvage », expliqua-t-il en remontant sur ses genoux la couverture qui avait glissé. Il n'y a jamais eu de rites druidiques de sacrifices humains ici, pas de barbares assoiffés de sang, pure invention ! Mais des gens comme le gouverneur ont amplement propagé ces rumeurs qui faisaient leurs affaires.

— Quel secret renferme la Mater pour que Villeroy confisque ainsi le rouleau qui l'avait citée ? demanda Antoine, qui avait quitté l'abri de l'auvent et s'était avancé pour admirer la partie septentrionale de l'île où ils allaient bientôt aborder.

— Ce pourrait être lié à Longinus. Au Saint Graal, avança l'historien d'un ton anodin.

— Qu'avez-vous dit ? Longinus !

Antoine revint s'asseoir à son côté. Le nom avait provoqué l'effet de surprise recherché par Antelme, qui continua :

— Lorsque Étienne et Péregrin fondèrent la première abbaye, ils le purent grâce à la générosité d'un seigneur local, qui finança les travaux de sa construction. Il se trouve que, malheureusement, cet homme avait pour nom Longinus. D'aucuns affirmèrent alors qu'il était le descendant du soldat romain dont il est question dans l'Évangile de Nicodème.

— Celui qui a donné un coup de lance au Christ sur la croix, n'est-ce pas ?

— Lui-même. La légende veut que Longinus, pris de remords après son acte, ait quitté la Judée avec le calice contenant le sang du Christ et les reliques de sainte Anne, la mère de la Vierge Marie, et qu'il se soit retiré à l'île Barbe pour y faire pénitence.

— Le Saint Graal...

L'embarcation tapa légèrement le quai avant de s'immobiliser totalement.

— Il est vrai qu'on a retrouvé dans l'île des tombes de vétérans de la glorieuse armée romaine et qu'une église y est dédiée à sainte Anne, reprit Antelme alors que son serviteur lançait un câble pour amarrer le bateau. Mais mettre bout à bout des rumeurs avec des informations ne fait pas une vérité. Les jésuites disciples de Bolland ont écrit de Longinus qu'il s'était retiré à Césarée[1], en Cappadoce, où il aurait vécu vingt-huit ans avant d'être martyrisé. Ils sont persuadés d'en avoir trouvé les preuves dans d'anciens manuscrits, ce qui pourrait être la fin de la légende de l'île Barbe. Mais eux-mêmes ont confondu le personnage avec un autre Longinus, le centurion chargé de la mise en croix de Jésus-Christ, dont les Grecs parlent abondamment. Interpréter des vieux textes ou rapporter une rumeur a trop souvent fait d'une légende une vérité historique.

— L'histoire des Gaulois en est un bel exemple, remarqua Antoine en mettant la bretelle de sa sacoche en bandoulière.

— Malheureusement, depuis lors, l'endroit traîne la réputation d'avoir accueilli le Graal, qui s'y trouverait peut-être encore, ajouta Antelme. L'abbaye n'a pas été détruite plusieurs fois sans raison. Ni les Sarrasins, ni les Hongrois, ni les calvinistes n'y ont rien trouvé. À chaque fois, elle fut reconstruite.

— Il est écrit dans les *Mazures de l'isle Barbe* que les protestants y commirent des « désordres étranges », se souvint Antoine. Ce pourrait être lié à cette recherche.

— Je n'en serais pas surpris. Certains trésors ont toujours rendu les hommes fous.

1. L'actuelle ville de Kayseri en Turquie.

— Je comprends mieux l'acharnement du gouverneur à cacher le rouleau, dit Antoine en poussant le fauteuil vers la proue. Mais il n'est jamais question du Graal dans ces textes. Et je ne vois pas le lien entre la Mater et le calice du Christ.

— Il n'y en a probablement pas, mais c'est en cherchant le Graal que Villeroy est tombé sur la Mater et qu'il a conservé les peaux cousues.

Pendant que Radama posait deux larges planches entre la coque et la jetée, Antoine admira la densité des arbres qui, malgré l'absence de feuilles, permettaient de se protéger des regards provenant des berges de la Saône. Les différents bâtiments de l'abbaye dépassaient à peine des faîtes boisés. Antelme descendit du bateau porté par Antoine et Radama, qui avaient improvisé une chaise de leurs bras et eurent toutes les difficultés du monde à ne pas perdre leur équilibre.

Une fois l'historien calé dans son fauteuil, ils prirent conscience que le chemin, ourlé de cailloux qui dépassaient du sol, était impraticable et durent couper à travers un champ, sur la droite de l'église Notre-Dame, avant de trouver une allée faite d'une terre sans aspérités. Ils croisèrent un moine, qui ne leur prêta aucune attention, au grand étonnement d'Antoine.

— Le séminaire Saint-Pothin est installé sur l'île, précisa Antelme.

L'établissement était le lieu de vie des prêtres âgés ou infirmes.

— Je dois passer pour l'un des leurs, plaisanta-t-il. Nous sommes arrivés, ajouta-t-il en montrant le mur d'enceinte du couvent. Le chanoine nous attend.

Antoine pressa contre lui la lourde sacoche qui renfermait les peaux manuscrites du rouleau. Une pluie fine s'était associée à la bise. Il fronça les sourcils et se massa les tempes.

— Qu'avez-vous ? demanda Antelme. Vous ne vous sentez pas bien ?

Depuis qu'il avait posé le pied sur l'île, Antoine ressentait la présence de Louern. Le druide était partout autour d'eux.

40

Jeudi 4 décembre

La pluie semblait redoubler sous l'effet des rafales de vent. Anne et Camille attendaient devant la porte cochère que le concierge veuille bien leur ouvrir, mais les deux battants restaient désespérément fermés. Anne leva les yeux, tout en se protégeant à l'aide de son parapluie, afin d'apercevoir si quelqu'un était visible à la fenêtre au-dessus de l'entrée. Le bâtiment entier semblait endormi. Seules les lettres gravées dans la pierre de la façade indiquaient la présence de l'École royale vétérinaire dans ces locaux de la grande rue de la Guillotière. L'enseigne de l'ancienne auberge du Logis de l'Abondance se balançait encore sur sa potence à l'angle du mur. Camille manœuvra une nouvelle fois le toquoir tout en maintenant sur sa tête le chapeau que son oncle lui avait prêté et dont la forme évasée le protégeait parfaitement des intempéries. Devant l'absence de réponse, il frappa du poing sur les lattes de bois et appela à la ronde, faisant sortir un sellier de sa boutique, en face de l'école. Comprenant qu'il n'était pas concerné, l'homme haussa les épaules, mécontent d'avoir été dérangé, et refusa de les aider. Camille mit les mains sur ses hanches en signe de réflexion, ce qui amusa Anne, qui le singea. Il s'en offusqua et changea de posture. Elle l'encouragea d'un baiser.

— Alors ? demanda-t-elle en les protégeant tous les deux de son parapluie. Comment comptes-tu faire pour forcer cette bastille à s'ouvrir, mon chevalier ?

Camille lui rendit son baiser et retrouva sa bonne humeur. Il avisa la rangée de fenêtres de l'étage et entreprit de ramasser des cailloux. Il choisit les plus petits, qu'il envoya en direction des vitres, sans parvenir à les atteindre.

— Ils n'étaient pas assez lourds, lui expliqua-t-il sérieusement, avant de se remettre avec application à la recherche des projectiles parfaits.

Le jet suivant, un gravier aplati, atteignit un des carreaux dans un claquement sec, sans qu'aucun habitant ne se manifeste. Anne frissonna de froid.

— Cela suffit, ce coup-ci, j'ameute l'école entière, mais nous ne resterons pas sous la pluie, dit Camille en prenant une pleine poignée de cailloux sans les trier.

Il avisa la fenêtre au-dessus de la porte cochère.

— Non, tu ne devrais pas... commença Anne.

Elle abaissa le parapluie devant elle pour ne pas voir la suite. Il n'y eut aucun bruit d'impact. Lorsqu'elle le releva, Camille était en train de ramasser le chapeau de son oncle, qu'il avait perdu dans l'effort.

— Ouverte, dit-il d'un air dépité. La fenêtre était ouverte...

Il le remit sur sa tête en l'enfonçant d'un geste d'agacement, remplit sa main de terre et la jeta en direction de l'ouverture maudite. Le vent la rabattit sur eux en un tourbillon rougeâtre.

Un cavalier s'arrêta à la hauteur des jeunes gens au moment où ils s'époussetaient vigoureusement.

— Voilà une bien drôle de danse, dit l'homme après avoir mis pied à terre. Puis-je vous aider, jeunes gens ?

— Ça fait un quart d'heure qu'on essaie de réveiller le concierge de l'école, à croire qu'ils dorment tous là-dedans ! s'agita Camille, dont le visage s'était empourpré. Ou alors ils sont tous pleins jusqu'à la troisième capucine ! Si j'étais votre cheval, je m'inquiéterais d'être soigné par eux, conclut-il en se frottant les cheveux sous son couvre-chef.

La remarque fit rire l'homme, qui flatta l'encolure de sa bête en guise de réconfort.

— Je connais une autre entrée, si vous voulez bien me suivre, leur indiqua-t-il. Et vous pouvez laisser vos cailloux, ils ne vous serviront à rien, il y a longtemps que la lapidation des étudiants n'est plus autorisée dans ce lieu, ajouta-t-il en gardant son sérieux.

Anne vint se poster près de l'inconnu. L'homme portait une redingote de camelot, une culotte de velours noir brodé de paillons de couleur et une perruque de cheveux grisaille, qui faisaient de lui une personne d'apparence digne de confiance. Camille, lui, montra volontairement son hésitation à les rejoindre.

— Mais je manque à tous mes devoirs : je suis Claude Bourgelat, directeur de cette école de fantômes, annonça-t-il en les saluant d'un moulinet de la main.

— Je crois que j'ai été stupide, reconnut le jeune homme. Je parle parfois trop et ma fiancée me le reproche souvent, ajouta-t-il en espérant atténuer sa faute de la sorte.

— Vous ne pouviez pas savoir. Notre concierge est parti chercher le foin pour les chevaux et nos étudiants sont en cours. Vous aviez peu de chance d'être entendus : vous étiez du côté des dortoirs.

Ils contournèrent le bâtiment par l'ouest sur toute sa longueur, dans une rue jonchée d'excréments équins.

— On aurait dû suivre le crottin pour trouver le chemin, s'amusa le jeune rédacteur, content de sa repartie, qu'il regretta rapidement devant l'air froissé de son guide.

Anne s'agrippa au bras de Camille pour éviter une glissade sur les déjections animales.

— Je reconnais volontiers que l'endroit n'est pas idéal, dit Claude Bourgelat. Ici, nous sommes régulièrement victimes des crues du Rhône. Et le loyer est trop élevé, il a plus que doublé en quinze ans. Imaginez, plus de mille huit cents livres ! Mais nous avions besoin d'une grande écurie pour loger nos vingt-huit chevaux et les possibilités n'étaient pas nombreuses. Alors... bienvenue dans la première école vétérinaire du royaume, conclut-il en les faisant entrer par un jardin clôturé.

L'ensemble avait une forme de U qu'ils abordèrent par le haut. Ils traversèrent la cour centrale, que ceignaient les étables et le hangar agricole.

— Sur votre gauche, les animaux malades, principalement des chevaux morveux, indiqua Bourgelat. Derrière se trouve le jardin botanique, une merveille qui a été créée par notre abbé Rozier.

Le directeur abandonna son cheval à un étudiant et leur enjoignit de le suivre dans son bureau, à l'étage du dortoir. Il monta les marches avec difficulté, se plaignant d'une goutte récurrente, avant de s'asseoir à son fauteuil et d'installer sa jambe douloureuse sur un escabeau qui lui servait de reposoir.

— Comment puis-je vous aider à retrouver votre inconnu ? demanda-t-il après avoir relu la lettre que Prost lui avait adressée le matin même.

François y avait expliqué leur recherche du témoin capital et demandait à Bourgelat, avec qui il entretenait une relation amicale, de les aider dans leur quête de la vérité sur cette affaire.

— La blanchisseuse l'a croisé juste avant l'accident, précisa Camille, répugnant à parler de meurtre. Il est le dernier à avoir entendu la dispute.

— Pourquoi pensez-vous qu'il se trouve ici ? répliqua Bourgelat en manipulant machinalement sa bague d'agate rouge. Un apprenti chirurgien peut soigner des chiens. Toutes sortes de personnes le peuvent. Rien ne dit qu'il est l'un de nos élèves.

— À cause de l'odeur, précisa Camille.

La bague s'arrêta de tourner.

— L'odeur ?

— Il sentait le cheval, intervint Anne d'une voix timide. Elle a dit qu'il sentait fort le cheval.

La remarque sembla contrarier le directeur.

— Je vais faire rassembler tout le monde dans le réfectoire, décida-t-il en se levant péniblement. Si ce témoin fantôme existe vraiment, je me fais fort de vous le livrer, ajouta-t-il en maudissant intérieurement son articulation défaillante.

Vingt minutes plus tard, les douze étudiants vétérinaires étaient réunis autour de la grande table de bois massif, accompagnés de leur professeur, Louis Vitet, qui avait manifesté son mécontentement d'avoir été dérangé en plein cours sur la gourme[1]. Sa grogne s'évanouit rapidement dès lors qu'il aperçut Camille.

— Prévenez votre oncle que j'ai fini la rédaction de ma *Pharmacopée lyonnaise*, lui dit-il en aparté. Qu'il me signifie quand il sera prêt à l'imprimer. Vous n'oublierez pas ?

— Je le ferai, répondit Camille, qui n'arrivait pas à interpréter le sourire amusé du professeur.

Vitet avait en tête le plongeon cocasse du jeune rédacteur dans la Saône depuis la bèche de la belle batelière et l'intervention de Prost, qui avait dû se mouiller. La scène l'amusait toujours autant chaque fois qu'il se la remémorait.

Derrière eux, un des étudiants avait abordé Claude Bourgelat.

— Monsieur, plusieurs d'entre nous viennent de trouver sur leurs lits des cailloux et de la terre. Nous pensons que quelqu'un s'est introduit dans le dortoir, peut-être un voleur, et qu'il a marché sur nos couches. Il faut faire une enquête !

— Vous l'avez fait volontairement, n'est-ce pas ? demanda Vitet à Camille, en prolongement de sa drolatique pensée.

— Quoi donc ? demanda le jeune homme, faussement ingénu, persuadé d'avoir été vu en train de lancer les cailloux par la fenêtre ouverte.

Bourgelat haussa les épaules devant son étudiant et accusa le vent violent d'être la cause de ces dommages. Vitet donna un coup de coude complice à Camille et lui chuchota qu'il en aurait fait de même pour impressionner une si jolie fille. Camille acquiesça et jeta un regard à sa fiancée : il ne comprenait rien aux propos du professeur, mais, oui, il était en accord total avec lui : Anne était une

1. Maladie infectieuse du cheval, propagée par une bactérie.

bien jolie fille. Elle lui sourit et Camille décida qu'il demanderait sa main à ses parents sans plus attendre.

Claude Bourgelat signifia la fin des discussions en tapant sur la table avec le manche en nacre de son couteau, comme il le faisait toujours pour prendre la parole. Le silence se fit instantanément. Le directeur expliqua la raison de la présence d'Anne et Camille et résuma la situation sous un angle plutôt favorable à Paul Férrère. Bourgelat, qui avait la charge de l'école vétérinaire de Paris en plus de celle de Lyon, partageait son temps entre les deux villes et n'était pas présent au moment du meurtre. Il n'avait pas assisté à l'emballement de l'opinion qui s'était divisée entre partisans et détracteurs de Paul. Les seconds restaient les plus nombreux dans la population lyonnaise.

— Je vous le demande maintenant, de façon solennelle : est-ce que l'un de vous s'est trouvé présent dans cette maison de la rue Belle-Cordière, à soigner un chien, le matin du 1er novembre ?

Certains des étudiants firent un signe négatif, d'autres baissèrent la tête. Aucun ne répondit.

— Il y va de la vie d'un homme, insista le directeur.

Personne ne bougea.

— Nous savons que quelqu'un de votre école était présent, ajouta Camille. La blanchisseuse pourrait le reconnaître si le juge le demandait.

— Monsieur, notre réponse est non, dit celui qui s'était plaint de la présence des cailloux. Nous n'allons pas la changer juste pour vous être agréable. Vous n'avez nul besoin de nous menacer d'un juge, nous vous le répétons : aucun de nous ici présents n'est allé soigner une bête ce jour-là.

Bourgelat tapota une dernière fois la table avec son couteau et le rangea dans son étui en cuir de roussette.

— Bien, nous allons clore cette séance, conclut-il après un regard insistant envers chacun des étudiants.

— Je réponds d'eux, affirma le directeur une fois retourné à son bureau. Aucun ne prendrait le risque de me mentir ni de se retrouver devant un juge. Il va vous falloir chercher ailleurs. Je suis désolé pour vous, mais rassuré pour mon école.

Claude Bourgelat insista pour les raccompagner malgré sa jambe handicapée. Dans la cour, le concierge faisait des allers et retours pressés entre sa carriole et le fenil, afin de préserver le foin de l'humidité.

— Le pauvre, dit Camille, je vais l'aider, déjà qu'il va devoir nettoyer mes cailloux dans le dortoir.

— Il est préférable que vous ne lui en parliez pas, notre ami a l'humeur facilement chagrine, le prévint Bourgelat.

Camille s'avança vers le concierge, qui piquait sa fourche dans une botte de foin. L'homme s'arrêta à son approche et en profita pour éponger de sa manche le mélange de pluie et de sueur qui recouvrait son front. Il salua Camille de la main. Le jeune rédacteur se figea soudainement, bondit, le ceintura et le fit tomber en l'entraînant avec lui.

— Je l'ai, je l'ai trouvé ! hurla-t-il en le maintenant face contre terre. C'est lui !

41

Jeudi 4 décembre

Ils avaient traversé l'allée des tombeaux, qui formait la partie droite du cloître, derrière laquelle pointait le clocher de l'église Saint-Martin-et-Saint-Loup reconstruite, puis avaient emprunté le couloir sur leur gauche jusqu'à la salle capitulaire.

— Frère Estienne est là, dit le clerc avant de s'éloigner du côté de la chapelle.

Estienne de Thélis était le chanoine prieur de l'abbaye. Il accueillit chaleureusement les deux hommes et les fit s'installer à la grande table qui servait aux réunions quotidiennes des membres de la communauté. De toute la confrérie, ils n'étaient plus que trois.

— Dans ses plus belles années, cette abbaye a accueilli près de cent moines, expliqua-t-il. Aujourd'hui, l'archevêque a supprimé le chapitre et n'a pas nommé de doyen depuis trente-cinq ans. Les autorités attendent notre extinction pour fermer ce lieu.

— Pour quelle raison, à votre avis ? demanda Antoine en sortant le manuscrit du sac.

Le chanoine pointa ses paumes vers le ciel : la réponse appartenait au divin.

— Ou au gouverneur, osa Antelme.

L'homme d'Église ne releva pas. Son regard était irrésistiblement attiré par la pile de feuilles en cuir qu'Antoine venait de déposer sur la table.

— Nous avons un document qui appartient à cette abbaye et que nous voudrions vous restituer, commença-t-il.

— *Origenis in maxime pretiosum insula barbara*, continua Antelme.

— Le rouleau ? C'est bien le rouleau ? interrogea le chanoine, incrédule.

Antoine poussa la pile devant Estienne de Thélis qui, hésitant, regarda ses deux visiteurs, avant d'en vérifier le contenu.

— Ainsi donc, vous l'avez retrouvé... Puis-je vous demander dans quelles circonstances ?

— Nous préférons ne rien vous révéler. Maître Fabert a pris des risques pour se le procurer.

— Monsieur Antelme de Jussieu, je vous connais, maître Fabert je sais votre réputation d'intégrité. Je ne doute pas des sentiments qui vous animent et, au nom de l'abbaye, je vous suis très redevable de nous rendre cet ouvrage. Mais, pardonnez ma question, que cherchez-vous auprès de moi ?

Antoine lui relata la découverte des textes de Louern et le lien avec l'île Barbe.

— Nous voudrions pouvoir examiner les objets gaulois indiqués dans ce manuscrit, conclut-il en lui montrant les pages de peau.

— Mon Dieu, qui vous dit que nous les possédons encore ? répondit Thélis en se levant.

Il se dirigea vers l'immense Christ crucifié qui dominait la pièce et le regarda un instant avant de revenir vers ses invités.

— Cette île fut tant de fois pillée, et pas seulement par les hérétiques, continua-t-il. Vous n'imaginez pas le nombre de pierres et de boiseries dans nos églises lyonnaises qui proviennent de l'île Barbe et tous les objets qui furent volés ou mis à l'abri ailleurs ! Ne lui avez-vous pas dit, Antelme ?

L'historien manœuvra ses manivelles pour se tourner vers le chanoine :

— Nous le savons, dit-il, nous le savons bien. Nous pensons qu'il y a un lien entre notre découverte et vos reliques.

— De quelle nature ? interrogea le moine sèchement.

Antoine sentit la nervosité gagner leur hôte.

— Nous ne sommes à la recherche d'aucun Graal, père Thélis, intervint-il. Notre seul but est de retrouver des traces du druide Louern et vos objets anciens peuvent être des indices très importants.

Le front du chanoine se plissa de contrariété.

— Attendez-moi ici, s'il vous paît, dit-il en enfouissant ses mains dans les larges pans de ses manches.

Le bruit de ses pas sur l'allée centrale s'estompa lentement dans l'air humide. Outre le fond occupé par la table de pierre, la salle était divisée en deux par une rangée centrale de piliers d'où partaient des ogives qui se croisaient sous la voûte du plafond. La pièce était ouverte sur le cloître par quatre larges arcades sans protection vitrée.

— Il fait froid, commenta Antelme en se frottant les mains. Mais où est-il passé ? s'interrogea-t-il en se rapprochant de l'entrée.

— Il est sorti du couvent, affirma Antoine.

— Croyez-vous ?

— Il a pris le même chemin que nous, expliqua-t-il. Dix pas dans ce couloir puis trente-cinq dans l'allée. J'ai compté les nôtres en venant, ajouta-t-il comme pour s'excuser.

— Est-ce toujours ainsi avec vous ?

— J'aimerais parfois que mon esprit me laisse plus tranquille, mais, oui, c'est ainsi, il m'encombre de tant de détails inutiles, avoua Antoine, qui observait le Christ sur sa croix. Peut-on faire confiance au père Thélis ?

— Que voulez-vous qu'il fasse, à part nous oublier dans cet endroit où l'on risque la fluxion de poitrine ? répondit Antelme. Radama est au bateau et nous préviendra s'il se passe le moindre mouvement suspect.

— Déteste-t-il vraiment le gouverneur ? s'interrogea Antoine en sortant dans le couloir, où il croisa le clerc qui les avait accompagnés.

Le jeune homme revenait du réfectoire et leur déposa un peu de nourriture et du vin.

— Il semble que l'attente veuille durer encore, constata l'historien en se servant à boire. Ma foi, ce breuvage est tout à fait acceptable ! Le sang du Christ, ajouta-t-il en mirant le verre avant de le reposer sur la table capitulaire.

Il s'approcha de la croix pour chercher la plaie faite par la lance de Longinus sur le corps de Jésus, ne la trouva pas et se retourna :

— Pour répondre à votre question, Antoine... Antoine ?

L'historien était seul dans la salle.

Antoine pénétra dans le bâtiment de Saint-Pothin par l'entrée principale. Il était persuadé que le chanoine n'était plus dans l'abbaye mais n'avait pas quitté l'île, et le séminaire était le lieu vers lequel convergeaient toutes ses hypothèses. Il rencontra deux pensionnaires qui lui confirmèrent qu'Estienne de Thélis était monté à l'étage dans le bureau du père supérieur. Antoine trouva facilement l'endroit, seule pièce qui occupait toute la largeur du bâtiment, offrant une vue sur les cellules des pensionnaires. La porte était ouverte sur trois hommes qui conversaient en tournant le dos au couloir. Le père supérieur l'aperçut et prévint les deux autres. Le chanoine se retourna sans se montrer surpris et lui fit signe d'entrer avant de refermer la lourde porte de chêne brut.

— J'espérais que vous me surprendriez ici, avoua Thélis, cela confirme votre réputation. Je vous présente le chanoine Fraisse, directeur de cette institution, et le plus vénérable d'entre nous, le plus ancien abbé du diocèse, le père Carrier.

Maximilien Carrier avait officié à l'église paroissiale de Fourvière pendant de nombreuses années avant de rejoindre la congrégation de l'île Barbe et de se retirer au séminaire lorsque sa santé avait décliné.

— Je vous connais, dit Antoine en tentant de chasser les images douloureuses du souvenir de cet homme.

Carrier avait été le prêtre qui avait conduit la messe d'enterrement de ses parents. Enfant, puis adolescent, Antoine l'avait revu, chaque dimanche, célébrer l'office dans l'église collégiale que fréquentaient Marc et Edmée. Chaque dimanche avait été pour lui un supplice qui le ramenait à ce jour funeste, inexorablement, jusqu'à l'en rendre malade dans sa chair, mais personne n'en avait jamais rien su.

— Je suis désolé de vous avoir fait patienter si longtemps, continua Thélis.

— Mais il est une décision que vous ne pouviez prendre seul, n'est-ce pas ? devina Antoine.

— Nous sommes les trois derniers à connaître l'existence de ces objets et à en protéger la cache, confia le père Carrier de sa voix de gorge si caractéristique.

— Acceptez-vous de me les montrer ?

— Le frère Estienne nous a expliqué votre découverte, intervint le père supérieur. Ainsi que la restitution du rouleau. Nous avons estimé que nous pouvions vous faire confiance.

— Malheureusement, votre ami ne pourra pas vous accompagner, en raison de son état, continua Thélis. Mon assistant va le prévenir et restera avec lui.

— Quant à vous, vous ferez le chemin les yeux bandés, dit le père Carrier en lui montrant une étole de soie noire. Cela vous rappellera vos jeux d'enfant, ajouta-t-il dans un grincement de voix qui pouvait être un rire ou un cri de douleur.

Antoine réalisa que ses jeux d'enfant avaient pris fin le jour de sa rencontre avec cet homme.

— Nous y sommes.

Le trajet avait duré une dizaine de minutes, pendant lesquelles il avait marché dans l'herbe, sur des dalles de pierre, descendu et monté plusieurs fois des escaliers, senti l'air rempli d'encens d'une chapelle, l'air frais et parfumé de la forêt, celui, vicié de miasmes, d'une cave ou d'une galerie souterraine, puis, après les derniers mètres parcourus à genoux dans un boyau étroit, il avait fini dans une pièce aux dimensions réduites où les voix brisaient leur écho sur des murs de pierre sans obstacle.

Quelqu'un déplaça une des dalles du sol.

— Vous pouvez ôter votre bandeau, dit la voix du chanoine Thélis.

Antoine s'exécuta, sans prendre soin de détailler la pièce, persuadé qu'elle avait été choisie pour sa neutralité qui l'empêcherait de la localiser. Elle comportait pour seule fenêtre une ouverture cylindrique, située en hauteur, et qui laissait à la pièce une lueur minimale. Le chanoine prit un flambeau posé dans un porte-torche et l'enflamma pendant que le père supérieur était affairé à ouvrir les lanières d'un coffre de bois, décoré aux armes de l'évêché, dont le couvercle représentait une scène de la vie du Christ. Il le déverrouilla et laissa le père Carrier l'ouvrir.

— Ces reliques ont plus de mille cinq cents ans, dit le vieil homme. Elles témoignent de la présence des premiers hommes qui ont peuplé cette île.

D'un geste sentencieux, il invita Antoine à s'approcher. Le coffre était à moitié rempli d'objets qui étaient empilés sans ordre et avaient subi les outrages du temps et de leurs déplacements dans de multiples cachettes.

— Je peux ? demanda-t-il en refrénant son envie de se jeter à pleines mains dans la caisse pour y trouver ce qu'il cherchait.

— Allez-y, la liste indiquée dans le rouleau est d'une grande exactitude et peu d'objets manquent, précisa le chanoine.

Antoine songea à la déception d'Antelme, qui aurait tant donné pour être présent, avant de sortir les reliques au fur et à mesure de leur inventaire : deux vases en terre cuite contenant des fibules[1], des

1. Broches qui retenaient les extrémités d'un vêtement.

bracelets, torques[1] et autres bijoux de bronze ainsi que des anneaux en ambre, un troisième vase, plus petit, plein de pièces de métal, un gobelet en argent sculpté, plusieurs dagues, dont une dans son fourreau, des aiguilles en os, des rasoirs en pierre taillée, deux pinces, un petit ex-voto de bronze représentant une paire d'yeux et deux coffrets.

Aucune statuette.

Il prit le premier boîtier, un étui composé de deux tubes cylindriques en laiton, et l'ouvrit. Celui-ci contenait trois instruments, aux formes effilées et aux extrémités plates, ressemblant à de minuscules cuillères, toutes différentes.

— Nous pensons qu'il s'agit là d'instruments de soin, précisa le père Carrier. Utilisés par un médecin.

— Le texte est en écriture grecque, mais la langue nous est inconnue, ajouta le père Thélis.

Antoine reconnut des mots gaulois. Il sentit un frisson froid parcourir sa nuque et descendre le long de sa colonne. Son cœur s'emballa sans qu'il n'arrive à le contrôler. La pièce, mal ventilée, le fit tousser. Il retint la sensation d'étouffement qui commençait à l'envahir.

Il était trop près du but pour se laisser emporter par un malaise. Antoine serra le poing pour se concentrer sur les objets. Le second coffret, en bois, était plus grand. Recouvert sur sa tranche d'une feuille de laiton que les années avaient partiellement décollée, il était divisé en trois tiroirs égaux qui s'ouvraient en leur milieu grâce à des anneaux métalliques.

— Commencez par celui du milieu, lui conseilla Thélis.

Antoine découvrit dix bâtonnets cylindriques de poudres compactes, chacun d'une couleur différente. Les bâtonnets étaient recouverts d'une fine couche de moisissure mais avaient gardé leur consistance solide. Il prit le plus verdâtre, gratta la surface pour enlever la pourriture et le porta à sa langue. Un goût amer et sucré se répandit dans sa bouche.

— On dirait une plante trempée dans du miel, conclut-il.

— Oui, oui, dit le père Carrier, c'est cela : des remèdes de médecin, voilà ce que nous pensons. Ouvrez les deux autres tiroirs.

Le premier compartiment était vide, mais plusieurs phrases y avaient été gravées.

— C'est encore du gaulois, annonça Antoine.

---

1. Colliers métalliques rigides.

— Et vous sauriez le lire ? questionna le père supérieur.

— Je crois qu'elles décrivent la composition des bâtonnets, avança-t-il prudemment.

Il en était sûr mais ne voulait pas paraître arrogant. Chaque remède était nommé selon sa couleur. Celui de teinte safran contenait de la myrrhe et de l'encens, le verdâtre était composé de malachite, le bleu foncé renfermait du cassis et de l'euphrasie, plante qu'il ne connaissait pas. Mais leur but ne faisait plus de doute.

— Il s'agit de collyres, annonça-t-il en refermant le compartiment de gauche.

— Collyres ? s'étonna le père Thélis.

Les deux autres appuyèrent la question d'un mouvement de tête coordonné.

— Il suffisait d'en effriter le bout et de le dissoudre dans de l'eau que l'on appliquait ensuite sur l'œil malade, expliqua Antoine en se souvenant des traités d'Hippocrate s'y rapportant. Qu'y a-t-il dans le dernier tiroir ?

— Juste quelques miettes de bâtonnet, répondit le père Carrier en l'ouvrant.

Antoine gratta du bout des ongles la poudre désagrégée qui avait fini par adhérer à la surface du bois, découvrant une phrase gravée.

— Mon Dieu ! dit-il, incapable de cacher sa surprise.

— Qu'est-ce donc ? interrogea Thélis en approchant la torche du coffret.

Antoine passa ses doigts sur chaque mot, vérifiant qu'il ne rêvait pas, que le texte n'allait pas disparaître sous le frottement de sa main. Il s'aperçut alors qu'il était le seul homme du royaume à pouvoir traduire ces phrases, à pouvoir surmonter cet obstacle de la langue de leurs ancêtres, le seul lien entre le passé oublié et le présent oublieux.

Les mots expliquaient la composition d'un collyre, ainsi que le nom et l'origine du médecin qui l'avait fabriqué.

Il murmura la phrase pour lui-même, avec un plaisir infini, puis, se sentant prêt, le cœur léger et galopant, dit d'une voix assurée :

— *Collyre de Louern de Nasium, à la renoncule, pour les cicatrices*. Je te retrouve enfin, mon ami.

42

Jeudi 4 décembre

L'œil semblait démesurément tuméfié sous le grossissement de la loupe. Claude Bourgelat l'avança légèrement afin d'obtenir une netteté parfaite.

— Maintenant, ne bougez plus, intima-t-il à Camille en lui montrant la pince qu'il tenait dans l'autre main.

— Facile à dire, comme s'ils m'obéissaient, répondit le jeune homme. Mes yeux n'en font qu'à leur tête !

Plus il tentait de se concentrer, plus ses paupières clignaient à un rythme élevé.

— Écoutez, si vous ne vous disciplinez pas, je ne pourrai jamais retirer ce brin de paille qui vous irrite la cornée, prévint le directeur. Déjà que l'œdème m'empêche d'ouvrir correctement votre œil !

— Je suis désolé, dit le concierge, assis sur une chaise comme un écolier puni, je n'ai pas fait exprès de vous donner ce coup de coude. Je me suis juste débattu.

— Vous avez voulu fuir, oui !

— Comprenez-moi, je ne savais pas pourquoi vous m'êtes tombé dessus, plaida l'homme.

— Ne bougez plus et ne parlez plus ! insista Bourgelat. C'est valable pour vous deux ! Maintenant, laissez-moi opérer, dit-il en approchant l'instrument de l'œil gauche de Camille.

— Je le vois, je le vois ! se plaignit-il en tentant de refréner son réflexe de fermer la paupière.

— Monsieur Delauney, un peu de maîtrise, voyons, il n'y en a que pour quelques secondes. Savez-vous combien de chevaux j'ai guéris de leur inflammation lunatique ? Combien de bêtes ont gardé la vue grâce à moi ?

— Vous êtes un vétérinaire, pas un chirurgien, ni même un médecin ! Pourquoi devrais-je vous faire confiance ?

— Avez-vous croisé ici beaucoup de chevaux aveugles ou avec des bésicles ? rétorqua Bourgelat, à court d'arguments.

— Mais qu'ai-je de commun avec un cheval ? s'émut Camille en relevant la tête.

— La frousse incontrôlée, répondit-il en la lui rabaissant.

Le concierge pouffa.

— Mon héros, sois courageux, dit Anne en lui prenant la main. Tu as arrêté le coupable.

— Mais j'ai le feu dans l'œil !

— Témoin ! Pas coupable ! s'insurgea l'homme en faisant mine de se lever.

Il se rassit rapidement devant le regard courroucé du directeur.

— Je vous appliquerai un onguent, à base de miel et de vitriol blanc, qui va apaiser votre inflammation, annonça Bourgelat en rapprochant le chandelier posé sur son bureau. Mais avant, il me faut juste retirer ce corps étranger. Sinon, votre œil va gonfler, puis pourrir et tomber. Est-ce là ce que vous voulez ?

Le directeur avait prononcé la phrase en désespoir de cause. L'effet sur Camille fut immédiat et, dix secondes plus tard, le vétérinaire avait retiré le brin qu'il lui montra, comme un trophée, au bout de ses pinces.

— Quelle taille ! exagéra Camille dans le but d'obtenir un baiser d'Anne.

Elle l'embrassa tendrement sur le globe meurtri, puis sur la bouche.

— Il s'était coincé sous la conjonctive, dit Bourgelat pour expliquer la douleur.

Il souffla dessus pour le jeter puis prépara l'onguent, qu'il étala sur un pansement.

— Appliquez-le sur votre œil jusqu'à ce qu'il soit sec.

— Sec ? Mon œil ? hésita Camille. Ou le pansement ? s'empressa-t-il de corriger devant la mine moqueuse d'Anne.

— Vous comprenez pourquoi je préfère soigner les chevaux, soupira Bourgelat en posant lui-même le tissu sur le visage de Camille. Maintenant, à nous deux, mon gaillard, déclara-t-il en se tournant vers le concierge, qui baissa la tête.

L'homme ne se fit pas prier pour raconter la raison de sa présence dans la maison le jour du meurtre. Le matin même, il avait réceptionné à l'école un billet demandant l'intervention d'un étudiant vétérinaire chez un bourgeois dont le chien, en fin de vie, n'était pas transportable.

— D'habitude, un chien, personne ne le soigne, expliqua-t-il d'une voix au débit haché et à l'articulation minimale. Mais là, ils y tenaient. Alors je me suis dit : pourquoi laisser aller un gars qui ne s'y connaît point récupérer les dix louis de commission, alors que moi, je soigne tous les jours ceux de l'école ? Parce que les élèves, ici, ils peuvent peut-être trouver la race du cheval rien qu'à l'odeur du crottin, je dis bien peut-être, insista-t-il avec sérieux, mais ils ne savent même pas différencier le cul de la gueule d'un chien, sauf quand il aboie ou qu'il pète !

— Surveillez votre langage, mon ami, intervint Bourgelat en se retenant de sourire, il y a une dame parmi nous. Vous êtes en train de nous dire que vous avez usurpé un titre pour récupérer quelques sous sur le dos d'un propriétaire ?

— Je l'ai bien soignée, la bestiole, monsieur le directeur ! se défendit l'homme. Elle est toujours vivante, ils n'ont pas eu à se plaindre !

— Combien de fois y êtes-vous allé ?

— Trois, répondit-il en évitant le regard du directeur.

Bourgelat fit tourner sa bague d'agate rouge autour de son majeur. Le concierge comprit que son avenir à l'école était en train de se jouer.

— Pouvez-vous nous dire ce que vous avez entendu en redescendant l'escalier ? interrogea le jeune rédacteur.

L'homme profita de l'intervention de Camille pour se montrer coopératif et prolixe. Il était arrivé au rez-de-chaussée au plus fort de la querelle.

— Il y en avait un qui criait, j'entendais des coups, comme des coups de bâton.

— Paul a affirmé qu'il avait reçu des coups de canne, ce doit être cela, dit Camille, en retirant la compresse de son œil dans l'excitation.

Le vétérinaire lui fit signe de la remettre.

— Sinon, je la fais tenir par un bandeau, menaça-t-il.

Le jeune homme obéit promptement, effrayé par l'idée de se promener en ville avec un visage de pirate.

— C'étaient peut-être des coups de canne, confirma le concierge. Et puis, après, le même, il demande grâce. Il dit : « Non, pas mes mains, pas mes mains ! »

— En êtes-vous sûr, l'avez-vous bien entendu ?

— Oui, faudrait être sourd pour l'avoir pas entendu, je vous le dis. « Pas mes mains, pas mes mains », répéta-t-il en mimant l'intonation.

— Et après ?

— Après ? Ben, je suis sorti. Je voulais pas me mêler de ça. Et j'étais pas censé être là.

L'homme regarda le directeur dans l'attente de sa décision.

— Tout cela, il vous faudra le répéter devant le juge, dit Anne avec douceur.

— Ah, non ! cria le concierge en se levant d'un bond. Je n'ai rien fait ! Pas le juge ! Pas la prison !

Claude Bourgelat calma son employé et s'engagea à l'accompagner au palais de Roanne.

— Il vous suffira de répéter ce que vous venez de nous dire, rien de plus. Vous ne serez pas inquiété. Quant à votre incartade, je prendrai une décision plus tard. En attendant, vous restez des nôtres, Matthieu.

— Vous vous appelez Matthieu ? s'exclama Camille.

L'intonation de sa voix avait donné à l'information un caractère d'importance qui étonna les autres.

— Ben, oui, et alors ? répondit le concierge en se demandant pourquoi son prénom allait aggraver son cas.

— Il s'appelle Matthieu, répéta Camille, comme une fatalité, à l'adresse de sa fiancée.

Il s'était souvenu de l'Évangile selon saint Matthieu. *Pourquoi vois-tu la paille qui est dans l'œil de ton frère, et n'aperçois-tu pas la poutre qui est dans ton œil ?* récita-t-il mentalement. Camille n'y voyait plus une fatalité, mais un signe de l'humour divin.

Bourgelat les raccompagna jusqu'à la grande rue de la Guillotière.

— Une chose m'intrigue, jeune homme, demanda-t-il avant de les quitter. Comment avez-vous su que c'était lui ? Ne me dites pas qu'il sentait le cheval, nous le sentons tous ici !

— Il était à côté de moi, dans la foule qui attendait devant la maison. Je me suis souvenu de son visage, parce qu'il criait plus fort que les autres. Il a hurlé : « À mort l'étranger ! »

43

Jeudi 4 décembre

Antelme trépignait.

— Ainsi donc, notre druide est aussi médecin ?

— Tout du moins oculiste, corrigea Antoine, en attrapant la corde d'amarrage que Radama venait de lancer.

Le serviteur regagna le bateau dont les voiles avaient peine à se gonfler. Après la pluie et le vent, une douceur relative s'était installée sur l'île, faisant suinter de la vapeur d'eau au-dessus de la végétation.

— Nous savons donc maintenant qu'il vient de l'antique Nasium et qu'il a séjourné à l'île Barbe, conclut-il en faisant signe à Radama de lever l'ancre.

— Que connaissez-vous de cette cité ? demanda Antoine, dont la mémoire avait cherché en vain des informations dans ses anciennes lectures.

— Très peu de chose, en vérité. Elle fut le plus grand oppidum du peuple des Leuques. Aussi prestigieuse que Divodurum, la grande cité de Metz. La situation de la ville était comparable à celle de Rome : une plaine et plusieurs collines environnantes. César ne s'y est pas trompé, qui l'a toujours épargnée. C'était un grenier à blé bien utile. Aujourd'hui, elle a complètement disparu, conclut-il en balayant l'air d'un geste d'impuissance.

Antoine s'installa à côté d'Antelme. En face d'eux, le toit en tuiles du séminaire Saint-Pothin semblait reposer sur la cime des arbres.

— Où se trouvait-elle ? s'enquit-il alors que le bateau, libéré de son ombilic, s'éloignait lentement dans le silence feutré de la fin du jour.

— Le territoire des Leuques s'étendait du duché de Bar jusqu'aux Vosges. Si l'on en croit mes honorables collègues, l'oppidum correspondrait à l'emplacement du village de Naix-aux-Forges, près de Ligny-en-Barrois[1]. Il paraît que le sol y regorge de vestiges gaulois et romains. J'ai acheté un jour, fort cher, à un antiquaire[2] une pièce dont il prétendait qu'elle provenait de l'atelier monétaire de Nasium. Sa bonne conservation est telle que je doute de son authenticité. Mais les reliques m'ont toujours fait rêver, ajouta-t-il en guise d'excuse. Je vous la montrerai.

Un animal sauvage, à moitié tapi dans les herbes, venait de pointer son museau sur la petite berge qu'ils avaient désertée et les observait s'éloigner.

— Un renard, dit Antoine en pensant au patronyme de Louern.

La coïncidence l'amusa. La bête disparut, puis réapparut, entre deux arbres du bord de rive dont les branches basses caressaient les eaux aux reflets opalins de la Saône.

— On dirait qu'il nous suit, remarqua-t-il en se portant à bâbord pour mieux l'observer.

Le renard finit par grimper sur l'éperon rocheux de l'extrémité de l'île. L'embarcation passa à une dizaine de mètres de lui avant de s'éloigner.

— Vous ne m'avez pas parlé de la Mater, constata Antelme. Ils ne l'ont pas ?

Antoine revint s'asseoir près de lui avant de lui confirmer qu'elle ne faisait pas partie des objets conservés.

---

1. Dans la Meuse.
2. Au XVIIIe siècle, un antiquaire est un homme étudiant l'Antiquité.

— Elle a probablement été volée lors du saccage de l'abbaye par les protestants, ajouta-t-il en posant sa sacoche sur ses genoux. En revanche, il en est resté un dessin.

La nouvelle ravit Antelme, qui se pencha en avant et attrapa les bras d'Antoine.

— L'avez-vous vu ?

— Le croquis est l'œuvre d'Ennemond de la Mure, un des membres de l'abbaye, en 1562.

— Alors, comment est-elle ? Décrivez-la-moi, mon ami, ne me faites pas languir !

— Je ne suis pas le plus doué pour raconter, soupira Antoine. J'ai préféré vous la montrer.

Il sortit un cahier de sa besace et l'ouvrit sur la première page.

— C'est vous-même qui l'avez dessinée ? demanda Antelme, impressionné par le résultat.

— Non, un des religieux. J'avais remarqué plusieurs peintures de facture récente sur des coffres ou des murs. Le père Thélis a accepté ma demande de copie du dessin. Et la voilà !

La Mater esquissée était une femme aux traits épais et ronds et au visage encadré d'une chevelure volumineuse, ondulée à la manière d'une perruque. Ses paupières closes et sa bouche serrée exprimaient une méditation ou une prière. Elle était en position assise et tenait dans sa main gauche une patère[1]. Elle était habillée d'une robe ample qui cachait ses formes, à l'exception de sa poitrine qui arrondissait le tissu, et descendait jusqu'à ses chevilles, découvrant des sandales et le bout de ses pieds.

— Quelle beauté ! s'exclama Antelme. Il s'en dégage quelque chose de mystérieux, une sorte de quiétude, d'épanouissement, comme l'expression d'une féminité et d'une force réunies. Jamais je n'ai vu une telle représentation d'une déesse gauloise.

Antoine ne parvenait pas non plus à détacher son regard de la femme à la toge.

— Vous pensez au trésor des trésors ? demanda l'historien. Croyez-vous que cette statue contenait quelque bijou ? Des textes précieux ?

— J'aurais aimé percer son mystère, dit Antoine en refermant le cahier.

— Quand même, drôle de hasard que voilà : le dessin fut exécuté en 1562, la même année que le pillage de l'abbaye. Ou bien

1. Coupe sacrée utilisée pour offrir des libations.

cet homme avait des dons divinatoires, ou bien il l'a dessinée après l'avoir cachée. J'y vois là une sage précaution. Et la preuve qu'il nous faut continuer à la chercher, conclut Antelme.

Bientôt, ils ne virent plus de l'île que sa pointe surmontée d'un chapeau de feuillus. Elle disparut au premier méandre.

— *Mijanona ny sambo anary marikitra monkala !* cria Antelme en malgache à l'adresse de Radama. C'est bien au prochain quai que l'on débarque ?

— Il y a une berge praticable, sur la rive droite, avant les fortifications de la porte du Lion, précisa Antoine. Un carrosse nous y attend. Il contournera la ville jusqu'au bourg de Saint-Irénée avant de vous déposer chez vous. Avec le sieur Marais, aucune précaution n'est superflue.

Antelme s'endormit une fois installé dans le véhicule et se réveilla à la porte Saint-Just. Son dos lui faisait mal et il attendait avec impatience la prochaine séance de baquet. Mesmer avait déjà reporté son voyage à Paris pour continuer à l'aider dans sa guérison, mais, avant la fin du mois de janvier, il serait parti. L'historien chassa cette pensée grise pour se concentrer sur leur découverte.

— Qu'avez-vous ? demanda Antoine devant la mine réjouie de son ami.

— Vous avez compté ?

— De quoi parlez-vous ?

— Les pas que vous avez effectués les yeux fermés pendant le trajet jusqu'au coffre. Vous les avez comptés ?

— J'ai changé plusieurs fois d'endroit. Cela aurait été compliqué, répondit Antoine en écartant le rideau alors que leur véhicule n'avançait plus.

Le tombereau d'un ânier empêchait le passage dans la rue Saint-Jean. L'homme, chargé de ramasser les déchets, pelletait un tas d'ordures, indifférent aux remarques du cocher impatient.

— Je suis sûr que vous avez compté et que vous avez tout en tête. N'est-ce pas ? insista Antelme.

— Quel intérêt ? J'ai pu tout voir de leur trésor.

— Peut-être nous ont-ils menti ? Peut-être cachent-ils quelque chose ? Nous-mêmes ne leur avons dit que le minimum.

Dehors, la situation s'envenimait. Antoine ressentit une grande lassitude. Depuis qu'il avait ouvert le couvercle du coffre de Louern, il avait dû protéger, cacher, mentir, se taire en permanence, sans jamais pouvoir se reposer sur quelqu'un d'autre. Depuis l'arrivée de Marais, il avait dû maintenir une vigilance de tous les instants, se méfier de tout le monde, même de ses proches, se retourner sans cesse pour vérifier qu'il n'était pas suivi, concevoir les plans les plus tordus, surtout ne jamais baisser la garde face à un ennemi invisible mais armé. Il profiterait de sa moindre erreur, de sa moindre faiblesse, sans aucune pitié. Il était le prédateur.

Ses pensées s'accélérèrent. *Cela en vaut-il la peine ? Je me bats seul contre un royaume et ses secrets. Mais pour quoi ? Pour qui ? La vérité ? Elle n'existe pas. Chacun l'invente à son profit. Qu'est-ce que je viens faire dans ce jeu qui me dépasse ? Qu'ai-je voulu me prouver ?*

Le cocher était descendu, fouet en main. L'ânier, à son tour, s'était mis à crier, qu'il ne pouvait quand même pas travailler en pleine nuit pour faire plaisir aux conducteurs, qu'ils n'avaient qu'à faire un détour, ou attendre. Les deux hommes s'envoyèrent des bordées de reproches injurieux.

Qui sont ces lugduniens ? Où sont-ils ? Cette ville est mon refuge. Elle devrait être mon refuge. Elle va être mon tombeau.

— *Naidiu !* dit l'ânier. Je finis mon travail et vous pourrez passer, mais pas avant !

Un piège, c'est un piège ! hurla la voix de sa raison. *Il n'a rien à faire ici à huit heures du soir. Ils ont immobilisé le carrosse. C'est un lugdunien !*

Mû par un réflexe, Antoine sortit son couteau de sa poche et descendit du côté opposé à la rixe avant qu'Antelme ait pu prononcer la moindre parole. Les réverbères à huile, suffisamment nombreux, éclairaient le passage sans laisser la moindre trace d'ombre. La rue était déserte, à part deux chiens errants qui suivaient l'altercation à distance prudente et attendaient de pouvoir à nouveau fouiller les ordures. Personne aux fenêtres. Il regarda l'angle des deux traboules les plus proches et ne vit aucune silhouette prête à lui bondir dessus. Antoine rangea son arme et fit le tour du véhicule.

— Tu vas dégager, ou bien... dit le cocher en menaçant l'ânier de son fouet.

L'ouvrier faisait face au conducteur, tenant sa pelle à la main comme une hache, prêt à parer les coups de lanière.

— Je m'en occupe, monsieur, dit le cocher en apercevant Antoine dans le dos de l'homme. Remontez dans le carrosse.

L'ouvrier se retourna et, croyant à une attaque en règle, prit un air agressif. Il tenta de faire un moulinet avec sa pelle, mais le cocher, d'un coup de fouet, lui enserra les jambes et tira. L'ânier tomba en avant sur le sol en prononçant un « Nom de... » dont la fin se transforma en couinement. Sa mâchoire claqua et la pelle se fracassa contre le volet métallique d'une boucherie, dans un bruit de tonnerre. Les deux chiens déguerpirent.

Antoine aida l'homme à s'asseoir contre un muret et à reprendre son souffle alors qu'Antelme tendait un mouchoir depuis la fenêtre du carrosse. Le cocher, indifférent au sort de sa victime, avait pris les rênes de l'âne et tentait une manœuvre afin de garer le tombereau dans une rue avoisinante.

L'ouvrier s'essuya le visage, encore choqué de sa chute, puis cracha un mélange de sang et de salive dans lequel une dent s'était invitée. Il la regarda, silencieux et prostré, avant de recompter avec sa langue celles qui lui restaient. Elles étaient aussi peu nombreuses que les liards dans sa bourse à la fin de chaque semaine.

— Je suis désolé, dit Antoine. Notre cocher s'est emporté. Et vous ne travaillez pas dans les heures prévues pour le ramassage des immondices.

— Hé, je sais que j'étais en tort, est-ce une raison pour me maltraiter ?

— Non. Je vous ai pris pour un autre. Vous n'êtes pas un lugdunien, conclut-il en maudissant son sens de l'intuition qui, pour la première fois, venait de le trahir.

— Vous n'allez pas prévenir l'inspecteur voyer[1] ? s'inquiéta soudainement l'ânier. Je ne mérite pas de perdre ma place ! Ce n'est pas que j'aime ramasser les équevilles, mais je n'ai jamais fait d'autre métier. C'était celui de mon père. J'étais malade ce matin, je n'ai pas pu faire ma tournée.

— Ne vous inquiétez pas, tout cela restera entre nous, le rassura Antoine en l'aidant à se relever.

— Merci, monsieur, merci. Vous êtes charitable. Pas comme l'autre, dit-il en désignant le cocher, qui avait fini de garer la carriole.

L'avocat lui donna un louis qui restait dans sa bourse et qui lui fit retrouver le sourire.

— Monsieur, dit l'ânier alors qu'Antoine avait ouvert la porte du carrosse.

— Oui ?

L'homme s'approcha, sous l'œil inquisiteur du cocher qui avait repris sa place, et chuchota :

1. L'inspecteur des chemins.

— Le nom que vous dites, je l'ai déjà entendu.

— Lugdunien ?

— Oui, ce nom-là. Je connais quelqu'un qui l'a dit. C'était au *Charbon blanc*, murmura-t-il à l'oreille d'Antoine.

L'ânier le salua et s'éloigna, le manche dans une main et la pelle dans l'autre.

— Tout va bien ? s'inquiéta Antelme depuis l'intérieur. Peut-on repartir ?

— Je vais vous laisser rentrer seul. J'ai besoin de marcher.

— En êtes-vous sûr, Antoine ?

— C'est bien la seule chose dont je sois sûr ce soir.

Antoine ne rentra pas directement chez lui mais resta assis longuement quai des Célestins sur un rocher qui surplombait la Saône. De l'autre côté du fleuve, éclairée par une lune tamisée d'une dentelle de nuages, la cathédrale Saint-Jean émergeait de la masse sombre des maisons, dans l'alignement exact de la basilique de Fourvière. Antoine imagina que, mille sept cents ans avant lui, Louern s'était posé sur le même rocher, face aux maisons de la colonie latine, et avait regardé l'astre luire sur les flots de la Saône et sur les ombres du palais et de l'amphithéâtre de l'occupant en se demandant si son combat était juste ou vain. Le druide n'avait pas abandonné. Il avait bravé ses maîtres, Adbogios en tête, il avait bravé les Romains, et avait réussi à transmettre un savoir inestimable. Il avait aussi projeté le souvenir d'un peuple que la royauté voulait enterrer à tout jamais. Et, aujourd'hui, toute cette entreprise reposait sur lui, Antoine Fabert, avocat sans prétoire du barreau lyonnais, défenseur de toutes les causes perdues. Il ne pouvait renoncer.

— Il était écrit que je devais te rencontrer, Louern, dit-il en lançant un dernier regard à la colline que les nuages éteignaient petit à petit.

Antoine s'était arrêté à l'angle de la rue Sala pour apprécier le spectacle de sa maison éclairée par les chandeliers et le feu à l'âtre du salon. Michèle passait et repassait devant la fenêtre, alors que la silhouette reconnaissable de François était calée contre la cheminée. Pour la première fois depuis six ans, il était heureux de retrouver son foyer chaque jour. Il s'était surpris à ne plus passer ses nuits à la bibliothèque de l'hôtel de Fléchère. Michèle avait redonné vie au lieu. Elle avait aussi redonné vie à son cœur endormi. Antoine chassa cette pensée sur laquelle pesait encore une culpabilité de plus en plus ténue.

— Vous voilà enfin ! dit Michèle en se portant vers lui dans un élan spontané.

Elle s'arrêta à mi-chemin, freinée par les convenances.

— Nous étions inquiets, expliqua-t-elle en se tournant vers Prost pour chercher son soutien.

— J'expliquais à Mlle Masson qu'il t'arrive de disparaître plusieurs jours sans donner d'explication, temporisa François. Et qu'en général je te retrouve à la Bergerie, épuisé d'avoir travaillé sans relâche. Antoine est un être délicieusement sauvage, conclut-il en observant la réaction de Michèle.

— Veux-tu rester souper ? proposa Antoine en découvrant que Michèle avait préparé le repas.

— Non, maintenant que tu es là, je peux m'en aller, assura François en prenant son chapeau. J'étais venu tenir compagnie à ton invitée et vous annoncer une bonne nouvelle : le monitoire a été lancé par le sénéchal.

L'appel à témoins, relayé par tous les curés des paroisses, allait permettre officiellement à Michèle de déposer.

— Il a l'avantage d'être fulminé, indiqua Prost en levant le doigt d'un air docte.

— Ce qui signifie que toute fausse déposition est passible d'excommunication, précisa Antoine à l'adresse de Michèle.

— Cela nous évitera d'avoir à combattre des témoignages montés de toutes pièces. Et, le mois prochain, vous serez libre de retourner à Paris, mademoiselle. En attendant, je vous souhaite une bonne soirée. Ta journée a l'air d'avoir été rude, ajouta-t-il en tapotant l'épaule de son ami au regard soucieux.

Antoine ne répondit pas. La pensée qui le taraudait était tout autre. Michèle avait pris une telle place dans son quotidien qu'il avait gommé la réalité de sa situation : après le procès, il ne la verrait plus.

CHAPITRE VIII

Décembre 1777

44

Vendredi 5 décembre

Marais fit tournoyer le bâton ferré au-dessus de sa tête, puis exécuta plusieurs moulinets autour de son corps avant de l'immobiliser sous son bras droit. L'assaut avait été rude et le souffle lui manquait. Il sautilla sur ses jambes afin de ne pas s'engourdir et attendit que son adversaire ait essuyé le sang qui s'écoulait de sa plaie au front.

— Encore un, un dernier, dit-il, voyant que l'homme tardait à se remettre en garde. Allez, je vous laisse un avantage : j'annonce mes mouvements.

— Monsieur... commença l'escrimeur, encore sous le choc du coup reçu.

— Je vais effectuer une frappe par-dessus la tête avec changement de main et estocade espagnole dans les quatre coins en demi-tour. À vous de me parer.

Son adversaire effectua quelques mouvements qui le rassurèrent sur son état, puis se mit en garde en réfléchissant à la meilleure parade.

Marais fit plusieurs moulinets.

— Frappez par au-dessus, prévint-il.

Il déclencha une attaque franche et peu rapide que le tireur contra avant d'anticiper le changement de main prévu et l'estocade à venir. Contre toute attente, Marais garda son arme dans la main droite, tourna sur lui-même et s'abaissa pour porter un coup de bas en haut, au niveau de l'épaule de son adversaire qui, surpris, ne put le parer, et s'effondra sous la douleur. Son épaisse veste avait été déchirée, et sa peau entaillée.

Marais soupira, s'agenouilla pour constater l'état de la blessure et lui envoya une tape amicale sur son épaule valide.

— Une leçon dont vous vous souviendrez, mon ami : ne jamais croire son adversaire lors d'un combat, surtout quand les bouts sont ferrés. Mon assistant va vous payer la leçon. Même si, reconnaissez-le, c'est plutôt vous qui devriez me payer pour ce cours. Considérez-vous comme chanceux, conclut-il en lançant son arme à son aide de camp.

Marais rentra en sueur dans sa chambre, défit ses vêtements, à l'exception de son collant, et se sécha énergiquement devant le feu. Il avait passé toute sa hargne sur son partenaire d'exercice. Il se massa les bras et le torse avec une huile essentielle de thym, afin d'éviter toute fluxion, tout en réfléchissant à la situation. Antoine avait échappé à la surveillance de Trente-trois le matin du 1er décembre, au moment où le bateau d'Antelme de Jussieu quittait la ville à contre-courant de la Saône. Les deux hommes avaient été vus rentrant en carrosse ensemble le soir même. Marais était convaincu qu'ils s'étaient rendus à la cache du trésor gaulois. Les renseignements de ses agents ne lui avaient pas permis d'en apprendre la destination, ce qui avait généré sa plus grosse colère depuis son arrivée.

L'aide de camp déposa les vêtements et attendit ses ordres. Marais s'habilla en l'ignorant, vérifia le rendu dans le miroir de la cheminée et constata que le parme de sa veste jurait avec le jaune du justaucorps.

— Prenez la redingote foncée qui se trouve dans la dernière malle arrivée de Paris et retrouvez-moi dans le cabinet du silence. J'aurai des ordres à vous communiquer.

Le soldat n'eut pas le temps de se retourner que Marais le rappelait.

— Quant aux leçons d'escrime, la prochaine fois, trouvez-moi un professeur plus compétent. Sinon, je lui fends le crâne et je vous en tiendrai pour responsable !

La blanchisseuse de l'hôtel du gouverneur souffla avec soulagement devant la tâche accomplie : elle avait passé plus de quatre heures au séchage et au repassage de la tenture en soie. Le tissu avait retrouvé ses couleurs d'origine et le duc de Villeroy serait satisfait de son travail. Elle se servit un verre de lait et le dégusta tout en regardant les deux valets rouler la tapisserie.

— Attention à ne pas la froisser, prévint-elle alors qu'ils la tiraient hors de l'office à la façon de deux infirmiers transportant un blessé sur un brancard.

Elle posa le verre à moitié vidé sur la table et se posta au milieu afin de soutenir la soie qui s'affaissait et avait commencé à former un pli. L'étrange équipage traversa le couloir qui menait à l'entrée, puis monta l'escalier principal suivant les indications et les encouragements de l'ouvrière. Le poids du tissu, proche de cinquante livres, ralentissait leur allure. Ils firent une halte à mi-chemin puis déposèrent la tenture au pied du mur nu, dans le cabinet du silence.

— Allez chercher les échelles, ordonna-t-elle, et les marteaux de tapissier. Vous commencerez par la gauche, en allant de haut en bas. Et dépêchez-vous, insista-t-elle alors que les deux hommes s'étaient assis en pensant mériter une pause. Il nous faut finir avant le dîner.

La blanchisseuse sortit le tas de clous dorés d'une bourse liée à sa ceinture et les répartit sur toute la largeur du mur. Elle était satisfaite de la tournure prise par son travail et se frotta les mains avec satisfaction. La tapisserie serait montée avant le retour du gouverneur.

Marais entra et la dévisagea rapidement, comme il l'eût fait d'un nouveau meuble. Il ouvrit le coffre, décacheta une bouteille de montdore, en but la moitié d'une seule traite puis en versa sur son visage, avant de la poser à même le bois du secrétaire. *Si monsieur le gouverneur voyait cela...* songea la domestique attristée. *Cet homme-là n'a aucun respect pour son hôte !*

— Que faites-vous là ? l'interrogea-t-il tout en se séchant avec sa chemise, sans même la regarder.

— On repose la tapisserie de monsieur le duc, maintenant qu'elle est propre, bafouilla-t-elle, inquiète que l'homme le plus craint de l'hôtel s'intéresse à elle.

— Vous le ferez plus tard, j'ai une séance de travail, intima-t-il en s'avançant vers elle pour la faire partir.

— Mais la soie demande à être tendue maintenant, monsieur, sinon des plis vont se former quand elle sera totalement séchée et...

— Vraiment ? l'interrompit-il en marquant sa surprise.

— Oui, c'est un matériau fragile et le cloutage doit se faire sans tarder, répondit-elle, enhardie.

— Alors, si le cloutage doit se faire sans tarder... dit-il en s'approchant du mur.

Marais ramassa une poignée de pointes et les lui fourra dans la main.

— ... allez vite le faire avant que votre rideau ne se froisse.

— Merci, monsieur, de votre compréhension.

— Vous ne m'avez pas compris : faites-le ailleurs ! Allez mettre cette chose immonde dans les appartements du gouverneur ou donnez-la à une charité pour faire peur aux pauvres, ordonna-t-il en se dirigeant vers le secrétaire pour s'y installer. Mais tant que je travaillerai dans ce bureau, je ne veux plus la voir.

— Bien, monsieur, dit-elle en s'inclinant. Comme il vous plaira.

— Et veillez à ce que je ne sois pas dérangé !

La blanchisseuse s'inclina une nouvelle fois et se rendit directement à l'office où les deux serviteurs, peu pressés de travailler, en étaient encore à chercher vaguement les marteaux tout en discutant de leurs déboires conjugaux respectifs. Elle avisa son verre de lait entamé, le compléta de vin, but d'une traite, puis le remplit une seconde fois et l'ingurgita sous le regard étonné des deux hommes. Une fois rassérénée, elle posa les clous dorés, qu'elle tenait toujours en main, sur la table.

— Le tyran ne veut plus voir la tapisserie dans le cabinet, leur expliqua-t-elle. Soit. Nous allons donc obéir au tyran en attendant le retour de notre maître.

Marais prit connaissance des lettres du jour. L'une d'elles provenait du gouverneur, qui annonçait sa venue prochaine pour les fêtes de fin d'année. L'inspecteur serra les mâchoires : il devait obtenir des résultats avant son retour. Villeroy n'avait pas assez d'influence pour lui faire du tort, mais Marais ne voulait pas lui donner le moindre grain à moudre. Il décida de passer à la phase suivante sans plus tarder. Son aide de camp lui tendit un coffret clos par un cadenas que Marais ouvrit à l'aide d'une clé suspendue à son cou. Il y puisa une liasse de feuilles, qu'il lut et relut en prenant son temps.

— Il nous faut sortir de la surveillance passive, dit-il après avoir refermé la cassette. Envoyez un billet à Paris pour qu'ils nous fassent parvenir cinq cents écus supplémentaires. Nous allons jeter notre dévolu sur le point faible de son entourage.

— Avez-vous choisi, monsieur ?

Il venait de se décider au regard des rapports accumulés par ses agents et griffonna un nom sur un billet qu'il tendit au militaire.

— En êtes-vous sûr ? dit l'homme, surpris de la décision.

Marais ne daigna pas même répondre.

— Alpha peut faire le travail, il est suffisamment proche de maître Fabert, déclara l'homme.

L'inspecteur soupira.

— Non, Alpha a pu fouiller son domicile et ceux de ses proches et n'a jamais rien trouvé. Notre meilleur lugdunien n'est pas assez intime pour avoir accès à sa tête, à sa conscience, dit Marais en tapant le front de son assistant avec l'index. Voilà ce qui nous manque. Fabert est un rusé, il nous faudrait retourner toute la ville de Lyon avant de dénicher le trésor gaulois. Mais il a forcément une faiblesse et nous la trouverons.

— Avec tout le respect que je vous dois, je ne vois pas un seul de ses proches le trahir, monsieur.

— Mais que savez-vous de la trahison ? s'emporta Marais. Tout le monde peut trahir !

En vingt ans au service de différents ministres de la police, il avait vu des pères vendre leurs fils, des femmes leurs maris, des enfants livrer leurs parents.

— Ce n'est qu'une question de prix. Et de circonstances, ajouta-t-il. Tout l'art consiste à sentir le moment. Je ne connais personne qui soit à l'abri d'une trahison. Personne.

— Vous n'avez rien à craindre au regard de ma fidélité, affirma son aide de camp, qui s'était senti interrogé par le regard de son supérieur.

Marais haussa les sourcils. Il savait que l'indéfectible dévouement de ses hommes était mû par la peur qu'il entretenait en permanence.

— Je m'en occuperai moi-même, conclut l'inspecteur. Arrangez-vous pour que je rencontre cette personne dans un endroit discret dès que la somme nous sera parvenue.

— Bien, monsieur.

Marais ouvrit un tiroir d'où il sortit une feuille, choisit une plume parmi la dizaine regroupées sur le bureau et ouvrit l'encrier avant de remarquer que son aide de camp n'avait pas bougé.

— Quoi encore ? demanda-t-il en trempant la plume plusieurs fois avant de réussir à accrocher un reste d'encre.

— Quel sera son nom de code, monsieur ?

— Il n'y en aura pas. Cette personne n'apparaîtra nulle part dans nos rapports. Nous serons les seuls au courant.

45

Samedi 6 décembre

Lorsque Michèle se réveilla, les dernières images oniriques imprégnaient encore son esprit. Elle garda les yeux clos un moment pour prolonger son rêve avant de se lever. Elle avait faim, se sentait légère et encore habitée par les caresses d'Antoine que le songe lui avait prodiguées. Elle se rendit à la cuisine où elle trouva son déjeuner préparé et lui fit grand honneur. Lorsqu'ils étaient redescendus de la Bergerie, Antoine ne l'avait pas portée sur son dos, mais dans ses bras, ce que l'absence de vertugadin avait rendu possible. Le contact de leurs corps à travers les vêtements, la proximité de leurs visages, les fragrances mélangées de leurs peaux, tout s'était ancré en elle et Michèle allait puiser chaque jour dans ce souvenir renouvelé l'émotion qu'elle avait ressentie, au point d'en rêver. Antoine l'attirait sans qu'elle arrive à en appréhender la raison et plus il se dérobait, plus elle se sentait séduite. Elle avait compris que ce n'était pas elle qu'il tentait de fuir, mais ses fantômes. Michèle aurait tant aimé qu'il s'en ouvre davantage, qu'il lui fasse confiance, mais, chaque fois qu'il semblait y parvenir, une force invisible le plaquait à terre et bâillonnait ses élans vers elle. Un mois après son arrivée, Antoine restait tel que maître Prost l'avait décrit : solitaire et mystérieux.

Elle le trouva assis sur le banc du jardin à découper des poires de terre en rondelles.

— Je vais les faire cuire en fricassée avec du poulet pour notre dîner, expliqua-t-il. Je vous avouerai que ceci est une expérience que je tente, mais leur goût d'artichaut devrait bien se marier avec la viande. Mon tubercule ne doit pas se limiter à la fabrication du pain, je suis persuadé qu'il a sa place dans les assiettes de tous. Imaginez-vous des champs entiers de poires de terre sur les coteaux de Fourvière ou de Pierre Scize ? De la nourriture pour le peuple tout l'hiver. Plus de famine.

— J'admire l'enthousiasme qui vous porte dans tout ce que vous faites, dit Michèle en s'asseyant à côté de lui.

— C'est le combat dont je suis le plus fier, reconnut-il en fixant le pommier qui étalait ses branches tortueuses comme un épouvantail squelettique au milieu du jardin.

Michèle ne pouvait détacher ses yeux de la nuque d'Antoine, étendue blanche à la courbe douce et au grain serré.

— Dieu vous a donné tous les dons, Antoine, murmura-t-elle en luttant contre l'envie d'y déposer un baiser.

— Sauf celui du bonheur, je le crains, objecta-t-il en regrettant aussitôt sa spontanéité.

Il se tourna vers elle et surprit le regard sur son cou.

— Il n'y a pas de fatalité, assura-t-elle en baissant les yeux vers le panier rempli de tubercules. Le bonheur vient à celui qui sait le prendre, ajouta-t-elle avant de croquer dans une rondelle pour faire diversion.

Michèle fit une grimace d'étonnement :

— Elles sont sucrées !

— Le bonheur serait-il un butin pour un quelconque pirate ? demanda Antoine en croquant à son tour une tranche de topinambour.

— Le bonheur est sucré comme une poire de terre un doux matin d'hiver, répliqua-t-elle en offrant son visage au soleil. N'êtes-vous pas trop fatigué de votre nuit passée à travailler ? J'ai vu la lumière briller à votre chambre.

— J'ai fini un long travail de traduction, répondit Antoine en nettoyant son couteau avant de le ranger.

— Les textes anciens dont vous m'avez parlé ?

— Oui, les codices écrits par un druide gaulois, confirma-t-il. C'est vrai qu'il fait doux, anormalement doux, remarqua-t-il en se levant pour aller plonger les tubercules dans l'eau bouillante du chaudron. Les prochaines gelées seront sûrement vengeresses.

Elle étira son dos comme un chat et resta sur le banc pour profiter de la clémence atmosphérique.

— Voulez-vous que je vous les montre ? proposa-t-il alors qu'elle ne l'avait pas entendu revenir.

Le sourire qui illumina le visage de Michèle fut sa seule réponse.

Antoine avait sorti le cahier de sa besace et traduisait les textes au fur et à mesure de leur lecture en gaulois. Louern y décrivait l'enseignement exclusivement oral réservé aux druides, des milliers d'informations transmises par leurs maîtres, des données scientifiques, médicales, théologiques, juridiques, géographiques. Leur formation durait plus de dix ans, près de vingt pour certains, appelés à de hautes fonctions. La mort prématurée d'un druide était toujours vécue comme un drame pour une cité ou une communauté.

— Louern était l'un des plus doués du peuple leuque, expliqua Antoine. Il a commencé son apprentissage dès l'âge de douze ans. Lorsqu'il a écrit ces codices, il en avait à peine trente et possédait déjà tout le savoir des Trois Gaules. Il aurait dû succéder à Adbogios, mais les Romains ont décidé de leur fin.

— Et c'est ainsi que ce trésor s'est retrouvé entre vos mains, commenta Michèle en feuilletant les pages remplies de l'écriture pleine et ronde d'Antoine. Mais je ne comprends pas en quoi il peut être si compromettant pour notre royauté.

— La légitimité du pouvoir.

Depuis plusieurs générations, le roi et la noblesse d'épée n'avaient eu de cesse de clamer leur descendance directe des Francs, qui avaient pris possession de la Gaule en chassant les Romains.

— Les vainqueurs ont toujours eu la légitimité du pouvoir, répéta-t-il. Les historiens officiels ne font que nous répéter que le tiers état descend d'un peuple vaincu composé de barbares sanguinaires vénérant plusieurs Dieux. Que peuvent-ils espérer de la part des conquérants ? Les Espagnols ont-ils partagé leur domination sur le Nouveau Monde avec les peuples indigènes ? Ils sont les vainqueurs et, tant que les Gaulois resteront des sauvages, le tiers état est condamné à subir la domination de la noblesse. Mais Louern pourrait tout changer, conclut Antoine en montrant le cahier qu'elle tenait en main.

— J'aime la sonorité de cette langue, douce et rythmée : *redresta in uertamon nantou amarco litanus*, lut-elle pour l'illustrer. Quel en est le sens ?

— Il explique qu'il est monté au sommet d'une vallée pour l'embrasser d'un vaste regard. Je ne sais pas de quel endroit il parle. Les druides s'exprimaient beaucoup par énigmes.

— Et la dernière phrase de votre cahier : *Se uimpi bricto.* Que signifie-t-elle ?

La cathédrale Saint-Jean sonna dix heures. Antoine prit conscience qu'il venait de passer un moment hors du temps en compagnie de Michèle et de Louern, lui qui, d'ordinaire, n'avait jamais besoin de montre ou de pendule pour connaître l'heure à moins de cinq minutes près.

— Je dois sortir, je suis en retard ! s'exclama-t-il en cherchant une veste à sa portée.

— Vous allez prier pour votre fils à la cathédrale ? demanda Michèle en lui tendant celle qui traînait sur le dos de sa chaise.

— Qui vous l'a dit ? interrogea-t-il tout en l'enfilant avec difficulté.

— Je ne puis révéler le nom de ma source, plaisanta-t-elle.

— François, c'est François, n'est-ce pas ?

Antoine se sentit étriqué dans son vêtement, qui retrouva vite sa place initiale.

— Il ne peut pas s'en empêcher, il faut toujours qu'il parle de moi ! soupira-t-il en ouvrant en grand les deux battants de l'armoire.

— En quoi cela est-il gênant ? répondit-elle en s'approchant pour découvrir sa garde-robe hétéroclite. C'est votre ami, il a pour vous admiration et tendresse. Vous devriez prendre celle-là !

Michèle lui indiqua la veste la plus longue, un justaucorps en brocart épais bleu nuit, ornée de galons dorés et de boutons de cuir.

— C'est la plus élégante, justifia-t-elle. Elle vous ira très bien.

— Mode anglaise. Elle appartenait à François. Il me l'a offerte, mais je ne l'ai jamais mise, dit-il en sortant une ample veste de chasse au cuir usé. Elle est trop près du corps, je ne supporte pas ces fracs étriqués. J'ai besoin de me sentir libre de mes mouvements.

Une fois enfilée, sa veste lui donnait un air improbable d'explorateur revenu du Nouveau Monde. Il lia ses cheveux avant de mettre un bonnet en laine feutrée qui lui recouvrait les oreilles et la nuque.

— Quoi ? dit-il devant le regard incrédule de Michèle. Erasmus avait le même.

— Il y a deux cent cinquante ans, oui ! s'écria-t-elle. Si vous me laissiez vous conseiller pour votre apparence...

— J'en perdrais ma liberté, dit-il sans lui laisser le temps de conclure. Voulez-vous m'accompagner ? ajouta-t-il en mettant sa sacoche en bandoulière.

— J'en serais honorée.

— Je vais vous présenter à Jacques. Et à un coq, un garde suisse, quelques angelots et même Dieu le père.

L'horloge astronomique était arrêtée depuis le matin même. Le temps s'était suspendu à huit heures, quand le contrepoids avait buté sur le sol. L'abbé Gouvilliers n'avait pas été présent pour le remonter, en raison d'une fièvre qui le maintenait alité et somnolent. Son assistant, occupé à la recherche d'un médecin, avait laissé passer le moment fatidique et se trouvait, impuissant, devant la machine, à tenter de comprendre le moyen de relancer le gigantesque mécanisme.

— L'horloger est à Châlons, occupé à une rénovation, et notre supérieur ne sera sur pied que dans deux jours au mieux, apprit-il à Antoine en le reconnaissant. Si un des comtes de Lyon venait à prier ici, je crains que nous n'ayons des soucis. De gros soucis. Ils paient sur leurs cassettes pour que notre cadran soit toujours à l'heure, se lamenta-t-il.

Antoine entra dans le corps de l'horloge et trouva la manivelle que l'abbé rangeait dans une niche du coffrage. À l'aide de celle-ci, il remonta les quarante mètres de câbles qui soutenaient le contrepoids et entendit l'exclamation de joie du religieux au redémarrage de l'aiguille des minutes.

Au moment où il les rejoignit, Antoine aperçut une petite forme blanche perdue dans les rangées de chaises à gauche de l'allée centrale.

— Il est dix heures trente, lui signala l'abbé, pourriez-vous... ? demanda-t-il en lui montrant les aiguilles figées entre huit et neuf heures.

— Je vais les mettre à l'heure, mais, auparavant, permettez que je m'arrête à dix heures, répondit-il.

L'abbé comprit la demande implicite de faire fonctionner les automates.

— Comme il vous plaira, vous êtes mon sauveur ! Je vais prier pour vous et votre dame, dit-il en joignant le geste à la parole.

Antoine ne répondit pas. Michèle le remercia d'un grand sourire. Pendant que l'homme s'éloignait vers la chapelle Sainte-Anne, elle accompagna Antoine à la rencontre d'une jeune fille en pleine prière.

— Es-tu la Colombe ? demanda-t-il, alors qu'il l'avait reconnue à la description faite par Madeleine de la robe en dentelle.

La fillette fit un signe positif de la tête.

— Tu n'as pas froid ?

Elle haussa les épaules. Michèle lui tendit son manchon de fourrure. Elle y plongea les bras avec délice, le serra contre elle et les remercia dans un murmure inaudible.

Au moment même où il l'avait identifiée, Antoine avait espéré s'être trompé sur elle et son mentor, il avait espéré qu'elle fût un médium communiquant avec les esprits des disparus, il avait espéré que Jacques était au paradis, heureux, il avait espéré être enfin en paix avec lui-même. Toutes ces pensées s'étaient bousculées et mélangées dans son esprit avant que la raison pure ne vienne y mettre bon ordre : Joseph Rousset était un aigrefin, un escroc, qui avait entraîné une fillette à jouer le rôle de la petite Colombe.

— Je suis le père de Jacques. Je vais te montrer ce qu'il adorait le plus. Tu veux voir les automates ?

Elle se leva et tendit une main à Michèle, gardant l'autre dans le manchon serré contre elle comme une poupée préférée.

Antoine régla le mécanisme sur neuf heures cinquante-neuf. Ils s'installèrent à côté de la stèle où le nom de son fils était gravé. Le bruit du soufflet et des ailettes de son mécanisme précéda le chant du coq. Les automates s'animèrent les uns après les autres. La petite Colombe avait les yeux rivés sur les cadrans d'où apparaissaient et repartaient les personnages.

Pour la première fois, il ressentait plus de joie que de tristesse. Pour la première fois, il n'était plus rongé par la culpabilité d'être en vie alors que son fils reposait à côté d'eux. Pour la première fois, il avait partagé avec d'autres son moment d'intimité auprès de Jacques. Il le devait à la petite Colombe, qui, d'une certaine façon, entretenait elle aussi un lien avec son fils. Il le devait à Michèle, qui lui avait rouvert les yeux sur la vie qui coulait à ses pieds et qu'il avait ignorée depuis six ans.

Il chercha la main de la jeune femme et l'enveloppa de la sienne.

— *Se uimpi bricto. La magie d'une belle femme*. Ce n'est pas Louern qui l'a écrite, lui avoua-t-il.

Michèle entrelaça ses doigts dans ceux d'Antoine. Ensemble, ils les serrèrent fort.

46

Mardi 9 décembre

La pelote de soie dorée pesait trois onces. *Plus qu'une once et nous pourrons fabriquer les gants*, songea Marc de Ponsainpierre en retirant la boule de fil du trébuchet[1]. Il déposa son trésor dans un coffret métallique aux parois épaisses et au couvercle percé de trous afin de laisser passer l'humidité, qu'il avait fait faire sur mesure par un maître serrurier de la place Confort.

Marc vérifia la température sur son thermomètre à alcool. Celui-ci indiquait vingt-cinq degrés Réaumur[2]. Il l'avait acheté spécialement à un marchand d'instruments mathématiques londonien, lors de la foire des Saints, afin de toujours garder la pièce dans le même environnement atmosphérique. En raison de la douceur qui s'était installée depuis deux jours, Claude avait réduit le rendement des poêles. *Un peu trop*, remarqua Marc en vérifiant une seconde fois le niveau du liquide dans le thermomètre. Il devait remonter la température à vingt-huit degrés Réaumur, idéale pour accélérer la ponte des halabés. Ponsainpierre prit deux bûches dont il gava les fourneaux avant de nourrir ses araignées de vers et de mouches mortes. L'opération dura une heure pendant laquelle il économisa chaque geste afin d'éviter de suer trop. La soif était devenue sa plus fidèle compagne et Claude ravitaillait plusieurs fois par jour la buanderie en eau et en vin, qu'il stockait à l'extérieur afin de laisser à son maître des boissons les plus fraîches possibles.

Une fois les soins finis, Marc se rhabilla rapidement et gagna la maison où Antoine l'attendait pour dîner.

---

1. Petite balance à plateaux très précise.
2. Soit trente et un degrés Celsius.

— Midi et demi, je suis désolé de mon retard, s'excusa-t-il en se lavant les mains dans une bassine d'eau froide. Passons vite à table.

Comme à chacune de leurs rencontres, Marc lui relata l'état d'avancement de son projet et demanda des nouvelles de sa femme. Antoine le rassura et lui remit un billet d'Edmée, à qui il avait rendu visite le matin même.

— Je n'ai pas réussi à la voir, commenta Marc en indiquant la jumelle pointée vers la rue Belle-Cordière.

— Rien ne t'interdit de descendre chez elle ; chez vous, rectifia Antoine.

— Pas après la rebuffade que j'ai subie, répondit-il. Je reviendrai en vainqueur, une fois les gants finis.

Antoine eut envie de lui faire comprendre que l'attitude d'Edmée n'avait plus rien à voir avec la présence des halabés et le résultat de son expérience, mais il se ravisa. Marc n'était pas en état de le comprendre. Il choisit de lui relater l'avancement de leur enquête dans le procès de Paul Férrère, ce qui sembla peu intéresser le maître de maison. Ponsainpierre avait l'esprit ailleurs.

— Je dois y aller, dit Antoine en prenant quelques fruits secs dans une coupe pour les fourrer dans sa poche de pantalon, je dois trouver un lugdunien au *Charbon blanc* !

Il lui expliqua la signification de sa phrase énigmatique et ce qu'il avait découvert sur ses suiveurs.

— Je crois à un groupe organisé, en plus de Trente-trois qui n'est qu'une sorte de leurre pour mieux camoufler les autres, conclut Antoine. Je vais essayer de débusquer celui qui se cache dans cet établissement.

— Tu ne peux pas y aller seul ! proclama Marc, qui sembla soudain revenu à la réalité. Je vais demander à Claude de t'accompagner.

Les protestations d'Antoine n'eurent aucun effet et il dut abdiquer sous la menace de Ponsainpierre d'y aller lui-même. Claude, mis au courant, s'équipa d'une épée sur son flanc gauche et fourra une petite dague dans sa ceinture du côté droit.

— Nous ne partons pas à la guerre, soupira Antoine.

— *Si vis pacem...*, ne discute pas ! dit Marc en les accompagnant jusqu'aux escaliers.

Une fois les deux hommes hors de vue, Ponsainpierre regarda en direction de la rue Belle-Cordière, soupira et rentra rédiger un billet que le dernier valet présent dut transmettre toutes affaires cessantes. Il demanda à la cuisinière de lui servir le souper à sept heures du soir dans la buanderie, où il s'enferma le cœur lourd.

D'un coup de pic expert, le patron brisa le reste de son pain de sucre en une vingtaine de morceaux de tailles diverses. Il les rassembla dans un panier qu'il posa sur son comptoir, ramassa les miettes qui tapissaient le sol à ses pieds et les déposa dans une coupelle en bois. Le sucre de second choix était à moitié prix des morceaux de première catégorie, mais la poussière mêlée dissuadait les clients d'en acheter. La plupart venaient de finir leur repas et avaient passé commande d'un café. Le patron était fier de proposer le meilleur breuvage de tout Lyon, au dire de ceux qui le consommaient, et nombre d'entre eux venaient après le dîner ou le souper juste pour le plaisir d'une tasse. Il s'était levé tôt le matin pour faire griller les grains du moka qu'il achetait à un commerçant marseillais à chacun de ses passages. Il avait fabriqué un cylindre de métal qu'il tournait lentement à la chaleur du feu, pendant plus d'une heure, et dans lequel il ajoutait du beurre afin que les grains gardent tout leur arôme et leurs bénéfices. Il les avait déposés ensuite sur une table de marbre, pour favoriser la descente en température sans altérer la coque des grains. Un jour, un de ses apprentis avait pris la mauvaise initiative de les enrober d'un chiffon pour enlever la fine pellicule luisante qui les entourait. Il l'avait congédié sur-le-champ. Il refusait de se faire aider par sa femme ou son commis, prétendant que toute la réussite de son café résidait dans le tour de main de l'opération. L'odeur parfumée caractéristique qui emplissait sa cuisine dans ces moments-là plaidait en sa faveur. Certains de ses clients se déplaçaient uniquement pour assister à la manœuvre et humer le délicieux fumet du café grillé, avant de revenir le boire plus tard dans la journée.

Le patron s'essuya les mains dans son tablier. Le sucre était prêt. Le temps était venu de moudre son café. Il s'assit à la table de la cuisine, qu'il avait positionnée pour lui donner une vue sur l'entrée de la salle et sur l'escalier du premier. Il broya les grains à l'aide d'un moulin en bois, tournant la manivelle à un rythme dont il avait constaté qu'il était le meilleur pour obtenir une mouture dont l'eau chaude, mais pas frémissante, ferait exhaler les parfums les plus subtils. Le gérant prépara le breuvage dans sa cafetière Dubelloi, permettant de maintenir la préparation chaude et améliorée par l'addition d'un filtre en porcelaine de sa fabrication.

Il aperçut deux clients qui s'installèrent à la dernière table libre, sous l'escalier, et prit leur commande. Lorsqu'il revint à l'office, Antoine et le cocher de Ponsainpierre l'attendaient en se chauffant au feu de l'âtre.

— Maître Fabert, Claude, que me vaut cette visite ? Asseyez-vous, je vous sers le reste, proposa-t-il en montrant la cafetière qu'il tenait en main.

L'homme débarrassa d'un coup de manche les miettes éparpillées sur le plateau de bois et remplit trois tasses.

— Nous recherchons un homme qui se fait appeler le lugdunien. C'est pour un dossier sur lequel je travaille, expliqua évasivement Antoine.

— Je vois, le procès de Paul Férrère, n'est-ce pas ? supposa le patron en s'asseyant en face d'eux.

Il dégusta son café en songeant qu'il pourrait l'améliorer en diminuant de quelques degrés encore la température de l'eau, avant d'ajouter :

— Sale affaire. Comment puis-je vous aider ?

Le gérant n'avait jamais entendu parler du lugdunien.

— Il semble que notre homme soit coutumier de l'endroit et qu'il soit bavard. Trop bavard, sans doute boit-il beaucoup, en déduisit Antoine. L'alcool est le meilleur agent pour délier les langues.

— Tout le monde ici boit beaucoup, fit remarquer le patron. Attendez-moi un instant, je finis de servir mes clients.

Les deux hommes sous l'escalier semblaient s'impatienter et l'avaient appelé.

— Voilà deux agents de change venus de Paris pour du négoce à la Loge. Ces gens-là sont toujours pressés, s'excusa-t-il en quittant l'office.

— Il m'arrive de venir ici, dit Claude pour expliquer la familiarité du patron envers lui. Enfin, il m'arrivait de venir jouer à l'étage.

Les habitués y pariaient de la menue monnaie dans des parties de pharaon ou de lansquenet.

— Mais j'ai promis à ma femme de tout arrêter, avoua Claude. Et je m'y tiens. Comment allons-nous procéder ? Que voulez-vous que je fasse ? interrogea-t-il pour clore le sujet.

Le patron était parti faire le tour des tablées à la recherche de l'information. Claude lui serait utile pour neutraliser l'homme une fois identifié. Le serviteur acquiesça et avala son breuvage à petites gorgées tout en observant la salle. À l'opposé de la pièce, les deux agents de change manifestaient bruyamment leur mécontentement. Le café semblait ne pas leur convenir. Le patron vint tenter de les calmer et leur proposa une nouvelle tasse.

— Qu'ont-ils donc, ces deux Parisiens ? demanda Claude, qui essayait de comprendre l'altercation.

— Il semble qu'ils aient trouvé quelque chose dans leur tasse, expliqua Antoine.

— On dirait des petits cailloux, commenta le valet. Et alors ?

Antoine perçut l'énervement qui gagnait Claude. Le patron passa devant eux en soufflant d'agacement et repassa, la cafetière à la main. Il la déposa sur la table des deux consommateurs.

— Ne bougez pas, je vais en salle glaner des informations, dit Claude en se levant sans attendre l'assentiment d'Antoine.

Resté seul, l'avocat suivit l'échange qui tournait à l'empoignade.

— Vous voyez bien, cette rouille ne peut pas venir de mon breuvage, le crible est en porcelaine, expliqua le gérant en montrant l'intérieur de la machine aux deux clients.

— Mais le reste est en fer-blanc, fit remarquer le plus hautain. Apprenez que le café contient de l'acide gallique qui attaque le fer. Je le sais, je fais partie d'une académie scientifique. Vous empoisonnez vos clients, monsieur ! ajouta-t-il comme une sentence.

Le patron était un homme d'une grande placidité, excepté sur le sujet.

— Mon café est le meilleur de la ville, un des meilleurs du royaume et je ne vous permets pas de le mettre en doute pour un bout de ferraille qui est tombé de vos vêtements ou de vos perruques de défroque !

Claude s'était approché de la table de la discorde où l'ambiance s'échauffait.

— Défroques ? Des perruques de chez Léonard ! s'emporta l'un des deux cambistes.

L'homme se leva et pointa sa canne au pommeau d'argent :

— Voilà bien une réflexion de rustaud ! Maintenant, vous allez nous rendre notre argent, et sur-le-champ ! clama-t-il en accompagnant sa diatribe d'un geste menaçant.

Au même moment, deux joueurs descendirent bruyamment de l'étage, faisant se détacher des lambeaux de bois vermoulu et un morceau de vieux clou, qui tombèrent sur la table.

— Vous voyez bien, ce n'est pas ma cafetière qu'il fallait accuser ! se défendit le patron.

— Maintenant, vous sortez ! ajouta Claude, menaçant.

— Pas sans mon argent, répéta l'homme sans se laisser impressionner. Je vais faire fermer votre bouge qui part en guenille !

Claude fit un pas en avant. L'homme pointa le bout de sa canne vers lui. Les autres clients s'étaient approchés et tout le monde s'en mêlait. Un groupe d'une dizaine d'hommes entourait les deux mécontents en les invectivant. D'autres tentaient de prendre leur défense, arguant qu'ils avaient prévenu depuis longtemps du danger des marches de l'escalier. La tension était perceptible, à la moindre étincelle l'emballement serait incontrôlable. Il se produisit au moment où d'autres cambistes entrèrent pour se restaurer. Voyant leurs camarades acculés sous l'escalier, ils tentèrent de les dégager. Claude profita de l'agitation pour frapper l'homme à la canne qui s'écroula, groggy. La propagation fut instantanée. Les coups volèrent de partout. Alertés par les cris, les derniers habitués descendirent en force de la salle de jeu. La marche d'escalier à l'origine de l'altercation céda sous leur poids, puis une seconde ainsi que la rampe. Tous se retrouvèrent au sol. La poussière avait envahi la pièce et la confusion était extrême.

Antoine délaissa l'office et entra dans la mêlée.

47

Mercredi 10 décembre

Le carrosse soubresauta plus fortement au passage d'un pavé mal aligné. À l'intérieur, Antoine grimaça en se tenant l'épaule.

— C'est encore douloureux ? demanda François, assis en face de lui.

— Je sais ce que tu penses, répondit Antoine.

— Et je vais te le dire : tu n'aurais pas dû te lancer dans ce genre d'équipée aventureuse. Tu sais que j'ai raison, mon ami, insista Prost.

— Je maudis Marc de m'avoir imposé son cocher impétueux.

Antoine avait bien cru réussir à calmer les belligérants, lorsque Claude avait assené une claque à l'un des agents de change, déclenchant une nouvelle bagarre que seule la milice bourgeoise du quartier avait pu circonscrire.

— Marc a voulu te protéger. Arrêter seul ce lugdunien était pure folie. Tu aurais pu prendre un coup de dague.

— J'ai pris des coups de canne de clients coléreux, dans un établissement où l'on sert ordinairement de la soupe et du café ! Et, à cause de cette échauffourée, l'endroit est fermé pour au moins deux semaines, fulmina Antoine.

— Pardieu, il n'y a plus ni tables, ni escalier ! s'exclama François en posant son chapeau à côté de son ami.

Ils laissèrent passer un long moment de silence. Le carrosse avançait au pas dans la montée du Gourguillon. Un des chevaux dérapa sur le sol mouillé, faisant claquer le fouet du cocher. L'habitacle fut bringuebalé avant que le véhicule ne se relance à l'assaut de la côte.

— Tu ne me demandes pas où je l'ai acheté ? fit François en lui montrant son bicorne noir aux bords plats.

— Tu l'as volé à un cavalier tombé lors d'une parade ? plaisanta Antoine en caressant le liseré de plumes.

— C'est de l'autruche. Un cadeau de Mlle Masson pour l'hospitalité que nous lui offrons, apparemment la dernière mode à Paris, dit-il en le reposant sur sa tête. Il semble que tu te soies rapproché d'elle récemment, ajouta-t-il avec malice.

— Qui te l'a dit ?

— Je te rappelle que je suis ton propriétaire.

— J'aimerais savoir qui, dans cette ville, ne me surveille pas, maugréa Antoine.

— Je suis très heureux pour toi. Et je suis ravi d'en être à l'origine. Cette jeune personne a de nombreuses qualités. Et un goût très sûr pour les chapeaux. Peut-être arrivera-t-elle à faire de toi une personne présentable ?

Antoine resta silencieux. Prost crut l'avoir vexé et s'excusa, avant de comprendre que son tourment intérieur était lié à ses sentiments pour Michèle. Le véhicule avait quitté la ville fortifiée par la porte Saint-Just.

— Où allons-nous ?

— Au prieuré Saint-Irénée.

— L'inspecteur Jeanson a des informations pour nous ?

— Te souviens-tu de la lettre que j'avais envoyée à M. Diderot ?

L'éditeur de l'*Encyclopédie* avait montré un vif intérêt à la découverte des textes gaulois et répondu favorablement à la demande d'une rencontre.

— Vraiment ? Il est ici ? cria Antoine en prenant François par les épaules.

— Malheureusement non, répondit ce dernier, amusé par l'excitation de son ami. Sa santé n'est plus des meilleures et il n'a pu quitter Sèvres, où il séjourne.

— Qu'allons-nous faire ? soupira Antoine sans cacher sa déception. Pas question de transporter le trésor jusqu'à lui.

— Nous n'en aurons pas besoin. Diderot s'est fait représenter.

— Qui est-ce ?

— Le chevalier de Jaucourt.

Louis de Jaucourt était le plus prolifique des contributeurs de l'*Encyclopédie*. Le tiers de l'œuvre monumentale était passé sous ses mains. Homme de devoir, discret et désintéressé, il était l'auteur des textes les plus engagés.

— Et celui qui a écrit l'article sur les Gaulois, fit remarquer Antoine. Nous devons le convaincre de tenir compte de notre découverte. J'ai hâte de le rencontrer, conclut-il en tirant le rideau pour apercevoir le prieuré.

— Il n'est pas à Saint-Irénée, c'est une diversion juste le temps de changer de carrosse et de rentrer. Il y a un office religieux dans lequel nous sommes censés rester. Personne ne doit savoir qui tu as rencontré chez moi.

Le visage du vieil homme avait des expressions et des yeux d'adolescent, interrogateurs et rieurs, pleins de compassion. Son nez était fin et légèrement bosselé à sa base, conséquence d'un accident ancien. Sa bouche, petite, formait une dépression naturelle qui pouvait faire croire à une moue pédante. Les cheveux blancs, ondulés, étaient sommairement coiffés en arrière, gardant une élégante liberté sur les tempes et les joues. Ses habits étaient d'une grande sobriété et la veste sombre, au col de feutrine noir, était rehaussée d'un épais jabot en forme de papillon.

Le chevalier de Jaucourt se servit un verre de sang-gris[1], qu'il avait lui-même préparé à l'office à base de vin de Madère, de sucre, citron, cannelle et d'une croûte de pain rôtie, en se souvenant de l'article qu'il lui avait dédié dans l'*Encyclopédie*. Seule manquait la muscade, ce qui n'avait pas gâché le plaisir de la boisson dont il raffolait. Le voyage depuis Compiègne avait été long, mais la compagnie des livres, une malle entière, lui avait permis de le rendre agréable. Arrivé la veille incognito sous le nom de M. d'Oels, il était resté cloîtré dans la maison de la rue Saint-Jean vidée de ses domestiques. Même Mme Prost et Marie-Lyon s'étaient absentées plusieurs jours, ce qui avait renforcé l'opinion du chevalier sur l'importance de la découverte qu'on voulait lui présenter.

Lorsque François entra avec Antoine, il sut immédiatement que maître Fabert n'était ni un faussaire, ni un intrigant, ni à la solde de la censure royale. Jaucourt avait un sens de l'intuition développé qui lui avait maintes fois permis d'éviter des situations délicates et des relations douteuses. Il avait habité de nombreuses années

1. Sangria.

à l'étranger, Suisse, Angleterre, Hollande et avait accumulé une grande connaissance des mœurs humaines.

— Je suis très honoré de vous rencontrer, dit Antoine dont l'émotion était perceptible.

— Si votre travail est aussi important que l'affirme maître Prost, alors, moi aussi, je suis honoré de faire votre connaissance, monsieur, répondit le chevalier de Jaucourt.

François servit un verre de sang-gris à tout le monde avant qu'Antoine ne relate les circonstances de la découverte des codices. Il sortit son cahier de sa besace et traduisit l'ensemble des textes sans faire la moindre pause. Le chevalier écoutait, debout devant lui, les bras croisés sur la poitrine, la main droite recouvrant sa bouche. Parfois, ses sourcils ne pouvaient s'empêcher de s'arrondir, témoignant de son étonnement, parfois aussi sa main massait ses joues avant de reprendre sa place sur sa bouche, parfois encore il marchait jusqu'à la fenêtre, jetait un œil dans la rue comme pour vérifier la réalité de la situation, attrapait son verre d'alcool, buvait une gorgée et revenait se poser devant Antoine. Non, il ne rêvait pas : les Gaulois venaient de ressortir du fin fond de l'oubli où des strates entières de l'Histoire les avaient placés.

— Si vos documents sont authentiques, maître Fabert, s'ils sont authentiques... commença le chevalier de Jaucourt, sans pouvoir poursuivre sa phrase.

L'émotion l'avait submergé. Ses mâchoires se contractèrent. Il se contrôla rapidement.

— ... alors ils remettent en question l'histoire de nos ancêtres, alors l'aube de nos pères ne fut pas celle qu'on nous a imposée. Et c'est d'une nouvelle couleur qu'il faudra la peindre.

Jaucourt prit un ouvrage à l'épaisse couverture de cuir posé sur le secrétaire.

— J'ai apporté avec moi le tome de l'*Encyclopédie* qui traite des Gaulois, dit-il en caressant affectueusement la couverture. Je me souviens très bien qu'il pleuvait le jour où j'ai rédigé cet article, à Compiègne en 1757. Un peu comme aujourd'hui, ajouta-t-il alors qu'une rafale de vent vint claquer des gouttes d'eau contre la vitre.

Avant même qu'il n'ait ouvert le volume, Antoine récita le texte :

> *Les mœurs des Gaulois du temps de César étaient la barbarie même ; ils faisaient vœux, s'ils réchappaient d'une dangereuse maladie, d'un péril éminent, d'une bataille douteuse, d'immoler à leurs divinités tutélaires, des victimes humaines, persuadés qu'on*

ne pouvait obtenir des Dieux la vie d'un homme que par la mort d'un autre. Ils avaient des sacrifices publics de ce genre, dont les druides, qui gouvernaient la nation, étaient les ministres ; ces sacrificateurs brûlaient des hommes dans de grandes et hideuses statues d'osier faites exprès. Les druidesses plongeaient des couteaux dans le cœur des prisonniers, et jugeaient de l'avenir par la manière dont le sang coulait. Il faut, comme le dit M. de Voltaire, détourner les yeux de ces temps horribles qui font la honte de la nature.

Le chevalier resta un instant silencieux, les mots, ses propres mots, claquaient maintenant comme un réquisitoire impitoyable.

— Comprenez que je n'avais pas d'autres sources que les auteurs anciens, se défendit-il. Pas d'autres moyens de savoir.

— Tout le monde eut été abusé de la même façon, moi le premier, admit Antoine. Vous êtes un honnête homme, monsieur de Jaucourt. Et d'un courage qui est pour moi un exemple. Vous avez écrit un texte sur l'égalité naturelle que tous les législateurs devraient avoir gravés sur des plaques de bronze au fronton des palais de justice.

— Il est bien plus facile de les écrire que de les faire appliquer, nota Jaucourt. *L'égalité naturelle ou morale est donc fondée sur la constitution de la nature humaine commune à tous les hommes, qui naissent, croissent, subsistent, et meurent de la même manière...* je l'ai écrit il y a onze ans, mais à croire que votre druide l'appliquait mieux que nous maintenant.

— *Dans l'état de nature, les hommes naissent bien dans l'égalité, mais ils n'y sauraient rester ; la société la leur fait perdre, et ils ne redeviennent égaux que par les lois*, ajouta Antoine.

— Mais par quel prodige connaissez-vous toute l'*Encyclopédie* par cœur, maître ? s'étonna le chevalier.

— Antoine le considère plutôt comme un malheur, intervint Prost. Mais je peux vous dire que sa mémoire nous a fait gagner bien des procès. Et nous en fera gagner bien d'autres.

— Demain, je vous montrerai les codices, dit Antoine, mal à l'aise de l'assurance de François à son égard.

— Quant à moi, je ferai tout ce qui est en mon pouvoir pour convaincre M. Diderot de corriger cette erreur, promit Jaucourt. Il faut faire paraître un nouvel article dans le prochain supplément de l'*Encyclopédie*. Vous croyez imaginer quelle sera sa réaction quand nous aurons remis en cause la monarchie qui nous dirige, maître Fabert, mais jusqu'où êtes-vous prêt à aller ?

— Je le signerai de mon nom, vous ne serez pas inquiété, monsieur de Jaucourt, assura Antoine.

— Votre âme est généreuse, mon ami, mais le danger pour vous commencera dès lors que ma présence ici aura été dévoilée, dès lors qu'ils comprendront nos intentions. Ils tenteront tout pour vous en empêcher. L'*Encyclopédie* est leur bête noire.

48

Jeudi 11 décembre

Le sénéchal avait eu une nuit agitée. En plus des bourrasques de vent qui avaient effrayé les chevaux dans l'écurie, il souffrait depuis plusieurs jours d'impérieuses envies d'uriner qui le tiraient du lit toutes les heures et le laissaient épuisé au matin. Il avait fallu toute l'habileté de son valet de chambre pour le faire sortir de sa couche aux aurores, alors qu'il avait donné ordre de reporter toutes ses audiences de la journée. L'habillage avait été poussif et le déjeuner s'était résumé à quelques fruits secs et un verre de vin. La perspective de subir une opération de la taille[1] lui faisait sans cesse retarder la venue du médecin ou du chirurgien. Un de ses amis en était mort, après avoir perdu tout son sang, un autre était depuis lors dans l'infirmité de sa virilité. Il ne se sentait pas assez âgé pour subir l'un ou l'autre de ces sorts et s'était accommodé de la compagnie d'une douleur supportable et de son corollaire de séjours répétés aux lieux d'aisance. Seul son caractère en avait pris ombrage et s'était altéré au fil des mois, couvrant sa bonhomie coutumière d'un voile d'humeur fantasque, ce à quoi tout le monde au tribunal, huissiers, assesseurs, avocats, s'était habitué, allant jusqu'à déplacer certaines audiences en fonction de l'état de la vessie de l'édile.

Le sénéchal grimaça devant la grisaille moite qui composait le ciel. Il détestait l'humidité qui avait le mauvais goût de s'infiltrer dans ses vêtements jusqu'à l'en faire frissonner et qui déposait des miasmes de moisissures partout dans sa maison. Le contact froid avec le siège en bois du carrosse lui arracha un jet d'urine qu'il ne put retenir. Il maugréa tout en hésitant à rentrer pour se changer,

1. Ablation d'un calcul de la vessie.

puis fit signe au cocher de démarrer. Il serait séché en arrivant au palais de Roanne.

L'huissier, qui avait remarqué la mine revêche du juge, trouva prudent de changer l'ordre de passage des affaires, ayant un lointain cousin dont la requête avait plus de chances d'être retenue en fin de matinée, au moment où sa vessie troublerait l'esprit du sénéchal et rendrait son jugement plus clément. Le magistrat enfila son habit et sa perruque, aidé par son assesseur, qui déposa un coussin sur son siège et l'aida à s'asseoir. Il regarda les rangées de sièges vides, les deux premières, réservées aux prévenus et aux témoins, celles des familles, des amis, celles, plus éloignées, du peuple de Lyon. Il aimait cet endroit, il aimait son ambiance feutrée, il aimait toutes les émotions vécues qui s'étaient accumulées comme des strates de poussière sur les bancs et dont il gardait le souvenir. Il se frotta les mains, soudain ragaillardi, se félicita d'avoir écouté son valet et consulta l'huissier :

— Quel est notre premier cas, aujourd'hui ?

— L'affaire Paul Férrère, monsieur le juge. Les premiers témoins du monitoire sont là.

— Voyons ce qu'ils ont à nous dire, faites entrer !

Antoine était arrivé avec Michèle et l'avait installée dans le bureau des avocats afin de lui éviter la difficile attente dans le couloir. Prost était venu les prévenir et, après une rapide étreinte, Antoine l'avait accompagnée jusqu'à la salle d'audience où il avait distingué la massive silhouette du sénéchal avant que les portes ne se ferment. L'interrogatoire avait duré une heure. À sa sortie, ils avaient croisé Claude Bourgelat, qui avait tenu à accompagner le concierge de son école. Les regards s'étaient croisés, compatissants ou anxieux.

Sur les marches, Michèle avait empli ses poumons d'une grande bouffée d'air. Antoine avait compris qu'elle n'était pas encore prête à lui raconter. Ils avaient traversé la rue Saint-Jean jusqu'au pont de pierre sur lequel ils s'étaient arrêtés au niveau de la chapelle à la Vierge. Au-dessous d'eux, les flots venaient se briser sur l'amas de rochers de l'arche centrale. Un peu plus loin, plusieurs bêches, amarrées à une des piles, ondulaient au gré du courant. Les batelières étaient invisibles.

— J'aime cet endroit, il me rappelle le pont au Change à Paris. Et cette partie est étonnante, dit Michèle en montrant un bloc de plusieurs maisons, hautes de trois à quatre étages, suspendues au-dessus de la première arche et séparées par le tablier du pont.

— On l'appelle l'Arche merveilleuse, indiqua Antoine en surveillant du coin de l'œil Trente-trois qui les avait dépassés et s'était posté quelques mètres devant eux comme un badaud.

— Elle mérite bien son nom ! dit Michèle en se penchant par-dessus le parapet.

— Méfiez-vous, conseilla Antoine en la retenant par le bras : juste en dessous se trouve le rapide de la Mort-qui-Trompe et son nom n'est pas usurpé. Les plus courageux de nos nageurs s'y jetaient lors de la fête des Nautes.

— La cérémonie qui sera à nouveau célébrée cette année ? demanda-t-elle en s'écartant du bord.

— Oui. Tout le monde s'y prépare. Jouteurs et nageurs vont à nouveau pouvoir affronter le fleuve.

Ils reprirent leur marche. Trente-trois descendit l'escalier de l'arche des batelières et s'arrêta à mi-parcours. Il ne se faisait plus aucune illusion sur son rôle d'épouvantail, mais continuait d'obéir scrupuleusement aux ordres de Marais : toujours rester à distance de l'avocat. Il s'assit et les entendit passer au-dessus de lui.

— Pour moi, se jeter ainsi dans la Saône n'est pas le vrai courage, déclara Michèle en observant les tourbillons de la Mort-qui-Trompe. Ce n'est que de la témérité. Il est plus courageux parfois de renoncer.

— Témoigner pour un demi-frère que l'on ne connaît pas pourrait passer pour de la témérité, fit remarquer Antoine.

— S'opposer à l'autorité royale en cachant un trésor gaulois aussi, rétorqua-t-elle.

— Alors, nous sommes faits pour nous entendre, conclut-il en lui caressant discrètement la main.

Ils passèrent entre les deux rangées de maisons de l'Arche merveilleuse. Michèle se retourna et admira la vue.

— Votre ville est vraiment très belle. Elle se mérite.

— Louern l'appelait Condate. Parce qu'elle est à la confluence de deux fleuves, expliqua-t-il en lui montrant de la main le bout de la presqu'île. Le Lugdunum romain se trouvait à Fourvière.

— Deux villes qui ne se mélangeaient pas ?

— Deux civilisations qui se côtoyaient. Et l'une a fini par avaler l'autre.

Ils restèrent près du port Saint-Antoine à regarder un voilier manœuvrer pour éviter les piles du pont. Dans leur dos, sur le quai, s'agitaient les marchands. Un carrosse attendait derrière une carriole d'où des hommes déchargeaient de lourds rouleaux de tissu.

Un paysan jeta bruyamment une poignée de lentilles sur le plateau d'une balance. Une corne de brume beugla au loin, à quoi répondit la cloche de Saint-Nizier.

— J'ai une surprise pour vous, dit soudain Antoine.

La salle était immense. De forme ovale, elle comportait un large parterre et trois étages de balcons qui s'évasaient à la manière d'un théâtre antique. Les loges, à l'italienne, étaient cintrées d'une balustrade soutenue par des anges sculptés. Le lustre principal, constellé de pampilles, était composé de quatre étages de dizaines de bougies et semblait planer quelques mètres au-dessous du plafond. La scène, encadrée de colonnes corinthiennes, plongeait vers le parterre où le souffleur était occupé à balayer le sol jonché d'objets divers, sous le regard amusé d'un des comédiens du théâtre, assis au bord de la scène.

— La récolte est bonne ? demanda-t-il en s'approchant de l'homme pour regarder dans le grand sac de jute posé à côté de la fosse d'orchestre.

Le souffleur se releva et s'essuya le front avant de poser les mains sur le haut du manche, à la manière d'un paysan dans son champ, tout en évaluant le travail qu'il lui restait à accomplir.

— Encore heureux qu'elle soit bonne, sinon je ne me crèverais pas le dos à jouer au chercheur de trésor après chaque représentation, dit-il en fronçant les sourcils.

Il avait repéré un point brillant, qu'il ramassa afin de l'examiner, et fit une moue de dégoût : il tenait entre ses doigts un morceau de verre.

— Avoue que tu as cru trouver un bijou ! dit le comédien. Ce sont des bésicles qu'il te faudrait ramasser, le brocarda-t-il.

Il ouvrit le sac pour l'inspecter.

— Pas touche ! s'écria le souffleur en l'écartant d'un coup de balai. J'ai récupéré deux bourses, une dizaine de mouchoirs, une petite boîte gravée en or, avec rien dedans, une tabatière, un fourreau sans sa dague, une manchette et cinquante sols.

— Est-ce bien tout, mon compère ? La représentation d'hier a fait le plein et la soirée fut agitée d'une petite cabale.

— Oui, acquiesça le souffleur.

— Oui, c'est tout ?

— Oui, la soirée fut agitée à souhait, confirma-t-il dans un grand sourire.

L'espace réservé au parterre ne comprenait aucune place assise et pouvait contenir, lors des fortes affluences, près de sept cents personnes, marée humaine seulement séparée de la scène par l'orchestre. La chaleur, la promiscuité, uniquement masculine, l'alcool bu avant les représentations, tout contribuait à rendre la foule intempestive et excitée. Le parterre était une fosse dans laquelle les lions pouvaient se montrer tour à tour dociles ou affamés.

— Et plus il y a de l'ambiance, plus ils perdent d'objets, conclut l'homme en reprenant son activité après avoir aperçu le directeur à l'entrée de la salle, accompagné d'un couple de visiteurs.

— Je te rappelle que tu es censé les déposer au Bureau d'avis, pas chez toi, insinua le comédien en regardant le groupe s'approcher. Qui est-ce ? interrogea-t-il en admirant la jeune femme. Quel charme !

— Est-ce que je sais ? Le couple qui a perdu la boîte gravée ?

— Ou le portefeuille de basane noir, dit l'homme en lui tapant sur le flanc. Celui que tu as dans ta poche !

— Hé, mais comment...

— J'étais dans une des loges quand tu as commencé à balayer.

— Pas un mot !

— Pas un mot sans partage, argua-t-il comme une réplique théâtrale rodée.

— Escroc, chuchota l'autre.

— Voleur, lui glissa le comédien à l'oreille.

— Les deux Jean ! lança le directeur depuis l'entrée du parterre. Venez, que je vous présente. Nous avons l'honneur d'accueillir dans notre maison une célébrité du Paris artistique.

Les deux acolytes se portèrent à leur hauteur.

— Mlle Masson, de l'Ambigu-Comique, dit-il avec l'emphase d'un meneur de troupe.

— La Masson ? Madame, permettez que je baise votre main avec respect, déclara le comédien en appuyant son geste. Si votre talent est à la hauteur de votre beauté, votre réputation sera en dessous de la réalité.

— Jean-Baptiste est notre plus grand flagorneur, s'excusa le directeur, et, accessoirement, notre nouvel Arlequin. Le précédent nous a quittés sans prévenir, sans crier gare. Et, au balais, Jean-Mauduit...

— Jean le Maudit, entonna Jean-Baptiste, qui reçut une bourrade de son camarade.

— Jean-Mauduit, qui connaît plus de vers que toute la troupe réunie, et qui sera votre souffleur, compléta le directeur.

— Est-ce à dire que vous allez nous faire l'honneur de votre présence sur scène ? demanda l'Arlequin, dont les yeux brillaient de convoitise sans aucune retenue.

À peine Michèle et Antoine avaient-ils débarqué dans l'immense hall d'entrée du théâtre que le directeur lui avait proposé d'y jouer. « La pièce qu'il vous plaira », avait-il avancé comme argument, persuadé de remplir les caisses sur son seul nom. Après une œillade pour Antoine, elle avait donné son consentement, au même tarif que les autres acteurs de la troupe, ce qui avait doublement ravi le locataire des lieux.

— Et nous devons cette rencontre à maître Fabert, que je ne remercierai jamais assez, conclut le directeur, avant de les emmener visiter les loges.

Le souffleur retourna à son balayage tandis que Jean-Baptiste les suivit des yeux jusqu'à leur sortie.

— Quelle femme ! dit-il après avoir repris sa place au bord de la scène.

— Ouais, approuva Jean-Mauduit, elle a une sacrée réputation de jeu.

— Non, son visage, sa sensualité ! Tu as vu ses poignets ? Sa taille ? Quelle finesse ! Et son visage... Une bouche comme la sienne mérite des lèvres de qualité.

— Comme les tiennes, peut-être ? proposa le souffleur en jetant un papier vierge dans le sac de jute.

— Comme les miennes, sûrement, tu as raison, mon compère.

— Tu as l'air bien sûr de ton fait.

— T'ai-je déjà déçu en la matière ? J'ai toujours eu les femmes que je désirais, non ?

— Même celle de notre précédent Arlequin, fit remarquer Jean-Mauduit. Bien, j'ai fini, dit-il en prenant le sac avec lui. Tout est prêt pour la représentation de ce soir, conclut-il.

— Sauf la pièce, qui manque de consistance, persifla Arlequin. *Le Petit Rasoir des ornements mondains* : rien que le titre sent la poussière du XVIe ! Quand pourra-t-on déclamer du contemporain, du romantique ?

— Quand tu auras appris à mieux jouer, *Arlecchino* ! Et quand tu pourras te passer de moi toutes les deux phrases. Si tu veux séduire la Masson, change de jeu !

49

Lundi 15 décembre

Aimé considéra les nuages blancs cernés de gris qui se rassemblaient dans le ciel en une masse uniforme au relief grenelé et retira ses bésicles en se retournant vers son neveu.

— Cette fois, c'en est trop. Je vais aller me plaindre à notre police.

À la faveur de la nuit sans lune, la lettre « M » avait disparu de la devanture.

— Non, mon oncle, n'en faites rien, l'adjura Camille en posant la plume qu'il tenait en main.

Aimé adopta sa posture favorite, mains dans le dos à réaliser des allers et retours entre le bureau et les angles de la pièce, signifiant qu'il était ouvert au débat si tant est qu'on pût le convaincre.

— Je n'aime pas cette idée que l'on vienne jusque sous ma fenêtre me narguer et me voler, dit-il arrivé près de la porte.

— Ce n'est pas du vol, vous la retrouverez bientôt. Comme toutes les autres, argumenta Camille resté assis au secrétaire.

— Qu'importe, on se moque publiquement de moi et je ne peux le supporter, rétorqua Aimé sans cesser de marcher.

— On fait votre renommée, mon oncle. Ce plaisantin est ce qui pouvait arriver de mieux pour la librairie. Tout le monde est au courant et parie sur les lettres. Même Charles a gagné de l'argent !

Le libraire s'immobilisa :

— Charles ? Mon typographe ?

Sans attendre la réponse, Aimé fit un nouvel aller-retour entre son bureau et la fenêtre.

— Charles ? répéta-t-il en haussant les épaules d'un air dépité. Je lui interdis de s'enrichir sur mon malheur. Je l'interdis à tous ! s'emporta-t-il. Je ne peux quand même pas passer mes nuits à surveiller mon enseigne. Non, je te le dis : je vais faire appel à la police. Et tout rentrera dans l'ordre.

— Comme il vous plaira, mon oncle, concéda Camille en espérant revenir à la charge lors d'un moment plus favorable.

Aimé sembla rasséréné d'avoir pris une décision qu'il reportait depuis longtemps.

— Bien, où en étions-nous ? demanda-t-il alors que Camille cherchait une nouvelle plume à la pointe plus acérée. Regarde-moi ça !

se lamenta-t-il soudain en prenant en main une pile de la dernière édition des *Affiches de Lyon*.

Les papiers, ramollis par la forte humidité ambiante, avaient gondolé.

— La faute à ce fichu temps, commenta le libraire. L'encre n'arrive pas à sécher. Aide-moi !

Les deux hommes ravivèrent le feu endormi, poussèrent un fauteuil devant l'âtre et y déposèrent les exemplaires. Szabolcs le facteur était en retard, ce qui, pour une fois, arrangeait leurs affaires. La douceur exceptionnelle du mois de décembre s'était associée à un temps extrêmement pluvieux et Aimé se languissait des premiers froids secs, tout comme Camille, mais pour une tout autre raison. Les parents d'Anne n'avaient pas encore officiellement accepté de recevoir la demande en mariage de son prétendant et les deux amoureux se cachaient toujours à la Bergerie, dans la petite remise attenante, dont Antoine lui avait donné la clé. Ils s'y trouvaient à l'abri des regards, mais pas de l'humidité qui s'insinuait partout sur eux, entre chaque couche de vêtement, sur leurs peaux, dans chacun de leurs baisers. En ce jeudi après-midi, Camille attendait impatiemment la venue d'Anne, qui avait décidé d'arracher à ses parents une date officielle pour la demande.

La lumière était déjà allumée dans la chambre d'Edmée. La rue Belle-Cordière, tout comme le reste de la presqu'île, était dans la pénombre d'un ciel devenu d'encre. Seule la colline de Fourvière était exemptée de la chape opaque de néphélions et les derniers rayons d'un soleil devenu très pâle inondaient le clos Billion pour quelques instants encore. Marc colla une dernière fois son œil dans l'objectif de la lunette afin de tenter d'apercevoir l'ombre de sa femme se découper dans la fenêtre. Il n'insista pas longtemps, n'étant même pas sûr que le minuscule bout de façade qu'il avait identifié dans une trouée corresponde bien à celle de leur maison. Il se massa les paupières alors que sa vue s'était brouillée à force d'observations et remarqua seulement que le temps avait viré à l'aigre. Il admira les dernières arabesques ardoise dans un ciel devenu une mer bleu de Prusse dont une partie semblait se déverser sur la terre. Sainte-Foy était déjà sous la pluie.

Marc chercha un chapeau, mais le seul qu'il utilisait encore traînait quelque part dans l'élevage des halabés. Il avisa une perruque usée dont les cheveux n'étaient plus arrangés en bouclettes et ondoyaient en liberté. Elle ferait l'affaire pour protéger son crâne dégarni au cas où il viendrait à pleuvoir. Il rejoignit la buanderie afin de nourrir ses protégées et de pousser les poêles à bois à leur maximum : une chaleur humide était une aubaine qui permettrait d'accélérer l'éclosion des milliers de coques en attente.

À la demande de son maître, Radama avait ouvert en grand toutes les portes-fenêtres du salon principal. Antelme aimait sentir les odeurs de la terre sous la pluie, il aimait le calme de la nature avant l'averse, le vent léger bringuebalant les bruits de la ville, tout ce qui exaltait les sens que l'endormissement de ses jambes n'avait pas éteints. Il admira la machine posée sur la table à côté de sa chaise roulante, composée d'un tube en verre recourbé renfermant du mercure, sur lequel reposait un poids métallique, tendu et relié à une poulie. Une longue aiguille, montée sur un pivot, indiquait par un cadran les variations de hauteur du mercure. Antelme était fier de son baromètre à poulie de Hook. Il avait fait l'admiration du docteur Mesmer. Le médecin en avait aussitôt commandé un, qui l'attendait chez un marchand d'instruments place du Pont-Neuf à Paris. Selon sa théorie, le magnétisme animal le plus fort pouvait être rencontré dans la nature, au travers d'un arbre ou d'événements naturels. *Comme un orage*, songea Antelme en se référant à sa dernière conversation avec Mesmer.

Il vérifia l'aiguille : elle indiquait un important changement de la pression atmosphérique. Il plaça son fauteuil dans l'encadrement d'une des larges portes-fenêtres et observa les nuages noirs qui s'étaient amoncelés avec une allure de fin du monde. Il la sentait. L'énergie magnétique était là, plus puissante que celle générée par la ronde autour du baquet, infiniment plus puissante. Mais le médecin autrichien s'était absenté à Paris, en compagnie de Claude Bourgelat, afin d'y préparer sa future installation et de mettre au point des tests sur les chiens de l'école royale vétérinaire de Maisons-Alfort.

Antelme n'eut aucune hésitation. Il devait capter l'énergie que la Terre était en train de lui offrir. Il devait saisir sa chance.

— Radama ! hurla-t-il. Faites monter le baquet sur la terrasse et remplissez-le d'eau. Vite !

La lueur des bougies donnait à la peau de Michèle, d'ordinaire diaphane, une couleur ambrée. Ses cheveux étaient encore plus noirs qu'à l'accoutumée. Antoine ne pouvait détacher son regard de la finesse de ses traits, de leur douceur. Ils étaient un rêve d'artiste, l'œuvre d'un génie de l'art, la preuve de l'existence de Dieu.

— À quoi pensez-vous ? dit-elle en levant les yeux de son texte.

Antoine enfouit ses pensées au plus profond de lui. Il n'était pas encore prêt à se livrer sans retenue, et tergiversa :

— Je crois que votre choix de pièce a surpris nos amis du Grand Théâtre.

Deux jours après leur visite, Michèle avait fait parvenir un billet au directeur sur lequel étaient inscrits le titre et le nom de l'auteur. L'un et l'autre lui étaient inconnus. Et pour cause : ils n'existaient pas.

— Sauf dans votre imagination, ajouta Antoine.

— Dans la nôtre, rectifia-t-elle. Je compte sur vous pour m'aider à l'écrire.

Michèle y avait vu une occasion unique de mettre en lumière la vérité sur leurs ancêtres à travers un drame en un acte se déroulant dans un pays imaginaire.

— Nous y inclurons des mots de gaulois, des traits de leur quotidien tel qu'il était réellement, avait-elle dit à Antoine pour le convaincre. L'histoire d'un peuple qui se bat pour conserver son mode de vie face à un colonisateur qui veut le réduire en le fondant dans son propre moule... Nous pourrons ainsi transmettre ce que vos textes nous ont appris ! avait-elle proposé, enthousiaste.

Antoine l'était beaucoup moins. Il avait d'abord catégoriquement refusé l'idée de Michèle. Il ne voulait pas qu'elle soit exposée dans une affaire aussi dangereuse. Elle avait balayé l'argument d'un revers de manche : faire du théâtre au boulevard du Temple était bien plus risqué. À Paris, la censure et les agents du pouvoir étaient partout.

— Vous ne pouvez imaginer le nombre de fois où nous aurions dû finir au For-l'Évêque[1] et où nous sommes allés jusqu'au bout, le rassura-t-elle en oubliant les nuits passées dans la prison pour des raisons bien plus futiles. Nous sommes à Lyon, pas à Paris. Nous aurons joué au moins une semaine avant que la censure royale ne s'abatte sur nous. Et nos textes seront suffisamment habiles pour qu'elle ne puisse s'exercer.

— Vous êtes bien sûre de vous, remarqua-t-il en feuilletant les premières pages qu'ils venaient d'écrire.

— Le théâtre est ma vie. Sur une scène, je suis dans mon foyer, tout comme vous l'êtes dans les livres de loi. À votre tour de me

1. Prison à Paris où les comédiens étaient incarcérés. Elle était située rue Saint-Germain-l'Auxerrois.

faire confiance, Antoine. Quelle plus belle tribune que cette salle, à moins d'une lieue de l'amphithéâtre que les peuples de la Gaule nous ont légué ?

— Je dois reconnaître que votre proposition est ingénieuse et ne manque pas de panache, admit-il.

— Mais ? Je ressens un « mais » caché dans votre affirmation, répliqua-t-elle.

Antoine s'était levé pour allumer un second chandelier alors que la lumière du jour s'était faite pénombre.

— Mais comment construire une telle histoire en trois semaines ?

— Nous aurons plus de temps, corrigea Michèle.

— Les répétitions commencent après l'Épiphanie. Il nous reste vingt-trois jours, calcula-t-il.

— La pièce sera finie pour la première représentation. Pas à la première répétition, répondit-elle avec malice. Nous donnerons la suite des textes aux comédiens au fur et à mesure de l'avancement des répétitions. C'est courant.

Elle avait fini par battre en brèche toute sa défense. Il ouvrit la porte qui donnait sur le jardin et resta un moment à regarder l'aube intermittente des éclairs qui allumaient le lointain alors que la voûte au-dessus d'eux s'était faite anthracite. Ils n'avaient plus aucune chance de revoir la lumière du jour avant le lendemain.

— La part de l'aube, murmura-t-il en pensant au titre que Michèle avait écrit.

Elle le rejoignit pour observer le ciel se courroucer.

— Votre idée est insensée et sublime à la fois, dit Antoine sans cesser de regarder au loin.

— Comme le théâtre, souvent.

— Comme la vie, parfois.

Leurs deux corps s'étaient rapprochés insensiblement. Michèle sembla s'en rendre compte et se ressaisir.

— Et le nom de l'auteur, vous ne m'avez pas expliqué, reprit-elle en frottant ses bras parcourus de frissons.

Il prit la couverture de fourrure qui reposait sur le banc et vint en envelopper la jeune femme.

— *Bagauda* désigne un révolté en gaulois. M. Bagauda... J'ai trouvé ce nom plutôt indiqué pour notre cas. Avez-vous moins froid ?

Il posa son menton sur l'épaule de Michèle. Elle lui caressa la joue en signe de remerciement. Ils regardèrent en silence le spectacle de la foudre et des grondements paresseux du tonnerre.

— Comment faites-vous pour affronter une salle ? l'interrogea-t-il soudain. Tout ce monde, ces centaines d'hommes au parterre, comment faites-vous pour dompter un auditoire si volage ?

Michèle n'osa lui avouer la peur qui était la sienne au début de chaque représentation, ce grand saut dans l'inconnu, au contact d'un public qui pouvait être un lion affamé ou un chat affectueux et passer de l'un à l'autre sans raison apparente. La moindre provocation d'un individu, si elle était suivie par les autres, se propageait plus vite qu'un incendie dans tout le parterre et devenait incontrôlable. Certains jours, de violentes disputes pouvaient se déclencher entre des spectateurs en désaccord sur le jeu des acteurs. Mais les triomphes étaient aussi porteurs que les cabales étaient délétères pour une réputation.

— Une foule ne se contrôle pas, tout juste peut-on la charmer, conclut-elle. Je reconnais qu'il faut cette part de séduction, de chance aussi, mais le choix de l'auteur reste important. Une mauvaise pièce peut vous mettre dans un grand embarras et j'en ai quelques mauvais souvenirs.

Antoine la serra plus fort. Il n'aimait pas cette idée de la sentir en danger. Elle intercepta sa pensée et se retourna pour le regarder droit dans les yeux :

— Vous viendrez me voir à la représentation de *La Part de l'aube* ?

— J'aimerais, vraiment. Mais je ne peux pas.

— Vous serez dans une loge, loin de la fougue du parterre. Antoine ! implora-t-elle.

— Je ne peux pas, je ne pourrai pas, répéta-t-il en baissant les yeux.

La simple vision du Grand Théâtre rempli fit monter en lui une sensation d'étouffement.

— Mais qu'y a-t-il avec vous, Antoine ? dit-elle en lui prenant le visage dans les mains. Pourquoi cette crainte de la foule ? chuchota-t-elle en cherchant la réponse dans ses yeux.

Il haussa les sourcils comme pour s'excuser : la pluie venait de faire une entrée remarquée sous la forme d'une averse en bourrasques. Ils rentrèrent précipitamment.

Marc déposa trois mouches mortes dans le dernier pot et empêcha l'araignée d'en sortir en la prenant par le milieu du corps. L'animal se débattit et eut le temps de le mordre avant qu'il ne le repose au fond de sa niche. Marc poussa un juron pour faire passer son envie d'écraser l'halabé. Pas un jour ne se passait sans qu'il n'ait à déplorer quelques petites entailles dues aux dents revanchardes. Au fil du temps, sa collection de blasphèmes s'était enrichie d'inventions personnelles imagées et colorées qu'il se gardait bien de proférer devant les domestiques, de peur qu'ils n'en informent Edmée. Il vérifia que les deux poêles avaient été rechargés jusqu'à la gueule et constata par la fenêtre que la pluie avait débuté. Il avisa sa perruque, qu'il mit distraitement tout en comptant les rangées de pots. Vingt-cinq fois trente. Marc se frotta les mains : il disposait de sept cent cinquante spécimens pour produire la dernière once de fil. Claude entra lui indiquer qu'il avait tenté de calmer les chevaux gagnés par la nervosité et regarda son maître d'un air incrédule.

— Quoi, qu'y a-t-il ? Parle ! dit Ponsainpierre, que l'hébétement de son serviteur agaçait. J'ai une halabé sur la perruque, c'est ça ?

Ce genre d'incident lui était déjà arrivé mais il était le seul à s'être totalement habitué à ses pensionnaires. Même Claude, qui l'aidait à la buanderie, n'avait jamais voulu nourrir les bêtes sans sa présence. Marc se félicita de ne pas avoir de voisins acariâtres qui auraient pinaillé sur la nature de son élevage dans le jardin. Lui-même ne s'était jamais totalement habitué au caractère peu avenant de ses pensionnaires, mais il ne voulait pas le montrer aux autres. Il fit une moue blasée, s'approcha du miroir posé sur une étagère et poussa un cri en voyant son reflet :

— Dieu du ciel, mais qu'est-ce que cela signifie ?

Tous les cheveux du postiche s'étaient dressés sur sa tête, dessinant une impressionnante couronne à la manière d'un hérisson sur le qui-vive.

La vapeur formait une brume qui s'élevait du baquet rempli d'eau chaude. Les serviteurs l'avaient posé dans un ancien kiosque reconverti en pavillon d'été, entouré d'une rangée de tilleuls, à l'entrée de la roseraie du jardin. L'endroit était son favori dès lors que le temps le permettait et lui donnait l'impression d'être immergé dans un écrin de verdure. La structure protégerait Antelme des rafales de pluie et de vent. L'historien s'était habillé chaudement, d'une culotte de laine, d'une veste épaisse et d'un bonnet de marin. Radama et un laquais l'avaient aidé à s'installer dans le baquet.

Il prit dans chaque main une des barres de fer qui plongeaient dans la cuve. Antelme avait appris par un ami de l'Académie des sciences que les orages se formaient par la fermentation des nuages. Il se souvenait parfaitement de l'ordre des phénomènes : la fermentation provoquait leur dilatation, une augmentation de leur chaleur et leur élévation. *D'où leur taille gigantesque*, pensa-t-il pour se rassurer. À l'intérieur, l'air se comprimait, crevait la peau des néphélions dans un roulement de tambour et la matière fermentée s'enflammait sous forme d'éclairs. Depuis qu'il en avait compris la nature, il ne les craignait plus. Aujourd'hui, il en attendait tous les bienfaits.

Antelme se releva légèrement à l'aide de ses bras. Autour de lui, les cimes des arbres se courbaient de plus en plus, les gouttes de pluie, projetées violemment sur la terrasse, rebondissaient avant de se fondre en flaques. Il sentait les forces magnétiques sourdre de terre, il sentait l'électricité dégouliner du ciel, il était à la confluence de toutes les forces de la nature. Radama, trempé, glissa sur l'herbe en apportant deux seaux d'eau chauffés à l'âtre de la cuisine, se releva, glissa encore, s'aperçut qu'ils s'étaient vidés et repartit à l'office.

Les éclairs venaient de jeter leur dévolu sur la place Louis-le-Grand.

— Plus près, plus près ! leur hurla Antelme.

Il serrait les ferrailles si fort que ses doigts avaient blanchi. Radama revint avec un seul récipient, en jetant des regards inquiets vers le ciel, tentant de deviner où pourrait tomber la foudre. Il vida l'eau chaude dans le baquet et voulut s'en aller, mais Antelme le retint par le bras :

— Je sens mes jambes, mon ami !

Un éclair vint s'écraser sur la place des Terreaux, illuminant la maison et le jardin.

— Mes jambes, elles grouillent de sensations ! répéta-t-il en tentant de se lever, sans succès.

Radama n'attendit pas l'autorisation de l'historien pour repartir s'abriter dans la maison. Si son maître était assez fou pour tenter le diable, il ne voulait pas être impliqué.

Anne se sécha sommairement les bras, se frotta le visage et tendit la serviette à Camille. Elle s'assit devant le feu pendant que le jeune homme essuyait consciencieusement ses cheveux. Le vent hurlait sans répit dans le conduit de la cheminée.

— Quelle tempête, mes amis, s'inquiéta Aimé, posté devant la fenêtre. Vous n'auriez pas dû venir, Anne, vous risquiez la fluxion.

— Je me suis fait surprendre sur le pont de pierre, expliqua-t-elle. Je me suis d'abord réfugiée dans la chapelle de la Vierge en attendant la fin de l'averse, mais tout a empiré. J'ai fini par sortir quand l'orage s'est approché et j'ai couru.

— Vous n'auriez pas dû, répéta le libraire.

— Je voulais vous apporter la bonne nouvelle, dit Anne en se retournant vers Camille, qui s'arrêta net de frotter. Mes parents ont accepté de recevoir ta demande, ajouta-t-elle en direction de son soupirant. Tu es attendu dimanche.

Pour toute réaction, Camille s'agenouilla devant elle et l'embrassa passionnément. Surprise de sa fougue, elle faillit tomber à la renverse, ce qui les fit rire tous les deux.

— Je ne voudrais pas paraître un vieux grincheux, mais vous n'êtes pour l'instant ni mariés, ni même officiellement fiancés, fit remarquer Aimé. Et vous vous trouvez chez moi.

— Compris, dit Camille en aidant Anne à se redresser. Désolé de vous avoir mis dans l'embarras, mon oncle.

— Toutefois, après une telle nouvelle... commença le libraire.

Aimé fut interrompu par un impressionnant grondement de tonnerre. Il regarda en direction du ciel d'un air condescendant, comme pour défier la tempête.

— Toutefois, continua-t-il, nous n'allons pas nous laisser impressionner par les circonstances et je vais aller chercher un vin vieux que je gardais à la cave pour une pareille occasion.

Le libraire se ravisa :

— En fait, non : pour CETTE occasion, ajouta-t-il, facétieux.

Il fit quelques pas et se retourna :

— Eh bien, quoi, vous pouvez vous embrasser dans mon dos ! Cela n'est pas interdit ! Et profitez-en, le chemin jusqu'à la cave est long.

Au même moment, un bruit de chute retentit derrière eux : une rafale plus violente que les autres avait décroché la première rangée de briques de la cheminée, qui tombèrent dans le conduit et atterrirent au milieu des braises rougeoyantes de l'âtre. Une épaisse fumée et des dizaines d'escarbilles incandescentes envahirent la pièce.

— Maintenant, vous savez ce qui m'est arrivé.

Antoine avait parlé, les yeux fermés, debout devant la fenêtre de la chambre. Il avait posé des mots sur l'accident et la mort de ses parents, son traumatisme, le pont de la Guillotière qu'il ne franchirait jamais plus. À travers ses paupières closes, les lueurs irrégulières de l'orage s'étaient mélangées aux images de ses souvenirs.

Michèle avait écouté, respectant ses silences, ses douleurs intérieures, ses non-dits, elle l'avait accompagné de son amour et de son empathie sur le chemin tortueux de la parole. Il avait laissé leurs deux corps s'effleurer au rythme de son récit, il avait senti la chaleur de sa respiration, le souffle vital de cette femme qui grandissait en lui comme une fleur sauvage.

— Merci, dit-elle simplement. Merci de m'avoir fait confiance. J'en suis touchée.

— Merci de m'avoir délivré.

Leurs mains se caressèrent, du bout des doigts, puis des paumes, elles virevoltaient de l'un à l'autre, se cherchant, s'unissant, se quittant pour mieux se retrouver. Leurs visages s'approchèrent lentement l'un de l'autre, sans fureur, sans violence. Toute la force de leur passion était dans la douceur de leurs gestes. Leurs joues se frôlèrent, leurs bouches s'effleurèrent, s'amadouèrent et s'ouvrirent l'une à l'autre. Leurs regards avaient plus d'intensité que l'orage lui-même. Leurs corps étaient une scène tendue de soie sur laquelle dansait leur désir. Ils ne faisaient plus qu'un.

Un bruit de rafale les interrompit. Michèle eut l'impression qu'un torrent de cailloux dévalait les tuiles et envoya un regard inquiet à Antoine. Une des fenêtres du rez-de-chaussée se brisa.

— De la grêle, dit-il d'un ton badin en enfouissant ses mains dans les cheveux d'ébène de la jeune femme.

Il posa son front contre le sien.

— Ce soir, rien ne nous empêchera de nous aimer, chuchota-t-il.

Antoine la souleva et la porta dans ses bras. Ils s'allongèrent sur le lit.

— Ce soir, rien ne nous empêchera de nous aimer, répéta-t-elle, pas même la colère divine. Je n'ai pas peur.

Ponsainpierre observait les traits de foudre qui zébraient le ciel au-dessus de la ville, l'éclairant par intermittence d'une lueur spectrale.

— Il paraît qu'en alignant une batterie de vingt ou trente canons et en tirant des boulets, on peut chasser les orages, soliloqua-t-il. Qu'en pensez-vous, Claude ?

— De quoi donc, monsieur ? demanda le serviteur, qui venait d'entrer, emmitouflé dans son long manteau de cocher.

— Que le bruit du canon dissipe les orages ! cria Marc.

Une série d'éclairs, plus longue que les autres, illumina le salon pendant plusieurs secondes. Le tonnerre ne fut pas en reste.

— Je n'en sais rien, monsieur, mais les canons effraieraient aussi nos chevaux, répondit-il, pragmatique. Je reviens de l'écurie, il y a des fuites d'eau et les stalles sont de vrais bourbiers.

— L'orage va passer, il va glisser sur Pierre Scize, assura Ponsainpierre. Je suis plus inquiet pour Edmée, qui est seule à la Belle-Cordière.

— Fantine est avec elle, monsieur.

Marc haussa les épaules. Il savait que sa femme était en compagnie de leur cuisinière, mais lui, son mari, n'était pas présent à ses côtés et il s'en voulait. Elle aurait pu être entourée de toute la compagnie de son salon littéraire qu'elle aurait été seule à ses yeux. Mais il n'avait ni la volonté ni l'envie de l'expliquer à son cocher ou à quiconque aurait voulu l'entendre.

— En plus, il tombe de la grêle en bas, ajouta Claude innocemment tout en s'ébrouant.

Marc eut envie de l'étrangler et s'écria :

— Pourquoi ne pas l'avoir dit plus tôt ? Vite, attelez le carrosse ! On descend !

— Mais, monsieur, les chevaux...

— Quoi ? Prenez les deux plus expérimentés. Ne me dites pas qu'ils ne sont jamais sortis sous la pluie ! assena Marc en enfilant son manteau.

— Mais c'est une tempête ! protesta Claude.

— Tempête ou pas, on va rejoindre Edmée ! hurla-t-il.

Les premiers grêlons frappèrent le toit dans un bruit de mitraille. Ponsainpierre remarqua une ébauche de sourire sur les lèvres de son cocher. Il le poussa, furieux, et sortit. Son pied buta sur une balle dure qui roula quelques mètres avant de s'immobiliser. Le sol en était jonché. Les grains de grêle étaient gros comme des œufs de poule.

L'un d'eux vint le frapper à l'épaule. Marc poussa un cri et se mit à l'abri. La force des rafales de vent accentuait la violence des impacts. À vingt mètres de lui, les tuiles du toit de la buanderie claquaient sous les projectiles.

Marc cria à Claude de lui apporter une chaise, qu'il utilisa retournée pour se protéger comme d'un bouclier jusqu'à l'élevage. Il fut soulagé en constatant qu'à l'intérieur les dégâts étaient minimes. Seules trois ouvertures étaient apparues, par lesquelles vent et pluie s'étaient engouffrés, mais, par chance, elles se situaient près de la zone aménagée en bureau et dortoir, loin des pots et des poêles. Il positionna des seaux au niveau des fuites et nettoya l'endroit. Marc serra tous les pots dans la partie opposée, où les tuiles, plus récentes, avaient tenu bon sous les coups de boutoir. Dehors, les grêlons étaient devenus de simples mouches et ne tarderaient pas à retourner à leur état de gouttes d'eau. Il vérifia à nouveau le fonctionnement des poêles et ouvrit quelques récipients afin de constater que les araignées n'avaient pas souffert de l'incident. Les halabés ne semblaient pas nerveuses, ce qui le rassura. Les bêtes avaient un instinct infaillible du danger. Même l'orage semblait s'atténuer.

Sa colère contre Claude, qu'il avait étouffée dans le temps de l'urgence, revint le démanger : il avait l'intention de tancer son valet, qui avait refusé de le conduire chez Edmée. Lorsque Marc sortit de la buanderie, la pluie n'était plus qu'un vague crachin en suspension et le silence avait succédé aux hurlements de la tempête. Il aperçut son cocher entrer à l'écurie une fourche à la main. Au moment même où Marc hurlait son nom, son cri fut couvert par une explosion assourdissante. Tout fut noyé de blanc. Ébloui et choqué, il tituba et tomba à genoux. Se releva. Le coup n'était pas passé loin. Déjà, Claude accourait pour l'aider en faisant de grands gestes. Au moment où Marc lui signifiait qu'il allait bien, un craquement sinistre retentit dans son dos. Il se retourna pour voir une masse sombre s'abattre sur lui.

— Monsieur, je vous en conjure, laissez-moi vous porter à l'intérieur !

Le dernier coup de tonnerre avait été le plus impressionnant. La foudre était tombée non loin de la basilique de Fourvière. Bravant sa peur, Radama était retourné sous le kiosque pour convaincre Antelme de Jussieu de rentrer.

L'historien chassa la demande d'un revers de main :

— Je suis en train de vivre l'expérience la plus excitante de ma vie, en train de recouvrer mes jambes ! Laisse-moi recevoir cette énergie magnétique jusqu'à la dernière goutte !

— Mais l'orage va vous tomber dessus ! La foudre va vous griller, une fois j'ai vu un mouton brûler sous mes yeux, maître !

— Nous sommes protégés dans le pavillon, nous ne sommes ni des moutons ni des bœufs, et Lyon n'est pas Madagascar ! Rentre, toi. Allez ! ajouta-t-il en lui enjoignant de le faire d'un geste sec de la main.

Radama sembla hésiter. Il sortit une fourchette de sa poche et, avant qu'Antelme ait eu le temps de réagir, la planta plusieurs fois dans la cuisse de l'historien.

— Mais qu'as-tu fait, bougre de damné ? cria Antelme.

— Avez-vous senti les coups ? Avez-vous senti, maître ? hurla le serviteur.

— Oui, je t'ai dit que les sensations étaient revenues dans mes jambes, pourquoi ne me crois-tu pas ? Mais qu'as-tu fait ? ajouta-t-il en apercevant le filet de sang qui s'écoulait de sa jambe vers la surface de l'eau en se diluant.

— Avez-vous senti ? insista Radama.

— Que cherches-tu à me montrer ? L'eau a refroidi, mes muscles sont engourdis, mais je t'affirme que je les sentais tout à l'heure.

— Mais vous ne les sentez plus ! C'est cela qui importe ! conclut-il en jetant la fourchette dans l'herbe. Vous comprenez ?

Antelme baissa les yeux. Ses bras, toujours tendus, étaient ankylosés à force de tenir les barres métalliques et lui donnaient l'attitude du Christ en croix. Une salve d'éclairs zébra plusieurs quartiers de la ville. Il avait froid. Il était épuisé et frissonnait. Lentement, ses mains lâchèrent les fers. Il les laissa flotter à la surface de l'eau rendue trouble par le sang. Sa torpeur dura jusqu'au grondement suivant. Antelme releva la tête.

— Tu as raison. Je suis fou de croire en ma guérison, n'est-ce pas ?

Radama ne répondit pas et fit signe aux autres serviteurs, agglutinés derrière la porte-fenêtre du salon, de venir l'aider. Ils sortirent Antelme du baquet avec difficulté et le transportèrent, trempé, près de la cheminée du salon. Radama le déshabilla, le sécha et l'enduisit d'huiles essentielles en priant pour que son maître n'ait attrapé aucun mal. Il le laissa, sonné par son expérience et par le grand verre de rhum avalé, prisonnier de son corps, dans son fauteuil de cuir usé, devant des braises aux couleurs de l'aurore.

— Merci, murmura Antelme sans se retourner. *Misaotra ko sakaiza*[1].

Les étincelles avaient virevolté comme des lucioles en fête avant de se poser partout dans la pièce, sur le parquet, les meubles, les piles de feuilles des *Affiches*. Camille avait été le plus prompt à réagir, utilisant son gilet comme un torchon pour éteindre toutes les escarbilles, aidé par Anne, alors qu'Aimé avait eu bien du mal à reprendre sa respiration après que les poussières du nuage de cendres eurent envahi leurs poumons. Au bout de vingt minutes de lutte, le risque d'incendie était circonscrit.

— Je ne vois plus aucune flammèche, dit Camille en inspectant à nouveau le sol.

1. Merci, mon ami.

Aimé s'assit à son secrétaire pour reprendre sa respiration. Il ôta ses bésicles et frotta ses yeux rougis à l'aide d'un chiffon humide. Anne ouvrit la fenêtre afin de renouveler l'air saturé de particules.

— Il a cessé de pleuvoir, constata-t-elle. L'orage s'éloigne.

Camille la rejoignit et la prit dans ses bras. Ils contemplèrent la ville meurtrie. La grande rue Mercière avait été désertée. Une chaise à porteurs, surprise par la grêle, gisait abandonnée au milieu de la chaussée, le toit percé de trous béants. Occupant et laquais s'étaient sans doute réfugiés dans une des boutiques encore ouvertes.

— Nous sommes passés tout près de la catastrophe, admit le libraire en tenant en main un des feuillets qui avaient commencé à prendre feu.

Les tissus des fauteuils et des chaises présentaient aussi des traces de brûlures, tout comme le parquet et les tentures des murs. Aimé toussa et cracha un mucus noirâtre.

— Ce n'est pas une tempête qui aura raison de nous, lâcha-t-il en se levant. Je vais chercher cette bouteille et nous allons la boire !

Il descendit à la cave et vérifia au passage que rien n'avait été abîmé dans la boutique. Il se félicita intérieurement d'avoir baissé rapidement son volet. Il alluma une bougie et entra dans sa réserve à vins. Le clapotis caractéristique de l'eau retentit sous ses semelles. La pluie s'était infiltrée par le soupirail et la terre l'avait partiellement absorbée. Il pataugea dans la boue, le temps de choisir un vin vieux de Condrieu.

— Huit ans d'âge, murmura-t-il en prenant la bouteille. Juste ce qu'il nous faut.

Il regarda l'état de ses stocks et en sortit une seconde.

— Prescription médicale, justifia-t-il. Il nous faut nous laver le sang !

Lorsqu'il remonta au bureau, Anne et Camille étaient toujours à regarder par la fenêtre.

— Il y a de la fumée sur Fourvière, remarqua Anne, venez voir.

— On dirait la maison Ponsainpierre, compléta Camille.

Aimé chercha ses bésicles dans ses poches avant de se souvenir qu'il les avait laissées sur son crâne. Camille s'écarta pour lui laisser la place.

— Par Dieu, c'est bien le clos Billion ! s'écria-t-il immédiatement. Je vois des flammes !

Lorsqu'il s'était relevé, Marc s'était aperçu de la chance qui avait été la sienne. Le plus gros arbre du jardin, un noyer centenaire, avait été foudroyé en son milieu et s'était coupé en deux. La partie supérieure s'était écrasée sur la buanderie, alors que le tronc, resté en terre, avait pris feu. Seules les branches de la cime l'avaient atteint. Marc avait eu le visage griffé et coupé. Son dos avait été fouetté. Mais il était sauf.

Sa première pensée fut pour Edmée. La seconde pour son élevage. La vision extérieure de la buanderie lui avait laissé présager le pire. Le toit n'existait plus, les tuiles avaient été projetées sur des dizaines de mètres comme un jeu d'osselets et les murs de toute la partie gauche s'étaient effondrés sous la puissance de l'arbre.

Marc avait eu du mal à retrouver la porte d'entrée, broyée et déformée par le choc. Il s'était introduit par une des fenêtres, rejoint par Claude. À l'intérieur, les pots renversés étaient éparpillés partout sur le sol ou avaient été brisés par la chute. Il se mit à la recherche des halabés. Il en trouva plusieurs centaines écrasées au niveau de l'arbre. Les autres avaient été projetées dans toute la buanderie par le souffle de l'impact. Certaines s'étaient aplaties contre un obstacle, d'autres avaient eu les pattes sectionnées et couraient en crabe ou se traînaient sur place à l'aide d'un ou deux membres restants. Il découvrit deux araignées valides sous son bureau, les attrapa et chercha un contenant pour les enfermer, mais n'en trouva pas et se heurta à Claude, qui passait et repassait avec des seaux pleins d'eau.

— Faites attention où vous marchez ! le prévint Marc. Attention aux bêtes ! dit-il en montrant celles qu'il tenait encore en main.

— Mais, monsieur, il faut d'abord s'occuper du feu ! protesta l'homme en continuant ses allers et retours.

Un des deux poêles avait été broyé par le noyer et les bûches avaient à leur tour enflammé les branches de l'arbre. Dehors, la cloche de la basilique se déclencha pour avertir d'un incendie. Le cocher avait essayé de circonscrire l'embrasement naissant, mais les flammes, qui entouraient l'arbre, étaient trop hautes pour être atteintes par l'eau jetée. Claude ne se découragea pas et sortit chercher une grande couverture de jute. Il se moquait bien que l'élevage de son maître soit réduit en cendres, sa crainte était de voir le feu se propager à l'écurie. Il éteignit à grands coups de linge les flammèches qui brûlaient au sol en espérant que les secours allaient vite se mettre en place pour neutraliser le feu principal. La première fontaine n'était qu'à une centaine de mètres et, une fois la chaîne humaine formée, ils pourraient arroser l'intérieur de la buanderie en continu.

De son côté, Marc avait trouvé un baquet muni d'un double couvercle articulé en son centre. Il y déposa une dizaine d'halabés mortes en espérant que les autres s'en contenteraient et fouilla méthodiquement la buanderie en s'aidant d'une branche enflammée comme tison. Il put récupérer une trentaine d'araignées avant que la maréchaussée ne l'oblige à sortir pour installer sa pompe à bras, qu'elle avait fait venir depuis l'arsenal. Il regarda la procession de seaux alimenter en eau la machine et le premier jet tenter d'atteindre les flammes qui enrobaient le noyer. Un capitaine de la milice bourgeoise vint le trouver avec le cadavre d'une halabé. Plusieurs hommes étaient ressortis en refusant de les aider en raison de la présence de « bêtes du diable ». Marc le rassura : elles étaient plus dangereuses pour leurs congénères que pour les humains. Le capitaine repartit combattre le feu. Mais la lutte était inégale. Les flammes continuèrent, imperturbables, de manger les restes de la buanderie.

Marc s'était assis sur l'escalier du jardin et regarda en pleurant brûler ses derniers espoirs de produire de la soie d'araignée. Dans le baquet, les halabés avaient commencé à se dévorer entre elles.

50

Mardi 16 décembre

Lorsqu'il ouvrit les yeux, Antoine croisa le sourire de Michèle, qui le regardait depuis un long moment sans bouger.

— Michèle...

— Je sais ce que vous allez me dire. Je sais que vous êtes marié, même si seules les convenances vous lient encore. Et moi, je ne suis qu'une comédienne qui n'a pas droit aux saints sacrements. Ce genre de paroles, je les ai si souvent entendues. Laissez-moi juste rêver encore.

Antoine se lova contre elle et respira la fragrance unique de sa peau, dont il savait déjà qu'il ne pourrait plus jamais s'en passer. Elle avait un parfum de liberté et d'infini.

— Michèle, je veux pouvoir rêver avec vous. Je veux, chaque jour, chaque moment, sentir la chaleur de votre souffle sur mon cou, vous prendre dans mes bras et voler, aussi loin et aussi haut que nous l'avons fait cette nuit, voler toujours plus haut, sans un regard pour les convenances, sans aucun regret du passé, vivre chaque jour comme une naissance. Si vous voulez bien de moi.

— Oui, je veux bien de vous, je veux bien de nous, dit-elle en le serrant plus fort. Laissez la vie vous pénétrer à nouveau, Antoine.

— Alors, vous serez mon guide.

— Un guide qui a faim, chuchota-t-elle malicieusement.

— Toujours un café avec du lait ? demanda-t-il en coiffant de la main les cheveux de Michèle.

Elle répondit d'un sourire.

— Encore une drôle d'habitude venue de Paris, commenta-t-il.

— Je vais la faire s'enraciner ici, répondit Michèle en caressant à son tour les cheveux de son amant.

Antoine l'embrassa sur le ventre avant de se lever et de chercher ses vêtements éparpillés sur le sol. Il enfila sa chemise et ouvrit en grand les rideaux derrière lesquels le soleil attendait impatiemment son tour pour entrer.

— Laissons le grand astre être le Mercure de nos amours, dit Michèle en relevant le drap sur sa tête pour éviter l'éblouissement. Quoi de plus merveilleux que sa compagnie pour commencer cette journée ? ajouta-t-elle en s'étirant. Savez-vous à quand remontent mes premiers émois pour vous, Antoine ? demanda-t-elle en se remémorant la descente de la Bergerie dans ses bras. Antoine ? répéta-t-elle devant l'absence de réponse.

Michèle sortit la tête du drap et le vit, figé, regarder un point fixe par la fenêtre ouverte. Le ciel était d'un bleu uniforme, à l'exception d'un étrange nuage noir. Elle remarqua alors le mince filet de fumée qui s'élevait depuis Fourvière.

— Il s'est passé quelque chose chez Marc ! Je dois y aller, dit Antoine en empoignant le reste de ses vêtements. Pour le café...

— Je me débrouillerai, ne vous inquiétez pas.

— Je vous l'ai préparé tout à l'heure quand vous dormiez. Il est sur les braises.

— Ôtez-moi d'un doute : vous étiez éveillé sous vos yeux fermés ?

— J'ai adoré sentir votre regard sur moi, répondit-il en l'embrassant.

La dépouille de la buanderie finissait de se consumer. La pompe à bras, ainsi qu'un garde, étaient encore présents afin de prévenir toute reprise du feu. Un groupe de curieux devisait depuis la rue sur le drame, chacun y allant de son commentaire. Ils s'arrêtèrent au passage d'Antoine avant de reprendre de plus belle leur conciliabule.

Claude, qui n'avait pas réussi à trouver le sommeil, était affairé à déblayer les branches de l'arbre foudroyé. Il expliqua à Antoine comment tout était arrivé et l'impuissance des secours à maîtriser le sinistre. Une seconde vague de pluie avait achevé leur travail, plus tard dans la nuit. Marc était parti se coucher au petit matin et était toujours dans sa chambre.

— Antoine, monte ! cria la voix de Ponsainpierre depuis l'étage de la maison.

Il trouva son ami prostré sur son lit. Il avait gardé ses habits de la veille, sales et déchirés. Son visage était encore noir de suie. Antoine lui porta une longue accolade.

— J'ai tout perdu. Tout, dit Ponsainpierre en jetant un œil vers les ruines du bâtiment sans s'approcher de la fenêtre.

— Tu es vivant. C'est le plus important. Pour Edmée, pour moi, pour tout le monde, répondit Antoine en lui tendant une serviette.

Marc sembla touché par l'argument. Il s'essuya sommairement avant de le chasser d'un revers de manche :

— Tu ne comprends pas. Je suis au bord de la ruine. Les ateliers tournent au ralenti, les Italiens viennent vendre des soies jusque dans nos marchés. Le fil d'araignée était mon dernier espoir.

Il s'affala dans une chaise à bras et frotta rageusement le tissu sur son front comme pour effacer de sa mémoire les images de la nuit. Antoine arrêta son geste. Marc se prit la tête à deux mains.

— Combien te reste-t-il d'halabés ?

— Tout est là, dit Marc en désignant un seau fermé.

Antoine ouvrit le couvercle sur un magma informe de bêtes éventrées ou écrasées, de pattes coupées, qui surnageaient dans un liquide saumâtre. Celles qui n'avaient pas subi le cannibalisme des autres avaient péri noyées. Le seau avait été utilisé par les secouristes pour y mettre de l'eau. Lorsque Marc l'avait récupéré, il était trop tard.

Il se leva et tapa sur l'épaule d'Antoine :

— La messe est dite, mon ami. Je vais vendre le clos Billion.

Marc sortit la clé qu'il tenait autour de son cou et ouvrit la petite huche qui protégeait son trésor.

— Trois onces de soie d'halabé, dit-il en donnant le fil doré à Antoine. Pas de quoi faire une paire de gants pour le roi. Sauf s'il se coupe la moitié des doigts, ajouta-t-il après avoir repris position sur sa chaise.

Son regard croisa celui d'Antoine. L'image d'un Louis XVI se faisant amputer pour pouvoir essayer son cadeau effleura leurs esprits. La situation était dramatique et la pensée si stupide que Marc fut pris d'un rictus nerveux qu'il tenta de maîtriser. Lorsqu'il vit qu'Antoine faisait de même, il se laissa envahir par un fou rire libérateur qui dura de longues minutes.

— Ce fut quand même une belle aventure, dit Marc après avoir retrouvé son souffle.

— Ton aventure n'est peut-être pas finie, fit remarquer Antoine.

— Que si ! Le prévôt général est passé ce matin pour me signifier que tout élevage d'araignées serait dorénavant interdit. De toute façon, mes bestioles ont fini en soupe, ajouta-t-il en refermant le couvercle du seau.

— Tu n'as pas assez de fil pour faire des gants au roi, mais suffisamment pour fabriquer des mitaines à la reine.

Marc resta un instant interdit devant la proposition de son ami.

— La reine ? Des mitaines ?

— Les gazettes disent qu'elle aime se déguiser en fermière lorsqu'elle se rend au Petit Trianon. Des mitaines aussi solides et d'une couleur d'or ne pourront que lui plaire.

— Si la reine les adopte, la mode sera lancée... poursuivit Marc. Et mon entreprise sauvée ! Tu es mon bon génie ! clama-t-il en embrassant Antoine, manquant de le renverser.

Ponsainpierre se dépêcha de replacer le fil d'or dans le coffre et de le fermer à clé.

Des éclats de voix leur parvinrent de la cour. Claude était aux prises avec un bourgeois d'une maison voisine passablement énervé.

— Que se passe-t-il ? demanda Marc en se penchant à la fenêtre.

— M. Regnaud se plaint d'avoir trouvé plusieurs araignées dans son jardin, résuma Claude en tentant d'empêcher l'homme d'approcher.

— Pas des araignées, des monstres ! cria le voisin en montrant un mouchoir dans lequel reposait une halabé morte. Et elles viennent de chez vous !

— Elle est plutôt petite, il n'a pas vu les adultes mâles, murmura discrètement Marc à Antoine. Je crois bien qu'il n'est que le premier d'une longue liste, soupira-t-il.

— Reste là, je m'en occupe, proposa Antoine. Mais promets-moi de te reposer avant de te mettre au tissage.

— Je te le jure devant le Dieu des araignées et de toutes les bêtes à huit pattes. Tu es mon sauveur.

Antoine réussit à calmer rapidement l'ire du sieur Regnaud et à le faire renoncer à se plaindre devant un juge. Il raccompagna l'homme jusque chez lui, effectua une fouille sommaire de son jardin afin de le rassurer et revint au clos Billion. Il fit le tour de ce qui avait été la buanderie et qui ressemblait à une ruine après un bombardement d'artillerie. À l'intérieur, l'arbre coupait encore la pièce en deux. Son tronc se consumait toujours, lentement, laissant s'échapper une douce odeur de feu de bois. Il marcha sur les débris des pots et des tuiles qui jonchaient le sol. La table, qui avait servi de bureau, ainsi que le matelas, avaient complètement brûlé. Une partie du noyer, réduite en cendres, s'effondra sur elle-même dans un bruit sourd qui le fit sursauter. Marc n'avait pas l'intention de reconstruire la buanderie : il n'en restait déjà presque plus rien. Antoine trouva sur une étagère un vieux chapeau à moitié calciné qu'il jeta dans le poêle resté intact. L'air ambiant était encore saturé de poussières et de fumée qui le firent tousser. Au moment de sortir, il buta sur une bouteille de verre, elle aussi rescapée, et la ramassa dans l'intention de la montrer à Marc comme un symbole d'espoir. Antoine resta interdit en découvrant son étiquette : il avait reconnu l'eau du Mont-Dore, celle de la réserve du gouverneur Villeroy.

CHAPITRE IX

Décembre 1777

51

Samedi 20 décembre

Les dégâts de la tempête avaient été considérables. La grêle et le vent avaient endommagé de nombreuses toitures, des devantures de boutiques et une multitude de vitres. Plusieurs barques avaient coulé dans le port Saint-Jean et le port du Temple, les tentes du marché s'étaient volatilisées et les marchandises qui n'avaient pu être mises à l'abri avaient été détruites ou volées. Outre le clos Billion, la foudre avait provoqué plusieurs départs de feu, dont un dans l'arsenal, où la catastrophe avait été évitée de peu. De nombreuses bêtes, laissées dans les champs, avaient été blessées ou tuées sous les coups des grêlons ou à la suite de chutes d'arbres. Les halabés avaient fait quelques apparitions dans les maisons et jardins du quartier et de la ville, dont une remarquée lors de l'office du samedi à l'Antiquaille. Puis les rescapées s'étaient éteintes avec les gelées du lendemain. Le lundi, les premiers flocons de neige faisaient leur apparition, et le mardi la ville était recouverte d'un léger tapis blanc.

Antoine n'avait pas revu Marc. Il n'avait parlé à personne de la bouteille trouvée dans la buanderie. Il n'avait aucun doute quant à sa provenance, elle était identique à celles du cabinet du silence. Depuis lors, Antoine évitait de se poser la question dont la réponse lui semblait une évidence et une déchirure à la fois. L'homme qui avait été comme son père ces si longues années ne pouvait être un lugdunien. Il retardait le moment où il allait se trouver face à Marc pour une explication dont personne ne ressortirait intact. Pour l'heure, il avait une autre priorité dont l'échéance approchait : le procès contre le monopole de la boulangerie était prévu lundi 22 décembre. Il ne leur restait que deux jours et Prost n'avait toujours pas de confirmation de la présence d'Antoine Parmentier, dont il savait que le prestige pouvait faire basculer le verdict en leur faveur. L'apothicaire était l'auteur de plusieurs ouvrages et de travaux sur la boulangerie susceptibles d'impressionner favorablement le juge d'Arpheuillette. En face d'eux, les boulangers avaient trouvé en l'ancien échevin Pierre Brac un fer de lance redoutable. Le combat était d'une grande indécision.

Le rire de Michèle avait chassé provisoirement toutes les tensions qui tiraillaient Antoine. Elle l'avait entraîné dans une longue marche à travers la ville enneigée qui s'était terminée place Louis-le-Grand, où plusieurs traîneaux attendaient les clients pour des courses sur l'immense étendue poudreuse. La pratique avait longtemps été réservée à l'élite, qui possédait ses propres véhicules valant jusqu'à dix mille écus. Elle s'était petit à petit ouverte aux bourgeois qui, contre une dizaine de louis, pouvaient louer à l'heure des traîneaux plus modestes et moins performants. Savarin le charron en avait lui-même construit un, entièrement en bois, qui ressemblait à un double fauteuil monté sur deux larges patins peints en rouge. Le sien était décoré d'une figure de lion. Savarin en était très fier et le sortait de son atelier à chaque nouvelle neige. Le véhicule était relié à un cheval par deux barres de bois qui rendaient la conduite peu aisée. Les accidents n'étaient pas rares, exacerbés par les rivalités des cochers et les forts volumes d'alcool ingérés, et pouvaient se révéler dangereux à pleine vitesse. Les courses se faisaient du côté est, le long de l'allée de tilleuls, à distance des bordures de la partie centrale rendues invisibles par la neige.

— Au moins, avec celui-ci, pas de risque de voir une roue se briser, plaisanta Savarin à l'intention d'Antoine alors qu'il s'installait dans le traîneau à la suite de Michèle.

Ils se blottirent l'un contre l'autre, emmitouflés dans d'épais habits en laine, et se couvrirent d'une large fourrure. Le charron monta sur son ardennais et vérifia que l'attelage concurrent était prêt. Les badauds s'étaient massés en spectateurs et formaient une ligne discontinue délimitant le parcours long de cent cinquante toises.

Une fois le départ donné, Savarin maintint un trot enlevé. Le froid, couplé à la vitesse, piquait les visages et brûlait les yeux des deux passagers, qui riaient et pleuraient en même temps. L'attelage contrôla la course en gardant la première position jusqu'à l'arrivée, du côté de la rue Belle-Cordière. Michèle applaudit Savarin pour sa victoire. Il perdit les deux courses suivantes. Malgré toutes leurs protections, le froid commençait à s'insinuer en eux. Antoine proposa d'arrêter.

— Encore une, une dernière, dit Michèle avec l'entrain d'une enfant demandant la permission à ses parents.

Il lui caressa la main cachée par la fourrure. Elle dessina du doigt un cœur sur sa paume tout en contenant sa furieuse envie de l'embrasser. Le charron se stationna à côté du traîneau d'un particulier, aux moulures fines et dorées et dont le cheval, un puissant frison, piaffait d'impatience en mâchonnant son mors couvert d'écume. Dès le signal du départ, le frison, plus rapide, prit les devants et conserva quatre à cinq mètres d'avance. Savarin, sous les encouragements de Michèle et d'Antoine, tenta de revenir, mais dut retenir son ardennais qui commençait à prendre le galop. Le traîneau concurrent fit une embardée sur la gauche jusqu'à se placer devant eux. Antoine aperçut les trois chevrons jaunes du blason à l'arrière du traîneau et cria à Savarin de ralentir. L'attelage appartenait au gouverneur. Le charron ne l'entendit pas. Au même moment, le traîneau de tête diminua son allure, ce qui obligea Savarin à un écart sur la gauche. L'attelage fonça sur un groupe de spectateurs, qui s'éparpillèrent comme des souris devant un chat. Le traîneau fit une dizaine de mètres avant de parvenir à s'arrêter entre deux tilleuls de la rangée qui bordait la place.

La manœuvre avait été plus intimidante que dangereuse mais Savarin, furieux, descendit de son cheval et invectiva le conducteur. Le passager se retourna vers Antoine et retira le foulard qui protégeait le bas de son visage.

— Trente-trois !

Le suiveur ne s'était plus manifesté depuis quelques jours, ce qui leur avait fait espérer l'abandon de la filature. Trente-trois le salua de son bonnet de marin puis regarda Michèle avec une insistance lubrique, ce qui mit Antoine hors de lui. Il courut en direction de l'homme, qui restait impassible, grimpa sur le traîneau et tenta de lui envoyer son poing dans la figure. Mais Savarin avait été plus rapide et le retint par le bras.

— Non, maître, non ! dit-il alors qu'Antoine se débattait pour libérer sa main.

— Vous êtes témoin, dit Trente-trois à la cantonade, cet homme a tenté de me frapper.

L'accusation était sans conséquences : l'altercation des deux cochers avait fait fuir les badauds, qui s'étaient déplacés pour suivre une autre course. Mais l'homme de main de Marais avait obtenu ce qu'il cherchait : ils venaient de trouver son point faible.

Le feu dans l'âtre n'arrivait pas à les réchauffer. Prost les avait accueillis – recueillis, avait-il précisé devant leurs mines défaites – dans sa maison rue Saint-Jean. Antoine ne décolérait pas de s'être fait piéger. L'attitude de Trente-trois ne laissait aucun doute : ils étaient au courant de leur relation amoureuse et n'hésiteraient pas à s'en servir.

— Nous sommes à Lyon, Michèle n'a rien à craindre, promit François.

— Je ne veux plus la laisser seule rue Sala, dit Antoine en la regardant dans la pièce voisine jouer du clavecin avec Marie-Lyon.

— Jeanson trouvera quelqu'un pour servir de garde du corps, proposa-t-il en lui tendant un papier.

— Qu'est-ce que c'est ?

— Dernières nouvelles de l'hôtel du gouverneur, annonça François en fermant la porte.

— Toujours ton cabinet noir ?

— Plus que jamais !

Le billet annonçait la venue prochaine du duc de Villeroy à la suite de la tempête.

— Il faut bien qu'il justifie son poste ici. Il va constater les dégâts, superviser les travaux et repartir après les fêtes, commenta Prost. Peut-être devrais-tu le rencontrer pour gagner un peu de temps ?

Le chevalier de Jaucourt avait réussi à convaincre Denis Diderot d'intégrer une mise à jour sur les Gaulois dans le futur supplément de l'*Encyclopédie*. Celui-ci avait accepté à une condition : l'accord de Voltaire pour changer un texte dans lequel il les qualifiait de « temps horribles qui font la honte de la nature ».

— Il va devoir se déjuger, tempéra Antoine. J'espère que le grand homme sera à la hauteur de sa réputation. Sinon leur imprimeur suisse refusera de l'éditer contre le gré de M. de Voltaire.

— Raison de plus pour négocier un délai avec Villeroy, c'est un politique, un vrai goupil. D'après mes informateurs, lui et Marais ont autant d'affinités que la corde avec le pendu, dit François en jetant le billet dans le feu. On peut en jouer.

Antoine observa le papier, recouvert d'une vague de flammes, se convulser avant de se figer et de noircir. N'ayant plus rien à manger, le feu sauta sur une bûche voisine. Le papier carbonisé craquela et s'effondra en se brisant sur un tapis de cendres.

— Des nouvelles de Parmentier ? s'enquit-il en plongeant les mains au-dessus des braises pour en sentir la douce morsure.

— Il ne pourra être là pour le procès, mais nous avons reçu hier une lettre de lui que je lirai devant le juge.

Antoine cacha sa déception. Il avait espéré la présence de l'apothicaire afin de lui présenter ses travaux sur la poire de terre. Mais leur rencontre n'était que partie remise.

52

Lundi 22 décembre

La grande salle s'était remplie plus d'une heure avant le début de l'audience. La majorité des cent quatre-vingts boulangers de Lyon avaient pris place dans les rangées, ne laissant que quelques sièges à l'arrière pour le reste du public, dont la plupart avait dû rester dans le couloir.

— Ils ont bien manœuvré leur affaire, concéda François en observant discrètement l'assemblée. Pas une seule rumeur n'a filtré. Une idée ? dit-il en se retournant vers Antoine.

— Demandons un report, avança-t-il sans conviction. Mais le prix du pain aura remonté au-dessus des quarante deniers la livre le mois prochain.

— Alors ne changeons rien. S'il le faut, je les provoquerai et d'Arpheuillette sera obligé de les ramener au calme. J'ai dominé des arènes plus hostiles que celle-ci.

— J'entrerai dans l'antichambre quand vous serez tous dans la salle d'audience, précisa Antoine en lui portant une accolade d'encouragement. Je t'admire, tu sais.

— Mais je m'admire aussi beaucoup, plaisanta François pour se rassurer.

La salle bruissa d'impatience à l'entrée du juge. Antoine, en retrait dans le couloir, en profita pour pénétrer dans l'antichambre qui servait de vestiaire aux magistrats. Il entrouvrit la porte juste derrière le siège du juge et s'agenouilla pour écouter les débats. Mallets d'Arpheuillette avait demandé à entendre les avocats des deux parties avant de rendre son verdict. Il possédait pourtant tous les éléments et sa conviction était faite, mais l'affaire était délicate et il se devait de l'amener sur la place publique. D'un côté le peuple des petites gens, que les aléas du prix du pain rendaient vulnérables à la famine, et de l'autre des marchands, meuniers, blatiers, boulangers, qui dépendaient tous les uns des autres au sein d'un système rendu complexe par les taxes et les caprices du temps.

L'avocat des boulangers, l'ancien échevin Pierre Brac, plaida les faibles revenus de vie des artisans du fournil, soumis aux aléas du prix de la farine, et fit porter la faute sur les blatiers. Prost répliqua en citant un rapport du consulat à partir duquel ils avaient pu calculer les bénéfices faits par les boulangers sur chaque ânée de pain.

— Six livres un sol trois deniers, chuchota Antoine en même temps que François l'annonçait, faisant réagir de désapprobation la salle.

— Certes, trente-cinq livres de ressources par semaine ne représentent pas à proprement parler une fortune, continua Prost. Vous en conviendrez, monsieur le juge. Mais ce que je me propose de vous démontrer, c'est qu'en ouvrant la vente des pains à d'autres boulangers, aux forains, vous allez conserver ce revenu, voire l'augmenter, argua-t-il en se tournant vers le public.

Le brouhaha fut tel qu'Arpheuillette dut intervenir. Le calme revint rapidement. Tous savaient que la situation financière des boulangers était très variable. Les plus petits étaient parfois acculés à la faillite alors que d'autres avaient de gros bénéfices réguliers. François construisit sa démonstration sur les calculs qu'Antoine lui avait fournis. La diminution du prix du pain de cinq deniers la livre permettrait son accès à deux mille familles supplémentaires de la ville, ainsi que de plus grands stocks par les charités qui le redistribuaient aux indigents. Tout le monde avait à y gagner.

Antoine sentit le public troublé par l'exposé de son ami. Les murmures incessants de mécontentement avaient cessé. Pierre Brac choisit ce moment pour justifier le maintien du monopole.

— On connaît vos arguments, murmura Antoine en frottant les muscles de ses jambes qui commençaient à s'ankyloser.

Le grenier public de la ville, l'Abondance, avait été fermé en début d'année par le pouvoir royal. Alors qu'il était censé réguler les fortes variations du coût de la matière première, le grenier était devenu un enjeu de pouvoir entre le prévôt des marchands et ses échevins. Les ententes sur les prix étaient monnaie courante. Antoine avait constaté, en consultant les rapports des inspecteurs de la ville, que ces dernières années le prix du pain avait bien plus augmenté que celui du blé. Il l'avait inscrit dans le dossier. François avait évité de le mentionner pour ne pas froisser l'auditoire, qui avait perdu de son hostilité. Brac brandit la menace de ne plus faire que du pain de seconde catégorie, voire de fermer des fours, qu'il justifia comme leur dernier recours face à une mesure qui serait inique.

— Seul le monopole peut être le garant des prix les plus justes, martela-t-il dans sa conclusion.

Antoine savait que la motivation de l'avocat était tout autre. Brac avait l'intention de créer une entreprise privée pour remplacer le grenier d'Abondance, une compagnie de propriétaires dont le but était de prendre le contrôle du commerce des grains. Il avait déjà pris contact avec des familles de la noblesse lyonnaise, qu'une libéralisation de la production et une diminution des prix pouvait effrayer.

D'Arpheuillette venait de redonner la parole à François. Celui-ci montra à tout le monde l'enveloppe contenant la lettre de Parmentier et l'ouvrit comme s'il venait de la recevoir. Antoine se leva et tenta d'apercevoir Prost par la porte entrebâillée. Il se tenait au centre de la mosaïque, face au public, et lut :

— *Il est du devoir d'un citoyen de diriger le savoir qu'il cultive vers les objets les plus importants de la société. Pénétré de cette vérité, et n'envisageant qu'avec effroi le tableau des époques désastreuses où les fléaux réunis ne cessent de frapper que pour combler nos maux par la faim cruelle et dévorante, je voudrais, monsieur le juge, attirer votre attention sur l'importance et le devoir pour notre société de pouvoir nourrir toutes les bouches, des plus puissantes aux plus humbles, d'un pain de qualité.*

L'attention d'Antoine fut attirée par la grande peinture encadrée posée contre un des murs, à même le sol. Le tableau de Thomas Blanchet avait été décroché de la salle d'audience pendant les travaux de rénovation et attendait toujours d'y retourner. La scène représentait une allégorie antique. Sur le bas du cadre, une plaque de bronze gravée indiquait son titre : *L'Incendie de Lyon sous Néron.*

De l'autre côté de la porte, Prost continuait de délivrer son message.

— *Je tiens en haute estime maître François Prost de Royer et son œuvre pour le bien de la communauté publique. Cet homme est la probité même. Je vous prie d'examiner avec le plus grand soin sa demande, qui n'est pas un manifeste contre une corporation. Rassurez-vous, messieurs les boulangers, faites-moi confiance, faites-lui confiance. Vous me connaissez et vous connaissez mes travaux pour l'amélioration du pain avec la farine de pomme de terre. Ensemble, nous voulons d'un aliment dont aucune disette ne puisse altérer la qualité et dont le plus grand nombre pourra avoir les faveurs. Ouvrez vos portes et acceptez qu'une saine concurrence permette de nourrir plus de bouches encore, que plus aucun enfant ne meure de faim l'hiver dans notre royaume. Faisons-le, faisons-le ensemble, et vous serez l'honneur même de votre profession, vous serez ceux qui, en ayant établi le prix le plus juste, pour vous, pour nous, pour tous, auront contribué à la grandeur de notre royaume, c'est-à-dire à votre propre grandeur.*

Les mots de Parmentier, à travers la voix chaude et vibrante de maître Prost, avaient réussi à captiver la salle, dont l'hostilité avait disparu. Pierre Brac comprit qu'il ne pourrait pas reprendre l'ascendant et ne demanda plus la parole. Tous les regards se tournèrent vers le juge d'Arpheuillette qui sembla surpris, avant de déclarer la fin des débats. Il se leva avec difficulté et maugréa en apercevant la porte de l'antichambre ouverte, persuadé d'avoir oublié de la fermer. Il avait ressenti un courant d'air froid qui l'avait incommodé pendant toute l'audience. Lorsqu'il entra pour se changer, le juge fut pris d'une impérieuse envie d'uriner et se soulagea dans le pot d'aisance.

— Monsieur le juge... dit une voix dans son dos.

— Votre Honneur, corrigea d'Arpheuillette, agacé par la présence de Pierre Brac, qui l'avait suivi.

— Votre Honneur, permettez que je vous entretienne encore du sujet.

Le juge fit claquer le couvercle du pot.

— Il me semble que les débats sont clos, répliqua-t-il après une profonde inspiration.

L'avocat se plaça devant lui pour l'obliger à l'écouter.

— Considérez bien tous les aspects de cette situation. C'est un grand inconvénient que d'accoutumer le peuple à acheter le blé à trop bas prix, dit-il sur le ton de la confidence. Il se fait moins laborieux, il se nourrit de pain à peu de frais et devient paresseux et arrogant.

— J'ai déjà vu cet argument quelque part, grommela d'Arpheuillette tout en retirant sa perruque. Il n'est pas de vous. Dans un ouvrage de cet économiste... François Quesnay, n'est-ce pas?

— J'ai adopté les idées de ce visionnaire, nous sommes nombreux ici à l'avoir fait. Voyez-vous, les ouvriers sont des gens insouciants et sans prévoyance. Ils mangent et ils dissipent à mesure qu'ils gagnent. Pourquoi leur donner plus? Ils ne font pas d'épargne.

— Intéressant, nota le magistrat en s'épongeant le front avant de remettre son postiche.

L'avocat le prit pour une invitation à continuer.

— De la même façon, les aumônes et les charités encouragent nos ouvriers à mendier et la mendicité les entraîne dans tous les types de vices. Ce genre de secours est funeste ! s'emporta-t-il.

— Ma foi, je n'y avais pas songé, répondit le juge en déboutonnant sa longue robe noire fourrée d'hermine. Maintenant, si vous permettez, dit-il en lui montrant la porte.

— Bien sûr, Votre Honneur. Je suis sûr que vous saurez tenir compte de tous ces arguments de bon sens, ajouta Pierre Brac en se courbant pour saluer.

— En effet, monsieur. Je saurai.

Resté seul, le juge toussota pour s'éclaircir la voix avant d'interpeller l'ombre aperçue derrière le rideau qui cachait le vestiaire.

— Maître Fabert, vous qui êtes un homme plein de ressources, vous allez sans doute me trouver une brillante explication à votre présence dans ma garde-robe.

— Aucune qui ne vous satisfasse, lança Antoine en sortant d'entre les tenues des magistrats.

— Si je ne vous connaissais pas, je pourrais vous prendre pour un coupe-jarret, dit le juge en considérant les vêtements portés par l'avocat. Et faire donner la garde.

Antoine, qui observait le tableau, avait été surpris par l'arrivée du magistrat et n'avait pas eu le temps de sortir.

— D'où ma présence dans vos linges, s'excusa-t-il.

Le magistrat ébaucha un sourire. La situation semblait l'amuser.

— Vous arrive-t-il souvent d'écouter les débats depuis ici ?

— Uniquement quand la salle est pleine, avoua Antoine.

Mallets d'Arpheuillette avait mis son manteau et enfilait ses gants en faisant bouger ses doigts exagérément.

— Alors, nous aurons le plaisir de vous y retrouver le mois prochain pour le procès Férrère, dit-il avec malice. Si vous le voulez, je vous y rejoindrai et nous pourrons le commenter ensemble. Quel drôle de paradoxe, tout de même, vous qui êtes un ami de l'humanité, de suffoquer en sa présence, s'étonna le magistrat.

Antoine esquissa une révérence qui tint lieu d'acceptation et sortit sans un mot. Il n'avait plus qu'une seule pensée en tête : trouver Antelme et lui exposer l'idée que le tableau lui avait inspirée.

Il se rendit directement à pied jusqu'aux Terreaux, mais l'historien n'était pas chez lui. Il avait rejoint le docteur Mesmer à l'école vétérinaire pour une expérimentation.

53

Lundi 22 décembre

Les trois chiens, tenus en laisse par des étudiants, aboyèrent à l'arrivée du groupe.

— Nous avons choisi des barbets, parce qu'ils vont aisément à l'eau, indiqua Claude Bourgelat à Antelme alors que le docteur Mesmer tentait de calmer les bêtes par des caresses.

Les barbets, qu'ils avaient ramenés de Maisons-Alfort, présentaient des maladies qu'aucune médecine officielle n'avait su soigner.

— Un est aveugle, le deuxième a des fièvres et des tremblements chroniques et le troisième une tuméfaction de la mamelle, précisa Bourgelat.

Sur un signe de Mesmer, les étudiants portèrent les bêtes dans le baquet rempli d'eau et de limaille de fer. Ils accrochèrent leurs laisses aux barres métalliques qui dépassaient. Les chiens éclaboussèrent les participants en tentant de sortir, sautant, griffant les bords, puis tournèrent en rond avant de se calmer en poussant des cris plaintifs.

— Nous pouvons commencer, constata Mesmer en retroussant les manches de sa chemise.

Il posa ses mains sur le dos du premier animal, dont les poils broussailleux avaient été tondus, et les déplaça lentement sur tout son corps, y compris les pattes. Le médecin avait fermé les yeux pour se concentrer sur le fluide d'énergie magnétique. Mesmer répéta les mouvements plusieurs fois sur chaque animal.

— Regardez comme ils ont l'air apaisés, dit Antelme à Bourgelat. C'est ce que j'ai ressenti moi aussi.

Les deux hommes se rapprochèrent du baquet pendant que le médecin s'essuyait les bras. Les trois barbets les regardèrent avec de grands yeux implorants. Mesmer enfila sa veste lilas et les rejoignit en soufflant dans ses mains pour les réchauffer.

— Lequel a des fièvres ? interrogea-t-il.

Bourgelat désigna le plus petit des trois, au pelage blanc et jaune et à l'ossature malingre.

— Je crois qu'elles ont disparu, si vous voulez vérifier, demanda Mesmer au vétérinaire, qui le lui confirma après avoir examiné son museau.

Les étudiants sortirent les chiens du baquet et les enveloppèrent dans des linges le temps de les laisser s'ébrouer. Bourgelat vérifia la mamelle de l'un et les yeux de l'autre. La tumeur semblait s'être rétractée légèrement chez la femelle mais la cécité du dernier était toujours présente.

— Nous verrons l'amélioration de leur état dans les jours à venir, dit Mesmer, mais je suis satisfait du résultat de notre expérience.

Il caressa le plus petit des barbets dont la fièvre avait baissé. Le chien refusa son attention, émit une longue plainte, avança en titubant et s'écroula, raide, sur le côté. Un des étudiants se précipita et confirma que l'animal était bel et bien mort.

Les trois hommes se regardèrent en silence. Les yeux de Mesmer oscillaient entre incrédulité et déshonneur. Antelme manœuvra son fauteuil pour s'approcher de l'étudiant qui emballait la dépouille du barbet.

— D'où venait l'eau utilisée, jeune homme ?

— Du puits de la cour, répondit celui-ci en nouant le linge.

— L'avez-vous chauffée ?

— Chauffée ? Non. Ce sont des chiens d'eau, ils sont habitués, protesta l'étudiant.

— Alors ne cherchons pas plus ample explication, intervint Bourgelat. Vous les avez fait tondre, l'eau était froide et ils ne pouvaient bouger dans votre bassine. Ce chien s'est vidé de la chaleur qui circulait dans son sang, il s'est vidé de son souffle vital.

L'explication rassura Mesmer : le magnétisme n'était pas en cause. Il reporta tous ses espoirs sur les deux autres bêtes, qui ne semblaient pas avoir souffert de leur séjour au froid. Bourgelat demanda aux étudiants de consigner l'expérience dans un compte-rendu. Il pratiquerait l'autopsie du barbet le lendemain devant l'ensemble de la promotion.

Antelme massa sa cuisse insensible sur laquelle quatre minuscules cicatrices rappelaient les dents de la fourchette qui l'avaient davantage meurtri dans ses espérances que dans sa chair. Il commençait à douter de la méthode.

Antoine avait traversé la ville à pied par le pont Saint-Clair et arriva grande rue de la Guillotière au moment où Antelme se hissait à bord de son carrosse. La vue de son ami redonna le sourire à l'historien, qui l'invita à entrer s'asseoir pendant que Radama, aidé par deux étudiants, calait le fauteuil roulant sur le toit du véhicule.

— Pouvez-vous me parler de l'incendie de Lugdunum ? sollicita Antoine, dont l'excitation intrigua l'historien.

— L'incendie ? On en sait bien peu de chose. Sénèque en a fait une description apocalyptique, disant qu'en une nuit il ne restait plus que des vestiges. Mais je crois qu'il a bien exagéré la réalité. Je pense que la colline de Fourvière fut épargnée, le palais, le temple, le théâtre. À ma connaissance, personne n'y a jamais retrouvé de bois calciné.

— Quand a-t-il eu lieu ?

— Sur ce point, je peux être un peu plus précis, répondit Antelme en se redressant sur son siège. Tacite a écrit que Néron donna quatre millions de sesterces à la ville pour sa reconstruction parce que les Lyonnais avaient offert une somme identique pour l'incendie de Rome la même année, en 64.

— Antelme, quand s'arrêtent les écrits de Louern ?

La pensée d'Antoine se transmit à l'historien. Le dernier codice avait été gravé en octobre 64.

— Dieu du ciel ! rugit l'historien. Pensez-vous que Louern ait été obligé de fuir la ville après cet incendie ? Qu'il se soit réfugié à l'île Barbe ?

La silhouette de Radama parut à la fenêtre. Il leur fit signe que le cocher était prêt.

— Partons, vous me raconterez la suite pendant le trajet, proposa Antelme.

— C'est impossible, dit Antoine en ouvrant la portière alors que Radama se précipitait pour installer le marchepied. Vous ne pouvez passer en carrosse sur le pont Saint-Clair.

— Il nous suffira de traverser par le pont de la Guillotière qui est tout près, objecta Antelme.

— Je ne peux pas le franchir. Je vous rejoindrai chez vous, dit Antoine en quittant l'habitacle.

— Mais qu'y a-t-il donc avec ce pont ? cria l'historien, qui ne pouvait se pencher à la fenêtre. Vous ne pouvez pas ou vous ne voulez pas ?

Antoine fit signe au cocher de démarrer et prit la direction des quais.

Une fois rentré, Antelme chercha dans sa bibliothèque toutes les informations qui auraient pu lui échapper sur l'incendie de Lugdunum. Il s'était installé près du feu et avait demandé à Radama une couverture pour se couvrir les jambes. Il songea au chien dont l'image de la mort brutale lui avait fait comprendre à quel point son expérience de la semaine passée avait été téméraire. Sa volonté de marcher à nouveau était telle qu'il avait cru sentir ses membres. Le magnétisme n'y était pour rien. Après cinq séances, il était toujours paralysé et le resterait toute sa vie. Un immense vide l'avait envahi et une fatigue irrépressible lui fit tourner la tête. Antelme soupira et ferma les yeux. Il s'endormit aussitôt.

Lorsqu'il ouvrit les paupières, le feu s'était mué en braises discrètes. Dehors la nuit taillait en dentelles les restes de ciel albâtre. Il avait dormi plus de deux heures. Antelme appela son serviteur : Antoine ne s'était pas présenté à la maison. Il patienta une demi-heure mais, n'y tenant plus, envoya Radama le chercher rue Sala. Il soupa pour tromper l'attente, assailli par la foule de questions qu'il voulait poser à Antoine. Si Louern avait quitté Lyon après l'incendie, c'est qu'il craignait pour sa sécurité. Pour quelle raison ? Avait-il été repéré ? Y avait-il un lien avec la Mater ? Ces interrogations lui donnèrent de l'appétit ; il prit deux fois du lapereau et avala une énorme part de poupelain[1] que la cuisinière avait prévu pour le lendemain.

Le valet malgache revint avec Michèle, qui n'avait plus revu Antoine depuis son départ pour l'audience du matin. Elle était rentrée vers quatre heures de l'après-midi, de retour d'une visite au théâtre, au moment même où Antoine et Antelme se séparaient. La pendule sur son secrétaire sonna sept heures et demie du soir.

— Que se passe-t-il ? demanda Michèle, inquiète.

Prost vida son verre de vin et le donna au serviteur qui venait de lui annoncer la visite.

— Enfin ! Je commençais à m'impatienter, à boire tout seul à notre victoire. Faites-les monter.

Il ouvrit les bras à l'arrivée de Michèle et de l'historien.

— Alors, ne vous l'avais-je pas dit que nous allions le gagner, ce procès ? D'Arpheuillette n'a pas attendu longtemps pour rendre son verdict ! Nous avons vaincu le monopole, mes amis, quelle belle journée ! dit-il en prenant deux verres que le serviteur tendait sur un plateau. Mais qu'avez-vous ? s'inquiéta-t-il devant leurs mines déconfites. Et où est Antoine ?

— Nous voulions vous poser la même question. Personne ne l'a vu depuis quatre heures de l'après-midi, indiqua Antelme.

François reposa les verres sur le plateau sans cacher son inquiétude : Michèle et lui avaient en tête la dernière provocation de Trente-trois.

---

1. Pâtisserie.

Prost envoya ses serviteurs, aidés de Radama, dans tous les endroits qu'Antoine aurait pu fréquenter, y compris la cathédrale Saint-Jean et le *Charbon blanc*. Chacun revint bredouille. Tous durent se rendre à l'évidence : Antoine avait disparu.

54

Lundi 22 décembre

Madeleine ravala ses pleurs et sécha ses yeux. La dernière séance avec la petite Colombe l'avait rendue inconsolable. Son fils Jacques lui avait avoué une grande tristesse. Elle lui manquait ; il le lui avait dit, avec ses mots à lui, déchirants et naïfs. La fillette avait pleuré avec elle. Puis le prêtre magicien l'avait raccompagnée rue Belle-Cordière. Madeleine s'était laissé faire, incapable de la moindre réaction. Les séances s'étaient rapprochées, au rythme de trois par semaine, mais elle avait envie chaque jour, chaque heure, d'entendre son fils, et harcelait le médium afin de les intensifier encore. Ils étaient obligés de se cacher, Antoine avait menacé l'homme, le marquis de Willerm l'avait traité d'escroc et les inspecteurs de la police lui cherchaient des noises dès qu'ils le pouvaient. Ils devaient faire attention à n'alerter personne, changer souvent de lieu de rencontre, ne rien laisser paraître aux yeux des autres. Elle devait trouver l'argent, de plus en plus d'argent, l'encens et l'huile précieuse coûtaient cher, la Colombe coûtait cher, la discrétion coûtait cher, le chemin vers Dieu était pavé de monnaies d'or. Mais un dialogue avec Jacques n'avait pas de prix.

Madeleine avait été soulagée de constater que la maison rue Belle-Cordière était vide à son arrivée. Le magicien et la fillette étaient partis manger à l'office pendant qu'elle avait ouvert la cassette d'Edmée et avait pris une somme qui n'avait que peu grevé le tas de pièces qui y reposait. Sa mère n'avait jamais tenu ses comptes et, depuis un mois que Madeleine y puisait comme à une source d'eau pure, n'avait rien remarqué d'anormal.

— Malheureusement, je crains, ma chère, que cela ne soit pas suffisant, dit le prêtre magicien en abandonnant la cuisse de poulet froid qu'il était en train de dévorer. L'huile vient directement de Jérusalem, élaborée à partir des fruits du mont des Oliviers. Et le marchand qui l'importe refusera de me la renouveler si je n'ai pas au moins cinquante louis d'or.

Madeleine fondit une nouvelle fois en larmes. L'homme s'essuya la bouche en la tamponnant délicatement.

— Voyons, voyons, nous trouverons une solution, proclama-t-il en la prenant contre lui.

— J'ai déjà vendu tous mes bijoux, hoqueta-t-elle entre deux sanglots.

— Je le sais, Dieu le sait, dit-il en levant les yeux au ciel. Il ne nous abandonnera pas. Nous trouverons une solution. Nous avons toujours trouvé, n'est-ce pas ?

Madeleine acquiesça, sortit un carré de linge de sa manche et s'isola pour se moucher.

— Attendez, dit-elle en se retournant, j'ai quelque chose qui pourrait vous intéresser.

— Nous ne sommes pas « intéressés », Madeleine, soupira le magicien, si cela ne tenait qu'à nous... mais nous ne pouvons supporter les frais tout seuls.

— Je sais, je vous remercie, vous avez toujours été si disponibles pour moi, répondit-elle avant de disparaître dans la chambre contiguë.

Elle revint en tenant en main un collier de perles.

— Il appartenait à la mère de mon mari. Un bijou spécial, ajouta-t-elle en le posant sur la table devant lui.

Le médium l'observa d'un air intrigué. Que pouvait-il faire d'un souvenir de famille ?

— Les perles viennent des mulettes sauvages de la Vologne, expliqua Madeleine. C'est une minuscule rivière de l'ancien duché de Lorraine. Toutes les têtes couronnées en portent. Mais je ne peux pas le mettre au mont-de-piété ou au Bureau d'avis : Antoine le découvrirait.

— Il serait préférable de l'éviter, approuva l'homme en se remémorant leur dernière rencontre.

— Prenez-le, et payez votre marchand avec. Il vaut cent fois plus !

Le prêtre magicien fit semblant de l'examiner d'un air sceptique, mais il avait, dès le premier coup d'œil, repéré la qualité du bijou.

— Je vais faire de mon mieux, lui assura-t-il en fourrant le collier dans la poche de sa veste. Allez vous reposer, maintenant.

Madeleine ne se fit pas prier. Le soulagement, après la tension nerveuse, l'avait épuisée. Restés seuls, le médium et la Colombe finirent leur repas sans empressement.

— Qu'y a-t-il ? demanda l'homme à la fillette. Pourquoi ce regard de reproche depuis tout à l'heure ?

— Ils sont gentils, dit-elle après avoir hésité à répondre. Et la maman est triste.

— Et nous soulageons sa tristesse, fillette.

— Son fils ne me parle pas. Je n'entends rien.

— Cela n'est pas important, ma Colombe. Mme Fabert a envie d'y croire. Elle en a besoin.

— Mais ce que nous faisons, n'est-ce pas mal ?

— Non, ce n'est pas cher payé pour le salut de leurs âmes.

Il se leva et lui tendit la main.

— Viens, laissons-la dormir. Nous allons bientôt quitter la ville. Nous ne pouvons pas faire plus, ajouta-t-il en serrant le collier dans sa poche.

Lorsque Edmée rentra, elle couvrit sa fille qui s'était endormie tout habillée sur son lit. Elle vérifia l'état de sa cassette pour constater que Madeleine n'avait pas pris plus que d'habitude et remit une somme équivalente, puis se servit un thé. Elle n'entendit pas le pas pressé des souliers battant le pavé, qui s'arrêtèrent à sa maison. Le heurtoir claqua sans discrétion. Elle ouvrit la fenêtre et aperçut à la lueur de la lanterne voisine la silhouette essoufflée de Claude. Edmée pensa qu'il était arrivé malheur à son mari et poussa un cri craintif.

55

Lundi 22 décembre

Marc avait été prévenu par un billet de Michèle et avait participé aux recherches, qui avaient duré jusque tard dans la nuit. Il avait envoyé Claude chez Edmée. Mais son gendre était introuvable. Il remonta au clos Billion à pied, après avoir fouillé jusqu'à la Bergerie. Il n'avait pas revu Antoine depuis l'orage qui avait détruit son élevage et cette discrétion l'avait surpris.

Ponsainpierre, essoufflé, s'arrêta plusieurs fois sur les marches qui menaient à sa maison de Fourvière. Tous avaient en tête le danger que représentaient Marais et ses hommes de main, mais personne n'avait osé l'évoquer devant les autres. Pressée par François de demeurer chez lui, Michèle avait tenu à retourner rue Sala pour y attendre Antoine. Il l'avait fait accompagner de ses deux valets, qui avaient eu pour consigne de rester avec elle.

Arrivé en haut des escaliers, Marc se sentit envahi de pensées négatives qu'il n'arrivait plus à chasser et sanglota. Il avait si peur qu'il soit arrivé malheur à celui qu'il avait élevé comme un fils. Il se sentait responsable. Il pressa le pas. La silhouette rassurante de la maison s'imposa devant lui. Il regarda l'ombre fantomatique des ruines de la buanderie éclairées par un quartier de lune sans voile. Il lui sembla voir une faible lueur briller à l'intérieur. Ponsainpierre enjamba le reste de mur à l'endroit où l'arbre s'était abattu. Au milieu de la pièce, sur son ancienne table de travail, brûlait une bougie. Il s'approcha, intrigué, et vit qu'un objet avait été déposé à côté du chandelier.

— Qu'est-ce qui se passe ici ? marmonna-t-il en prenant la bouteille d'eau du Mont-Dore par le col.

— C'est la question que je me suis posée, dit une voix dans son dos.

— Antoine ! cria Marc.

Il le serra dans ses bras, mû par une effusion de tendresse. Les vêtements et la peau de son ami étaient froids.

— Où étais-tu ? Nous étions tous si inquiets !

Antoine n'avait pas prémédité son geste. Après avoir quitté Antelme, il avait semé Trente-trois, agacé de se sentir suivi de près, puis était monté à Fourvière et s'était caché dans une mansarde abandonnée, au-dessus des ruines du théâtre antique. Il devait, pour quelques heures, disparaître aux yeux de tout le monde. Ses poursuivants et ses proches.

— Mais pourquoi ? demanda Marc, qui le tenait toujours par les bras.

— Je voulais pouvoir te parler sans que personne ne le sache. Marais a des informateurs partout dans la ville, expliqua Antoine alors qu'un halo de vapeur s'exhalait de sa bouche.

— Viens, rentrons, tu es glacé ! dit Marc en faisant mine de s'en aller.

— Il a aussi un informateur parmi mes proches, continua Antoine en allumant une seconde bougie avec la première. Dans les billets qu'il envoie à Paris, il porte le nom de code Alpha.

— Alpha ? As-tu une idée ? questionna Marc en fronçant les sourcils.

Antoine s'était approché du cadre qui ne supportait plus qu'une moitié de miroir et regarda le reflet de son ami pour répondre.

— J'en étais arrivé à soupçonner tout le monde : Michèle, Antelme, je les connais depuis si peu de temps ; Szabolcs, car, après tout, il porte le courrier à Marais ; l'inspecteur Jeanson, qui collabore avec lui ; Aimé de La Roche est l'imprimeur de toute la ville et a besoin de l'autorisation du gouverneur. Que de monde et que de raisons, que de questions qui tournaient dans ma tête, conclut-il en se retournant vers Marc.

— Je comprends, mais tu aurais dû te confier à moi, m'en parler. Même si je n'étais pas très accessible ces derniers temps, reconnut Ponsainpierre. Mais ce ne sera plus le cas, ajouta-t-il en balayant du regard les ombres crénelées des ruines de la buanderie.

— Je l'ai trouvée ici, dans ton atelier, dit Antoine en prenant la bouteille.

Il regarda l'étiquette manuscrite une dernière fois et la lui tendit. Marc la prit et fendit ses joues d'un large sourire.

— Pardieu, qu'est-ce que j'ai pu en boire, il faisait une chaleur d'enfer dans mon élevage ! dit-il en la reposant. Mais qu'y a-t-il de spécial avec ce flacon ?

Antoine sembla hésiter.

— Il provient de la réserve du gouverneur Villeroy, finit-il par avouer.

Marc resta figé quelques secondes, incrédule, puis regarda Antoine droit dans les yeux.

— Tu oses... tu oses me soupçonner ?

Il se saisit de la bouteille et la lança violemment sur le sol. Elle éclata dans un grand fracas en dizaines de morceaux qui vinrent se mélanger aux autres débris.

— Toi, mon ami, mon fils, continua Ponsainpierre, te rends-tu compte de ce que tu viens de dire ? Sais-tu ce que tu représentes pour moi ?

Il jeta sa perruque au loin et avisa le miroir.

— Je sais que ce n'est pas toi, assura Antoine en le retenant par le bras.

Ponsainpierre se libéra d'un geste sec, prit la glace et la brisa contre le mur.

— Je maudis le jour où j'ai trouvé ce coffre dans la galerie souterraine ! poursuivit-il. Je maudis ce trésor qui ne nous a apporté que du malheur !

— Je sais que tu n'es pas Alpha ! répéta Antoine en l'empoignant. Tu n'es pas un informateur ! Tu es comme mon père !

Marc se figea et le regarda d'un air abasourdi.

— Oui... comme ton père... insista-t-il comme si Antoine venait de découvrir une évidence.

Les deux hommes s'étaient assis contre le mur, la tête baissée, le cœur sonné, et s'évitaient du regard. Après son accès de colère, Ponsainpierre semblait abattu.

— Je n'ai pas apporté ces bouteilles dans la buanderie, chuchota-t-il d'un ton plaintif.

— Je sais, répondit Antoine en lui serrant le poignet. Je sais.

La découverte de l'eau du Mont-Dore, après l'orage, l'avait ébranlé. Mais, rapidement, ses soupçons s'étaient levés. Marc ne pouvait l'avoir trahi. Après avoir disparu, Antoine avait attendu la nuit, caché dans la mansarde du théâtre antique, puis s'était posté près du clos Billion pour en surveiller les allées et venues. Tard dans la soirée, Claude en était sorti et s'était rendu rue Belle-Cordière où il avait rencontré Edmée.

— C'est moi qui l'ai envoyé, confirma Marc. Je n'ai pas osé y aller moi-même, Edmée aurait pu croire que je voulais renouer des liens en profitant de la situation. Il est ensuite revenu me confirmer que tu n'étais pas avec elle.

— Non, dit doucement Antoine. Il n'est pas rentré directement. Je l'ai suivi.

Claude avait remonté toute la rue de la Charité d'un pas pressé et s'était engouffré dans une ruelle près des remparts.

— Il s'est introduit par une porte dérobée dans l'hôtel du gouverneur et en est ressorti vingt minutes plus tard, confia Antoine. Je n'ai plus de doute sur le fait qu'il soit un lugdunien.

— Mon propre valet...

— J'avais des soupçons sur lui depuis qu'il avait déclenché sans raison la bagarre au *Charbon blanc*. Cela m'avait intrigué, avant que je comprenne qu'il voulait éviter que je ne finisse par trouver un des clients avec qui il s'était vanté d'être un lugdunien.

— Vingt ans à mon service... Je vais le tuer de mes propres mains ! menaça Ponsainpierre en se levant.

— Si tu le fais, j'aurai du mal à te défendre face au juge !

— Alors, obligeons-le à espionner pour nous.

Antoine se leva à son tour et observa l'angle de l'écurie depuis la trouée dans le mur.

— Tous ces hommes sont terrorisés par Marais, constata-t-il. Même pour mille louis d'or, ils ne le feraient pas. Ils préféreraient se jeter dans la Saône.

— Et c'est une somme que nous ne possédons pas, fit remarquer Marc. Alors, je vais le chasser d'ici !

— N'en fais rien. Gardons-le et utilisons-le pour transmettre les informations que nous voulons au sieur Marais.

Marc tapa nerveusement du pied tout en réfléchissant.

— Tu as raison, finit-il par concéder. Mais Dieu que cela va m'être difficile de ne pas l'étrangler !

— Essaie de ne pas éliminer le peu d'avantages que nous avons sur notre adversaire, l'enjoignit Antoine en lui rendant sa perruque.

— Tu peux compter sur moi.

Ils se portèrent une longue accolade.

— Dire que tu as osé douter de moi qui t'aime comme un père ! soupira Marc, dont l'émotion était encore perceptible.

— La prochaine fois, ne laisse pas traîner les affaires du gouverneur chez toi.

— La prochaine fois, ne cache pas un trésor qui peut faire trembler le trône. Jette-le !

Claude aimait bouchonner la jument blanche de son maître. Il avait le sentiment qu'elle n'obéissait qu'à lui et en tirait une grande fierté. À l'aide d'une fourche, il piqua une fournée de paille qu'il répartit sur le sol de sa stalle, en prit une poignée et en frotta le dos et les flancs de l'animal. Le cocher vérifia que la bourse remplie d'argent était toujours bien attachée à sa ceinture. Il fit tinter les pièces pour se rassurer et se remit à la tâche avec une ardeur décuplée malgré l'heure tardive. Quelle que soit sa fatigue, il n'avait jamais omis de finir sa journée en s'occupant de sa monture. Il balaya l'écurie et pendit mors et licol contre le mur avant de donner une dernière tape sur l'encolure du cheval.

Le valet passa la tête hors du compartiment en entendant du bruit et fut étonné de voir son maître encore levé au milieu de la nuit, qui plus est à un endroit où il ne faisait que de très rares apparitions.

— Claude, dit Marc d'un ton joyeux, nous avons retrouvé Antoine !

Le serviteur manifesta un soulagement de façade, ferma la stalle et rejoignit son maître dans l'allée.

— Et où était monsieur ? demanda-t-il du ton le plus détaché qu'il put.

— Aux mines de Saint-Pierre-la-Palud, lui apprit Marc. Une affaire délicate et très personnelle, ajouta-t-il avant de se retourner vers le hangar où était entreposé le carrosse.

Il ne supportait plus le visage bouffi et la lippe arrogante de son cocher et eut du mal à ne pas réagir quand Claude lui affirma être rassuré. Ponsainpierre s'approcha du véhicule et constata des taches de boue.

— Il faut le nettoyer dès demain, demanda-t-il sans regarder son domestique. Antoine doit y retourner. Bonne nuit, Claude.

— Bonne nuit, monsieur.

Resté seul, le laquais hésita à se rendre directement à l'hôtel du gouverneur ou à différer cette visite au lendemain. À plus d'une heure du matin, la colère de Marais d'être réveillé pouvait être pire que celle de ne pas avoir été prévenu tout de suite. Claude hésita et finit par se convaincre d'attendre le lever du jour. Après tout, personne ne saurait quand son maître lui avait parlé. Il se frotta les mains et imagina le revenu qu'il pourrait tirer d'une telle information. Il eut une pensée pour Antoine, qu'il chassa rapidement : personne n'avait forcé l'avocat à s'opposer au pouvoir et à ses gardiens. Il fallait être inconscient ou suicidaire. Claude imagina le moment où il allait apprendre au sbire du roi que le trésor gaulois était caché dans les mines de Saint-Pierre-la-Palud.

56

Mardi 23 décembre

Marais l'avait écouté sans sourciller. Son visage aux yeux de rat était resté impassible et son sourire toujours aussi insondable. Claude avait accepté une somme qu'il trouvait dérisoire au regard des renseignements échangés et s'était convaincu qu'il pourrait les monnayer à nouveau une fois le coffre retrouvé.

— Pensez-vous qu'il nous ment ? demanda l'aide de camp une fois le cocher sorti.

— Non, Alpha et les autres savent tous quels en sont les risques, répondit Marais tout en rédigeant un billet. Fabert a trompé tout son monde pour aller jusqu'à Saint-Pierre-la-Palud. Il y a forcément une bonne raison que nous allons découvrir. Vous allez prendre tous les inspecteurs disponibles, ainsi que des soldats de la Compagnie générale de la maréchaussée, ajouta-t-il en lui tendant le papier. Voici l'ordre à remettre au concessionnaire qui vous donne l'autorisation de fouiller toutes les mines de la paroisse. Allez-y sans tarder et ne revenez que quand vous aurez exploré chaque recoin.

Marais avait été prévenu par Trente-trois de la disparition d'Antoine et avait alerté tous ses informateurs, mais aucun des lugduniens n'avait pu le localiser. *Enfin une piste sérieuse*, songea l'inspecteur, que l'annonce de l'arrivée du marquis de Villeroy avait contrarié depuis le matin. Le gouverneur ne manquerait pas de lui demander des comptes, auxquels il pourrait opposer ce dernier résultat.

— Et dites à la blanchisseuse de remettre la tapisserie en place, avant que Villeroy ne tombe en apoplexie, ajouta-t-il en arrêtant son regard sur le mur nu.

— Son carrosse doit arriver en début d'après-midi, précisa l'aide de camp. Cela nous laisse le temps.

Marais s'enquit de la prochaine livraison d'une cassette de pièces d'argent alors que ses réserves avaient fondu.

— Deux semaines, monsieur, indiqua son assistant après avoir vérifié les échanges de lettres.

— Impossible, il nous en faut avant la fin de l'année. Rédigez une demande tout de suite, que je la paraphe, dit-il en lui faisant signe de prendre sa place au secrétaire.

— Le gouverneur pourrait nous avancer la somme de sa propre cassette, suggéra le militaire en regrettant aussitôt son idée devant le regard noir de l'inspecteur.

Marais cacheta le billet, le lui tendit, renouvela sa désapprobation en l'accompagnant d'une remarque peu amène sur la clairvoyance de son aide de camp en matière de relations humaines, et le congédia après s'être assuré que son nouveau professeur de bâton allait arriver.

Le soldat, pourtant habitué aux rebuffades de son chef, sentit la colère monter. Il sortit du bâtiment et observa dans la cour un valet de la maison aux prises avec un des chiens du gouverneur. L'homme transportait dans deux seaux des déchets alimentaires que convoitait le lévrier. Ne pouvant avoir gain de cause, l'animal lui mordillait les jambes tout en aboyant de mécontentement. Voulant le chasser d'un grand coup de pied, l'homme glissa sur les pavés et s'étala sur son séant, faisant voler les seaux à plusieurs mètres. Le lévrier se précipita sur l'un d'eux autour duquel la nourriture s'était étalée, comme sortie d'une corne d'abondance. L'assistant éclata de rire et caressa l'animal en le félicitant d'avoir vaincu son Goliath pendant que les autres serviteurs présents se portaient au secours du malheureux, qui peinait à se relever.

Le militaire rejoignit le garde de faction à l'entrée, déposa le billet à remettre au facteur et dit au maître d'armes qui venait de se présenter que le sieur Marais ne pourrait le recevoir dans la journée à cause d'une épaule douloureuse.

Satisfait de sa vengeance, il gagna l'office et trouva la blanchisseuse affairée à préparer le linge de maison pour le retour de son maître.

— N'oubliez pas de tendre la tapisserie avant l'arrivée du gouverneur, lui dit-il tout en la serrant de près afin de sentir si elle portait le parfum qu'il lui avait offert.

Il constata avec déception que seule l'odeur du savon qu'elle utilisait à longueur de journée imprégnait ses vêtements. La jeune femme se dégagea de son étreinte en posant son fer brûlant à côté de la main de l'homme, qui n'insista pas. Elle s'était promise à l'un des artisans du quartier du plâtre et lui serait fidèle.

— N'oubliez pas, répéta-t-il avant de partir.

— Ne vous inquiétez pas, notre gouverneur ne verra que sa tenture en rentrant, dit-elle d'un ton ironique qui échappa au soldat.

Szabolcs récupéra le billet de Marais des mains du garde et promit de le déposer avant de finir le reste de sa tournée. Il se rendit au Bureau général des postes, s'enferma pour ouvrir la lettre, la copia et la recacheta sans aucune trace visible. Elle serait prête pour la diligence de midi. Satisfait de son travail, il se vit confier une missive urgente à remettre aux observantins. Le facteur évalua le trajet à trente minutes, qui seraient largement récompensées par un demi-louis d'argent. L'affaire semblait d'importance et Szabolcs courut la moitié du chemin, arrivant devant la grande porte du couvent en moins de vingt minutes. Il pesta contre le peu de réaction des moines, qui mirent près de cinq minutes à lui ouvrir malgré ses coups de heurtoir répétés. Le billet était destiné au père correcteur qui, lui aussi, mit un temps infini à se présenter. L'homme le lut sans sourciller et sembla seulement découvrir que le facteur attendait pour savoir s'il y avait une réponse. Il lui fit un signe indiquant qu'il n'aurait pas besoin de ses services. Le père correcteur se tourna vers le novice qui l'accompagnait :

— Allez chercher Valentin, qu'il prépare ses affaires. Son temps chez nous est fini.

Szabolcs les salua et les entendit chuchoter avant que la porte ne se ferme. Il n'aimait pas l'ambiance de murmures des monastères et se sentit fort heureux de ne pas y être enfermé. Le facteur sifflota et gagna le domicile de Prost pour lui remettre son dernier billet.

Valentin ne manifesta aucune émotion à l'annonce de sa sortie, ni à celle de la raison de sa soudaine liberté. Son père, se sentant mourant, avait décidé de lever la sanction dont il l'avait frappé et voulait retrouver son fils près de lui pour ses derniers jours. Il mit sans hâte ses affaires dans son grand sac de cuir et se présenta devant la sortie où l'attendait le père correcteur.

— Je ne sais pas si nous avons réussi ou échoué dans notre mission avec vous, jeune homme, avoua le religieux. J'espère seulement qu'au moment où nous vous rendons à la vie civile, nous avons expurgé le diable qui était en vous. Je prierai pour que votre repentance soit sincère.

Valentin le regarda avec indifférence. Il avait tant de fois imaginé ce moment, en l'habillant du goût et de la couleur de la liberté, qu'il en trouva la réalité fade et sans saveur. Les observantins avaient tenu à le raccompagner jusque chez lui, ce qu'il prit pour un geste de défiance compréhensible. Il ne leur avait pas facilité la tâche pendant les trois mois de son internement. Il regarda les rues défiler sous ses yeux et prit conscience en arrivant que pas un moment il n'avait songé à son père. *Tous ces prêtres feraient bien de prier pour le salut de mon âme*, songea-t-il, ironique. *Je ne ressens aucune peine. Juste la joie de la liberté retrouvée.*

Valentin entra dans la grande maison bourgeoise de ses parents, posa son sac, fit un signe à la gouvernante, qui se précipitait en courant dans le couloir, et ressortit sans un mot. Son paternel ferait l'effort d'attendre pour mourir, il y avait plus urgent : son ami Camille allait être surpris de sa visite.

— Que je suis heureuse ! dit Anne en serrant très fort les mains de Camille, qu'elle avait prises pour lui annoncer la bonne nouvelle.

— Tu en es sûre ? Ils ne changeront pas d'idée ? s'inquiéta le jeune homme. Le 16 mai ?

— Oui, confirma-t-elle en sautillant devant lui. On se mariera le 16 mai ! Dans moins de six mois !

— Encore dix-huit semaines, vérifia-t-il sur l'agenda de l'*Almanach de Lyon.*

— À peine le temps de s'en occuper, rétorqua-t-elle.

— Suffisamment pour attraper du mal à la Bergerie, surenchérit Camille, qui voulait avoir le dernier mot. On ne risque pas d'y mourir de chaud. Tout comme ici, ajouta-t-il en quittant le comptoir de la librairie pour aller fermer la porte d'entrée qu'Anne avait laissée ouverte lors de son arrivée exaltée.

Le froid n'était pas vif mais sa morsure était accentuée par un mistral entêté. Aimé était parti accompagner le docteur Mesmer, qui avait trouvé une place dans le carrosse d'un particulier en partance pour Paris. La boutique était déserte depuis son ouverture le matin et Camille en avait profité pour effectuer un rangement dans les ouvrages que le libraire classait dans un ordre purement chronologique et dont il était le seul à connaître les emplacements. Il entraîna Anne dans l'arrière-boutique pour un baiser devant la chaleur de la cheminée qui leur parut une bénédiction comparée aux conditions habituelles de leurs retrouvailles. Il lui dénuda l'épaule et l'embrassa avant de lui baiser le cou. Anne émit une protestation formelle mais dont le ton lascif était une invitation à continuer. Camille glissa ses mains sous la chemise de sa fiancée et lui caressa le dos, avançant lentement jusqu'à effleurer ses seins. Elle émit un murmure de plaisir. Au moment où il se penchait pour embrasser la base de sa poitrine, Anne se releva brusquement.

— Il y a quelqu'un, chuchota-t-elle.

— Mais non, nous sommes seuls, la rassura Camille en lui caressant les cheveux.

— Si, il y a quelqu'un ! s'écria une voix dans le couloir.

La tête de Valentin apparut dans l'encadrement de la porte.

— Alors, je te laisse seul pendant trois mois et tu en profites pour prendre un ange comme fiancée ! lança-t-il en fixant le décolleté de la jeune femme. Tu ne viens pas me saluer, mon frère ? ajouta-t-il en tendant les bras en direction de Camille.

Leur effusion fut de courte durée. Anne prit congé en prétextant son travail au *Cygne noir* mais Camille savait qu'elle n'approuvait pas son amitié avec Valentin, et son geste en était l'illustration.

— Depuis quand nous connaissons-nous ? interrogea Valentin, qui avait remarqué l'échange de regards au départ de la jeune femme.

— Nous sommes amis depuis l'enfance, nous avons bu le lait de la même nourrice, répondit Camille en vérifiant qu'ils étaient seuls.

— C'est bien ce qu'il me semblait. Deux frères de lait... Elle est en train d'essayer de nous séparer, l'as-tu remarqué ?

— Tu te trompes, Anne n'a rien à ton encontre. Elle et moi sommes très amoureux, voilà tout, rectifia Camille, agacé par la possessivité de son ami.

— C'est ce que j'ai cru voir. À mon arrivée, tu étais plongé dans sa gorge comme un nouveau-né affamé.

La grivoiserie déplut à Camille, qui s'offusqua mais ne trouva rien à lui répondre.

— J'ai appris, pour ton père, je suis désolé de ce qui lui arrive, assura-t-il pour aborder un autre sujet.

— Moi, j'en suis ravi, cela me permet de savourer l'air du large, déclara Valentin en inspirant profondément. Même si ta boutique sent plutôt la poussière, remarqua-t-il en fronçant le nez. D'ailleurs, toi aussi, tu sens la poussière, ajouta-t-il en reniflant sa veste. À croire que c'est toi qu'on a enfermé. Il va falloir que je remette un peu d'ordre dans ta vie !

— Valentin...

— Quoi, pourquoi cet air de reproche ? *Valentin...* fit-il en imitant la voix de Camille. N'oublie pas que c'est mon propre père qui m'a enfermé chez les observantins, c'est lui qui m'a privé de la vie que j'aime. Devais-je l'en remercier ? s'emporta-t-il. Mais où est passée ton envie d'absolu, mon ami ? Celle qui nous poussait à vivre chaque jour pleinement ?

Camille regarda Valentin, dont le visage juvénile et angélique l'avait souvent protégé de tout soupçon des forfaits qu'il avait commis. Le jeune rédacteur prit une pile de livres qu'il déposa derrière le comptoir.

— C'est une époque révolue, annonça-t-il. Je vais me marier.

Valentin ajouta deux ouvrages supplémentaires sur le tas et soupira :

— Avec une future mégère, pauvre homme.

— Valentin, elle sait, révéla Camille, dont les sourcils s'étaient infléchis.

— Comment ça, elle sait ?

— Je lui ai tout avoué.

Valentin fit un aller et retour jusqu'à la devanture pour fermer la porte à clé.

— Je vois... soupira-t-il après s'être assis au secrétaire qui servait de lieu de lecture. Le jour où je vous ai vus passer dans le cadre de ma prison, n'est-ce pas ?

— Je n'ai pas eu le choix.

— La batelière, ta fiancée... Bientôt le père de La Roche sera le seul à ne pas être au courant en ville.

— Ne parle pas ainsi de mon oncle, c'est un homme respectable, répliqua Camille en se contenant.

— Mais la respectabilité est une ignominie ! s'écria Valentin en se levant d'un bond. Elle nous étouffe dans l'ennui et dans le conformisme ! Tout, mais pas cela, non, par le diable !

— Ne blasphème pas si fort, s'inquiéta Camille.

— J'ai été privé de blasphèmes, je veux en dire tout mon soûl ! Sabbat ! hurla Valentin. Géhenne et Enfers ! Voilà ma vraie vie ! Je crois en toi, ô Satan !

Camille envoya des regards inquiets vers la rue. Valentin se calma aussi rapidement qu'il s'était emporté.

— Allez, viens, viens, mon ami, l'exhorta-t-il en souriant, allons boire une chopine, allons nous aviner et parlons de notre grand projet.

— Non, j'arrête, c'est fini. Nous en avons fait assez. Je suis devenu responsable.

— Responsable ? Voilà un autre mot qui me brûle les oreilles ! Responsable... Je crois que j'ai compris, mon ami, je m'incline, ajouta-t-il en joignant le geste à la parole. Je boirai donc seul à la santé des hommes responsables ! À Dieu vat !

Il sortit en espérant que Camille le retiendrait d'une parole ou d'un geste. Mais rien ne se produisit. Valentin regarda en arrière. Son ami avait repris son activité derrière le comptoir. Au même moment, Valentin entendit le cri d'un cocher qui le prévenait et la glissade des sabots d'un attelage.

57

Mardi 23 décembre

— Tout va bien, monsieur le gouverneur, nous pouvons repartir. Nous sommes tous désolés de ce désagrément.

Gabriel Louis François de Neufville de Villeroy se sentit soulagé. Le voyage depuis Paris, sur des routes durcies par le gel, avait été épuisant. Malgré les épaisses fourrures dont il s'était recouvert, le froid n'avait cessé de le pénétrer. Assis en face de lui, le marquis de Castries, son lieutenant général pour la ville, étendit ses jambes et bâilla :

— Après un aussi long trajet, quel dommage c'eût été de se trouver arrêtés à quelques centaines de mètres de votre demeure pour avoir écrasé un jeune étourdi, même si celui-ci n'avait pas l'air d'avoir toute sa tête.

Villeroy approuva d'un mouvement de sourcils. Les accidents de carrosse avaient déjà valu à sa famille d'être prise à partie par le peuple de Lyon. Le véhicule s'ébranla et garda le pas.

Valentin avait dû son salut à ses réflexes. Il s'était jeté en arrière et avait juste été bousculé par l'un des quatre chevaux de l'attelage, qui l'avait fait tomber. À Camille et au laquais qui s'étaient précipités pour l'aider, il avait conseillé d'aller au diable avant d'assener un grand coup de semelle à une des roues du véhicule et d'injurier les occupants retranchés derrière un opaque rideau qu'il avait vu bouger. Valentin avait refusé la pièce que lui avait tendue le cocher, l'avait insulté et avait quitté les lieux en tenant son épaule contusionnée.

Le carrosse remonta la rue de la Charité et pénétra dans la cour intérieure de l'hôtel du gouverneur. Villeroy, qui n'avait pas dîné, était affamé et se rendit directement au petit salon où il se fit servir une collation devant la plus large cheminée de la maison, qui crachait des flammes hautes comme l'âtre. Il avala une rôtie de pain au jambon et deux grands verres de vin vieux de Condrieu, avant de sentir les forces et la chaleur reprendre possession de son corps. Il fit chercher Marais et commanda un deuxième plat de viande, un cochon de lait en blanquette. L'inspecteur mit du temps à venir, si bien que le gouverneur avait déjà entamé un gâteau de riz lorsqu'il se présenta à lui en tenue d'entraînement, une serviette sur l'épaule. Le maître d'armes lui avait fait faux bond, ce qui constituait la seconde mauvaise nouvelle de la journée, avec la présence du gouverneur. Il s'attendait à recevoir la troisième, qui ne tarda pas à arriver.

— Je me suis entretenu avec M. de Maurepas avant de partir, dit Villeroy tout en continuant de rogner délicatement avec sa cuillère les flancs de son gâteau. Versailles est mécontente de la façon dont votre enquête piétine, mon cher Marais. J'ai eu beau leur expliquer la difficulté de notre cas, louer vos mérites personnels, il m'a été demandé de vous informer que tout doit être définitivement réglé avant la fin du mois de janvier. Je tenais à vous en avertir dès mon arrivée, eu égard à la sympathie et l'estime que je vous porte, ajouta-t-il sans masquer l'ironie de ses paroles.

— Je vous sais gré de vos encouragements, cher Villeroy, répondit avec morgue l'homme à la tête de rat, mais notre mission avance comme il se doit.

Il posa sa serviette sur le dossier d'une chaise, s'assit en face du gouverneur et se servit un verre de vin. Le maître de maison se contint, mais son visage s'empourpra. La familiarité de l'inspecteur l'indisposait au plus haut point.

— J'en suis fort aise, répliqua-t-il en tentant de garder son calme, mais n'en voit point de résultat. À moins que vous n'ayez une nouvelle importante à partager avec moi.

Marais prit deux amandes qu'il croqua nonchalamment avant de lui indiquer la piste des mines de Saint-Pierre-la-Palud. Le gouverneur se montra dubitatif.

— Tout cela est trop mince et bien hypothétique, convenez-en, dit-il en repoussant le reste de son dessert vers le milieu de la table.

— Si vous me permettiez de l'embastiller et de le questionner, nos affaires en seraient simplifiées, affirma Marais, qui s'était accoudé pour se pencher vers lui.

Villeroy prit un mouchoir et tamponna délicatement ses narines avant de répondre.

— Votre méconnaissance de la situation me navre, monsieur. Lyon n'est pas Paris et un tel geste pourrait mécontenter le peuple, qui l'apprécie, encore plus après sa victoire contre le monopole de la boulangerie, résuma-t-il.

— La faute à vos gens de loi ! maugréa Marais. Vous n'avez pas l'air de savoir les tenir sous votre coupe.

— Occupez-vous de vos petites affaires et laissez-moi diriger la ville comme il se doit, répliqua le gouverneur en levant les yeux au ciel.

Marais reprit une poignée de fruits secs, quitta la table et se dirigea vers la porte sans répondre. Il considérait avoir suffisamment supporté les attaques d'un homme dont le seul titre de gloire avait été de naître sous le blason des Villeroy.

— Qu'en avez-vous fait de ce temps, mis à part mettre à sac ma réserve d'eau du Mont-Dore ? continua le gouverneur, qui n'en avait pas fini. Je croyais, à vous écouter, que votre système d'agents serait suffisant pour découvrir le coffre. Pour l'instant, il ne l'est que pour vider la cassette royale !

L'inspecteur marqua un arrêt sans se retourner.

— Votre plus grand titre de gloire est d'avoir soudoyé le cocher de Marc Ponsainpierre, poursuivit le gouverneur. Insuffisant aux yeux de Versailles, mon cher. Comme aux miens.

Marais s'en voulut d'avoir sous-estimé son hôte, qui l'avait fait espionner par son personnel. Il revint vers Villeroy en accentuant son sourire permanent et esquissa un salut de la main.

— À votre service, gouverneur. Toutefois, je ne voudrais pas vous décevoir. Sachez que nous avons un contact parmi ses proches, et je ne parle pas de la valetaille, qui va nous livrer son secret contre une prime.

— Et qu'attendez-vous pour le faire parler ? ricana, sceptique, Villeroy.

— Vous savez comme tout est tracasserie administrative de nos jours, répliqua Marais en se souvenant de l'idée de son aide de camp. Nous attendons la livraison de la cassette. À moins que vous nous accordiez d'avancer vous-même cette somme, ce dont, je suis sûr, notre roi vous sera reconnaissant.

Le gouverneur prit conscience que son interlocuteur l'avait piégé et se renfrogna.

— De quelle genre de somme parle-t-on ? demanda-t-il en baissant la voix.

Marais se pencha à son oreille pour lui répondre.

— Ah ? Quand même... Je vais voir ce qu'il sera possible de faire. Maintenant, je vais me retirer dans mes appartements. Ce voyage m'aura épuisé.

Resté seul, l'inspecteur se servit un nouveau verre de vin et savoura sa passe d'armes victorieuse qui s'était soldée par la retraite du gouverneur.

— En voilà un qui ne me cherchera plus de noises avant longtemps, se félicita Marais. Faites de beaux rêves, ajouta-t-il en levant son verre devant le portrait du maître de maison.

Au moment même où l'homme avalait sa dernière gorgée d'alcool, la blanchisseuse pénétrait dans l'appartement du gouverneur, accompagnée d'une femme de chambre, afin de vérifier que tout était en ordre avant l'arrivée de leur maître. Le lit avait été impeccablement tiré et les draps ne présentaient aucun faux pli, selon les exigences de Villeroy. Elles posèrent au-dessus des couvertures un volumineux édredon en duvet de gerfaut qu'un marchand avait importé du Danemark à la demande du gouverneur. La couette était plus légère et bien plus chaude que celles à plumes d'oie et le marquis de Villeroy l'emportait partout où il se trouvait.

— Voilà, tout est prêt pour notre maître, dit la femme de chambre en observant la blanchisseuse tirer sur les drapés du baldaquin. C'est un nouveau voilage ? s'enquit-elle en touchant le tissu. Je ne l'avais jamais vu avant.

— Demande du sieur Marais, expliqua-t-elle, évasive.

— Je n'aimerais pas m'endormir avec une scène de chasse sous les yeux, j'en ferais des cauchemars. Depuis combien de temps es-tu au service du gouverneur ?

— Dix ans, répondit la blanchisseuse en rajustant son fichu. Mais j'ai d'autres maîtres. Et toi ? demanda-t-elle en considérant la jeunesse de la femme de chambre.

— Sept mois. J'attends d'avoir fait l'année entière pour toucher mes gages et je m'en irai. On m'offre plus ailleurs. Ici, je n'ai que soixante livres par an !

La blanchisseuse regretta le temps où les domestiques s'attachaient pour la vie à la maison d'un seul maître. L'époque avait changé et les plus jeunes n'hésitaient pas à courir les gages en sautant d'un employeur à l'autre, parfois de ville en ville, au gré des opportunités et des saisons. Comment pouvait-on servir efficacement son maître si on n'apprenait pas à le connaître au fil du temps ? Elle savait anticiper les volontés et les besoins du gouverneur et connaissait toutes ses petites manies. La blanchisseuse aimait son travail, même si le duc passait le plus clair de son temps à Paris, et tous ceux qui, comme Marais, ne le respectaient pas devaient aussi s'opposer à elle et au dernier carré de domestiques fidèles.

Mais cette fille ne peut comprendre cela, songea-t-elle en la regardant s'admirer dans le grand miroir mural. *Aujourd'hui les soubrettes se prennent pour des marquises*, regretta-t-elle.

Les portes s'ouvrirent sur un serviteur qui, d'un signe, interrogea les deux femmes sur l'état de la chambre. Celles-ci le rassurèrent. Sur ces entrefaites, le gouverneur entra d'un pas pressé, salua tous les présents, qui firent une révérence, distribua son chapeau, sa perruque et sa veste, avant de congédier ses domestiques. Il voulait être seul. Une fois dans le couloir, le valet de chambre rattrapa la blanchisseuse par le bras.

— Qu'est-ce que cette horrible tapisserie qui a remplacé la voilure du lit ? s'inquiéta-t-il.

— Horrible ? C'est la tenture préférée de notre maître, la soie murale du cabinet du silence. J'ai obéi aux ordres de l'inspecteur, dit-elle d'une voix chargée de fausse naïveté. Juste obéi, ajouta-t-elle en savourant sa vengeance.

Le hurlement du gouverneur indiqua qu'il venait de reconnaître sa tenture transformée en baldaquin. Il se précipita en collants et chemise, la tête nue, jusqu'au cabinet pour y découvrir avec effroi que les peaux de cuir cousues avaient disparu.

— Qui ? cria-t-il. Qui a osé ?

Moins de cinq minutes plus tard, tout le personnel, convoqué à la hâte, était aligné dans le couloir principal de l'étage. Marais et ses hommes étaient présents et se chargèrent de l'interrogatoire devant un gouverneur écumant de rage. La blanchisseuse joua l'ingénue jusqu'au moment où, pressée de questions, elle s'écroula en pleurs. Le garde présent le jour du vol avait changé d'affectation mais les témoignages croisés permirent de reconstituer la manœuvre qui avait permis à un inconnu de voler le rouleau de textes.

— Fabert ? lâcha le gouverneur après qu'il eut congédié la blanchisseuse sans lui verser ses gages et qu'il se fut enfermé avec Marais dans le cabinet.

— Pourquoi ne m'avez-vous pas parlé de ce document ? demanda l'inspecteur en touchant le mur nu. Que contenait-il ?

Le maître des lieux lui relata l'origine des peaux.

— Alors, vous pouvez être certain que maître Fabert est impliqué. Par votre faute, nous avons perdu une opportunité de lui tendre un piège, s'agaça Marais.

Mais le gouverneur ne l'entendit même pas. Il ne parvenait pas à calmer sa colère. La présence de Fabert chez lui, son audace, étaient une provocation insoutenable.

— Inspecteur, vous avez tous les droits, m'entendez-vous ? Tous les droits, dont celui d'utiliser la force pour empêcher Fabert de nuire. Avez-vous bien compris ? Fini vos méthodes trop galantes. Il veut la guerre ? Il l'aura ! Une guerre totale !

58

Vendredi 26 décembre

Charles le typographe s'épongea le front. Il était en sueur après que Camille lui eut fait changer la composition du *Nouveau Glaneur* en ajoutant un texte à la dernière minute. Il avait dû insérer un paragraphe supplémentaire à l'article relatant le procès contre le monopole de la boulangerie. La veille, Prost avait été pris à partie par le boulanger de la place du Change, qui l'avait verbalement agressé. Le jugement n'avait pas apaisé certains esprits, d'autant que le prix du pain avait été fixé à la baisse pour le mois de janvier en anticipation d'une plus grande production. François s'était retrouvé bousculé à terre sous les yeux de sa femme et de sa fille, avant d'être défendu par des commerçants du marché voisin. Il avait refusé de porter l'affaire devant la justice et s'était rendu dans la boutique de l'homme l'après-midi même afin de lui expliquer tout le bénéfice qu'il pourrait tirer, lui aussi, d'un tel changement. L'incident était clos, sauf pour Aimé, qui avait tenu à ce qu'il soit relaté dans le premier numéro de son nouveau périodique.

Charles prit la grosse boule de cuir de mouton qui trempait dans une bassine puis la roula du pied sur le plancher jusqu'à ce que toute l'eau en soit sortie.

— Il est bien corroyé ? s'inquiéta Camille. Propre et souple ?

— Tu ne me fais plus confiance ? dit Charles en frottant le cuir contre la vis de la presse pour y déposer un peu d'huile.

— Bien sûr que si, mais nous n'aurons pas le temps de recommencer, répliqua Camille en appuyant son pouce sur la boule. Il sent l'ail[1], tu peux l'utiliser !

Le typographe posa le cadre renfermant la composition sur le marbre. Il enduisit la boule d'encre et la passa sur le relief des lettres. Il dressa la feuille sur le volet mobile de la presse, après avoir inséré un châssis de bois tendu d'étoffe afin d'éviter les bavures, et actionna le levier de la vis centrale pour abaisser le volet contre le marbre.

— La voilà, dit Charles en tenant par les coins la première épreuve qui venait de sortir de la presse.

Camille la mit à sécher sur une corde et vérifia la qualité de l'impression à l'aide d'une loupe.

— Le papier absorbe l'encre juste ce qu'il faut, tu as fait du bon travail, Charles, comme toujours.

Le typographe s'était assis sur le tabouret de la table de composition et regardait le vent balayer la rue de flocons fins et serrés.

— Il va falloir que je rachète du bois, je n'en ai plus chez moi, remarqua-t-il d'un air désolé. Ces derniers jours ont été si froids.

Camille se posta devant la fenêtre pour constater par lui-même qu'il devrait remettre son après-midi à la Bergerie avec Anne. La montée serait difficile et leur nid d'amour trop froid et humide. Il n'avait jamais osé demander à Antoine la clé de son atelier, qui possédait une cheminée. L'antre de l'avocat était son refuge le plus secret.

Il décrocha les feuillets et les posa sur un pupitre afin de commencer les corrections. Charles semblait soucieux.

— Combien d'argent as-tu perdu ? lui demanda Camille en devinant la raison de son tracas.

— Beaucoup, répondit-il sans chercher à tergiverser. Trop, ajouta-t-il. Je n'ai plus les moyens de me chauffer.

— Prends-en ici, proposa Camille en lui indiquant le tas de bûches à côté de l'âtre.

---

1. Expression utilisée par les imprimeurs pour indiquer que le cuir est bien échauffé par l'opération.

— Non, je ne peux pas, ce ne serait pas bien. M. de La Roche a besoin de ce bois.

— Je vais en parler à mon oncle. Il sera d'accord. Nous avons plus besoin de toi que de ces bûches ! argua Camille avant de se remettre au travail.

À l'aide d'une plume, il nota sur la feuille les fautes de français et les erreurs. Charles était le meilleur typographe de la ville, mais sa composition orthographique des mots incluait certaines libertés qui déclenchaient chez Aimé les rares colères auxquelles Camille ait jamais assisté. Malgré tous ses efforts, l'ouvrier inversait parfois lettres et syllabes ou contractait les mots sans se rendre compte du changement. La Roche et son neveu avaient tout tenté pour qu'il s'améliore, allant jusqu'à requérir les services d'un jeune professeur de français, qui avait abandonné devant ce qu'il avait considéré comme une « forte mauvaise volonté » de la part d'un élève « incapable de retenir la moindre leçon ». Charles s'en était défendu et, malgré ses efforts, le rythme des erreurs n'avait pas diminué.

— Alors ? demanda-t-il à Camille, qui s'était posté à côté de lui.

— Seconde page, ligne dix, cinquième mot. Tu as écrit « ages » au lieu d'« étages ».

Aimé avait tenu à insérer en préambule un billet d'humeur sur son regret de voir la ville croître en hauteur et les maisons grimper à trois ou quatre étages, qui bientôt l'empêcheraient d'admirer la Saône depuis son bureau de la grande rue Mercière.

— « Bientôt les maisons auront trop d'ages », lut Camille. Aimé voulait dire « trop d'étages ».

— Ah ? Tu crois ? douta Charles en relisant à son tour sans paraître convaincu.

— Il te faut ajouter un « é » et un « t ».

Camille observa Charles tandis qu'il déposait les cadres contenant le texte sur la table de composition et repérait la ligne sur laquelle se situait la première faute. Le jeune rédacteur ne comprenait pas son obstination malgré les explications. Il était capable de faire la même faute à chaque fois tout en lui soutenant avoir écrit correctement le mot.

Le typographe ajouta les nouvelles lettres et décala toute la ligne en réussissant à ne pas avoir à déplacer les mots de la ligne suivante.

— On passe à la page cinq, ligne vingt. Le premier mot : il faut écrire « perruque » au lieu de « perroquet ». Tu remplaces le « o » par un « u » et tu retires le « t ». Je sais bien qu'elle a été retrouvée sur l'arbre du pont, mais c'est d'un postiche dont il s'agit, pas d'un oiseau.

Charles riait toujours de ses erreurs, dont certaines donnaient aux phrases un sens très différent et leur avaient valu des fous rires mémorables. Il était persuadé d'avoir écrit « perruque », ce qu'il lut sur les lettres de plomb, mais n'insista pas. Il sortit de la poche de sa veste une pointe bien acérée et piqua la lettre incriminée en prenant soin de ne pas déplacer ni abîmer les autres. Il la mit au sabot, ainsi que le « t », et ajouta le « u ». Sa dextérité et sa rapidité étaient sans égales.

Camille continua l'inventaire des corrections. Ils devaient faire une seconde impression qu'Aimé corrigerait à son tour avant l'impression finale du mercredi. Le premier numéro du *Nouveau Glaneur* serait distribué en même temps que les *Affiches*, le dernier jour de l'année 1777.

— Une date à retenir, dit fièrement Camille en se remémorant le chemin parcouru depuis sa proposition à son oncle.

Charles s'essuya les mains, qui étaient pleines d'encre et d'huile de machine.

— Oui, ajouta-t-il, admiratif. La première gazette sortie des presses de M. de La Roche... Comment tu l'écris, « gazette » ?

Camille l'épela machinalement tout en continuant à vérifier les textes. Il leva les yeux en sentant le regard de Charles peser sur lui.

— Cela vient d'une pièce de monnaie italienne, la *gazeta*. Elle correspondait au prix à payer pour acheter la première feuille jamais écrite sur les nouvelles d'une ville ; c'était à Venise il y a plus d'un siècle, expliqua-t-il. Mais je n'ai aucun mérite à te narrer cette histoire, maître Fabert me l'a apprise en me rendant son texte pour la préface.

— Justement, je me souviens des lettres. Ce n'est pas comme tu me l'as dit.

— Charles, tu ne crois quand même pas que j'aurais laissé passer une grossière erreur ? avança le jeune rédacteur d'un ton faussement assuré.

Les deux hommes étendirent la première page devant eux et Camille lut qu'Antoine y souhaitait une « longue vie à la première gazelle lyonnaise ». L'écho de leurs rires se perdit dans la rue, faisant se retourner l'ânier qui rentrait chez lui en protégeant précieusement le gros pain qu'il avait pu acheter pour toute sa famille.

59

Vendredi 26 décembre

La neige s'était déposée en douceur sur Lyon toute la matinée puis avait laissé place à un soleil laiteux. Antoine avait convaincu Michèle de se rendre à la Bergerie, où ils avaient passé de longues minutes à profiter du spectacle des milliers de fumées qui s'échappaient des toits pour s'élever en se dispersant dans le ciel. Lyon respirait sous le froid.

— J'aime cette sensation lénifiante de me sentir protégée des éléments, dit-elle en revenant sur le lit qu'ils avaient disposé face à la cheminée. Comme si rien ne pouvait arriver.

— Je ne peux pas vivre longtemps en ville sans venir ici, c'est mon refuge, avoua Antoine en alimentant le feu. Et il est important pour moi que vous le compreniez.

— Même si ma première confrontation avec ce lieu fut plutôt brutale, je vous comprends, répondit Michèle en enlevant sa veste, qu'elle lança sur une chaise.

Elle éprouvait les mêmes sentiments pour l'Ambigu-Comique. Une impression unique de s'y trouver en sécurité. Chacun y était différent, mais la troupe n'était pas un vain mot et, à l'instant où le rideau s'écartait, elle devenait un tout dont ils étaient une parcelle, petite mais indispensable.

— Je ne sais comment vous le décrire, il y a des moments où nous sommes portés les uns et les autres par une intense communion et où je me sens protégée par le groupe. Et le sieur Audinot, notre directeur, y est pour beaucoup. Il s'occupe de tout, nous encourage, supporte nos humeurs changeantes, il sait les pièces qui vont plaire au public, contre la censure, contre les théâtres officiels, contre les cabales, contre notre avis parfois.

Elle ferma les yeux et offrit son visage à la morsure bienfaisante de la chaleur. Le reste de l'atelier arborait une fraîcheur graduelle, accentuée par le vent dont des bribes se glissaient sous la porte comme des ficelles de froid.

— À quoi pensez-vous ? interrogea Antoine, qui s'était rapproché et lui caressait le dos à travers sa chemise en mousseline.

— Si j'avance d'un pied de roi, le feu va me brûler. Si je recule d'autant, le froid va me griffer. L'équilibre de la douceur est si fragile.

— L'avons-nous trouvé ?

Elle rouvrit les yeux pour lui répondre. Ses pupilles n'étaient plus que deux points noirs dans une mer turquoise.

— Je le crois, je l'espère... Avez-vous déjà assisté à une parade ? demanda-t-elle joyeusement.

— Comme celles des forains ?

— En quelque sorte. La nôtre se fait depuis le balcon extérieur du théâtre. Notre directeur rameute les passants au son de sa voix puissante, il les attire vers l'Ambigu-Comique alors que partout sur le boulevard du Temple on entend les autres aboyeurs bonimenter sur leurs pièces.

Elle se leva et mima la scène.

— Chacun y va de ses arguments : *Venez, rentrez braves gens, aujourd'hui on va rire, on va pleurer, on va frissonner avec* Les Quatre Fils Aymon, *une légende héroïque de notre auteur Arnould, l'unique, le plus grand créateur de pantomimes dialoguées !* Puis, quand, de partout, des spectateurs s'amassent tout autour de notre balcon, on y donne des extraits du spectacle, parfois même en improvisant des lignes qui jamais n'ont été écrites. Si la moitié des gens présents à la parade prennent leur billet pour entrer, nous savons qu'on pourra la jouer au moins une semaine.

Michèle était intarissable. Antoine savait qu'il se souviendrait de chacune de ses paroles, de chacun de ses gestes. Sa mémoire était devenue son alliée.

— Notre public est comme ce feu, dit-elle en s'emparant du tisonnier. Il peut ronronner, paisible, rassurant, pendant un long moment.

Elle retourna une bûche incandescente qui s'enflamma instantanément.

— Puis, au premier souffle d'air, à la première étincelle venant du parterre, il s'éveille et s'embrase, incontrôlable.

Michèle recula devant la chaleur dégagée.

— C'est la force et la beauté des représentations, elles n'existent que par le miroir de l'échange. Les spectateurs sont aussi des interprètes. J'en ai vu monter sur scène pour se battre avec les comédiens qui jouaient de vils personnages ou pour défendre des veuves mises à mal.

— Votre théâtre vous manque, n'est-ce pas ?

Sans répondre, elle s'assit devant lui et l'enveloppa de ses jambes et de ses bras.

— Vous me manquez plus que lui dès que votre regard me quitte, maître Fabert, dit-elle après un long baiser.

— Je voudrais que vous vous sentiez aussi bien à la Bergerie qu'à l'Ambigu-Comique, mais je ne suis pas de taille à lutter et je comprends votre passion.

— Si quiconque entrait ici, maintenant, il n'y trouverait que désordre et poussière et se demanderait quel genre d'esprit lunatique voudrait habiter dans un tel atelier. Oui. Mais, contre toutes les apparences, je me sens bien à la Bergerie. Même si cela m'étonne encore ! Je me sens bien avec vous, tout simplement.

Antoine la serra fortement contre lui et la berça.

— Jusqu'à quand cela va-t-il durer ? chuchota-t-il. Votre vie est à Paris. Une fois le procès fini, une fois les représentations terminées...

Michèle se libéra de son étreinte et posa ses deux paumes sur la poitrine d'Antoine :

— Vous faites bien peu de cas de votre présence ! N'est-ce pas une raison suffisante ? Et Lyon manquerait-elle de théâtres de bonne qualité ?

Antoine lui prit les mains et articula un *Je vous aime* muet.

— Moi aussi, répondit-elle en posant son front sur le sien. Moi aussi...

Elle se releva.

— Et je crois que, chacun à notre façon, nous ne cessons de nous le prouver. Alors arrêtons de nous questionner. Vivons l'instant qui nous est donné sans le gâcher d'un voile de tristesse. Et commençons par écrire cette pièce, sinon je n'aurai plus de raison de rester, n'est-ce pas ?

Antoine posa une écritoire entre eux deux et sortit une liasse de papiers de sa besace. Il avait calculé qu'au rythme de leur avancement, la moitié des dialogues seraient écrits quand les répétitions commenceraient et s'en était ouvert à Michèle, qui l'avait rassuré. Ils avaient longtemps hésité sur la forme : fallait-il en faire une comédie, un drame, une tragédie ?

— En la dénommant « drame », nous aurons plus de chances de passer inaperçus face à la censure, conseilla-t-elle.

— Va pour un drame, dit Antoine en complétant la première page. *La Part de l'aube, drame en un acte et en prose de M. Bagauda*, lut-il.

Quatre personnages se partageaient l'affiche. Uimpi, le rôle qu'allait tenir Michèle, était présente sur scène durant toute la pièce. Antoine avait choisi le nom pour ce qu'il représentait en gaulois.

— Une « jolie femme », commenta-t-il.

— Trop aimable, monsieur l'auteur. Et n'y aurait-il pas un peu de vous dans Launo ?

Le prétendant d'Uimpi était, selon le dictionnaire de Louern, un « homme heureux ». Son père, le redouté Uarnos, était le chef de l'État de Tigontias, la nation qui « ensorcelle ». Uimpi avait pour père Atenoux.

— C'est un des noms que j'ai trouvé sur le calendrier, avoua Antoine. Il représente un changement de période.

— Monsieur « changement » donc, qui est l'élu de la cité de Caraim.

— La ville « aimée »...

La minuscule nation n'était entourée que par Tigontias qui, petit à petit, avait grappillé les autres peuples du territoire. Uimpi et Launo s'aimaient, mais leur mariage, attendu par Uarnos, redouté par Atenoux, aurait signifié la fin de la petite république et son absorption dans le grand État voisin. Les deux amoureux avaient un choix à faire : soit s'unir et mettre fin à l'indépendance de Caraim, soit renoncer à leur amour pour que vive la « cité aimée ».

— Ils doivent se décider avant que n'apparaisse l'aube, proposa Michèle. Mais je ne sais pas pourquoi...

— Pour que leur mariage soit avalisé par le Conseil des Sages de Caraim, renchérit Antoine, qui se prenait au jeu. Sinon, leurs fiançailles, qui durent déjà depuis deux ans, seront rompues et plus jamais ils ne pourront s'épouser.

— Voilà qui me plaît, dit-elle en lui demandant de le noter. Toute la nuit va se passer autour de cette décision, Uimpi et Launo sont partagés entre leur amour et leur désir de sauvegarder Caraim et toute son histoire.

— Launo aussi ? s'interrogea Antoine en levant sa plume. Il est le fils du représentant de Tigontias.

Michèle l'enlaça pour relire ses notes au-dessus de son épaule.

— Il n'est pas seulement tombé amoureux de Uimpi, mais aussi de son peuple et de son histoire, expliqua-t-elle, et il comprend mieux que quiconque l'enjeu de leur mariage. Il est même, des deux, celui qui est le plus opposé à leur union. Uimpi semble moins prête à sacrifier ses sentiments pour la survie de sa nation.

— Durant la pièce, les deux pères vont et viennent, tentant de les convaincre, tour à tour, du bien-fondé de la fusion ou de l'indépendance. Le temps avance et l'aube approche, écrivit-il pour conclure leur résumé.

— Et j'ai envie d'une soupe, ajouta Michèle après l'avoir embrassé dans le cou.

Elle se leva, prit deux bols, se servit d'un peu de potage froid dans le chaudron et les posa sur les braises.

— J'imagine la première scène ainsi : Uimpi et Launo sont sur le balcon du salon, dicta-t-elle. On aperçoit en décor la noirceur de la nuit. Uimpi regarde les étoiles briller et dit : *Le ciel a mis sa fourrure de nuit. Lorsqu'il l'enlèvera, nous devrons avoir choisi. Quel bonheur et quelle tristesse de nous retrouver ainsi.*

Antoine nota le dialogue de son écriture ample et ronde tout en prenant soin d'être lisible.

— Je viens d'avoir une idée qui va vous plaire, dit-il en faisant un moulinet avec sa plume aux reflets gris-vert, alors qu'elle sortait les récipients de l'âtre. Cela s'appelle l'Aiusia.

Il fut interrompu par le cri de Michèle. Elle avait lâché les bols. Antoine crut d'abord qu'elle s'était brûlée puis, en suivant son regard, repéra l'homme qui les observait à la fenêtre.

Il se précipita dehors en hurlant à Michèle de refermer derrière lui et suivit les traces qui faisaient le tour de la maison et s'éloignaient vers les champs voisins. Il n'avait pas eu le temps de se chausser et la neige mordit immédiatement ses pieds nus. Antoine localisa le rôdeur sur le sentier qui descendait à la porte Saint-Sébastien. L'homme fut avalé par la ville.

— Était-ce Trente-trois ? demanda Michèle alors qu'il tentait de se réchauffer devant l'âtre.

— Je n'ai pas vu son visage, mais il avait la même corpulence et des habits sombres, c'est fort possible. En tout cas, ce n'est pas un de mes mendiants habituels.

Michèle était encore sous le choc. Elle s'efforçait de ne pas le faire paraître, mais son visage s'était fermé et ses paupières luttaient pour retenir ses larmes.

— Croyez-vous qu'il nous épiait depuis longtemps ? Nous a-t-il vus allongés l'un contre l'autre ?

— Je ne crois pas, la rassura Antoine. Les traces devant la fenêtre sont peu nombreuses, il n'a pas piétiné.

— J'ai l'impression que son visage nous guette toujours. Je ne me sens plus en sécurité ici, je suis désolée.

— Michèle, c'était son but. Il veut nous effrayer.

— Il nous a volé ce moment, c'est comme s'il avait retiré toute la magie de ce refuge. Je suis désolée, répéta-t-elle, je voudrais rentrer.

Au moment de partir, Antoine ferma les deux volets et la porte à l'aide de gros cadenas de fonte qu'il utilisait pour ses coffres à outils. Il jeta un dernier regard à la bâtisse aux yeux et à la bouche cousus. Le viol de leur intimité avait renforcé sa détermination à aller jusqu'au bout.

60

Mercredi 31 décembre

Assis sur le plus gros rocher de la pointe ouest de l'île Barbe, à la lisière de la sylve d'ormes et de tilleuls, Marais, immobile, ressemblait à la statue d'un guerrier guettant un invisible ennemi. Le poste d'observation, en plein milieu de la Saône, avait été idéal pour les premiers réfugiés gaulois puis chrétiens. Il avait aussi permis aux moines de l'abbaye de soustraire une partie de leur trésor aux différentes invasions. L'inspecteur avait l'impression de ressentir l'âme de l'île et d'avaler son histoire à chaque bouffée d'air. Ses hommes avaient passé quatre jours à explorer les mines de Saint-Pierre-la-Palud, jusque dans leurs moindres culs-de-sac, sans rien dénicher. Tous s'étaient transportés sur l'île avec l'espoir d'y découvrir le coffre caché par Antoine. Seul Marais était persuadé qu'ils n'y trouveraient rien. Chacun des cinquante codices pouvait avoir été dissimulé dans un endroit différent par Antoine. *Un homme à la mémoire aussi fiable*, songea Marais, *se doit d'utiliser cet atout.* Il entendit le pas pressé de son aide de camp dans l'allée et, les yeux rivés sur les flots de la Saône, l'écouta lui délivrer son rapport. Tous les bâtiments avaient été visités, l'abbaye, les trois églises, le séminaire Saint-Pothin et les quelques maisons de particuliers de l'île, sans résultat. Les vingt hommes ratissaient la zone arborée située entre le monastère et la pointe est.

— Avez-vous d'autres instructions, monsieur? interrogea le militaire.

— Le jour va décliner dans une heure, dit Marais en semblant seulement s'intéresser à son interlocuteur. Vous et vos hommes resterez là cette nuit, les moines vous donneront l'hospitalité. Demain, vous effectuerez une seconde fouille, en sens inverse, puis vous rentrerez à Lyon.

Il se leva, tendit ses muscles et fit craquer les articulations de ses bras. Il avait laissé son esprit vagabonder pour mieux évaluer la situation. Tout était plus clair maintenant. Il s'était fixé une seule ligne de conduite jusqu'à la fin de sa mission. En cas d'échec, il imputerait tout à la demande du gouverneur de frapper dur et fort. La colère de Villeroy allait lui donner les coudées franches. Le gouverneur lui avait avancé la somme dont il avait besoin et l'inspecteur ne voulait pas avoir à lui rendre de comptes : il venait de quitter la rue de la Charité pour s'installer dans une maison qu'il louait à l'angle de la rue des Trois-Maries et du quai de la Baleine.

Marais grimpa dans la bèche qui l'attendait et s'enveloppa dans un grand manteau de fourrure. Sur la berge, Trente-trois, qui discutait avec un des inspecteurs de la prochaine joute de la fête des Nautes, fut averti par ce dernier d'un coup de coude. Il dénoua la corde d'amarrage, monta à bord et, d'un trait de rame, poussa l'embarcation dans le courant.

— Patron, je viens d'apprendre que les cinq derniers vainqueurs seront présents ! Quelle compétition cela va faire ! annonça fièrement Trente-trois, qui en faisait partie.

Marais leva les yeux d'un air excédé pour le faire cesser. Après avoir passé deux heures seul face au fleuve, plongé dans ses pensées, il ne supporterait pas longtemps le babillage du marin.

— Je suis impatient d'y être ! enchaîna ce dernier sans comprendre. J'ai commencé à m'entraîner avec mon ancienne équipe, il y a Querré et aussi...

— Il y a surtout cinq liards pour toi si tu ne prononces plus un mot d'ici à notre arrivée, l'interrompit Marais en faisant tinter les pièces dans sa poche.

— Vous ne voulez pas connaître mon équipe ?

— Quatre liards ! J'ai dit plus un mot !

Trente-trois fit mine de se coudre la bouche et sifflota au rythme de son effort. Une œillade noire de son employeur le fit définitivement cesser.

Marais déplia l'exemplaire du *Nouveau Glaneur* qu'il s'était fait livrer et entreprit sa lecture. La barque glissait silencieusement à quelques mètres du chemin de halage que les paysans utilisaient pour rentrer de leurs champs. La tour de la Belle-Allemande se détacha du décor immaculé de verdure, puis le château de Pierre Scize. Lorsqu'ils furent en vue des fortifications, les premières lueurs de la ville commençaient à tacheter les habitations. Le jour s'en allait derrière la colline de Fourvière.

Trente-trois manœuvra sur le quai de la Baleine pour disposer son embarcation en douceur entre deux bèches et tendit la main en silence, l'œil malicieux. Marais replia la gazette et paya le marin, qui le remercia d'une révérence exagérée. L'inspecteur ne releva pas son insolence et se dirigea vers sa nouvelle habitation, l'esprit occupé par la lecture qu'il venait de faire.

Échaudé par son expérience chez le gouverneur, Marais avait refusé d'engager des serviteurs, y compris pour la cuisine. Toutes les tâches domestiques avaient été réparties entre les quatre militaires qui l'accompagnaient. Il les avait volontairement cantonnés pour la nuit à l'île Barbe, non dans l'espoir de trouver le coffre lors de leur seconde fouille, mais parce qu'il tenait à être seul pour recevoir son invité dans le plus grand secret. Même son aide de camp n'était pas au courant.

Il posa la gazette sur le maroquin du secrétaire et tira tous les rideaux des pièces situées à l'étage, celui qu'il s'était réservé pour son usage personnel, les soldats se partageant le rez-de-chaussée. Deux événements avaient attiré son attention lors de sa lecture : le premier était la venue au mois de janvier d'Antoine Parmentier, pour une conférence à l'Académie des sciences, dont il était membre, sur la pomme de terre et ses bénéfices dans la fabrication du pain. Il ne faisait aucun doute qu'Antoine devait le rencontrer. Et le second était le procès de Paul Férrère, prévu pour le 14 janvier. *Voilà au moins deux jours où nous saurons où il est. Et où il ne sera pas*, murmura-t-il en écartant le rideau du bureau qui donnait à l'arrière sur le jardin. Sept heures avaient sonné à la cathédrale et son visiteur se faisait attendre. Il esquissa un sourire en apercevant la forme se faufiler, dans la pénombre de la nuit montante, en longeant le mur d'enceinte du verger avant de pénétrer dans la maison par la porte arrière, le visage caché dans un foulard. *Le plus difficile est fait*, songea-t-il en descendant l'accueillir. *L'argent du gouverneur fera le reste.*

Ils s'étaient installés dans le boudoir, seulement éclairé par un discret feu dans l'âtre. L'invité avait ôté son foulard mais avait tenu à garder veste et chapeau. Son malaise était perceptible. L'inspecteur tenta d'établir un climat de confiance et de le déculpabiliser.

— Votre Antoine s'est mis tout seul dans une vilaine situation, expliqua-t-il. Et vous êtes là pour m'aider à l'en sortir.

Le visiteur marqua son scepticisme.

— Je ne sais pas comment il vous a présenté l'affaire, mais comprenez qu'il a en sa possession un trésor qui revient à la couronne de France, des reliques qui relèvent du patrimoine national, dit

Marais en appuyant sur chacun des mots. Et qu'en les soustrayant à qui de droit, il s'est rendu coupable d'un crime de lèse-majesté.

L'invité ne put cacher son étonnement puis sa crainte, impressionné par la gravité des faits.

— Rassurez-vous, je suis le représentant du roi, à qui je rends des comptes directement, affirma-t-il en omettant de préciser que ses contacts s'arrêtaient au ministre Maurepas. Je plaiderai sa cause, je le crois sincère. Mais il y a à la cour des gens malintentionnés qui susurrent au roi qu'un avocat tel que lui ne peut ignorer cet article de la loi.

Son visiteur l'écoutait avec attention, mais chaque bruit inhabituel le faisait sursauter et interrompait la conversation.

— Nous sommes seuls, juste vous et moi. Personne ne sera jamais au courant de notre rencontre, insista l'inspecteur.

L'invité ne répondit pas. Marais remplit deux verres d'eau du Mont-Dore et lui en proposa un, mais se heurta à un refus. Il but l'autre avant de reprendre la conversation.

— Je sais que personne, pas même vous, ne connaît l'emplacement du coffre. Mais je voudrais que vous me parliez de la mort de ses parents. Je voudrais comprendre ce qu'il lui est arrivé à l'âge de dix ans. Je voudrais expliquer au roi quel genre d'homme est Antoine Fabert, afin que Sa Majesté soit rassurée sur ses vertus et son honneur. Vous voulez bien me raconter ? demanda l'inspecteur. Vous voulez l'aider ?

Le visiteur parla, longuement, puis remit son foulard, accepta la bourse sans un mot, et disparut dans la noirceur du jardin.

Le lendemain, un temps glacial s'abattit sur la ville et la figea de son gel comme une statue de sel jusqu'aux premiers jours de la nouvelle année.

Chapitre X

Janvier 1778

61

Mardi 6 janvier

Lorsque l'aube parut le matin du 1er janvier, elle était accompagnée d'un soleil fuchsia qui avait déteint sur la strate de nuages environnante. La couleur avait rapidement viré au doré avant de pâlir sous le tulle des néphélions. C'était le moment de l'année où chacun prodiguait ses souhaits aux autres, honneurs, richesse, santé, longue vie, et, au final, le paradis. Edmée avait passé la soirée avec Madeleine, une soirée au goût douceâtre des regrets. Sa fille avait définitivement été délaissée par son galant, le marquis de Willerm, et son directeur de conscience s'annonçait sur le départ. Quant à Edmée, malgré les nouvelles rassurantes que lui délivrait Antoine, elle ressentait un détachement grandissant de son mari.

Elle s'était réveillée pour assister au lever de l'astre puis s'était assise à son secrétaire afin d'écrire des billets qu'elle avait fait distribuer par Szabolcs. Edmée invitait tous ses proches pour fêter les rois à l'Épiphanie. « Attendez ce jour pour faire vos étrennes », avait-elle ajouté, avant de signer : « Votre Edmée, Mme de Ponsainpierre. » Elle avait parfumé la lettre destinée à Marc. Le moment était venu de se réconcilier avec lui.

Une grande table avait été dressée dans le salon du premier étage, celui qui avait servi aux premières séances de son cercle littéraire. La cuisinière travaillait depuis tôt le matin à la préparation du repas. Madeleine avait aidé Edmée à la disposition des couverts et au placement des invités. Elle avait pris soin d'éloigner Michèle d'Antoine, non par jalousie, mais par respect des convenances – du moins s'en était-elle convaincue. Quelle que fût la réalité de leur quotidien, il était encore officiellement son mari.

Les deux femmes devisaient gaiement tout en arrangeant les décorations de la pièce quand les premiers invités, François, accompagné de sa femme et de Marie-Lyon, frappèrent le heurtoir. Quelques minutes après, Marc refusa d'utiliser sa clé et attendit qu'Edmée vienne lui ouvrir. Il était entouré d'Antoine et de Michèle. Un quart d'heure plus tard, Anne présentait ses parents aux autres invités. Ils étaient arrivés avec Camille et Aimé, qui avaient loué les services d'un fiacre pour l'occasion. Mais l'imprimeur, trop occupé à vanter les mérites de son neveu au père d'Anne, avait oublié ses présents dans le véhicule. Il dut retourner place Louis-le-Grand, accompagné de Camille qui le taquina tout le chemin. Fort heureusement, le carrosse n'avait pas été appelé pour une nouvelle course et le cocher, qui s'était aperçu de la présence des paquets, les avait posés sous son siège. L'imprimeur en fut quitte pour une récompense. Lorsque Aimé et Camille entrèrent au salon, les joues et les oreilles rougies par le froid, ils furent applaudis par l'assemblée impatiente de commencer la cérémonie des rois. Antelme, souffrant, avait décliné l'invitation, mais avait fait déposer par Radama une caisse de vin des Balmes de Fontanière.

Edmée renouvela ses vœux à chacun avant l'échange des étrennes, qu'elle avait voulu libre de tout protocole.

— Il n'y a qu'un seul but, conclut-elle : offrez avec votre cœur.

Chacun reçut un gros pain d'une livre, en forme de boule, qu'Antoine avait préparé le matin même à la Bergerie, à base de poire de terre. La mère d'Anne avait confectionné pour tous des mouchoirs parfumés et brodés à leurs initiales, dont la distribution fut confiée à Marie-Lyon. Elle commença par repérer le sien, qu'elle mit dans sa manche, puis fit le tour des convives, amusée par le jeu. Alors qu'il ne lui en restait plus que trois, elle eut une moue interrogative et courut voir son père. François interrompit les conversations de sa voix de stentor.

— Qui d'entre nous aurait A.D. comme initiales ? demanda-t-il en brandissant le tissu.

La mère d'Anne intervint timidement.

— C'est ma fille, annonça-t-elle, le visage empourpré.

— Mais nous nous appelons Piron ! intervint son mari. Piron... répéta-t-il pour l'assemblée. Tout va bien, ma femme ?

Camille prit le mouchoir des mains de Prost, le porta à ses lèvres et le tendit à sa fiancée :

— Anne Delauney, ce présent est le signe de mon engagement, que je renouvelle devant vous tous. Pour moi, dans mon cœur, tu es déjà ma femme.

Le père, soulagé, lui porta une chaleureuse accolade. La mère expliqua que Camille lui avait demandé de garder secrète son intervention. Anne l'embrassa chastement sur la joue, impressionnée par la rangée de parents qui les observaient, tout en lui griffant discrètement la nuque. Le jeune homme ne put réprimer un frisson.

— Aurais-tu froid, mon neveu ? s'inquiéta Aimé, qui s'en était aperçu.

— Non, mais je crois qu'une bête m'a piqué, répondit-il en se grattant la nuque tout en envoyant un sourire complice à Anne.

— Effectivement, remarqua le libraire, qui avait chaussé ses bésicles, tu as comme une morsure. Superficielle, je te rassure. J'espère que ce n'est pas une des bêtes de notre ami, glissa-t-il en direction de Ponsainpierre.

— Elles sont toutes mortes, le froid les a momifiées, répliqua Marc, qui voulait éviter le sujet en présence d'Edmée.

— Un de mes voisins en a retrouvé une dans son grenier, affirma le père d'Anne, trop heureux d'être le centre de l'attention. Elle était complètement sèche et n'avait plus que deux pattes. Même le prêtre, qui avait été appelé en renfort, n'a pas voulu y toucher, ajouta-t-il, soutenu par une mimique de sa femme. Il paraît qu'elle avait le symbole du diable dessiné sur le corps.

Marc enrageait intérieurement. L'abdomen jaune était parsemé de taches noires dont les dessins pouvaient susciter les interprétations les plus fantaisistes.

Camille, se sentant responsable, tenta de lui venir en aide. Il prit un verre du vin d'Antelme et le proposa à son futur beau-père.

— Toutes ces rumeurs sont sans fondement, lui expliqua-t-il avec vigueur. Ces bêtes sont inoffensives, elles produisent une soie d'or.

— Tout de même, il paraît que le vent de la tempête en a apporté jusqu'au bourg du Gourguillon, insista M. Piron. Une pluie d'araignées, moi, cela m'évoque l'Ancien Testament et la colère de Dieu.

— Mais de quoi donc le Seigneur serait-il mécontent ? maugréa Marc.

Il avait déjà eu à faire face à la question après la tempête et n'envisageait pas de devoir s'en défendre à nouveau. Voisins et religieux de la paroisse s'étaient chargés de l'en accuser jusqu'à ce qu'Antoine intervienne en les menaçant d'un procès.

— Si Antelme avait été là, il vous aurait expliqué, ajouta-t-il avant de s'éloigner.

— Qu'ai-je dit de si désagréable ? demanda, surpris, le père d'Anne.

Camille n'eut pas le courage de s'opposer à son futur parent et chercha une aide du regard.

— Continuons les étrennes, intervint Prost en leur tendant un objet.

L'aubergiste considéra avec attention l'étui suspendu à un cordon qu'il tenait en main.

— Ouvrez-le, dit Prost.

— Qu'est-ce donc ? interrogea-t-il en sortant les lacets de soie très fins qu'il contenait.

— Une curiosité que j'ai trouvée chez un marchand ambulant. Ce sont des curettes, des sortes de cure-dents souples, en soie, que vous passez entre les dents après les repas.

— Ah... dit-il, surpris. Mais pour quoi faire ?

— Pour l'hygiène de la bouche, pour que vos mâchelières[1] restent vigoureuses plus longtemps, expliqua Prost.

— Ah... Mais pour quoi faire ? répéta-t-il avant de lui présenter dans un grand sourire une bouche à la denture raréfiée. Foi de Piron, je pourrais y passer une louche, entre chaque chicot ! ajouta-t-il en mimant l'action pour amuser le groupe. Mais merci tout de même, maître, conclut-il en passant le cordon autour du cou, je ferai essayer vos curettes aux clients du *Cygne noir* !

Profitant du mouvement des uns et des autres, Michèle s'approcha d'Antoine et lui posa son présent dans le creux de la main.

— À mon avocat, mon logeur, mon cuisinier, mon guérisseur, mon protecteur, lui souffla-t-elle à l'oreille. À mon avenir.

— Ce cadeau me touche, dit Antoine en le prenant entre le pouce et l'index.

Madeleine, qui les avait vus se mettre à l'écart du groupe, n'avait pu s'empêcher de jeter des regards curieux en leur direction, sans réussir à voir la nature des présents qu'ils venaient de s'échanger. Elle s'excusa auprès d'Aimé, qui l'entretenait des dégâts de la tempête. Au moment où elle se rapprochait d'eux, ils sortirent pour s'isoler davantage. Madeleine s'en voulut de sa curiosité tout en regrettant l'attitude distante d'Antoine à son égard. Elle fit demi-tour, manqua de renverser Marie-Lyon qui venait à sa rencontre

1. Molaires.

pour lui montrer le pantin qu'elle avait reçu de son père, et partit jouer avec elle.

Marc s'était mis à l'écart et entretenait le feu dans la cheminée pour se donner une contenance. Edmée le surprit à ruminer sur la mauvaise qualité du bois utilisé.

— Monsieur mon mari ne serait-il plus l'hôte parfait qu'il était ?

— Je me sens un invité plus qu'un maître de céans, répondit-il en donnant un coup de tison sur une bûche partiellement calcinée. Voilà quelques mois que je ne vois plus la maison que depuis ma lunette.

— Tenteriez-vous de m'observer à mon insu ? plaisanta Edmée, avant de le regretter devant son air affecté. Venez, ajouta-t-elle en l'invitant à la suivre jusque dans le boudoir.

La pièce n'était pas chauffée et la fraîcheur les saisit.

— Je voulais un peu de calme pour vous donner ceci, dit-elle en prenant le livre posé sur une méridienne.

— *Éloge de la folie*, de Didier Érasme, lut-il.

— À mon mari, qui est fou, mais que j'aime aussi pour cette folie qui le distingue des hommes communs.

Le visage de Marc s'illumina, ses yeux s'embuèrent de larmes qui roulèrent sur ses joues au premier battement de paupières.

— Je vous aime, ma douce, si vous saviez comme vous me manquez ! dit-il sans oser l'approcher.

Elle ouvrit les bras, dans lesquels il se lova avec délices.

— J'ai aussi un présent pour vous, confia-t-il en fouillant sa poche. Je n'osais pas le sortir.

Edmée eut un léger mouvement de recul.

— Pas de fil d'araignée, j'espère ? Pas de coque d'halabé en sautoir ?

— Non, la rassura-t-il en sortant une paire de gants. Ils viennent tout droit de l'atelier, soie de bombyx, de la vraie soie de canut. Je les ai dessinés et j'ai supervisé leur fabrication. C'est ce que je fais encore de mieux.

Elle tendit ses mains et le laissa les lui enfiler.

— Ils épousent parfaitement mes doigts, dit-elle en admirant les reflets moirés du tissu.

— Je les connais si bien que je n'ai eu qu'à fermer les yeux pour les tracer, expliqua-t-il en mimant le geste.

— Toujours aussi flatteur, mon Marc, remarqua-t-elle en lui effleurant la joue humide de sa main gantée.

Madeleine les interrompit en entrant sans s'annoncer :

— Alors, que faites-vous ? Tout le monde vous cherche ! Nous allons tirer le roi de la compagnie !

— Nous venons, ma fille, répondirent-ils en chœur.

Madeleine disparut puis réapparut aussitôt :

— Je suis heureuse que vous vous soyez réconciliés, dit-elle, sincèrement heureuse pour vous.

Au moment où la cuisinière apportait le poupelain contenant la fève, Marie-Lyon se précipita sous la table, consciente de l'importance du rôle dévolu à la seule enfant de la fête. Tous les convives se portèrent à la place qui leur avait été dédiée. La fillette, assise en tailleur au milieu d'une forêt de jambes, attendait patiemment la question qui allait lui être posée.

— Mon époux, vous êtes le maître de maison, dit Edmée en l'invitant à ouvrir la cérémonie.

— Phébé ? interrogea-t-il en serrant la main de sa femme sous la table.

— *Domine*, répondit Marie-Lyon en pouffant.

Elle avait remarqué le manège sans savoir à qui appartenaient les mains qui se caressaient avec ferveur. Un peu plus loin, une jambe tendue dessinait une arabesque sur une cheville féminine qui lui faisait face. Cette fois, Marie-Lyon avait identifié le possesseur de la chaussure de couleur claire.

— Phébé, dites-moi pour qui est cette part, demanda Marc en désignant un morceau du gâteau coupé.

— Pour... mon parrain Antoine, dit-elle tout en se rapprochant du soulier qui continuait à s'activer.

— Et celui-ci ? continua Marc.

— Aïe ! s'écria Camille en se frottant la cheville.

Tous les regards se tournèrent vers lui.

— J'ai ressenti comme un pincement, se crut-il obligé de préciser.

— Encore une morsure d'araignée ? Une petite araignée de parquet, plaisanta Aimé.

— Phébé, intervint Marc, pour qui ?

— Pour Camille ! lança la fillette en riant, alors que les chaussures claires s'étaient repliées sous leur chaise.

La distribution continua jusqu'au dernier convive.

— Tout le monde est servi ? s'inquiéta Marc. Il reste un morceau.

— C'est normal, nous sommes treize ! dit Marie-Lyon en sortant la tête de dessous la table.

— Treize ? s'inquiéta Edmée.

Un silence gêné s'installa.

— Elle a raison, remarqua Antoine. Ta cuisinière a coupé en quatorze parts égales. Ce sera la part du pauvre.

— Treize... continua Edmée, que le chiffre tracassait.

— Chez nous, dans le Forez, on dit que c'est la part de Dieu, assura le père d'Anne. S'il a la fève, nous serons sous sa protection toute l'année.

— Alors, que tout le monde mange et que le roi se dévoile ! conclut Ponsainpierre en embrassant Edmée dans le cou pour la rassurer.

Le résultat ne fut pas long à se dévoiler. Michèle fit une grimace et sortit de sa bouche un petit jeton d'argent aux armoiries du Cercle de la Belle Cordière, une lyre entourée d'un ouroboros.

— Je crois que c'est moi, dit-elle d'un ton désolé.

— Alors, c'est une reine ! chantonna Marc. Ma chère, vous êtes notre souveraine pour la journée, ajouta-t-il en lui tendant un verre de vin.

Michèle se sentait la personne la moins légitime pour endosser ce rôle et avait prié Dieu de ne pas être choisie, mais l'innocence de Marie-Lyon en avait décidé autrement. Elle offrit un sourire gracieux à l'assemblée et tendit son verre.

— La reine boit ! clama la tablée au moment où Michèle avalait la première gorgée.

Après l'agitation des étrennes et de la fève vint la sérénité du repas. Aimé était intarissable sur le succès du *Nouveau Glaneur*, dont les abonnements avaient grimpé à quatre cents pour le numéro deux à venir. Prost et Antoine devisaient des dernières nouvelles du palais de Roanne. Michèle était accaparée par Camille, qui voulait tout savoir sur les coulisses du théâtre de l'Ambigu-Comique. Edmée et Marc se rattrapaient de trois mois de silence marital. Les autres écoutaient, picorant les conversations en fonction de leurs intérêts.

Selon la tradition, la reine donna l'autorisation aux convives de se lever de table. Il était plus de cinq heures de l'après-midi et Marie-Lyon et Anne avaient débuté une partie de jeu de l'oie en compagnie de leurs parents. La version était une variante intitulée « Les cris de Paris », qu'Antoine avait offerte à sa filleule.

— Des allumettes et de l'amadou ! cria-t-elle alors que son pion venait de s'arrêter sur la case numéro huit.

Chaque joueur se devait de trouver la meilleure intonation pour imiter les cris des marchands des rues.

— Falourdes d'Orléans, falourdes ! entonna Anne en passant les dés à sa mère.

Tous prenaient leur rôle avec entrain et leurs rires couvraient parfois les phrases des joueurs qui devaient s'y reprendre à plusieurs fois pour se faire entendre de tous.

Camille et Aimé se préparaient à partir pour la librairie afin de finir l'inventaire des livres en ce jour chômé et dégustaient un verre d'hypocras dont l'odeur de cannelle parfumait la pièce. Edmée s'était rassurée en offrant la dernière part de gâteau à la cuisinière, montant à quatorze le nombre officiel de participants.

Madeleine s'était isolée dans le boudoir et regardait la rue depuis la fenêtre dont elle avait essuyé la buée avec son mouchoir brodé. Antoine l'y retrouva, inquiet de son attitude de retrait durant toute la fête. Son attention la toucha et elle tint à le rassurer : ce n'était pas la présence de Michèle au repas qui était la cause de sa tristesse.

— Je crois qu'aujourd'hui je comprends ce que tu as dû ressentir ces dernières années en me voyant fuir dans l'oubli, finit-elle par avouer.

— De quoi veux-tu parler ?

— De ces moments où je m'enivrais du présent au bras d'un courtisan pour oublier ma douleur. Alors que tu portais toute la tienne en te vouant au culte de notre fils.

— Nous avions chacun notre façon de vivre notre peine.

— Je le sais, mais, crois-moi, cette culpabilité, je l'ai ressentie. C'est étrange comme tout peut s'inverser parfois. Tu as su sortir de six années d'un deuil permanent grâce à Michèle. Et moi, je ne vis plus que pour m'occuper de notre Jacques au paradis.

— Tu es une femme et une mère formidables, dit-il en lui prenant les mains pour les lui réchauffer.

— J'étais une mère, rectifia-t-elle. Je ne crois pas que, dans notre situation, j'aie encore la possibilité de l'être.

Ils se turent. Antoine savait qu'une demande en annulation de leur mariage n'avait aucune chance d'aboutir et que Madeleine se refusait à être la mère d'un enfant illégitime, quel qu'en soit le père.

— Poires cuites au four ! cria Marie-Lyon dans la pièce d'à côté, provoquant le rire des participants.

Il se sentait responsable de ne pas avoir su retrouver la voie d'une vie de couple. Madeleine retira ses mains de celles d'Antoine et lui caressa la joue d'un geste affectueux en guise de conclusion.

— C'est ainsi...

Elle passa sa manche sur la vitre, que leur respiration avait à nouveau recouverte de buée.

— Regarde, voilà Aimé et Camille qui partent à la librairie, dit-elle en désignant les deux formes qui s'éloignaient dans la rue.

Elle toqua au carreau pour leur faire signe, mais ils ne l'entendirent pas et disparurent à l'angle de la rue Confort.

Les deux hommes progressaient prudemment sur les pavés glissants de la grande rue Mercière, accompagnant leur discussion de gestes amples.

— Je crois que nous sommes ivres, affirma Aimé en ricanant. Mais presque arrivés !

Il se retint au bras de son neveu en manquant de tomber.

— Bel et bien ! compléta Camille. Pleins jusqu'à la troisième capucine !

Aimé vérifia que la rue était déserte et s'arrêta pour uriner sous une porte cochère.

— Voilà pour le sieur Sausse, qui toujours achète ses livres chez mon concurrent Périsse-Duluc, dit-il en montrant le poing en direction de la fenêtre. Il a tout mon mépris.

— Vraiment ? Alors il mérite aussi mon châtiment, dit Camille en tentant de déboutonner le pont de son pantalon.

N'y parvenant pas, il arracha les boutons et vacilla avant de se stabiliser en position de vider sa vessie contre la façade.

— Ça ne vient pas, constata-t-il après un moment d'attente.

— Comment cela ? s'impatienta Aimé.

— Le froid...

— Pas d'excuse, mon neveu ! N'oublie pas qu'il a refusé mon offre d'imprimer les actes de son Académie des lettres pour accepter celle de Périsse-Duluc.

— Quel ruffian ! Académie des pâtés, oui, dit-il en contractant son abdomen pour délivrer sa vessie... Ça y est, victoire ! cria-t-il alors que quelques gouttes éparses tachaient la pierre.

Au moment où il commençait à uriner, une clé tourna sèchement dans la serrure.

— On vient, filons ! le prévint Aimé en l'agrippant par le bras sans lui laisser le temps de finir.

Camille se rhabilla dans la précipitation de la fuite et dans un équilibre précaire.

— Messieurs, que voulez-vous ? héla une voix d'homme.

— Ne te retourne pas, continue, continue, dit Aimé en lui montrant l'exemple. Il ne connaît pas notre dos !

L'homme n'insista pas et la porte claqua. Camille et son oncle réduisirent l'allure, puis, vérifiant qu'aucun valet ne les suivait, s'arrêtèrent loin d'une lanterne. Ils furent pris d'un fou rire libérateur.

— Je n'ai jamais été habile aux armes de jet, lâcha Camille après avoir retrouvé son souffle.

Il tenta sans succès de coincer le pont qui pendait d'un côté du pantalon.

— Je vais être obligé de le tenir, conclut le jeune homme qui, partiellement dégrisé, s'en voulait de son geste stupide.

— Nous sommes presque arrivés, indiqua Aimé, tu te changeras à la librairie.

Quelques mètres plus loin, ils croisèrent une femme emmitouflée dans son habit de paysanne, le visage protégé d'un gros foulard de laine et la tête enfouie sous un bonnet qui cachait ses cheveux. Le bas de son épaisse jupe était déchiré à force d'usure et laissait dépasser un jupon de coton à l'état calamiteux. Son tablier de toile grossière était maculé de taches. Elle portait sur son dos un sac en toile de jute, lourdement rempli, qui ralentissait son allure.

Alors qu'ils la saluaient, elle fit un écart et accéléra le pas.

— Tu lui as fait peur, avec ta culotte ouverte, plaisanta Aimé.

— La pauvre, je ne sais pas jusqu'où elle va ainsi, s'apitoya Camille, hésitant à lui proposer de l'aide.

Il s'arrêta pour la regarder s'éloigner alors que son oncle était arrivé devant la boutique.

— Dieu du ciel ! s'écria l'imprimeur. Nom de nom de nom ! hurla-t-il. J'en ai plus qu'assez !

La lettre « O » de la devanture avait été volée.

Camille l'avait rejoint pour constater que l'enseigne indiquait *À la b ule du monde*.

— Bon sang, la paysanne, elle avait un gros sac ! réalisa Aimé en tentant de l'apercevoir. C'est elle, rattrape-la !

Le jeune homme se lança à sa poursuite. La fille s'était retournée, alertée par leurs cris, et s'était mise à courir. *Le sac est juste de la bonne taille pour les lettres*, pensa-t-il. Camille assura sa foulée pour ne pas tomber, mais l'issue ne faisait pas de doute. La distance s'amenuisait rapidement. Malgré son handicap, la femme ne voulait pas lâcher son encombrant chargement. *C'est bien elle, alors,* songea-t-il en accélérant progressivement.

Lorsque la paysanne passa devant la maison du sieur Sausse, Camille n'avait plus que cinq mètres de retard sur elle, malgré le pantalon qu'il tenait de la main gauche. Elle ne pouvait plus lui échapper.

— Arrêtez ! cria au loin Aimé. Vous êtes faite !

Ne t'inquiète pas, mon oncle, je l'aurai rattrapée avant la place Confort. Mais je ne comprends pas qui... Sa pensée s'arrêta net. Il fut soudainement bousculé et se sentit violemment plaqué à terre. Des voix lui parvinrent, lointaines et déformées, dont celle de son oncle. Sa bouche prit un goût métallique, sa joue se fit douloureuse, il avait du mal à respirer. Le jus des immondices d'un tombereau tout proche agressa ses narines. Il plongea dans le noir.

62

Mardi 6 janvier

Sa perte de conscience fut de courte durée. Lorsqu'il se réveilla, il était allongé sur le lit d'Aimé, à l'étage de la librairie. Une rangée de bougies entourait sa couche, nappant la pièce d'une lueur spectrale. Un Christ en croix le regardait fixement depuis le mur d'en face.

— Suis-je mort ? marmonna-t-il.

Il grimaça en tentant de bouger sa nuque.

— Non, toujours vivant, constata-t-il en se massant la joue.

— Tu nous as fait très peur, avoua Anne, debout dans la pénombre d'un angle de la pièce.

— Tu es où ? demanda-t-il sans pouvoir tourner la tête.

Elle lui sourit en entrant dans la lumière.

— Ainsi donc, je te laisse une heure seul et tu te mets à courir après les femmes, dit-elle en arrangeant l'oreiller sous sa tête.

— Que s'est-il passé ?

Le serviteur de la maison Sausse, échaudé par les flaques d'urine déposées devant le porche, était ressorti aux cris d'Aimé et avait vu Camille poursuivre une femme qui s'enfuyait. Alors que le jeune homme passait devant la bâtisse, le valet s'était jeté sur lui et l'avait frappé, occasionnant plusieurs contusions et son évanouissement.

— Ton oncle a fait venir le chirurgien de la place Saint-Nizier, prévint Anne.

— Honoré Pointe ?

— C'est le seul qu'il ait pu trouver rapidement le jour de l'Épiphanie.

— Il m'a saigné ? s'inquiéta Camille en regardant ses bras. Il saigne tout le monde avant même de poser la première question.

Anne lui prit la main avant de répondre d'un air affligé :

— Non. Il est parti chercher ses instruments pour une trépanation.

Camille s'assit d'un bond en gémissant.

— Trépanation ? Pas question ! cria-t-il tout en se contorsionnant sous la douleur lancinante.

— Désolé, mon amour, s'excusa Anne, surprise par l'énergie de sa réaction. Calme-toi... c'était une plaisanterie, avoua-t-elle devant son air incrédule.

— Non, je suis sûr que non, tu me caches quelque chose. C'est grave, c'est ça ? demanda-t-il alors qu'il avait réussi à s'asseoir sur le bord du lit.

Elle fit un « non » de la tête et lui effleura les cheveux de peur de lui faire mal.

— Il prépare un emplâtre pour tes plaies. Il est au rez-de-chaussée. Désolée, répéta-t-elle, partagée entre son envie de rire et sa culpabilité.

Camille, tranquillisé, se rallongea.

— Où est mon oncle ?

Aimé était parti trouver le lieutenant de la maréchaussée afin de signaler le vol de la lettre et n'était toujours pas rentré.

— Il m'a dit que c'était une femme qui l'avait dérobée, nota Anne. Je ne comprends pas.

Devant le silence de Camille, elle persévéra.

— Tu as vu son visage ?

— Je ne me souviens pas de tout, répondit-il, évasif, en évitant son regard.

Camille s'était réveillé sans souvenir de sa course, mais il avait identifié la jeune paysanne à ses yeux.

— Encore une lettre et ce sera la catastrophe, insista Anne.

— Je sais, mais cela n'arrivera pas, s'agaça-t-il.

Camille se radoucit :

— Crois-moi.

La voix de son oncle leur parvint de la boutique.

— Je m'en occupe. Plus un mot maintenant, enjoignit-il à Anne alors qu'Aimé était dans l'escalier.

L'imprimeur franchit la porte et sourit en voyant Camille éveillé :

— À la bonne heure ! Tu vas mieux !

Aimé s'assit sur le bord du lit. Son soulagement était visible. Il se sentait responsable de l'accident de son neveu par son geste puéril envers le sieur Sausse et pour l'avoir envoyé à la poursuite de la voleuse. Si Camille s'était rompu les os, jamais il ne se le serait pardonné. Ils auraient dû rester tranquillement chez Edmée à terminer la bouteille d'hypocras au lieu de vouloir finir leur inventaire un jour d'Épiphanie. Il aurait dû tenir compte de l'avertissement que le Ciel leur avait envoyé – *Treize à table, Edmée avait raison.* Le fil tortueux des remords n'en finissait pas de se délier dans sa conscience.

Le chirurgien remonta avec sa préparation aux rassurantes odeurs d'huiles essentielles, qu'il étala sur les plaies et éraflures du blessé. Honoré Pointe se retira après avoir réclamé cinq louis pour son intervention et le cataplasme préparé. Aimé le paya sans oser protester sur le prix, digne du premier chirurgien du roi. Une fois seuls, il informa son neveu que le lieutenant Clapeyron viendrait dès le lendemain pour recueillir son témoignage.

— Je voudrais me reposer, mon oncle, dit Camille, qu'une grande lassitude venait d'envahir.

Le jeune homme n'avait pas l'intention d'aider la maréchaussée. Il voulait attendre le retour de la lettre avant d'aller voir la personne, qu'il avait reconnue, pour faire définitivement cesser le manège. Le jeu, qui avait commencé avec son assentiment, était en train de virer au cauchemar.

Radama versa un dernier seau d'eau chaude et s'essuya le front : le baquet était rempli. Antelme l'avait fait installer dans sa chambre après le départ de Mesmer et l'utilisait comme baignoire tout en conservant le secret espoir que la présence des barres de fer l'aiderait à attirer un peu de magnétisme à lui. Le bain chaud lui permettait surtout d'alléger la pesanteur de son corps meurtri. Il vérifia que la température du liquide était idéale et ajouta une bassine d'eau froide pour y parvenir. Les domestiques avaient eu leur congé pour la fête des rois et se trouvaient tous dans leurs familles, mais Radama habitait chez son maître et n'avait d'autre proche que lui. *De toutes les façons, il n'aurait jamais pu rester seul*, pensa-t-il pour se rasséréner. Lorsqu'ils se trouvaient tous les deux, l'homme avait les attentions d'un parent pour lui, ce qu'il cachait quand tous les domestiques étaient présents, et Radama aimait ces moments qu'ils passaient à lire avec nostalgie des livres provenant de Madagascar, à détailler sa collection d'animaux de l'île ou à tenter de corriger son accent malgache, que son maître était le seul à comprendre.

Antelme toussa longuement. Selon le médecin, sa fluxion allait en s'arrangeant, mais le serviteur avait préféré ajouter dans l'eau du bain des plantes séchées en guise de précaution supplémentaire. Il l'aida à se déshabiller et à s'installer dans le baquet, face à la cheminée qui crachait une chaleur solaire, et posa une planche en travers de la baignoire, sur laquelle il installa des feuilles, un encrier et un verre de vin. Antelme aimait travailler dans cet environnement qui apaisait ses douleurs. Il remercia Radama, but une gorgée de sainte-foy et lut la lettre qu'il avait reçue d'un ami antiquaire résidant à Maubeuge. L'homme lui décrivait une statuette en bronze, retrouvée dans une cave de la ville de Bavay, représentant une jeune femme assise, à la robe ample et plissée, coiffée d'un diadème, tenant sur les genoux un plateau rempli de fruits et dans sa main droite une patère. La Mater de Bavay avait une ressemblance certaine avec celle de l'île Barbe. Antelme avait la conviction qu'elle représentait la déesse de la Fécondité de la nature. « Une sorte de Cybèle gauloise », écrivit-il dans ses notes.

Il se redressa dans le baquet pour mieux caler le coussin sous sa nuque, but la dernière gorgée de sainte-foy et tenta d'imaginer le parcours de Louern à partir des fragments du puzzle qu'il possédait. L'homme avait étudié la médecine chez les Leuques, peuple dont il était originaire, ainsi que tous les enseignements des druides. *Que n'aurais-je donné pour vivre à leur époque et participer à leur réunion annuelle au pays des Carnutes*, songea Antelme en les imaginant vêtus de blanc couper le gui sur les chênes sacrés. Comme tous les rêves impossibles, celui-ci le rendait mélancolique à chaque évocation, lui qui ne s'était jamais senti de son époque. Il imagina que Louern devait avoir trente ans quand son mentor, Adbogios, lui avait demandé d'abdiquer devant les Romains et de renoncer à la vie de druide que l'empereur Claude venait d'interdire. Louern avait décidé de résister pour que la connaissance gauloise ne se dilue pas dans celle de leurs colonisateurs. Il avait rédigé son calendrier, qui débutait en 50 après J.-C., et qui avait sans doute été le déclencheur de ses ennuis avec Adbogios, puis s'était enfui sur les routes et avait fini par se réfugier à Lugdunum où, méthodiquement, il avait consigné sur les codices toute la mémoire gauloise. L'incendie l'avait surpris et il avait été obligé de s'enfuir en laissant son coffre comprenant tous ses écrits.

— Mais il a pu emporter avec lui le trésor des trésors, la Mater, jusqu'à l'île Barbe où il s'est réfugié, conclut-il tout haut. Voilà une histoire qui se tient. Mais pourquoi cette statuette était-elle si importante ? Que s'est-il passé après ? Louern est-il mort sur l'île ?

Jussieu butait sur ces questions depuis qu'Antoine lui avait montré le dessin de la Mater. Les statuettes, qui n'étaient que des représentations des divinités, n'avaient en soi pas d'importance. Celle-ci contenait un message caché. « Mais lequel ? » écrivit-il sur la dernière feuille qui n'avait pas été noircie. Il souffla sur le papier, qu'il posa à terre au-dessus des autres, et se détendit. L'eau du baquet avait refroidi et son dos commençait à se contracter. Au moment où il cherchait sa clochette pour sonner Radama, la porte s'ouvrit.

— Toujours là au bon moment, mon fidèle serviteur, dit-il en tendant son verre vide. Sers-moi une dernière gorgée avant que je ne sorte.

— Avec plaisir, dit une voix sans accent.

— Mais qui...

Antelme n'eut pas le temps de se retourner. Il fut poussé par les épaules et sa tête maintenue dans l'eau par une force qu'il ne pouvait contrer. Il tenta de se débattre, mais, sans l'aide de jambes valides, il s'épuisa rapidement. La pensée de la mort, qu'il attendait depuis si longtemps, le traversa. L'envie d'abandonner, de ne pas lutter, pour, enfin, se retrouver délivré de son carcan, le tenta. *Non, pas comme cela, pas ainsi,* pensa-t-il en se débattant à nouveau. *Je veux voir le visage de mon tourmenteur en face !* Il réussit à pousser ses avant-bras sur le rebord du baquet, ce qui sembla surprendre son agresseur, suffisamment pour prendre une bouffée d'air avant d'être à nouveau maintenu d'une poignée ferme sous l'eau. *Cette fois, c'est fini,* songea Antelme à bout de forces et d'oxygène. Ses pensées commencèrent à s'accélérer. Les images s'entrechoquaient devant ses yeux fermés. Il vit une femme, qui avait le visage de la Mater, puis tout devint lumineux. *J'ai peur ! Mon Dieu, pardonnez-moi tous mes péchés.*

Il y eut un bruit de choc. L'étreinte se desserra. Antelme sortit la tête de l'eau et toussa à en perdre son souffle. On se battait à côté de lui mais ses paupières étaient de plomb. L'air avait envahi ses poumons. Il n'avait jamais rien senti d'aussi délicieux, le happa goulûment, ardemment, comme des gorgées d'eau en plein désert. Lorsqu'il put enfin ouvrir les yeux, il vit une ombre sortir de la pièce.

— Le rendez-vous avec Dieu n'était pas pour aujourd'hui, murmura-t-il. Radama ?

Un corps gisait inanimé à côté du baquet.

— Radama ! Radama ! Parle-moi ! cria Antelme.

Le serviteur était allongé face contre terre. Une épaisse flaque de sang s'étendait par à-coups sur le parquet. Jussieu tenta de sortir de la baignoire, mais ses bras n'avaient pas la force de le porter. Il cria, il hurla à l'aide. Ils étaient seuls jusqu'au lendemain.

— Radama, réveille-toi ! Réveille-toi ! implora-t-il.

Le serviteur émit un gémissement. Antelme attendit de retrouver suffisamment d'énergie, s'approcha d'une des barres de fer du baquet, l'agrippa de ses mains et se leva à la force de ses bras. Une fois le buste dressé, il bascula en avant et s'effondra sur le sol en criant. Il s'était réceptionné sur sa main gauche et son poignet avait craqué. Antelme rampa jusqu'à son serviteur en s'aidant de sa seule main droite. Radama était toujours dans la même position. Ses gémissements accompagnaient le rythme de sa respiration. La flaque de sang ne s'étendait plus. Il tenta de le retourner mais n'y parvint pas. Antelme essaya de réfléchir à la meilleure solution mais ses pensées étaient confuses. Des ronds de lumière passaient devant ses yeux comme des lucioles, le haut de son corps était douloureux, le bas lui pesait tant. Il avisa la bouteille de vin que son serviteur avait laissée sur la table de desserte, se traîna jusqu'à elle, s'en saisit, s'approcha de la fenêtre, dont il ne pouvait atteindre la poignée, et la lança dans sa direction. La bouteille se brisa sur le montant sans parvenir à casser la vitre. Les lumières accélérèrent leur course devant lui, la pièce tourna, il cria, de toutes ses forces, de plus en plus fort, jusqu'à se briser la voix.

63

Mercredi 7 janvier

Le cheval tenta de mâcher les baies de l'arbre mais le cocher, qui le surveillait, donna un coup de rênes pour l'en empêcher.

— Bougre d'âne, lança-t-il à l'adresse de son animal. C'est un if. Si tu le manges, demain, c'est toi qu'on emmènera à la fosse !

Il redressa le col de sa veste alors que la pluie redoublait d'intensité. La côte de la Croix-Rousse était exposée à tous les vents.

— J'espère qu'ils en auront bientôt fini, maugréa l'homme en regardant en direction de l'église.

Son vœu fut rapidement exaucé. Quatre laquais, portant un cercueil, sortirent de la chapelle Saint-Marcel et le placèrent sur le corbillard. Antoine et Camille suivirent l'attelage jusqu'à la maison d'Antelme de Jussieu. Selon sa volonté, un trou avait été creusé dans le jardin, près de la roseraie, où le cercueil devait être enseveli. Les autres serviteurs de la maison se joignirent à eux. Une fois la cérémonie terminée, Antoine monta à l'étage et entra dans la chambre de Radama.

Lorsque la cuisinière d'Antelme était passée le soir même pour leur apporter une part de son gâteau des rois, elle avait trouvé les deux hommes inanimés. Radama était déjà mort. Antelme souffrait d'hypothermie et d'une fracture du poignet. Choqué et hébété, il avait refusé d'être alité dans le lieu même du drame et avait été conduit dans la chambre de son serviteur, qu'il n'avait pas quittée depuis lors. Le médecin lui avait interdit d'assister à l'enterrement de son valet, malgré les suppliques de l'historien. Les saignées l'avaient affaibli au point de ne pas pouvoir tenir assis dans son fauteuil.

— Comment vous sentez-vous ? s'enquit Antoine en tirant la couverture sur lui.

Antelme avait un regard absent. Antoine répéta sa question.

— Deux fois, répondit l'historien après un long silence. Il m'a sauvé la vie deux fois. Et je n'ai même pas été capable de l'aider quand ce fut mon tour, se lamenta-t-il. Alors vous me demandez comment je vais ?

Antoine préféra se taire. Aucun mot n'aurait pu apaiser la douleur de son ami. Il s'assit à côté du lit et observa le lieu, qui n'avait rien d'une chambre. Tous leurs souvenirs de Madagascar s'y trouvaient rassemblés. Les murs étaient tapissés de cartes et de petits animaux naturalisés : des reptiles, principalement des caméléons et une tortue, des insectes, dont de nombreux cafards, scolopendres et papillons, ainsi que quelques halabés. Les mammifères empaillés étaient alignés sur une table, des lémuriens dont les pelages allaient du blanc au noir et toutes les nuances de brun, à côté des oiseaux qui avaient été disposés sur des branches mortes, les ailes ouvertes. La fenêtre laissait passer un léger souffle d'air qui agitait les flammes des chandelles et donnait aux animaux une apparence de vie. Tout un bestiaire représentant la nostalgie de deux hommes qui, pour n'être pas du même sang, étaient unis par la même île.

— Vous comprenez, maintenant, dit Antelme d'une voix éraillée. Il fut de toutes mes expéditions, le Tsaratanana, l'Ankaratra, l'Andringitra. Ensemble, on a remonté le Betsiboka et le Mangoky.

C'était plus qu'un serviteur. Un frère d'aventure. Il était mon dernier lien avec ma vie d'avant. Avec ma vie d'homme, répéta-t-il en frappant ses jambes inertes. Maintenant, je suis définitivement infirme.

Antoine laissa l'historien à sa douleur. Il la partageait et, comme lui, se sentait une part de responsabilité dans le drame. Il traversa la place des Terreaux la gorge nouée et le ventre contracté. Ce qui était arrivé n'était pas le crime d'un rôdeur mais portait la signature du pouvoir et avait l'odeur de son impunité. Il se dirigea vers les quais, le long desquels il marcha longuement avant de se rendre à la prison du palais de Roanne. Le choc de l'agression d'Antelme et la mort de Radama l'avaient ébranlé mais il devait préparer le procès avec Paul Férrère. Michèle passerait la journée chez François jusqu'à ce qu'il revienne la chercher. Un garde du corps, ancien inspecteur de la police lyonnaise, avait été recruté par Prost pour rester à demeure rue Sala. La peur avait gagné ses galons.

Il se fit connaître auprès du geôlier, qui l'accompagna jusqu'à la cellule du jeune prisonnier. L'endroit n'était éclairé que par la lumière de deux meurtrières garnies d'une double grille. Il avait droit à une bougie par jour, qu'il réservait aux heures de lecture. La chandelle, ainsi que les repas, étaient à la charge du reclus. Le lit, une simple paillasse maculée d'auréoles d'humidité, occupait la moitié de l'espace.

— Trois pas sur cinq, j'ai eu le temps de les compter, commenta Paul en massant ses poignets rougis.

— Qu'avez-vous ? s'inquiéta Antoine en constatant l'état d'ulcération de la peau.

— Ces messieurs m'attachent la nuit. Il faut bien que le gardien dorme, dit le prisonnier en donnant un coup de pied à deux courroies de cuir qui traînaient sur le sol, fixées au plancher par des anneaux. Ces foutues machines me blessent les chairs.

— Je vais voir ce qu'il est possible de faire, promit Antoine.

— Quelle est la date du procès ?

— La semaine prochaine, le 14.

— Alors, n'en faites rien. Voilà soixante-huit jours que je vis ainsi, je ne veux pas mettre mes geôliers dans de mauvaises dispositions pour quelques nuits supplémentaires.

— Si vous vous sentez la force de le faire, cela est plus sage, convint Antoine en s'installant à la petite table carrée de bois brut que Michèle avait été autorisée à apporter.

La température dans la cellule était supportable, malgré l'absence de système de chauffage. La chaleur du poêle situé dans la salle du garde, que ce dernier laissait toujours ouverte, apportait un minimum de douceur.

— La lecture me permet de m'évader en pensée et m'évite de devenir fou, dit Paul en montrant les deux ouvrages posés sur la table, à côté de la bougie à moitié fondue. Mais la musique me manque, mes doigts deviennent des vieillards, ajouta-t-il en pliant lentement ses articulations. Si je dois être condamné, alors que ce soit à la mort, je ne supporterai pas plus longtemps ce pourrissement.

Il s'assit sur sa paillasse. Les cris des marchands ambulants du quai de la Baleine leur parvenaient du dehors.

— Dans quelques jours, vous flânerez au milieu des étals, affirma Antoine. Nous avons réuni tous les éléments nécessaires à la reconnaissance de votre innocence.

— C'était un accident, répéta Paul, comme à chacune de leurs rencontres.

Antoine ne pouvait oublier les images de l'enterrement de Radama et la vision spectrale d'Antelme, alité sur sa couche. Elles s'imposaient à lui, obsédantes, et vrillaient les muscles de son corps aussi sûrement qu'une forte fièvre. Il tenta de se dominer et détailla à Paul les faiblesses de toutes les dépositions, dont chaque affirmation avait été vérifiée par Camille et Michèle.

— Nous pouvons réfuter tous les témoignages de l'accusation et nous avons fait enregistrer celui du concierge de l'école vétérinaire, conclut-il. Combien de fois avez-vous été interrogé ?

— Quatre fois.

— Vous n'avez jamais varié dans vos déclarations ? Vous avez toujours suivi la ligne que nous nous étions fixée ?

— Au mot près.

— Voilà un autre de nos points forts, affirma Antoine, alors que la blanchisseuse s'est plusieurs fois contredite. Toutes les pièces ont été données au procureur. Il doit cacheter aujourd'hui ses conclusions définitives avec la sentence demandée.

La crainte principale d'Antoine était que le magistrat ne requière la question des brodequins. Le terme, au doux nom, était la torture la plus raffinée en usage. Elle permettait de supplicier un suspect sans risque d'attenter à sa vie. Dans la réalité, elle aboutissait souvent à extorquer à des innocents des aveux ou des noms de complices imaginaires. Antoine avait été obligé d'y assister une unique fois. L'accusé avait eu les jambes serrées entre quatre planches de bois, disposées deux à deux, avant que des coins n'y soient insérés à l'aide de coups de marteau. Quatre coins pour une question ordinaire. Beaucoup de souffrances. Des os brisés. Au final, l'homme avait avoué l'empoisonnement de plusieurs moutons à Pierre-Scize alors qu'il se trouvait le jour même sur la route de Châlons. Dieu ne l'avait pas protégé, contrairement à ce que pensaient les tourmenteurs : même les innocents avouaient sous la torture. Antoine chassa cette pensée. Être contraint aux brodequins équivalait à une condamnation à mort.

— Nous avons plusieurs autres atouts, dit-il, confiant. Certaines pièces ont été ajoutées au dossier sans respecter la procédure.

La description de l'état de la chambre n'avait pas été faite par l'inspecteur le jour même du meurtre. Elle avait été jointe aux pièces plusieurs jours après alors que l'endroit n'avait pas été surveillé par la maréchaussée.

— Le document n'a aucune valeur, nous l'avons fait retirer des pièces à conviction. De même que le procès-verbal du contenu des poches de la victime, précisa Antoine. Il fut fait à l'hôtel de ville, là où le mort avait été transporté, et non sur place. Nouvelle erreur : le juge ne pourra pas en tenir compte.

— Est-ce un avantage pour moi ? Je n'ai rien à cacher, s'inquiéta Paul.

— Toute faute de la part de l'accusation l'affaiblira d'autant plus au moment de demander la sentence, expliqua Antoine. Le sénéchal y sera sensible, croyez-moi.

La parution du *Nouveau Glaneur* avait aussi eu un effet bénéfique. L'article de Camille, qui pointait les failles de l'accusation et des témoignages, avait réussi à déplacer l'opinion publique en faveur de Paul. La dureté de M. Labé envers ses locataires était davantage évoquée dans les discussions que les origines de Paul.

— Personne ne dit plus « À mort l'étranger », commenta Antoine. Voilà un feu supplémentaire que nous avons éteint.

Le jour commençait à décliner. Le captif alluma sa bougie.

— Vous êtes un drôle d'avocat avec de drôles de méthodes, remarqua Paul. Tous vos collègues viennent voir les autres prisonniers avec des piles de feuilles, des cahiers, des livres, des discours en latin. Pas vous. Je vous avouerai qu'au début cela ne m'a pas rassuré.

Le regard du jeune homme s'attarda sur la main gauche d'Antoine.

— Et il semble aussi que ma sœur ne soit pas seulement une cliente, dit-il en lui montrant la bague qui ceignait son auriculaire.

Le bijou était composé d'un chaton ovale orné d'une intaille gravée sur de l'agate et qui représentait un visage de femme.

— Michèle la portait le jour de son arrivée à Lyon, précisa Paul. On dirait qu'elle est devenue une bague de promesse.

— Paul, je ne crois pas que ce soit le lieu et le moment d'une telle conversation, répliqua Antoine, épuisé par les événements.

— Vous avez raison. Toutes mes excuses. Comment pourrais-je être le frère jaloux d'une sœur que je ne connais que depuis deux mois ?

Le gardien, appelé, ouvrit la grille de la cellule. Au moment de sortir de la salle, Antoine se retourna : Paul avait éteint sa bougie et fixait le plafond du regard, allongé sur sa paillasse.

64

Samedi 10 janvier

Lorsque la clochette retentit dans sa chambre, Daphné ne put retenir un petit cri de surprise : un invité de marque la réclamait. Elle sortit, tremblante, et traversa le couloir aux couleurs chatoyantes pour se rendre au boudoir qui lui était réservé. La dernière fois que la matrone du bourdeau, qui se faisait appeler la mère abbesse, avait tiré sur le cordon de sa sonnette spéciale, le client lui avait infligé des outrages qui l'avaient empêchée de travailler une semaine durant. Daphné avait tenté de quitter l'établissement, mais elle n'avait pas caché suffisamment d'argent pour pouvoir s'enfuir bien loin. Elle avait peur. Elle préférait les clients qui payaient pour une passe et repartaient chez eux avant la nuit tombée retrouver leurs femme et enfants. Ils n'avaient pas le raffinement des riches seigneurs, mais n'avaient pas non plus les moyens de leur perversité. Elle allait devoir passer la nuit avec un homme qui aurait sur elle tous les pouvoirs. Elle ôta sa robe pour ne garder qu'un corset en soie et un jupon léger. Daphné s'allongea et tenta de corriger l'emballement de son cœur. Après tout, le pire semblait s'être déjà abattu sur elle. Peut-être allait-elle avoir à déniaiser un fils de bonne famille ? Elle oublia vite l'idée, le boudoir étant relié à un parloir où seuls accédaient par un escalier dérobé les personnalités désireuses de dissimuler leur identité.

Elle ne connaissait pas l'homme qui était entré. Il n'avait ni les manières ni l'élégance naturelle de la noblesse et son visage évoquait celui d'un rongeur prêt à se jeter sur sa proie. Elle tenta de faire bonne figure, mais sa voix trahissait son inquiétude.

— Servez-moi un verre de vin, déshabillez-vous complètement et cessez de trembler ainsi, dit Marais d'un ton monocorde tout en déboutonnant sa chemise. Vous seriez moins effrayée devant un chirurgien prêt à vous ouvrir le ventre !

Pour la rassurer, il posa cinq louis sur le guéridon qui soutenait un candélabre aux bougies parfumées.

— Le prix fixé est de trois louis, monseigneur, signala-t-elle sans oser le regarder dans les yeux.

— Trois pour votre matrone qui ne vous laisse presque rien et deux pour vous si ma jouissance est plaisante. Il y en aura peut-être un de plus si elle est exceptionnelle, dit-il en lui tendant un petit sac oblong, en intestin de mouton, orné d'un ruban de soie rouge. Vous me couvrirez de ma redingote d'Angleterre quand ma virilité vous l'indiquera, expliqua-t-il.

Elle prit le condom et le posa sous son oreiller. Daphné se dénuda pendant qu'il buvait et vint caresser son torse et embrasser sa poitrine.

— Je déteste les préliminaires, grogna Marais. Allongez-vous et soyez à moi, c'est tout.

Elle avisa le boyau pour couvrir la rapide turgescence de son client. Daphné ferma les yeux au moment où elle se sentit pénétrée et pensa au jour où elle avait franchi le seuil de l'établissement de plaisir pour répondre à une annonce d'emploi de servante. Elle s'était trompée d'adresse. *Tout cela à cause d'un singe et d'un bœuf*, songea-t-elle en se remémorant la statuette qui servait à désigner la maison. L'annonce était parue dans les *Affiches de Lyon* : *On demande pour un ménage une fille de vingt à quarante ans qui sache faire la cuisine, un peu blanchir & coudre, qui soit propre et qui donne de bons répondants. Les gages augmenteront à proportion de la satisfaction que l'on aura de son service. S'adresser au sieur Labé, rue Thomassin, maison du singe assis sur le bœuf.* Calée dans une niche de la façade, la sculpture de bois peint se trouvait à mi-chemin de l'entrée du bourdeau et de celle de M. Labé. Daphné avait choisi la porte de droite et la mère abbesse avait ri lorsqu'elle lui avait présenté le papier. « Mes employées font des ménages d'une autre nature », avait-elle expliqué avant de séduire de ses paroles la jeune Daphné. Cette dernière n'en était jamais plus repartie.

Alors qu'elle accompagnait distraitement les mouvements mécaniques de Marais et ses ahanements de bûcheron par de petits gémissements d'encouragement, elle étouffa un rire en se remémorant la mésaventure arrivée à la maréchaussée quatre mois auparavant qui, voulant intervenir dans l'établissement de plaisir, à la suite de plaintes, avait investi la maison de M. Labé. Décidément tout se faisait de travers dans la rue Thomassin. Daphné imagina ce qu'aurait pu être sa vie si elle avait choisi la porte de gauche et se sentit envahie d'une infinie tristesse. Les coups de reins de son client s'accélérèrent.

Les bougies avaient bavé sur le bois du meuble et de la cire avait coulé sur les pièces. La fragrance de rose avait disparu sous l'odeur âcre de la sueur de Marais. L'homme s'assit sur le bord du lit à la recherche de ses vêtements.

— L'amour que l'on achète est de loin le meilleur ! affirma-t-il dans un soupir de satisfaction, en s'essuyant le sexe dans le drap. Rien ne vaut un coït dans une bonne ribaude de province.

Daphné ignora la grossièreté du compliment et le flatta de caresses consciencieuses. Un grattement à la porte l'interrompit. Sur un signe de son client, elle déverrouilla la serrure et ouvrit.

— Monsieur, dit la mère abbesse après s'être excusée, une personne de haut rang vous fait savoir qu'il vous attend dans son carrosse à l'angle de la rue et qu'il vous saurait gré de vous y rendre toutes affaires cessantes.

Marais prit le verre et tendit le bras en direction de Daphné.

— J'aime la beauté de la femme lyonnaise, dit-il en la dévisageant alors qu'elle le servait. Le teint n'est ni blafard ni trop bruni, les cheveux sont souples et fins et rappellent la soie que tissent leurs maris ou amants, la constitution est robuste sans être trop charpentée, la croupe est ferme et rebondie.

Il but goulûment avant de continuer.

— Dites à monsieur le gouverneur que je n'ai pas fini d'étudier l'anatomie des femmes de sa ville.

La matrone eut un regard gêné envers sa pensionnaire.

— La discrétion nous demande de ne pas prononcer de nom, monsieur, fit-elle remarquer.

— Elle demande aussi de ne pas me déranger alors que je suis ici incognito, madame. Alors, qu'il attende ou qu'il s'en aille, peu importe, je ne changerai pas ma journée. Ou, s'il veut y goûter, je lui offrirais volontiers une soirée avec la joliesse de son choix.

Il congédia la mère abbesse d'un geste et se laissa tomber sur le lit.

— Je crois qu'il va falloir renfiler la redingote, ma belle !

Lorsqu'il sortit, aucun carrosse n'était visible dans la rue Thomassin et Marais en fut presque déçu. Le véhicule était stationné au quai de la Baleine et le gouverneur l'attendait dans la maison qu'il occupait rue des Trois-Maries. L'inspecteur ouvrit la portière et s'installa à l'intérieur tout en hélant le cocher :

— Allez dire à votre maître qu'une personne de haut rang l'attend dans son carrosse et qu'il lui saurait gré de s'y rendre toutes affaires cessantes.

Le valet, l'ayant reconnu, s'exécuta, manifestement amusé par l'impertinence de l'inspecteur. Marais déplia la couverture de fourrure posée sur le siège et l'étendit sur ses jambes. L'odeur de cannelle de la peau de Daphné était encore sur ses mains. La jeune fille lui manquait déjà, il la ferait venir chez lui la prochaine fois.

Le gouverneur ne fut pas long à le rejoindre. Il s'assit en face de lui, reprit la fourrure pour s'en couvrir et fit signe au cocher de démarrer.

— J'ai demandé qu'il nous mène au pont de la Guillotière, précisa Marais.

— Votre aide de camp m'a fait visiter votre location, dit Villeroy sans montrer la moindre curiosité quant à la destination. J'en connais le propriétaire, j'espère que vous ne la saccagerez pas.

Marais ne prit même pas la peine de lui répondre. Le gouverneur tentait de percer le lien qui pouvait l'unir à Pierre Brac. L'avocat, ancien échevin, avait mis une de ses demeures à disposition de l'inspecteur. Au mois de septembre, Brac, qui l'avait en amitié, l'avait contacté afin de piéger Prost dans une affaire de sac de blé avarié. Marais avait envoyé deux de ses hommes, qui avaient attiré François au grenier d'Abondance avant de répandre des rumeurs en ville sur son intégrité dans le procès du monopole de la boulangerie. Même si leur intervention n'avait pas eu l'effet escompté, Marais avait fait de Brac son obligé.

— Je repars à Versailles demain, annonça Villeroy, et je voulais savoir de quelles nouvelles je pouvais me faire le héraut auprès de notre ministre. S'il y en a, ajouta-t-il, sans masquer son ironie.

— À votre guise, mais M. de Maurepas sera averti avant votre arrivée, mon dernier rapport est parti ce matin, dit l'inspecteur en écartant le rideau pour vérifier l'itinéraire du conducteur.

Marais lui révéla avoir en sa possession toutes les notes d'Antelme, sans lui donner de détails.

— Le seul témoin qui ait vu mon agent est mort, ajouta-t-il pour rassurer son interlocuteur.

— Tout de même, tout ce désordre me déplaît, rétorqua le gouverneur.

— Vous réclamiez une guerre totale, pas la fête des dentellières ! grinça l'inspecteur. Les résultats ne sont-ils pas au rendez-vous ?

— Le trésor est toujours entre ses mains, pas dans les nôtres.

— Nous allons y venir. Suivez-moi, gouverneur, indiqua-t-il alors que le cocher s'était arrêté à l'entrée du pont.

L'endroit était la route principale vers le Dauphiné et l'ouvrage ne désemplissait pas de la journée. Carrioles, carrosses et cavaliers se frayaient un chemin dans la foule des piétons. Les piliers, taillés en éperons, procuraient de loin aux passants un sentiment de sécurité. Mais, depuis le pont, certaines arches offraient le spectacle de leur décrépitude.

Le Rhône, habituellement vif et puissant, filait doux sous une couche de glace superficielle. Un couple de colverts marchait sur la croûte fragile à la recherche d'une hypothétique nourriture.

Les deux hommes firent quelques pas avant que Villeroy, pénétré par le froid vif, ne s'enroule dans la fourrure qu'il portait en cape.

— Maintenant, allez-vous enfin me dire ce que vous savez, monsieur le commis ?

L'allusion aux origines modestes de Marais ne fit pas ciller l'inspecteur. Il s'accouda au muret de pierre pour observer un chien quitter la berge et aboyer, mal assuré, en direction des canards.

— Un très proche de Fabert l'a trahi, expliqua-t-il. Je connais son secret.

— Le coffre gaulois ? demanda Villeroy, soudain intéressé.

Le chien n'était plus qu'à quelques mètres des deux oiseaux, qui s'étaient immobilisés.

— Non, je sais ce qui a causé la mort de ses parents et sa peur de la foule.

— Fort bien, concéda le gouverneur. Mais quel rapport faites-vous avec l'affaire qui nous occupe ?

Un mendiant les interrompit en tendant une sébile. Il les avait repérés à leurs habits de gentilshommes, mais abandonna bien vite devant le simple regard de l'inspecteur. Le chien, tétanisé de peur, n'osait plus ni avancer ni reculer, sentant la glace prête à se rompre.

— Continuez, je vous prie, s'impatienta le gouverneur, voyant d'autres miséreux qui approchaient.

— Ce secret est lié à ce qui s'est passé sur ce pont le 11 octobre 1752. Et dans lequel votre famille est impliquée.

La glace se brisa sous le poids de l'animal, dont l'arrière-train s'enfonça dans l'eau. Il réussit à garder ses pattes avant sur la partie solide sans parvenir à sortir le reste du corps du trou qui s'était formé. Le chien émit des gémissements plaintifs qui firent ricaner Marais.

— En quoi cela me concerne-t-il ? C'est mon oncle qui était présent ce jour-là, répliqua le gouverneur.

Les canards s'approchèrent de l'animal et l'entourèrent de leur curiosité jusqu'à ce qu'il aboie, manquant de le faire définitivement couler. Les colverts s'envolèrent alors qu'un attroupement se formait sur la berge. Un homme lança un filet, mais il manquait une demi-toise pour réussir à y prendre l'animal. D'autres étaient partis chercher des planches sur un chantier proche. À bout de forces et transi de froid, le chien fit une nouvelle tentative pour se hisser hors de l'eau. Les griffes de ses pattes avant dérapèrent sur la glace. Il s'enfonça lentement dans le trou avant de disparaître.

— Une bête sans instinct de survie ne mérite pas la moindre aide, conclut Marais en entraînant le gouverneur vers le carrosse.

— Encore une fois, en quoi cela me concerne-t-il ? interrogea Villeroy une fois rentré dans l'habitacle.

— Fabert et ses parents faisaient partie des victimes.

Le carrosse s'ébranla au son du fouet.

— Longtemps, j'ai cru qu'il finirait par abdiquer, expliqua l'inspecteur. C'est un homme intelligent. En tant qu'avocat, il sait quand la partie est perdue d'avance. Maintenant, j'ai compris qu'il ne vous cédera jamais.

Marais se tut et surveilla la manœuvre du véhicule à l'entrée de la rue de la Charité.

Cet homme est perpétuellement aux aguets, songea le gouverneur.

— Il n'y a pas que la manifestation de la vérité, continua Marais au moment où la berline pénétrait sous le porche de l'hôtel de Villeroy. Fabert a des raisons personnelles de s'opposer à vous et votre famille.

— C'est insensé, ce qui est arrivé il y a vingt-cinq ans était un accident, se défendit le gouverneur en se tortillant sur le siège.

— Deux cent vingt morts.

Le laquais vint ouvrir la portière. Villeroy lui signifia de la refermer.

— Un accident ! s'énerva-t-il après avoir tiré les rideaux.

— Ce n'est pas moi qu'il faut convaincre. Mais peu importe. Maintenant, je sais comment le faire plier. Mon dernier courrier comporte une demande spéciale que seul le roi peut satisfaire. Une demande qui me permettra enfin de venir à bout de notre affaire. À vous de me dire si vous voulez m'aider.

Marais descendit du carrosse en laissant son interlocuteur à ses interrogations. Il traversa la cour, satisfait de sa sortie. Arrivé place Louis-le-Grand, il croisa une étrange procession qu'il crut tout droit sortie d'une allégorie de Blanchet : un homme, qui tenait à bout de bras un chien dans une couverture, comme une offrande à la Vierge, était suivi par une foule grandissante et animée. L'inspecteur arrêta un des enfants qui couraient autour du groupe et le questionna.

Après avoir disparu dans le trou, le chien avait ressorti la gueule hors de l'eau et l'avait calée sur la glace dans une position précaire. Il était épuisé et n'était plus capable d'un autre effort. Dans le même temps, plusieurs pêcheurs présents avaient réquisitionné une longue bèche calée sur la rive et l'avaient disposée en direction de l'animal. L'un des hommes avait grimpé dessus jusqu'à sa proue, d'où il avait lancé à nouveau un filet. L'animal avait mordu les mailles et s'était laissé tirer hors de son cercueil de glace jusqu'à l'embarcation. Le pêcheur l'avait emballé dans un épais plaidin et l'avait réchauffé près d'un brasero jusqu'à faire remonter sa température. Il avait survécu.

— C'est un miracle, monsieur, dit l'enfant. Un miracle de Dieu ! On va tous à la cathédrale Saint-Jean !

L'inspecteur le prit par le bras.

— Ce n'est pas la main de Dieu, ce n'est pas un signe, ce n'est rien, tu m'entends ? Ce n'est rien ! s'emporta-t-il en le secouant rudement.

Le garçon eut un moment de surprise puis se ressaisit :

— Vous auriez une pièce ?

Marais lui donna un liard et le laissa rallier la joyeuse sarabande dont les filets de vapeur des respirations haletantes fusionnaient en un halo qui entourait leurs têtes et formait une traîne semblable à un tulle de mariée.

65

Lundi 12 janvier

L'immense toile en tissu d'Armentières recouvrait tout l'arrière de la scène. Près des coulisses, debout devant un grand baquet, le décorateur délayait la poudre de couleur à l'aide d'une eau qu'il avait fait chauffer avec de la colle de peau. Le beige s'était éclairci et bientôt atteindrait le ton choisi pour représenter le marbre du balcon. Il héla son fils, affairé à préparer la carcasse en bois qui allait servir à tendre le décor.

— Je suis prêt, dit le jeune homme en posant le châssis sur la toile.

Ils prirent chacun un pot de colle dont ils enduisirent le cadre avant de rabattre la toile tendue. Le père guidait les gestes novices de son fils tout en marouflant avec une grande dextérité. Il planta de minuscules clous de tapissier sans faire aucun bruit, ce qui épata le garçon alors que la moindre parole dans le théâtre vide portait dans toute la salle. Ils retournèrent le cadre pour constater que la tension était optimale.

M. Payet exerçait sa profession depuis trente ans et avait la confiance absolue de tous les directeurs de théâtre de Lyon et de la province du Lyonnais. L'unique décor demandé par Mlle Masson pour *La Part de l'aube* ne présentait pas de difficulté technique et ce chantier était idéal pour permettre à son fils de débuter dans la carrière. L'ébauche avait été faite dans leur atelier, un fond noir pour le ciel de nuit et une base plus claire qui allait devenir la rambarde d'un balcon. Ils posèrent le décor à la verticale, côté jardin, et préparèrent les pinceaux pour les finitions. Tout en travaillant, ils écoutaient les acteurs qui, à une toise d'eux, avaient entamé la répétition de la seconde scène.

Michèle avait réparti les rôles après une rapide audition des comédiens de la troupe.

— Trois personnages sont présents, expliqua-t-elle à Jean-Baptiste, qui arborait une mine contrariée depuis le début de la répétition et qu'elle avait volontairement ignorée. Lorsque la scène débute, je suis seule avec mon promis Launo, dit-elle en s'adressant au jeune homme qui avait été choisi pour le rôle.

Le comédien se tenait à l'écart, à l'angle de la scène et du parterre, bras croisés, comme impressionné par Michèle et le poids de sa responsabilité dans la pièce. Tous l'appelaient Pierrot, depuis qu'il avait joué plusieurs fois le personnage sur les planches du Grand Théâtre, et personne ne connaissait son vrai nom. Sa diction n'était pas des plus fluides, mais toutes les expressions qu'il tirait de son visage lui donnaient le don incomparable de faire jaillir l'émotion du cœur des spectateurs. Lorsqu'elle s'approcha pour lui parler, il ne sut quelle contenance adopter, chercha une position pour ses bras, qu'il ne trouva pas, et finit par reprendre son attitude initiale. Elle lui tendit la feuille de ses répliques.

— Dans cet échange, on apprend que les savants de Caraim, qui s'étaient transmis leur savoir par la tradition orale, de génération en génération, ont fabriqué une machine contenant toute leur connaissance. Ils l'ont appelée Aiusia[1], expliqua-t-elle en revenant au centre de la scène.

— À quoi ressemble cette machine ? questionna Jean-Baptiste, qui l'avait suivie alors que Pierrot restait en retrait.

— Imaginez une tour carrée dont chaque étage serait composé de fines plaques de bronze serrées verticalement les unes contre les autres comme les pages d'un livre. Au sommet, la philosophie, la poésie et la musique, puis les mathématiques, l'astronomie, la médecine, l'agriculture et, à la base, tous les textes de loi de la cité. C'est l'arbre de la connaissance de Caraim, composé de centaines de feuilles métalliques contenant chacune une parcelle de la mémoire de son peuple, expliqua Michèle, que l'idée d'Antoine avait enchantée.

— Quel drôle de gâteau, remarqua le jeune décorateur qui écoutait. Son père lui fit signe de se taire et de se concentrer sur ses pinceaux.

— Votre personnage, Uarnos, voudrait s'emparer d'Aiusia, continua Michèle.

— Un rôle de pirate, voilà ce que vous me proposez, un chasseur de trésor ! se plaignit Jean-Baptiste, dont la voix puissante se perdit en échos dans toutes les travées.

— Non, ce n'est pas un bandit, il veut l'acquérir sans user de la force, mais par l'union de leurs deux familles qui scellerait celle des deux États. C'est un homme de pouvoir. Il a compris tout ce qu'il pourrait tirer de cette immense connaissance, qu'il veut détourner à son profit.

— Ne trouvez-vous pas que je suis un peu jeune pour interpréter Uarnos ? finit par demander Jean-Baptiste, que la question démangeait comme un prurit depuis que Michèle avait décidé de la répartition.

Nous y voilà, pensa-t-elle.

— Le rôle de Launo m'aurait bien convenu, je suis un Arlequin, l'amoureux de Colombine, expliqua-t-il en esquissant une pantomime censée représenter le personnage.

— Moi, je trouve que c'est une bonne distribution, intervint Jean-Mauduit, assis dans son trou de souffleur, qui était resté silencieux

1. L'éternité, en gaulois.

depuis son installation. Notre Pierrot sera un Launo sentimental parfait.

— Toi, tu restes dans ta boîte et tu parleras quand on te le demandera, le moucha Jean-Baptiste en approchant sa botte de l'entrée du trou, faisant mine d'écraser la tête du souffleur.

— Lui, au moins, il ne crache pas sur les quinquets[1], murmura Jean-Mauduit.

— Je t'entends ! répondit Jean-Baptiste en s'accroupissant devant la petite fenêtre, l'air menaçant.

— Si vous voulez qu'on échange, je veux bien, intervint Pierrot, toujours prostré dans son coin.

Le jeune acteur, timide et influençable, craignait que Jean-Baptiste ne lui tienne rigueur de sa soudaine promotion. Il ne se sentait pas capable de tenir tête à l'acteur le plus influent de la troupe. Jean-Baptiste se tourna vers Michèle et prit l'air étonné de celui qui reçoit une proposition inattendue.

— Personne ne change rien, décida-t-elle, agacée par l'attitude de l'Arlequin et par la passivité de Pierrot. Faites-moi confiance, dit-elle en prenant Jean-Baptiste à part, votre rôle est puissant et complexe. Il peut vous faire connaître auprès des théâtres parisiens, plus que celui du fiancé. Vous n'allez pas vous cantonner à des personnages trop simples ? Vous savez que vous valez mieux que cela. Uarnos est l'homme qui pourra vous élever jusqu'au Français.

L'évocation de la Comédie-Française chassa de son regard toute contrariété. Il ne se fit pas prier pour approuver :

— Je relève le défi ! Pierrot, désolé, mon garçon, tu resteras un petit acteur de province.

— Cela me va aussi, approuva l'intéressé.

— Quant à moi, conclut Jean-Baptiste, je vais porter l'Aiusia au niveau de la légende du Graal grâce à mon jeu !

M. Payet, qui les avait écoutés, s'inquiétait pour son décor.

— Excusez-moi, mademoiselle, mais faudra-t-il que je construise cette machine ?

— Non, le rassura Michèle, elle doit rester une image dans l'esprit de chaque spectateur. Nous ne la verrons pas. Ce sera la description de notre comédien qui la fera vivre dans l'imaginaire du public. Tout repose sur vos épaules, ajouta-t-elle à l'adresse de l'Arlequin, qui approuva d'un signe de tête.

1. Exagérer ses effets.

— Dommage, dit le décorateur, retourné à la peinture de l'immense toile. J'aurais bien aimé la faire vivre moi aussi, la machine du savoir.

Il trempa sa large brosse dans le baquet de peinture et en appliqua une couche d'un mouvement plein de dextérité sur le fusain qui ébauchait la balustrade.

— Tu crois qu'elle existe vraiment ? demanda son fils en reculant pour apprécier les points blancs qu'il venait de déposer sur le décor.

— Quoi donc ?

— L'Aiusia. Le trésor de la connaissance.

— Mon fils, ce n'est que du théâtre. L'illusion de la vie n'est pas la vie. Notre décor n'est pas le ciel, mais, durant une soirée, des centaines de personnes y verront un ciel, dit M. Payet, si fier de sa réponse qu'il arrêta son activité un instant afin de se la répéter mentalement.

— Justement, quelle est la forme de la Grande Ourse ? interrogea le fils.

— Je ne sais pas, quelle importance ?

— Je veux que les gens y voient des étoiles et pas des champignons blancs éparpillés, répondit-il en posant son pinceau rond sur un chiffon. Alors ?

Le décorateur pinça les lèvres en signe d'impuissance.

— Une charrue, dit Michèle, qui avait entendu leur échange. Sept points qui forment une charrue, ou un chariot, précisa-t-elle en se souvenant des soirées passées avec Antoine à appréhender le ciel. Vous ajouterez la Petite Ourse, je vous montrerai où la placer à partir de l'étoile Polaire.

Elle se posta devant le décor en cours de réalisation.

— Nous allons même faire mieux, reprit-elle après quelques secondes de réflexion. Je vous fournirai une carte du ciel que vous reproduirez en grand. Vous avez eu là une très bonne idée, jeune homme, ajouta-t-elle en le faisant rougir sous l'œil attendri de son père.

— Peut-on continuer la répétition ? demanda Jean-Baptiste, impatient d'éblouir Michèle de ses talents de comédien.

— J'aimerais assez, moi aussi, intervint Jean-Mauduit, assis dans son trou. Voilà un long moment que j'attends et je déteste les odeurs de peinture.

— Montez sur la scène, proposa Michèle, qui eut pitié de lui. Nous avons besoin de vous, aucun de nous ne connaît suffisamment son texte. Tout le monde en place !

Son autorité naturelle fit merveille et chacun donna le meilleur de lui-même. À la fin de l'après-midi, les répliques s'enchaînaient avec fluidité et la scène avait gagné en conviction. Le décor n'attendait plus que ses étoiles. Le directeur les rejoignit pour leur montrer les affiches tout juste imprimées. Jean-Baptiste, flatté de voir son nom au côté de celui de Mlle Masson, en lettres aussi larges, mit le papier dans les mains de Jean-Mauduit et le regarda d'un air triomphant :

— Tu vois, mon ami, la différence entre toi et moi, c'est que souffler n'est pas jouer !

66

Mercredi 14 janvier

Camille finit de rédiger son article et le déposa sur le bureau d'Aimé.

— Voilà une histoire que *Le Nouveau Glaneur* ne pouvait ignorer, dit-il, satisfait de son travail et du titre proposé. *Le miracle de la Guillotière*, lut-il tout haut.

Le chien avait aussi trouvé un maître en son sauveur. La nouvelle avait fait le tour de la ville et était encore le centre de conversations enflammées quatre jours plus tard. L'évêché, qui avait été sollicité par le peuple pour bénir l'animal, n'avait donné aucune suite, mais nombreux étaient ceux qui venaient le toucher dans l'espoir d'améliorer leur existence. *Ce qui me fera un autre article*, pensa Camille en se promettant d'en parler à son oncle.

Il fourra feuilles, plumes et encrier dans son sac avant de rejoindre le palais de Roanne au pas de course. Le procès de Paul Férrère ne débutait pas avant une heure, mais il voulait pouvoir accéder aux rangs de devant pour le suivre. Deux gardes de la compagnie des arquebusiers encadraient l'entrée de la salle d'audience et l'empêchèrent de passer.

— Je suis le rédacteur du *Nouveau Glaneur* ! cria-t-il en désespoir de cause à un huissier qui se trouvait à l'intérieur.

À sa grande surprise, il fut autorisé à entrer.

— Nous vous avons réservé cette place au premier rang, dit l'employé en lui indiquant le banc de droite. Vous serez en face de l'accusé.

— Notre gazette aurait-elle tant de notoriété ? se réjouit-il en posant son sac.

— C'est une requête de maître Fabert, le détrompa l'huissier en continuant d'allumer les bougies.

L'endroit était encore plus impressionnant qu'à l'accoutumée. Les bancs des juges, ainsi que ceux destinés aux procureurs, avocats et accusés, formaient un demi-cercle qui entourait la barre à laquelle tous allaient s'exprimer. Les murs étaient couverts de boiseries et de tentures bordeaux et dorées qui adoucissaient la solennité de la pièce. Pourtant, Camille avait la sensation que les émotions accumulées des victimes, les douleurs, les larmes nimbaient encore la salle d'audience de leur étouffante présence. *Il y a des lieux si imprégnés de leur lourd passé qu'ils ne s'en laveront jamais*, écrivit-il, une feuille sur ses genoux, satisfait d'avoir trouvé le début de son texte.

Le juge d'Arpheuillette vint poser les sacs à procès, au nombre de trois, sur le bureau du sénéchal, puis salua Camille et le félicita pour sa nouvelle publication.

— Malgré son parti pris dans cette affaire, ajouta-t-il pour la forme. Mais comme je ne plaide pas, je ne m'en plains pas. Je me ferai un plaisir de suivre le procès avec maître Fabert depuis l'antichambre.

Michèle fut autorisée à entrer avant le public et s'assit à côté de Camille. Elle portait une robe dorée, sans panier ni retroussis, dont la simplicité mettait en valeur la finesse de sa silhouette. Des compères ornés de passementeries cachaient le décolleté de sa poitrine. La veste, un casaquin court écru, brodé de fleurs, avait été fabriquée dans l'atelier d'un tailleur lyonnais. *L'équilibre parfait de la sobriété et d'une élégance rare*, songea Camille sans oser la complimenter. Il se sentait fier d'être à son côté, tout en se répétant sans cesse qu'il n'y avait là rien d'autre qu'une admiration toute naturelle pour une personne de qualité et que, si Anne pouvait sonder son esprit, elle n'y trouverait rien à redire. La jalousie de sa fiancée le faisait culpabiliser du moindre regard qu'il posait sur une autre femme.

La salle se remplit très rapidement sans qu'il ne s'en rende compte. La foule n'était pas bruyante et chacun parlait à voix basse à ses voisins, comme les jours de carême en attendant l'évêque à Saint-Jean. Ce fut Paul qui entra, déclenchant des commentaires variés, mais rarement hostiles.

— Voilà qui est plutôt de bon augure, commenta Camille à l'adresse de Michèle, qui enroulait nerveusement son mouchoir autour de son doigt.

Paul était amaigri. Un barbier était venu la veille lui couper poils et cheveux et sa jeunesse en était plus éclatante encore. Antoine l'avait convaincu de ne pas se présenter avec son *gambeto* et sa large ceinture catalane. Il avait accepté de se vêtir d'une simple chemise blanche et d'une veste rappelant la couleur de celles des facteurs de la ville.

— Il doit avoir un air familier aux Lyonnais et ne pas inspirer crainte ou méfiance, avait expliqué Antoine en présence de Camille.

Leur idée avait réussi au-delà de leurs espérances.

— On dirait un ange, remarqua Michèle.

— La salle semble d'accord, constata Camille, qui écoutait les commentaires derrière eux.

— Mais ce n'est pas le peuple qui va le juger, malheureusement.

Le sénéchal entra après une annonce solennelle. Lorsqu'il s'assit, les portes furent fermées par deux huissiers. Une rangée de bougies, soufflées, s'éteignit. Le magistrat retira les scellés des sacs et distribua les pièces de l'instruction à ses deux assesseurs. La première partie allait consister en leur relecture intégrale.

— Vous voilà, mon ami ! chuchota, enthousiaste, d'Arpheuillette à l'arrivée d'Antoine dans l'antichambre. J'ai bien cru que j'allais passer la matinée seul.

Le juge avait fait installer deux fauteuils ainsi qu'une table agrémentée de fruits secs et de boissons.

— Nous sommes prêts pour l'affrontement, dit-il en grignotant des cerneaux. Je suis curieux d'entendre les conclusions du procureur. Nous avez-vous réservé quelques surprises dont vous avez le secret, maître ?

Antoine se contenta de lui offrir un visage interrogateur et observa la salle par la porte entrebâillée. Il aperçut Paul, dont la tension était visible, et Michèle, qui regarda en sa direction et lui envoya un discret sourire.

Le premier assesseur entama la lecture des témoignages de moralité de l'accusé, que les inspecteurs avaient recueillis à Perpignan, Paris et Lyon. Paul resta le plus impassible possible, comme le lui avait recommandé Antoine, à l'énoncé des moindres détails de sa jeunesse, racontés par des serviteurs, des voisins ou une famille si lointains que même les noms n'arrivaient plus à lui rappeler des visages. L'exercice l'éprouva, il avait la désagréable sensation de voir défiler la vie d'un autre.

À une heure de l'après-midi, le juge ordonna une pause pour permettre à tous de se restaurer. Paul fut reconduit en prison où Antoine le rejoignit pour lui prodiguer des encouragements. Le procès reprit rapidement, à tel point qu'une partie du public trouva la porte déjà close à son retour.

— Ce juge est pressé d'en finir, glissa Camille.

— Est-ce un bon ou un mauvais signe ? interrogea Michèle en continuant à torturer son mouchoir.

— C'est signe qu'il a déjà fait son choix ou que tout se jouera demain.

La remarque inquiéta la jeune femme et Camille regretta d'avoir répondu sans vraiment savoir. Les premières pièces de l'après-midi furent composées du compte rendu d'autopsie et de celui des coups portés à Paul. Le magistrat, gêné par l'écriture du chirurgien, dut recommencer plusieurs fois certains passages en se faisant aider, ce qui accentua l'impression de malaise.

— Pas très bon pour la défense, tout cela, nota d'Arpheuillette, qui continuait imperturbablement à croquer des noix.

Le sénéchal énuméra tous les documents qui avaient été rayés du sac à procès pour vice de forme.

— Chapeau bas, maître, commenta d'Arpheuillette. Du beau travail de juriste, estima-t-il en tendant une noix à Antoine.

L'attention de la salle avait baissé. Les lectures des documents s'enchaînaient depuis plus de quatre heures. Les dépositions des témoins venaient d'être rendues publiques. Au grand soulagement d'Antoine, aucun témoignage de dernière minute ne s'était manifesté.

— Il ne reste plus que les interrogatoires de Paul, annonça Camille en retirant le mouchoir des mains de Michèle.

— Désolée, soupira-t-elle. Je crois que je suis nerveuse.

— Prenez exemple sur votre frère, dit Camille, impressionné par le calme du jeune musicien.

Lorsque le sénéchal annonça la fin de l'audience du jour, un murmure de satisfaction parcourut l'assemblée. Le juge donna à tous rendez-vous au lendemain pour l'ouverture des conclusions et les plaidoiries des avocats. Paul se leva et remercia Michèle de son soutien avant d'être emmené par deux gardes à sa cellule toute proche. L'intensité émotionnelle avait épuisé tout le monde. Dans l'antichambre, le juge d'Arpheuillette avala les derniers cerneaux de la coupe et salua Antoine :

— Intéressante construction, maître. Je suis sûr que la bataille demain sera à couper le souffle !

Camille avala une longue bouffée d'air et émit un gémissement de plaisir. Leur baiser avait été le plus passionné et le plus langoureux jamais échangé.

— Voilà ce qui arrive quand tu me laisses trop attendre, lui reprocha Anne en desserrant son étreinte. Tous mes sens sont excités et affolés. Je n'ai plus de retenue.

— Dieu, quel embrasement ! dit-il en se relevant.

Le jeune homme avait couru tout le trajet depuis le palais de Roanne jusqu'à la Bergerie. Ses jambes lui faisaient mal, sa poitrine lui brûlait.

— Mais, que le Ciel m'en soit témoin, je suis prêt à recommencer chaque jour pour recevoir un tel accueil !

La remarque fit sourire Anne, qui remit sa coiffe.

— Non, reste, l'adjura-t-il en lui embrassant la nuque.

— Trop tard, mon beau. Je dois redescendre travailler. Tu as une heure de retard, répondit-elle en lui retirant les mains de ses hanches.

Anne s'était levée pour échapper aux caresses qui irradiaient dans tout son corps un désir auquel elle ne pourrait bientôt plus résister. Son père l'attendait pour servir à l'auberge. Elle rassembla ses dernières réserves de lucidité pour lutter contre son envie, enfila son manteau, ouvrit la porte, faisant s'engouffrer un air glacial dans la remise, et sortit.

— Attends-moi, demanda Camille en cherchant son bonnet sur la paillasse. Cet endroit est vraiment inhospitalier, se plaignit-il après l'avoir trouvé, couvert de poussière. Vivement que l'on soit mariés ! Attends-moi, mon amour.

Elle rentra précipitamment, souffla la bougie et se lova contre lui.

— Voilà ma fiancée à nouveau passionnée ! dit-il en la serrant dans ses bras.

Anne lui mit son index sur la bouche.

— Chhh ! Quelqu'un est à côté qui fouille, murmura-t-elle.

— Es-tu sûre ?

Elle lui montra la lumière visible à travers les larges fissures du mur qui séparait les deux pièces. Les pierres, grossièrement empilées, présentaient des jours importants. Ils restèrent un moment à écouter. Le mobilier était méthodiquement déplacé, les objets sortis, puis remis à leur place.

— Je vais aller voir ce qui se passe, chuchota-t-il en se levant.

Elle le retint par le bras.

— Non ! Je ne veux pas que tu finisses comme Radama.

— Je serai prudent. Il fait nuit.

Anne resserra son étreinte.

— Je ne veux pas être veuve !

— Nous ne sommes même pas mariés, rétorqua-t-il. Ce n'est pas faute d'avoir voulu avancer la date, ajouta-t-il avant de regretter aussitôt ses paroles. Personne ne tuera personne, calme-toi, mon Anne.

De l'autre côté, le bruit se fit plus énergique.

— Ils s'énervent. Ils ne trouvent rien. Mais je suis calme, ajouta-t-elle en accompagnant sa réponse d'une mimique d'inquiétude.

Des coups sourds retentirent, dont les vibrations parvinrent jusqu'à eux. Il posa la main sur le mur pour mieux les ressentir.

— Ils sont en train de tout détruire à la hache, supposa-t-elle.

Camille prit conscience de la gravité de la situation. Il serra Anne dans ses bras jusqu'à ce que leurs deux chaleurs se mélangent.

— Nous allons sortir. Leur bruit nous protégera et la nuit nous cachera. C'est le moins risqué.

— Et s'ils ont un guetteur ? s'inquiéta-t-elle.

— Je serai le premier et te défendrai.

— Alors je préfère tout de suite me rendre, trouva-t-elle la force de plaisanter.

Ils s'étreignirent d'un baiser au goût amer de l'angoisse.

— Tout avait si bien commencé, déplora-t-il en l'entraînant vers la porte.

— Attends, dit-elle. Je crois que ça a cessé...

— Alors filons, vite !

Quand Camille ouvrit la porte, une silhouette d'homme barrait le passage, une hache dans la main droite.

Anne hurla.

67

Jeudi 15 janvier

Lorsque Antoine était arrivé à la Bergerie, le mercredi soir, les étoiles commençaient à percer la voûte de leurs figures géométriques. Malgré la fatigue de la première journée du procès, il avait tenu à s'y rendre, ayant reçu une lettre d'Antoine Parmentier l'informant de leur rencontre le lendemain de sa séance officielle à l'Académie des sciences de Lyon prévue le 20 janvier. Antoine avait cinq jours pour préparer la démonstration des poires de terre dans son atelier.

Il avait commencé par ranger tout le capharnaüm, avait nettoyé les outils, puis le pressoir, et avait coupé du bois pour le four. Lorsqu'il s'était rendu dans la remise afin d'aiguiser sa hache, sa surprise avait été aussi grande que la frayeur d'Anne et Camille. Chacun s'était excusé. Tous s'étaient expliqués. Camille avait minimisé leur méprise; Anne n'avait pas caché sa panique. Antoine leur avait confié un double de la clé du cadenas de son atelier en comprenant que les jeunes gens se voyaient encore régulièrement dans sa remise.

— Je croyais que cela avait cessé avec l'hiver, avait-il expliqué. Au moins, dans mon antre, vous pourrez faire du feu et vous restaurer, en attendant le mariage. Désolé pour tous les miasmes que vous avez respirés dans cette cabane, avait-il ajouté.

Il avait convenu d'un code avec eux pour qu'ils signalent leur présence. Camille nouerait un chiffon rouge sur une branche du cerisier quand ils viendraient à la Bergerie.

— Je vous demande juste d'éviter le 21 de ce mois, avait-il précisé en leur relatant la venue de l'illustre apothicaire.

Ils étaient redescendus ensemble en ville. Sur le chemin, Camille avait fanfaronné en effrayant Anne avec les bruits de la nuit. Antoine l'avait rassurée d'un regard.

Lorsque le sénéchal ouvrit officiellement la seconde journée du procès, la salle était pleine. Deux rangées de bancs avaient même été ajoutées pour permettre de recevoir plus de monde. Malgré cela, certains étaient restés dans le couloir. Camille avait repris la même place, à côté de Michèle. Il avait passé sous silence sa mésaventure de la veille, mais ne se faisait pas d'illusion sur la connaissance précise qu'elle devait en avoir au vu de son sourire, qu'il trouvait narquois.

Michèle était surtout tendue et avait très peu dormi. L'enveloppe, que le sénéchal déchira, contenait les conclusions du procureur qui pouvaient envoyer Paul à la torture des brodequins.

— Pas de question, ni ordinaire, ni extraordinaire, lut le magistrat.

Le public manifesta son soulagement. Prost chuchota à l'oreille de Paul. Michèle sentit un peu de légèreté s'immiscer dans sa pesanteur. Elle eut un regard vers l'ombre qui se tenait derrière la porte entrouverte de l'antichambre.

— Voilà une étape de franchie, mais elle était prévisible, commenta d'Arpheuillette, calé dans son fauteuil.

— Vous n'aimez plus les fruits secs ? remarqua Antoine alors qu'aucune coupe n'avait été apportée.

— Ils m'ont rendu malade hier, avoua le juge. Sans doute en ai-je abusé. Croyez-moi, l'excès de noix n'a rien à envier en matière de torture aux brodequins, plaisanta-t-il.

Antoine se retint de lui répondre. Les hurlements des suppliciés ne s'oubliaient jamais.

— Monsieur le procureur va entamer sa plaidoirie, dit-il en reprenant position dans l'entrebâillement de la porte.

Le magistrat s'avança à la barre dans sa longue robe noire, son chaperon doublé d'hermine impeccablement rabattu sur son épaule gauche. Personne ne lui connaissait d'autre tenue. Il la portait à la ville et en famille. L'austérité de son visage semblait avoir présidé à l'ascétisme de sa pensée. En partie mangée par une barbe aussi grise que sa perruque, sa figure n'exprimait aucune émotion et restait dans un registre d'impassibilité quelle que soit la condamnation qu'il demandait. La mort était pour lui la plus haute distinction de la vie humaine.

Le procureur débuta par une description de la personnalité de Paul en se référant aux témoignages les moins favorables.

— Pris en faute dans un charivari, l'os à ronger n'est pas bien grand, résuma d'Arpheuillette.

L'inquiétude d'Antoine était ailleurs. Sans témoin direct, le résultat du procès dépendrait en partie de l'habileté du procureur à imposer sa version des faits.

Prost, assis à côté de Paul, sentit son inquiétude au moment où le magistrat aborda les circonstances de la mort de son propriétaire.

— Surtout ne répondez pas, ne réagissez pas à ce que vous allez entendre, confia-t-il à son client. Tout se passera bien.

Le procureur demanda à l'huissier un verre d'eau, vérifia ses notes en l'attendant et but une seule gorgée avant de s'adresser au sénéchal.

— Le matin du 1er novembre dernier, M. Claude Labé, honorable bourgeois de notre ville, entrait rue Belle-Cordière, du nom de son estimée aïeule, qui lui laissa en héritage la maison sise à l'angle d'avec la rue de la Barre. Moins d'une heure plus tard, il était retrouvé mort par ses voisins. Que s'est-il passé entre ces deux moments ? Je suis en mesure de vous affirmer, monsieur le juge, que le sieur Labé fut victime d'un crime odieux, perpétré par un homme connu pour sa violence, et qui l'avait prémédité.

Ignorant le murmure qui s'élevait du public dans son dos, il déroula ses arguments.

— Tout d'abord, la porte. Paul Férrère prétend que le sieur Labé est entré sans son consentement grâce à sa propre clé. Seulement, celle-ci n'était pas verrouillée, comme le dit l'accusé. Preuve en est qu'aucune clé n'est mentionnée dans le compte rendu de l'inspecteur qui a dressé le procès-verbal. Ni sur la porte, ni dans les poches de la victime.

— Pièce retirée, maître, prévint le sénéchal. Elle fut rédigée le lendemain et antidatée, comme l'a reconnu l'inspecteur. Non conforme à la procédure.

— Ordonnance criminelle de 1670, compléta d'Arpheuillette en s'agitant sur son siège. Bien joué, maître.

— J'affirme, cependant, que cette porte était ouverte, continua le procureur, et que M. Labé fut invité à entrer. C'est avec une forte surprise qu'il constata l'état de dégradation du lieu et s'en inquiéta auprès de son locataire.

— Il y avait un tel désordre dans la chambre après le départ des inspecteurs, souffla Camille à Michèle. Tous les voisins et les curieux y pénétraient pour voir le lieu du crime. Aucun garde pour les en empêcher. Des objets ont été brisés et plein d'affaires ont disparu. J'en ai témoigné.

Le magistrat prit le temps de boire une seconde gorgée avant de poursuivre :

— Sa surprise se transforma en incompréhension lorsque Paul Férrère refusa de lui payer son loyer, alors que depuis plusieurs semaines déjà M. Labé lui faisait crédit. De cela, nous avons certitude. C'est avec raison et force de loi que notre propriétaire demanda à son locataire de lui verser son dû ou de quitter cette chambre qu'il avait transformée en bouge. Paul Férrère refusa et tenta de le faire sortir par la menace. M. Labé s'y opposa.

Le procureur se retourna pour la première fois vers Paul.

— Cet homme, que vous voyez ici si calme, sous les airs de la jeunesse, s'est alors jeté sur la victime en hurlant : « Dehors, dehors ! »

Férrère évita son regard et observa le sénéchal qui consultait un mot apporté par l'huissier. Le procureur s'en aperçut et reporta son attention vers le juge, qui dut abandonner sa lecture.

— Comme le malheureux se défendait, il l'a mis à terre, l'a tiré sur le sol, argua l'homme en noir. Plus rien ne pouvait arrêter son accès de fureur, sa nature violente avait pris le dessus. D'un coup de pied, il a écrasé la main du pauvre sieur Labé, qui tentait de résister, lui broyant les doigts. Dans la pièce numéro huit, nous trouvons le témoignage d'une blanchisseuse, venue pour porter du linge de maison à un autre locataire, qui corrobore ce fait. Elle entendit crier et supplier. Bien que n'étant pas un vieillard, M. Labé avait bien moins de forces que ce jeune lion au sang bouillonnant.

Antoine se détendit : la version manquait de crédibilité et le sénéchal s'était fait apporter le menu de son souper. Il avait l'intention de rendre son verdict dans la soirée.

— J'ai connu l'accusation plus inspirée, confirma d'Arpheuillette en massant son ventre toujours douloureux.

Paul avait les yeux tournés vers le haut de la salle. Michèle comprit qu'il fixait les seules fenêtres de l'endroit, situées au-dessus des boiseries, et par lesquelles le ciel, encombré de volumineux nuages, était visible. Il ne l'avait plus vu depuis deux mois. Son esprit s'évadait pour ne pas affronter les lames tranchantes de son accusateur. Celui-ci continuait, imperturbable, sa description :

— Puis, au faîte de la barbarie, Paul Férrère étrangla son pauvre propriétaire, ivre de ses pulsions meurtrières. On a voulu nous faire croire qu'un témoin, présent dans le couloir, aurait entendu Férrère supplier la victime de ne pas lui casser les doigts. Mais cet homme s'était fait passer pour un étudiant de l'école vétérinaire afin de soutirer une certaine somme à un honnête bourgeois dont le chien était mourant. Comment pourrait-on porter le moindre crédit à une personne à la moralité aussi douteuse ?

— Il a raison ! approuva d'Arpheuillette qui, n'y tenant plus, se leva et sortit d'un des tiroirs de la penderie une coupe pleine de noisettes décortiquées. Mais pourquoi a-t-il affirmé que le meurtre était prémédité ? questionna-t-il en enfournant une poignée de fruits secs dans sa bouche.

Le procureur but une dernière gorgée de son verre d'eau et s'empara d'une feuille restée sur sa chaise. Lorsque Antoine aperçut la série de chiffres qu'il s'apprêtait à lire, il comprit l'intention du magistrat et s'en voulut intérieurement d'avoir négligé ce détail. Mais il était trop tard.

— Monsieur le sénéchal, je voudrais vous faire lecture des revenus du sieur Labé, qui se composaient de douze loyers répartis en dix appartements et deux maisons, tous situés dans notre ville.

L'homme en noir égrena les sommes que chacun des locataires versait à M. Labé, ainsi que le jour de leur perception.

— Comme vous pourrez le vérifier dans la pièce numéro vingt-sept, dix versements sont effectués les samedis ; il s'agit des appartements que M. Labé visite, en finissant invariablement par la maison de la rue Belle-Cordière, qui compte deux locataires. D'après mes calculs, lorsqu'il est entré chez son meurtrier, ce 1er novembre, les huit locataires précédents avaient laissé dans sa bourse deux cent cinquante écus. Or il restait seulement cinquante écus quand les inspecteurs ont amené son corps dans la chapelle. Où sont passés les deux cents autres ? demanda-t-il en direction du public.

— Voilà l'accusation relancée, s'amusa d'Arpheuillette. Hé, où allez-vous ? lança-t-il à Antoine, qui le quittait précipitamment. Quel bien mauvais perdant, ajouta-t-il en considérant les noisettes.

Il en prit une poignée, avant de la remettre dans le récipient.

Où diable est-il parti ? se demanda-t-il, nauséeux, en massant son estomac.

Antoine connaissait par cœur les adresses des appartements que possédait M. Labé. Son esprit tentait de trouver ce qui, sur le chemin qu'il avait emprunté, pouvait avoir coûté deux cents écus au propriétaire. L'homme n'avait ni carrosse ni cheval et sa domesticité se réduisait à une cuisinière et un laquais. Vers quoi s'était tournée sa dépense ? Des réparations dans un des immeubles ? Un nouveau costume ? Une caisse de vin ?

Une fois dehors, il prit la direction du quartier Saint-Nizier, où se trouvaient concentrés quatre des huit locataires visités. Il disposait de trente minutes, un peu plus si Prost faisait durer l'audience. Il lui serait impossible de visiter toutes les échoppes du quartier. Il avisa la boutique la plus réputée, un parfumeur-gantier, puis un horloger dont l'enseigne indiquait sa recommandation par l'évêché. Sans résultat.

À l'intérieur, le procureur venait de terminer son réquisitoire. François tentait de changer l'ordre de ses arguments et de trouver une réponse pour contrer le nouvel élément à charge. Le magistrat s'était rassis sans que son visage ne montre la moindre satisfaction et attendait, impassible, l'exposé de Prost. L'avocat s'avança et, d'une voix puissante et assurée, raconta la journée de la tragédie.

Antoine avait traversé plusieurs rues, questionné une dizaine de marchands et était arrivé près de l'Hôtel-Dieu. Il regrettait d'avoir quitté le palais de Roanne sur une intuition qui ne l'avait mené nulle part. Sa recherche était vouée à l'échec. Il regarda le grand dôme de l'hôpital qui pointait sa croix vers le ciel comme pour tenter de crever les nuages. Une vieille mendiante, dont le dos était courbé jusqu'à l'horizontale, se tenait debout devant l'entrée principale de l'Hôtel-Dieu à l'aide de deux cannes d'un bois noueux. Elle haranguait les passants tout en geignant à chaque souffle. Sa sébile, qu'elle tenait sans aucune motivation, pointait vers le bas. Elle était vide. *Tout comme les finances de l'hôpital...* La phrase lui traversa l'esprit. La modernité de l'établissement de soins, où chaque malade avait son propre lit, était connue de tout le royaume. Le taux de mortalité y était quatre fois moindre qu'à Paris, d'où l'on venait incognito s'y faire soigner. Mais ces résultats avaient un coût élevé. Des travaux étaient toujours en cours et des souscriptions étaient régulièrement organisées afin de renflouer la trésorerie. Les capitaux versés étaient convertis en rente viagère. *De quoi rassurer un bourgeois comme M. Labé*, pensa-t-il en se dirigeant vers le bâtiment d'accueil. La cloche de l'église lui rappela que son idée était sa dernière chance.

François avait détaillé avec une grande minutie la version de Paul et rappelé au juge que le corps du jeune homme avait présenté de nombreuses contusions, contrairement à celui du sieur Labé. Mais ce qui devait être une démonstration éclatante de son innocence avait perdu de sa superbe après l'investigation du procureur. Un des huissiers présents dans la salle vint apporter un billet à Prost. Camille chercha des yeux la silhouette d'Antoine dans l'antichambre.

— Il est revenu, souffla-t-il à Michèle tandis que François prenait connaissance du mot.

Dans le vestiaire, d'Arpheuillette avalait noisette sur noisette sans plus se soucier de son abdomen.

— Ainsi donc, vous n'avez rien trouvé ? questionna-t-il d'une voix si forte qu'un des assesseurs vint repousser la porte de l'antichambre.

Antoine s'était trompé. M. Labé n'avait jamais investi le moindre écu dans la rénovation de l'hôpital. Tout juste s'y était-il fait soigner un panaris douloureux au pouce. Fabert s'avouait vaincu.

— Mais qu'y a-t-il dans votre billet ? chuchota d'Arpheuillette après avoir discrètement rouvert la porte.

Antoine se garda bien de lui répondre. Le mot était une technique que les deux hommes utilisaient parfois lorsqu'une sentence leur échappait. Il consistait à faire valoir qu'une nouvelle preuve venait d'être découverte dans le but d'ajourner le procès, et à tenter de la trouver réellement a posteriori.

— Monsieur le sénéchal, dit François en montrant le papier plié, je voudrais répondre aux affirmations de monsieur le procureur concernant les cinquante écus présents sur le corps de la victime. Nous avons obtenu la preuve irréfutable que la somme manquante fut utilisée le matin même par le sieur Labé.

— Quel que soit ce document, il n'a pas été inclus dans le sac à procès pendant la durée normale de l'instruction, objecta le sénéchal.

Je suis désolé, maître, mais nous n'en tiendrons pas compte. Et je crois qu'il en est beaucoup mieux ainsi pour vous, ajouta-t-il pour indiquer qu'il n'était pas dupe.

— Quel échange ! Quelle tension ! s'enthousiasma d'Arpheuillette en mettant la main dans la coupe avant de prendre conscience qu'il n'y avait plus de fruits secs.

La fatigue était perceptible. Les yeux étaient cernés, les visages creusés. L'attention avait baissé d'un cran. François décida qu'il était temps de placer leur ultime carte.

— Je voudrais maintenant que vous m'autorisiez à introduire ma dernière pièce à conviction, demanda-t-il en faisant un signe à l'huissier de porte. Elle est listée sous le numéro trente-deux dans le sac à procès.

— Faites, dit le sénéchal. Je me demandais ce que vous alliez bien en faire.

La porte principale s'ouvrit sur deux gens d'armes qui portèrent un clavecin d'étude tout au long de l'allée centrale jusqu'à la barre. Le public bruissa de curiosité.

— Pour ne rien vous cacher, il s'agit du clavecin qui se trouve à mon domicile et sur lequel M. Férrère donne... donnait des cours à ma fille, se reprit-il. Je voudrais que vous autorisiez monsieur l'accusé à s'asseoir à cet instrument.

Le sénéchal acquiesça pour toute réponse. Paul, qui n'avait pas été prévenu, s'installa en jetant des regards interrogateurs à son avocat.

— Maintenant, Paul, voulez-vous avoir l'obligeance de nous jouer une suite de Haendel ? La numéro quatre, ajouta-t-il alors qu'il hésitait.

Férrère se massa les mains, vérifia la justesse des notes, fit mouvoir ses articulations et entama la sarabande. L'appréhension, perceptible sur les premières mesures, disparut rapidement. Les notes se projetaient avec grâce dans la salle. L'interprétation de Paul était pleine de souplesse et d'énergie à la fois, ses doigts caressaient les touches presque sans articuler. En une fraction de seconde, le musicien avait étouffé le prisonnier aux doigts endoloris. Lorsqu'il lâcha la touche de la dernière note, Paul se redressa lentement en s'imprégnant de l'intensité du silence. *C'est le moment de conclure, François,* pensa Antoine.

— Monsieur le sénéchal, déclara Prost, profitant de l'émotion créée, nous venons de voir qui est vraiment Paul Férrère. Un excellent musicien, un interprète de talent, un professeur émérite, comme les témoignages l'ont montré, mais pas un meurtrier. Surtout pas un assassin. Paul s'est défendu parce qu'on voulait lui supprimer ce qu'il avait de plus précieux : ses mains, dit François en levant le bras de Paul dans un geste théâtral. Sans ses mains, il n'aurait plus été un musicien, plus été un homme digne et droit. Ce sont ses mains que M. Labé voulait détruire. Il voulait détruire le talent, celui que vous venez d'entendre, il voulait le réduire à n'être plus rien d'autre qu'un mendiant sans avenir. Et tout cela pour quoi ? Pour huit louis, oui, vous avez bien entendu, monsieur le juge, huit louis, que le malheureux devait à son propriétaire sous peine d'expulsion. Argent qu'il aurait obtenu l'après-midi même, comme l'ont prouvé les différentes pièces. Paul s'est défendu contre l'accès de fureur d'un homme connu pour ses colères, contre celui qui voulait attenter à ses mains, à son trésor, à sa vie ! Ne nous y trompons pas, monsieur le sénéchal, votre jugement ne peut être celui de Salomon : soit mon client est coupable et il mérite une punition lourde pour avoir pris une vie par cupidité. Soit il n'a fait que se défendre et il est innocent. Dans ce cas, il ne peut rester plus longtemps en prison et doit dès ce soir retrouver son foyer. C'est cette décision que vous devez prendre, vous devez libérer un homme qu'un méchant sort a amené à défendre sa vie. Vous devez libérer Paul Férrère ! conclut Prost, laissant sa voix porter son émotion. Vous devez nous donner à tous un signe fort de justice !

Quelques applaudissements fusèrent du public, vite réprimés d'un geste par le sénéchal.

— *Vitam impendere vero*, murmura Camille, superstitieux.

— Je vous remercie, maître. Pour l'heure, nous allons rendre la pièce à conviction numéro trente-deux à votre fille, dit-il en indiquant aux deux gens d'armes d'emporter le clavecin. Et nous allons nous retirer pour la délibération.

68

Jeudi 15 janvier

Le sénéchal enfila la robe de chambre que son serviteur lui tendait, ôta sa perruque et la posa délicatement sur son support, à côté d'une rangée de postiches identiques. Il les considéra un instant puis se dévisagea dans la glace murale.

— Ai-je fait le bon choix ? demanda-t-il à son reflet.

La question était devenue un rituel immuable à la fin de chaque procès important. La réponse l'était tout autant.

— Dieu a guidé ma décision, qu'il en soit fait selon sa volonté, articula-t-il lentement en se regardant droit dans les yeux.

Il haussa les sourcils, dubitatif, noua la ceinture de sa robe de chambre et rejoignit sa femme, occupée à un travail de broderie. Il s'assit à côté d'elle et la regarda finir un point compté. Le silence était toujours chez eux le début d'une conversation. Elle noua le fil qui venait de clore une ligne, posa son ouvrage et s'enquit du procès. Il en était toujours ainsi : le sénéchal allait revisiter les arguments des uns et des autres, avant de lui expliquer sa décision. Elle comprit à sa démonstration que l'affaire ne s'était pas jouée dans le sac à procès.

— Ce fut là l'origine d'un rude dilemme, lui avoua-t-il. J'ai passé la journée à répéter à monsieur le procureur et à maître Prost de ne pas tenir compte des pièces qui n'avaient pas été enregistrées dans les règles de l'art. Et, pourtant, je me suis retrouvé à prendre ma décision sur un élément dont j'étais le seul à être informé.

Le sénéchal connaissait la raison de la disparition des deux cents livres, mais ne pouvait la révéler. M. Labé était un homme discret. Discret dans ses affaires, discret dans ses relations. Discret dans ses passions. Une, principalement, occupait son temps et son esprit : le jeu. Les jeux de hasard étant interdits, les jeux de commande étant proscrits, quoique tolérés, M. Labé n'était jamais apparu publiquement à une des tables illégales qui fleurissaient dans toute la ville. Personne ne l'avait jamais vu parier le moindre liard. Même prudence à la Loterie royale, pourtant légale. Il achetait des billets à chaque tirage, en se rendant alternativement et à des heures discrètes au bureau général et dans tous les centres de quartier où ils pouvaient être retirés. Il n'inscrivait jamais son nom à côté des numéros choisis, juste une vague devise : « Si Dieu le veut ».

M. Labé faisait parti du cercle le plus secret de Lyon, plus secret encore que les sociétés de francs-maçons ou les vaudois, composé de personnalités qui se réunissaient chaque semaine dans un lieu différent pour jouer de l'argent. Lansquenet, pharaon, hombre, piquet, jeux de dés, tout ce que l'Église réprimait et que le sénéchal condamnait faisait l'ivresse de leurs soirées. Et, alors que les cabaretiers ou les particuliers qui organisaient des jeux clandestins couraient le risque d'une amende de dix mille livres et d'un séjour au palais de Roanne, l'impunité de leur position ne les exposait qu'à de polies réprimandes. Le sénéchal, pour qui l'exemplarité était un devoir, s'en était ému, mais n'avait ni les moyens ni le courage de prendre sur le fait ces joueurs de l'ombre. Du moins jusqu'au 25 octobre où, par un hasard qu'il mit sur le compte de la volonté divine, le juge put établir que des jeux d'argent avaient été pratiqués dans une des maisons appartenant à M. Labé, rue Thomassin, en présence de notables de la ville. La demeure s'était trouvée être voisine de la maison de tolérance de la mère abbesse, dont un riverain s'était plaint des bruits et des allées et venues nocturnes qui dérangeaient sa tranquillité plus encore qu'à l'accoutumée. Le lieutenant de la maréchaussée, nouvellement arrivé, avait décidé d'aller inspecter en personne l'établissement dont il avait entendu parler, en particulier pour évoquer la beauté de ses pensionnaires. Comme beaucoup d'autres avant lui, le gradé, accompagné de deux militaires, s'était trompé d'endroit, choisissant l'entrée à gauche de la statuette représentant un singe assis sur un bœuf. Constatant l'absence de réponse à leurs coups répétés, ils avaient enfoncé la porte. Au lieu de jeunes femmes lascives, les soldats trouvèrent un groupe d'hommes attablés autour d'une somme importante, qu'ils firent sortir de force et enfermer à la prison du palais de Roanne. Le lendemain, le lieutenant, fier de sa prise, fut accueilli au palais par le représentant du gouverneur et le sénéchal. Les prisonniers avaient été libérés. Il n'y avait plus aucune trace de leur présence dans le registre d'écrou. Il ne s'était rien passé ce soir-là rue Thomassin. Le militaire eut la semaine pour faire ses bagages et rejoindre une affectation peu avantageuse dans un bailliage au nord de Dijon.

En tant que propriétaire, M. Labé fut considéré par le sénéchal comme organisateur, ce qui lui permit de lui infliger une amende de deux cents écus, punition officieuse, aucune poursuite ne pouvant être portée au noble groupe, dont certains membres étaient comtes de Lyon. Et, deux heures avant de mourir, M. Labé déposait la somme au président de l'Aumône générale, respectant sa promesse faite au juge.

Paul Férrère n'a pas pris une seule pièce, songea le sénéchal en regardant sa femme qui avait repris la broderie. *De cela, je suis sûr. Quant au reste, seul Dieu en fut témoin.*

Lorsque la pendule du salon tintinnabula huit coups cristallins, il se leva, tira le pan de sa robe de chambre qui bâillait au-dessus de sa ceinture et, sans un mot, partit souper à l'office en songeant à la façon dont il relaterait tous les détails de l'affaire dans ses mémoires à venir qu'Aimé de La Roche lui avait récemment proposé d'imprimer.

Paul avait été déclaré innocent. Assis sur sa paillasse pour sa dernière nuit dans une geôle, sans aucune chaîne pour l'entraver, il avait longuement pleuré, presque en silence pour ne pas gêner ses compagnons d'infortune des cellules voisines, nerveusement épuisé par les deux jours de son procès. Il avait une semaine pour quitter la ville, dont il était banni pour vingt ans. Mais il n'avait pas l'intention d'y revenir, même très vieux, même dans son droit. Paul enfila ses habits catalans, fourra toutes ses affaires pêle-mêle dans sa malle, entama un pain qu'il trempa dans la soupe froide, mangea debout en lisant une dernière fois les mots gravés sur le mur avant d'y écrire sa phrase puis s'allongea et s'endormit rapidement. Tout s'était passé comme il l'avait imaginé.

69

Vendredi 16 janvier

L'hôtel de Villeroy avait retrouvé une part de sérénité depuis le déménagement de Marais. Chacun vaquait à ses occupations sans se sentir épié ou agressé par les manières brutales de l'inspecteur. Le départ du gouverneur lui-même avait aussi levé la tension que son exigeante présence réclamait. Seul le renvoi de la blanchisseuse pour l'affaire de la tapisserie avait quelque peu inquiété les esprits parmi le personnel, dont certains continuaient à affirmer qu'elle n'avait fait qu'obéir à l'ordre de l'inspecteur Marais. La femme avait retrouvé une place de servante à tout faire chez le recteur de l'hôpital général, la maisonnée avait repris ses habitudes et tout était rentré dans l'ordre.

Szabolcs avait débuté sa tournée plus tôt qu'à l'accoutumée, la diligence des postes étant arrivée de Paris en début de matinée. Le facteur l'avait commencée par l'hôtel de Villeroy où il savait qu'on lui offrirait à l'office un gâteau tout juste sorti du four ainsi que du lait. Après sa collation, il avait rejoint dans la cour intérieure l'intendant de la maison, qui n'avait aucune lettre à faire distribuer sur la ville.

— En revanche, vous arrivez au bon moment, facteur. Il y aura pour vous quelques pièces si vous accompagnez cet homme à la nouvelle demeure du sieur Marais.

Il désigna le militaire qui faisait boire son cheval au seau de la margelle du puits.

— Pour sûr, répondit Szabolcs, admiratif de l'uniforme rouge éclatant aux parements noirs et aux galons dorés dont il avait reconnu la provenance.

Le gradé remercia le facteur avec la distante froideur due à son rang et le pria de le mener à destination sans attendre. Les deux hommes empruntèrent en silence la rue de la Charité jusqu'à la place Louis-le-Grand, qu'ils remontèrent le long de l'allée de tilleuls. Szabolcs se crut obligé de s'arrêter devant la statue équestre de Louis XIV. Le militaire n'y jeta qu'un regard distrait et poli, alors que son guide lui faisait remarquer les habits d'empereur romain du roi de bronze et s'attardait sur les carrés de gazon qui couvraient la partie centrale de la place. En leur milieu, les bassins des deux fontaines étaient pétrifiés par la glace. Des bâtons d'eau gelée sortaient des buses en formant des bouquets immaculés.

— Est-ce encore loin ? grommela le gradé, que la visite guidée commençait à impatienter.

— Une fois passé la Saône, il n'y en aura que pour quelques minutes, répondit Szabolcs en flattant l'encolure de la monture.

Les fers de l'animal résonnèrent sur le tablier au passage du Pont de Bois.

— Vous venez de Versailles ? interrogea le facteur. Je me demandais combien de temps vous aviez mis pour le trajet.

— Six jours, annonça le militaire, non sans fierté. Vingt lieues par jour.

Szabolcs eut envie de renchérir que les postes offraient le même service en moins de trois jours, mais se retint et fit mine d'être impressionné, ce qui n'eut aucun effet. L'homme ne daignait pas lui adresser le moindre regard. Il s'enhardit à lui poser la question qui le taraudait depuis le départ de l'hôtel de Villeroy.

— Et qu'est-ce qu'un capitaine de la garde du roi vient faire à Lyon ?

— Un pli à remettre au sieur Marais, répondit, évasif, le militaire.

— Ce doit être urgent pour que le roi envoie un homme de votre qualité. Sans doute une invitation à dîner, plaisanta le facteur.

Le capitaine fit mine de ne pas comprendre et resta muet. La valetaille était décidément de plus en plus impertinente, même en province. Il lui tardait de retrouver Versailles et l'ambiance de la Cour.

Après l'avoir laissé rue des Trois-Maries devant le domicile de Marais, Szabolcs se rendit au pont de pierre où les préparatifs de la nouvelle fête des Nautes avaient commencé. Il y croisa Antelme de

Jussieu, installé dans une vinaigrette[1], à regarder depuis la rive les ouvriers aménager un ponton de bois qui servirait aux jouteurs.

Le facteur s'enquit de sa santé, dont tout le monde disait qu'elle était déclinante depuis la mort de son valet malgache. L'historien avait perdu son entrain naturel et son corps semblait s'étaler dans tout l'habitacle comme un poids mort. Il faisait de fréquentes sorties en voiture, sans autre but précis que de regarder les veines animées de la ville vivre devant lui, seule fenêtre qu'il conservait entrouverte sur le monde. Antelme luttait en permanence contre une envie de fermer les yeux pour s'éteindre définitivement. Mais le sacrifice de Radama ne devait pas être vain. Plus question de provoquer Dieu, il devait vivre, encore plus qu'avant. La bonne humeur de Szabolcs lui redonna une flammèche d'énergie.

Le facteur, accoudé à la portière sans vitre, lui raconta comment, dans les différents quartiers de la ville, les équipes préparaient leurs bateaux aux joutes à venir.

— Mais, avec ce froid, personne ne peut les essayer, regretta-t-il. Pourquoi ne l'ont-ils pas faite en juin, à la Saint-Pothin, comme avant ?

L'historien avoua son ignorance. La rumeur voulait que la date eût été choisie, sous la pression des commerçants, pour coïncider avec le paiement de la place de Lyon, qui attirait des centaines de marchands de l'Europe entière.

— À l'origine, c'était une fête strictement religieuse, précisa Antelme. La fête des Merveilles. Une procession sur les flots de la Saône de cinq barques représentant nos paroisses, Saint-Jean, Saint-Just, Saint-Paul, Ainay et l'île Barbe, qui allaient de Pierre-Scize à Ainay pour célébrer la mémoire des saints martyrs. Au fil des décennies et des siècles, les bateaux furent rejoints par des barques de pêcheurs, puis tous les civils qui trouvaient place à bord. Une vraie flottille qui se mit ensuite à barioler les navires de couleurs et de décorations qui n'avaient plus rien de chrétien. Le plus connu était le *Bucentaure*, un bateau dans lequel les bourgeois, déguisés en baladins, trouvaient moyen de jouer des bouffonneries qui amusaient les spectateurs amassés sur les berges.

— C'est vrai qu'on y sacrifiait des animaux ? interrogea Szabolcs, toujours curieux de mieux connaître l'histoire de la ville qui l'avait adopté.

1. Voiture à deux roues tirée par un homme à pied.

— Oui, répondit Antelme en se relevant dans son inconfortable siège. Quand la fête fut devenue païenne, les bateaux s'arrêtaient devant la première arche et un taureau blanc était précipité du pont, puis récupéré par la foule qui le sacrifiait et le mangeait dans un immense festin. Cela finissait toujours par dégénérer en beuverie et débauches.

— L'arche des Merveilles... je comprends mieux son nom, dit Szabolcs en observant la pile du pont surmontée d'une maison de plusieurs étages.

— La fête des Merveilles, telle que je vous la décris, fut interdite il y a quatre siècles. Les joutes actuelles n'en sont qu'un lointain souvenir, une réminiscence, un défoulement païen plus qu'une procession dévote... Pouvez-vous dire à mon porteur, qui doit se prélasser sur la berge, de revenir ? Je voudrais partir.

Szabolcs prévint le serviteur, qui contait fleurette à un groupe de batelières en attente de clients. Il les quitta sans même les saluer, revint en courant et s'empara des deux brancards. La vinaigrette se redressa et s'éloigna en direction de la presqu'île.

L'échange avec le facteur avait fait réfléchir Antelme. L'origine de la fête des Merveilles se perdait dans les méandres de la mémoire lyonnaise. Le taureau blanc précipité dans les eaux purificatrices de la Saône, son sacrifice... tout ressemblait à un mélange de symbolique chrétienne et gauloise. Il n'y avait qu'un endroit où, à sa connaissance, les deux groupes avaient pu se retrouver.

— L'île Barbe, chuchota-t-il.

Et si non seulement les chrétiens et les Gaulois s'étaient côtoyés, mais avaient aussi échangé leurs croyances, leur savoir ? Et si les premiers chrétiens de Lyon avaient été les détenteurs du trésor des trésors gaulois ? *Et si tout était parti de l'île Barbe ?*

Le véhicule s'arrêta devant la maison rue Sala. Mais ni Antoine ni Michèle n'était présent. Antelme, que la sortie avait épuisé, rédigea un court billet pour expliquer son hypothèse. Il mangea quelques bouchées du poupelain préparé par la cuisinière pendant que le laquais glissait la lettre sous la porte. L'historien jeta le reste de la pâtisserie et fit signe de partir. Il verrait Antoine un jour prochain.

Quelques oiseaux se précipitèrent sur le bout de gâteau, qu'ils picorèrent goulûment avant d'être chassés par un renard. Le goupil s'était aventuré jusqu'en ville, comme beaucoup d'autres, poussé par la faim. Il lapa les dernières miettes, qui se mélangèrent à la terre et la neige sous chaque coup de langue. Un carrosse s'arrêta près de lui sans qu'il ne s'en émeuve. Il regarda les occupants en descendre et continua à fouiner en quête de nourriture en les observant du coin de l'œil jusqu'à ce qu'ils fussent partis, puis pénétra dans un verger qui lui semblait engageant.

— Avez-vous vu ce renard ? s'émerveilla Paul en posant sa malle à l'entrée du salon. Il était si proche qu'on aurait pu le caresser !

Michèle était heureuse de vivre ce moment qu'elle avait maintes fois imaginé. Son frère était libre.

— Dommage que mon avocat n'ait pas pu venir, c'est à lui que je dois de me trouver ici, dit-il en visitant la pièce avec la curiosité d'un enfant. À vous aussi, ajouta-t-il. Je sais tout ce que vous avez fait pour moi.

Il serra fermement les deux mains de Michèle.

— Et nous allons apprendre à nous connaître, ma sœur, je vous promets de rattraper le temps perdu. Qui est cet homme ? s'inquiéta-t-il alors qu'un inconnu, armé d'une épée, venait de traverser le couloir.

— Un garde du corps, qui m'accompagne partout. Je vous expliquerai. Mais nous n'allons pas avoir beaucoup de temps, monsieur mon frère, vous quittez la ville dans quelques jours.

Paul manifesta sa surprise.

— Ne rentrons-nous pas à Paris ensemble ?

Michèle évoqua la pièce de théâtre pour laquelle elle s'était engagée.

— Et je ne vous cacherai pas que l'amour m'a décoché une flèche inattendue, ajouta-t-elle.

— Votre logeur, mon sauveur ? demanda-t-il en cherchant une bague de promesse à ses doigts, sans rien trouver.

Elle le remarqua et détourna la conversation.

— Vous devez avoir faim. Nous avons préparé à manger.

— Je suis affamé ! proclama-t-il en se frottant les mains. Mon premier repas d'homme libre !

Antoine rentra en milieu d'après-midi alors que Michèle faisait à Paul la lecture de l'article le concernant dans *Le Nouveau Glaneur*. Elle ne lui avait jamais vu le visage aussi fermé. Il salua Paul sans aucune chaleur et entraîna doucement Michèle à l'écart.

— Pouvez-vous me laisser seul avec votre frère ?

— Mais...

Michèle chercha en vain une explication dans le regard de son amant, puis sortit sans un mot.

— Je vous le demande, c'est important, mon amour, dit-il pour la rassurer.

Il fit tourner la clé pour s'assurer que personne ne viendrait l'interrompre.

Paul était devant l'âtre à réchauffer ses précieuses mains.

— Grâce à vous, elles vont enfin retrouver leur vocation, dit-il en accompagnant sa phrase du plus grand sourire qu'il pouvait arborer. Je ne sais comment vous remercier, mais sachez que je vous rembourserai jusqu'au dernier louis, vous avez ma parole.

— Je ne veux pas de votre argent, répondit sèchement Antoine.

Le ton de l'avocat surprit le jeune homme.

— Que se passe-t-il, maître ?

— Vous vous souvenez que tous les doigts de la main droite de M. Labé étaient cassés, n'est-ce pas ?

L'évocation de la victime mit Paul mal à l'aise.

— J'aimerais tellement pouvoir oublier, maître. Il avait frappé si fort.

— Moi aussi, si vous saviez. Il se trouve que, lors de ma tentative avortée à l'Hôtel-Dieu, j'ai appris un élément que j'avais complètement négligé.

— Je ne comprends pas. Que voulez-vous dire ?

Antoine fit un aller et retour à la fenêtre comme pour vérifier que personne ne les épiait et revint devant Paul pour planter ses yeux dans les siens.

— M. Labé était gaucher.

70

Vendredi 16 janvier

Le chien renifla la cheville d'Edmée avant de la lécher délicatement, lui arrachant un petit cri de surprise.

— Alors, il vous plaît ? demanda Marc en le rattrapant alors qu'il tentait de se faufiler sous un meuble.

— Mon Dieu, je suis plutôt surprise... dit-elle en s'approchant de son mari, qui l'avait pris dans ses bras. La dernière fois que vous avez introduit un animal à la maison, il s'est reproduit à des millions d'exemplaires et a failli nous fâcher à jamais.

— Je ne l'oublie pas, croyez-moi. Mais celui-ci est différent.

— Merci, je l'avais remarqué, marmonna-t-elle, songeant que la sensation du cocon dans sa main était encore une source de cauchemars chez elle.

Elle caressa le chien sur le front et reçut un second coup de langue.

— Il vous aime déjà beaucoup ! avança Ponsainpierre en le lui présentant pour qu'elle le porte.

Edmée recula. Elle n'était pas prête à accueillir n'importe quelle bête dans sa maison.

— Ce n'est pas n'importe quelle bête, c'est le chien du miracle !

Marc l'avait acheté au marin qui l'avait sauvé de la noyade. L'animal, échappé de la glace du Rhône, était devenu célèbre dans toute la ville et il ne se passait pas une journée sans que des citoyens ne viennent toquer à sa porte pour toucher le chien porte-bonheur. Le marin avait d'abord eu des ennuis avec le clergé local, puis avec les autorités dès lors qu'il s'était avisé de vouloir faire payer les importuns.

— Je suis arrivé au moment où il voulait s'en débarrasser et je l'ai eu pour une somme modique. Il nous portera chance, vous verrez.

Edmée dévisagea le bâtard. De petite taille, il arborait une parenté évidente avec les chiens de berger. Le poil noir était dru, les oreilles droites et pointues, le museau court et fort et la truffe s'ouvrait sur de larges narines. L'animal semblait sourire en permanence. Une bande de poils blancs traversait sa tête, la coupant en deux par le milieu.

— Le marin a prétendu qu'elle était apparue à la suite de son plongeon dans l'eau glacée, mais je ne m'y fierais pas, indiqua Marc en le lâchant maladroitement alors qu'il se débattait pour sauter.

Le chien chuta sur le dos et eut du mal à reprendre son équilibre sur ses pattes.

— Il est moins habile que mes halabés, constata Ponsainpierre. Je vous avouerai qu'il s'est un peu nourri à la cuisine tout à l'heure.

Lorsque Marc était arrivé rue Belle-Cordière, un fiacre de la ville était garé devant chez lui. Michèle, après avoir attendu Paul à sa sortie de prison, l'avait déposé à sa chambre où il avait préféré rester seul pour rassembler ses affaires. Elle n'avait pas insisté, rassurée de ne pas avoir à affronter l'endroit du drame, et avait rendu visite à Edmée pour organiser la prochaine séance du cercle, où elle était invitée à venir lire des extraits de *La Part de l'aube*. Marc avait enfermé le chien à l'office, en attendant de pouvoir faire sa surprise, et avait rejoint les deux femmes au salon où il avait partagé sans regimber l'eau chaude infusée de feuilles au goût d'herbe amère pour laquelle elles montraient une si grande considération. *Encore une preuve de mon attachement dont elle ne saura jamais rien*, avait-il songé en se retenant de le lui faire remarquer. Le cocher, bien que payé pour la matinée entière, s'était impatienté plusieurs fois, ce qui avait permis à Marc d'aller vérifier l'état de l'animal, attaché à un des pieds de la table de la cuisine, et d'y boire un verre de vin pour se débarrasser de la rémanence du thé. À la troisième visite, il avait trouvé l'animal ficelé contre le pied en bois à force d'avoir tourné autour. Il l'avait délivré, provoquant des jappements et aboiements qu'il n'avait pu réprimer qu'avec l'aide d'une cuisse de poulet froid, dont il aurait à justifier la disparition auprès de la cuisinière tatillonne. Edmée s'était inquiétée des cris poussés et avait toqué à la porte de l'office, d'où il avait jailli en prétextant une vilaine toux. Heureusement, Paul avait fini par sortir sa malle en fin de matinée et l'avait hissée sur le toit du carrosse. Michèle et lui étaient partis sans un regard pour la façade aux fenêtres clouées. Ponsainpierre avait enfin pu offrir sa surprise à sa femme. Il avait calé le chien contre lui, avait nettoyé sa gueule grasse à l'aide de sa manche de chemise et l'avait recouvert des pans de sa veste avant de rejoindre Edmée dans le salon.

Le bâtard se faufila sous un meuble d'où il sortit la tête pour les regarder alternativement l'un et l'autre sans s'arrêter.

— Je crois qu'il nous a déjà adoptés, admit-elle. J'accepte qu'il reste avec nous, Marc. Mais au clos Billion. Pas ici, rue Belle-Cordière. Nous n'avons pas de place pour une bête. Juste pour un mari repentant, ajouta-t-elle en se retenant de rire.

Ponsainpierre ne chercha pas à convaincre sa femme. Il avait acheté l'animal sur un coup de tête, comme porte-bonheur, et prenait seulement conscience qu'un chien vivant était plus encombrant qu'une patte de lapin naturalisée.

— Je suis heureux que vous acceptiez, dit-il sans tenter de répondre à son trait d'esprit. Il sera un bon gardien à Fourvière. Je lui apprendrai à aboyer dès que quelqu'un empruntera l'escalier.

— Pourquoi faut-il toujours que vous trouviez une utilité à tout ? s'amusa-t-elle.

— Parce que je ne suis pas capable, comme vous, d'animer un cercle où l'on parle de littérature et de philosophie. Ce sont des matières hors de ma portée.

Son admiration pour sa femme était sincère. Il se considérait comme un rustre ayant eu la chance d'épouser une Calliope.

— Ne vous mésestimez pas, mon époux. Vous êtes un homme de bien. Même dans vos errements.

— Justement, j'avais quelque chose à vous montrer, dit-il en sortant de son sac un petit coffret de bois peint. Le résultat de mes errements, confirma-t-il en le lui tendant. Je suis le magicien qui a transformé des toiles d'araignées en mitaines pour la reine, ajouta-t-il face au regard méfiant d'Edmée.

Elle ouvrit le couvercle et se mit devant la fenêtre pour les admirer. Les gants, d'une maille fine et serrée, étaient d'un jaune du même éclat que l'or et aux reflets changeants. Les armes de la maison de France avaient été représentées sur le dos, ainsi que des motifs floraux.

— Allez-y, enfilez-les. Elles sont solides comme une cotte de mailles.

— Impossible, lui dit-elle en lui rendant le coffret. J'ai vu le fil sortir de l'anus de ces monstres, j'en ai encore des frissons !

Ponsainpierre n'insista pas.

— M. Parmentier m'introduira auprès de Sa Majesté, dit-il en reprenant son trésor.

— Je suis fière de vous, sachez-le, fière de ces magnifiques mitaines, et de vous avoir vu boire ce thé, tout à l'heure. Je sais à quel point vous détestez ce breuvage.

— Moi qui craignais que vous ne l'ayez pas remarqué... commença Marc alors qu'elle s'était agenouillée pour observer l'animal. Que se passe-t-il ?

— Il y a quelque chose d'étrange avec ce chien, constata Edmée.

Le bâtard ne savait quelle contenance adopter. Sa queue frappait le dessous du meuble dans un bruit de tambour.

— Je sais : il louche ! affirma-t-elle en se redressant.

— Comment cela ? s'inquiéta-t-il en s'accroupissant à son tour devant l'animal, dont les battements de queue s'accélérèrent.

— Regardez son œil gauche.

— Diable ! Il est tourné vers la droite. Et pas l'autre : il regarde l'horizon ! confirma Marc, qui l'avait saisi pour vérifier.

— De plus, votre bête sent l'alcool, ajouta Edmée.

— Non, ma mie, c'est l'odeur du poulet qu'il a mangé.

— Tiens ? Depuis quand les poulets se saoulent-ils avant d'être décapités ? Serait-ce le verre du condamné ? Il empeste la vinasse, assura-t-elle.

Marc renifla la gueule du bâtard, qui en profita pour lui lécher le nez.

— Quelle horreur, mais vous avez raison !

— Serait-ce là le miracle de ce chien? continua Edmée, que la situation amusait. N'est-il pas sorti d'un tonneau du Beaujolais plutôt que des flots du Rhône?

L'animal avança de plusieurs pas en titubant, trébucha sur ses pattes avant, tomba, se releva et vomit une mousse jaunâtre dans un grand bruit de succion.

— Là, c'est le poulet, constata-t-elle. Vous aviez raison sur ce point, mon mari.

La gêne avait couvert le visage de Marc d'un voile de chaleur.

— Je crois savoir ce qui est arrivé, dit-il, honteux comme un enfant pris sur le fait.

Ils descendirent à l'office où Marc découvrit que la bouteille de fleurie, dont il avait bu un verre, avait roulé de la table sous les secousses du chien attaché. De la flaque d'alcool ne restait plus qu'une auréole brune de tanins séchés. Le reste avait été lapé consciencieusement.

— C'est à cause du thé, plaida-t-il dans un raccourci obscur.

Un bruit de chute leur parvint de l'escalier. Une boule noire passa en roulé-boulé devant la porte de la cuisine. Puis le bâtard entra, le pas mal assuré, avant de lâcher un aboiement plein de fierté.

71

Vendredi 16 janvier

Michèle était inquiète. Alors que la nuit avait rejeté le jour vers des contrées lointaines, Antoine et Paul étaient toujours enfermés dans le salon. Plusieurs fois, elle s'était rendue à la porte, avait toqué, appelé, actionné la clenche. Elle restait fermée à clé. Le garde du corps lui proposa une soupe, qu'elle refusa. Il but à même la louche, mit son épée dans son fourreau et prit du pain.

— Je vais inspecter les environs pour la nuit, dit-il en mastiquant le morceau qu'il venait de rompre.

Michèle lui répondit distraitement et ne le vit même pas sortir.

L'homme parcourut le jardin arrière, une torche à la main, inspectant méticuleusement chaque carré, jusqu'au mur d'enceinte qui donnait sur la rue Sainte-Hélène. La neige facilitait son travail: aucune trace n'était visible, à part celles reconnaissables des oiseaux, des petits rongeurs et d'un renard aventureux. Il remonta jusqu'à l'avant de la maison et fit quelques pas rue Sala. La place était déserte et silencieuse. La lune, délivrée des nuages, faisait office de réverbère. Le garde du corps marcha jusqu'au couvent tout proche, où aucune lumière n'était visible et dont seul le toit de la chapelle dépassait de l'austère façade percée de rangées de fenêtres étroites. *Plus le secret est grand, plus la muraille est épaisse.* Il n'aimait pas le mystère dont se paraient les congrégations religieuses à l'abri de grands murs. Tant de rumeurs couraient sur elles.

Il fit demi-tour. Sa ronde était achevée. Arrivé devant la maison, il s'arrêta un instant alors que le salon, éclairé par des chandeliers, était visible depuis la rue. Antoine et Paul avaient une conversation animée. *La première nuit de liberté doit avoir un goût étrange*, songea-t-il. L'homme éteignit son brandon dans la neige pour le plaisir d'entendre le chuintement du bois incandescent et fit des moulinets avec le bâton jusqu'à son retour à l'intérieur.

Paul manifesta son incompréhension d'un geste de désarroi. Depuis près d'une heure, il se débattait, se défendait, se retrouvait dans la peau de celui qu'il venait de quitter la veille : un suspect. Il quémanda un peu de chaleur à la cheminée, le temps de retrouver une apparence de calme alors qu'un vent violent balayait l'intérieur de son crâne, puis se retourna vers Antoine.

— Je ne comprends pas, maître. Vous me posez les questions auxquelles vous-même avez répondu hier. Nous avons convaincu la cour, nous avons convaincu la ville.

— Il aurait dû vous frapper de la main gauche, insista Antoine. Vous ne m'avez pas dit la vérité sur ce qui s'est passé.

Paul soupira bruyamment.

— Pour quelle raison ne l'aurais-je pas fait ?

— À vous de me l'expliquer.

— C'est à devenir fou ! s'emporta le jeune homme. Quand j'ai pris ces coups, croyez-vous que j'aie observé quelle était la main qui me les donnait ? Je me suis protégé, mes doigts, mon visage, j'ai tenté de me dégager, de me défendre, mais je ne suis pas un combattant ! Quand j'ai enfin pu m'accrocher à lui, je ne l'ai plus lâché, je voulais qu'il cesse, qu'il arrête, j'ai serré de toutes mes forces sans me rendre compte que je l'étranglais !

Il s'était levé et avait parlé avec force, puis s'était tu. Ses yeux parcouraient leurs orbites de mouvements rapides comme pour chasser les images qui semblaient déferler.

— Mais pourquoi vous dis-je tout cela ? reprit-il. Vous le savez aussi bien que moi. Pourquoi me torturez-vous ainsi ? Je suis si fatigué. Plus de questions, par pitié, plus de questions !

Ils restèrent un moment silencieux. Dans le couloir, les pas anxieux de Michèle s'éloignèrent.

— Où êtes-vous allé ce matin ?

La voix d'Antoine était douce, le ton suffisamment neutre pour ne pas heurter, mais d'une froide détermination.

— J'étais avec ma sœur et je suis allé récupérer les affaires dans ma chambre.

— Cela, je le sais. En revanche, vous en êtes sorti et n'y êtes revenu qu'une demi-heure plus tard, assura Antoine, le regard attiré par le garde du corps qui rentrait chez lui pour la nuit.

— Non. Je n'ai pas bougé, affirma le musicien.

— Paul, je ne vous demande pas si vous êtes sorti...

Antoine se tut pour fermer le rideau de la fenêtre.

— ... mais où vous vous êtes rendu pendant que le cocher du fiacre numéro huit vous attendait.

— Ainsi donc, vous m'espionniez ? C'est cela ? rétorqua Paul en tirant machinalement sur les revers de sa veste.

Il avait du mal à contenir sa nervosité face à la suspicion de son propre avocat. Il se massa la commissure des lèvres. Le geste l'apaisait habituellement, lorsqu'il sentait la colère monter, pour éviter qu'elle ne l'envahisse. Il fixa du regard l'ambre apaisant des braises jusqu'à se savoir délivré d'une émotion qu'il connaissait bien et qu'il tentait de contrôler depuis son adolescence. Il se détourna de la cheminée et parla d'une voix calme et claire.

— J'ai eu besoin de marcher, de ressentir le vent sur mon visage, l'air frais, cette odeur de la liberté dont vous n'imaginez même pas ce qu'elle manque quand on en est privé, quand la seule ouverture sur le monde n'est qu'une petite plaie dans le mur, pas assez large pour que les odeurs du dehors puissent s'introduire. J'ai eu besoin de marcher plus de cinq pas sans me trouver face à la pierre ou une grille. Cinq pas, vous rendez-vous compte ? Alors j'ai compté, dix, puis cinquante, puis cent. J'ai marché dans la ville, je me suis grisé de cette sensation. J'ai couru, mes poumons me brûlaient, mon souffle me faisait défaut, mais quelle extraordinaire sensation ! Voilà ce que j'ai fait. Est-ce un crime ?

— Assurément non. Peut-être même avez-vous volé, plus que couru, puisque vos chaussures étaient à peine mouillées quand vous êtes revenu. Peut-être votre tête est-elle en bois car des échardes s'étaient plantées sur les phalanges cassées de M. Labé.

Antoine s'était approché du jeune musicien.

— Je suis retourné voir le chirurgien de l'autopsie, ajouta-t-il. Il y a certains détails qu'il trouvait insignifiants et qu'il n'avait pas notés dans son compte rendu. Dès le départ, vous m'avez entraîné vers la voie où vous vouliez que je m'engouffre, vous avez inventé cette histoire de rixe, mais c'était un guet-apens. Aujourd'hui, je l'ai compris. Aujourd'hui, je sais que j'ai fait libérer un meurtrier.

— C'était une rixe ! cria Paul, effrayé de sentir l'incontrôlable colère sourdre à nouveau. Un accident !

Il tenta de cacher le léger tremblement de ses doigts, il sentit la tension contracter ses joues de mouvements involontaires, ses lèvres se crisper.

Antoine l'avait remarqué. Il devait aller jusqu'au bout, s'insinuer dans cette faille pour lui faire avouer son secret.

— Je ne sais pas quel était votre motif, continua-t-il. Je ne pense pas que vous lui ayez subtilisé les deux cents écus, ils étaient la seule preuve à charge contre vous. Vous êtes trop intelligent pour vous passer vous-même la corde au cou. Cet homme se comportait mal avec tous ses locataires, mais personne n'a jamais tenté de l'agresser. Il y a autre chose, j'en suis convaincu. Dites-moi ce qui s'est passé.

Les tics s'accentuèrent. Paul avait peur de ses propres réactions, peur de ne plus se contrôler. Seule la parole pouvait l'aider à éviter le pire. Il lutta une dernière fois avant de se laisser emporter par la colère qui succédait toujours à un insupportable sentiment d'injustice :

— Monsieur mon impassible avocat ! Monsieur mon irréprochable conseil ! Mais regardez-vous ! Regardez où vous vivez ! Que savez-vous de la misère ? Que savez-vous de la faim ? Des morsures du froid que rien ne soulage ? Moi je les ai côtoyées, moi je les ai subies, moi, elles m'ont violenté ! Je ne vous permets pas de me juger. Je vous l'interdis, vous m'entendez ? Je vous l'interdis ! répéta-t-il en pointant son index devant le visage d'Antoine.

Paul n'arrivait plus à maîtriser ses émotions. La parole avait atteint ses limites. Dans un accès de rage, il frappa du pied une chaise, qui resta debout. Il s'en empara et la heurta contre le mur, plusieurs fois, jusqu'à ce qu'elle éclate.

— Très bien, dit-il en jetant les deux pieds qui étaient restés dans ses mains. Vous voulez savoir ce qui s'est passé ?

— Oui, répondit Antoine en haussant le ton. Libérez-vous !

Derrière la porte, Michèle les appelait, inquiète du bruit et des cris.

— Vous voulez ? Vous le voulez vraiment ? hurla-t-il, indifférent aux suppliques de sa sœur.

— Maintenant, parlez, insista Antoine. Parlez !

Paul s'écroula sur le sol, vidé de son énergie. Sa violence avait disparu aussi soudainement qu'elle s'était déclenchée.

— Ce n'était pas un guet-apens, je le jure devant Dieu. À vous, je vous le dois. À vous seul. Après tout, vous m'avez tiré d'affaire.

Antoine s'assit à côté de lui. Le jeune musicien se sentait exténué mais soulagé de confier enfin le secret qui le dévorait. Ils faisaient face au mur d'entrée, dont les vantaux étaient moulurés de figures dorées encadrant des angelots qui lui rappelaient ceux de sa chambre d'enfant. De l'autre côté, dans le couloir, Michèle pleurait.

La porte n'était pas fermée à clé. Lorsque M. Labé entra, Paul finissait sa toilette, torse nu devant un baquet d'eau froide.

— Vous devriez la verrouiller plus souvent, dit le propriétaire en guise de bonjour. Je ne voudrais pas qu'un vagabond vienne dérober des objets dans mes appartements ou s'installer dans le lit.

Paul eut un regard appuyé sur la couche : la paillasse était moisie en maints endroits et, malgré les draps qui la recouvraient, il en respirait l'odeur toutes les nuits.

— Asseyez-vous, indiqua-t-il d'un geste indolent.

L'homme préféra rester debout.

— J'ai l'argent du loyer, ainsi que ceux en retard.

M. Labé était nerveux. Sa canne frappait machinalement le sol en rythme.

— Fort bien, fort bien, lâcha-t-il. Cela m'aurait ennuyé de devoir vous demander de quitter les lieux.

— Il ne manque que huit louis, que je viendrai vous apporter moi-même ce soir après mon cours de musique.

Les battements de canne cessèrent.

— Cela m'aurait étonné, Férrère ! Pourquoi n'êtes-vous jamais capable de payer en temps et en heure ? Vous m'êtes en permanence redevable. Cela n'est bon ni pour vous, ni pour moi.

Il maugréa quelques paroles inaudibles.

— Soit. Vous me les apporterez ce soir, sans faute.

La canne reprit son manège. Sans se presser, Paul enfila sa chemise, qu'il rentra dans sa culotte. Il prit la bourse qu'il avait préparée, fit tinter les pièces en l'agitant et la lança à M. Labé.

Le propriétaire ne releva pas l'attitude cavalière de son locataire. La bourse disparut dans une escarcelle accrochée à sa ceinture. En tissu épais, elle présentait des motifs brodés et des cordons cousus de perles.

— N'auriez-vous pas trouvé un objet à moi récemment ? demanda M. Labé en fermant sa veste devant le regard insistant de Paul sur son porte-monnaie.

Le musicien avait remarqué que le motif représentait saint Camille de Lellis.

— Qu'avez-vous perdu ? Un jeu de cartes ?

Sa réflexion sembla perturber M. Labé.

— Vous vous promenez avec un portrait du protecteur des joueurs, ce n'est pas difficile à comprendre, expliqua Paul.

— Bel esprit de déduction, jeune homme, admit le propriétaire, impressionné. Je crois que je devrais être plus prudent. Mais il ne s'agit pas de cela. J'ai égaré une reconnaissance provisionnelle.

— Pour des billets de loterie ?

— Peu importe. Je l'ai perdue lundi.

— Comment pourrais-je vous aider, vous n'êtes pas venu me voir lundi ?

La gêne du propriétaire se fit visible. L'homme avait perdu de sa morgue.

— J'étais dans cette maison et j'ai... disons... j'en ai profité...

Les paroles de M. Labé s'embourbaient dans sa bouche.

— Vous êtes entré dans ma chambre ! s'exclama Paul, qui venait de comprendre.

— Hé, c'est aussi chez moi ! répondit vivement son logeur. Il m'arrive de visiter mes appartements pour vérifier que tout va bien, voilà la raison !

— Vous êtes entré chez moi... répéta Paul, interloqué.

— Qu'importe. J'ai fait plusieurs visites et ce papier est tombé de ma poche. J'ai cherché partout et il n'y a plus que votre appartement où il puisse être. Peut-on regarder ? dit-il en se penchant sous le lit.

— Faites, répondit Paul en prenant le baquet. Pour une fois que vous me demandez la permission, pourquoi la refuserais-je ?

Il sortit dans la rue jeter l'eau sale et tenter d'évacuer la tension qui montait en lui. Lorsqu'il revint, M. Labé était en train de fouiller sa malle de vêtements.

— Mais qui croyez-vous être pour vous permettre tout cela ? lâcha Paul en se contenant difficilement.

— Votre propriétaire, répondit distraitement le sieur Labé. Il n'y a rien là-dedans, ajouta-t-il en se relevant.

Il balaya la pièce du regard, refaisant mentalement son parcours.

— Je ne vois vraiment pas où... marmonna-t-il.

Paul referma le couvercle du coffre resté ouvert et tenta de trouver des raisons de ne pas réveiller la colère qui sommeillait toujours en lui. Il avait devant lui trois mois de tranquillité, ce qui lui donnait le temps de trouver une autre chambre. Il pourrait supporter la condescendance de son logeur d'ici là. Le sentiment d'injustice s'évacua peu à peu.

— Essayons là, indiqua M. Labé en montrant l'espace entre la malle et le mur. Elle a peut-être glissé dans l'interstice.

Ils déplacèrent le coffre en le tirant par les poignées.

— Regardez, j'ai trouvé ! s'écria l'homme en désignant un papier plié qui baignait dans un nid de poussière.

Il s'en empara et l'ouvrit.

— Qu'est-ce que c'est ? dit-il en accompagnant sa question d'une grimace.

— La partition que je croyais avoir perdue ! s'exclama Paul en la lui prenant des mains. Je l'avais reçue de mon ancien maître de musique de Paris. Votre visite aura eu quelque utilité, ajouta-t-il.

— Cela est très ennuyeux, elle doit pourtant bien être ici, insista l'homme.

— Dans ce cas, je la retrouverai bientôt, assura Paul, il y a moins de caches que dans le palais de Versailles. Quant aux huit louis, je vous les apporterai ce soir. Et je vous prierai de ne plus revenir avant la prochaine échéance.

— Et moi je vous invite à mieux tenir votre chambre, sinon je la ferai nettoyer et en déduirai les frais, dit M. Labé, vexé du ton du jeune homme.

Paul ne faisait plus attention à son logeur. Il prit le dernier cahier d'une pile posée sur sa table et y glissa la partition retrouvée. L'ensemble, en équilibre instable, s'écroula en s'étalant sur le plan de travail.

— Ne serait-ce pas ce que vous cherchez ? demanda le jeune musicien après avoir tiré un papier d'entre deux livres.

M. Labé le décacheta et consulta la liste des numéros sur lesquels il avait parié.

— C'est une bonne pioche ? interrogea Paul, qui avait remarqué l'arrondi de ses yeux à la lecture.

— Quelques écus, sans doute de quoi rejouer, dit-il en les fourrant dans sa poche.

— Allons, quand j'ai vu votre regard s'allumer, j'ai cru que vous alliez crier. Vous vous êtes retenu. Il y avait quatre numéros. Vous avez trouvé le quaterne, c'est ça ?

— Non, vous dis-je, s'énerva M. Labé. Et je vous interdis de colporter une telle stupidité. Est-ce clair ?

— Alors pourquoi gardez-vous votre main dans votre poche ? persista Paul. Auriez-vous peur qu'il ne s'en échappe une nouvelle fois ? Me prendriez-vous pour un sot ?

— Je vous fais grâce des derniers louis que vous me devez, nous sommes quittes pour cette fois, d'accord ? Où est ma canne ?

— Vous me traitez comme un simple d'esprit, voilà ce que je suis à vos yeux et à ceux de votre espèce : juste bon à vous payer une somme effarante pour un cachot en pleine ville ! Fichez le camp !

M. Labé avait reculé d'un pas, puis s'était ravisé alors que Paul tentait de mettre de l'ordre sur son plan de travail.

— Écoutez, mon ami, cette reconnaissance ne représente qu'une petite somme, deux numéros liés, juste un ambe simple. Mais je me propose de vous dédommager pour m'avoir aidé à le retrouver, dit le propriétaire, que l'attitude de son locataire inquiétait. Je vous ferai parvenir cinquante louis pour cela. En même temps, je compte sur votre discrétion, je ne veux pas être importuné par des quémandeurs de toutes sortes. Je suis sûr que vous me comprenez. Et où est cette fichue canne ?

— Mais qu'importe cette canne ! cria Paul en frappant du poing sur la table.

Le propriétaire sursauta. Paul lui fit soudainement peur. Il tourna les talons et se pressa de sortir. Il était trop tard. La colère était revenue par surprise submerger Paul. Elle était sa maîtresse.

Il claqua la porte que M. Labé venait d'ouvrir et l'obligea à se tourner vers lui.

— Je ne supporte plus votre mépris, je ne supporte plus votre arrogance, je ne supporte plus votre suffisance envers moi !

M. Labé le poussa fermement et se retourna pour sortir. Sa main n'eut pas le temps d'atteindre la clenche. Paul l'avait ceinturé et l'entraîna avec lui sur le sol. L'homme se débattit et tenta de donner des coups de coude et de pied. Paul serra pour l'en empêcher. Il serra de toutes ses forces.

— Pourquoi est-ce vous qui avez gagné à la loterie ? Vous avez trouvé le quine ! Pourquoi vous ? Pourquoi pas moi ?

M. Labé s'épuisait et ses tentatives manquèrent rapidement de puissance. Paul maintenait sa pression, les deux bras plaqués contre le thorax et le cou de son propriétaire, les jambes repliées sur ses cuisses.

— Pourquoi est-ce vous qui vivez dans la richesse et moi dans la misère ? Qu'avez-vous fait pour cela, à part être né ? Qu'avez-vous fait ?

La bouche de M. Labé émit un étrange râle. Sa voix était devenue cancanement. Sa dernière supplique resta incompréhensible. Son corps se détendit.

Paul continuait de l'étrangler. De l'invectiver. De laisser sa haine s'exsuder.

Lorsqu'il lâcha prise, la tête de M. Labé vint frapper contre son épaule dans un angle improbable. Il fit basculer le lourd corps inerte sur le côté.

— Mon Dieu, qu'ai-je fait ?

Il se leva en titubant. Ses muscles étaient tendus et douloureux.

— Qu'ai-je fait ? répéta-t-il en regardant le visage au teint devenu grisâtre.

Les yeux de M. Labé étaient exorbités, sa bouche grande ouverte, la mâchoire déboîtée. Paul refoula un cri et resta un instant hébété. Ses pensées, d'abord anarchiques, se mirent en ordre de bataille. Il allait être arrêté. Inculpé. Condamné. Il ne méritait pas un tel destin. Ce n'était pas sa faute, c'était sa colère la responsable, c'était elle la coupable, il en était la première victime. Il ne devait pas fuir. Il était une victime.

Paul trouva la canne, qui avait roulé sous le lit, tendit le bras droit de M. Labé et déplia ses doigts.

— Non, pas ma main ! Pas ma main ! hurla-t-il pour être entendu du dehors.

Il frappa plusieurs fois. Il entendit les articulations craquer. Il frappa, frappa encore. Puis retourna le bâton contre lui. Plus il se frappait, plus il se maudissait, plus sa rage contre lui-même, contre son propriétaire méprisant, contre son père absent, contre le monde indifférent grandissait.

La douleur se diffusa rapidement dans sa chair. Elle chassa la colère. Il s'agenouilla en gémissant. Il avait mal. Aux bras, au dos, aux côtes, à la tête.

Il rampa jusqu'au cadavre et fouilla dans sa poche, prit les billets, défit sa ceinture de tissu pour les emballer et les cacha sous une des lattes du plancher. Il s'allongea près de son propriétaire. Il avait froid, ses oreilles bourdonnaient, son cœur cognait dans ses tempes et son sang collait aux vêtements.

Paul n'attendit pas longtemps. Les voisins venaient d'entrer avec le garde de quartier. Sa folie, tel un serpent, avait regagné sa tanière au fin fond de son être.

Antoine n'arrivait pas à détacher son regard du visage d'ange de Paul. Il l'avait écouté sans l'interrompre, éprouvant alternativement du dégoût, de la pitié et une certaine forme d'admiration. À dix-neuf ans, le gamin avait berné tout le monde. Paul se leva et déposa une bûche sur les braises endormies.

— Parfois je pense que je suis possédé par le Démon, dit-il en regardant les flammes danser sur le corps du bois. Mais quand je joue du clavecin, quand je me donne à la musique, je suis l'instrument de Dieu. De cela je suis sûr.

— Ce matin, vous avez échangé la procuration contre le billet au bureau du receveur pour pouvoir toucher le gain, n'est-ce pas ? demanda Antoine, qui l'avait rejoint.

— Cet argent me revient. J'ai suffisamment souffert, répondit Paul sans cesser de contempler le feu ardent.

— Pas comme cela, pas ainsi, Paul !

— Je n'ai rien prémédité. Je n'ai pas intrigué, se défendit-il en enfilant son *gambeto*. Qu'allez-vous faire ? Me dénoncer ?

La question taraudait Antoine depuis qu'il avait compris la culpabilité du jeune musicien. Il avait fait son travail en le faisant acquitter. Le reste lui échappait. Mais si Paul en venait à recommencer, il s'en sentirait responsable.

— Combien avez-vous gagné ? demanda Antoine. C'était un ambe simple ?

Paul eut un sourire ingénu :

— Un quaterne. Il avait parié deux louis.

— Dieu du ciel !

Antoine avait fait un rapide calcul. Le gagnant du quaterne touchait soixante-dix mille fois sa mise.

— Cent quarante mille louis d'or, confirma Paul avec désinvolture.

Il enroula sa large ceinture sur le *gambeto* et la noua.

— Ne cherchez pas le billet, je l'ai mis en sûreté. Je l'encaisserai une fois arrivé à Paris, ajouta-t-il. Labé n'avait pas noté son nom dessus. Juste « Si Dieu le veut ». Étrange parole du destin, remarqua-t-il sans aucune affectation.

— Vous m'avez trahi, vous nous avez tous trahis, Paul. Vous ne méritez pas l'attention que votre sœur vous a portée.

— Non, pas de ce charabia, pas vous ! Dieu m'a mis à l'épreuve si longtemps, maintenant il me rend ce qu'il me doit. Grâce à vous. Et vous n'y avez pas perdu dans l'affaire, dit-il en allusion à Michèle.

Antoine chercha dans le regard du jeune homme une explication rationnelle à son attitude et n'en trouva pas. Il possédait une personnalité complexe, à la fois victime et bourreau, charmeur et dépourvu d'empathie et de compassion. *Un être sur le fil, entre ange et démon*, songea Antoine en l'observant décortiquer une noix qu'il avait cassée à la main. Paul pela délicatement les cerneaux et, se sentant observé, sourit à Antoine en lui en proposant. Il avait définitivement évacué toute idée de culpabilité.

— J'espère que la musique saura vous guérir de vous-même, dit Antoine avant de déverrouiller la porte. Mais Dieu, lui, ne peut plus rien.

Michèle n'était plus dans le couloir. Elle était montée dans la chambre et s'était endormie tout habillée sur le lit. Antoine s'allongea contre elle. Dans un demi-sommeil, elle prit son bras, qu'elle serra sur son ventre. Il enfouit son visage dans la douce senteur florale des cheveux de son amante.

À cinq heures, Antoine était toujours éveillé. Il entendit Paul traîner sa malle et sortir de la maison. Il allait rejoindre le coche d'eau pour Châlons.

CHAPITRE XI

Janvier 1778

72

Dimanche 18 janvier

Trente-trois se releva, recula et mit les poings sur ses hanches pour admirer son travail. Il était en sueur, le visage rougi par l'effort. Ses cheveux étaient parsemés de copeaux de bois et de projections de peinture. Lui et ses coéquipiers s'étaient mis à l'œuvre peu avant la nouvelle année et, en trois semaines, avaient réussi à finir de construire leur barque pour la joute à venir. La bèche faisait douze pieds de long, la même taille que la lance qu'il utiliserait pour viser le pavois de son adversaire et l'envoyer à l'eau. Elle rutilait, habillée de sa peinture blanche, cajolée par les marins qui, bientôt, allaient redevenir la glorieuse équipe qu'ils avaient formée. Pas un ne manquait, aucun ne s'était éloigné des quais de la Saône pendant ces années sans fête des Nautes, aucun n'était décédé de maladie ou des risques du métier. Tous étaient des modères, marins qui tiraient les bateaux à la force des mains entre les différents ponts de Lyon et dont la corporation formait le gros des effectifs de la Compagnie des jouteurs. Trente-trois les regarda l'un après l'autre, affairés aux finitions, à poncer les bancs, à peindre leurs rames en rouge sang, eux, les douze rameurs qui donneraient la vitesse d'un cheval au galop à l'embarcation et Querré, son vieil ami, qui les piloterait vers la barque adverse jusqu'à la frôler.

Querré, où est-il, celui-là ? se demanda Trente-trois en le cherchant des yeux. Le modère n'était plus dans le hangar. *Sans doute parti se chercher à boire*, se rassura-t-il. Il s'approcha de l'embarcation et toucha la siaupe, plateau légèrement incliné sur lequel il prendrait place, lui, le jouteur, qui ne doutait pas de ses futures victoires. Trente-trois vérifia la présence d'une légère bosse à l'arrière de la siaupe, devant laquelle il calerait son pied gauche pour se donner le maximum d'appui. Il lui tardait d'être au 1er mars.

L'argent de l'inspecteur Marais avait servi à acheter la peinture au décorateur du Grand Théâtre. M. Payet avait fait une importante commande pour la pièce à venir, ce qui leur avait permis de réduire les coûts. Une fois la peinture sèche, ils pourraient procéder à la mise à l'eau et à des entraînements autres que de simples répétitions sur cales. Fort heureusement, après un début d'hiver redoutable, le redoux avait rendu les fleuves à leurs flots habituels et le tapis de neige avait disparu sous les attaques répétées des averses.

Querré entra, l'air triomphant. Il tenait en main la lance de bois comme la hampe d'un drapeau, presque à la verticale, les bras tendus devant lui.

— Venez m'aider, vous autres ! cria-t-il, le pas mal assuré alors que l'écho de sa demande se perdait dans l'immensité du hangar.

Tous cessèrent leurs activités et la lance fut descendue et brancardée avec précaution par les modères.

— Faites attention, demanda Querré en dirigeant la manœuvre. Je l'ai fait polir et lustrer par le charron Savarin, ajouta-t-il à l'adresse de Trente-trois.

Le marin le remercia d'une tape amicale, couva d'un regard amoureux la lance, dont il caressa le bois de la pointe à la poignée avant de la prendre fermement en main. Ses coéquipiers s'écartèrent. Il visa un adversaire invisible.

— Nous avons le plus bel équipage de toutes les nautes ! les harangua-t-il en levant le poing.

Les autres approuvèrent d'une seule voix.

— Le bateau le plus rapide !

Le groupe rugit une nouvelle fois.

— Et le jouteur le plus habile ! lança Querré.

Tous adhérèrent d'un cri de victoire et entourèrent Trente-trois. Il se sentait un roi. Il se sentait invincible.

— Il y a quelqu'un, dit Querré en désignant l'entrée du hangar d'un coup de menton.

Le joyeux brouhaha cessa d'un coup. Les hommes se tournèrent vers la silhouette qui se découpait à contre-jour, l'allure martiale, les deux mains posées sur sa canne.

— Messieurs, désolé d'interrompre votre touchante réunion, dit Marais en avançant d'un pas pour entrer dans la lumière des chandeliers.

— Qui est-ce ? chuchota Querré, inquiet à l'idée d'avoir été observé par la concurrence.

— T'inquiète pas, c'est un ami, souffla Trente-trois.

— Je suis son employeur, reprit Marais, qui avait tout entendu. Son maître et, accessoirement, le mécène de votre embarcation, ajouta-t-il en la désignant de sa canne.

D'un signe de tête, il indiqua au marin de l'accompagner et sortit. Trente-trois marmonna une excuse, baissa les yeux et le suivit. Il s'était cru lion et devait déjà retourner dans la meute.

Les deux hommes marchèrent en silence le long du port des Cordeliers en direction du quai de Retz. L'inspecteur aimait à entretenir la peur chez ses hommes lorsqu'il les convoquait à l'improviste. Il ne fit rien pour mettre Trente-trois à l'aise. N'osant entamer la conversation, le marin lui envoyait de temps en temps des œillades, auxquelles il ne répondait pas. Marais attendit leur arrivée au pont de la Guillotière pour s'adresser à lui.

— Tu n'as rien à te reprocher ?

— Non, maître, je n'ai rien fait, répondit-il, libéré de pouvoir enfin parler. Je n'ai rien fait de mal, je veux dire.

— Très bien, dit l'inspecteur en lui tenant l'épaule. Tu es une pièce essentielle dans mon dispositif, le sais-tu ?

— Je vous ai toujours bien servi, monsieur. Vous n'avez jamais eu à vous plaindre de moi.

— Fais en sorte que cela dure et nous y trouverons chacun notre intérêt, approuva Marais en l'entraînant vers la berge alors que le pont bourdonnait d'un trafic dense et bruyant. J'ai une mission à te confier. Une mission bien plus importante que tout ce que tu as fait jusqu'à présent.

Le cocher tapa du pied d'impatience. Son carrosse de la Compagnie des coches et diligences du Rhône, en partance pour Avignon, chargé de quatre passagers et de leurs malles, s'était arrêté sur le pont de la Guillotière à l'entrée de la tour qui, au-dessus de la huitième pile, symbolisait la frontière entre le Lyonnais et la Savoie. Le passage était étroit et de nombreuses charrettes et carrioles chargées de denrées s'y déversaient en direction des marchés du jour, des chaises à porteurs, vinaigrettes et fiacres conduisaient leurs clients à destination, des cavaliers tentaient de se frayer un chemin dans une foule compacte et sourde aux injonctions. Les voyageurs, las d'attendre, étaient descendus alors que les autres véhicules commençaient à s'accumuler derrière le carrosse, provoquant colère et invectives des conducteurs.

L'endroit était connu pour être l'accès le plus difficile de la ville et, malgré des accidents récurrents et des demandes régulières, les autorités n'avaient toujours pas démonté la tour. Le cocher se retourna pour constater que ses passagers avaient troqué leur mauvaise humeur contre une partie de lancer de cailloux. Les pierres provenaient de l'usure du parapet et les joueurs n'avaient que l'embarras du choix quant à la taille et la forme de leurs projectiles. Ils tentèrent de viser les quelques canards qui paressaient sur les éperons des piles, mais ne réussirent qu'à les faire s'envoler. Les volatiles firent une halte sur le toit de la tour carrée.

— Je mangerais bien du canard ce soir à l'auberge, fanfaronna un des voyageurs en faisant semblant de les viser. Pan ! cria-t-il, les faisant s'envoler à nouveau vers la rive droite sous les rires du groupe.

Les colverts se posèrent à quelques mètres de Marais et de Trente-trois.

— Vous avez vu les deux hommes sur la berge ? On dirait des comploteurs ! remarqua un soldat de la Grande Louveterie.

— Demande-leur d'attraper les canards, s'esclaffa son voisin.

— Les canards, attrapez les canards ! hurla le louvetier, encouragé par l'assemblée qui le rejoignit dans sa plaisanterie.

Les cris et hurlements firent se retourner Marais en direction du pont.

— Qu'ont-ils ? Qu'ont ces gens ?

— Je crois qu'ils nous demandent de nous emparer des oiseaux, répondit le marin en désignant les volatiles qui, indifférents au tohu-bohu, se partageaient un ver pêché dans la vase. C'est une expression qu'on utilise parfois ici lors des charivaris, expliqua-t-il pour atténuer l'agacement naissant de son patron.

— Et que signifie-t-elle ?

— Je ne sais pas. Quelqu'un la prononce et tout le monde reprend en criant : *Attrapez les canards !*

— Et ?

— Et c'est tout, c'est juste une scie[1]. Comme *En voulez-vous des z'homards ?* Ou *Rira, rira pas !* Vous les connaissez ? C'est drôle, non ? ricana Trente-trois.

Marais le foudroya du regard. Sur le pont, quelques dizaines de curieux s'étaient massés autour du louvetier et scandaient avec lui la rengaine en enjoignant aux deux hommes de le faire.

1. Phrase sans signification précise, répétée comme un refrain pour agacer son interlocuteur, dont la mode débuta à cette époque.

— Qu'est-ce que cette ville où l'on vénère les chiens les plus stupides, où l'on élève les araignées pour leurs toiles et où les canards font l'objet de scies ? maugréa-t-il.

Il s'était approché imperceptiblement des oiseaux et leur faisait face. Un des colverts le regarda prendre lentement sa canne par le pommeau alors que les autres continuaient à festoyer de lombrics. L'instant d'après, il était mort, le crâne fendu par un coup de bâton porté de bas en haut à une vitesse telle que personne n'avait vu le mouvement du bois.

Marais fit un moulinet. La canne finit sous son épaule. Sur le pont, les plaisantins s'étaient tus, surpris et impressionnés. Le louvetier, initiateur de la scie, se fondit dans la foule et son flux imperturbable. Les passagers regagnèrent en silence la diligence des carrosses royaux.

— Voilà ce qui s'appelle clouer le bec, foi de marin ! proclama Trente-trois en bombant le torse.

— Allons-nous-en, dit l'inspecteur, sans un regard pour la dépouille du volatile.

Ils remontèrent vers l'Hôtel-Dieu, qu'ils longèrent par l'est avant de gagner le quartier du Plat-d'Argent.

— As-tu compris ce que je t'ai demandé ? l'interrogea Marais.

Trente-trois résuma ce qu'il aurait à faire le jour du 20 janvier.

— Il y aura une très forte récompense pour toi. Mais, attention, pas de droit à l'erreur : tu dois réussir, assena l'inspecteur.

— Ne vous inquiétez pas, je connais l'endroit. Je sais comment faire.

— Cela vaut mieux pour toi. Sinon, le canard aura de la compagnie, conclut-il. Et ce ne sera pas une scie.

Une fois rentré rue des Trois-Maries, Marais vérifia les différents éléments de son plan. Il sortit du coffre de son bureau le pli scellé apporté par l'officier et le relut avec le même plaisir qu'au moment où il lui avait été remis. Signée du roi, la lettre de grand cachet demandait sur ordre de son porteur l'incarcération d'Antoine Fabert.

73

Mardi 20 janvier

Comme à son habitude, Antoine Parmentier se leva à trois heures du matin pour travailler. Il descendit à l'office de l'auberge encore endormie, raviva le feu et finit la rédaction du discours qu'il devait prononcer l'après-midi même devant l'Académie des sciences de Lyon. Il était impatient de rencontrer maître Fabert et de découvrir sa méthode d'enrichissement des farines à la poire de terre. En la combinant avec la pomme de terre, ils pourraient obtenir un pain d'une grande qualité nutritionnelle, en quantité constante, même les hivers de disette.

Vers cinq heures, la cuisinière vint lui apporter un bol de lait encore tiède de la traite. Il l'invita à s'asseoir et à partager avec lui les nouvelles de la ville de Mâcon, dernière étape de son voyage. La servante se contint, intimidée qu'un personnage aussi important, pharmacien major de l'hôtel des Invalides, qui connaissait le roi et la reine, puisse s'intéresser à travers elle au sort du peuple de province ; puis, mise en confiance par la modestie et la simplicité du voyageur, elle conversa avec grâce et bonne humeur. À sept heures, le cocher vint prévenir que la diligence était prête. Parmentier s'excusa auprès de la femme du retard qu'il avait causé dans son travail, s'enquit du prix de la livre de pain et s'émerveilla de la rapidité des transports qui mettait Lyon à cinq jours de trajet de Paris.

— Deux fois plus vite que les carrosses classiques. Sur cette ligne, les chevaux sont menés au galop et changés à chaque relais. Et les ressorts offrent un confort inégalé, le corps n'arrive pas torturé d'un tel traitement, assura-t-il avant de finir sa dernière gorgée de lait. J'ai été enchanté de discuter avec vous et de découvrir votre poularde marinée qui fut un délice, madame.

Alors que le véhicule tardait à partir et que le jour commençait à gagner son combat contre la nuit, Parmentier monta dans l'habitacle, posa son écritoire sur ses genoux et ajouta une introduction à son allocution. *« Convaincu qu'il est du devoir d'un véritable citoyen de diriger la science qu'il cultive vers le bonheur de la société, j'ai toujours pensé que l'art de conserver les subsistances devait faire l'occupation la plus sérieuse de l'homme. »* Le démarrage brutal fit crisser la plume sur le papier. Le dernier mot resta inachevé.

La diligence parcourut les dix-huit lieues en un temps record et se présenta à la porte de Trion avant une heure de l'après-midi. Conformément aux instructions, le cocher arrêta son attelage une fois dans l'enceinte de la ville pour prendre un passager et repartit aussitôt.

— Enfin nous nous rencontrons, dit Parmentier à son interlocuteur. Je suis impatient de vous entendre. Nous avons un peu de temps, j'ai demandé à mon chauffeur de prendre le chemin le plus long.

François Prost faisait les cent pas en bas des marches de l'hôtel de ville. Il avait été prévenu de l'arrivée imminente de M. Parmentier, mais le carrosse tardait à se présenter. Les pavés de la place des Terreaux luisaient encore de l'averse qui avait balayé Lyon une heure auparavant. Aux néphélions gris avaient succédé des nuages albâtre qui, tels des tissus usés, laissaient entrevoir un bleu azurin. Il était venu à pied de chez lui, l'esprit contrarié par une lettre reçue de Ferney dans laquelle Voltaire exprimait son désir de ne pas voir éditer un nouvel article sur les Gaulois. Ses considérations n'avaient rien à voir avec le risque que présentait la découverte des textes de Louern, mais, tout en prétextant des problèmes de cession de droits, il refusait de soutenir un texte qui l'obligeait à se déjuger. Prost, tout à sa déception face aux considérations égotistes du grand homme, avait traversé la place en son milieu, ne s'apercevant que sur le perron de l'hôtel de ville qu'il avait passé outre une coutume locale requérant d'éviter ce trajet précis. La superstition tenace était née après que le marquis de Cinq-Mars eut été exécuté au centre des Terreaux, et marcher sur le sol où la tête du grand écuyer de France avait roulé portait malheur. Son étourderie l'agaça, même s'il réfutait toute croyance irrationnelle. Quant à Voltaire, il faudrait le convaincre tout en ménageant son amour-propre et sa susceptibilité. Il voulait convaincre Antoine de se rendre à Ferney, persuadé que l'écrivain, défenseur des victimes de l'intolérance, l'écouterait et changerait d'avis.

— D'ailleurs, que fait-il ? s'interrogea François alors que son ami n'était toujours pas arrivé.

Les séances de l'Académie, qui se déroulaient dans un des salons de l'hôtel de ville, n'étaient d'ordinaire pas publiques, excepté trois fois dans l'année, mais Parmentier avait exigé la présence de maître Fabert comme invité.

Prost repéra avec soulagement la diligence de la ligne Paris-Lyon dès son entrée sur la place. Le véhicule s'arrêta à sa hauteur et

Parmentier en descendit, accompagné d'Antoine. L'apothicaire était enthousiaste de l'échange qu'il venait d'avoir.

— Pardonnez-nous ce retard, mais j'avais besoin de me trouver seul avec maître Fabert, expliqua-t-il en gravissant les marches de l'entrée principale. J'ai hâte d'être à demain, nous allons expérimenter le mélange pomme et poire de terre pour fabriquer du pain !

— Nos académiciens vous attendent. C'est l'abbé Rozier qui fera le discours d'introduction, puis ce sera votre tour, expliqua François. Je te remercie de m'avoir mis au courant, chuchota-t-il à Antoine.

— Secret de deux, secret de Dieu ! répondit ce dernier en répétant l'expression favorite de son ami.

— Par ici, dit Prost en indiquant les escaliers. La salle est au premier étage. Vous ne pouvez pas vous tromper. Le sceau de l'Académie est peint juste au-dessus.

Athenaeum Lugdunense restitutum. La phrase, gravée en lettres dorées, entourait une représentation de l'autel de Rome et d'Auguste. Parmentier entra sous les applaudissements et prit place sur la chaise qui faisait face à l'assemblée. Antoine, conformément à son habitude, s'assit au fond, près de la porte qu'un valet vint fermer. L'abbé Rozier parla très vite, comme s'il tentait de rattraper le retard pris au commencement de la session. Le léger grincement des gonds indiqua qu'un dernier participant était arrivé. Il s'assit à droite d'Antoine après qu'on lui eut apporté une chaise. Parmentier débuta son discours. Sa voix était douce et toujours d'humeur égale, rassurante et convaincante à la fois. L'auditoire, très rapidement captivé, suivait avec une attention non feinte ses explications sur l'intérêt des tubercules et leur avantage face aux grains de blé.

— La pomme de terre, mais aussi la poire de terre, grâce aux essais de maître Fabert, ici présent, ont démontré leur supériorité dans la fabrication des pains. Elles sont des aliments plus substantiels et plus commodes dont nous devons faire la promotion auprès, notamment, des habitants des campagnes, pour éliminer définitivement la disette et la faim.

Antoine n'écoutait pas. Il entendait la respiration pesante de l'homme près de lui. Il ne s'était pas retourné à son arrivée, mais avait vu son reflet dans le grand miroir mural de la salle. Il l'avait immédiatement reconnu grâce au portrait que Ponsainpierre et l'inspecteur Jeanson en avaient fait : son voisin était l'inspecteur Marais.

— D'aucuns ont été surpris de voir toujours mes expériences finir par la description de quelques repas, continua Parmentier. Mais il faut bien observer que c'est le dernier moyen qui me reste pour confirmer la nature et les propriétés des comestibles que j'examine; d'ailleurs, quiconque fait de pareils repas ne craint pas de passer pour un gourmand.

L'assemblée, conquise, lui fit un triomphe. Marais attendit la salve d'applaudissements et se pencha à l'oreille d'Antoine.

— J'ai une offre à vous faire, Fabert. Dites-moi tout de suite où se trouve votre trésor gaulois et vous ne serez pas inquiété.

— Vraiment? répondit Antoine sans le regarder. Sur quoi puis-je compter?

— Vous avez ma parole.

— Sans vouloir vous offenser, j'ai connu des planches de salut plus solides.

— Ne vous fiez pas aux ragots et commérages. Sinon...

— Sinon?

— Je crains que je ne puisse plus contenir le zèle de mes hommes. Comprenez que vous les avez excédés.

— Je compte sur vous pour leur transmettre mes excuses. J'ai, moi aussi, une proposition à vous faire. Vous arrêtez toute surveillance, vous repartez à Paris par le prochain carrosse et nous oublierons que vous êtes responsable du meurtre d'un proche d'Antelme de Jussieu.

— J'aurais été déçu que vous acceptiez, avoua l'inspecteur. Mais vous n'êtes pas en mesure de négocier quoi que ce soit avec moi. N'auriez-vous pas remarqué que le rapport de force ne vous est pas favorable?

Antoine le regarda pour la première fois. Les yeux de Marais exprimaient une absence totale d'humanité.

— Surveillez bien tous vos lugduniens, ne dormez que d'un sommeil léger et ne faites confiance à personne, le prévint Antoine, car je peux m'introduire chez vous quand je veux.

— Voilà une réaction qui ne manque pas de panache! s'amusa l'homme à la tête de rat.

— Regardez dans votre poche gauche.

L'inspecteur sembla ne pas comprendre la demande.

— Allez-y, fouillez votre poche, insista Antoine.

Marais porta la main à sa veste et en sortit un papier plié.

— Il y a dedans un message, expliqua Antoine pendant que l'homme l'ouvrait. *Vous pourriez posséder chaque maison de cette ville, chaque arpent de cette terre, jamais vous ne posséderez l'inestimable trésor qu'elle cache en son sein*, récita-t-il.

L'inspecteur vérifia et esquissa une moue de surprise qui vira aussitôt à la colère froide.

— Par quelle diablerie... ? Vous allez le regretter, lâcha-t-il avant de le saluer sèchement et de sortir.

Les académiciens s'étaient levés et entouraient Parmentier de leurs félicitations. François avait repéré Marais et l'avait vu partir. Il rejoignit Antoine, qui lui résuma leur échange.

— Bon sang, comment as-tu fait pour t'introduire chez lui ?

— Ce n'est pas arrivé. J'ai glissé le papier dans sa poche pendant le discours de notre ami. Nous avons travaillé la pièce avec Michèle ce matin. La phrase est une correction du texte de *La Part de l'aube*. Je devais déposer le billet au Grand Théâtre.

Ils s'étaient approchés de la fenêtre et observaient Marais quitter les Terreaux sous les premiers rayons de soleil.

— Tu l'as bien berné !

— Méfions-nous, dit Antoine, inquiet des menaces reçues. Il le comprendra vite.

— Nous voilà à égalité, fit remarquer François.

— De quoi parles-tu ?

— Rien d'important, répondit-il évasivement. Viens, M. Parmentier nous attend.

Prost venait de constater avec satisfaction que l'inspecteur avait traversé la place en son centre.

74

Mardi 20 janvier

La Bergerie était leur château. La vieille bâtisse, sur la façade de laquelle s'étaient accrochées les gouttes d'eau apportées par les averses matinales, brillait de mille feux sous la lumière naturelle alors qu'Anne et Camille reprenaient leur souffle après la montée du sentier.

— Que j'aime cet endroit ! dit-elle en lui serrant plus fort la main.

Il sépara le cadenas de sa chaîne, ouvrit en grand la porte et prit Anne dans ses bras pour franchir le seuil.

— Mon chevalier, dit-elle en riant avant de se remettre sur ses pieds et de respirer profondément.

L'intérieur sentait bon un mélange de senteurs, celle de fumée du bois calciné, celle plus soufrée, proche de l'artichaut, des poires de terre, le parfum caractéristique du pain cuit qui flottait en permanence dans la pièce, l'odeur de la levure qui émanait du pétrin et celle de la farine dont les grains blancs poudraient les meubles plus sûrement que des strates de poussière.

— N'oublie pas le fichu rouge ! dit-elle en montrant le foulard posé en évidence sur la table.

— Antoine ne viendra pas ici avant demain, rétorqua Camille, avant de le prendre sous l'insistance de sa fiancée.

Il sortit le nouer à la plus basse branche du cerisier, prit plusieurs bûches dans la niche extérieure et ferma la porte à l'aide de son pied.

— Quel dommage d'être obligés de nous éclairer aux bougies avec ce soleil dehors, regretta Anne.

— Je n'ai pas les clés des cadenas des fenêtres, rappela-t-il en ouvrant le four à pain. Et je n'ai pas envie d'être observé ! Nous allons être bien, tu verras. Te rends-tu compte que nous avons tout l'après-midi pour nous ?

Anne enlaça Camile et l'embrassa longuement.

— Oui, je me rends compte, murmura-t-elle en portant ses mains en dessous de la chemise de son homme.

Il fit une grimace de plaisir et ferma les yeux pour se concentrer sur les caresses de sa fiancée.

— J'ai tant besoin de sentir nos deux corps enlacés sans autre vêtement que la soie de nos peaux, dit-il en les rouvrant.

— Moi aussi, si tu savais.

— N'attendons pas le mariage et aimons-nous maintenant, proposa-t-il en la serrant contre son corps.

Anne se sentait déchirée entre désir et raison. L'envie était plus forte que n'importe quel dogme. Elle aimait Camille à en perdre toute volonté et, dans ses bras, elle oubliait les leçons de morale et les interdits religieux. Ses joues se teintèrent de rose lorsqu'elle répondit :

— J'ai envie d'être aimée de toi, que tu m'emmènes loin, très loin, dans notre château, j'ai envie que ce jour soit pour nous mémorable. Gravé là, ajouta-t-elle en lui embrassant le front.

— Alors, c'est oui !

Camille se dépêcha de démarrer le feu et laissa le four grand ouvert. La lumière serait suffisante pour offrir une ambiance intime. Ils s'assirent sur le lit et s'embrassèrent longuement, retirant un vêtement à chaque pause, riant, chuchotant, s'embrassant encore, comblant l'autre des douceurs tant attendues. Lorsqu'ils eurent froid, ils s'allongèrent sous les couvertures et ôtèrent leurs chemises. Leurs corps nus s'épousèrent naturellement.

— Nous y voilà, madame Delauney.

— Nous y voilà, mon fiancé.

Ils firent l'amour sans cesser de se regarder, attentifs au désir de l'autre, et s'unirent en une fusion dans laquelle le temps se noya avant de disparaître.

Camille et Anne restèrent un long moment lovés l'un contre l'autre, les lèvres scellées, habités par l'état de béatitude qui succède à l'amour partagé. Les flammes courbées du four faisaient danser des ombres autour d'eux.

— Embrasse-moi encore, fais-moi l'amour encore, encore et toujours, dit-elle en s'étirant. Je t'aime, mon Camille.

Un bruit sourd les tira de leur langueur. Un bruit de pas dans le grenier.

— C'est un furet, affirma le jeune homme en voyant le regard inquiet d'Anne. Il a dû déplacer des tuiles et vient pour se réchauffer et se nourrir des farines. C'est une plaie que ces animaux !

Il baisa son cou et s'emplit des fragrances de la peau de sa fiancée avant de se lever. Camille attendit que le boucan reprenne et cria en donnant des coups de balai au plafond.

— Ces bêtes détestent être dérangées. Tu vas voir, dans cinq minutes, elle aura déguerpi.

— Moi aussi, je déteste être dérangée, dit Anne, frustrée de la tournure prise par les événements. Surtout maintenant.

Les pas cessèrent.

— Tu vois ? dit Camille, l'air triomphant.

— Ce que je vois est un homme nu qui me donne très envie de le couvrir de caresses, répondit-elle en lui tendant la main.

Le tapage reprit aussitôt, accompagné d'un bruit de frottement sur le sol.

— Mon amour, j'ai peur ! dit-elle en cachant sa poitrine avec le drap. Depuis quand un furet marche-t-il sur deux pattes ? Depuis quand traîne-t-il les sacs de blé ? Il y a des voleurs à l'étage !

Ils se rhabillèrent promptement. Camille s'approcha de la trappe qui menait à l'étage.

— Qui êtes-vous ? Que faites-vous dans ce grenier ? cria-t-il.

Le tapage ne cessa pas ni ne s'adoucit.

— Antoine, c'est vous ? osa Anne sans plus de résultat.

— Je sors, annonça Camille en cherchant parmi les outils lequel ferait la meilleure arme de défense.

Il opta pour un long manche dont une des extrémités était cassée en pointe.

— C'est sans doute Antoine, il ne nous a pas entendus, la rassura-t-il en tournant la clenche.

La porte ne s'ouvrit pas. Il insista et se retourna vers Anne, l'air penaud.

— Je crois que j'ai laissé la clé sur le cadenas.

— Que veux-tu dire ? Pourquoi cette porte est-elle fermée ?

— Je t'ai portée pour entrer et j'avais posé la chaîne et le cadenas sur le rebord de la fenêtre. Quelqu'un les aura utilisés pour nous enfermer !

— Alors on est coincés ? Camille, réponds !

Il posa ses mains sur la porte, les jambes en arrière, poussa de toutes ses forces, par mouvements successifs, sans réussir à desceller l'anneau du mur.

— Oui, avoua-t-il après une dernière tentative de l'épaule. Mais c'est plutôt une bonne nouvelle, ajouta-t-il aussitôt. Ceux qui sont en train de dérober les sacs ne veulent pas être reconnus. Ils nous enferment le temps de leur larcin, puis nous libéreront ensuite.

— En es-tu sûr ?

— Je l'espère.

— Et la trappe ? Peuvent-ils l'ouvrir ?

— Non ! Et de cela je suis certain, regarde cette planche de bois en travers : elle empêche le basculement de la porte depuis le grenier. De ce côté-là, nous sommes tranquilles.

— J'ai quand même peur, dit-elle en s'approchant de l'ouverture découpée dans le plafond.

— Attendons qu'ils s'en aillent, ne faisons pas d'esclandre et tout ira bien.

— Quel est ce liquide qui coule ? s'inquiéta-t-elle en désignant des gouttes qui tombaient des interstices de la trappe sur le sol.

Une flaque visqueuse s'était formée sur le plancher. Camille en prit sur ses doigts, la sentit et la goûta.

— C'est de l'huile, conclut-il en regardant les gouttes qui s'étaient transformées en une ficelle de liquide ininterrompue.

— De l'huile ?

— Oui, la même que celle des réverbères, elle sent le colza.

— J'ai peur, répéta-t-elle.

Camille la prit dans ses bras pour la tranquilliser.

Au-dessus de leurs têtes, les pas se firent précipités. Des tuiles tombèrent. Puis un crépitement leur parvint du grenier, de plus en plus fort. Camille et Anne se taisaient, les yeux rivés au plafond. Un filet de fumée s'échappa de la trappe en zigzaguant comme un serpent à la recherche d'une proie.

— Le feu, ils ont mis le feu ! hurla Anne.

75

Mardi 20 janvier

Antoine Parmentier caressa l'échine du chien, qui jappa de plaisir et entreprit une course folle autour des invités. Il revint dans les jambes de Marc Ponsainpierre, contre lesquelles il buta, et aboya à nouveau en se frottant le museau avec les pattes avant.

— Ainsi donc, votre animal a développé son strabisme après une chute dans les eaux gelées du Rhône ? s'étonna l'apothicaire.

— C'est cela, affirma Marc, qui n'osait avouer que ses yeux s'étaient mis à loucher après l'involontaire saoulerie.

— Quel cas unique, vraiment, constata Parmentier en se grattant le menton. La nature est une source d'apprentissage permanent, conclut-il, et votre soie d'araignée en est l'illustration parfaite.

Parmentier avait accepté d'intercéder auprès de la reine afin que Marc obtienne une entrevue.

— Cela devrait être chose aisée, quand on voit la beauté de vos mitaines, dit-il en les admirant une nouvelle fois. Quelle merveille ! Je vous tiendrai au courant dès mon retour à Paris.

Edmée les invita à partager une petite collation lorsque François et Antoine arrivèrent au clos Billion. Ils s'étaient rendus rue Sala et avaient obligé Michèle, malgré ses protestations, à emménager chez Prost. La présence du garde du corps n'était pas une sécurité suffisante dans une maison difficile à surveiller. Celle de François, par comparaison, était un vrai château fort et disposait de quatre serviteurs dont il jugeait la loyauté sans faille. Michèle avait fini par accepter en faisant promettre à Antoine de ne plus se déplacer seul. Après son départ, elle avait longuement pleuré, inquiète pour l'homme qu'elle aimait et qu'elle savait incapable de tenir ce genre de promesses. Marie-Lyon lui avait proposé de l'aider à répéter son rôle. La jeune fille l'avait sortie de sa tristesse en multipliant les pitreries mais Michèle n'avait qu'une hâte : retrouver les bras d'Antoine et y rester enfouie à jamais.

Après le repas, animé par l'aimable faconde de Parmentier et les propos élogieux de Marc envers ses « deux Antoine », ils se rendirent au salon pour admirer la vue panoramique sur Lyon.

— Venez, je vais vous montrer ma lunette Dollond, proposa le maître de maison. Le temps est clair et vous pourrez admirer le mont Blanc.

Ponsainpierre avait vu juste : la montagne scintillait au loin et Parmentier put distinguer des détails de son relief qui lui arrachèrent des exclamations extatiques. Il braqua ensuite la jumelle sur la ville. Marc lui détailla les activités et les curiosités de chaque quartier, ce dont l'apothicaire ne se lassait pas.

— C'est proprement incroyable, dit soudain Parmentier : venez voir, venez voir !

Tous se réunirent autour de lui.

— Savez-vous qu'il est quatre heures passées de quinze minutes ? dit-il en se retournant vers eux d'un sourire plein de malice. Je peux lire l'heure à la tour de l'Hôtel-Dieu tout comme si j'étais placé juste devant. Votre lunette est surprenante de précision, monsieur de Ponsainpierre !

— On peut même voir la maison de notre ami Antoine, fit remarquer Marc en déplaçant la longue-vue d'un demi-pied sur la droite. Elle fait l'angle.

Parmentier s'essuya l'œil, que l'observation avait fatigué, avant de regarder.

— Diable, c'est une voie bien animée dans laquelle vous habitez, maître Fabert.

Antoine, surpris du commentaire, visionna la rue Sala à travers la jumelle. Un groupe composé de civils en armes et de militaires de la maréchaussée battait le pavé près de sa maison. Sur l'ordre de l'un d'eux, ils se dispersèrent dans les jardins des demeures avoisinantes. En quelques secondes, le lieu avait retrouvé sa quiétude habituelle.

— Effectivement, l'endroit est trop mouvementé en ce moment, répondit-il en se relevant. Au point que je songe à en déménager, ajouta-t-il d'un regard appuyé en direction de François.

— Si vous voulez bien nous excuser, nous avons une affaire urgente à régler, annonça Prost, qui avait compris quel danger menaçait son ami.

L'avocat venait de faire le lien avec la venue du capitaine de la garde du roi dont Szabolcs l'avait prévenu.

— N'oubliez pas notre expérience demain à la Bergerie, rappela Parmentier en retournant à son observation.

— Croyez bien que rien ne pourrait me faire rater ce rendez-vous, assena Antoine pour s'en convaincre, alors que le visage de Prost reflétait une contrariété, sourcils froncés et lèvres pincées, qu'il ne l'avait vu endosser que deux autres fois dans sa vie, lors d'exécutions capitales.

Le son d'une cloche retentit dans le lointain. Marc ouvrit la porte-fenêtre pour tenter de la reconnaître mais fit une moue d'ignorance.

— C'est le *si* de la mute de Saint-Pierre, annonça Antoine. Il y a un appel au feu dans le quartier de la Croix-Rousse.

Parmentier avait localisé le trait de fumée noire dans le ciel.

— Grâce à Dieu, c'est au-delà des fortifications. Il n'y a pas de risque de propagation.

François et Antoine se lancèrent un regard inquiet. La Bergerie traversa leurs pensées.

— Méfie-toi, c'est peut-être un piège, dit Prost alors qu'Antoine demandait sa veste au valet présent.

— Qu'est-ce qui est un piège ? interrogea Marc, qui les avait suivis pour les raccompagner.

— Alors, pourquoi aurait-il envoyé tous ses hommes rue Sala ? répliqua Antoine.

— Vous partez déjà ? s'inquiéta Edmée, qui sortait de l'office.

— Qui te cherche ? Quel piège ? insista Marc.

— J'ai besoin d'un de tes chevaux tout de suite, lui répondit Antoine sans se laisser gagner par la nervosité ambiante.

— Prends celui que tu veux, Claude n'est pas là. Mais enfin, peux-tu m'expliquer ce qui se passe ?

— François le fera. Promettez-moi tous de veiller sur Michèle si je ne peux pas m'en charger dans les jours à venir.

— Tu me fais peur, dit Edmée.

— Elle sera en sécurité, tu as notre parole. Pars, maintenant ! le pressa François.

Au moment où les sabots du cheval claquèrent sur les pavés de la cour, Prost coupait par l'escalier vers la rue Saint-Jean. Marc et Edmée, qui avaient été mis au courant, se réconfortaient, silencieux, dans les bras l'un de l'autre. Parmentier, que tous avaient délaissé, fit son apparition.

— Votre optique est vraiment supérieure à tout ce qu'il m'a été permis de voir, mon cher hôte, dit-il un grand sourire aux lèvres.

J'ai pu observer la vieille masure en feu sur la colline, le toit est la proie des flammes, c'est très impressionnant. Mais qu'avez-vous ? s'inquiéta-t-il devant leurs regards désolés.

— Les secours n'interviennent jamais en dehors des fortifications, balbutia Marc. C'en est fini de la Bergerie.

Après avoir arrosé d'huile le sol et les sacs de farine, Trente-trois en avait traîné un jusqu'à la trappe et l'avait enflammé. Il avait jeté sa torche, était ressorti par la lucarne et avait descendu l'échelle calmement avant de la jeter dans les fourrés.

Querré l'avait apostrophé :

— Ouvre vite, mon compère, il y a des gens à l'intérieur !

— Qu'est-ce que tu fais là ? Retourne faire le guet ! Tu ne devais pas monter jusqu'à la maison !

Le modère avait accepté la demande de Trente-trois de l'aider à incendier une vieille demeure. L'ordre émanait de son maître, l'homme qui l'avait tant impressionné deux jours auparavant dans le hangar. Un travail facile, sans risque et bien payé, qui leur permettrait de rembourser la lance du tournoi et de se saouler une semaine entière dans les bouges du port. Ils avaient transporté ensemble l'échelle et Querré était redescendu à l'entrée du chemin surveiller le passage. Mais les hurlements d'Anne l'avaient fait remonter.

— Il y a des gens, je te dis ! T'entends pas crier ? tonna-t-il.

Les appels des deux amants couvraient le crépitement des flammes.

Trente-trois avait bien remarqué la porte décadenassée à son arrivée, il l'avait légèrement entrouverte et avait vu les amants allongés sur le lit. Il les avait reluqués un long moment puis avait verrouillé l'entrée sans faire de bruit. Leur présence le contrariait. Elle le contrariait fortement. L'inspecteur n'avait rien prévu à leur sujet. Il avait seulement dit que la Bergerie serait vide cet après-midi-là. Or elle ne l'était pas. L'impossible s'était produit.

Les pensées du marin étaient confuses, il devait réussir sa mission, sinon Marais était capable de le tuer, il en était certain, il voulait s'en persuader car il avait une décision à prendre. Trente-trois avait peur. Peur de Marais, peur des cris des jeunes gens ; leurs hurlements le transperçaient, ils étaient insupportables. Et Querré lui parlait, il le bousculait, il voulait la clé pour ouvrir. Trop d'événements se produisaient à la fois. Tout dépendait de sa décision. Une tape de son ami, plus forte que les autres, le fit réagir. Il prit le modère par le col et le bouscula.

— Tu retournes à ton poste et tu vas surveiller la route ! On n'a pas le droit d'échouer, tu comprends, pas le droit ! Si on rate, je suis mort, ajouta-t-il en mimant son égorgement.

À l'intérieur, les cris s'étaient intensifiés.

— Pas question que je sois complice d'un meurtre ! cria Querré.

— Tu n'ouvres pas cette porte ! hurla Trente-trois en sortant son couteau.

— Tu es fou ! Tu seras décapité, tu seras pendu ! Moi, je m'en vais ! dit-il avant de déguerpir en courant.

Trente-trois envoya une bordée d'injures à son encontre avant de se retourner vers la masure d'où les flammes commençaient à sortir du toit telles des fleurs poussant entre les tuiles. Il se cacha derrière une haie de cornouillers et se boucha les oreilles, incapable de supporter les appels de détresse d'Anne et Camille. Le marin avait reçu l'ordre d'attendre l'arrivée d'Antoine afin de vérifier que l'avocat assisterait impuissant à la destruction de sa Bergerie.

Il avait traversé le pont Saint-Vincent au galop et avait monté la côte de la Croix-Rousse en poussant l'animal jusqu'à ses dernières réserves. Sur le sentier qui menait à la Bergerie, il avait dépassé les premiers curieux qui s'y rendaient alors que les flammes dépassaient la cime des arbres. L'odeur de brûlé et des miettes de bois calciné flottaient dans l'air sur plusieurs arpents autour de la bâtisse. Lorsqu'il arriva à proximité de la Bergerie, l'animal renâcla et, effrayé, refusa de répondre aux ordres. Il se cabra et dérapa sur la terre meuble. Antoine mit pied à terre et courut les dernières toises jusqu'au seuil. Le toit tout entier était recouvert de flammes qu'un vent en bourrasques rabattait vers la façade. Antoine voulut entrer pour tenter de sauver son matériel, mais la chaleur était telle qu'il ne pouvait approcher de la porte.

Il tourna la manivelle du puits pour en extraire un seau d'eau et aperçut seulement alors le fichu rouge noué dans le cerisier.

— Dieu du ciel ! Camille ! Anne ! appela-t-il en mettant ses mains en porte-voix.

Aucune réponse ne lui parvint de l'intérieur. Seul le piaffement du feu se régalant de son festin couvrait le silence. Ses yeux commençaient à lui piquer.

— Anne, Camille ! insista-t-il en s'approchant, malgré la chaleur.

Les deux répondirent faiblement. La fumée avait saturé l'air et leurs cris étaient ponctués de toux violentes. Antoine tenta d'ouvrir la porte après l'avoir arrosée avec l'eau du baquet mais recula sous la charge des flammes qui léchaient ses cheveux.

Trente-trois, qui n'avait rien perdu de la scène depuis sa cache, le vit entrer dans la remise attenante au moment où une partie de la charpente de la Bergerie s'effondrait sur le grenier.

Lorsque Anne avait crié, Camille était resté hébété un court instant, regardant l'huile tomber sur le sol. Il venait de passer du paradis à l'enfer. Pendant qu'elle appelait à l'aide, tapant des mains sur le bois des volets et de la porte, Camille avait pris un reste de pâte dans le baquet de la râpe tournante et, debout sur une chaise, l'avait utilisé pour tenter de colmater les ouvertures de la trappe. La fumée s'était rapidement dissipée. Il avait rejoint Anne et avait utilisé le manche en bois pour faire levier sur la porte, mais le bâton s'était rompu à la seconde tentative.

La pâte, qui avait séché et s'était fissurée, avait laissé à nouveau entrer la fumée. Lorsqu'il avait essayé d'en remettre, Camille s'était brûlé la main : la trappe et le plafond autour avaient chauffé à blanc. Alors qu'Anne avait continué sans relâche à appeler au secours, il avait fait deux autres tentatives à l'aide de la pelle à pain et d'un couteau, qui, eux aussi, avaient fini par casser.

Sous l'effet de la chaleur, ils avaient reculé vers le côté opposé, où se trouvait le lit. Camille avait cherché la hache, mais Antoine avait rangé tous les gros instruments dans la remise attenante, Ils se sentaient pris au piège comme des animaux dans leur terrier.

La trappe se brisa et un sac enflammé s'écrasa au sol. Ils l'éteignirent à l'aide des draps mais la fumée, qui formait un épais tapis au plafond, les obligea à mettre des mouchoirs sur leurs visages pour respirer sans trop tousser.

— Le mur de la remise ! s'écria Camille. Viens !

Il conduisit Anne jusqu'au fond de la pièce et chercha des mains les fissures dans le mur alors que la fumée leur brûlait les yeux. Il sentit le léger courant d'air au niveau des larges lézardes.

— Respire contre le mur, mon Anne, je reviens.

Il s'empara de la binette qu'il avait repérée à côté de la râpe et frappa avec la houe au niveau des fissures du mur. Les pierres, grossièrement taillées, n'étaient pas scellées et Camille réussit à faire bouger la plus petite d'entre elles et à la faire tomber en la cognant à l'aide du manche. Il continua jusqu'à épuisement : il ne réussirait plus à en déplacer d'autres. Mais l'ouverture, large comme un poing, leur permettait de respirer un air moins vicié.

Camille tira la table jusqu'à eux, la bascula pour la poser contre le mur et la recouvrit des draps qu'il avait mouillés avec le restant d'eau du baquet. La tente improvisée devrait les protéger de la chaleur quelques instants de plus.

Ils se recroquevillèrent l'un contre l'autre, sous la table, près de l'ouverture. Camille aurait voulu rassurer Anne, lui dire combien il l'aimait, qu'il était fier de l'épouser, mais les mots désertaient ses pensées, la tête lui tournait, sa gorge était une brûlure et des larmes de rage s'ajoutaient à celles qui tentaient de protéger ses yeux.

— On nous appelle, j'entends appeler ! dit Anne entre deux toux.

La voix d'Antoine se fit plus forte.

— On est là ! crièrent-ils en chœur.

— Près de la remise, ajouta Camille.

La pièce attenante s'éclaira et le visage d'Antoine apparut dans la trouée.

— Je vais vous sortir de là.

— Vite, vite, on ne tiendra plus longtemps ! implora Camille.

Antoine était sorti demander de l'aide aux premiers curieux qui venaient d'arriver.

— Écartez-vous sur le côté, nous allons élargir la trouée, expliqua-t-il en montrant une masse.

Il frappa d'un coup si puissant que le mur entier vibra et qu'Anne sursauta. Les pierres n'avaient pas bougé. Elle se mit à trembler sans pouvoir s'arrêter et s'accrocha au bras de Camille, qui l'enveloppa de sa veste. Dans la remise, Antoine et deux acolytes se succédaient et frappaient de toutes leurs forces à l'aide de deux masses et de la hache.

— Là ! ordonna Antoine en désignant la pierre supérieure la plus large, qui en soutenait quatre autres.

La Bergerie avait été bâtie en roche blanche de Seyssel, suffisamment dure pour résister aux assauts du temps mais assez tendre pour plier sous les coups répétés et furieux d'Antoine.

Anne venait de perdre connaissance.

— Plus vite, cria Camille, plus vite ! Sainte Vierge, aidez-nous !

Une violente quinte de toux l'interrompit. Il parvint difficilement à reprendre son souffle. Dans un cri rageur, Antoine frappa plus fortement encore. Le parpaing se brisa en deux puis tomba au coup suivant, entraînant ceux du dessus dans un fracas de bruit et de poussière. La fumée s'engouffra dans la remise par le trou béant. Camille hurla : l'appel d'air provoqué avait attiré les flammes qui, telle une vague, avaient contourné la protection offerte par la table.

Ses cheveux étaient en feu. Au même moment, le reste de la charpente s'écroula dans un craquement sec.

76

Mercredi 21 janvier

Le chirurgien-major bâilla. Cinq heures sonnaient à la pendule de son bureau. Il était à l'Hôtel-Dieu depuis la veille au soir, depuis que maître Fabert l'avait fait quérir pour soigner deux jeunes adultes blessés dans l'incendie d'une maison. L'avocat l'avait sorti d'un mauvais pas en lui faisant gagner un procès intenté par un médecin et le chirurgien lui vouait une solide amitié. Il avait veillé sur les patients toute la nuit. Le garçon était le moins atteint : il était brûlé aux mains et avait perdu ses sourcils et une partie de ses cheveux. Le soignant avait procédé à une saignée et avait appliqué pendant trois heures de l'acétate de plomb dilué dans un mélange d'eau et d'eau-de-vie. Il avait percé les vessies qui s'étaient formées puis avait enveloppé les blessures d'une toile de cérat et avait préparé une boisson antiphlogistique à base de chicorée, de laitue et de fumeterre. Il pourrait sortir dans la journée après que ses pansements auraient été renouvelés. L'état de la jeune femme l'inquiétait davantage. Il reprit l'écriture de son compte rendu.

> *Observation VIII. Lors d'un incendie, une fille, âgée de vingt et un ans, fut victime d'inhalaisons malignes de fumée de charbon qui provoquèrent une suffocation, ainsi que d'importantes brûlures sur le dos et les bras causées par l'écroulement d'une poutre. Il est à déplorer une perte de connaissance transitoire suivie de mouvements convulsifs. Je fus engagé à l'examiner une heure environ après l'accident et constatai, fort heureusement, l'absence de traumatisme et de fêlure des os du crâne et de la colonne. Je choisis de traiter la constriction des vaisseaux qui étaient rôtis par les impressions du feu et je soignai la zone nécrosée à l'aide de l'émollient anodin, à savoir un mélange de feuilles de sureau cuites avec du saindoux, appliqué tiède. J'ai renouvelé l'application deux fois et espère que la suppuration interviendra d'ici à vingt-quatre heures. Malgré mes efforts, la malade s'est plainte toute la nuit de douleurs sur lesquelles le laudanum ne fit pas l'effet escompté. La fomentation d'acétate de*

plomb fut aussi pratiquée, avec toutefois moins de succès que sur son compagnon (observation VII). Aucune fièvre n'est à déplorer et le risque de gangrène est, pour l'instant, écarté.

— Maître ?

Le chirurgien leva la tête. Il n'avait pas entendu la sœur entrer. Il se massa les yeux avant de la questionner.

— Comment va-t-elle ?

— Elle s'est endormie. Son fiancé est à son côté. Quelles sont vos recommandations ?

Il dévisagea la religieuse, engoncée dans sa robe noire et sa cornette, les mains rivées à un chapelet, et sembla seulement s'apercevoir de son âge : elle était plus jeune que la patiente elle-même.

— Dès qu'elle sera réveillée, vous m'appellerez, je viendrai pratiquer une saignée. Surtout gardez-la sous diète stricte.

Elle acquiesça comme s'il venait d'énoncer une évidence.

— Il faudrait aussi me fournir du basilic et des feuilles de bette. Je voudrais accélérer la suppuration par un vésicant.

— Je les trouverai.

— Et commencez par aller vous coucher, ajouta-t-il. Vous non plus n'avez pas dormi.

— Je n'ai pas sommeil. La messe va commencer à l'autel des Rangs. J'y prierai pour Anne Piron.

— Je ne sais pas comment vous faites, avoua-t-il, ne pouvant réprimer un nouveau bâillement.

— Dieu me donne la force d'aider les malades, répondit-elle en le quittant.

— S'il pouvait me donner la même pour les soigner tous ! soupira le chirurgien, qui s'était levé.

Une fois seul, il ouvrit la fenêtre de son appartement, situé au premier étage du nouveau bâtiment central, et regarda la jeune sœur entrer dans la chapelle de l'ancien édifice.

Je vais pouvoir annoncer à maître Fabert que la fille est tirée d'affaire, songea-t-il en entendant un pas pressé résonner dans le couloir. L'homme qui entra était un inspecteur de la police locale qui cherchait Antoine. Le chirurgien assura qu'il n'avait plus vu l'avocat depuis la veille, après qu'il eut accompagné Camille et Anne à l'hôpital.

— S'il revenait, prévenez-le de ne pas se rendre chez lui ni chez maître Prost, il comprendra, déclara l'inspecteur. Je m'appelle Jeanson, donnez-lui aussi mon nom. En revanche, s'il est encore ici, il faut qu'il ait trouvé un moyen de s'en aller avant le lever du jour. L'hôpital ne sera plus très sûr.

— Je comprends, dit le chirurgien, qui avait vu les gens d'armes se positionner aux portes de l'établissement. Je lui transmettrai votre message. Si toutefois il revient, s'empressa-t-il d'ajouter.

Une fois Jeanson sorti, le soignant monta au second étage, traversa la salle Saint-Charles dédiée aux hommes fiévreux et s'arrêta à la salle Saint-Paul, immense dortoir de cent vingt lits réservé aux femmes, pour s'enquérir de l'évolution de la fracture d'une de ses patientes. Il attendit que les dernières sœurs fussent parties à la messe pour quitter le lieu, longea les logements des aide-chirurgiens et entra dans un appartement de deux pièces réservé aux malades payants. Anne dormait toujours, allongée sur le ventre, le dos recouvert d'un large cataplasme dont le chirurgien vérifia l'efficacité en le soulevant par un coin. Camille, assis à côté de sa fiancée, se leva pour le remercier une nouvelle fois. Ses deux mains étaient bandées au niveau des paumes mais il ne souffrait plus et avait eu le droit de boire une demi-chopine de vin. Ses cheveux avaient brûlé sur presque toute leur surface et, avant de s'endormir d'épuisement, malgré la douleur, Anne avait trouvé la force de plaisanter sur sa nouvelle coupe qui le faisait ressembler à un galeux.

— Votre fiancée va aller mieux, mais il lui faudra encore du temps. L'inflammation doit se résorber, les vaisseaux sont crispés par la douleur. Elle devra rester ici quelques jours, jusqu'à la suppuration, puis vous pourrez repartir chez vous. Je vous donnerai des emplâtres à lui appliquer sur le dos jusqu'à la cicatrisation complète. Ne vous inquiétez plus, monsieur Delauney.

Anne gémit dans son sommeil.

— Elle a mal, la douleur est si forte ; c'est sur moi que cette maudite poutre aurait dû tomber !

— Dieu vous a sauvé tous les deux et c'est à vous qu'il revient de vous occuper d'elle. Pouvez-vous aller surveiller le couloir ? demanda le chirurgien en entrant dans la pièce de desserte.

Antoine s'y trouvait. Il avait passé la nuit à veiller sur Anne avant que Camille ne prenne le relais. Il avait tenté de dormir un peu sans y parvenir vraiment. Les images de la Bergerie en feu et des cris de douleur d'Anne l'obsédaient. Ses vêtements, sa peau, ses cheveux étaient imprégnés de la fumée qui venait d'avaler tout ce qui le rattachait encore à son passé. Il était ivre de colère, ivre d'un désir de vengeance qu'il ne tentait même pas de contrôler ; il voulait au contraire s'en servir pour canaliser ses émotions, pour en faire une force, pour ne plus douter. Il irait jusqu'au bout. Antoine avait écrit à Michèle et avait laissé la lettre à Camille, puis s'était concentré sur les plans de l'hôpital fournis par le chirurgien-major avant d'écouter les centaines d'oiseaux qui piaillaient sous l'effet de l'aurore dans les branches d'un immense marronnier d'une des cours intérieures. Il avait songé à leur pièce de théâtre, dont ils n'avaient pas eu le temps d'écrire la fin, et s'était juré d'être présent à la première représentation.

Le chirurgien le rassura définitivement sur l'état de santé de la blessée et lui relata son entrevue avec Jeanson.

— Vous pouvez partir maintenant, dit le soignant, elle est hors de danger. Vous le devez, à sept heures trente tout le monde sera au réfectoire, c'est, selon M. Jeanson, le moment que choisira la maréchaussée pour investir l'hôpital à votre recherche.

— Cet endroit est un vrai labyrinthe pour qui ne le connaît pas, dit Antoine en lui rendant l'ouvrage sur la topographie de l'Hôtel-Dieu.

— J'ai fait une ronde et toutes les entrées sont surveillées, expliqua le chirurgien. La sortie sur les quais est la plus risquée. Ils ont même deux hommes à la porte des livraisons des comestibles, rue de l'Arrache-Bœuf.

La priorité d'Antoine était de se débarrasser de ses vêtements trop facilement reconnaissables et dont tous les hommes de Marais devaient avoir une description détaillée afin de l'identifier.

— Elle s'est réveillée, elle souffre, annonça Camille, qui venait d'entrer.

Ils se rendirent à son chevet. Le chirurgien changea ses compresses et lui fit boire une infusion d'écorce de saule pendant que le jeune homme reprenait son poste au seuil de la porte. Il contenait son émotion avec difficulté.

— Je ferai tout pour retrouver les responsables, ces assassins, dit-il à l'intention d'Anne, dont la souffrance avait marqué le visage de rides et de cernes comme autant de cicatrices.

Antoine scrutait la chemise et la robe de chambre trop amples que portait le jeune homme depuis son admission.

— Où se trouvent les vêtements des malades ? demanda-t-il au chirurgien.

— À l'entrepôt d'habillement. Il est situé au rez-de-chaussée du bâtiment qui donne sur le quai.

— Y avez-vous accès ?

— Non, c'est une sœur qui en a la charge par rang. Je possède une copie du livre des effets, que l'on signe quand le médecin renvoie le patient dans ses foyers.

Le chirurgien vérifia l'état des brûlures sur les bras de la jeune femme. Il avait percé les vessies qui s'étaient formées et était satisfait de l'aspect des chairs. Il y déposa un topique à base de graisse de poule et de mucilage de semences de coing qu'il avait lui-même préparé et le recouvrit d'un plumasseau.

— Il y aurait bien les habits des malades décédés qui ne nous sont pas réclamés, dit-il en s'essuyant les mains. Ils sont lavés et stockés à l'hôpital puis vendus au fripier chaque quinzaine.

— Et quand a eu lieu la dernière relève ? demanda Antoine tout en inspectant le couloir.

— Malheureusement, elle s'est déroulée hier.

— Y a-t-il eu des décès depuis lors ?

— Un seul. Mais je crains que cela ne puisse vous convenir. Ses vêtements sont tachés de peinture.

— Nous n'avons pas le choix, il nous les faut, conclut Antoine.

— Pouvez-vous venir avec moi ? demanda le soignant à Camille. J'aurai besoin d'aide.

— Je n'attendais que cela, répondit-il, les poings serrés. Je vais aller voler ces habits à l'entrepôt.

— Ce ne sera pas la peine, sourit le chirurgien.

— Ah ? Et pourquoi ?

— Ils sont toujours sur lui. Le bougre était déjà mort quand on nous l'a amené. Mais vous allez m'aider, je dois encore l'autopsier.

Lorsque Trente-trois se présenta devant Marais, il avait décidé de tout lui raconter, sans rien omettre, de la présence d'Anne et Camille et de l'attitude de Querré. Trente-trois avait suivi la carriole qui emmenait les deux blessés jusqu'à l'hôpital puis s'était rendu directement rue des Trois-Maries. L'inspecteur l'avait écouté, le regard rivé dans ses yeux, que le marin essayait de fuir, comme si la moindre entorse à la vérité allait se projeter sur ses iris. Marais n'avait fait aucun commentaire et avait promis de le payer une fois maître Fabert arrêté. Il s'était enfermé dans son bureau avec son aide de camp afin de lui indiquer les changements dans leur plan. Marais avait fait surveiller l'Hôtel-Dieu mais répugnait à y intervenir en force sans l'aval des autorités locales. Fouiller chaque lit de chaque salle allait nécessiter l'aide des médecins et chirurgiens, sans compter les dépendances et les bâtiments encore en construction que la nuit rendait impraticables.

— De plus, il est possible qu'il n'y soit déjà plus, dit-il à son aide de camp qui venait de l'informer que les soldats cernaient le bâtiment. Combien de monde dans l'hôpital ?

— Près de mille personnes, entre les malades et les soignants, répondit l'assistant, qui s'était renseigné auprès du portier.

— Attendez le point du jour avant d'y débuter les recherches, j'aurai prévenu le recteur. Continuez de surveiller les autres lieux et activez tous nos lugduniens : qu'ils nous alertent dès qu'ils le voient. Mais surtout qu'ils n'interviennent pas ! insista Marais. C'est à vos soldats de le faire. À quelle heure ouvrent les portes de la ville ?

— Six heures trente, monsieur.

— Mettez des hommes à chacune pour fouiller tous les véhicules qui sortiront.

— Cela mobilisera près de trente soldats, monsieur.

— Débrouillez-vous ! Convoquez la compagnie des arquebusiers ou les hommes du guet pour cette tâche ! s'énerva l'inspecteur.

Il écrivit à la hâte un ordre de réquisition.

— Voilà, vous disposez maintenant de cent hommes de plus, dit-il en le lui tendant. S'il en faut d'autres encore, nous les aurons. Il ne doit pas nous échapper, est-ce clair ? C'est un ordre du roi !

— Nous le trouverons, monsieur.

— Tous ceux qui sont frappés d'une lettre de cachet tentent de s'exiler à l'étranger, expliqua Marais. Lui aussi fera comme les autres. Il va vouloir gagner la Suisse. Concentrez vos efforts sur les coches d'eau et les diligences pour Genève. Rien de ce qui sort de cette ville ne doit nous échapper

— S'il n'y avait pas eu ces amoureux à la Bergerie, nous l'aurions déjà capturé à son domicile.

— Je sais. Ils ont contrarié mon plan initial, mais leur mésaventure va m'être très utile. L'émotion suscitée chez Fabert va l'amener à faire des erreurs. Tenez-moi au courant chaque heure.

77

Mercredi 21 janvier

Le cadavre était installé sur une grande table dans la pièce principale du dépôt des morts. Sa figure, jaunâtre, était figée dans la douleur.

— L'homme était broyeur de couleurs, expliqua le chirurgien-major en préparant ses instruments.

— Que lui est-il arrivé ? interrogea Camille.

Il évitait de regarder le cadavre, mais, quel que soit l'endroit où il posait les yeux, tout était lugubre : les deux rangées de cases en bois dur, les chandeliers aux grandes dégoulinades de cire, le pot d'oxyde de chaux, censé combattre l'odeur des émanations morbifiques qui imprégnait l'atmosphère, le tablier du chirurgien aux traces de sang séché.

— Intoxication au poison, commenta-t-il en le nouant dans son dos. Lorsqu'ils broient une couleur à base d'oxyde de plomb, ils l'humectent avec de l'huile pour en faire une peinture. Il n'y a rien de pire pour se contaminer.

— Mais comment ce poison s'est-il retrouvé dans son corps ?

Le chirurgien respira profondément.

— Inhalé, pardi. Apparemment, il avait travaillé sur une commande pour le théâtre. Un très grand décor pour une pièce en préparation. Tout un fond gris. De quoi rendre malade un barbouilleur. Mais celui-ci en est mort : colique, puis paralysie des membres et affection pulmonaire. Le cas est rare, je n'en ai eu qu'un avant lui. Je voudrais comprendre pourquoi. Je parie que la quantité de plomb qu'il a dans ses poumons va dépasser l'entendement. Notre médecin-chef n'est pas de cet avis. L'autopsie montrera que j'avais raison, conclut-il.

— Qu'est-ce que c'est ? demanda Camille en s'approchant, intrigué par le cordon relié par un anneau à un des doigts du mort.

— Une sonnette. Ainsi, s'il n'était pas réellement mort, nous serions avertis.

Il la fit sonner bruyamment pour lui montrer. Camille sursauta et sentit son sang se glacer.

— Voulez-vous arrêter ? l'intima-t-il en retenant la clochette dans sa main.

Il ne pouvait chasser de son esprit que, sans l'intervention d'Antoine, Anne et lui se trouveraient allongés aux côtés du barbouilleur, et l'attitude désinvolte du chirurgien l'indisposait autant que la présence du défunt.

— Bien, on lui enlève ses vêtements ? Je le tiendrai, vous n'aurez qu'à le déshabiller, proposa le soignant, prenant conscience de l'ampleur du malaise de Camille.

Ce dernier pensa à Anne pour ne plus trembler. Une fois les habits en main, il quitta en hâte le dépôt des morts sans un regard pour le chirurgien qui avait commencé à entailler la peau.

Lorsque Antoine enfila la défroque, le jeune rédacteur ne put s'empêcher de penser au visage de souffrance du mort. La chemise et le pantalon étaient maculés de projections de peinture noire ou blanche. La veste en était préservée et donnait à l'ensemble un air respectable. Le chapeau, rond et à bord plat, permettrait de cacher son visage à quelques mètres de distance.

— Quelle transformation ! On ne vous reconnaît pas, admira Camille. Comment comptez-vous sortir ? Avez-vous trouvé une galerie souterraine ?

— Les égouts, indiqua Antoine en fermant les deux pans croisés de la veste. Le plus large est celui qui part de la cuisine. Un homme y tient debout, ajouta-t-il.

Il était certain qu'il n'aurait jamais pu ramper dans un boyau ou un tunnel, mais la taille de l'égout l'avait rassuré. L'autre avantage résidait dans le fait qu'il n'était pas immergé dans le fleuve, en raison d'un banc de gravier que les flots du Rhône avaient accumulé au niveau de l'hôpital.

— En revanche, l'inconvénient est que toutes les immondices s'y sont accumulées. Apparemment, le recteur préfère attendre la prochaine crue pour tout faire nettoyer.

— Je vous accompagne ! clama Camille.

— Pas question, votre place est auprès d'Anne. Et vous n'êtes pas recherché. Mais je vais avoir besoin de vous pour attirer l'attention des gens de la cuisine.

La sœur commise au réfectoire compta la vaisselle et les ustensiles et entreprit de les disposer pour le petit déjeuner. À sept heures, la cloche sonna, attirant à la cantine tous les domestiques de l'Hôtel-Dieu, qui attendirent la lecture du bénédicité avant de s'asseoir. Un des serviteurs vint signaler l'absence de pain à leur table. La sœur se leva avec la permission de l'économe et gagna la cuisine, qu'elle trouva vide. Une soupe cuisait à gros bouillons sur un des trois fourneaux en fonte. Elle pesta intérieurement contre les deux cuisiniers chez qui la stricte obéissance aux règles n'était pas le point fort, huma le fumet du consommé dont l'odeur de volaille lui mit l'eau à la bouche, rompit du pain et en emplit un panier.

— Dieu du ciel ! cria-t-elle en sursautant, surprise par un bruit métallique.

Une grande louche en cuivre s'était détachée du mur et avait chuté sur le sol en pierre près de l'entrée de l'égout. Elle la ramassa en se demandant comment elle avait bien pu se décrocher toute seule.

— Sœur Cécile ! Quelle coquine ! Vous aviez faim ? plaisanta un des deux cuisiniers qui venaient d'entrer. Le réfectoire ne vous suffit plus ?

La religieuse, vexée, se défendit avant de leur reprocher leur absence.

— Hé, tout doux ! dit le plus grand et le plus âgé des deux. Un malade nous a prévenus qu'il avait vu un rat filer dans l'entrepôt des vivres. On vient de vérifier et on n'a rien trouvé.

— Ce n'est pas à vous de vous en occuper ! répliqua-t-elle sèchement. Nous ferons venir un marchand de mort-aux-rats.

— Le temps qu'il se déplace, nous n'aurons plus de pain ! Et vous, que faites-vous avec cette louche en main ? Vous vouliez goûter notre bonne soupe, n'est-ce pas ? la taquina-t-il en souriant afin d'éviter toute reprise des hostilités.

La sœur haussa les épaules et lui tendit l'ustensile en expliquant dans quelles circonstances elle l'avait récupéré.

— C'est bien la preuve qu'il y a des rats, dit le second cuisinier en s'agenouillant pour regarder sous les meubles. Non, rien, constata-t-il. À part des épluchures !

Il s'approcha de la trappe du sol afin de l'ouvrir. Les exhalaisons des immondices en décomposition envahirent leurs narines.

— Pouah ! Ferme cela, malheureux ! lui intima son confrère. Tu vas nous noyer de miasmes ! Ce cloaque est pire que l'entrepôt des morts. Même pour un sac d'or, je n'y mettrais pas les pieds.

Le cuisinier lâcha la porte, qui claqua au sol dans une bouffée nauséabonde.

— Boucle le loquet, continua le plus âgé. J'ai déjà vu des rats si gros et si puissants qu'ils étaient capables de soulever les portes !

La sœur ne put s'empêcher de pousser un cri d'effroi, faisant s'esclaffer les deux hommes. Elle prit son panier de pain et sortit sans un mot. Camille, qui était resté dans le couloir, la vit entrer dans le réfectoire et conclut qu'Antoine avait réussi à s'introduire dans l'égout. Il devait l'aider. Alors qu'ils cherchaient le rat imaginaire dans la salle des vivres, Camille avait fait parler un des cuisiniers. Antoine allait affronter un obstacle inattendu.

La descente avait d'abord été verticale, sur trois mètres, à l'aide de barreaux d'échelle fixés dans la maçonnerie. Puis Antoine sentit un sol meuble et humide sous ses pieds. La galerie était droite et en pente douce. Plusieurs filets d'eau s'écoulaient du mur dans leur clapotis caractéristique. La couleur du jour naissant était visible, cinquante mètres plus loin. Mais le chemin vers la liberté allait être long : il n'avait pu emporter avec lui ni bougie ni briquet à friction et devrait progresser lentement en s'aidant des parois concaves du tunnel. Antoine avait l'impression de suffoquer, non pas en raison de l'étroitesse du lieu, mais du mélange d'odeurs qui y régnait. Il avait gardé ses bottes, qui lui permettaient de conserver ses pieds secs malgré le ruisseau de fange dans lequel il pataugeait.

À quelques mètres de la sortie, sa jambe buta sur un monticule qu'il identifia comme un amoncellement d'os et de carcasses d'animaux divers sur lequel il marcha, déclenchant un bruit de fagot de bois sec. Au loin, la trappe s'ouvrit. Antoine entendit la voix du cuisinier qui jetait un seau d'épluchures.

Le quadrillage d'une grille se découpait dans le disque gris clair de la sortie. Antoine se laissa le temps de reprendre son souffle et empoigna les barreaux à deux mains pour les pousser : rien ne bougea. Il dégagea le tas d'immondices accumulées sur le sol et fit une nouvelle tentative infructueuse avant d'apercevoir le cadenas recouvert de rouille qui la fermait. Au même moment, les hommes de Marais investissaient l'édifice principal pour se disperser dans les différents bâtiments.

Le chirurgien était perplexe : tous les organes qu'il avait observés étaient sains. Intestins, cœur, foie et rate n'étaient le siège d'aucune anomalie. Même les poumons, sur lesquels il comptait beaucoup pour proposer sa théorie, ne présentaient pas d'inflammation. Il se pencha sur le canal intestinal, qu'il prit à pleines mains, à la recherche de dépôts de plomb. Il n'en trouva pas même une trace, à sa grande satisfaction : le médecin-chef avait tort, lui aussi. Il calcula qu'au rythme des décès, il lui faudrait entre vingt et trente ans avant d'avoir suffisamment d'observations pour percer le mystère de cette maladie. La cause en resterait encore longtemps inconnue.

Deux militaires entrèrent sans s'annoncer et eurent un temps d'arrêt en découvrant l'homme en train de recoudre le corps du cadavre. Il répondit à leurs questions tout en continuant son travail, affirmant ne pas avoir vu maître Fabert depuis qu'il avait amené les deux blessés. Lorsque l'un des deux eut la mauvaise idée de lui demander la cause du décès de son patient, le chirurgien jeta son scalpel dans une bassine métallique, s'essuya les mains et affirma :

— La variole. Nous allons devoir passer vos vêtements à la chaux, messieurs.

Les soldats reculèrent en l'invectivant pour ne pas les avoir prévenus plus tôt mais acceptèrent de se dévêtir, de se laver à un baquet d'eau froide et d'ingérer une tisane préventive à l'amertume de laquelle aucun miasme ne pourrait résister. L'aide de camp de

Marais, prévenu, se soumit à la demande du chirurgien de lui laisser les tenues afin de les brûler. Les deux caporaux en étaient quittes pour deux jours d'observation dans l'aile des malades contagieux. Le soignant enveloppa les vêtements dans une toile de jute et monta au second étage les porter à Camille, satisfait du subterfuge utilisé pour les récupérer. Le jeune homme n'était pas avec Anne. Huit heures venaient de sonner. Du couloir parvenaient des bruits de bottes, des pas pressés, des ordres criés. Anne ne pouvait ni se lever ni même s'asseoir, clouée sur le ventre dans un lit aux parois de bois qui la recouvraient comme une large niche.

— Je suis si inquiète pour Camille, dit-elle, les yeux rivés sur le rideau de velours rouge noué à la tête de sa couche.

Le chirurgien la rassura et partit à sa recherche. Il s'arrêta au premier étage, dans la salle des hommes blessés, pour calmer l'ardeur d'un groupe de soldats qui arrachaient les draps de chaque lit afin de vérifier qu'Antoine ne se cachait pas parmi les malades. Les hommes s'adoucirent après qu'il les eut menacés d'une doléance auprès du gouverneur. Aux beuglements des soldats avaient succédé les plaintes des malades dérangés dans leur sommeil ou surpris dans leur repos. Il apaisa tout le monde avec l'aide des sœurs et gagna son appartement, où le frère chargé de la grande porte le cherchait. Un des malades avait été arrêté par les gens d'armes à l'extérieur de l'Hôtel-Dieu, sur le quai de Retz.

— Le jeune brûlé dont vous vous êtes occupé cette nuit, ajouta le frère. Il est à la porterie.

Le chirurgien l'y trouva entouré de deux soldats. Camille lui envoya un large sourire qui le rassura sur le succès de leur entreprise.

— Vous et maître Fabert allez m'obliger à aller à confesse dès ce soir, chuchota-t-il à Camille après avoir menti au lieutenant sur la raison de l'échappée du jeune homme.

Il l'entraîna par le bras à l'étage jusqu'à la chambre d'Anne.

— Maintenant, vous allez nous raconter, dit-il une fois les effusions passées.

Antoine avait tenté d'ouvrir le cadenas à l'aide d'un os fin qu'il avait ramassé à l'aveuglette dans les déchets. Après plusieurs essais, la côte de canard utilisée avait fini par casser dans la serrure. Il s'était remis à la recherche d'un outil, fouillant dans le monticule d'immondices, à tâtons. Il avait dérangé une famille de rats, qui avaient glissé sur ses doigts, et avait traversé des couches gélatineuses avant de sentir la présence d'une carcasse de grande taille. Il avait tiré sur un des os, le détachant avec difficulté, et l'avait amené à la grille. Dehors, le jour se levait sur les flots du Rhône. La berge du bourg de la Guillotière était visible. Antoine avait déchiré un pan de sa chemise, dont il avait enveloppé sa masse improvisée, une tête d'humérus de bœuf, et avait frappé sur le cadenas. Les coups étouffés ne risquaient pas d'attirer les soldats. Mais il ne parvint pas à forcer le verrou. La couche de rouille n'était que superficielle.

Antoine se cala contre le mur humide. Il ne s'était pas habitué à l'odeur, qui l'écœurait jusqu'à la nausée, et avait du mal à réfléchir. Il avait décidé d'attendre le départ des hommes de Marais avant de remonter à la cuisine de l'Hôtel-Dieu lorsqu'il entendit des pas. On approchait. Il recula dans l'obscurité de l'égout. La silhouette familière de Camille, dans son uniforme de malade, apparut de l'autre côté de la grille.

— Je devais aider Antoine, dit-il à Anne et au chirurgien. Les cuisiniers m'avaient expliqué qu'une fois l'an, ils étaient obligés de curer le cloaque à cause de la grille qui retenait les carcasses jetées. Et seul l'économe en a la clé. Je me suis procuré une grande pince et je suis sorti par une des portes du quai.

— Une grande pince ?

— Oui, avec un long manche. Je l'ai cachée sous ma chemise. Ils m'ont laissé sortir. Je n'étais pas celui qu'ils cherchaient.

— Où l'avez-vous trouvée ? Dans les cuisines ?

— J'ai rejoint maître Fabert près de la grille où il n'avait pas réussi à ouvrir le cadenas et lui ai donné l'instrument. En quelques secondes, le verrou avait sauté ! Maintenant, notre ami est en sécurité.

— Fort bien. Et la pince ? D'où venait-elle ? insista le chirurgien.

— Il faut que je vous dise... commença Camille en prenant l'air gêné qu'Anne lui connaissait bien avant tout aveu.

Le jeune homme était retourné à la chambre des morts.

— J'espérais vous y trouver, mais seul le cadavre y était, tout recousu.

— Vous n'avez quand même pas... ?

— Il y avait cette pince, dans un baquet, elle était longue et semblait si solide, c'était exactement ce dont j'avais besoin, se justifia Camille.

— Ma pince à thoracotomie ! s'exclama le chirurgien-major. Je l'ai fait faire sur mesure par un artisan qui travaille pour l'école vétérinaire. Je pourrais ouvrir un cheval sans effort ! Je devrais vous en vouloir de me l'avoir subtilisée, mais vous avez choisi le meilleur instrument pour libérer maître Fabert, jeune homme ! Qu'en avez-vous fait ?

— Ne vous inquiétez pas, je peux la retrouver, dit Camille, les deux mains en avant comme pour prévenir toute réaction excessive.

Le chirurgien garda les bras croisés.

— Où est-elle ? dit-il en se contenant.

— Lorsque j'ai entendu une patrouille approcher, je l'ai jetée dans un autre égout de l'hôpital.

— Tudieu ! jura le soignant. Foutu drôle !

— Mais je sais à quel endroit, s'écria Camille. Il faut juste attendre que tout se calme ici.

Anne ne put contenir son fou rire en constatant l'air abattu de son fiancé et celui, effaré, du chirurgien, qui se calma rapidement et prit le parti d'en sourire.

— Jeune homme, vous allez devoir parcourir les égouts de l'établissement jusqu'à ce que vous me rendiez ma pince. Et votre fiancée m'est témoin que je ne vous rendrai vos vêtements qu'à cette condition, dussiez-vous finir votre vie dans cet hôpital.

— Je t'aime, dit Anne entre deux rires.

78

Jeudi 22 janvier

La petite Colombe était heureuse. Debout sur le pont supérieur du coche d'eau, entre deux rangées de marchandises, elle se tenait adossée au mât central d'où descendaient une dizaine de cordes qui se répartissaient sur le pourtour du bateau comme une gigantesque toile d'araignée. Le vent faisait tournoyer ses cheveux, les plaquant sur son visage, avant de les dompter en arrière, pour son plus grand bonheur. Elle se sentait libre : pendant tout le voyage jusqu'à Paris, qui allait durer six jours, elle serait à nouveau une enfant, dont les pensées seraient tournées vers le jeu et la rêverie. Elle ne serait plus forcée de faire le médium, de réciter un discours écrit d'avance par son mentor, elle n'aurait plus peur d'être démasquée, elle ne souffrirait plus de mentir, elle n'aurait plus en elle cette tristesse d'être celle que le prêtre magicien lui imposait d'être. Elle leva les yeux vers le fanion qui claquait, huit mètres plus haut, et le regarda un long moment onduler, souple et agile, tentant en riant de faire de même avec ses cheveux.

Le coche d'eau, parti le matin d'un des ports de Lyon, devait rallier le lendemain Châlons, d'où une diligence prendrait le relais par la route. La Colombe était sur le pont depuis l'embarquement et rien, à part la faim, ne pourrait l'en déloger. Ils avaient croisé d'autres bateaux, des bèches avec leurs batelières qui répondaient à ses signes de la main en soulevant leurs chapeaux, des barques de pêcheurs occupés à relever leurs filets, plusieurs chalands aux impressionnants chargements qui les faisaient raser le fil de l'eau. Ils avaient doublé une embarcation tirant une brelle de bois, ce qui avait beaucoup amusé la fillette.

Le coche s'arrêta à Neuville pour prendre des passagers et de la marchandise, faisant sortir le prêtre magicien de sa cabine. La Colombe en profita pour aller caresser les chevaux de poste qui tiraient le coche depuis le chemin de halage. Il la rejoignit et lui donna un morceau de pain qu'elle s'empressa d'offrir au percheron le plus proche.

— Tu n'as pas faim ? s'inquiéta-t-il.

— Non, monsieur Rousset.

— Combien de fois t'ai-je répété de ne pas m'appeler ainsi, le gronda-t-il en lui envoyant une pichenette sur la joue.

Il regarda autour de lui afin de vérifier que personne ne les avait entendus.

— Dis-moi père, simplement, ajouta-t-il en lui caressant les cheveux comme pour s'excuser.

— Vous n'êtes pas mon père, répliqua la Colombe en s'écartant avant de regagner le bateau.

L'homme soupira. Il avait bien fait de décider de quitter Lyon. La petite s'était attachée à Madeleine à un point qu'il considérait comme dangereux pour eux. Paris serait bientôt leur nouvelle conquête. Lorsqu'il monta à bord du coche, elle avait repris sa place près du mât. Il s'allongea dans la cabine sans parvenir à s'endormir et reprit sa lecture de l'édition parisienne de la *Gazette de France* à la recherche des plus riches familles à consoler.

La petite Colombe oublia vite l'incident. L'après-midi était presque radieux, même si le froid, accentué par la vitesse, avait fait rosir ses joues.

Elle se pencha à tribord pour regarder une étrange embarcation les dépasser. Elle possédait deux petites voiles triangulaires, séparées par un large pont protégé d'un auvent de bois. Le bateau ressemblait à celui d'une illustration qu'elle avait vue dans un conte du Nouveau Monde. L'ouvrage, *Le Cabinet des fées,* était son favori, mais elle l'avait perdu lors d'une de leurs étapes en Europe et son protecteur lui promettait sans cesse de le remplacer, sans jamais l'avoir fait. Elle reconnut le militaire qui se trouvait debout au niveau de la proue et lui fit un signe de la main. L'homme, occupé à manœuvrer sous les ordres du marin à la barre, ne la vit pas. Le bateau, les voiles gonflées, fut rapidement devant eux. Le coche roula légèrement sous les vagues produites.

La Colombe reprit sa place près du mât en regardant le bateau de conte s'éloigner. Elle pensa à la mère de Jacques, qui allait lui manquer, et à la belle princesse dont le manchon en fourrure ne la quittait plus, avant de chasser sa tristesse dans une rafale de vent.

Debout à l'avant de l'embarcation, Antoine n'avait pas vu la Colombe lui faire signe. Depuis leur sortie du quai de l'Observance, il guettait la présence des gens d'armes sur les quais, les berges et les ponts. Son déguisement les avait aidés à passer les fortifications au pont d'Alincourt sans être inquiétés.

— Venez vous reposer un peu, lui dit Antelme depuis la cabine arrière. Je manque de compagnie !

— Allez-y, dit le marin, nous n'avons vu aucune patrouille depuis la sortie de la ville et je doute qu'on en trouve maintenant. Il se dit sur les quais que les militaires se sont massés près des ports du Rhône pour vous empêcher de fuir en Suisse. Ils n'ont pas fini d'attendre !

L'homme était le capitaine du coche d'eau que Prost utilisait fréquemment pour ses rendez-vous secrets. Il avait accepté sans hésitation d'escorter Antoine jusqu'à Trévoux lorsque François le lui avait demandé.

— J'ai parfois l'impression de voir Radama à la barre, soupira Antelme quand Antoine l'eut rejoint. Je n'arrive pas à réaliser qu'il n'est plus en vie. Ce voyage à Ferney va me faire le plus grand bien.

— Êtes-vous sûr de votre cocher ? interrogea Antoine, qui continuait à fouiller les berges du regard.

— Autant qu'on peut l'être de quelqu'un qui a des raisons personnelles d'en vouloir à la royauté française, répondit-il en relevant la fourrure qui lui couvrait les jambes. Et de quelqu'un qui va recevoir une somme le mettant à l'abri du besoin pour une bonne année, ajouta-t-il pour répondre aux plissements d'incrédulité du visage d'Antoine. Je crois davantage aux vertus de l'argent qu'en celles des idéaux, que voulez-vous !

— Dans ce cas précis, je ne m'en plaindrai pas. Quelle est la suite de votre plan ?

Le carrosse les attendait à l'arrière du port. Le voyage terrestre durerait quatre jours, jusqu'à Genève où ils logeraient.

— Ce qui nous permettra aussi de rencontrer l'imprimeur de l'*Encyclopédie* et de lui faire rallier notre camp, compléta Antelme. Une fois que tout sera résolu, je retournerai à Lyon, mais vous resterez en Suisse, insista-t-il. Interdiction de rentrer avant que la lettre de cachet n'ait été levée.

— Je ne pourrai pas vivre longtemps en exil, le prévint Antoine en se portant vers l'avant.

Le capitaine avait amorcé une manœuvre délicate et l'avocat avait anticipé sa demande en réduisant la voilure. Trévoux était en vue.

— Nous accostons dans dix minutes, cria le marin alors qu'Antoine s'était rassis à côté d'Antelme.

— J'ai l'impression qu'une partie de vous est toujours à la Bergerie, remarqua l'historien.

— Marais n'a pas détruit que mon passé en s'y attaquant. Il a aussi empêché que la population de notre royaume ait un sort meilleur lors des hivers à venir. Combien de temps se passera-t-il avant que je puisse reprendre mes travaux, reconstruire mes machines et inviter M. Parmentier à partager avec moi les résultats de nos expériences ? Nous y étions presque !

— Il a choisi son jour sciemment. En vous arrêtant juste après, il brisait votre force mentale autant que votre courage physique.

— Il a bien failli réussir. Le jeune Delauney m'a sauvé, lui aussi.

— Faites confiance à vos proches. Nous sommes votre muraille.

Ils longeaient les faubourgs de la ville. Deux gamins les accompagnèrent en courant sur le chemin de halage jusqu'à ce que l'un d'eux ne tombe. Antoine était silencieux.

— Elle est en sécurité, affirma Antelme à leur entrée sur le quai.

— De qui parlez-vous ?

— Michèle Masson. Vous êtes plus inquiet pour elle que pour le trésor, n'est-ce pas ?

— Elle est mon trésor. J'ai l'impression de l'avoir abandonnée.

L'ancre coula verticalement, presque sans bruit. L'embarcation tutoyait la berge à l'extrémité ouest du port.

— Nous serons plus tranquilles, expliqua le marin. Le coche d'eau ne va pas tarder à arriver, ajouta-t-il en montrant quelques passagers en attente sur le quai.

Le carrosse stationnait à moins de deux toises du bateau et le cocher frottait ses chevaux avec une poignée de paille.

— Nous pourrons partir d'ici une heure, dit Antelme en tournant les manivelles. Le plus long sera de décharger mon envahissante personne. Nous sommes votre muraille, mais je ressemble plus à une ruine, plaisanta-t-il en montrant son corps avachi dans le fauteuil roulant. Ne m'attendez pas, il y a une surprise pour vous dans le véhicule.

Le livre était posé sur la banquette. *La Religion des Gaulois* avait été éditée en 1727 par un révérend père de la congrégation de Saint-Maur qui avait tenté de collecter toutes les sources antiques s'y référant et de les relier aux quelques monuments et textes découverts dans le royaume. Antoine lut sans difficulté les phrases reproduites et sourit aux explications erronées de l'auteur. Il prit plus encore conscience d'à quel point sa découverte allait révolutionner la connaissance que ses compatriotes avaient de leurs lointains ancêtres.

Il se plongea dans la lecture en oubliant aussitôt tout le contexte. La réalité le happa à nouveau lorsque l'habitacle se mit à remuer. Il ouvrit le rideau et constata avec soulagement que le mouvement était dû au chargement des malles sur le toit. De l'autre côté du port, une grue déposait des tonneaux sur le coche d'eau dont les passagers s'étaient dilués sur le quai. Antelme s'y trouvait, affairé à acheter de la nourriture au seul commerçant présent. Antoine vit la petite Colombe caresser un des chevaux de leur attelage tout en lui donnant de l'herbe, sous la surveillance du cocher. Il chercha le prêtre magicien dans la foule et l'aperçut faisant de grands gestes en direction de la fillette, qui le rejoignit. Antoine repoussa le rideau, soulagé, et reprit sa lecture. Son vêtement militaire lui faisait mal. Sa peau était irritée en différents endroits en raison de la taille trop petite de la veste. Il se changerait une fois la ville quittée.

La cloche du coche sonna le départ. Antoine entrouvrit le voilage : la place s'était vidée. Antelme n'était plus sur le quai. Le cocher n'était pas visible. La portière opposée s'ouvrit au moment où il se décidait à inspecter l'extérieur.

— Antelme, un instant j'ai cru... dit-il en s'interrompant aussitôt.

L'historien, voûté dans son fauteuil à l'entrée de l'habitacle, pâle, les lèvres bleuies, semblait manquer d'air.

— Qu'y a-t-il ?

— Moi. Il y a moi, cher monsieur, dit le prêtre magicien en se montrant.

Il pénétra dans le carrosse et s'assit en face d'Antoine.

— Joli, le costume, dit-il en exagérant son sourire.

L'homme savourait sa revanche avec un plaisir consommé.

— Que voulez-vous, monsieur Rousset ? demanda Antoine après un regard vers Antelme qui lui laissa présager le pire.

— C'est ma Colombe qui m'a prévenu, ma chère petite Colombe. Elle vous avait repéré dans le carrosse et voulait partir avec vous. Touchant, non ?

L'homme joua avec le voilage pour leur montrer la fillette, assise en pleurs à quelques mètres du carrosse.

— Allez au but de votre présence, répliqua Antoine en refermant le rideau.

— Voyez-vous, ce matin, nous avons quitté Lyon en retard, la maréchaussée a fouillé le bateau. Ils recherchaient un fugitif du nom de Fabert. Et voilà qu'ici, à Trévoux, le coche vient de repartir sans nous. Que de désagréments par votre faute, ne trouvez-vous pas, maître ? Tout cela mérite bien une indemnisation, n'est-ce pas ?

— Avez-vous pensé au fait que vous êtes seul et que nous sommes trois ?

— Allons, voyons, vous n'êtes pas un assassin. D'autant qu'il vous faudrait aussi vous occuper de ma Colombe, ajouta-t-il en envoyant un regard en sa direction. Soit l'éliminer, soit l'emporter dans votre fuite. Le paria, le paralytique et l'enfant : quel beau tableau ! ricana-t-il à l'évocation de l'image.

Il tira une dague de sa botte et en fixa la lame du regard.

— Je suis un homme prudent. Ma profession m'y oblige. Et les routes sont si peu sûres de nos jours. Bien, les préambules étant posés, revenons à notre affaire.

— Combien voulez-vous ? demanda Antelme depuis l'extérieur.

— J'ai évalué ce dédommagement à cinq cents écus.

Antoine évalua toutes les solutions possibles. Aucune n'était satisfaisante. L'homme ne cherchait qu'à glaner de l'argent en profitant d'une situation qui lui semblait favorable. En le payant, ils évitaient les risques liés à une bagarre à l'issue incertaine. Antoine s'y résolut. Restait à négocier.

— Nous n'avons pas cette somme, répondit-il avec assurance.

— Voilà qui est fort fâcheux, répliqua Rousset en fronçant le nez.

L'homme fit mine de réfléchir.

— Disons trois cents écus et votre chaton, proposa-t-il en montrant le bijou au doigt d'Antoine.

— Prenez celle-ci, elle vaut bien plus, anticipa Antelme en lui tendant la sienne.

L'historien savait qu'Antoine refuserait de se séparer de sa bague de promesse. Le temps était compté.

— C'est un diamant bleu, il vient de Madagascar, vous n'en trouverez aucun ici. Vous pourrez le vendre une fortune ! assura-t-il en le lui fourrant dans la main.

— Antelme, non ! cria Antoine en tentant de s'interposer.

Rousset mit sa dague en garde devant le menton de l'avocat. La tension était extrême.

— Prenez-le et filez ! insista l'historien.

Dehors, la Colombe sanglotait nerveusement et avait du mal à reprendre sa respiration. Les yeux du faussaire allaient et venaient entre ses deux interlocuteurs.

— Cent écus et la bague, exigea-t-il en l'enfilant à son doigt.

Antoine porta sa main à sa poche.

— Attention, prévint Rousset, l'arme toujours pointée.

Fabert sortit la somme de sa bourse et la déposa dans un sac de feutrine que l'homme lui tendait. Le prêtre magicien recompta en prenant son temps avant de sortir.

— Ce fut un plaisir de traiter avec vous. Il n'y a rien de plus agréable dans une transaction que lorsque chacun y trouve son compte. Messieurs ! parada Rousset avant de les quitter.

— Nous lui réglerons le sien plus tard, dit Antelme en approchant son fauteuil pour grimper. Maintenant, il nous faut partir sans délai. Cocher !

Antoine observa le faussaire traîner la fillette de force vers le port avant de revenir vers eux.

De l'autre côté du carrosse, Antelme, le souffle court, pestait contre le cocher qui tardait à venir. Les chevaux, nerveux, faisaient bouger le véhicule.

— Antelme, il se passe quelque chose. Éloignez-vous, dit Antoine en se penchant vers lui.

L'historien était au bord du malaise. Ses yeux s'étaient creusés.

— Il revient. Éloignez-vous !

Rousset passa sa tête par la portière.

— Au fait : je vous ai menti. J'ai prévenu les autorités. Mais je devais gagner du temps pour permettre votre arrestation. C'est chose faite, dit-il en le saluant de la main.

L'homme se retira. À sa place, deux mousquets pointèrent leurs canons sur la poitrine d'Antoine.

— Bon retour à Lyon, maître !

CHAPITRE XII

Janvier 1778

79

Vendredi 23 janvier

Les gouttes de pluie frappaient silencieusement le tapis de mousse du sous-bois alors que Camille progressait avec difficulté sur le chemin qui longeait les Cordeliers de l'Observance. Il souffla un instant près de la stèle des Deux-Amants, identifiable par le renflement du terrain au milieu d'une petite clairière. À ses pieds, l'église des observantins se vidait encore de l'assistance venue rendre un dernier hommage au père de Valentin. L'homme s'était éteint la veille dans son sommeil, plus exactement entre deux sommeils, si bien que la bonne, qui n'avait pas osé le réveiller, avait attendu le soir avant de donner l'alerte. Valentin avait quitté la maison alors que les bougies funèbres n'avaient pas encore été installées et n'avait pas reparu depuis lors. Camille s'était inquiété de ne pas le voir à l'enterrement et, dès la fin de la messe, avait gravi le sentier qui menait aux anciennes cellules des cordeliers.

Il reprit sa marche, les pieds trempés dans ses bottes gorgées d'eau, et atteignit rapidement la bâtisse abandonnée. L'intérieur sentait le moisi et le salpêtre. Une partie du toit s'était écroulée sous le poids de la neige. Camille ouvrit le cadenas d'une des chambres situées dans la partie intacte. Lorsqu'il entra, une odeur musquée lui indiqua qu'elle avait été occupée récemment. Les deux épais draps de coton qui recouvraient la couche s'étaient plissés sous le poids d'un homme et l'oreiller était encore creusé en son centre. Il fouilla le coffre, qui ne contenait que des sacs de jute vides, une lanterne, quelques bougies et des morceaux de pain moisi.

L'ancienne cellule était le refuge où il venait avec Valentin depuis l'adolescence. Personne ne les en avait jamais délogés. Aucun observantin n'y montait plus depuis des lustres. Ensemble, ils y avaient connu leur première ivresse, ils y avaient fait le serment de ne jamais renier leurs idéaux, de toujours se protéger l'un l'autre. Deux frères de sang.

Camille s'assit sur le lit, bien décidé à attendre Valentin. Il frissonna, enleva ses chausses et essuya ses pieds mouillés dans les couvertures, avant de s'en recouvrir. Les cellules ne possédaient pas de fenêtre et l'espace se trouvait dans la pénombre. La pluie frappait les tuiles de sa mélopée monotone. Camille pensa à Antoine, qui venait de passer sa première nuit en prison. La nouvelle s'était répandue en ville comme une traînée de poudre et une foule considérable l'avait attendu sur les marches du palais de Roanne à son arrivée tardive. Les centaines de lanternes, tenues à bout de bras, se balançaient au rythme des cris et des huées du peuple venu défendre l'avocat qui avait brisé le monopole de la boulangerie. Les militaires avaient dû se frayer un chemin jusqu'à l'entrée. Prost avait fait déranger le sénéchal en personne et avait usé de tous les recours afin d'éviter un transfert dès le lendemain. Mais aucune requête n'avait été faite par l'inspecteur Marais, qui n'était même pas présent pendant l'acte d'écrou. Personne n'avait eu le droit de voir Antoine. François avait déposé une demande de visite pour le jour même, en qualité d'avocat, mais attendait toujours une réponse.

Camille bâilla. La fatigue rôdait et, sans qu'il ne s'en rende compte, l'envahit. Un claquement le réveilla en sursaut. Il se leva, le corps engourdi, tituba et dut se rasseoir pour rassembler ses esprits. La cloche du couvent lui indiqua qu'il était resté plus d'une heure allongé, ce que confirma l'odeur qui imprégnait ses vêtements. Lorsqu'il enfila sa botte droite, ses doigts de pied butèrent sur un objet qui glissa au fond. Après avoir essayé de l'en déloger en la secouant, il y plongea la main et en sortit une lettre pliée. Quelqu'un s'était introduit dans la pièce et l'avait déposée pendant son sommeil.

Après l'avoir lue, Camille descendit le coteau au pas de course, alors que la pluie redoublait d'intensité et avait commencé à percer la muraille blanche. Il rallia l'Hôtel-Dieu, où la guérison d'Anne était en bonne voie. Sa fiancée était assise sur le lit à se peigner les cheveux lorsqu'il surgit dans la chambre, la chemise sortie, la perruque prêtée par son oncle dépassant à moitié de sa poche de veste. Il s'était rasé les quelques cheveux restants et son crâne dénudé lui donnait un air de bagnard. Camille expliqua sa mésaventure en montrant le billet trouvé dans sa botte.

> *À l'homme endormi l'innocence de l'enfant, pendant que s'envolent les lettres de la Boule du monde, alors que viendra le règne de celui dont je suis l'humble serviteur et dont le nom s'écrira en lettres d'or au fronton de vos maisons.*

— Il n'y a plus de doute, assura-t-elle après l'avoir parcouru plusieurs fois. La prochaine lettre à disparaître sera un « N ».

— Et l'ensemble formera le mot « démon », conclut Camille, affolé.

— Il reste à espérer que personne ne s'en rende compte.

— Cela me semble peine perdue, tout le monde parie sur laquelle sera la prochaine à quitter la devanture ! Si tu savais comme je m'en veux ! se lamenta-t-il en s'asseyant à côté d'elle.

— C'est l'idée de Valentin, c'est lui qui a volé la première lettre, tempéra Anne en posant sa main sur la joue de son fiancé pour le rassurer.

— Oui, mais c'est moi qui ai continué à sa demande quand il était enfermé chez les observantins. Je suis autant coupable que lui.

Il voulut poser sa tête sur l'épaule de sa fiancée mais elle poussa un petit cri.

— Je suis désolé, déplora-t-il, n'osant plus la toucher. Je... j'ai oublié.

— Ce n'est rien, mon amour. J'aimerais moi aussi pouvoir l'oublier.

Les douleurs, bien que supportables, irradiaient son dos et sa nuque. Malgré les emplâtres, le simple frottement de la chemise la faisait souffrir.

— Est-ce que tu voudras encore de moi ? demanda-t-elle, soudainement inquiète.

— Que veux-tu dire ?

— Avec mes brûlures, avec mes cicatrices. Tu voudras encore m'épouser ?

— Plus que jamais ! s'écria-t-il en refrénant son élan de la prendre dans ses bras.

— Tu comprends que je puisse me poser la question...

En guise de réponse, Camille lui embrassa les mains. Elle lui rendit la pareille en déposant un baiser sur ses paumes encore meurtries.

— La date est fixée et rien ne nous en fera changer, murmura-t-il. Je t'aime.

Au moment où il posait sa bouche sur les lèvres de sa fiancée, la sœur entra pour les soins. Après une remarque peu amène sur la présence et l'attitude de Camille, à qui elle rappela ce que la bienséance interdisait de faire, la religieuse retira les pansements, badigeonna les chairs de miel puis les recouvrit de compresses trempées dans des infusions de plantes cicatrisantes avant de poser sur le tout un plumasseau de charpie. La soignante sortit sans un mot ni un regard pour le jeune homme, qui l'accompagna jusqu'à la porte et lui ouvrit en la saluant à la manière d'un valet.

— Que peut-on faire pour la librairie ? interrogea-t-il après avoir repris sa place sur le lit. Si on laisse Valentin agir, la rumeur se propagera et plus personne ne voudra venir dans la boutique.

— Nous avons un peu de temps, remarqua-t-elle.

— Pourquoi dis-tu cela ?

— Tant que le « O » n'a pas réapparu, rien ne peut se produire.

— Tu as raison. Faisons en sorte de retarder ce moment, montrons que nous surveillons la librairie. J'y resterai toutes les nuits !

— Comment feras-tu alors que la journée tu t'endors et qu'on te dépose des billets sans que tu ne te réveilles ?

— C'est vrai, reconnut-il. Mais la peur de mon oncle est plus forte que mes élans de fatigue !

— Il y a peut-être une autre solution.

— Quelle qu'elle soit, je suis preneur.

— Avant cela, tu dois me dire qui est la voleuse de la dernière lettre. La batelière ? Je suis sûre que cette gourgandine est complice !

L'employé chassa la mouche d'un coup de plume nerveux qui n'atteignit pas son but mais envoya une énorme goutte d'encre sur la page qu'il était en train de copier.

— L'ordonnance pour le juge ! maugréa-t-il en jetant un regard furieux vers l'insecte qui virevoltait victorieusement autour de sa tête.

Il tenta d'enlever la tache avant qu'elle ne soit totalement absorbée par le papier mais ne parvint qu'à l'étaler. La matinée commençait mal. Contrairement à son habitude, d'Arpheuillette n'était pas encore passé à son bureau afin de signer les documents officiels du jour. Il tenta de gratter l'encre restante à l'aide de la pointe d'un couteau. Du couloir parvenaient des bribes d'une conversation heurtée.

— Encore une famille qui se déchire pour un héritage, dit-il à l'huissier du bureau voisin.

Il souffla sur le papier et considéra le résultat d'un air satisfait. Le juge n'aurait qu'à mettre son sceau à l'endroit endommagé. L'employé parcourut une nouvelle fois le texte de l'ordonnance, qui émanait du gouverneur à la demande de l'inspecteur Marais. *Quelle drôle de décision*, pensa-t-il. *Cet homme fait tout pour se rendre impopulaire.*

— Monchanin, regarde ! dit l'huissier en lui montrant la mouche qui se lissait les ailes sur la manche de son costume.

Il approcha lentement la règle de bois qu'il tenait dans la main droite et frappa d'un coup sec sur son bras gauche, poussant un juron de douleur qui se transforma en cri de victoire à la vue de l'insecte, pattes en l'air et ailes brisées, sur son écritoire. Dehors, la conversation s'envenimait. L'huissier prit la mouche et la présenta à l'employé, qui manifesta une indifférence blasée.

— Ce qui nous différencie toi et moi, c'est l'adresse, dit l'huissier en la jetant d'une pichenette.

— C'est vrai qu'il en faut de l'adresse pour allumer les bougies, répondit l'homme, blessé dans son amour-propre.

— Je ne suis pas un chauffe-cire... espèce de copiste !

— Ouvreur de porte ! ironisa Monchanin en reprenant sa place.

Le ton montait dans le couloir. Les pas se rapprochaient.

— Va vite fermer la porte à clé, dit l'employé. Je sens que je ne vais pas supporter ces bourgeois geignards.

— Non. Moi je ne sais que les ouvrir, répliqua l'huissier.

Monchanin n'eut pas le temps de se déplacer. D'Arpheuillette entra en claquant la porte, suivi de François. Le juge leva les bras au ciel, faisant voler les larges dentelles qui dépassaient de ses manches de veste.

— Mais que voulez-vous, maître Prost ? Me croyez-vous donc plus puissant que le roi ? demanda-t-il sans même le regarder. Monchanin !

Il s'arrêta devant le bureau de son subordonné et tendit le bras. L'employé lui remit l'ordonnance à signer.

— Mais qu'ont-ils donc tous aujourd'hui ? dit-il après l'avoir lue et paraphée. Qu'ai-je fait au Seigneur pour qu'il me mette à l'épreuve ainsi ?

— Antoine Fabert est à l'isolement dans votre prison, dit François. Et cela de façon arbitraire. Nous demandons sa libération immédiate !

Le juge haussa les épaules.

— Demandez, demandez, maître. Voyons, Prost, nous ne sommes pas en Angleterre, il ne peut bénéficier d'un *habeas corpus* ! s'indigna le magistrat.

Monchanin et l'huissier, qui avaient repris leurs travaux, ne perdaient pas une parole de la conversation, ce dont le juge s'aperçut.

— Quant à vous, je vous interdis d'écouter, leur intima-t-il, énervé par l'attitude de l'avocat. Je vous interdis de vous en souvenir ! Sinon, je vous fais fouetter sur la place publique !

— L'administration de la justice est le premier devoir des rois, continua Prost. De quoi l'accuse-t-on ?

— Peu importe, dit le magistrat en ramollissant de la cire. C'est une lettre de cachet !

Il apposa son sceau sur l'ordonnance.

— De quoi l'accuse-t-on ?

François avait crié. Le juge, surpris, regarda les deux hommes assis à leurs bureaux, qui n'osaient plus lever la tête. Personne n'avait jamais vu maître Prost en colère. D'Arpheuillette fit signe à François de le suivre dans l'antichambre de la salle d'audience.

— Reprenez-vous, maître, dit-il en cherchant son bol de noix dans un tiroir de son vestiaire.

Il en avala cinq d'affilée avant d'en proposer à François, qui déclina son offre, lui prit le récipient des mains et le posa derrière lui.

— Que lui reproche-t-on ? demanda-t-il calmement.

D'Arpheuillette se versa un peu d'eau et s'assit, le verre à la main.

— Il est accusé de détenir un trésor qui appartient à la famille royale. Vous devriez le savoir.

— Les lettres de cachet sont interdites par les lois les plus anciennes et par les ordonnances de tous nos rois, dit Prost, qui contenait mal sa colère. Même ceux dont ils se revendiquent, ces Francs, l'ont écrit expressément dans leur loi salique.

— Mais arrêtez de me parler de vos stupides jurisprudences ! La demande émane du roi ! Tout de même, le roi...

François avait posé sa perruque et essuyait son front perlé de gouttes de sueur.

— Maintenant, écoutez-moi, monsieur le juge. Je vous le dis avec force et conviction. Nous poursuivrons tous ceux qui auront œuvré pour sa détention arbitraire : l'inspecteur Marais, l'officier de police qui l'a arrêté, le gardien qui le détient, et vous et le sénéchal pour ordonnance abusive.

— Maître, vous vous égarez ! Vous n'oserez pas ?

— Souvenez-vous du comte de La Tour du Roch.

Sept ans auparavant, l'homme avait fait enlever une femme, comtesse de Lancize, par une lettre de cachet, sans motif suffisant.

— Condamné à vingt mille livres de dommages et intérêts. Et le juge dut rendre sa charge.

D'Arpheuillette reprit le bol de cerneaux et en avala une pleine poignée.

— C'est le roi, tout de même... Je sais très bien quel est mon surnom parmi les avocats, mais, même « Pain bénit », je ne suis pas assez fou pour aller contre la volonté de notre souverain. De cela je vous demande de tenir compte. Même si vous obtenez gain de cause, maître Fabert passera un, voire deux ans en prison. Est-ce cela que vous recherchez ?

— La prison l'aura tué avant.

— J'en suis conscient.

D'Arpheuillette se leva et se posta devant le grand tableau de Thomas Blanchet avant de continuer :

— Maître, nous nous connaissons depuis bien longtemps, ainsi que maître Fabert. Je vais autoriser les visites à condition que vous cessiez votre harcèlement. Trouvez un arrangement avec le pouvoir, mais n'attendez pas, ce Marais est un homme dangereux. Je viens de signer une sentence l'autorisant à arrêter tous les vagabonds et mendiants de la ville qui ne pourraient justifier d'un toit et d'une ressource. Autant dire des dizaines de pauvres hères. Cet homme est fou : ce n'est pas le roi qui l'envoie, c'est le diable !

80

Samedi 24 janvier

Le bureau général des postes ne désemplissait pas, ainsi que les cinq boîtes réparties dans la ville, victimes de leur succès.

— Et je suis persuadé que, bientôt, on sera amenés à ouvrir une petite poste, dit fièrement Szabolcs à Michèle. Les gens s'échangent de plus en plus de billets dans toute la ville. Venez, nous serons au calme, ajouta-t-il en la faisant entrer au bureau de départ.

L'endroit était interdit au public, mais le postier tenait à lui témoigner sa solidarité par tous les moyens. Il vérifia les adresses et compta le total des envois.

— Douze lettres pour Paris, à neuf sols la lettre, plus un sol de taxe par enveloppe, cela fait un total de cent trente-cinq sols, mademoiselle Masson.

Michèle sourit au décompte fantaisiste du facteur, dont elle savait qu'il était fâché avec le calcul, et paya sans rien dire. Elle avait passé la journée du vendredi à écrire à toutes ses anciennes relations que son statut de comédienne en vue lui avait permis de nouer, tout en ne se faisant que peu d'illusions sur l'aide qu'ils voudraient lui apporter. Mais elle ne pouvait se résigner à rester inactive.

À la sortie de la rue Saint-Dominique, elle décida de ne pas prendre de fiacre pour se rendre au clos Billion, mais de monter à pied en haut de Fourvière, ce qu'elle regretta au milieu de la montée du Gourguillon, où elle dut faire une halte, devant l'établissement de la communauté du Verbe Incarné. Une religieuse, qui y rentrait, lui proposa de s'asseoir à l'intérieur; Michèle déclina poliment. La tension et le manque de sommeil avaient altéré ses forces. Les larmes, qu'elle avait retenues jusque-là, dévalèrent ses pommettes et se diluèrent sur son visage sans qu'elle puisse les retenir. Un vieil homme, qu'elle avait dépassé place de la Trinité, s'arrêta et lui proposa obligeamment le dos de son âne. C'était un savetier qui allait à un des marchés du plateau et qui l'avait reconnue: l'artisan lui avait réparé ses escarpins abîmés à la Bergerie aussi bien que l'aurait fait son bottier parisien, ce qu'elle avait considéré comme un miracle. Il l'aida à monter sur la rosse, qui prit le pas au premier claquement de langue. La position était inconfortable, mais la côte fut avalée en quelques minutes et l'homme se révéla être de bonne compagnie.

— Je sais que vous avez échappé à un grand danger, dit-il en lui prenant la main comme un diseur de bonne aventure.

Voyant le trouble qu'il provoquait en Michèle, il s'empressa d'ajouter:

— À l'endroit même où vous vous trouviez, le pape Clément V fit une chute de sa mule à cause de l'écroulement de la muraille. C'était il y a presque cinq cents ans!

Le savetier lui expliqua l'histoire du quartier avec des élans de conteur. Il redoubla de galanteries et de compliments et insista pour la déposer au clos Billion. Elle le remercia et le quitta après lui avoir promis de venir lui rendre visite dans sa boutique.

Marc était dans la cour, affairé près de son carrosse sur lequel deux valets installaient une grande malle en osier.

— Où est passé votre cocher? interrogea Michèle en constatant l'absence de Claude.

— Je l'ai congédié, répondit-il tout en surveillant l'accrochage de son bagage. Je ne supportais plus la présence de ce traître après ce qui est arrivé à Antoine. Entrez, Edmée est avec M. Parmentier.

Les deux hommes se préparaient à partir pour Versailles. L'apothicaire s'était proposé afin d'aider Ponsainpierre à obtenir une entrevue auprès de la reine. Il prit des nouvelles d'Antoine, que Michèle avait été autorisée à voir l'après-midi même, et lui apporta du réconfort par sa gentillesse et son empathie sincères.

— Quand vous serez avec maître Fabert, dites-lui bien que tout le monde ici œuvre pour sa libération, déclara-t-il en lui serrant les deux mains à la manière d'un confesseur. Et qu'il garde haut son espoir, un jour prochain nous fabriquerons ensemble ce pain tant rêvé, pour le plus grand bien de l'humanité.

Michèle refoula un nouveau ruisseau de larmes qui cherchait à sourdre tout en se maudissant intérieurement : pour elle qui s'était toujours battue sans jamais s'apitoyer sur son sort, les larmes étaient une faiblesse qu'elle avait depuis longtemps chassée de sa vie. Jusqu'à son arrivée à Lyon. L'amour qu'elle portait à Antoine était la plus douce des dépendances et la plus cruelle à la fois : elle tenait à lui plus qu'à sa propre vie.

Le chien se faufila sous sa jupe et vint lui lécher la cheville, avant de s'enfuir sous le meuble qui lui servait de niche lorsqu'elle poussa un cri de surprise.

— Mon mari, voilà qui clôt notre conversation du jour, dit Edmée, qui avait assisté à la scène. Voyez-vous, ma chère, notre Marc s'était imaginé que je garderais l'animal pendant son absence, ajouta-t-elle en prenant Michèle par le bras. Or cette bête est plus agitée qu'un enfant atteint de la danse de Saint-Guy. Et il se cogne sans cesse partout. Je ne veux pas de lui rue Belle-Cordière.

— Je m'avoue vaincu, dit Marc, qui avait pris le coffret contenant les mitaines. Il sera du voyage, si M. Parmentier n'y voit pas d'inconvénient.

L'apothicaire accepta avec bonhomie et proposa de montrer le bâtard à un médecin militaire qui s'était fait une spécialité des cas désespérés. Pendant que Parmentier remerciait Edmée de son hospitalité et que le valet tentait d'attraper l'animal qui grognait en montrant les dents, Ponsainpierre déposa son précieux chargement sur le siège du carrosse.

— Puis-je vous parler ? demanda Michèle, qui l'avait rejoint dans la cour.

La jeune femme lui tendit une lettre pliée et cachetée.

— Je voudrais que vous la remettiez en main propre à son destinataire. Il est la seule personne qui puisse vraiment aider Antoine. La seule en qui j'aie réellement confiance.

Marc arrondit les yeux à la lecture du nom.

— Il vous recevra, n'ayez crainte. Je vous demande juste de ne pas me juger sur ce que vous verrez ou apprendrez.

Parmentier sortit en tenant un panier d'où dépassait la tête du chien, qui aboyait à en perdre haleine.

— Vous êtes celle qui a rendu l'envie de vivre à Antoine et, rien que pour cela, vous avez ma reconnaissance éternelle, lui confia Marc. Nous allons le sauver.

— Nous allons le sauver, répéta Michèle avec détermination.

Le cachot sentait la paille fraîche entre les murs moisis. Pendant son transfert dans le fourgon qui le ramenait à Lyon, Antoine avait envisagé toutes les possibilités et avait choisi d'occuper en permanence son esprit pour occulter la souffrance qui allait éclore de son enfermement. Depuis son arrivée, il s'était évadé par la pensée dans les dialogues du *Jeu de l'amour et du hasard.*

– De quoi votre cœur s'avise-t-il de n'être fait comme celui de personne ? murmura-t-il en songeant à Michèle, dont la visite se faisait attendre.

Le cliquetis d'un trousseau de clés précéda l'apparition du geôlier. Antoine se précipita sur les barreaux. Mais l'homme s'effaça devant l'inspecteur Marais, qui sembla satisfait de la déception visible du prisonnier.

— Que pensez-vous de votre nouveau bureau, cher maître ? J'espère qu'il vous convient et que vous avez apprécié ma délicate attention, ajouta-t-il devant l'absence de réponse.

La cellule était celle qu'avait occupée Paul Férrère avant son procès. Antoine prit le temps de détailler le costume neuf de l'inspecteur, au jabot exagéré et à la veste ample dont le léger renflement au niveau de la hanche gauche indiquait la présence d'une arme courte.

— Je vais maintenant vous expliquer la règle de notre nouvelle donne, dit Marais en s'approchant du cachot. Chaque jour, je vais vous poser une question. Une seule question. Une simple question. Et, en fonction de votre réponse, cette porte s'ouvrira ou votre vie s'avérera plus compliquée. Vous voyez comme cela est facile. Votre avenir ne dépend plus que de vous, maître.

Antoine le provoqua du regard. Marais fit de même.

— Où se trouve le trésor gaulois ? demanda l'inspecteur sans cesser de fixer les yeux bleu-gris du prisonnier.

— Fondu en bougies. Il n'existe plus, répondit Antoine avant de retourner s'asseoir sur le tas de paille qu'il avait rassemblé contre le mur. Vous perdez votre temps.

— Quel dommage, dit l'inspecteur en frappant un barreau avec sa canne.

Son aide de camp entra, suivi d'un groupe d'hommes en guenilles encadrés par quatre militaires.

— Nous avons arrêté tous les mendiants qui ne respectaient pas la nouvelle ordonnance, expliqua Marais. Malheureusement, cette prison n'a plus la capacité de vous offrir une cellule privée, maître. Allez-y, ordonna-t-il en faisant signe au geôlier.

L'homme ouvrit la porte de sa cellule. Les deux militaires obligèrent les vagabonds à entrer, s'aidant de la crosse de leur mousquet pour les plus récalcitrants. Les premiers se répartirent dans l'espace restreint de la geôle. Antoine, qui avait compris l'intention de l'inspecteur, se mit debout sur son lit afin d'éviter de se retrouver pressé. Les derniers poussèrent les premiers. D'autres montèrent sur la couche.

— Encore ! indiqua Marais en faisant signe aux soldats de continuer à obliger d'autres miséreux à entrer.

Une échauffourée éclata près du lit, qui fut renversé par des hommes afin de gagner de la place. Antoine tomba et manqua d'être piétiné dans un début de bagarre. Il put se relever mais la densité humaine était telle que personne ne pouvait plus bouger. Il entendit le gardien fermer la porte de sa cellule à clé et eut du mal à retrouver sa respiration. Son cauchemar recommençait.

— Je sais ce que vous ressentez, maître Fabert, dit la voix de Marais. Je sais ce qui vous est arrivé, enfant.

Autour de lui, les vagabonds protestaient, criaient, juraient. Ceux qui s'étaient retrouvés contre les barreaux reçurent des coups de crosse des militaires, provoquant un recul vers le fond. Antoine et ses voisins crièrent et jouèrent des coudes pour ne pas être écrasés.

— Quatre-vingts, c'est bien pour un début, commenta Marais à son aide de camp. Mais vous pourrez faire mieux la prochaine fois. Vous le devez.

— Je suis sûr qu'en les serrant plus, on peut en faire tenir cent, voire davantage, répondit le soldat, provoquant des réactions dans la cellule.

La protestation fut vite matée sous la menace des armes. Antoine tentait de garder une respiration profonde. Le contrôle de ses pensées était de plus en plus difficile. Les images du drame cherchaient à s'imposer à lui alors qu'il luttait en convoquant celles des doux moments passés avec Michèle. Sur sa gauche, un mendiant reçut un coup de coude dans l'abdomen et cracha du sang. Ses voisins reculèrent. Antoine, pressé contre le mur, lâcha prise. Sa respiration devint haletante, il avait la sensation de manquer d'air, l'impression que ses poumons s'étaient collés, que sa gorge était obturée. Il crut crier mais aucun son ne sortit de sa bouche. Il étouffait debout. Il aurait voulu s'évanouir, il le souhaitait de toutes ses forces, mais la délivrance attendue ne vint pas. Sa peur et sa souffrance se mélangeaient en une sensation unique qui malmenait son corps. La mort de ses parents, les odeurs des chairs, les cris, l'attente, les secours, le froid, la solitude. Il avait dix ans et la Faucheuse l'avait laissé seul sur un champ de cadavres. Ses oreilles bourdonnaient, sa vue s'était brouillée. Sa respiration chancelante l'avait épuisé. Il tenait debout par la force de ses voisins. Au bout d'un moment, un long moment d'éternité immobile, où il ne savait plus s'il était vivant ou suspendu dans les limbes, la grille s'ouvrit, déversant les vagabonds, libres, vers la sortie. L'odeur étouffante des corps entassés disparut, un air frais pénétra dans la cellule et la vie envahit ses poumons. Antoine s'écroula sur la paille, recroquevillé sur lui-même. Quelqu'un s'était approché. Il se sentait observé, mais il était incapable de bouger.

— Vraiment, quel dommage d'en arriver là, n'est-ce pas ? dit Marais, qui s'était accroupi à côté de lui. Tous ces souvenirs qui sont à l'origine de votre aversion pour la foule.

Antoine ouvrit les yeux et tourna la tête vers son tourmenteur. Le visage de l'inspecteur lui apparut comme un cercle flou entouré d'un halo de lumière.

— Auriez-vous quelque chose à me dire, maintenant ?

Antoine avala sa salive. Marais s'approcha pour écouter sa confession.

— Je n'aime pas la couleur de votre veste, chuchota Antoine dans un dernier effort, avant de se pelotonner à nouveau contre le sol, à bout de forces.

L'inspecteur se releva, tira sur son justaucorps en tentant de se calmer, puis, de rage, frappa de sa canne les barreaux. Il se retourna vers Antoine et lui décocha un violent coup de pied dans les côtes, puis un second. Une pluie de coups de bâton s'abattit sur l'avocat.

— Pauvre fou ! hurla Marais. Pauvre idéaliste ! Êtes-vous inconscient ?

Il s'agenouilla à côté du prisonnier qui gémissait de douleur.

— Moi aussi, je vais vous livrer un secret. Savez-vous qui m'a appris le vôtre ? Qui m'a révélé votre faiblesse ?

L'homme se pencha à son oreille. Antoine sentit son souffle chaud.

— Madeleine. Votre propre femme, murmura-t-il. Et vous savez pourquoi ? Pour de l'argent ! Comprenez-vous maintenant que votre combat est perdu d'avance ?

Marais se releva et épousseta ses vêtements en pensant à la remarque d'Antoine.

— Montrez-vous plus coopératif la prochaine fois. Et évitez les propos blessants, vous avez failli me fâcher. Je reviendrai bientôt.

Antoine se sentait incapable de bouger. Une douleur fulgurante traversait son thorax au moindre mouvement. L'aveu de Marais l'avait achevé. Il resta recroquevillé plusieurs heures jusqu'à ce que la cellule s'ouvre à nouveau.

— Visite ! clama le gardien, pensant que son prisonnier dormait.

— Antoine ! Mon Dieu, qu'ont-ils fait ?

La voix de Michèle lui arracha un sourire douloureux et un goût de fer dans la bouche. Elle s'assit à côté de lui et l'aida à se retourner.

— Un différend vestimentaire, articula-t-il tout en posant sa tête sur le ventre de la jeune femme.

Elle nettoya son visage à l'aide d'un mouchoir, l'effleurant pour ôter les brins de paille qui avaient collé sur le sang séché. Il embrassa ses doigts, prit le tissu et frotta son visage pour vérifier l'ampleur des dégâts. Une pommette était fendue et l'arcade sourcilière avait éclaté mais le reste de la figure était intact. Le mouchoir était celui qu'elle avait reçu le jour de l'Épiphanie.

— Puis-je le garder ? Il a votre parfum et vos initiales. Je vous le rendrai à ma sortie.

— Je compte bien ne pas m'en passer longtemps, répondit-elle en enlevant un dernier brin dans les cheveux d'Antoine.

— Parlez-moi. Saoulez-moi de vos mots, j'en ai besoin, tant besoin. Est-ce que la pièce prend une belle tournure ?

Michèle lui détailla les scènes que la troupe du Grand Théâtre avait répétées et celles qu'elle avait achevé d'écrire.

— Mais j'avance lentement sans vous. Même les personnages attendent votre retour, sourit-elle.

— Nous la continuerons dès demain, proposa Antoine en tentant de se retourner pour s'asseoir en face d'elle.

La manœuvre lui arracha un cri de douleur. On fouillait ses poumons avec un tison et sa tête menaçait d'exploser.

— Je ferai le siège de la prison dès le matin et j'attendrai jusqu'à ce qu'on m'autorise à vous voir. Maître Prost fait un foin de tous les diables pour vous faire libérer. Tous vos amis s'y sont mis.

— Avez-vous eu des nouvelles d'Antelme de Jussieu ?

— Aucune. Personne ne sait où il est passé.

— Alors, c'est qu'il n'a pas renoncé. Il m'a écouté.

81

Dimanche 25 janvier

Au moment de l'arrestation d'Antoine, l'historien avait fait un malaise qui l'avait sauvé du séjour en prison. Le gradé n'avait pas voulu de cet encombrant infirme, à la santé chancelante, qui, même complice de l'homme qu'ils venaient d'appréhender, les aurait retardés dans leur trajet jusqu'à Lyon. Allongé dans le carrosse, Antelme avait retrouvé sa conscience et quelques forces, puis avait décidé de continuer le voyage pour alerter M. de Voltaire et lui demander de l'aide. Il avait persuadé le marin de rester avec eux et avait imposé à tous une cadence infernale. Meximieux, Saint-Martin-du-Frêne, Bellegarde-sur-Valserine, chaque jour, chaque heure allait compter.

Les chevaux et les hommes étaient exténués. Ils avaient parcouru les dix lieues qui séparaient Bellegarde-sur-Valserine de la république de Genève en moins de quatre heures. Le carrosse pénétra sur la place du Molard où aucune enseigne n'indiquait leur hôtel. Le cocher questionna une marchande ambulante qui remballait ses défroques. *Le Lion d'Or* était situé au bout de l'allée Malbuisson, une rue plus loin. Au lieu de traverser le passage vers la rue du Rhône, le cocher tenta un demi-tour que l'attelage effectua avec beaucoup de difficulté entre les étals encore présents et les autres véhicules qui chargeaient les marchandises restantes. À force de manœuvres hasardeuses, où il avait renversé une table couverte de paniers de légumes, le carrosse dut effectuer une marche arrière que le cocher conduisit à pied, en tenant la bride des chevaux, guidé par le marin et les marchands présents. L'incident avait attiré une foule de curieux et le sautier[1] intervint avec des gens d'armes pour

1. Chef du guet à Genève.

disperser les badauds et immobiliser le véhicule fauteur de trouble. L'attelage fut confisqué et les bêtes confiées à un maquignon de la ville. Le cocher et le marin aidèrent Antelme à quitter la berline, sous les regards des riverains accourus aux fenêtres ou devant leurs portes, qui observèrent l'improbable équipage pousser le fauteuil roulant avec les pires difficultés à travers les rues pavées. Une fois à l'hôtel, l'historien s'enferma dans sa chambre sans souper, fit envoyer un billet à l'imprimeur de la rue des Belles-Filles et écrivit une longue lettre à Prost afin de l'informer de son arrivée à Genève.

L'affaire s'avérait plus compliquée que prévu. Dix ans auparavant, les droits de l'*Encyclopédie* avaient été achetés par le libraire parisien Panckoucke, qui s'était associé au Genevois Gabriel Cramer afin de réimprimer l'ensemble des tomes et des suppléments. Lorsque la rumeur d'une nouvelle édition avait circulé en ville, la compagnie des pasteurs genevois, qui n'avaient de sympathie ni pour M. de Voltaire, ni pour les philosophes des Lumières, avait porté des doléances devant les syndics de la république de Genève, qui avaient abouti : tous les articles des futures éditions allaient devoir requérir leur approbation. Devant l'accumulation des obstacles, Cramer avait abandonné la réédition de l'*Encyclopédie* trois ans plus tôt.

— Je m'appelle Jean Léonard Pellet.

L'homme s'était fait annoncer à l'accueil. Antelme avait juste eu le temps de mettre une perruque et d'enfiler une large robe de chambre pour faire bonne figure. Outre sa fatigue extrême, il ressentait une douleur persistante qui le tenaillait du dos à l'abdomen, l'obligeant à garder une position courbée.

— Je possède les droits pour une édition refondue de l'*Encyclopédie* que nous voulons faire paraître. Votre billet m'a intrigué, cher monsieur, dit Pellet en lui montrant le mot que l'historien lui avait fait parvenir.

— Je vous remercie d'être venu aussi vite. Asseyez-vous, je vous prie, proposa Antelme, qui avait calé son fauteuil près de la cheminée. Mon histoire risque d'être longue.

— J'ai tout mon temps, lui assura l'homme en se débarrassant de son chapeau.

La cathédrale-temple de Saint-Pierre sonna huit heures.

Antelme puisa dans ses ultimes réserves pour expliquer la découverte du trésor gaulois et sa traduction par Antoine. L'historien omettait de nombreux détails, sur lesquels il revenait lorsqu'il prenait conscience de ses oublis, ce qui rendait son récit confus.

Il s'arrêtait souvent pour reprendre son souffle et tenter de masquer la douleur, mais son visage en avait pris les stigmates.

— Vous allez bien, monsieur? s'inquiéta l'imprimeur.

Antelme le rassura d'un geste de la main mais ne put reprendre la conversation. Il se pencha plus en avant. Le mal lui transperçait le corps comme une épée. Sa main trouva machinalement la clochette dans la poche du fauteuil roulant. Antelme l'agita frénétiquement. Le bruit lui déchira les oreilles et devint un bourdonnement continu. Des milliers de lucioles brillantes comme des flammes avaient envahi la chambre et caracolaient devant ses yeux. Le bruit et la douleur s'intensifièrent jusqu'à l'insupportable. Il ferma les yeux pour les fuir et s'évanouit.

Aimé mit ses bésicles afin d'admirer les lumières de la ville. Les feux des lanternes qui scintillaient sur la colline de Fourvière l'emplissaient toujours d'une grande sérénité. Ils étaient les guetteurs éveillés de la nuit.

— Il est déjà si tard! dit-il en consultant sa montre. Nous avons travaillé tout l'après-midi le jour du Seigneur, ce n'est pas raisonnable, mon neveu.

La rédaction du second numéro du *Nouveau Glaneur* était presque achevée. Il n'y avait aucune allusion à l'arrestation d'Antoine. Ni à l'incendie de la Bergerie.

— Je sais ce que tu en penses, soupira le libraire. Mais cela ne nous avancerait pas de subir la censure royale.

Camille referma le livre dans lequel il avait consigné les textes. Jusqu'au bout, il avait attendu qu'Aimé aborde le sujet alors que sa frustration n'avait cessé de grandir.

— Mon oncle, nous avons failli mourir, Anne est toujours à l'Hôtel-Dieu. Comprenez que j'attendais ce geste de votre part. Jamais je ne pardonnerai à ceux qui nous ont meurtris.

— Et rendre notre vengeance publique est-il le seul moyen de ne pas laisser cette monstruosité impunie? répondit Aimé en le prenant par les épaules. Au moment même où nous l'aurions écrit dans notre gazette, ils nous auraient fait taire. Peut-être même n'attendaient-ils que cela. Nous n'avons aucune preuve contre cet inspecteur.

— Est-ce une raison pour nous courber devant eux? Est-ce parce que vous êtes l'imprimeur du gouverneur? dit Camille en se dégageant de l'étreinte de son oncle.

Aimé leva les bras au ciel et frappa dans ses mains.

— Je t'interdis de tenir de tels propos, c'est offensant ! Tu parles sans savoir ! Je ne peux quand même pas sacrifier l'entreprise que je tiens de ma mère juste pour laver ton honneur !

Camille songea aux lettres de l'enseigne et regretta son attitude. Il prit sa veste posée sur une pile d'anciennes *Affiches* et la passa.

— Nous faisons tous de notre mieux pour aider maître Fabert, crois-moi, insista Aimé. Et j'y apporte ma quote-part.

— Je suis désolé, mon oncle, je n'avais pas l'intention de vous blesser. Je vais aller marcher sur les quais, lâcha-t-il en relevant son col.

— Halte-là, mon neveu ! Que vas-tu chercher les ennuis dans ces endroits malfamés ? dit Aimé en se plaçant devant lui pour l'empêcher de sortir. Voilà ce que nous allons faire : je t'invite au *Charbon blanc*. Je n'y suis pas encore allé depuis sa réouverture, cela me fera le plus grand bien.

— Mais nous sommes dimanche, il sera fermé, indiqua Camille alors que l'imprimeur enfilait son épais manteau en velours bordeaux.

Aimé le regarda en souriant, lui donna une lanterne, une bougie et chercha son chapeau préféré, un tricorne au bord couvert d'un fin duvet de plumes d'oie.

— C'est bien l'avantage du *Charbon blanc*, lui dit-il une fois prêt. Toujours ouvert pour les habitués. Alors, tu l'allumes, notre réverbère ?

En quelques minutes, ils furent devant la porte de l'établissement, qui s'ouvrit après qu'Aimé eut toqué selon le code connu des initiés de l'endroit. Ils s'installèrent à l'étage, où les tapis de jeu avaient été remplacés par des tablées de clients, dont Aimé salua plus de la moitié, dans une ambiance festive et bon enfant. Leur table était à côté de la cheminée, qui crachait un feu de géhenne. La salle sentait le mélange des parfums entêtants imprégnant les vêtements et des odeurs de café et de cannelle. Le premier verre de condrieu les réchauffa et le deuxième les détendit. Le visage de Camille retrouva une esquisse de sourire.

— Que voulais-tu faire sur les quais ? s'inquiéta Aimé en le servant à nouveau. Tu recherches ce marin que maître Prost appelle Trente-trois, c'est cela ?

Le jeune homme leva son verre et le but sans lui répondre. Querré, après avoir abandonné son complice devant la Bergerie, avait lui-même alerté un des abbés de Saint-Pierre afin qu'il sonne le tocsin. Depuis, l'homme, pris de remords, s'était confessé et la rumeur avait pris le relais.

— Et tu comptes faire quoi, une fois que tu l'auras trouvé ? insista son oncle. Ce genre d'individu est rompu à tous les combats et toutes les ruses.

— Il a une force que je n'ai pas, reconnut Camille, certes. Mais il n'a pas la rage qui me dévore.

Il se servit un nouveau verre et trinqua avec son oncle.

— Ne vous inquiétez pas ! ajouta-t-il alors qu'Aimé avait l'air catastrophé. Je ne suis pas un inconscient va-t-en-guerre. Je sais ce que je fais. Ma vengeance sera réfléchie.

— Jure-moi que tu ne vas plus lui chercher de noises, allez, jure !

Camille s'exécuta sans faire de difficulté, ce qui ne convainquit pas Aimé. Il fit chercher une bible par le gérant et fit jurer son neveu sur les Saintes Écritures.

— Voilà qui devrait vous rassurer, dit Camille en lui réclamant un nouveau verre.

La chaleur l'avait fait se débarrasser de sa veste et relever les manches de sa chemise. Elle l'avait surtout fait boire plus qu'il n'aurait voulu. Le jeune homme se sentait à la fois grisé et mélancolique. La sincère affection d'Aimé et son inquiétude le touchaient. Ses yeux se mirent à briller.

— Mon oncle, je vous aime, vous et ma tante, déclara-t-il soudainement. Vous avez toujours été si bons avec moi, toujours...

Sa gorge s'était nouée.

— Mais nous aussi, répondit Aimé, surpris.

— J'ai quelque chose à vous avouer.

82

Dimanche 25 janvier

La bonne déposa un baquet rempli d'un mélange de sang et d'eau sous le regard écœuré de l'hôtelier.

— Comment va-t-il, notre client ? demanda l'homme à la servante, qui cherchait un torchon propre.

— Encore un peu charavoûte, mais mieux, répondit-elle en nouant ses cheveux en arrière dans un chignon approximatif. Au début, il allait tout crevotant, il m'essourdellait avec ses braillées, tellement que j'ai cru qu'il allait définir !

— Ne parlez pas de malheur, s'écria-t-il. Ce serait une poisse pour notre établissement !

— Pour lui aussi, c'est sûr, dit-elle en dodelinant de la tête pour défaire son chignon qui la gênait. Mais le médecin a fait sa consulte.

— Et ?

— Et il va moins mal. Il est tout écarcassé, mais il ne gicle plus le sang comme avant, ajouta-t-elle en montrant le baquet.

— Parlez moins fort et surveillez votre langage, s'agaça l'hôtelier. Combien de fois vous ai-je dit d'éviter votre dialecte quand vous travaillez ici !

Elle souffla d'agacement. L'homme lança des regards inquiets autour d'eux. À près de dix heures du soir, l'office était désert. Rassuré, il prit le baquet et en jeta le contenu par la fenêtre. La pluie soutenue dilua rapidement les souillures.

— Qu'a dit le docteur ? De quoi souffre-t-il ?

L'imprimeur Pellet était lui-même allé prévenir Théodore Tronchin, le médecin le plus réputé de Genève, qu'il avait connu par l'intermédiaire de Voltaire lors d'un de ses séjours à Ferney.

— Je ne sais goutte, je n'ai pas écouté, j'avais assez de mal à nettoyer, il s'était tout gaulé, répondit-elle en remplissant un bol de soupe de gruau.

— Il a faim ?

— La soupe, c'est pour le monsieur de l'imprimerie. Le malade, il n'a pas droit à un seul bocon. Le médecin lui fait boire que de l'eau avec des plantes. Des effusions.

— Ne seraient-ce pas plutôt des infusions ?

— Ah, croyez ?

Elle sortit un bonnet de la poche de son tablier tout en réfléchissant.

— En tout cas, il va finir par le noyer avec tout ça ! estima-t-elle en couvrant sa tête et y fourrant ses cheveux. Bon, j'y retourne.

— Tâchez de savoir s'il doit rester isolé, dit l'hôtelier en la retenant par le bras.

— Le médecin n'a pas l'air bien inquiet. Ils ne décessent de causer.

— Écoutez-les et dites-moi, insista-t-il. Je ne veux pas perdre mes autres clients.

— Vous êtes dans le paco, hein ?

— Allez-y, ma fille. Obéissez !

— Que la mâlevie vous estringole, chuchota-t-elle pour ne pas être entendue.

Lorsqu'elle entra, Antelme était assis sur son lit, calé contre un entassement d'oreillers. Le calcul rénal qui l'avait terrassé deux heures auparavant s'était dissous dans les voies urinaires. L'historien était exsangue mais l'absence de douleur le rendait presque euphorique. Théodore Tronchin s'était assis à côté de lui. À près de soixante-dix ans, sa peau était restée lisse, son regard était empreint d'une curiosité sereine et son visage reflétait un esprit savant et truculent. Ses vêtements et sa perruque étaient à l'image de sa courtoise modestie. Il n'était pas seulement un soignant exceptionnel, il avait aussi écrit plusieurs articles de l'*Encyclopédie* et s'était lié d'amitié avec le chevalier de Jaucourt depuis ses études à l'université de Leyde. Jean Léonard Pellet avait lancé la conversation sur la découverte d'Antoine.

La servante tendit le bol de soupe à l'imprimeur et s'occupa à nettoyer le plancher et les boiseries à l'aide d'un chiffon, en ignorant l'étonnement du trio quant à sa soudaine passion pour le ménage nocturne.

— Je comprendrais que vous ayez du mal à me croire, dit Antelme en reprenant le fil de leur discussion. Je fais un bien piètre avocat de la cause de maître Fabert.

— Au contraire, votre courage à faire ce difficile voyage plaide pour vous, répliqua Pellet. Pour tout vous avouer, le chevalier de Jaucourt m'a écrit récemment. Il a vu les textes gaulois et se porte garant de votre découverte. La situation ici n'est pas pour me déplaire : la compagnie des pasteurs est focalisée sur l'article concernant Genève, continua-t-il. Elle n'aura que faire de celui sur les Gaulois. Elle sera même ravie de constater que M. de Voltaire s'est fourvoyé dans son premier jugement.

— Il n'est pas en odeur de sainteté auprès d'eux, constata Théodore Tronchin. Ni aucun des encyclopédistes.

— En l'imprimant dans votre république, nous évitons la censure royale, assura Antelme. J'ai l'accord de M. de La Roche, libraire à Lyon, pour assurer sa diffusion en France. Nous le tirerons à huit mille exemplaires, trente-deux volumes in-quarto.

— Il reste à obtenir l'assentiment de M. de Voltaire, tempéra Tronchin.

— Malheureusement, je n'ai pas auprès de lui la même aura que son ami Cramer, son « ange Gabriel », avoua Pellet.

— Je vous y aiderai, promit le médecin.

— Pouvons-nous nous y rendre demain ? demanda Antelme, revigoré par la situation.

— Mon cher malade, nous irons quand votre état le permettra. En attendant, il vous faut du repos, de l'air pur et de la patience.

La servante, qui n'avait rien compris de leur conversation, avait fini de nettoyer le sol. Elle chercha une nouvelle tâche et rassembla les vêtements d'Antelme qui traînaient en différents endroits.

— Je vous admire tous les deux, ainsi que M. Fabert, continua le médecin. Il n'y a rien de plus dangereux que l'*Encyclopédie*. Combien y ont laissé leur santé ou ont fini enfermés !

— Même M. Diderot a fini par abandonner, ajouta Pellet en se réchauffant les mains devant l'âtre. Moi qui viens d'en récupérer les droits, je ne sais pas combien de temps je tiendrai avant d'en perdre le sommeil.

— Laissez, intervint Antelme en voyant la bonne s'activer à ranger son costume. Vous direz bien à votre patron que j'apprécie votre sollicitude, mais cela peut attendre demain.

Elle acquiesça d'un mouvement de tête, prit le vase de nuit pour le vider et rejoignit l'office d'un pas pressé.

— Alors, vous savez ? interrogea l'hôtelier qui l'attendait.

— Je crois que voui ! lança-t-elle, triomphante.

Il lui retira le pot des mains avant de continuer :

— Que font-ils ?

— Ils parlent, ils parlent. Beaucoup !

— Mais de quoi ?

— De sa maladie : il a l'encyclopédie ! Il faut l'éviter, le médecin a dit qu'il n'y avait rien de plus dangereux ! Et l'imprimeur l'a attrapée aussi !

L'homme eut un moment de stupeur et se demanda si son employée ne se moquait pas délibérément de lui. Il conclut par la négative devant l'air inquiet de la servante.

— Allez vous coucher, je crois que la seule victime de cette maladie, c'est vous, dit-il en lui rendant le pot.

Elle ouvrit la bouche pour lui répondre mais il continua :

— Sans basoter, vous n'êtes qu'une matoque !

Le patron du *Charbon blanc* jeta dans une caisse paillée les deux bouteilles vides de la table d'Aimé et leur en servit une troisième avant de retourner en cuisine préparer son café laité du lendemain. Les deux hommes avaient eu une vive explication un peu plus tôt. Jamais il n'avait vu M. de La Roche aussi agité. Puis ils avaient semblé s'être réconciliés et discutaient depuis lors comme des comploteurs. L'homme consulta sa pendule : il attendrait onze heures du soir et leur demanderait de regagner leurs foyers. Le gérant était épuisé, son établissement n'avait pas désempli depuis le début de l'après-midi. Le jour de fermeture était toujours le plus rentable pour lui.

— Ça alors, répéta Aimé une nouvelle fois.

— Je suis désolé, répondit Camille, qui l'avait répété plus souvent encore.

Depuis qu'il avait appris à son oncle la vérité sur les vols des lettres de son enseigne, il s'était répandu en excuses. Sa contrition était sincère et maladroite.

— Mais qu'ai-je fait à ce garçon pour qu'il veuille me nuire ainsi ? s'interrogea Aimé en regardant l'âtre enflammé comme une scène de l'enfer.

— Rien, mon oncle. Pour lui, ce n'est qu'un jeu.

— Un jeu ? Un jeu qui pourrait me conduire à la ruine, oui !

Il déposa sa perruque sur la table.

— Quelle chaleur ! Peux-tu me montrer son mot à nouveau ?

Camille lui présenta le papier qui ne le quittait pas. Son oncle le lut en secouant la tête de réprobation.

— *Dont le nom s'écrira en lettres d'or au fronton de vos maisons...* Quelle tristesse, je le connais depuis sa naissance, il était ton meilleur ami... Et qui était la femme que tu n'as pu attraper ? Qui est sa complice ?

Une bûche s'effondra sur elle-même, faisant voleter des cendres et des étincelles jusqu'à leur table. Camille les repoussa d'un revers de main comme des miettes.

— Il n'a pas de complice, avoua le jeune homme. Valentin s'était déguisé en paysanne.

— Ça alors ! Voilà pourquoi elle courait aussi vite !

Aimé but une nouvelle pinte tout en se remémorant l'événement.

— Heureusement que ton Anne a de l'esprit pour deux. Son idée va nous sauver : dès que le « O » nous sera rendu, nous irons nous-mêmes décrocher la lettre suivante. Ainsi, pas de « démon » !

— Laquelle prendrons-nous, mon oncle ? Nous avons le choix, fanfaronna Camille.

— Peu importe, celle que le mur nous cédera le plus facilement. Je ne veux pas abîmer ma façade, précisa Aimé.

— À votre place, j'éviterais le « U ». « Demou » ne serait pas très glorieux, comme message.

— Par saint Jean, tu as raison ! Évitons aussi le « L », je ne veux pas d'une enseigne qui indique *À la boue du monde* ! Optons pour le « E », décida le libraire, requinqué. Allez, buvons et oublions ton égarement.

Aimé ne remarqua pas la lueur de contrariété qui passa dans les yeux de son neveu. Camille venait de comprendre le sens de la dernière phrase du billet de Valentin.

83

Lundi 26 janvier

Sa peau, gonflée par les nombreuses ecchymoses qui avaient fusionné en un seul hématome, présentait, du sourcil à la pommette, une pigmentation jaune teintée de brun ; sa paupière était à moitié fermée. Antoine avait passé le dimanche allongé à même le sol, les jambes repliées sur le ventre, dans la position qui le faisait le moins souffrir. Il n'avait pu s'asseoir que le matin même, mais la position réveillait la douleur au niveau des côtes. Le chirurgien-major de l'Hôtel-Dieu avait été autorisé à le voir et avait disposé sur son thorax un emplâtre de savon recouvert de compresses. Il avait bandé les côtes d'un linge lacé avec un solide cordon. Son dernier regard avait exprimé à Antoine son regret de ne pas avoir pu l'aider davantage.

Michèle n'avait pas eu la permission de pénétrer dans la cellule. Le gardien s'en était presque excusé, l'ordre émanait du sieur Marais, qu'il craignait plus que tous les juges réunis. Le rideau froid des barreaux les séparait.

— Dès demain, François aura réglé l'affaire et je serai à nouveau dans vos bras, assura Michèle.

— Je crains que, malheureusement, vous ne commenciez à bien connaître le lieu, soupira-t-il.

Michèle était venue quotidiennement pendant les deux mois de l'emprisonnement de son frère. Elle n'avait eu aucune nouvelle de Paul depuis son départ pour Paris. Une des lettres lui était destinée, envoyée à l'adresse de leur mère, parmi tous les appels à l'aide qu'elle avait lancés. *Il y a urgence*, pensa-t-elle en observant le corps meurtri de son amant. *Combien de temps pourra-t-il tenir ainsi ?*

Antoine s'enquit des répétitions de la pièce. Le sujet leur fournit le moyen de retrouver un semblant d'intimité dans cet environnement hostile. Ils ne chuchotaient plus.

— Tout le monde travaille très dur, même Jean-Baptiste, lui confia-t-elle d'une voix assurée. Il prend son rôle d'Uarnos très au sérieux. Quant au jeune Pierrot, il est parfait de naturel en Launo. Il ne reste plus que les trois dernières scènes à écrire, mon cher auteur.

Depuis son incarcération, Antoine s'était replié dans son imaginaire afin d'éviter la confrontation permanente avec l'enfermement et avait récité en boucle les dialogues de la première partie de *La Part de l'aube* comme d'autres l'eussent fait des chapelets de prières.

— J'aime votre idée de ne pas faire s'affronter les personnages en deux blocs trop évidents, deux états que tout oppose, confia-t-il. C'eût été trop simple.

Michèle avait imaginé une construction plus audacieuse : Uimpi était si amoureuse qu'elle se sentait prête par son mariage à laisser Caraim devenir une cité de Tigontias, alors que Launo avait adopté le mode de vie de Caraim et voyait en leur union la fin du petit État.

— Chaque famille se déchire, chacun est en conflit avec son propre père et en opposition avec l'intérêt de sa cité, résuma-t-elle.

— Allons-y, jouons-le, proposa-t-il.

— Maintenant ?

— Oui. Ma proposition pour l'antépénultième scène : Uimpi est avec son père Atenoux. Il fait une dernière tentative pour la convaincre de renoncer à son union avec Launo.

Michèle comprit sa demande et se lança :

— Père, avec notre mariage, ce ne sont pas que deux cœurs qui vont s'unir : nos deux peuples vont se mélanger, nos deux États vont fusionner.

— Ce que nous enseigne l'Histoire est impitoyable, ma fille, dit Antoine d'une voix essoufflée par la souffrance. Jamais deux peuples n'ont mis leurs identités en commun. Les Romains ont éteint les Gaulois, les Francs ont éteint les Romains, il n'y a pas de place pour que cohabitent deux cultures.

— Mais Tigontias nous entoure de partout, dit Michèle après avoir laissé passer un silence de réflexion. Il nous enserre comme un serpent qui jouerait avec sa proie avant de l'étouffer. Il n'y a pas d'autre voie que celle de la raison, père.

— Voilà venu le temps où les enfants enseignent la raison à leurs parents ! Votre cœur est noble, ma fille, mais il vous aveugle. Votre mariage serait la fin de notre peuple.

— Nous partagerons nos savoirs !

— Ils ignoreront notre Histoire. Elle ne sera plus enseignée.

— Nous serons plus forts pour défendre notre cité...

— ... et deviendrons leurs soldats pour leurs futures conquêtes !

Antoine s'interrompit afin d'atténuer la douleur qui émanait de son thorax. Il resserra le cordon du bandage avant de continuer dans son rôle :

— Si votre union devait être consacrée par le Conseil des sages, j'ai pris la décision de protéger Aiusia.

— Que voulez-vous dire, père ?

— Ni Uarnos ni aucun autre dirigeant de Tigontias n'entrera en possession de notre machine. C'est le temple de notre savoir. Je le cacherai.

Il fut obligé de s'asseoir, la position debout était devenue trop douloureuse. Elle fit de même de l'autre côté des barreaux. Il lui tendit la main, qu'elle prit entre les siennes en la serrant le plus fort qu'elle put avant de la poser sur sa joue.

— Je ne me souviendrai pas de tous les dialogues au moment de les écrire, avoua-t-elle.

— Venez demain avec une plume et une écritoire, je guiderai votre main jusqu'au mot « fin ».

Ils s'embrassèrent, leurs visages collés contre le métal froid.

— Quelle est la part de l'aube en vous ? demanda-t-elle après un long silence rythmé par le brouhaha bruyant des passants dans la rue. Savez-vous d'où vous venez ?

— Mes grands-parents vivaient dans un duché qui a fini par être avalé comme Caraim, répondit Antoine en lui caressant les cheveux.

— Vous êtes lorrain ?

— Par ma mère. Peut-être un descendant de Leuque, tout comme notre druide Loucrn, dit-il en souriant, ce qui ferma plus encore son œil blessé. Mon père était un Lyonnais parti étudier à l'université de Pont-à-Mousson. Il fit un séjour à Nancy où une mauvaise chute de sa monture l'a conduit à l'hôpital. Mon grand-père y exerçait. C'est ainsi qu'il a connu ma mère.

— À cause d'un cheval récalcitrant ?

— Ce n'était pas un cheval.

Le gardien ouvrit précipitamment la porte.

— Il faut sortir, vite !

— Pourquoi ? dit Michèle en se levant. Cette visite est autorisée par le juge !

— Ils arrivent, vous ne devez pas être là, vite ! répéta-t-il. Vous reviendrez plus tard, ajouta-t-il pour accélérer la réaction de Michèle, qui tardait à lui obéir.

Elle effleura la main d'Antoine, suivit le geôlier et se retourna avant de sortir.

— Quel était cet animal qui a permis leur rencontre ?

— Un chameau. Une bête prise aux Ottomans par les troupes lorraines sur un champ de bataille en Hongrie. C'est au plus vieux chameau du duc Léopold que je dois ma naissance.

Le gardien refusa de lui expliquer ce qui se passait. Michèle fut conduite dans une salle du rez-de-chaussée aux allures de parloir, où priait une femme, agenouillée devant un crucifix mural. Elle se retourna à son arrivée.

— Madame Fabert !

— Bonjour, mademoiselle Masson, dit Madeleine après s'être relevée.

Le manque de sommeil marquait son visage. Le départ du prêtre magicien et de la Colombe l'avait plongée dans une profonde mélancolie. Antoine n'avait dit à personne que l'homme était à l'origine de son arrestation. Madeleine ne l'aurait pas cru. Tout comme il lui aurait été impossible de croire qu'il était un faussaire. Elle cherchait depuis quatre jours à contacter un autre médium, à Lyon ou dans le comté, pour renouer le lien avec son fils. L'arrestation d'Antoine l'avait ébranlée, mais Jacques était sa priorité. Elle ne pouvait le laisser errer seul au paradis, elle devait trouver le moyen de lui donner des nouvelles.

Madeleine dévisagea Michèle sans aucune acrimonie. Elle n'aurait pu rivaliser avec sa beauté. Personne n'aurait pu, pas même toutes les favorites royales réunies. Aucun tailleur, aucun coiffeur, aucun bijoutier n'aurait pu concourir à obtenir une telle grâce, lumineuse comme les portraits de Greuze, et une telle allure, sauvage comme la nature magnifiée de Rousseau. Son élégance transformait un vêtement quelconque en costume de cour. Elle ne faisait rien pour séduire, elle *était* le charme, oublieuse de ce pouvoir unique qui faisait l'admiration de Madeleine.

— Comment va-t-il ?

Michèle n'éluda rien de l'état de santé préoccupant d'Antoine.

— Croyez bien que je comprends ce que cette situation a de délicat pour nous deux, conclut-elle. Mais je ne pouvais rester loin de lui.

— Ne vous souciez pas de ce détail. J'aurais mauvaise grâce à m'en plaindre, Antoine et moi ne vivons plus ensemble. Mon intention n'est pas de vous nuire, mademoiselle. L'inspecteur Marais m'a demandé de venir.

Madeleine retourna s'agenouiller sur le prie-Dieu.

— J'essaie d'aider mon mari, croyez bien, dit-elle, les yeux rivés sur le Christ en croix. Je fais tout pour que ce trésor cesse d'empoisonner sa vie. Antoine est parfois trop extrême. Il faut savoir le protéger contre lui-même.

Dans le couloir, des bruits de pas, de plus en plus nombreux, se mêlaient aux cliquetis des épées portées par les gens d'armes et les militaires de Marais. Michèle s'approcha pour écouter. De l'autre côté lui parvenait le grondement d'un torrent humain. Quelqu'un se cogna contre la porte. Des cris fusèrent. Madeleine était plongée dans ses prières et n'avait rien remarqué. Michèle posa sa main sur la clenche et la tourna : la serrure avait été fermée à clé.

Le bourdonnement s'était déplacé. Des clameurs retentirent à l'étage, vociférations, protestations, ordres aboyés. Puis un silence brutal. Elle n'avait plus de doute.

— Ils recommencent ! dit Michèle en se plantant devant Madeleine, la dérangeant dans sa méditation. Vous ne comprenez pas ? ajouta-t-elle, agacée par son absence de réaction. Ils recommencent à remplir sa cellule d'une foule de vagabonds !

Les deux femmes retournèrent à la porte. Michèle frappa des deux paumes en appelant le gardien, puis des poings. La force de ses coups sembla surprendre Madeleine, qui fit un pas en arrière.

— Qu'avez-vous ? Aidez-moi ! Il va étouffer ! Et il a des côtes brisées !

Michèle appela à l'aide, puis hurla jusqu'à s'en casser la voix. Madeleine s'effondra dans un bruit de froissement. Les cercles de bois de son panier la maintenaient dans une position verticale, mais ses jambes ne la portaient plus. Elle éclata en sanglots sans qu'aucune larme ne roule de ses yeux. Des spasmes nerveux parcouraient son visage.

— Alors, c'est ma faute... c'est ma faute...

Un cri de douleur emplit tout l'espace de la prison.

La geôle s'était rapidement vidée de ses mendiants. Marais était entré, avait remis le lit en place, s'était assis, les mains posées sur le manche de sa canne, et regardait, silencieux, le corps replié d'Antoine.

— La seconde fois est toujours plus douloureuse, n'est-ce pas ?

Le prisonnier répondit par un gémissement.

— Quelle tristesse, commenta l'inspecteur. Vous rendez-vous compte de l'embarras dans lequel vous nous mettez tous ? Sans compter qu'il nous a fallu trouver cent dix indigents !

Devant l'absence de réaction d'Antoine, Marais tâta son flanc d'un coup de canne, lui arrachant un nouveau gémissement.

— À la bonne heure, vous n'êtes pas évanoui, nota-t-il avec satisfaction. Nous pouvons commencer notre séance par ma phrase rituelle.

Antoine s'était retourné sur le dos.

— Ce n'est... pas la peine, dit-il en s'adossant avec difficulté contre le mur dont la fraîcheur lui glaça le corps. Ce trésor n'existe plus.

Il avait parlé dans un souffle. Marais eut un étrange sourire. Antoine s'apprêta à recevoir un coup, mais rien ne vint. L'inspecteur se pencha pour lui parler comme à un confident.

— Je vais vous résumer la situation. D'après mes renseignements, le coffre se trouvait encore à votre domicile le vendredi 26 septembre. Il n'y était plus le mardi suivant. La question étant : où êtes-vous allé pendant ces trois jours ? dit Marais en croisant les bras. Je n'attends pas de réponse de votre part, ajouta-t-il en lui montrant une feuille pliée. Je l'ai.

L'homme énuméra tous les endroits qu'Antoine avait fréquentés le samedi et le dimanche sans en omettre un seul. Le palais de Roanne, le domicile d'Antelme, la cathédrale, la Bergerie et le clos Billion. Il se leva avant de continuer sa démonstration :

— Nous avons évidemment fouillé ces cinq lieux, sans résultat. La cache nous a donc échappé. Pour la Bergerie, plus besoin d'y revenir, s'amusa-t-il. Le palais de Roanne ? Vous n'êtes pas assez stupide. Les deux domiciles ? Mes lugduniens auraient trouvé. Que reste-t-il ? La cathédrale Saint-Jean ! déclara Marais comme s'il venait juste de s'en souvenir.

Il s'approcha d'Antoine et s'agenouilla à sa hauteur.

— Que diriez-vous si j'allais me recueillir sur la tombe de votre fils ?

— Non... vous ne feriez pas ça ? Pas ça ! s'emporta Antoine.

Il tenta de se lever en se tenant à un anneau du mur, mais la douleur était trop forte.

— Les codices ne sont pas dans sa tombe, jamais je n'aurais commis un acte aussi choquant. Vous le savez ! répéta-t-il.

Marais eut une moue dubitative. Il venait de trouver le point faible d'Antoine, sa faille, et s'y engouffrait tout en s'amusant avec sa proie.

— Vous n'imaginez pas, cher maître, ce dont les prévenus sont capables pour soustraire des preuves à la justice. Suis-je bête, vous le savez : vous les défendez, ajouta-t-il.

— Non ! cria Antoine entre deux expirations rauques. Je vous en prie, non, ne faites pas ça !

— Malheureusement, notre relation s'est tellement dégradée que je ne peux vous croire sur parole. Vous m'en voyez désolé. Votre femme m'a donné son accord. Nous procéderons à l'ouverture demain.

L'inspecteur fit un moulinet avec sa canne et tourna les talons.

— Non ! Attendez, non...

Antoine avala sa salive avec difficulté.

— Je vais... je vais vous dire où il se trouve.

— Ainsi donc, on ne l'a pas détruit, maître ?

Antoine lui fit signe d'approcher et chuchota à son oreille. Marais écouta avec un plaisir qui confinait à la jouissance. Il se releva, rajusta sa veste et déclara, triomphant :

— Voilà une cache à la hauteur de votre réputation. Vous aurez été mon plus coriace adversaire, cher maître !

Antoine resta longtemps prostré dans l'angle de son cachot. Cinq mois de combats, de doutes, d'espoirs pour faire sortir les Gaulois de l'ombre de l'Histoire, cinq mois dans les pas de Louern, à apprendre, à comprendre, à rêver de lui rendre la lumière confisquée, cinq mois pour l'honneur de la vérité et, au final, l'odeur du moisi et le goût métallique du sang dans la bouche.

Il avança péniblement jusqu'à sa couche et s'y allongea au prix d'un ultime effort. Antoine avait caché son trésor à l'intérieur de l'horloge astronomique, à son sommet dans le clocher. Y pénétrer avait été facile. Il avait remarqué, lors de ses prières du samedi, la présence régulière de l'horloger. L'homme, qui remontait quotidiennement les mécanismes des contrepoids, avait une ponctualité égale à celle de sa machine. Arrivé à onze heures trente, il s'acquittait de sa tâche avant le premier démarrage des automates. Puis il se rendait à la chapelle Sainte-Anne afin de prier. Il revenait ensuite vérifier les mécanismes, toujours après la fin de l'animation au son de la grosse cloche, et refermait la porte à clé. Antoine avait évalué à quinze minutes le temps dont il disposait pour agir. Il y était entré une première fois afin de repérer le lieu et les caches possibles. Le samedi 4 octobre, alors que le cadran doré indiquait quinze minutes avant midi, il pénétrait à l'intérieur de l'horloge avec un coffret contenant les tablettes de cire. Il les avait reliées par groupes de vingt à l'aide de lanières en utilisant les trous percés dans les cadres de bois, faisant attention à ne pas abîmer la cire fragilisée par le temps.

Le poids de l'ensemble, plus de cinquante livres, avait été sa principale difficulté, mais les travaux à la Bergerie l'avaient habitué à manipuler des charges lourdes et encombrantes. Il avait pu monter la haute échelle menant au clocher en portant le coffre à l'épaule et l'avait posé sur un promontoire en bois en dessous du carillon. L'espèce de nid, composé de deux couches de planches superposées, culminait à plus de quatre toises de haut et avait autrefois servi à entreposer les outils utilisés pour la construction de l'horloge. Antoine était redescendu au moment où les ailettes indiquaient de leur souffle caractéristique le déclenchement du mécanisme du coq. La parade allait démarrer. Il avait attendu le retour de l'homme et l'avait observé verrouiller la porte. L'horloge astronomique était depuis lors devenue le sanctuaire de son trésor.

Plusieurs heures s'écoulèrent, pendant lesquelles il passa en revue toutes les possibilités qui lui restaient pour faire connaître les textes de Louern. Mais quel crédit lui accorderait-on sans la présentation des originaux ? *Ils tenteront tout pour vous en empêcher...* Les paroles du chevalier de Jaucourt lui revinrent en mémoire. Il se trouva vaniteux d'avoir cru pouvoir défier le roi. Ceux qui l'avaient fait avant lui étaient tous en exil ou avaient péri. Pour l'heure, il devait sauver sa peau. Après, il se mettrait à la recherche du trésor des trésors, dont Marais et ses commanditaires ignoraient l'existence. Son ultime atout.

Il avait espéré le retour de Michèle mais le jour qui déclinait lui fit abandonner cette idée. Il tenta de dormir. Au moment où son esprit trouvait enfin le chemin de l'abandon, il fut réveillé par la sonnaille du trousseau de clés du geôlier. L'homme était accompagné de Marais et de son aide de camp, qu'il laissa entrer avant de refermer derrière eux. Les flammes qui se contorsionnaient sur la pointe de leurs torches formaient des drapeaux d'ombre sur les murs et les visages.

— Nous revenons de Saint-Jean, dit l'inspecteur en ôtant ses gants. J'ai fait ouvrir l'horloge astronomique par l'abbé Gouvilliers lui-même. Mes hommes ont fouillé le haut de la tour, dans le clocher, conformément à vos indications.

— Quand pourrai-je sortir ? demanda Antoine en réussissant à s'asseoir sans trop de douleur.

L'inspecteur le gifla avec ses gants.

— Vous ne m'avez pas compris ? Nous n'avons rien trouvé ! L'horloge est vide. Vide !

84

Mercredi 28 janvier

Le livre des effets indiquait que les vêtements portés par Anne Piron à son admission à l'Hôtel-Dieu avaient été jetés dès le lendemain. Partiellement brûlés, ils étaient inutilisables. La sœur en charge de l'entrepôt d'habillement tourna la page et lut qu'ils avaient été remplacés par des effets neufs apportés par Camille Delauney. Elle les chercha dans l'étagère répertoriée et trouva chemise de corps, jupon, corps baleiné, pièce d'estomac, jupe, ainsi qu'une veste en velours vert foncé. Le chirurgien-major avait signé le bon de sortie. Les cicatrices, bien que rouges et boursouflées, étaient saines. Anne sourit en découvrant les habits que Camille avait déposés, une tenue que Michèle portait le jour de l'Épiphanie et dont la jeune femme avait complimenté la finesse des broderies et la qualité des tissus. Lorsqu'elle enfila la chemise, la douceur de la soie rendit le contact de la blessure supportable. Elle constata que le haut de la cicatrice était visible sur sa peau nue, large trait plissé qui s'étendait de la base de sa nuque à sa clavicule. Elle emprunta un foulard à la sœur de rang et le serra haut sur son cou. Anne retint des larmes : son corps meurtri la dégoûtait.

Camille vint la chercher à dix heures dans un fiacre de la ville. Une fois passé la grande porte, Anne respira profondément et leva les yeux. Le ciel crayeux suintait d'humidité. Des corneilles survolaient la place Louis-le-Grand. Elle avait l'impression que son séjour avait duré une éternité. Elle s'installa dans le véhicule en prenant soin de ne pas s'adosser et de ne pas révéler à son fiancé les tiraillements de sa chair. Camille était aux anges et la couvait d'un regard languissant. Anne fut surprise par la secousse du départ et s'accrocha au bras de son fiancé, ce dont elle profita pour l'embrasser.

— Où allons-nous ? demanda-t-elle alors que le fiacre longeait les quais du Rhône.

— Je dois m'arrêter au Bureau d'avis prendre les dernières annonces pour les *Affiches*. Il nous faut faire la composition avec Charles cet après-midi, expliqua-t-il devant la mine déçue de la jeune femme. Je n'ai pas eu le choix. Mais nous avons toute la matinée rien que pour nous, j'ai prévenu tes parents que tu ne serais pas au *Cygne noir* avant midi.

Le cocher s'arrêta devant les halles de la Grenette et, ne voyant personne sortir du fiacre, donna un coup de son manche de fouet sur le toit du véhicule. Face à l'absence de réponse, il descendit ouvrir la portière et découvrit les fiancés enlacés.

— Regagnez votre siège, lui dit Camille en repositionnant sa perruque, je n'en ai que pour très peu de temps. Promets-moi de ne pas t'enfuir, ajouta-t-il à l'adresse d'Anne.

Les caresses et la promesse du moment à venir l'avaient mise dans un état extatique. Anne avait envie de reprendre leur relation là où elle s'était arrêtée, lovés l'un contre l'autre dans le lit de la Bergerie. Elle rajusta le foulard sur sa nuque. Camille le lui avait ôté pour embrasser ses cicatrices. Le geste l'avait touchée et lui avait redonné confiance en elle, mais elle préférait qu'il ne les voie pas. Elle soupira de contentement et s'étira en fermant les yeux. Une main se posa sur sa bouche. Anne poussa un cri étouffé et se redressa, prête à se débattre. Elle eut un instant de stupeur en apercevant Camille, penché à la portière, tout aussi surpris qu'elle.

— Je voulais juste caresser ton visage. Je suis désolé de t'avoir effrayée, s'excusa-t-il en s'asseyant à côté d'elle. Vraiment navré.

Elle n'eut pas le courage de lui répondre, de lui expliquer les cauchemars qu'elle faisait toujours depuis l'incendie.

Il posa sur le siège en face d'eux un paquet emballé dans un chiffon ficelé.

— C'est pour la librairie, expliqua-t-il. Il a été déposé hier à notre nom.

La forme carrée du colis, d'environ deux pieds de côté, les intrigua.

— Ce ne sont pas des livres, assura-t-il.

— Une nouvelle perruque pour ton oncle ? proposa Anne.

— Trop lourd pour des cheveux. Et il en met de moins en moins souvent. Non, c'est autre chose, conclut-il, pris par le jeu.

Le fiacre avait redémarré. Le cocher avait pour consigne de les promener en ville jusqu'aux douze coups de midi. Les dix louis reçus le satisfaisaient amplement et il s'acquitta de la tâche avec entrain. Pas besoin de monter et de descendre des clients dans des rues encombrées de véhicules et de piétons hostiles ou de se battre avec les autres cochers pour des courses mal payées. Il avait prévu un parcours du côté Saône, moins engorgé que le sud de la ville. Après les Terreaux, il remonterait vers la Pescherie, puis longerait les quais jusqu'au pont d'Alincourt qui lui permettrait de gagner Fourvière et le quartier du Gourguillon, dont il appréciait le calme pour circuler et la vue sur la ville.

Les deux amants s'embrassaient en minaudant. En face d'eux, le paquet semblait défier leur curiosité. Ils ne pouvaient s'empêcher de lui jeter des regards interrogateurs entre deux baisers.

— À quoi penses-tu ? demanda Anne.

— C'est peut-être un présent pour notre mariage, songea Camille. Je l'ai vu consulter un catalogue de faïences il y a peu.

— Ton oncle est libraire, il feuillette des ouvrages toute la journée, objecta-t-elle. Et s'il avait consulté le *Guide des amateurs d'armes*, qu'en aurais-tu conclu ?

— Tu as raison, admit-il. Voilà comme je t'aime, mon Anne, tu as de l'esprit pour deux, proclama-t-il en lui effleurant la joue.

— Alors, on l'ouvre ? L'employé t'a dit que c'était pour la librairie. Tu en fais partie, non ?

L'idée taraudait Camille depuis le départ, mais il n'avait pas osé le proposer. Il posa le mystérieux colis sur ses genoux. Il hésitait.

Le cocher regardait avec curiosité les quais du port Saint-Paul sur la berge opposée où une grue embarquait des poteries sur une large barge. Plus loin, un groupe d'une dizaine de modères, reconnaissables à leur tenue brune, se préparait à effectuer la remontée du bateau à contre-courant. Le conducteur ralentit l'allure pour les regarder opérer. L'un d'eux fixa une maille à un anneau soudé au pont Saint-Vincent. Il reconnut Querré, dont la rumeur disait qu'il avait désigné Trente-trois comme responsable de l'incendie de la Bergerie. Les autres prirent position à tribord de l'embarcation, du côté quai, et enfilèrent un harnais relié à une corde. Querré les rejoignit, se mit en tête sur la barge et donna le signal du départ. Les hommes, dans un effort synchronisé, prirent appui sur des échelles solidement attachées à plat. Par la force de leurs jambes, ils firent remonter lentement le bateau vers le pont. Les modères mettraient une journée pour avancer d'une lieue. Le cocher, admiratif, donna un léger coup de fouet pour reprendre un pas soutenu. Au même moment, Camille sortit la tête par la portière du carrosse et lui hurla de se rendre grande rue Mercière au plus vite. Ils venaient de déballer la lettre « O » de la devanture.

Le vieil homme regarda les plis qui striaient le dos de sa main parsemée de taches brunes.

— Vilaines fleurs de cimetière qui viennent éclore sur moi, marmonna-t-il, j'aurais espéré être un autre terreau que celui-là.

Il but le fond de sa tasse de café et se remit à l'écriture de sa correspondance. Le breuvage était le seul qui réussissait par moments à le sortir de son immense lassitude. De la fenêtre de son bureau, situé au rez-de-chaussée, il observait les allées et venues du gendre de sa nièce, M. de Villette, qui attendait l'arrivée de son épouse en faisant les cent pas devant le château.

Ses proches s'ennuyaient chez lui et il les comprenait. L'hiver les cantonnait dans sa propriété où, malgré les quelques réceptions organisées, ils n'avaient que peu d'occasions de s'enivrer de nouveauté. Il sonna son secrétaire et ne l'apostropha pas pour le temps qu'il mit à venir. L'homme avait vieilli avec lui. Il lui tendit sa plume dans le but de lui dicter la fin de la lettre qu'il destinait à un ami.

— Pouvez-vous relire les quatre misérables lignes que j'ai pu produire, mon fidèle Wagnière ? Je deviens malheureusement tous les jours plus inutile, se plaignit l'homme.

Le serviteur déchiffra l'écriture saccadée de son maître et attendit la suite en trempant délicatement la plume dans le fond d'encre afin d'éviter d'en retirer du dépôt.

— *Je travaille depuis près d'un mois, jour et nuit, à profiter autant que le permet ma faiblesse de toutes les sages critiques que vous m'avez faites...*

— ... de toutes les sages critiques... dit le secrétaire afin de ralentir le rythme de dictée.

Le vieil homme, curieux, jeta un nouveau regard par la fenêtre. Sa nièce avait rejoint Villette dans l'allée. Tous deux guettaient le chemin par lequel le carrosse de sa fille allait arriver, après l'avoir aperçu au loin.

— Vous croyez qu'elle est grosse ?

— De qui parlez-vous, monsieur ? demanda le secrétaire bien qu'il eût compris la question.

— De notre Belle et Bonne, notre nouvelle Mme de Villette. Son mari ne lui laisse pas le temps de respirer ! Nous sommes persuadés, Mme Denis et moi, qu'il l'a engrossée.

Sa nièce se retourna vers la maison et regarda dans sa direction, comme si elle l'avait entendu parler.

— Continuons, dit-il en se calant dans son fauteuil.

Pressentant qu'il allait être dérangé, il accéléra le rythme de sa dictée, s'interrompant de temps à autre pour laisser à son secrétaire le temps de finir.

— *Ce serait absolument vouloir me tuer que de me forcer à donner* Irène *dans des conjonctures si humiliantes. Il serait plus honnête de me laisser mourir de ma belle mort...* Mais que font-ils ?

interrogea le vieil homme en se tordant le cou pour apercevoir ses proches, qui avaient disparu.

Le serviteur gagna la porte-fenêtre pour lui décrire la scène. Un carrosse s'était arrêté devant l'entrée principale.

— Mais ce n'est pas notre Mme de Villette qui en sort, assura-t-il en reprenant sa place à l'écritoire.

— En êtes-vous sûr ?

— Tant que mes yeux pourront différencier un paralytique obèse d'une jeune femme, même engrossée, oui, monsieur. Et il est accompagné de M. Tronchin.

— Théodore ? Mon cher médecin... Suis-je déjà si mal ? demanda-t-il à son secrétaire, qui lui fit un signe négatif de la tête. Dépêchons-nous de finir avant d'aller accueillir nos inattendus invités.

Il se leva et se posta discrètement à la porte-fenêtre tout en continuant sa lettre :

— *Je suis persécuté aujourd'hui par des procès ; je perds mon bien, la santé et la vie. De bonne foi, n'est-ce pas assez ? Mon ange n'a-t-il pas pris sous sa protection une drôle de créature ?* Miserere mei. Et vous signez comme d'habitude, dit-il en jetant un regard distrait sur le résultat.

Le secrétaire trempa une dernière fois la plume avant de conclure la lettre par : *Le vieux malade de Ferney, V.*

Le maître de céans se rendit directement au salon où ses invités avaient été introduits. Il salua très chaleureusement son médecin, qui lui avait plusieurs fois rendu la santé après des épisodes urinaires douloureux, et l'écouta lui présenter Antelme.

— Je vous trouve une mine superbe, dit le médecin, qui l'avait observé d'un œil professionnel.

— Ne m'injuriez pas, mon cher Tronchin, en me disant que je me porte bien. La nature a donné à mon âme un étui très faible et ma décrépitude est accablée de plus d'une manière !

— Vous êtes si vif pour un homme de quatre-vingt-quatre ans, répliqua Théodore Tronchin. On m'a dit que vous marchiez encore sur les chemins aux alentours et je vous encourage à continuer.

Le vieil homme se tourna vers Antelme, sentant que ses plaintes pourraient paraître inopportunes en la présence d'un infirme qui paraissait avoir la moitié de son âge.

— Savez-vous en quoi consiste la médecine, cher monsieur de Jussieu ? demanda-t-il d'un air malicieux. Elle consiste à introduire des drogues que l'on ne connaît pas dans des corps que l'on connaît encore moins !

Le médecin esquissa une révérence pour s'avouer vaincu face au mot d'esprit.

— Monsieur de Voltaire, les années peuvent aliéner votre corps, elles n'altèrent en rien votre génie, ce dont je me réjouis, intervint Antelme.

— Ne seriez-vous pas un de ces flatteurs, monsieur? De ceux qui auraient besoin de mon aide et de mon nom pour leurs affaires?

— Mon état m'en protège, dit l'historien en frappant sur le cuir de son fauteuil roulant. Je ne crains ni n'attends rien de la vie, ici, ailleurs ou au-delà. Je suis un fervent admirateur de vos idées comme j'en aurais été le pourfendeur si elles m'avaient été contraires. Je suis un homme libre épris de justice et c'est au nom de ces valeurs que nous venons vous trouver.

Voltaire s'assit en face d'eux. De ses yeux irradiait une curiosité de jeune homme.

— Wagnière, allez nous chercher du café! Racontez-moi, monsieur de Jussieu, racontez-moi.

Dehors, le marquis de Villette avait revêtu une longue cape fourrée au-dessus de sa veste et tentait de convaincre sa belle-mère de rentrer attendre sa fille devant un âtre chaud. Elle refusa et s'inquiéta de la présence de l'inconnu qui venait rendre visite à son oncle en plein hiver. Tous encourageaient Voltaire à se rendre à Paris et aucun n'aurait voulu qu'un obscur historien de province vienne contrecarrer leur projet. Le château de Ferney, coincé par les Alpes et la neige, était devenu une prison naturelle et la perspective de retourner à Paris était pour tous une libération. Le carrosse attendu arriva enfin et Mme de Villette en descendit en cachant ses rondeurs dans une robe à l'ampleur inattendue. Belle et Bonne n'était que la fille adoptive de Mme Denis, mais elle avait dans le cœur de Voltaire la place d'une enfant aimée. Elle avait l'intention d'achever de le convaincre du voyage et fut déçue qu'il ne puisse la recevoir sur-le-champ.

— Nous attendons depuis si longtemps, quelques heures de plus ne changeront rien, déclara Mme Denis, fataliste. Rentrons nous réchauffer.

Au salon, Antelme n'avait rien omis de toute l'histoire, jusqu'à l'incarcération d'Antoine. Voltaire avait écouté avec attention et ne l'avait pas interrompu. Il se leva et fit le tour de la pièce avant de revenir devant lui.

— Qu'attendez-vous de ma personne?

— L’article sur les Gaulois sera signé par le chevalier de Jaucourt, précisa Antelme. Si vous nous faites l’honneur de l’appuyer de quelques mots, personne n’osera plus douter de la vérité.

Voltaire les regarda tour à tour d’un air dubitatif.

— Savez-vous ce que Turgot a dit de moi ?

— Non, monsieur.

— *Monsieur de Voltaire ne connaît pas ses forces.*

— Cela semble vous surprendre.

— Cela me questionne, en effet. Me croyez-vous assez puissant pour aller défier le roi ? À mon âge et dans ma condition ?

— Vous n’avez pas idée de ce que le peuple tout entier vous aime, d’à quel point il a pris fait et cause pour vos idées, dit Antelme en poussant sur ses coudes pour se redresser.

— J’aimerais vous croire, mon ami.

— De Lyon, il n’y a point de raison d’en douter.

Le philosophe dévisagea son invité, dont l’enthousiasme contrastait avec sa piètre condition. Ses cheveux plaqués dépassaient de sa perruque, sa peau reflétait tout son mal-être et son corps disproportionné offensait les regards sensibles. Il songea à l’associé de maître Prost qui périssait dans un cachot, à tous ces hommes qui n’avaient jamais hésité à sacrifier leur carrière et leur vie pour leurs idéaux. Ils construisaient chacun à leur manière la république des hommes de bien.

— Alors, peut-être est-il temps d’aller voir par nous-mêmes, conclut le philosophe. Tout le monde me presse de rentrer à Paris, à part mon fidèle Wagnière qui me prédit un funeste destin, ajouta-t-il en souriant à son secrétaire, qui baissa les yeux. Vous pourrez me compter dans votre entreprise, messieurs. Ce sera sûrement mon dernier éclat, faisons en sorte qu’il soit inoubliable !

— Si je pouvais, je me lèverais pour vous embrasser, monsieur mon maître, s’exclama Antelme en levant les bras au ciel.

— N’en faites rien, l’Église m’intenterait un procès, les miracles lui sont réservés ! Dès que vous serez sortis, Belle et Bonne va venir me trouver pour me demander de partir pour Paris et je vais accepter. À aucun moment je ne parlerai de notre cause, messieurs. Tout cela restera entre nous.

Resté seul, Voltaire ferma les yeux. Après l’euphorie du moment, la lassitude revint le couvrir comme une chape de plomb. Aurait-il la force de se battre contre tous ceux qui, déjà, critiquaient sa dernière pièce, dont les textes circulaient sans son autorisation, et d’affronter l'ire d'un roi dont les Gaulois étaient le poison? Il chassa la pensée pour songer à sa ville et murmura:

— Paris... voilà trente ans que je l'ai quittée. Y aurait-il encore de la place dans son cœur pour moi?

85

Vendredi 30 janvier

L'horizon était incertain, les grondements lointains et paresseux. Mais l'orage de décembre était encore dans toutes les mémoires et les têtes étaient tournées vers l'ouest dans la crainte des intempéries. Chaque nouvel arrivant au *Cygne noir* avertissait les autres de l'évolution des nuages, qui s'étendaient comme des plaques de lèpre. Malgré la menace, l'ambiance en ce vendredi matin était festive. M. Piron, pour saluer le retour de sa fille de l'Hôtel-Dieu, avait offert une tournée à tous les habitués. La jeune femme était obligée de répéter son histoire à chaque tablée, d'où elle recevait des encouragements et des signes d'amitié.

Personne ne fit attention à l'homme en habit d'observantin, robe de bure brune, corde et sandales de bois, la capuche courte relevée sur la tête, qui était entré et s'était assis à une table isolée. Valentin s'était laissé pousser la barbe et ne sortait plus que revêtu de l'habit monacal qu'il avait subtilisé lors de son séjour aux Cordeliers. Calé dans son recoin, à l'angle d'une cheminée éteinte, il observait Anne servir les clients dans la grande salle.

Valentin pensait à elle depuis la première fois où il l'avait aperçue, reclus derrière sa grille, quand elle lui était apparue, lumineuse tel l'ange Uriel. *C'est de moi qu'elle aurait dû tomber amoureuse, c'est moi qu'elle aurait dû combler, pas ce béjaune de Camille*, pensait-il en la suivant des yeux. Il aurait aimé qu'elle prenne conscience de son erreur avant l'acte irréversible du mariage. Valentin espérait qu'Anne avait appris par Camille ses actes audacieux et qu'elle admirait son comportement rebelle et flamboyant. Les femmes préféraient toujours les aventuriers.

Depuis la mort de son père, il ne retournait chez lui que pour y prendre des vêtements, de la nourriture et puiser de l'argent dans la cassette de sa mère, que le deuil avait complètement détachée de son fils. Il passait le reste de son temps dans sa cache, allongé sur sa paillasse durant des heures, à imaginer le point final de son projet et à penser à Anne. Le jour où, rentrant d'un repérage, il avait débusqué Camille endormi sur sa couche, Valentin avait hésité à le réveiller pour lui avouer ses sentiments, puis avait reculé devant la confrontation et s'était cantonné à une provocation supplémentaire.

Un des rares clients qui s'étaient installés dans la petite salle non chauffée appela Anne. Elle regarda dans la direction de Valentin. Le jeune homme baissa la tête. M. Piron intervint pour prendre la commande. Sa fille, convalescente, devait se ménager. Valentin n'avait pas osé aller la voir à l'hôpital ni l'aborder depuis sa sortie. Il ne voulait pas la rencontrer, pas tout de suite, pas avant d'avoir frappé un grand coup.

Le patron accueillit chaleureusement M. Etevenard, le professeur de calcul, et lui proposa une chopine de vin. L'homme ne se fit pas prier et but une grande rasade avant de partager une information avec l'assistance, dont une partie sortit aussitôt précipitamment. Valentin héla l'aubergiste au moment où il revenait vers son comptoir.

— Que se passe-t-il ? L'orage approche ?

— Non, répondit M. Piron d'un air contrarié. M. Etevenard revient de chez le libraire La Roche : une nouvelle lettre de son enseigne a disparu. Et j'ai perdu mon pari !

Michèle s'engouffra en courant dans le palais de Roanne sous l'œil intrigué des employés et du garde présents, plus habitués aux sorties fracassantes qu'aux entrées hâtives. Elle grimpa l'escalier sans même répondre à un gentilhomme qui la saluait. Ses chaussures claquèrent sur les marches comme une faux sur sa pierre à aiguiser. Elle accéléra encore le pas dans le couloir et entra sans prévenir dans le bureau des avocats où Prost relisait sa plaidoirie à venir.

— Ils l'ont emmené ! annonça-t-elle sans prendre le temps de retrouver son souffle.

— Antoine ? Ils le transfèrent ?

François s'était levé d'un bond et avait pris sa veste.

— Vite ! cria Michèle en l'entraînant dehors.

Elle avait passé une partie de la matinée dans sa cellule, où ils avaient travaillé la fin de la pièce, quand, peu avant midi, les hommes de Marais étaient venus le chercher.

— Antoine a protesté, dit-elle alors qu'ils traversaient l'allée centrale, il leur a demandé l'ordre de levée d'écrou. Ils n'ont pas répondu et l'ont poussé hors de sa cellule.

François avait du mal à la suivre et passait et repassait en permanence d'un pas de marche à un pas de course.

— Croyez-vous qu'on pourra les rattraper avant les fortifications ? demanda-t-il une fois sur le perron.

— J'ai d'abord cru qu'ils allaient sortir chercher un carrosse, mais ils sont descendus dans les caves. Je n'ai pas eu le droit de les suivre, expliqua-t-elle en se dirigeant vers la prison, ignorant le grain qui déversait une pluie fine et pénétrante sur eux.

François s'arrêta net.

— Les caves ? C'est là qu'ils conduisent les prisonniers pour la torture, ils vont le passer à la question !

Michèle poussa un cri auquel le tonnerre répondit en écho. Le ciel se déchirait non loin.

— Dépêchons-nous ! Qu'avez-vous ? demanda-t-elle alors que Prost faisait demi-tour.

— Venez, rentrons au palais, il n'y a qu'une solution possible pour l'en tirer !

Valentin était en colère. Devant lui, l'enseigne affichait *À la boule du mond*. La veille, Charles le typographe avait remis le « O » à sa place sur la façade, devant un attroupement de curieux de plus en plus nombreux qui bruissait des paris sur le prochain vol. Valentin avait planifié de parachever son œuvre dans la nuit du samedi au dimanche, trois jours après la nouvelle lune, quand la garde serait dévolue au quartier de Porte-Froc, de l'autre côté de la Saône, et de façon que toute la ville soit au courant avant la messe dominicale où l'on ne manquerait pas de le commenter abondamment. Voilà qu'il avait été devancé et que l'auteur ne faisait pas de doute.

Il se fraya un chemin pour sortir de la foule grandissante, indifférent aux protestations des passants qu'il bousculait sans ménagement. *Il a osé*, fulmina-t-il mentalement en remontant le long des quais de la Saône en direction de Pierre-Scize. *Il m'a volé, il m'a dépossédé*. Valentin passa devant le couvent des Cordeliers sans un regard vers l'abri de bois aux barreaux qui avait été sa seule fenêtre sur le monde durant trois mois, grimpa sur le coteau voisin sans faiblir d'allure et entra dans le bâtiment abandonné.

Lorsqu'il arriva devant sa cellule, la porte était entrouverte. Le cadenas avait disparu. Il s'arrêta sur le seuil et hésita. Une bougie à la flamme ténue et vacillante éclairait le lit, sur lequel reposait le « E » de l'enseigne.

— Camille ? interrogea-t-il.

N'obtenant pas de réponse, il ouvrit la porte en grand.

— Je suis là, dit le jeune homme en sortant de l'ombre.

Valentin se précipita sur lui, le bloqua contre le mur et coinça son avant-bras sous la gorge de son ami.

— Faux frère, traître ! écuma-t-il. Qu'as-tu fait ?

Il augmenta sa pression sur le thorax de Camille, qui se défendit d'un coup de genou à la cuisse. Valentin, surpris, desserra son étreinte, ce dont Camille profita pour lui porter un second coup, à l'épaule. Le jeune homme, gêné dans son habit de religieux, trébucha et tomba lourdement contre la table, qui se brisa. Sonné, il attrapa le drap pour se relever mais ne fit que tirer la couverture et la lettre à lui. Il resta assis, hébété, le « E » posé sur ses jambes.

Antoine fut poussé sans ménagement dans la pièce réservée aux supplices. Brodequins, estrapade, eau, les instruments de toutes les tortures permises dans le cadre des interrogatoires étaient présents, prêts à fonctionner, consciencieusement alignés au fond de l'espace. La seule source de lumière naturelle, une lucarne hémisphérique, se trouvait coincée contre une large poutre dont la fonction n'était pas exclusivement architecturale, au vu des chaînes qui en pendaient.

— Ce que vous faites est illégal. Où est l'ordre du juge ? demanda Antoine avec autorité.

Marais, qui les attendait, ne prit pas la peine de répondre.

— Seul un magistrat peut faire appliquer la question, continua Antoine en s'adressant à l'inspecteur. Où est-il ? Je ne le vois pas !

Marais l'ignora.

— N'obéissez pas à cet homme, dit Antoine en interpellant directement les militaires qui lui liaient les mains dans le dos. Vous vous rendriez coupables de complicité. Vous seriez jugés vous aussi.

L'avocat débita jusqu'à en perdre le souffle tous les cas de jugements qu'il avait en mémoire où des soldats avaient été condamnés pour avoir exécuté des ordres abusifs. La menace laissa tout le monde indifférent. Ils l'assirent sur une chaise prolongée d'une planche de bois massif. Il se défendit tout en continuant à les exhorter d'abandonner. Sa parole restait sa seule arme. Il ne voulait leur laisser aucun répit. Un des militaires noua deux planchettes autour de sa jambe droite. Antoine argumentait tout en les regardant droit dans les yeux.

— Seuls les crimes dignes de mort peuvent s'appliquer à la question. Les chefs d'accusation qui me concernent sont en dehors de ce périmètre. Vous êtes hors la loi, messieurs ! Les ordres auxquels vous obéissez n'ont aucune légitimité, ce n'est pas la volonté de notre roi !

L'inspecteur daigna s'intéresser à lui et s'approcha nonchalamment du prisonnier.

— Vous êtes accusé de conspiration, dit-il, et d'atteinte à la sécurité du royaume. Cela suffit pour vous inviter ici aujourd'hui.

— C'est faux ! s'insurgea Antoine. Ces pièces ne sont jamais parvenues au juge, ni à mon avocat. Elles n'existent pas !

Le soldat répéta la même opération sur sa jambe gauche. Lorsqu'il noua la corde, il arracha un cri de rage à Antoine.

— Il n'y a ni médecin ni chirurgien dans cette pièce. Cet interrogatoire est pratiqué en dehors de toute légalité et peut vous valoir une révocation. Arrêtez-vous tout de suite !

— Monsieur... dit l'aide de camp à Marais qui attendait, le dos tourné, que commence l'interrogatoire.

— Quoi donc ? grogna ce dernier, agacé.

— Peut-être devrions-nous attendre le document officiel.

— Imbécile ! Ne voyez-vous pas qu'il tente de nous berner ?

— N'écoutez pas l'inspecteur Marais, continua Antoine tout en grimaçant alors que le soldat arrimait ses deux jambes entre elles le plus fort qu'il pouvait. J'ai plusieurs côtes brisées, des ecchymoses et des contusions. Selon l'ordonnance de 1670 du parlement de Paris qui fait jurisprudence sur tous les parlements du royaume, les prisonniers valétudinaires sont exempts de la question.

— Mais faites-le taire ! cria l'inspecteur avant de lui envoyer un coup de canne dans l'abdomen.

Antoine gémit, sonné, le souffle coupé.

— Enfin un peu de sérénité ! s'écria Marais. Pouvons-nous commencer, maintenant ?

L'homme prit un marteau et posa le premier coin sur les plaques situées entre les jambes, prêt à frapper. Le tonnerre claqua dans le voisinage. Tous les yeux se levèrent machinalement. L'inspecteur croisa le regard hésitant de ses hommes.

— Allez-y, intima-t-il à celui qui tenait les outils.

Au moment où l'homme allait frapper, Antoine murmura.

— Il parle, dit le soldat, un soulagement dans la voix.

— Que dit-il ?

— *Dolorem fugientes multi... in tormentis ementiti persoepe sunt... morique maluerunt falsum fatendo... quam inficiando dolore*, répéta Antoine, à moitié conscient.

— Croyez-vous qu'il passe aux aveux ? demanda l'aide de camp.

— Je crois surtout qu'il se moque de nous, répondit Marais, nous n'avons même pas commencé ! Qu'on en finisse, maintenant !

— Ça va ? s'inquiéta Camille. Tu n'as rien ?

Valentin repoussa sa capuche qui le gênait et cracha la poussière qu'il avait avalée. L'odeur de moisi, dispersée par l'agitation, avait envahi toute la cellule.

— Tu m'as trahi ! On y était presque, tu as tout gâché ! dit-il en se relevant.

— Trahi ? Cette farce a assez duré, je regrette de t'avoir suivi, dès le début j'aurais dû t'en empêcher, répliqua Camille, qui restait sur ses gardes.

Valentin s'épousseta et enleva sa tenue trempée.

— *Dont le nom s'écrira en lettres d'or au fronton de vos maisons* : tu voulais ne laisser que les lettres du mot « démon », n'est-ce pas ?

— J'allais réussir mon chef-d'œuvre, tu n'es qu'un cul-bénit de petit-bourgeois sans ambition !

Valentin s'assit sur la couche, imité par Camille. Les deux amis restèrent un instant à écouter leurs consciences en silence.

— Tu n'es pas un serviteur du Démon, Valentin. Je te connais trop bien, arrête ces fadaises !

Valentin ne put s'empêcher de sourire. Sa colère diminuait peu à peu.

— Tu as raison sur ce point, admit-il. Je suis un aventurier, pas un suppôt de Satan.

Il chercha une seconde bougie dans le coffre et l'alluma à la première.

— Je me fiche bien de hanter le sabbat, je n'en ai pas peur, continua-t-il. Mais tous les gens ici en sont terrorisés et cela m'amuse.

— Je t'ai évité de faire une énorme bêtise, dit Camille en reposant la lettre sur la toile de jute qui l'avait emballée. Mon oncle ne méritait pas d'être victime de tes errements.

— Il devrait me remercier, grâce à moi sa librairie est désormais connue de tout le comté !

— Mais comprends-tu quels ennuis tu as failli lui faire ? Invoquer le démon !

— Quel crime ! répliqua Valentin sur le ton de l'ironie. Allons, de nos jours, on ne finit plus sur le bûcher pour des broquilles de ce genre !

— As-tu entendu parler des derniers sorciers de Lyon ? demanda Camille en nouant une corde autour de la toile.

— Obscurantisme des âges anciens, lâcha Valentin en haussant les sourcils.

— Détrompe-toi, c'était il y a trente ans. Mon oncle a assisté à leur procès à Dijon. Le sieur Guillaudot qui dénonce le sieur Michalet qui dénonce d'autres complices. Vingt-neuf accusés.

Camille vérifia la solidité des nœuds et s'approcha de son ami.

— Plusieurs furent pendus puis brûlés, dit-il sur le ton de la confidence.

— Je n'en ai jamais entendu parler, répliqua Valentin en s'écartant, mal à l'aise. Tu as failli faire échouer mon plan, mais tout n'est pas perdu. Rejoins-moi et ensemble faisons trembler de peur ces notables poudrés !

— Tu rêves d'un coup d'éclat ? Je suis venu t'en proposer un.

— Au nom du roi, arrêtez !

Le sénéchal venait d'entrer dans la chambre des supplices, accompagné de Prost et flanqué de six gardes qui se répartirent dans la pièce, entourant les protagonistes. Le juge, dérangé juste avant une audience, n'avait pas eu le temps de mettre sa perruque, mais avait déjà enfilé sa robe noire.

— Puis-je savoir de quoi il s'agit, monsieur l'inspecteur ? questionna-t-il d'un ton courroucé en observant le visage marqué d'Antoine, qui peinait à reprendre pleinement conscience.

— Monsieur le juge, je suis mandaté par M. de Maurepas, ministre du roi, qui lui-même tient ordre de notre souverain, répondit Marais en tentant de cacher son agacement et son mépris. Nous avons tout pouvoir pour...

— Répondez à mes questions, l'interrompit le sénéchal. Cet homme a-t-il été maltraité ?

— Ce prisonnier est récalcitrant, nous avons dû le calmer après qu'il eut proféré des insultes envers notre roi et envers notre Dieu.

— En latin, renchérit son aide de camp.

— Vous aurez tous à le jurer sur la Bible, annonça le juge aux hommes de l'inspecteur. Je vous rappelle que la peine encourue pour parjure est d'avoir la main droite coupée.

— Nous le savons et nous sommes tous ici respectueux de la justice, affirma Marais, qui sentait le doute envahir ses hommes.

— Avez-vous un document signé de mon sceau ou de celui d'un juge de notre palais autorisant de porter les brodequins à cet homme ? demanda le magistrat, qui s'était porté au centre de la pièce.

— Cet interrogatoire relève de la raison d'État, monsieur, répliqua l'inspecteur, dont la patience côtoyait ses limites. Maintenant, avec tout le respect dû à votre fonction, je vous demanderai de bien vouloir sortir. Au nom du roi, ajouta-t-il avec autorité.

— Non... murmura Antoine. *Dolorem fugientes multi... in tormentis ementiti persoepe sunt... morique maluerunt falsum fatendo... quam inficiando dolore*, articula-t-il avec peine.

— Voyez, il recommence ! s'écria l'aide de camp en le pointant du doigt.

— Sont-ce les paroles qu'il a prononcées ?

— Non ! affirma Marais au moment même où ses soldats signifiaient le contraire.

— Vous allez donc le relâcher sur-le-champ. Maître Fabert vous a récité un texte de Cicéron, monsieur l'inspecteur.

— Nous ne quitterons pas cette pièce sans ses aveux. Il a ourdi un complot contre la royauté, il y va de la sécurité de notre État. Messieurs, enfoncez le premier coin ! ordonna Marais.

— Gardes ! cria le juge.

Les soldats dégainèrent leurs épées et les pointèrent vers les hommes de Marais, qui réagirent en dégainant à leur tour.

— Et maintenant, que fait-on ? Nous nous battons jusqu'au dernier au nom du même roi ? Ou nous le servons ensemble contre les ennemis de la royauté ? demanda l'inspecteur, persuadé d'avoir rétabli une situation compromise.

— Notre souverain doit protection et justice à chaque citoyen de son pays, ceci est un monument de notre droit public, intervint Prost, qui était resté en retrait. Personne ne peut s'en soustraire en son nom. Maître Fabert n'est pas l'instigateur d'un complot, il en est la victime !

Le sénéchal avait fait un discret signe au capitaine des gardes, qui sortit.

— Messieurs, intervint le juge, nous n'allons pas commencer les plaidoiries, ce n'est ni l'endroit ni le moment. Inspecteur, pour la dernière fois, veuillez libérer cet homme et le remmener dans sa cellule.

— Pardonnez mon insistance, mais nous avons un interrogatoire à finir. Veuillez libérer ce lieu, intima Marais.

— Vous ne me laissez pas le choix, conclut le sénéchal en se retournant vers l'entrée d'où une dizaine de gardes supplémentaires firent leur apparition, accompagnés du capitaine, rapières en main. Désarmez ces hommes ! commanda-t-il en reculant.

L'affrontement n'eut pas lieu. La troupe de l'inspecteur n'opposa aucune résistance et déposa ses épées au sol. Pendant que les soldats évacuaient l'endroit, Prost se précipita pour détacher Antoine.

— Cette fois, nous avons senti le vent du boulet, dit François en jetant les planchettes au sol.

— Je ne sais pas où est le trésor, chuchota Antoine en prenant appui sur l'épaule de son ami pour se lever. Aide-moi, je n'en puis plus.

Le sénéchal s'était approché de l'inspecteur, qui jouait nerveusement avec sa canne tout en se donnant une contenance détachée.

— Ne recommencez jamais à prendre ce genre d'initiative dans mon palais. Sinon, c'est vous que je ferai monter sur cette chaise. Et il n'y aura pas beaucoup de monde ici pour s'en plaindre.

Lorsque François était remonté dans le bureau des avocats et avait raconté la scène à Michèle, elle s'était effondrée en larmes, avant de se maîtriser et de s'inquiéter pour la santé d'Antoine. Prost l'avait rassurée sans lui répéter les paroles de son ami.

— Avez-vous des nouvelles de Ponsainpierre ? demanda-t-il en se doutant de la réponse.

Leur ami était toujours en route pour Paris avec Antoine Parmentier. Son dernier billet, daté du mercredi, était parvenu le matin même à Michèle. Il avait été posté à Arnay-le-Duc.

— Nous ne pouvons attendre plus longtemps le résultat de son entrevue avec la reine. Dieu sait quand elle le recevra, reconnut-elle.

Les audiences purent reprendre et Michèle gagna seule la maison de François. Au moment où elle allait entrer, la voix familière de Szabolcs l'interpella.

— Mademoiselle, je suis heureux de vous voir ! dit le facteur en traversant la rue Saint-Jean. J'ai un colis pour vous, qui vient de Paris. De votre frère, dit-il en lui tendant un paquet soigneusement emballé dans une solide toile nouée d'une cordelette cachetée. Méfiez-vous, il est lourd comme du plomb.

L'intrusion subite de Paul la surprit. Elle l'avait sollicité en désespoir de cause. Il était le dernier dont elle attendait une aide ou de simples nouvelles. Le facteur s'enquit de l'état de santé d'Antoine. Michèle passa sous silence l'épisode qu'il venait de subir, remercia Szabolcs et poussa la large porte de bois sculptée. À peine entrée, elle fut happée par Marie-Lyon, qui l'attendait pour lui montrer ses progrès au clavecin. Michèle lui avoua sa fatigue et promit de venir l'écouter au salon l'après-midi même. Elle s'installa dans sa chambre, dont elle ferma la porte à clé. La fillette avait pris l'habitude d'y débarquer sans prévenir, pour jouer avec elle ou lui déclamer les vers de sa composition. Elle s'assit sur le lit, le courrier sur ses genoux, et le déballa avec soin. Il contenait une lettre et un livre, lui-même enveloppé dans une peau de cuir épaisse et tendue. L'ouvrage était d'un poids inhabituel. Elle le soupesa avant de l'ouvrir et en comprit la cause : le livre avait été creusé et le papier retiré, à l'exception des marges qui formaient un cadre rigidifié. À la place se trouvaient des rangées de pièces de monnaie solidement calées les unes à côté des autres. Plusieurs centaines de louis d'or. *Pour paiement des honoraires de maître Fabert et en règlement de ses ennuis,* précisait le mot.

L'après-midi, Marie-Lyon se plaignit de l'inattention de sa camarade de jeu. Le soir, Michèle ne soupa pas avec Prost et sa famille et resta longuement à réfléchir devant le tas de pièces posé sur l'édredon au centre duquel elles formaient un cratère. Lorsque la cathédrale sonna neuf heures du soir, elle vida un coffret qui contenait ses bijoux, y déposa les pièces et le cadenassa. Sa décision était prise.

Elle retrouva François qui lisait les *Affiches*, assis dans le boudoir d'angle de la maison, et posa la cassette devant lui.

— J'ai un moyen de faire sortir Antoine de cet enfer, annonça-t-elle. Mais il va me falloir votre aide.

86

Samedi 31 janvier

Le bâtiment, aux dorures rutilantes, brillait sous le soleil laiteux de Paris. Adossé au muret qui le ceignait, le mendiant mangeait une crêpe à deux liards qu'il avait pu s'offrir grâce aux premières pièces du matin. Il jeta un œil sur la pendule de la façade, au-dessus du bas-relief de bronze représentant le Christ et la Samaritaine, intrigué que le carillon n'ait pas sonné depuis son arrivée. Les aiguilles s'étaient une nouvelle fois arrêtées. Du haut de ses deux étages, posée sur une fondation de solides poutres qui s'enfonçaient dans la Seine, la machine hydraulique, enchâssée dans son pavillon au niveau de la deuxième arche, dominait le Pont-Neuf.

J'espère qu'elle envoie l'eau au Louvre bien mieux qu'elle n'indique l'heure, songea-t-il, amusé, en imaginant les fontaines du palais crachant irrégulièrement des ficelles d'eau du fleuve. L'homme s'essuya la bouche dans sa manche, qu'il frotta ensuite pour effacer les traces grasses. Il devait être plus précautionneux avec son costume, acheté en défroque à l'un des orfèvres du quai voisin, et qui était son outil de travail. Ainsi habillé, il avait l'air d'un honorable bourgeois au moment où il abordait les carrosses traversant le pont. Son discours était rodé et, en quelques secondes, il expliquait aux passagers qu'il s'était fait dépouiller de sa bourse contenant toutes ses économies et qu'il comptait sur l'aumône publique afin de rassembler la somme lui permettant de retourner dans sa province natale. L'endroit évoqué variait selon les interlocuteurs, le mendiant avait dû plusieurs fois décliner l'offre de places libres dans des diligences se rendant à la ville dans laquelle il prétextait retourner.

Le ribaud observa la statue d'Henri IV, au milieu du pont, autour de laquelle s'entassaient la plupart des miséreux qui se précipitaient au passage des carrosses. Sa position lui semblait bien plus avantageuse, d'autant que la foire Saint-Germain allait ouvrir ses portes et qu'une grande partie des véhicules et des piétons emprunteraient le pont pour s'y rendre, passant devant lui en premier. Il se frotta les mains en imaginant à l'avance la somme que sa combine allait lui rapporter. Il savait à l'œil choisir les meilleures berlines, celles qui, pleines de la poussière des voyages, arrivaient de province et dont les occupants avaient davantage de propension à donner que les autochtones. Les Parisiens ignoraient les miséreux tout autant qu'ils les craignaient.

Le pont était le seul endroit de Paris où pouvaient se mélanger toutes les populations possibles, des mendiants affamés aux nobles et princes qui passaient dans leurs berlines vitrées, des artisans aux bourgeois, attirés par les boutiques qui, depuis une année, avaient été construites sur son tablier. Des marchands d'encre côtoyaient des graveurs sur métaux, des frituriers dont les poêles envoyaient leur fumet caractéristique faisaient face aux vendeurs de vins ou de fruits. Sans compter les charlatans ou les arracheurs de dents qui rythmaient les journées de leurs harangues. Tout un monde en miniature dont le pont était la capitale.

Près de lui, un couple de chanteurs entonna l'air à la mode, *La Bourbonnaise*, vendu deux liards. *Pour le prix, je préfère ma crêpe*, songea l'homme avant d'en fredonner les paroles qu'il avait fini par retenir à force de les entendre :

La Bourbonnaise,
Arrivant à Paris,
A gagné des louis.
La Bourbonnaise
A gagné des louis
Chez un marquis...

Il s'arrêta, attiré par un véhicule qu'il venait de repérer. Le mendiant épousseta son costume et s'approcha de l'allée centrale où le carrosse, de vieille facture et terni par un long voyage, arrivait à faible allure. Le Pont-Neuf était très souvent le premier contact avec Paris à l'arrivée dans la capitale. L'homme s'approcha doucement et héla le cocher. L'attelage s'immobilisa devant ce bourgeois qui semblait à la peine. *Le plus dur est fait*, songea le ribaud en ouvrant la portière.

— Je suis désolé de vous importuner, messieurs, dit-il en regardant les deux occupants d'un air affligé, je suis un honnête...

Il n'eut pas le temps de finir qu'un chien se précipita vers lui en aboyant furieusement. Surpris par la présence de l'animal, l'homme poussa un juron et recula. Il claqua la porte et fit signe au cocher d'avancer. Le mendiant retourna sur son muret de la Samaritaine, honteux de sa réaction apeurée et vexé d'avoir raté une aumône qui semblait acquise d'avance. *A-t-on idée de voyager avec une bête du diable pareille ?* râla-t-il intérieurement. L'animal n'était pas le plus impressionnant qu'il ait jamais vu, mais son regard l'avait glacé : ses yeux convergeaient vers le centre, laissant un espace blanc sur le pourtour qui lui donnait l'air d'un fou enragé.

— Pauvre homme, commenta Parmentier en l'observant par la lunette arrière se rasseoir sur le muret. Je me demande bien ce qu'il voulait.

— Je suis désolé, dit Ponsainpierre, qui calmait le chien par des caresses appuyées. Je crois qu'il n'est pas habitué à la foule.

— Il est tout aussi fatigué que nous de ce long voyage, estima l'apothicaire en se massant le genou.

— Je n'aurais pas dû vous demander de visiter le Pont-Neuf avant même d'arriver chez vous. Veuillez me pardonner ce caprice.

— Tout le monde y cède ! Cet endroit est une des grandes attractions de la capitale, concéda Parmentier alors qu'un groupe de mendiants en haillons s'était agglutiné autour du carrosse et tapait aux vitres.

Parmentier fit arrêter le véhicule et distribua tout ce que sa bourse contenait. Marc se crut obligé de verser son obole, qu'il déposa dans la main d'une jeune femme à la peau ravagée par la gale. La misère n'était pas plus douce à Paris que dans les faubourgs de Lyon. Il pensa à Edmée et Madeleine, qui lui manquaient déjà. Il espérait qu'elles lui avaient envoyé des nouvelles chez son hôte. Le pharmacien des armées habitait un appartement de fonction à l'hôtel des Invalides qu'il partageait avec sa sœur, jeune veuve, et ses trois enfants.

Ils dînèrent rapidement avant que Parmentier ne se retire dans son bureau afin de se reposer et de répondre à son abondant courrier. Marc prit possession de sa chambre, rangea ses affaires et sortit les mitaines dorées, comme il le faisait chaque jour, afin de les admirer et de vérifier que le voyage ne les avait pas abîmées. Il avait tout l'après-midi devant lui et décida d'aller rendre visite sans attendre à l'homme dont Michèle avait inscrit le nom et l'adresse sur le billet.

Marc se fit déposer par le carrosse rue de Rivoli, marcha jusqu'à la place de l'Oratoire et s'arrêta quelques instants devant le Louvre, impressionné par la taille des bâtiments. Les souverains et leurs cours ne l'habitaient plus depuis longtemps et les nombreux travaux commencés étaient, pour la plupart, abandonnés. Des tas de gravats jonchaient la cour du vieux Louvre qu'il traversa en direction de la Grande Galerie. Il longea les écuries du roi, la salle des Antiques, la Monnaie et l'imprimerie royale, avant de pénétrer dans la partie des logements dédiés aux artistes. La dégradation y était plus grande encore que dans les autres ailes, tant certains avaient annexé les salles à leurs aises sans qu'aucune autorité n'y mette bon ordre. Ponsainpierre dut s'y reprendre à trois fois avant de rencontrer un locataire qui lui fournisse une indication exacte. Les pensionnaires semblaient avoir leurs propres codes de conduite, loin des préséances de cour.

L'appartement était situé au premier étage, au niveau de la place du carrousel, et donnait sur la Seine. Marc frappa avec délicatesse sur le heurtoir de peur de déranger l'artiste en plein travail.

— Je cherche Jean-Baptiste Greuze, dit-il après s'être présenté et avoir salué la jeune femme qui lui avait ouvert. Pouvez-vous lui remettre cette lettre ?

— Mon père est occupé, je vais voir s'il peut vous recevoir, répondit-elle sans faire montre d'intérêt ni de curiosité.

Elle l'introduisit dans une vaste pièce où étaient entreposés des dizaines de toiles et de dessins. Marc se demandait depuis son départ en quoi un personnage tel que Greuze pouvait aider à libérer Antoine. L'homme était un portraitiste renommé dont les œuvres mettaient en valeur des femmes de toutes les conditions. Les gazettes l'avaient honoré du titre de peintre des sentiments féminins, mais plusieurs d'entre elles, conscientes de l'aspect libertin de certaines productions, l'avaient vivement critiqué. Depuis quelques années, à plus de cinquante ans, il s'était fait discret et évitait les fêtes et mondanités. Son public, essentiellement féminin, continuait d'applaudir les toiles qu'il présentait régulièrement dans la galerie du Louvre.

Le regard de Marc fut attiré par une huile en cours de séchage, posée sur un chevalet.

— Monsieur de Ponsainpierre, dit son hôte qui venait d'entrer, quel émouvant message je reçois par vos mains ! Voilà dix ans que je n'ai pas eu de nouvelles de Michèle !

Le peintre se tenait devant lui, la lettre dans sa main légèrement tremblante. Il était de petite taille, mais de constitution solide et finement proportionnée, et ses yeux sombres, aux sourcils circonflexes, lui donnaient l'air d'interroger en permanence ses interlocuteurs et portaient une expression de candeur enfantine mâtinée de mélancolie d'adulte. Ses narines resserrées surmontaient une bouche fine au sourire plaisant mais retenu. Le front, légèrement bombé, à l'implantation haute, n'offrait que peu de rides au temps et ses cheveux, tirés en arrière, frisaient dans de larges boucles qui lui couvraient les oreilles jusqu'à la nuque.

— Mlle Masson se porte bien, mais sollicite par ma présence votre aide, monsieur Greuze.

— Vous allez m'expliquer, acquiesça-t-il en agitant le billet. Que vous a-t-elle dit de moi ?

— Rien, à vrai dire. C'est elle, n'est-ce pas ? demanda Marc en se retournant vers le tableau du chevalet représentant une jeune femme au chapeau blanc. Ce portrait est d'une grande beauté et d'une telle fidélité !

— Il faut en cela féliciter le modèle. Tout l'honneur lui en revient.

Greuze l'invita à s'asseoir sur une large banquette de bois laqué au coussin de velours rouge qui provenait des anciens appartements du roi. Le logement tout entier, meublé au gré de ses découvertes dans les différentes parties du Louvre, était un mélange improbable de luxe et de rusticité. Le peintre relut la lettre et se massa le front. L'afflux de souvenirs avait éclairci ses yeux et élargi son sourire.

— Michèle avait dix-sept ans, dit-il, le regard rivé au tableau. J'étais allé voir une pièce boulevard du Temple, comme il m'arrivait parfois de le faire à cette époque. Autant j'aimais les fastes des fêtes chez la duchesse de Bourbon, autant je ne dédaignais pas les petits théâtres et les guinguettes. Elle y jouait un de ses premiers rôles. Comment vous l'expliquer, monsieur? Michèle m'est apparue comme la carnation de l'Amour, sa couleur, sa texture, douce et sensuelle, sa représentation, innocente, rêveuse, mutine et sensible. Elle était l'image céleste que Dieu laisse entrevoir au poète, le divin modèle que le grand peintre d'en haut montre quelquefois au pauvre peintre d'ici-bas. Elle fut ce modèle pour moi. Je travaillai avec elle des jours entiers, des semaines, des mois durant lesquels je composai des dessins, des croquis, des tableaux, pour capter cette beauté qui m'enflammait les sens comme jamais ils ne le furent. Je ne laissai rien paraître, du moins le croyais-je. À travers la toile, je la caressais de mes couleurs, je la chérissais de mes pinceaux, elle était mon modèle et mon maître à la fois. À un âge où les jeunes femmes sont encore tournées vers l'apprentissage de la vie, elle possédait déjà toutes les qualités d'une personne de grande maturité et nos conversations étaient autant de plaisir à mon esprit que sa beauté était un ravissement du cœur.

Greuze se tut à l'entrée de sa fille venue leur déposer une bouteille et deux verres. Il attendit qu'elle fût sortie avant de reprendre :

— Elle m'a inspiré des dizaines de peintures que je n'ai jamais données ni vendues. Elles sont toutes ici. Un jour, le grand-duc de Russie, qui me fit l'honneur de visiter mon atelier, les vit et me proposa vingt mille livres pour un de ses portraits. Je refusai. Toutes les richesses d'un empire ne pourront jamais égaler le prix de ces souvenirs.

Il se servit un verre de château-haut-brion, qui provenait d'une des caves du roi laissées sans surveillance.

— Je l'utilise parfois dans mes toiles pour obtenir certaines teintes, mais je dois avouer qu'il contente bien mon palais si peu royal, dit-il après l'avoir goûté.

Greuze eut un nouveau regard vers le portrait qu'il avait peint et continua :

— Au bout de six longs mois, je me suis ouvert à elle et j'ai eu la surprise et la joie de découvrir que Michèle avait aussi développé de tendres sentiments pour moi. Notre passion devint alors si puissante que même notre différence d'âge, même mon mariage ne furent pas des obstacles insurmontables. Et un soir, dans la fièvre de notre travail, alors que je la peignais dans la tenue de ce tableau, nos doigts se sont enlacés, nos peaux se sont touchées, nos corps se sont unis. Ce fut un moment magique, une vision du paradis qui n'eut pas de suite.

Marc détailla le vêtement qui laissait les épaules à nu, le fichu de tulle noué à l'angle de ses seins, le chapeau de campagne surmonté d'une plume blanche. Son visage de jeune femme avait encore l'arrondi de l'adolescence. Le regard de Michèle disait son envie d'abandon, la force de ses sentiments, sa tristesse devant l'homme qu'elle devait chérir en silence, sans doute son premier amour, et tout son cortège de souffrances et d'exaltation.

— Deux mois plus tard, elle m'écrivait que nous ne nous reverrions plus et elle disparaissait de ma vie, ajouta Greuze. J'appris l'année suivante qu'elle avait donné naissance à un enfant qui était mort quelques jours plus tard.

Il se tut. Les souvenirs avaient rompu la digue qui les séparait du présent.

— Vous savez maintenant quel lien m'a uni à Mlle Masson, conclut-il en pliant la lettre. Vous comprenez ce que ce billet a pu réveiller en moi.

— Votre histoire et votre confiance me touchent, monsieur Greuze.

— Je ne l'ai jamais oubliée, même si ma passion s'est muée en douce amitié. Il n'y a pas une semaine sans que je ne prie Dieu de veiller sur elle. Mais ne lui en dites rien, faites-moi cette faveur.

Il se leva et l'invita à le suivre.

— Venez, allons marcher dans la galerie et vous m'expliquerez ce que Michèle attend de moi. Je vais vous faire visiter le palais. Le royaume est en déliquescence et ce lieu est à son image, bientôt il ne sera plus qu'un vestige, mais je suis honoré d'en faire partie. Je suis d'une autre époque. *Louvre, palais pompeux dont la France s'honore, sors de l'état honteux où l'univers t'abhorre...* déclama-t-il en citant Voltaire. Le bruit court que le grand homme va bientôt rentrer à Paris, son gendre a envoyé un billet à son domicile pour prévenir de leur arrivée.

Marc quitta le peintre rassuré. L'artiste avait, depuis des années, construit un réseau d'amitiés et de fidèles que bien des membres de la Cour auraient voulu posséder. Il faisait également partie des Neuf Sœurs, une nouvelle loge maçonnique de Paris, dont l'influence allait grandissante. L'assurance de Greuze quant à infléchir la décision du roi l'avait rasséréné. Il lui restait également son entrevue avec la reine. Après plus de sept jours de voyage passif, Marc sentait enfin le vent de l'action se lever.

Il se rendit chez Chevalier, un marchand du quai des Lunettes, chez qui il acheta une paire de bésicles, à la demande d'Aimé, avant d'admirer les longues-vues et de sortir, rassuré par la qualité supérieure de la sienne. Il trouva des bijoux pour Edmée et Madeleine au *Petit Dunkerque*, à l'entrée du Pont-Neuf, et flâna sur l'ouvrage afin de profiter une nouvelle fois de son ambiance unique. Il s'attarda longuement à un tréteau de montreurs de marionnettes, puis admira les chanteurs au parapluie rouge et leur acheta un livret chantant. En arrivant près de la Samaritaine, Ponsainpierre repéra le manège de l'homme que le chien avait effrayé et comprit son jeu de dupes. Il se posta dans la niche qui surplombait la pile en face de la machine hydraulique et l'observa procéder : sa bonne figure et son bagout lui faisaient réussir à tout coup. Chaque carrosse arrêté fournissait son obole. Le ribaud avait rempli sa bourse.

Marc retourna vers la statue d'Henri IV où les mendiants reconnurent en lui un des deux généreux donateurs du matin. Il avisa la jeune femme galeuse et lui proposa une bien étrange transaction, qu'elle s'empressa de transmettre au groupe. Après qu'ils eurent accepté, Ponsainpierre les quitta afin de louer les services d'un fiacre. De nombreux véhicules attendaient sur les quais alentour et il en trouva rapidement un qui accepta de lui faire traverser le Pont-Neuf à la plus faible allure possible et de s'arrêter à la Samaritaine, sans poser de questions. Le ribaud repéra facilement la voiture qui avançait au pas et se présenta à la portière en choisissant un air affolé. Au moment où il débitait ses boniments, le groupe de mendiants l'entoura et demanda l'aumône sous les récriminations de l'homme, qui eut toutes les peines du monde à les faire déguerpir. Il s'en excusa auprès de Marc, qui lui versa un seul liard. L'escroc, se sentant humilié par la petitesse du don, reprit sa place sans un merci. Lorsqu'il voulut le mettre dans sa bourse, il s'aperçut qu'elle avait disparu.

Ponsainpierre était impatient de décrire son aventure à Parmentier. Au moment de rentrer dans sa maison des Invalides, il prit conscience que les mendiants l'avaient lui aussi délesté des quelques liards du fond de sa bourse. Marc constata avec soulagement qu'ils avaient laissé bijoux et bésicles dans la poche de son manteau en guise de remerciement. La cour des miracles avait aussi ses gens d'honneur.

CHAPITRE XIII

Février 1778

87

Mardi 3 février

La foire des Rois avait à peine replié ses tréteaux que la franchise accordée aux marchands suisses et allemands battait son plein sur la place du Change. Marais était venu en voisin et fit un tour rapide pour localiser les marchandises qui l'intéressaient. Il s'arrêta chez un vendeur de clinquaille d'Aix-la-Chapelle et resta un très long moment à fouiller dans les différentes caisses qui contenaient pêle-mêle couteaux, ciseaux, rasoirs, briquets, marteaux, tenailles, aiguilles et autres éléments du négoce des métaux. Il soupira en songeant à tout l'usage qu'il aurait pu en faire sur son prisonnier si les juges n'étaient pas aussi tatillons sur leurs prérogatives et acheta un couteau à manche d'ambre qu'il trouvait élégant et qui tenait dans la gaine de sa ceinture, ainsi qu'un bâton de cire d'un mélange que le fournisseur qualifiait de « plus robuste du marché ». Alors que midi sonnait et que ses hommes allaient rentrer de ce qu'ils nommaient entre eux la « récolte de gueux », Marais s'attarda chez un libraire venu de Genève où il négocia un ouvrage qu'il avait repéré à son premier passage.

Le geôlier lui fit un compte rendu sommaire des dernières heures qu'il n'écouta que distraitement. Michèle avait été autorisée à passer la matinée avec le prisonnier et avait apporté de la nourriture et des habits propres. L'inspecteur salua Antoine d'un « Maître ! » au ton méprisant et prit le temps de détailler sa tenue. L'avocat portait une chemise noire au-dessus d'un pantalon d'ouvrier brun foncé qui descendait jusqu'aux mollets, vêtements qu'il utilisait pour ses travaux à la Bergerie – ultime provocation de captif.

— Vous me semblez en petite forme, affirma Marais. Ou est-ce le noir qui vous donne mauvaise mine ? Comment vont vos côtes ?

Antoine se frotta le thorax sans répondre. La douleur était supportable mais le gênait dans les gestes les plus simples.

— Je crains malheureusement qu'il n'y ait encore eu une opération de police chez les mendiants ce matin, dit l'inspecteur en entendant le brouhaha du rez-de-chaussée. Votre ami le juge ne peut rien contre la surpopulation de ses prisons...

— Je ne sais pas qui a dérobé ce coffre ! répondit Antoine en s'approchant des barreaux. Combien de fois faudra-t-il que vous me torturiez avant de me croire ? Je ne sais pas où il est !

— Nous progressons, cher maître. Il y a quelques jours vous m'affirmiez qu'il avait été détruit. La mémoire vous revient un peu plus à chaque bain de foule. Messieurs, je vous le laisse, lança-t-il à ses hommes qui entraient.

— Nous allons entasser cent vingt gueux dans son cachot, affirma son aide de camp. Ses os ne vont pas résister, faites-moi confiance. Il va parler.

Marais regarda les premiers mendiants se disperser dans la cellule. La tache noire fut rapidement absorbée par la marée humaine.

L'inspecteur descendit au parloir et entendit les protestations habituelles suivies des cris de souffrance d'Antoine et du calme trompeur. Il en profita pour s'intéresser à l'ouvrage glané à la franchise, la version suisse d'un des tomes de l'*Encyclopédie*, contenant l'article sur les Gaulois. Il nota le nom et l'adresse de l'imprimeur, chez qui il enverrait un homme fiable. *Si maître Fabert l'a contacté, cela confirmera qu'il possède bien les textes*, songea-t-il alors que la possibilité que son prisonnier lui dise la vérité gagnait du terrain en lui. *Et alors plus de pitié, juge ou pas.*

Son aide de camp vint l'avertir de la fin de la séance.

— Comment va-t-il ? demanda l'inspecteur.

— Il est allongé. Il a son compte !

— Je vais le laisser récupérer avant de l'interroger. Libérez les vagabonds le plus vite possible, ils sont une véritable infection, une armée de miasmes, ordonna Marais.

L'inspecteur fit un rapport au ministre dans lequel il blâma l'attitude du sénéchal. Il expliqua les aveux et l'absence de coffre à l'endroit indiqué comme une ruse d'Antoine pour gagner du temps. Le ministre continuait de lui faire confiance et il ne devait pas le décevoir.

Il scella le papier avec la nouvelle cire qui, moins liquide, prenait des empreintes plus fines et durcissait plus vite. Satisfait de son achat, il porta lui-même la lettre à la boîte située place Saint-Jean avant de grimper à l'étage des cachots. Le prisonnier était allongé sur la paille, face contre terre, dans la même position fœtale que les fois précédentes. Il gémissait à chaque expiration.

— Je vois que vous avez repris connaissance, dit l'inspecteur, resté dans l'allée où l'air était plus respirable. Je vais donc vous poser la question : savez-vous où se trouve le coffre gaulois ?

La seule réponse fut un grognement.

— Je le prends pour un non. Quel dommage, vraiment. Vous auriez pu vous éviter toutes ces douleurs en étant plus coopératif.

Il se fit ouvrir la cellule et s'installa sur une chaise, à distance respectable de la forme noire dont il se méfiait, même sous des abords inoffensifs.

— Je vais vous raconter une histoire, maître Fabert. Celle d'un enfant de dix ans et de ses parents, le 11 octobre 1752. C'est un dimanche. Ils reviennent de la fête de la Saint-Denis à Bron. Le temps est doux et la nuit commence à tomber. Ils sont sur le pont de la Guillotière. La foule est immense. Des milliers de personnes. L'enfant est confiant, il tient ses parents par les deux mains. Ils arrivent vers la tour de la redoute. Sur la huitième pile. Quelle affreuse architecture que ce donjon, que cette barrière de défense des temps anciens, vous ne trouvez pas ?

L'inspecteur arrêta son récit pour observer la réaction d'Antoine. Le prisonnier gémit comme pour l'inviter à continuer.

— Maudite tour. Les portes, qui auraient dû être ouvertes, se sont soudainement fermées. Le militaire de garde veut faire payer le passage pour gagner une forte somme. Les piétons s'accumulent jusqu'à n'en plus pouvoir bouger. Sauf que le carrosse du gouverneur est aussi coincé devant le pont-levis. Grosse frayeur du soldat, qui l'ouvre aussitôt. Et c'est là que tout bascule : la foule, tellement serrée, s'engouffre sans attendre dans le goulot. Ceux de derrière avancent mais se retrouvent vite coincés. Ils poussent. Le gouverneur a donné l'ordre au cocher de passer quoi qu'il arrive. L'attelage s'affole. Les bêtes piétinent ceux qui sont tombés devant elles. Puis c'est la panique.

Marais se pencha vers le corps recroquevillé.

— L'enfant ne comprend pas. Tout le monde crie. Tout le monde hurle. Sa mère lui est arrachée des bras. Elle s'écroule à genoux, puis se relève, elle l'appelle, tend la main. Elle est littéralement soulevée par ceux qui sont écrasés par la foule derrière eux. Elle est poussée sur le parapet. Elle tente de voir l'enfant au moment où ellc bascule dans le Rhône. En silence. Dans tout ce boucan, la mère est partie en silence. Le père, lui, protège l'enfant. Il fait rempart de son corps. Il tente de lui donner un peu d'espace pour respirer, mais ils sont écrasés tous les deux. Ils ne bougent plus, ils sont comme des arbres couchés les uns sur les autres. Les forces du père diminuent. Partout, des cris, des hurlements. Des pillards montent sur les corps pour voler argent et bijoux. L'enfant est allongé sur une femme. Elle est morte. Il sent le souffle du père qui s'éteint petit à petit. Il y a les mots, les derniers mots. Et puis l'attente. Plusieurs heures. Et, enfin, l'enfant est dégagé du charnier. Il respire comme pour la première fois, mais ses poumons lui brûlent et, en lui, l'odeur de la mort ne le quitte pas.

L'inspecteur laissa passer un silence, mesurant ses effets, avant de reprendre :

— Et depuis lors, maître Fabert, vous ne supportez pas la foule ni l'enfermement. Vous savez ce qu'est la peur, la peur panique qui vous prend et vous colle à la peau pour ne plus vous lâcher.

Le corps, toujours allongé, fut agité de soubresauts.

— Je comprends que vous pleuriez. Et je comprends la haine tenace que vous vouez à la famille de Villeroy. Je vous avouerai que je n'ai que peu d'affinités avec notre gouverneur actuel. Voilà ce que je vous propose, dit-il en s'agenouillant près de lui. Si vous me rendez les textes gaulois, je ferai ouvrir une enquête sur le drame. Et la responsabilité de l'ancien gouverneur sera établie. C'est votre seule chance de vous en sortir et vous avez tout à y gagner. Alors, qu'en pensez-vous ?

Le prisonnier continuait d'être agité de convulsions. Une puissante odeur de chyme envahit la cellule.

— Mais il a vomi ! dit Marais en se protégeant le nez. Qu'est-ce que ça veut dire ? Qu'avez-vous ?

Il se leva et retourna le corps d'un coup de pied : l'homme dans les vêtements d'Antoine était un des miséreux, ivre mort. Maître Fabert s'était échappé depuis plus de deux heures.

88

Mardi 3 février

La Bergerie n'était plus qu'une ruine, des pans de murs noircis entourant les restes du festin de l'ogre. La pluie avait achevé le travail du feu. Seule la remise était restée intacte – même le toit, dont la charpente menaçait pourtant de s'effondrer.

— Elle est solide, du chêne massif, mon père l'a construite de ses propres mains, dit Antoine en lui donnant une tape rassurante.

Il avait cherché dans le magma fondu de son atelier tout ce qu'il aurait pu récupérer mais il ne restait rien du pressoir, du four, des cahiers de ses expériences.

— La poire de terre a vécu, dit-il tristement.

— Mais vous êtes vivant, mais nous sommes ensemble, dit Michèle en l'enlaçant, et vous pourrez recommencer.

— Nous le pourrons, dit-il avant de l'embrasser.

Antoine sortit de la remise afin de surveiller les environs. Leur position leur donnait une vue unique sur Lyon. À la demande de Michèle, Camille y avait, la veille, déposé la longue-vue de Ponsainpierre.

— Ils viennent de renforcer les gardes à la porte de la Croix-Rousse et ils contrôlent les sorties, remarqua Antoine après un nouveau coup d'œil dans la jumelle.

— Votre évasion est découverte, mon cher, vous êtes officiellement un fugitif.

Il la remercia d'un salut de cour. Michèle n'avait prévenu Antoine de leur plan que le matin même. Avec l'aide de François, elle avait identifié un vagabond de même corpulence qui avait accepté l'échange pour cinq cents louis d'or.

— Où avez-vous eu cet argent ? s'inquiéta Antoine.

— Cela reste un secret entre maître Prost et moi, mon cher amour. Et celui qui a payé le vagabond est parti le matin même pour une autre province. Il n'a jamais eu de contact direct avec nous. L'inspecteur Jeanson nous avait prévenus qu'ils allaient effectuer une nouvelle arrestation massive aujourd'hui.

L'homme s'était saoulé volontairement avant d'être embarqué avec les autres par les inspecteurs de la ville. Il était entré parmi les premiers et avait échangé ses vêtements avec le prisonnier avant que la cellule ne soit totalement remplie.

— Quand nous avons commencé à nous trouver très serrés les uns contre les autres, quand j'ai commencé à étouffer, j'ai surmonté ma peur en pensant à vous, relata Antoine depuis le seuil de la remise, tendu comme un guetteur. J'ai pensé à vous si fort que mon esprit s'est évadé du triste sort de mon corps. J'étais avec vous, lové dans vos bras, et nous répétions la pièce, ici, dans cette Bergerie. Je retrouvais toutes les douces sensations de ce moment unique. Je ne sais pas combien de temps je suis resté ainsi. Ils ont ouvert la grille de la cellule et je suis sorti au milieu du groupe. Ma rage était si forte que je ne sentais plus la douleur. J'aurais pu marcher sur des charbons ardents, je n'avais qu'un seul but, fuir, fuir et recouvrer la liberté, respirer l'air du dehors et vous retrouver.

— Nous avons quelques heures avant la nuit, dit-elle en observant le ciel dont la luminosité n'était pas entamée. Je vous ai apporté des vivres et quelques vêtements. Je les ai choisis à mon goût, ajouta-t-elle en souriant. La barque vous attend après la porte d'Alincourt. Vous n'avez pas changé d'avis ?

— Pas question de fuir en république de Genève.

— Nous ne risquons rien ici. Ils vous croient déjà loin. Enlacez-moi fort, si fort que je sentirai votre corps contre moi jusqu'à votre retour.

Antoine oublia la douleur et enveloppa Michèle.

— Comment vous est venue cette idée ? demanda-t-il en effleurant sa joue de la sienne.

— Le théâtre, mon cher. Le grand Lekain dit souvent que le costume fait le personnage. Combien de fois ai-je vu un Arlequin joué par un autre que l'acteur censé le faire ? J'ai pensé que les gardes n'y verraient que du feu, tout comme nos spectateurs. Mais il fallait que notre homme se plaque face contre terre.

— J'espère qu'ils ne le maltraiteront pas.

— Il dira qu'il était saoul et que vous l'avez dépouillé de ses vêtements. Vous l'avez attaqué et les autres n'ont rien osé dire.

Un bruit au-dehors éveilla leur attention. Antoine la rassura. Il avait reconnu les déplacements d'un lièvre. Par précaution, il fit le tour de la Bergerie, vérifia à la lunette que les soldats se contentaient de surveiller les sorties des fortifications et que le chemin était désert. Au moment de rejoindre Michèle, il aperçut le fichu rouge attaché à une branche du cerisier. Les flammèches l'avaient troué en de multiples endroits et la pluie avait collé des cendres blanches dans tous ses plis. Mais il avait sauvé Anne et Camille. Antoine le noua autour de son cou.

— Quand vous le verrez, vous saurez que je ne suis pas loin, dit-il à Michèle, qui tira sur le foulard pour sceller leurs lèvres en un baiser fougueux.

Elle l'avait accompagné jusqu'à la berge où la barque était posée, retournée dans de hautes herbes, à la sortie du faubourg de Serin, non loin de la tour de la Belle-Allemande. Michèle l'avait regardé disparaître rapidement dans le méandre et avait écouté s'éteindre le bruit des rames clapotant sur l'eau. Elle était revenue à pied jusqu'au domicile de Prost, qui s'était absenté, ce qui l'inquiéta. *Voilà ce que va être ma vie à partir de maintenant,* comprit-elle. *Le moindre retard, la moindre anomalie me remplira de peur.*

Michèle décida de réagir et demanda à Marie-Lyon de l'aider à répéter *La Part de l'aube*. Camille les rejoignit pour souper et les informa des dernières rumeurs qui couraient en ville. Aucune ne relatait l'évasion d'Antoine. La plus importante concernait la confirmation de la date de la fête des Nautes, le premier dimanche de mars, qui coïncidait avec l'ouverture du premier paiement de l'année pour la place de commerce de Lyon. Négociants et marchands de l'Europe entière allaient pouvoir assister aux réjouissances.

— Et moi, je vais y participer, annonça fièrement Camille. J'ai obtenu une place sur le bateau du charron Savarin. Il a fabriqué lui-même la lance !

Michèle sourit au jeune homme sans parvenir à s'impliquer dans la conversation. Antoine devait être arrivé à destination. Il occupait tout son esprit. Camille leur laissa un exemplaire du second numéro du *Nouveau Glaneur* qui venait de sortir des presses.

— Avec l'annonce de la première représentation de la pièce pour le 16 février, précisa-t-il avant de les quitter.

François ne rentra que tardivement. Michèle, qui n'arrivait pas à dormir, l'avait attendu. Il avait été alerté par Szabolcs d'un problème rencontré à l'ouverture de la dernière lettre envoyée par Marais. La cire s'était fissurée au moment de refermer le billet avec le cachet. Comme il leur était impossible de le dissimuler, Prost avait accompagné Szabolcs chez le directeur du bureau général de la poste. L'histoire qu'ils avaient inventée n'aurait pas fait long feu devant un tribunal, mais elle sembla satisfaire le directeur, qui prit la présence de Prost comme une menace en cas de sanction du facteur. Un second scellé fut apposé, accompagné d'une lettre d'excuses de l'établissement.

— L'incident est clos. Mais, à partir de maintenant, plus question d'ouvrir le courrier de l'inspecteur. Nous ne devons prendre aucun risque. Nous ne pouvons plus compter que sur nos amis à Paris.

Antoine avait abordé l'île Barbe par la rive gauche de sa partie inoccupée, sous une pluie intermittente. Il mit son sac en bandoulière et abandonna la barque dans une futaie avant de se rendre devant le séminaire Saint-Pothin d'où il était sorti les yeux bandés, mené par les prêtres vers leur refuge secret. Il avait l'intention de le retrouver et de s'y cacher. L'endroit avait tenu tête aux destructions des siècles passés. *Il pourra résister à l'inspecteur Marais*, conclut-il. Antoine se souvenait parfaitement du nombre de pas effectués et de leurs directions, mais les premiers le conduisirent directement à l'entrée de l'abbaye. Les chanoines lui avaient indiqué n'être plus que trois, aidés de leur clerc. Antoine évalua rapidement le risque et se décida à enjamber le mur d'enceinte. Mais ses os convalescents le rappelèrent à l'ordre dès qu'il poussa sur ses bras pour y parvenir : il ne pourrait y pénétrer sans y avoir été invité.

Il se remémora le plan des lieux qui avait été dessiné dans le rouleau de peau. L'abbaye formait un accent circonflexe, dont la partie droite était plus longue et faisait face à Saint-Pothin. Il évalua à une dizaine le nombre d'occupants du séminaire, au vu des lumières qui rayonnaient des chambres. D'après ses calculs, les moines lui avaient fait traverser l'allée des tombeaux, seule partie d'une longueur suffisante pour correspondre au nombre de pas effectués. Ils étaient ensuite montés à l'étage, *sans doute pour éviter Antelme qui attendait dans la salle capitulaire*, jugea-t-il, puisqu'ils étaient redescendus peu de temps après, toujours dans la même direction. Il avait reconnu le bruit de couverts manipulés dans le réfectoire, sur sa droite, puis l'odeur caractéristique d'une église, faite de fraîcheur et de salpêtre, avait envahi ses narines et l'écho des pas avait confirmé son hypothèse. *Je suis passé à Saint-Loup*, conclut-il. Antoine s'y rendit en longeant la berge. Les chanoines l'avaient ensuite emmené vers l'extérieur où il avait pénétré dans un bois au sol meuble et humide. Antoine se plaça devant la porte de la sacristie, seule sortie extérieure de l'église, et avança. *Quinze pas*, compta-t-il au moment même où il entrait dans une petite futaie.

Il se mit à l'abri du vent qui charriait une humidité poisseuse et fouilla dans son sac à la recherche d'un pain, qu'il mangea avec un morceau de viande séchée. Il avait soif mais devrait attendre. Il avait localisé une source à la pointe nord de l'île, près d'un chêne solitaire, et irait s'y approvisionner dès le lendemain. Au moment où la cloche de Notre-Dame sonna huit coups, Antoine ferma les yeux pour en localiser la direction. Dans son souvenir, le son lui était parvenu de sa droite, dans le prolongement de son épaule. Il attendit la seconde sonnerie afin de vérifier qu'il s'était positionné du bon côté et leva le camp : devant lui, un minuscule sentier quittait la zone arborée. En suivant scrupuleusement le décompte, il passa sous une galerie qui reliait un verger à l'abbaye, ajouta quarante-cinq pas et s'arrêta devant un édifice légèrement surélevé, construit sur un rocher de deux toises de hauteur. Antoine se trouvait à l'arrière du séminaire : il était revenu à son point de départ.

Sans se décourager, il fit le tour du bâtiment afin de trouver l'issue qu'il avait empruntée.

— À partir de ce moment, je suis descendu, chuchota-t-il comme pour se convaincre.

La seule pente existante était celle du chemin.

— Pourtant, il y avait un escalier, dit-il tout en fouillant le sol. Un escalier...

Il fit une nouvelle fois le tour du séminaire et s'attarda sur sa partie latérale, qui ne comportait aucune porte, mais correspondait au nombre de pas mémorisé. Il n'y trouva qu'un énorme mûrier sauvage dont l'enchevêtrement de troncs épais sortait de terre pour se ramifier très rapidement en branches qui couraient le long de la façade jusqu'à l'étage. La pluie, fine et ventée, redoubla d'intensité. Antoine s'allongea devant la plante et tendit le bras pour inspecter le sol tout autour des troncs. Il se piqua plusieurs fois : les épines, bien que peu nombreuses, étaient longues et effilées. Il constata que la couche humifère n'avait que deux pouces d'épaisseur entre les troncs de l'arbuste et la partie gauche de la façade, alors qu'il pouvait enfoncer son couteau jusqu'au manche à droite des mêmes racines. Il dégagea la terre sur un carré d'un pied et demi de côté et sentit la présence d'une trappe de bois. Les griffures sur l'enduit de la façade lui confirmèrent que le mûrier avait plusieurs fois subi des déplacements autour de sa base. Mais les épines l'empêchaient de prendre la trappe à pleines mains pour tenter de la basculer. Il se félicita que Michèle ait choisi sa veste de chasse, dont le cuir allait mieux le protéger qu'un justaucorps de tissu. Il la sortit du sac et l'enfila par-devant, les mains dans les manches, en faisant un bouclier protecteur. Ainsi affublé, il entoura dans ses bras les branches gauches de l'arbuste et les poussa du côté opposé. Plusieurs épines traversèrent le cuir sans parvenir à le toucher. Il continua son effort et put se faufiler à l'endroit de la trappe. Il remarqua alors un long manche prolongé d'un large cerceau de bois, à l'allure d'un râteau sans dents, allongé entre le mur et le buisson. Il le leva avec son pied et l'attrapa de la main gauche. Antoine posa le cerceau contre le mûrier et cala l'extrémité du manche en appui sur le retour de la façade. L'outil, construit pour cette unique fonction, maintenait l'arbuste à une distance suffisante qui lui permit d'ouvrir la trappe. Elle donnait sur un escalier dont l'absence de lumière ne permettait pas d'en mesurer la profondeur. *S'il fait douze marches, c'est le bon endroit.*

Antoine regarda aux alentours afin de vérifier que personne ne l'observait. L'île était figée dans la nuit. Il tenta d'allumer une bougie, mais la pluie fine, rabattue par le vent, l'en empêcha. Son briquet à mèche avait pris l'humidité. Il devrait attendre, pour la lumière.

Il entama la descente dans l'obscurité. Arrivé à la douzième marche, Antoine souffla et avança son pied afin de chercher le sol. Il ne trouva rien, à part une nouvelle marche.

— J'ai dû me tromper, dit-il tout haut.

Le son résonna légèrement. La pièce était grande. Il franchit la treizième marche, puis une quatorzième et une suivante avant d'atteindre le sol. La pénombre avait laissé place à une obscurité complète. Le lieu sentait la poussière mais pas le moisi. Une autre odeur flottait autour de lui, qu'il n'arrivait pas à identifier, mais qu'il reconnaissait de son premier passage. Il sécha son briquet et réussit à en allumer la mèche. La bougie éclaira une cave, voûtée, qui renfermait un fouloir à raisin, ainsi que nombre d'outils servant à la vinification et aux travaux du jardin. L'odeur provenait du baquet dont le fond était tapissé d'une couche de moûts recouverte par des années de moisissures. La pièce avait été condamnée et l'ancienne entrée était murée. Antoine compta à nouveau le nombre de marches pour arriver au total de quinze. Il était certain de l'endroit, mais trois marches avaient été ajoutées à l'escalier. *Je suis ensuite passé dans un boyau étroit.* Il sonda les murs. Tous étaient pleins. Il chercha un mécanisme qui aurait pu permettre l'ouverture d'un passage secret, mais ne trouva rien, ni au niveau des pierres, ni au sol. Antoine ressentit une grande lassitude et s'assit. La journée avait été rude. Quelques heures auparavant, il était encore en prison.

Il mangea un morceau de pain en pensant au dernier baiser échangé avec Michèle, se massa les muscles et reprit ses investigations. Il y avait forcément une autre issue que l'escalier.

L'escalier... L'idée venait de jaillir comme une évidence. Il étudia les trois dernières marches et entreprit de les retirer. *Puisqu'elles n'y étaient pas.* Elles se déboîtèrent facilement du limon. En les observant, il remarqua que les tenons de leurs extrémités droites étaient en partie évidés selon des figures complexes et différentes pour chacune des trois marches.

— Comme des dessins de clés, murmura-t-il en cherchant autour de lui quelles pouvaient être les serrures.

Aucune anfractuosité des murs ou du plafond voûté ne correspondait aux figures des tenons. Antoine était à nouveau bloqué dans ses recherches. *Il ne reste que le baquet*, pensa-t-il en se penchant au-dessus. Le jus noirâtre des moûts dégageait une odeur d'alcool et de pourriture qui lui donna un haut-le-cœur. Il retint sa respiration et plongea la main dans le fond du baquet à la recherche des mortaises correspondantes. Ses doigts butèrent sur un objet dur et gonflé qu'il détacha facilement du fond. Au moment de le sortir du baquet, les mains dégoulinantes, il s'aperçut qu'il tenait un rat mort. Le rongeur, noyé après être tombé dans la cuve, était dans un bon état de conservation, yeux et gueule grands ouverts, l'air prêt à en découdre. Antoine le jeta et reprit ses recherches, les avant-bras enfoncés jusqu'aux coudes dans le liquide poisseux. Il identifia trois endroits, situés symétriquement autour du centre, de la forme requise. Après plusieurs tentatives, il réussit à introduire chacun des tenons dans leurs encoches respectives du baquet. Rien ne se produisit. Il constata qu'ils pouvaient tourner sur eux-mêmes. Les pièces de bois s'arrêtaient dans plusieurs crans jusqu'à faire un tour entier. Dix crans par tour. Trois clés différentes. Antoine se trouvait devant un nouveau type de serrure aux mille possibilités.

Il entama les premières combinaisons, sans succès, avant de s'arrêter pour réfléchir. Il venait de calculer qu'à ce rythme, il lui faudrait plus de dix heures avant d'avoir essayé la totalité des possibilités. Antoine tenta de deviner l'enchaînement de chiffres que les chanoines auraient pu choisir. Il commença par le 777, mais rien ne se produisit. *Trop facile à trouver*, pensa-t-il en imaginant la suite. Les combinaisons suivantes furent vaines : le nombre n'avait rien à voir avec les chiffres clés de la Bible. *Les dates ? Selon le rouleau de peaux, la première église de l'île a été construite en 240.*

— Deux, quatre, zéro, dit-il en tournant les pièces de bois.

Le claquement d'un rouage lui parvint de derrière le mur. Un contrepoids chuta, un câble glissa le long d'une poulie. Une pierre s'enfonça dans le mur, lentement, jusqu'à disparaître.

— Voilà donc le boyau, murmura-t-il, soulagé.

Le tunnel, qu'il passa à genoux, était taillé à même la roche et aboutissait rapidement à un espace donnant sur une porte close. Elle ne possédait aucune serrure.

— Encore une difficulté, souffla Antoine, à bout de forces.

Il l'observa attentivement, ainsi que tout le chambranle et la roche dans laquelle elle avait été insérée, hésita à tourner la clenche, craignant quelque mécanisme secret qui l'aurait emprisonné dans le boyau. Il posa la main sur la boule de laiton et la tourna lentement, prêt à se jeter en arrière. La porte s'ouvrit en silence : elle n'était pas fermée. Antoine laissa tomber ses affaires, s'allongea à même le sol et s'endormit instantanément.

89

Jeudi 5 février

Le docteur Tronchin avait eu raison d'insister auprès de l'historien pour qu'il diffère son retour. Après leur visite à Voltaire, Antelme avait fait une seconde crise de lithiase urinaire et était resté alité trois jours dans sa chambre, provoquant une grande inquiétude chez l'hôtelier, qui aurait préféré le voir souffrant chez un confrère plutôt que dans son établissement. La bonne en avait pris son parti et s'était habituée à ce drôle de bonhomme qui lui racontait des histoires du Nouveau Monde peuplées de princes malgaches, d'araignées aux fils d'or et de diamants bleus. Elle n'y croyait pas mais appréciait tant sa compagnie qu'elle faisait son ménage plus souvent que de nécessaire et qu'elle suivait les indications du médecin au mot près, allant jusqu'à ouvrir les fenêtres dès que l'historien sortait pour une promenade accompagné de son cocher, faisant invariablement hurler son patron. Le capitaine du bateau d'Antelme, quant à lui, s'était fait connaître auprès du port et occupait ses journées sur le lac en compagnie de pêcheurs locaux.

La bonne traversa la rue Derrière-le-Rhône un seau à la main et lança son contenu par-dessus la balustrade de la jetée s'avançant sur le lac. Elle avisa Antelme quelques mètres plus loin, calé dans son fauteuil le long de la promenade, hésita à le rejoindre et n'osa pas le déranger. Il s'en aperçut et lui fit signe d'approcher.

— Comment allez-vous aujourd'hui, monsieur Antelme ? demanda-t-elle avec le naturel qui la caractérisait.

— Bien mieux, merci.

— Je ne vous ai pas vu le tantôt et j'ai cru que vous étiez engraigé. En tout cas, vous n'êtes plus crevotant et cela me va bien, ajouta-t-elle tout en balançant son seau vide.

— J'ai une question à vous poser, dit-il en regardant le Léman.

— Ah ? À moi ?

— Oui. Pouvez-vous me dire comment s'appelle cette île que l'on voit devant nous ?

— Ben ça, c'est l'île des Barques. Pour les marchands. C'est qu'il ne décesse d'en venir ici !

Antelme avait tourné son fauteuil vers la servante.

— Je la vois tous les jours ; depuis ma chambre aussi. Et il m'a fallu tout ce temps pour m'intéresser à elle autrement que comme un élément du paysage. Vous ne trouvez pas cela étrange ?

Elle haussa les épaules. Le seau se balançait de plus en plus fort, ce qui amusa l'historien.

— Qu'est-ce qu'il a, mon jarlot ? demanda-t-elle en regardant le baquet.

— C'est vous que je trouve amusante.

— Faut que je file, sinon le patron il va m'essourdeller avec ses braillées !

Antelme l'arrêta de la main.

— Attendez, ne partez pas. Je voulais vous remercier.

— Me remercier ? Ben pourquoi donc ?

— Pour vous être occupée de moi.

— Normal, vous êtes dans la chatance, expliqua-t-elle en montrant le fauteuil. Je vais pas vous laisser tomburer.

— Vous n'étiez pas obligée.

— Vous payez bien.

— Ce n'est pas que cela. Vous m'avez regardé comme un être humain. Il y a si longtemps qu'on ne m'a pas regardé ainsi, si vous saviez.

La servante eut une moue interrogative.

— Ne vous méprenez pas sur mes intentions. Je voulais juste vous dire merci, ajouta Antelme dans un grand sourire.

— Vous êtes un homme gentil, dit-elle en posant sa main sur la sienne. J'en aurai du gringe quand vous serez parti. Et je sais que l'*Encyclopédie* c'est pas une maladie ! Mais le patron me prend pour une matoque, alors je le laisse barjaquer et je suis tranquille !

— Je ne dirai rien, ce sera notre secret, promit-il.

Elle l'embrassa sur le front et regagna l'hôtel en balançant son seau vide.

Antelme retourna son fauteuil vers le lac. Il attendait le docteur Tronchin, qui était en retard. Il avait été appelé par Voltaire le matin même et l'historien lui avait remis une lettre pour le philosophe. Depuis leur entrevue, il lui avait écrit tous les jours afin que Voltaire prépare le texte qui devait accompagner le nouvel article sur les Gaulois, mais le vieil homme de Ferney se faisait tirer l'oreille, tout en promettant dans ses réponses de s'y mettre. L'inconstance de Voltaire agaçait Antelme.

Il soupira. Le cocher était parti récupérer le carrosse qui leur avait été confisqué. Le capitaine naviguait vers Lausanne depuis le matin. Les roues du fauteuil d'Antelme s'étaient enfoncées dans la terre de la rue. Il était condamné à attendre une aide charitable pour rentrer. Un peintre, sa toile dans une main et ses outils dans l'autre, hésita à s'arrêter au point de vue. Il croisa le regard du paralytique avant de continuer son chemin et de poser son chevalet plus loin sur la promenade.

— Me voilà redevenu un tas de chair informe, dit-il à l'adresse de l'homme, qui l'ignora.

Le docteur Tronchin le rejoignit au moment où Antelme avait l'impression qu'il finirait en statue de sel séché.

— Mon ami, ça y est ! C'est le moment ! dit le médecin en agitant exagérément les bras depuis le milieu de la rue.

— Que se passe-t-il ? demanda Antelme en se dévissant le cou pour tenter de le voir.

— Vous ne devriez pas rester aussi longtemps face au lac, le vent d'hiver va vous apporter la grippe, voyons, le morigéna Tronchin en se plaçant devant lui comme pour le protéger. Ça y est, M. de Voltaire nous quitte, il part dès aujourd'hui pour Paris ! ajouta-t-il en poussant le fauteuil afin de ramener son patient à l'hôtel.

— Et nous ? Et ma lettre ? s'inquiéta Antelme.

Le médecin lui tapota l'épaule en signe d'encouragement :

— Il n'a pas eu le temps, avec tous les préparatifs. Mais la bonne nouvelle est que je pars avec lui. Je serai là pour la lui rappeler !

Arrivés devant l'hôtel, ils se firent aider par deux serviteurs afin de franchir les marches de l'entrée.

— Notre ami va bientôt rentrer à Lyon, annonça Tronchin en apercevant l'hôtelier, dont la face s'ouvrit en deux d'un sourire qui révélait son niveau de soulagement.

Antelme remercia le médecin de son aide tout en regrettant intérieurement une situation qui lui échappait. Il était venu jusqu'à Genève pour n'en partir qu'avec la lettre de Voltaire. Il n'avait pas dit son dernier mot et prévint de son départ pour l'après-midi même. La servante, ayant appris la nouvelle, vint le trouver dans sa chambre pour l'aider à faire ses malles. Au moment de le quitter, elle se pencha à son oreille :

— Je m'appelle Ninon.

— Chère Ninon, vous avez apporté la paix à mon âme tourmentée. Je vous promets que ma dernière pensée sera pour vous.

Elle sut à sa voix qu'il disait vrai.

Le philosophe, enveloppé dans un large manteau d'hermine doublé de velours rouge, avait les yeux fermés mais était éveillé. Il se laissait bercer par le mouvement de la berline sur la route. Le véhicule avait été construit en forme de dormeuse afin de lui permettre de s'y étendre complètement.

— Continuez votre lecture, Wagnière, dit-il à son secrétaire qui, assis en face de lui, luttait contre le sommeil.

— Mais je l'avais finie, monsieur, répliqua Wagnière en cherchant un autre ouvrage.

— Ah ? *Irène* occupe tout mon esprit, je crois que vous devriez abandonner l'idée de me divertir. Je ne sais si le Grand Horloger me laissera le temps de mener cette œuvre à bien. Quand je pense que la canaille immense des écrivains subalternes attend ces mêmes nouveautés pour les décrier, pour rire, pour faire rire et pour gagner un écu. Où sommes-nous ? s'inquiéta-t-il en écartant le rideau.

— Presque arrivés, monsieur, ce sont les faubourgs de Bellegarde-sur-Valserine.

— Mon médecin a-t-il réussi à nous suivre ?

— Son carrosse est juste derrière le nôtre, dit le secrétaire en constatant la poussière soulevée.

— En voilà un dont je ne pourrais jamais me plaindre de son manque d'enthousiasme, remarqua Voltaire.

Avant de partir, le docteur Tronchin avait tenté de lui faire écrire sa lettre pour l'article des Gaulois, mais le vieil homme était déjà tout à son voyage.

— Dès que nous serons arrivés, je vous dicterai les changements du dernier acte. Faites-moi penser à écrire à notre ami Lekain. Je ne veux pas faire cette pièce sans lui ! Et j'ai pensé à Mlle Sainval pour jouer Zoé.

La voiture s'était arrêtée à une grande auberge devant laquelle une cinquantaine de personnes étaient rassemblées.

— Qui sont ces gens ? s'enquit Voltaire en jetant un regard inquiet à son secrétaire.

Ce dernier eut une moue d'ignorance et sortit pour se renseigner. Le médecin en profita pour prendre sa place.

— Comment vous sentez-vous, mon cher homme ?

— Comme un vieillard qu'on a cahoté pendant des heures. Je vois dans vos yeux tout l'excès du ridicule où je me jette à mon âge, la mort entre les dents, ou du moins entre les gencives, car de dents je n'en ai plus. Mais il faut mourir comme j'ai vécu, en faisant des sottises.

— J'en conclus que vous vous portez comme un charme, dit le médecin, avant de sortir, pressé par le geste d'agacement du philosophe.

Wagnière revint avec le patron de l'auberge relais.

— Monsieur de Voltaire, maître, dit l'homme par la portière ouverte, je voulais vous saluer pour l'honneur que vous nous faites de vous arrêter dans notre modeste logis. Nous voulions vous saluer, ajouta-t-il en montrant la foule qui s'était agglutinée autour du véhicule, vous le sauveur des Callas, l'auteur de *Zaïre* !

Voltaire eut un regard en direction de son secrétaire. Il avait prévu de voyager incognito. Wagnière comprit qu'il avait été reconnu au premier relais où ils avaient fait une halte. Les gens se pressaient. L'écrivain se recroquevilla dans son hermine pendant qu'autour du carrosse tout le monde voulait le voir et le féliciter. Il laissa passer la vague de ferveur et remercia tous ses laudateurs d'un discours qui leur fit couler les larmes, avant de parcourir les derniers mètres à pied, aidé de Wagnière et du docteur Tronchin, entouré d'une haie d'honneur constituée par ses partisans.

L'épreuve l'avait fatigué et il demanda à se reposer avant de se mettre au travail. Wagnière partit à l'office préparer du café. Lorsque Voltaire entra dans son appartement, composé d'un salon et d'une chambre, il fut accueilli par la chaleur dorée du feu dans l'âtre et par une silhouette massive calée près de la cheminée dans un fauteuil en cuir roulant.

— Cher monsieur Antelme de Jussieu, je dois avouer que votre ténacité est remarquable, admit le philosophe en ôtant son manteau.

Il s'assit avec peine dans une chaise dont le siège avait été rembourré d'un épais coussin.

— Un homme comme vous ne peut que me pardonner cette audace, dit l'historien en manipulant les manivelles afin de se rapprocher. Car le temps presse.

— Dois-je répondre comme Molière aux empressés qui lui criaient « Le roi attend » : « Il est le maître, qu'il attende » ?

— Si vous donnez votre caution à notre découverte, plus personne, même le pouvoir, n'osera la mettre en doute. Et maître Fabert ne sera plus inquiété.

— Vous me donnez une importance que je n'ai pas, malheureusement.

— Regardez tous ces gens qui sont venus juste pour vous voir, vous approcher, plaida Antelme en lui montrant la fenêtre d'où la rumeur sourde de la foule qui ne cessait de grossir leur parvenait. Vous êtes leur héros. Turgot avait raison.

Voltaire ne répondit pas. L'accueil de la population l'avait étonné et ému.

— Et je suis prêt à venir tous les soirs sur votre chemin jusqu'à emporter votre adhésion, ajouta Antelme.

— De cela je ne doute pas ! Je me rends, monsieur de Jussieu, vous avez mon accord. Mais à la condition expresse de pouvoir constater par moi-même l'existence de ce trésor. L'avez-vous vu ?

— Oui, M. de Ponsainpierre, maître Prost et le chevalier de Jaucourt aussi. Ce trésor est authentique.

— Maître Prost est un homme honnête qui a fait beaucoup de bien dans sa ville, ce que vous me semblez être aussi. J'ai confiance en vous. Toutefois, je vous demanderai de me faire parvenir un de ces codices chez le gendre de ma nièce, M. de Villette, rue de Beaune, afin de l'examiner par moi-même.

Wagnière entra, une tasse de café fumant à la main.

— Voilà mon poison préféré ! s'exclama Voltaire, que la présence du breuvage avait revigoré.

Il le but d'une traite et envoya à Antelme son regard malicieux :

— À mon tour, puis-je juste vous poser une question ? Ne serait-ce pas vous qui auriez brisé mon incognito, par hasard ?

90

Samedi 7 février

Antoine avait dormi à même le sol et se réveilla avec l'aube, l'épaule et la nuque endolories. Il détailla la pièce grâce à la lumière du dehors qui lui parvenait d'une ouverture cylindrique creusée au plafond. L'endroit était vide, à l'exception de la présence d'un porte-torche.

Il avait soif et s'en voulut de ne pas s'être réveillé plus tôt afin de se rendre à la source avant le lever des moines. L'un d'entre eux était occupé non loin à des travaux de jardinage. Sa binette frappait le sol à un rythme régulier. Antoine décida de sortir quand les religieux seraient tous au réfectoire. Il disposait d'une outre en peau de porc qui lui permettrait d'avoir deux jours de réserve. Il irait poser des pièges la nuit dans la forêt de la partie méridionale de l'île, les lièvres y pullulaient. Quant aux légumes, il avait décidé d'en emprunter dans le potager des religieux, qui en regorgeait. Une fois réglée la question de son alimentation, Antoine se mit à la recherche de la dalle que le chanoine avait déplacée avant de lui montrer leur trésor. Il la localisa rapidement, après avoir sondé les pierres du sol à l'aide du manche de son couteau. Il la souleva avec difficulté et la traîna en prenant soin de faire le moins de bruit possible. Dehors, deux pensionnaires de Saint-Pothin s'étaient approchés du puits de lumière et discutaient de la décision du gouverneur qui leur retirait les revenus de la dîmerie. La conversation s'interrompit lorsqu'un troisième les appela pour la prière de sept heures. Les pas s'éloignèrent.

La niche qu'il venait de découvrir abritait toujours le coffre aux armes de l'évêché. Il l'en sortit délicatement et entreprit d'en déverrouiller le cadenas à l'aide de son couteau, mais la lame était trop large. Antoine retourna dans la cave en quête de tiges métalliques suffisamment fines et solides, qu'il dénicha sous la forme de deux clous de tonnelier. Il aplatit l'extrémité de l'un à l'aide d'un marteau et les introduisit dans le verrou en raclant l'intérieur de la serrure, puis exerça une rotation du clou aplati. La gâchette se débloqua.

Antoine espérait y trouver les codices. Depuis leur disparition, il n'avait de cesse d'imaginer toutes les pistes possibles, mais aucune ne le satisfaisait. Les pères de l'île Barbe étaient l'une d'elles. Il fit basculer le couvercle et constata que le coffre ne contenait que les reliques qu'il avait déjà pu examiner. S'il ne parvenait pas à retrouver les textes de Louern, sa situation deviendrait inextricable. Il prit le coffret à collyre de Louern et l'ouvrit. La phrase, écrite de la main du druide, le fit une nouvelle fois frissonner : *Collyre de Louern de Nasium, à la renoncule, pour les cicatrices.* Il sourit à la pensée qu'à mille sept cents ans d'écart, ils avaient tous les deux fui Lyon pour se réfugier sur l'île.

— Si vous saviez dans quelle situation je me trouve par votre faute ! plaisanta-t-il en s'adressant au coffret.

— Par ma faute ? répondit une voix provenant du puits de lumière.

Antoine s'en voulut de son imprudence : sa phrase avait été entendue par un des moines qui revenait de la prière. Il s'approcha du puits pour mieux écouter ce qui se passait au-dessus de sa tête. Le religieux, surpris, piétinait autour de l'endroit.

— Qui me parle ? dit l'homme. Qui est là ? ajouta-t-il en l'absence de réponse.

Le haut du conduit formait un coude au niveau duquel un miroir avait été disposé. Il reflétait la lumière provenant du cylindre en position horizontale qui abouchait au ras du sol du bâtiment. Antoine vit une ombre passer et repasser dans le miroir. Le religieux était tout proche. Il cherchait.

— Seigneur, c'est vous ? dit soudain l'homme.

Antoine se retint de répondre.

— C'est un signe que vous m'envoyez, Seigneur ? C'est cela ?

Antoine réprima une furieuse envie de rire.

— Vous m'avez parlé... Pardonnez-moi, Seigneur, je ne suis pas digne de vous recevoir ! s'exclama la voix.

Antoine comprit au chuchotement que l'homme s'était agenouillé et priait.

— Vous avez raison, continua la voix, c'est ma faute, c'est ma plus grande faute. Je doutais, Seigneur, mais vous m'avez remis dans le droit chemin. J'étais une brebis égarée et, maintenant, je suis votre berger. Vous n'aurez plus à me parler...

Tant mieux, songea Antoine en se remettant à l'examen du coffret à collyres.

— ... je serai toujours votre fidèle parmi les fidèles !

Dans ma situation, cela me serait utile, s'amusa à penser Antoine. Le moine se répandit en prières qu'il pouvait entendre. Il devait être à moins d'un pas de la sortie du puits. La cloche du réfectoire le fit enfin déguerpir.

Antoine souffla et se promit de ne plus jamais émettre le moindre son. Mais l'anecdote l'avait, pendant quelques instants, agréablement éloigné de la réalité de sa situation.

Il dégagea une tablette en schiste qui avait été glissée contre le fond du coffret. Il ne l'avait pas vue lors de sa première visite. Elle servait à broyer les collyres et était recouverte d'une épaisse couche du mélange des poudres séchées. Il la mit dans sa poche, prit son couteau, l'outre et le reste de viande séchée. Il devait sortir avant la fin du déjeuner des religieux.

— Saint-André-et-des-Apôtres, murmura Antoine en se référant aux *Mazures de l'isle Barbe*.

Le premier monastère de l'île avait été bâti, d'après les textes les plus anciens, sur sa pointe nord. Là où s'élevait devant lui le vieux chêne tordu, là où la source d'eau limpide coulait à ses pieds entre deux murs en ruine. Il but à même la résurgence, remplit sa gourde et s'assit sur le muret. À l'aide de la lame de son couteau, il gratta la couche superficielle de la tablette à broyer. L'ardoise reprit rapidement sa couleur naturelle. Il la nettoya à la source et découvrit une fine inscription, gravée au poinçon, qui recouvrait la moitié de sa surface. Le texte, qui émanait de Louern, était difficilement lisible. *Mais je ne manque pas de temps*, pensa Antoine en décidant de ne pas regagner sa cachette trop tôt. La journée était douce et le soleil avait l'intention de se battre contre des nuages velléitaires.

En longeant la berge, il se transporta à l'extrémité opposée, où se situait la plus grande surface de forêt. Antoine posa deux pièges à lièvre avant d'aller étudier l'inscription, assis sur un des rochers de la pointe. Certaines lettres étaient effacées et rendaient la traduction difficile. Il y était question du trésor des trésors qu'il avait fallu libérer.

— Libérer ?

Antoine avait du mal à saisir le sens de ce mot, qu'il avait déjà trouvé dans des codices. Cela pouvait aussi bien être « soustraire » ou « préserver ».

— Donc : cacher... dit-il tout haut comme pour donner plus d'importance à sa conclusion.

Il était persuadé que Louern avait dissimulé la Mater sur l'île et qu'elle s'y trouvait encore. Son raisonnement l'amenait toujours au même endroit : la pointe septentrionale. Là où tout avait commencé. À chaque fois, il avait senti la présence du druide, sa force, comme un magnétisme bien plus puissant que celui de Mesmer. Il avait pris sa décision : le soir même, il irait fouiller sous le chêne.

La lune donnait à l'arbre des reflets mordorés. Antoine enfila le manche au bout du large soc qu'il avait trouvé dans la cave et commença à creuser un carré d'une toise de côté. La journée avait été sèche, mais la terre était meuble des pluies précédentes. Elle se fendit facilement sous les pressions de la bêche. Ses côtes lui faisaient mal à chaque effort ; il s'arrêtait régulièrement pour boire à la source ou manger des fruits secs. Au loin, l'ombre du clocher carré de l'abbaye, surmonté de son toit pyramidal, se découpait dans le ciel. Au bout d'une heure, l'excavation lui arrivait aux genoux. À cette profondeur, la terre était plus humide en raison de la proximité de la source. Elle collait à la bêche en de lourdes mottes, rendant l'effort plus difficile. Le soc frappa plusieurs fois des cailloux de grande taille, qu'Antoine dégagea difficilement. À l'entame de la seconde heure, il eut à affronter les racines du chêne, qu'il mit à nu patiemment. Le trou s'enfonçait désormais sur plus d'une toise. La lune disparut derrière un amoncellement épais de nuages. Antoine alluma sa torche et fouilla à mains nues dans la terre. Il ne trouva que les ossements éparpillés d'un petit animal. Il se redressa avec peine : ses muscles aussi lui faisaient mal. Son séjour en prison avait affecté son corps plus profondément qu'il ne l'avait imaginé. Il mangea ses dernières réserves, but longuement, par petites gorgées, l'eau qui avait pris le goût du cuir de l'outre et se remit au travail. Il examinait soigneusement chaque pelletée avant de la jeter. La terre avait changé de texture et de couleur. Elle était mélangée à une tourbe compacte. Mais aucun objet n'y était enterré. Il jeta ses dernières forces dans un coup de bêche rageur qui lui arracha un cri de douleur : le soc s'était coincé entre deux radicelles et il n'avait pu le retirer d'un coup de manche. Ses côtes lui avaient rappelé son état précaire. En soulevant son outil, il aperçut un petit objet de métal incrusté dans la racine et le porta à la lumière de la torche. La pièce de monnaie, en argent, était en bon état de conservation. Elle comportait une croix en son centre et le monogramme de Charlemagne. *Un denier de Melle*, estima-t-il au regard de l'inscription CARLUS REX. En deux toises de profondeur, il venait d'exhumer mille ans d'histoire de l'île.

Antoine reprit ses recherches avec une ardeur nouvelle mais abandonna une heure plus tard : depuis sa découverte, il n'avait charrié que de la terre. Il n'y avait pas d'autre trésor. Pas de statuette. Il rentra, épuisé, à son refuge. La descente des marches fut difficile. Le passage du boyau accentua ses douleurs. Arrivé devant la porte, il constata qu'un rai de lumière en soulignait l'encadrement. On l'attendait. Il fit marche arrière, sortit du bâtiment, traversa l'île jusqu'à l'endroit où sa barque était cachée, la mit à l'eau et s'installa dedans. Au moment de prendre les rames sous le banc, il ne les trouva pas.

L'invitation se faisait pressante. Il n'allait pas la différer.

Lorsqu'il entra, la pièce avait été aménagée. Une paillasse était posée près du puits de lumière et, dans l'angle opposé, se trouvait une table chargée de victuailles. Deux flambeaux éclairaient l'endroit tout en apportant un semblant de chaleur. Les trois chanoines l'attendaient, agenouillés contre un mur sur lequel un Christ en croix avait été planté, plongés dans leurs prières.

— Maître Fabert, j'espère que vous nous pardonnerez notre initiative, dit l'un d'eux en se retournant.

— Vous êtes chez vous, père Thélis, père Carrier, chanoine Fraisse, répondit Antoine en posant l'outre sur le sol. Puis-je ?

demanda-t-il en indiquant l'assiette remplie d'une fricassée de poulet.

— Vous devez être affamé, dit Thélis en l'invitant à s'asseoir à table pendant que Carrier lui servait un verre de vin.

Antoine se signa par courtoisie pour ses hôtes, rompit un pain rond dont il huma la mie avant d'en enfourner un énorme morceau. Le goût de la croûte dorée le revigora avant même qu'il n'ait avalé la première bouchée. Il mangea la volaille sans empressement, en s'en délectant.

Les trois prêtres s'étaient assis et Thélis avait pris la parole.

— Je vous avouerai que nous avons été surpris de la rapidité avec laquelle vous avez réussi à découvrir notre cache, maître Fabert. Elle qui a résisté à tant d'invasions !

Antoine ne s'attarda pas sur ses capacités de mémorisation et invoqua une chance éhontée.

— La chance appartient à Dieu et nous pouvons comprendre qu'il ait guidé vos pas, continua Thélis. En revanche, qu'il ait parlé à notre pauvre frère Denis juste devant le mûrier, voilà qui nous a mis sur votre piste.

— Nous ne l'avions jamais vu aussi croyant, intervint le père Carrier. Vous avez fait un miracle, mon cher ! dit-il avant d'éclater d'un rire de gorge qui ressemblait à un hoquet.

— Que savez-vous de ma situation ? interrogea Antoine avant de croquer dans une poire.

— Bien qu'étant isolés sur cette île, nous sommes informés des nouvelles de Lyon et nous avons connaissance de votre statut actuel, répondit Thélis. Sachez que, tant que vous serez dans cette abbaye, vous serez protégé des représentants du roi. L'asile n'est, ici, pas un vain mot. Mais vous allez devoir nous expliquer ce que vous y cherchez avant d'avoir transformé ce terrain en souricière !

Antoine prit le temps de boire un verre de vin tout en dévisageant ses trois interlocuteurs avant de répondre :

— Le trésor gaulois que je possédais m'a été dérobé alors que j'étais en prison. L'inspecteur Marais est persuadé que je lui mens et me traquera sans relâche. Ma seule chance de salut est de trouver le trésor des trésors de Louern.

— Peut-être pourriez-vous commencer par nous rendre la tablette à broyer du druide ? intervint le chanoine Fraisse. Celle que vous avez nettoyée à la source.

Antoine la sortit de sa poche et la lui tendit en leur expliquant la traduction qu'il en avait faite.

— Je suis persuadé que cette Mater renferme le secret le plus important de Louern et qu'elle se trouve encore sur cette île. C'est la raison de ma présence chez vous.

Les trois prêtres eurent un regard complice. Le chanoine Fraisse se saisit d'un objet qu'Antoine avait pris pour une torche entourée d'un linge épais et en boucha le puits de lumière.

— Je crois qu'en effet le moment est venu de mettre nos efforts en commun. Vous n'avez pas idée de ce que représente cette Mater, maître, affirma le père Thélis. Vous avez raison sur un point : la statuette existe encore. Mais vous vous trompez : elle n'est plus sur cette île.

Il fut interrompu par le bruit du mécanisme de l'entrée.

— Voilà celui que nous attendions. Il sait où se trouve votre coffre.

91

Samedi 7 février

Antoine Parmentier eut un regard pour le dôme qui dépassait derrière la façade principale de l'hôtel des Invalides avant de pénétrer par l'entrée, ornée d'un arc triomphal dont il appréciait les reliefs représentant la Justice et la Prudence, et de rejoindre son appartement situé au second étage. Il s'enquit auprès de sa sœur de la présence de M. de Saint-Léger. L'audience chez la reine était prévue dans l'après-midi à Versailles et Ponsainpierre s'était montré si inquiet les jours précédents que l'apothicaire avait réussi à obtenir la venue de celui qui avait été l'assistant du marquis de Dreux-Brézé, maître dc cérémonie du roi, afin de combler les lacunes du Lyonnais en la matière. Parmentier salua Marc et son professeur de bienséance, qui allaient commencer la leçon, et gagna son bureau où l'attendait un ancien pensionnaire des Invalides, renvoyé de l'hôtel pour une compagnie de province et qui, jugeant la décision abusive, tentait de le convaincre de plaider sa cause auprès du chirurgien-major.

— Quelle vue formidable, dit Marc, les bras croisés, debout à la fenêtre. La perspective de l'esplanade est étonnante. Que n'ai-je apporté ma lunette ! Savez-vous que, de chez moi, on a la plus belle vue sur Lyon ?

— Non, je l'ignorais, comme tout le monde ici, répondit Saint-Léger. Venons-en au but de ma présence. De quel genre de rendez-vous s'agit-il ?

— Le genre important, avec une personne de qualité.

— Pourriez-vous me préciser le niveau de cette qualité ?

— Haut, très haut, je vais à Versailles, annonça Marc, à qui la seule évocation de la reine faisait perdre tous ses moyens. Je ne peux vous en dire plus.

— Bien. Cela est donc une relation d'inférieur à supérieur, je présume ?

— Oui, vous présumez bien, répondit-il en faisant des allers et retours de la fenêtre à la cheminée.

Saint-Léger resta impassible.

— Nous allons commencer par des conseils sur l'attitude, décida-t-il après avoir observé la démarche lourdaude de Marc, qui s'arrêta pour l'écouter. Continuez, l'enjoignit-il de la main. Le corps doit être dans la plus honnête composition, droit, sans pencher ni lever la tête. Vous devez dégager de la grâce !

— Ainsi ? demanda Marc tout en fronçant les sourcils.

— Ne ridez pas votre front ! Et rentrez cette langue dans votre bouche, ordonna le maître de bienséance.

Ponsainpierre se regarda marcher dans la glace. Il compensait la rigidité de son corps par un balancement excessif des bras.

— C'est bien, là ? demanda-t-il en se dévisageant dans le miroir.

— Arrêtez d'agiter les épaules, tenez vos mains au repos et évitez ce sourire inapproprié.

— Mais je n'ai pas souri !

— Je crois que même le miroir vous a vu, monsieur de Ponsainpierre.

— Même lui me trouve inapproprié ?

— Oui. Même lui. Comprenez, votre visage ne doit être ni trop gai, ni trop ouvert. Il doit être empreint de sérénité et d'aisance, lança Saint-Léger dans une envolée lyrique. Il doit être... gravement joyeux !

— Gravement joyeux ?

Marc s'était arrêté de marcher : la puissance de l'évocation dépassait ses capacités d'imagination. Il se mit face au maître des oxymores et tenta plusieurs attitudes, du sourire accompagné d'un regard sévère aux lèvres pincées couplées à des yeux doux. Rien ne convenait.

— Arrêtons là la recherche, tout est une question d'attitude, assena Saint-Léger en faisant un geste du poignet. Ne vous inquiétez pas, monsieur de Ponsainpierre, la gravité joyeuse viendra en temps voulu.

— En temps voulu ?

— Je vous l'affirme.

— Mais celui-ci m'est compté.

— C'est que votre cas aurait nécessité davantage de préparation, voyez-vous, dit-il en le détaillant de bas en haut. Et votre âge...

— Quoi, mon âge ? N'est-il pas propice à la gravité joyeuse ?

— Il devrait. Malheureusement, il aurait dû.

— Alors, qu'est-ce qui ne va pas en moi ? Suis-je réfractaire à ce genre de gravité ?

— Non... mais des années de pratique nous auraient aidés. L'éducation a ce grand avantage.

— Vous venez de me traiter de rustre, cher maître.

Marc caressa le chien qui s'était endormi sur le coussin du siège près de l'âtre chaud. L'animal était sur le dos, la tête à moitié renversée, les cuisses ouvertes sur sa virilité, les pattes de devant repliées comme pour faire le beau, dans un état d'abandon et de béatitude avérés.

— Et lui, est-ce qu'il a trouvé la gravité joyeuse ? demanda Ponsainpierre.

— Monsieur, voyons, c'est une... bête.

— Moi, je crois que si, insista-t-il devant le regard outré de son interlocuteur. Il l'a, confirma-t-il d'une moue admirative. Même mon chien a la gravité joyeuse.

L'animal émit une triple croche de flatulences qui ne le réveillèrent pas. Alors que Saint-Léger tentait d'ignorer l'incident, Marc lui fit un signe complice du regard.

— Je crois qu'il vient de la perdre, plaisanta-t-il en prenant son chapeau. Si l'on passait au salut ?

— Si ce n'était l'estime que je porte à M. Parmentier...

— Si vous avez de l'estime pour lui, alors tentez d'en avoir pour son hôte. Depuis le début, vous ne me croyez pas digne de vos conseils. Mais même un rustre comme moi peut obtenir une audience royale. Alors, on le travaille, ce salut à la reine ?

Le concierge de la porte principale du Petit Trianon remercia vivement Parmentier pour le panier qu'il lui avait offert. Il contenait un repas qu'il pourrait partager avec toute sa famille : des champignons, un lapin et deux gros pains de pomme de terre. Le pharmacien avait pour tous, humbles ou puissants, les mêmes attentions, ce qui toucha Ponsainpierre. Alors qu'ils traversaient le jardin à la française en direction du château, Marc ne put cacher sa mélancolie. Parmentier vit qu'il essuyait une larme discrète.

— Je pense à Antoine, dit Marc en guise d'explication, cherchant un mouchoir tout en tenant le coffret sous son bras gauche.

Juste avant leur départ pour Versailles, un postier leur avait remis une lettre d'Edmée leur apprenant son évasion.

— Comme vous, Antoine est un homme de bien. Il donne les pains qu'il fabrique et a plein de bontés pour les miséreux. Aujourd'hui la Bergerie est en ruine et il doit fuir. Pourquoi Dieu l'a-t-il mis dans une telle situation ?

— Nous sommes ici pour y remédier, l'encouragea Parmentier. Et je vous promets qu'un jour poire et pomme de terre supplanteront toutes les farines. Tenez, prenons cette allée.

Ils contournèrent le Petit Trianon sur sa droite sans rencontrer quiconque.

— Je suis surpris qu'on nous ait laissés libres de nos mouvements. Il n'y a personne pour nous surveiller, remarqua Ponsainpierre.

— C'est le miracle de cette reine, le miracle du Petit Trianon, commenta mystérieusement l'apothicaire.

Ils étaient arrivés à l'arrière, face à un immense jardin en cours de construction.

— Ici, tout le protocole reste à l'extérieur, expliqua Parmentier. Notre reine a voulu transformer l'endroit en paradis de simplicité. Elle-même n'a qu'une suite très restreinte.

Non loin sur leur gauche, une colline artificielle était en construction. Des ouvriers débarquaient de longs et fins peupliers d'Italie d'une charrette sous la surveillance d'un architecte qui leur indiquait, plan en main, l'endroit où les planter. Un arpent devant eux, d'autres artisans façonnaient le socle d'une rotonde posée sur un îlot entouré de bras d'eau dont les canaux s'écoulaient jusqu'à l'arrière du château.

— Le jardin de Marie-Antoinette, commenta Parmentier. Huit cents essences du monde. Styles anglais et chinois. Il se dit que la reine est en train de concevoir un village entier autour d'un lac, avec vacherie et bergerie. Asseyez-vous là, je vais voir quand nous pourrons être reçus, ajouta-t-il en lui désignant un banc posé en retrait entre deux buissons.

Le pharmacien avisa un domestique qui venait de sortir par une des cinq portes-fenêtres de l'arrière. Tous deux disparurent dans le bâtiment. Marc tenta de se répéter mentalement l'enchaînement des gestes et des mots que lui imposait le protocole. *La révérence jusqu'au sol, Votre Majesté, remettre le chapeau de la main droite. Surtout ne pas oublier la main droite !*

Un groupe de quatre femmes, accompagnées de plusieurs domestiques en livrée rouge et argent, avança joyeusement sur la pelouse en face de lui. Elles s'arrêtèrent devant un étrange carrousel, surmonté d'une gigantesque ombrelle et dont le mât était entouré de trois sculptures représentant des personnages chinois. Leurs vêtements, ainsi que leurs coiffures, en faisaient à tout le moins des dames de la Cour.

L'une d'elles portait avec élégance une robe de tulle blanche ceinte d'un ruban de taffetas noir et un chapeau de la même couleur. Bien que d'une grande jeunesse, elle présentait un port altier et une autorité certaine sur les autres, qui semblaient tournoyer autour de sa personne comme des abeilles respectueuses.

— La reine ? murmura Ponsainpierre en se levant, le cœur battant.

Il chercha Parmentier des yeux mais l'homme n'était pas visible. Marc ne savait que faire, s'avancer, se rasseoir, entamer une révérence si elle regardait dans sa direction. Le groupe, trop occupé à son jeu, ne fit pas attention à lui. Marc, sautant d'un pied sur l'autre d'indécision, les regarda monter avec difficulté dans les sièges en forme de cygnes ou de chimères reliés au socle du manège.

— Quelle bien étrange danse que voilà, monsieur, dit une voix derrière lui.

Marc se retourna et fit face à une femme tout aussi jeune. Son visage était d'une blancheur parfaite et ses yeux bleus dégageaient de la bonté et une élégance naturelle. Ses cheveux, tirés en arrière, avaient été remontés par d'énormes choux de rubans et ses habits, aux coupes simples, étaient taillés dans les meilleurs tissus. Elle portait au cou une écharpe frangée de perles et de soie. Son très léger accent acheva de le convaincre.

— Votre Majesté, dit-il après avoir effectué une révérence dont il jugea la gestuelle réussie.

L'absence de réaction le rassura.

— Je suis Marc de Ponsainpierre, continua-t-il sans y avoir été invité. J'ai, cet après-midi même, une audience avec Votre Majesté afin de vous remettre un présent d'une grande valeur, expliqua-t-il en serrant ostensiblement le coffre dans ses bras.

— Ma foi, c'est vrai, dit Marie-Antoinette, qui semblait avoir oublié le rendez-vous. Faisons-le maintenant. Asseyez-vous, monsieur de Ponsainpierre.

— Mais... puis-je ? s'inquiéta-t-il en tentant de se remémorer les ultimes recommandations de Saint-Léger.

— Il n'y a que votre médecin qui pourrait vous l'interdire, répondit-elle en prenant place sur le banc. Pas le protocole que nous respectons ici.

Les quatre dames de compagnie, une petite lance à la main, tentaient d'attraper des anneaux suspendus dans des carquois disposés de part et d'autre du carrousel lancé à pleine vitesse. La partie débuta dans les éclats de rire et au rythme de clochettes situées dans le mécanisme.

— Connaissez-vous les anneaux chinois, monsieur de Ponsainpierre ? demanda-t-elle après qu'elle eut sorti un lorgnon de son éventail pour regarder les joueuses.

— Non, je suis en train de découvrir ce mât de cocagne du Nouveau Monde. Vous ne jouez pas, Majesté ?

— Je ne puis plus, les lances me fatiguent par trop le bras. Alors, quel est ce trésor que vous tenez si fermement ?

— Il n'est rien comparé à ceux que je vois ici, mais il représente tant pour moi...

Marc lui narra la genèse de la fabrication des mitaines sans rien omettre du sort des halabés ni du déménagement de son épouse. Il n'osait la regarder en face et s'était placé un peu de profil pour suivre les recommandations de son professeur de bienséance, mais, au fur et à mesure de la conversation, il s'était remis dans une position plus naturelle. La jeune reine riait, frissonnait, compatissait à mesure de l'avancement de ses explications, qu'il prenait plaisir à enjoliver comme un conte.

— Pouvez-vous me les montrer ? demanda-t-elle lorsqu'il eut fini.

Il ouvrit le coffret et lui présenta l'écrin.

— Quelle merveille ! s'exclama-t-elle, impressionnée par la couleur d'or.

Marie-Antoinette effleura les mitaines avant de les prendre et de les enfiler. La maille était fine, la soie souple et douce.

— Elles ne semblent pas fragiles, pour de la toile d'araignée, remarqua-t-elle.

— Elles sont plus résistantes que du crin ! dit-il fièrement.

Ponsainpierre avait les yeux brillants d'émotion. Tous ces jours et ces nuits passés dans une buanderie surchauffée en compagnie de milliers d'halabés, tout ce travail de fabrication du fil, cocon après cocon, tous ces renoncements qu'il avait fallu accepter, les coups durs, l'épuisement et, au final, ce moment, mille fois vécu dans sa tête et qui lui semblait maintenant irréel. Il était à Versailles, en compagnie de la reine, qui avait aux doigts les seuls gants au monde en soie d'araignée : les siens.

— Je suis comblée, dit Marie-Antoinette, dont le ravissement n'était pas feint. Comment pourrais-je vous remercier, monsieur ?

C'est le moment, songea-t-il. *Ma seule chance.*

— Votre Altesse, je voulais vous parler d'un homme qui est pour moi comme un fils. Maître Antoine Fabert.

Le visage de Marie-Antoinette se ferma. Elle se leva. Marc fut obligé d'en faire de même, surpris du changement d'attitude.

— Notre entretien est fini, monsieur. Et croyez bien que j'en suis navrée. Mais votre fils s'est mis dans une situation dangereuse en complotant contre mon époux.

— Il n'est pas coupable de ce dont on l'accuse ! Majesté, écoutez-moi, je vous en prie.

Elle eut un regard vers le carrousel où les dames les surveillaient tout en continuant leur jeu.

— Je ne suis que la femme du roi et ne m'occupe pas des affaires de l'État. Nombreux sont ceux qui seraient prompts à me rappeler mes origines étrangères. Déjà que des billets malveillants appellent cet endroit le « Petit Vienne ». Je n'ai pas les faveurs des courtisans. Quant au peuple... je ne sais pas, lâcha-t-elle, dépitée.

— Vous êtes la reine !

— Je ne règne que sur ce domaine, monsieur de Ponsainpierre, dit-elle en enveloppant le paysage d'un geste gracieux. En dehors du Petit Trianon, je ne suis qu'un sujet de notre souverain.

— Je suis à l'origine de tous les problèmes d'Antoine, c'est chez moi que le trésor fut trouvé. Vous pouvez intercéder auprès du roi.

— Mais où est passé M. Parmentier ? s'agaça-t-elle. Ne restons pas seuls trop longtemps, sinon mon nom apparaîtra dans les gazettes associé au vôtre.

D'un geste de la main, elle fit signe à deux des joueuses de la rejoindre. Les clochettes ralentirent leur activité. Le manège s'arrêta. Marc se fendit de nouvelles révérences à leur arrivée, qu'il exécuta sans application. Il était frustré de la tournure prise par les événements. La reine reprit son rôle comme si leur conversation n'avait pas eu lieu :

— Mesdames, je vous présente le plus incroyable tisserand au monde : M. de Ponsainpierre, qui vient de Lyon. Monsieur, je vous présente la comtesse de Polignac, ainsi que Mme de Lamballe. Mes amies et mes confidentes.

Les deux courtisanes s'émerveillèrent à la vue des mitaines, qu'elles furent autorisées à enfiler. La reine échangeait avec elles et s'était mise à l'ignorer complètement. Marc ne savait si l'étiquette l'autorisait à rester, mais il ne voulait pas s'avouer vaincu. Il avait vu avec soulagement Antoine Parmentier se diriger vers lui en compagnie d'un gentilhomme et alla à leur rencontre.

— Monsieur de Ponsainpierre, je vous présente le baron de Besenval, un des intimes de ce lieu, dit l'apothicaire.

Marc fit une révérence parfaite à l'homme, qui lui répondit paresseusement, avant d'entraîner Parmentier à l'écart alors que le baron rejoignait le groupe de la reine.

— Tout s'est bien passé ?

Ponsainpierre lui détailla son entrevue. La fin de non-recevoir n'étonna guère le pharmacien des armées.

— Notre reine a de nombreux détracteurs ici, à commencer par toutes ces femmes pour qui elle est si différente des souveraines précédentes et qui n'ont de cesse de faire courir des bruits sur elle.

— Je n'ai même pas eu le temps de tenter de la convaincre. Si elle pouvait m'écouter... dit Marc en piétinant l'herbe sous ses pieds.

— Voilà ce que nous allons faire : vous allez retourner dans la maison du concierge et m'y attendre. Prenez votre mal en patience, cela risque d'être long.

Une clameur retentit au niveau du groupe : le baron avait subtilisé les mitaines et s'était installé dans le carrousel des anneaux chinois. Une fois le manège lancé, Besenval tint les gants d'or à bout de bras alors que reine et courtisanes tentaient de les lui attraper à chaque passage. La colline en construction résonna de leurs rires.

— Il ne faut pas leur en vouloir, ce sont des jeux de cour, les excusa Parmentier.

— La vie d'Antoine n'est pas un jeu de cour.

Le suisse renifla le fumet du lapin qu'il avait dépecé et découpé en morceaux avant de le laisser mijoter avec les champignons. Marc attendait depuis trois heures le retour du pharmacien. Le concierge et sa femme lui avaient parlé de la reine en des termes laudateurs. Ils l'avaient plusieurs fois accompagnée, incognito, à la rencontre des pauvres des villages voisins et l'avaient vue leur prodiguer un réconfort moral sincère en plus de généreuses sommes d'argent. Mais Marie-Antoinette pratiquait la charité en toute discrétion. Personne dans les gazettes n'avait jamais été informé de ses actions, ou ne voulait l'être, et les chansonniers du Pont-Neuf continuaient à seriner *Petite reine de vingt ans, vous repasserez la barrière.*

Lorsque Parmentier entra, l'homme posa une assiette pleine de ragoût sur la table et s'éclipsa avec sa femme, sans un mot. L'apothicaire était affamé et dévora la viande avant de s'expliquer.

— Elle s'en est allée voir le roi, dit-il tout en trempant son pain dans les reliefs de sauce.

— Et alors ? s'impatienta Ponsainpierre.

— Elle s'y trouve encore et doit nous rejoindre ensuite.

Ils passèrent la soirée à deviser de sujets légers pour tromper leur inquiétude. Alors qu'ils ne s'y attendaient plus, à près de minuit moins le quart, Marie-Antoinette fit son entrée, enveloppée dans un manteau de velours, capuche relevée, accompagnée de Mme de Polignac et s'adressa directement à Ponsainpierre qui, surpris, n'esquissa même pas un geste de déférence.

— Monsieur, j'ai fait ce qui était en mon pouvoir. Notre souverain a encore, fort heureusement, mon oreille. Il semble aussi que M. Greuze et ses nombreuses amitiés aient eu quelque effet. Le roi va considérer votre requête sans que je ne sache quelle contrepartie vous sera demandée. Mais je vous enjoins très expressément d'accepter cette chance unique.

— Votre Majesté ! s'écria Marc en se jetant à ses pieds.

— Relevez-vous, monsieur de Ponsainpierre, dit-elle en lui tendant sa main gantée d'or. J'aimerais pouvoir dire que je possède dans ma maison des amis comme vous l'êtes pour maître Fabert. Et vous pouvez être fier de vos mitaines : mon époux semble prêt à tout pour s'en procurer. Quant à vous, monsieur Parmentier, je sais que nous partageons le même intérêt pour le bien des miséreux ; j'espère vous voir plus souvent au Petit Trianon, quand tous nos travaux seront terminés.

— C'est un honneur que vous me faites, répondit le pharmacien. Je rêve d'y voir un jour fleurir un champ de pommes de terre, Majesté.

92

Samedi 7 février

D'un geste sobre, l'abbé Gouvilliers ôta sa capuche. Le bibliothécaire des comtes de Lyon avait la même figure rassurante et joviale qu'à leur première rencontre, malgré le trajet en pleine nuit qu'il venait de faire.

— Maître Fabert, c'est un plaisir de vous voir en liberté, assura l'abbé.

— Une liberté synonyme de fuite, tempéra Antoine. Et une liberté qui va dépendre d'un coffre rempli de codices qui s'est envolé.

L'abbé, qui retirait sa longue capeline, interrompit son mouvement avant de s'attaquer aux derniers boutons.

— Savez-vous ce qui vous a trahi ? dit-il à Antoine en posant son vêtement sur la paillasse. La manivelle des contrepoids.

— La manivelle ?

— Lorsque vous avez aidé mon assistant en lui montrant comment remonter l'horloge astronomique, vous avez laissé la manivelle sur son axe, au lieu de la ranger. Vous ne pouviez pas savoir que cette machine possède un défaut dans sa conception et qu'en la laissant ainsi, le levier s'est trouvé sur le passage du contrepoids. Qui l'a heurté. Le câble est alors sorti de la gorge de la poulie.

— Laissez-moi deviner la suite, dit Antoine : pour tout remettre en ordre de marche, il a fallu monter jusqu'au clocher de l'horloge. Ce qui nécessitait de démonter des planches de la niche. Mais celle-ci n'était pas vide... Est-ce vous qui avez trouvé mon coffre ?

— Oui. En l'absence de l'horloger, j'étais le seul à savoir quoi faire. J'ai d'abord cru que cette caisse renfermait les outils dont j'allais avoir besoin. Mais elle était close. J'ai compris qu'elle avait été dissimulée à cet endroit et j'ai organisé une surveillance afin de voir qui viendrait la chercher ou vérifier qu'elle s'y trouvait toujours. Et je vous ai vu y entrer un samedi matin. Puis deux autres fois, toujours les samedis. Pour moi, il n'y avait plus de doute et j'ai fait le lien avec les codices gaulois dont le père Thélis m'avait entretenu.

— Pourquoi ne pas l'avoir dérobé à ce moment-là ? demanda Antoine, qui s'était levé et arpentait la pièce.

— La cache était excellente et vos venues prévisibles, avoua Gouvilliers. Nous maîtrisions la situation. Jusqu'au jour où nous avons appris votre arrestation.

— Cela changeait la donne, intervint le père Thélis. Il nous est apparu évident que vous risquiez d'avouer où le coffre se trouvait et nous l'avons transféré ailleurs.

— Quel soulagement de savoir les textes en sécurité ! Je vous remercie de votre aide à tous les quatre, dit Antoine en joignant les mains dans leur direction. Louern, je ne vous ai pas abandonné, ajouta-t-il en levant les yeux. L'avez-vous apporté ? Quand pourrai-je le récupérer ?

— Je crois qu'il y a un malentendu entre nous, maître Fabert. Ce coffre est et restera en notre possession, dit le père Gouvilliers sans laisser aux autres le temps de répondre.

— Mais il ne vous appartient pas ! fulmina Antoine après les avoir jaugés du regard.

— Ce n'est pas sans raison que Dieu l'a mené jusqu'à nous, répondit le chanoine Fraisse, qui était resté silencieux.

— Il ne peut vous être d'aucune utilité, vous ne saurez traduire aucun des textes sans mon aide !

— Nous n'avons pas besoin de connaître le sens de son contenu, répliqua Thélis, nous...

— Nous, nous, nous ! s'emporta Antoine. Mais qui êtes-vous ? Une société secrète ?

— Non, nous n'avons pas cette prétention, assura Thélis. Nous sommes les quatre derniers représentants de la plus ancienne communauté chrétienne du royaume.

— Je pense qu'il est maintenant nécessaire de vous fournir une certaine explication, intervint l'abbé Gouvilliers en l'invitant à s'asseoir.

Antoine but un verre de vin pour lutter contre la douleur et l'épuisement et s'installa en face des quatre religieux. Gouvilliers se racla la gorge et serra dans sa main la croix de bois qu'il avait autour du cou.

— Toutes les reliques que nous possédons montrent que les premiers chrétiens qui débarquèrent sur la pointe sud de notre île pour fuir les persécutions de l'empereur Sévère y trouvèrent une colonie gauloise déjà installée. Grâce à vous, ou plutôt grâce à votre druide Louern, nous savons aussi qu'elle était établie dès le règne de Néron. Les deux groupes cohabitèrent en bonne entente pendant des décennies avant de n'en faire plus qu'un.

— Une seule colonie ? s'étonna Antoine. Qu'ont-ils fait de leurs différences de croyances ?

— Nous pensons qu'ils les ont conservées au début, puis qu'un des groupes a pris le dessus, affirma le père Gouvilliers.

— Que voulez-vous dire ?

— Que les Gaulois ont fini par adopter le christianisme. Qu'ils ont, petit à petit, abandonné leurs Dieux pour suivre les Évangiles.

— Avec une nuance, poursuivit Thélis : ils ont conservé une dévotion particulière pour la Mater.

— Je n'imagine pas l'Église laisser une communauté vénérer une déesse païenne, remarqua Antoine.

— Il ne s'agit pas de cela. La Mater de l'île Barbe n'est pas une divinité païenne.

Thélis s'arrêta et chercha du regard l'approbation des autres pour livrer leur secret :

— Elle est la plus ancienne représentation attestée de la Vierge Marie.

— La Vierge Marie... répéta Antoine, qui n'arrivait pas à s'en convaincre.

— C'est pourquoi nos prédécesseurs l'ont gardée si soigneusement pendant des siècles, dit Gouvilliers. Vous êtes ici dans le berceau de la chrétienté de notre royaume.

— Dont les fondateurs étaient d'anciens druides ou leurs descendants, ajouta Fraisse.

— Et qui ont adoré la Vierge Marie autant que son Fils, compléta l'abbé Carrier.

— Voilà qui n'était pas pour plaire à l'évêché et aux comtes de Lyon, dont le gouverneur, continua Gouvilliers. Cela fait des années qu'ils attendent notre disparition pour prendre possession de l'abbaye et faire table rase de son passé.

— Mais Dieu est avec nous : la possession de ce coffre va nous permettre de peser sur le gouverneur, conclut le chanoine Thélis. À commencer par exiger de récupérer les revenus de la dîmerie.

Les religieux se turent dans l'attente de questions. Mais Antoine était perdu dans ses conjectures. Il imaginait mal un druide comme Louern rejeter la déesse de la fécondité au profit de la mère du Messie. Quelque chose clochait dans leurs explications.

— Voilà qui fait beaucoup, dit le père Thélis. Nous allons vous laisser vous reposer. Nous vous demanderons juste d'éviter de sortir la journée, pour des raisons de sécurité. Même si nous connaissons tous les prêtres qui vivent à Saint-Pothin, mieux vaut éviter les tentations. La somme offerte pour votre capture est plutôt élevée. Nous vous laisserons une clé pour entrer à l'abbaye afin d'y chercher des vivres et des ouvrages. Notre bibliothèque est plutôt bien fournie. Reposez-vous. Vous en avez besoin.

Antoine eut un temps de réaction avant de les interpeller.

— Attendez ! Qu'est devenue la Mater ? Vous m'affirmiez qu'elle n'était plus sur l'île.

— C'est exact, dit Thélis alors que les autres empruntaient le tunnel. Lors du saccage de l'abbaye par les protestants, Ennemond de la Mure...

— L'homme qui l'avait dessinée ?

— Oui, l'homme du dessin la fit dissimuler dans une des pierres de l'église Saint-Loup. Malheureusement, il fut tué lors de l'assaut, l'église fut brûlée et les pierres servirent à la construction ou à la rénovation d'autres monuments lyonnais.

— Voulez-vous dire qu'elle se trouverait à Lyon ?

— Voilà deux cents ans que nos prédécesseurs et nous-mêmes la cherchons. Nous avons fouillé toutes les églises et toutes les chapelles des moindres congrégations de la ville. Nous ne l'avons jamais retrouvée.

93

Mardi 10 février

Camille secoua ses vêtements, qui avaient été salis pendant l'opération. L'enlèvement des lettres de l'enseigne sur la façade de la librairie avait effrité le mur.

— Regarde, mes cheveux ont blanchi ! plaisanta Valentin, qui s'observait dans le miroir.

Il s'ébouriffa, faisant se dégager une auréole de poussière autour de sa tête.

— Chut ! Pas de bruit ! intima Camille à son ami, qui leva les yeux au ciel.

— Ton oncle est absent, il est au concert. Pourquoi veux-tu qu'on nous surprenne ?

— J'ai eu suffisamment de mal à l'envoyer écouter *Ernelinde*. Il trouvait l'opéra du sieur Philidor trop pompeux. D'ici à ce qu'il soit parti avant la fin...

Valentin vérifia que la rue était déserte, mais il faisait nuit noire. Les jeunes gens avaient éteint la lanterne de rue située juste à côté de la librairie.

— Tu l'as détruite d'un jet de pierre, oui, se plaignit Camille. Mon oncle sera furieux. C'est lui qui avait obtenu qu'elle soit placée près du magasin.

— Précaution minimale afin d'éviter de se faire renverser au sol par des voisins belliqueux, affirma Valentin au souvenir de la conclusion de leur course-poursuite de l'Épiphanie.

Camille, vexé, eut un mouvement d'humeur.

— En tout cas, à nos retrouvailles ! dit Valentin en lui tendant une bouteille de vin et en buvant au goulot d'une seconde. Fameux ! ajouta-t-il en la regardant d'un air admiratif.

— C'est vrai qu'il est bon, admit Camille en avalant de petites lampées. C'est quoi ?

— Je ne sais pas, je l'ai prise à la cave, avoua-t-il.

Camille cracha la gorgée qu'il avait en bouche.

— Son vieux condrieu ! Dieu du Ciel et de la Terre, cette fois, il va vraiment me tuer !

— Je pense que le risque d'altérer notre santé est plus grand là où nous allons laisser notre butin, fit remarquer Valentin en regardant les cinq lettres de laiton posées sur le sol, à côté d'une pile de *Nouveau Glaneur*.

Camille reconnut qu'ils avaient fait le plus facile en les retirant de la librairie. Restait la seconde partie du plan. La plus risquée.

— Tu peux t'arrêter là si tu veux, dit-il à son ami.

— Parle pour toi ! Tu ne me priveras pas de mon apothéose. Satan sera en ville ce soir !

— On avait dit qu'on n'en parlerait plus ! fit semblant de s'énerver Camille.

Il connaissait suffisamment son ami pour savoir qu'il aurait affaire à ce genre de provocation et que plus il s'en plaindrait, plus Valentin insisterait.

— Tu ne veux pas qu'on se déguise ? proposa Valentin en finissant bruyamment sa bouteille de vin.

— Non, je n'ai pas envie d'être gêné par des jupons si on doit déguerpir.

— J'ai une robe de bure aussi.

— Cela ne fait aucune différence. Et je serais capable de marcher sur le cordon ! N'aurais-tu rien de plus discret ?

— Si. L'armure du salon de feu mon père. Il suffit de se figer, comme un arbre, pour passer inaperçu, dit-il en mimant son propos.

Grisés par l'alcool, les deux garçons rirent sans retenue. Minuit sonna. Douze coups secs lancés depuis le clocher de l'église Saint-Nizier.

— Il faut y aller, indiqua Camille. C'est le moment.

La carriole s'arrêta à l'angle de la rue des Trois-Maries et du quai de la Baleine. Assis à l'arrière, Camille avait sorti les lettres et les avait retournées. Valentin, qui avait mené la mule, le rejoignit après s'être assuré que la patrouille de la milice bourgeoise n'était pas dans le quartier. Camille ouvrit le baquet contenant la colle qu'ils avaient empruntée à l'imprimerie et y plongea un pinceau afin de vérifier qu'elle avait gardé la bonne épaisseur. Lorsqu'il le retira, la colle forma un long filet entre le pinceau et le seau.

— Tu crois que ce sera suffisant pour les faire tenir ? demanda Valentin en se penchant au-dessus de son épaule.

— C'est de la colle forte d'Angleterre, ce qu'il y a de plus efficace, faite à partir de peaux de vieilles bêtes, expliqua Camille. On l'utilise pour les reliures et jamais personne ne s'est plaint. Je l'ai laissée se réchauffer à feu très doux pendant deux heures. Mais il ne faut plus tarder.

— Tu as raison, c'est prêt, dit Valentin après avoir fait semblant de la goûter, sous le regard écœuré de son ami. Allons-y !

Il souleva la bâche afin de surveiller les abords pendant que Camille étalait une épaisse couche de colle sur la première lettre.

— Mets-en sur toute la surface, sans rien oublier, sois généreux, commenta Valentin. Plus qu'avec ta fiancée, ajouta-t-il pour le taquiner.

Camille ignora la pique. Son cœur battait déjà très fort et faisait trembler ses mains.

— J'ai froid, donna-t-il comme excuse.

— Moi aussi j'ai peur, mais j'aime ce genre de froid qui excite mes sens, j'aime l'aventure, surtout quand elle est drapée d'interdits, expliqua Valentin. C'est parti !

Très vite, il fut dans le feu de l'action. Il posa le « D » couvert de colle sur la gauche du mur, appuya dessus en comptant jusqu'à soixante puis courut au véhicule chercher le « E » que Camille venait de préparer. Les lettres se succédèrent pour former le mot « démon ». Valentin se sécha les mains sur sa veste, se hissa sur le banc du cocher et donna un coup de rêne à la mule, qui répondit en entamant un pas rapide. Camille jeta un dernier regard à leur opération et jura.

— Arrête-toi, vite ! On a un problème !

Daphné réprima un bâillement et vérifia que son client ne l'avait pas remarqué. Les hommes détestaient ce qu'ils prenaient pour des manifestations d'ennui de la part des femmes. Mais Marais venait de s'endormir. Elle lui caressa le ventre afin de vérifier que le sommeil était profond et, en l'absence de réaction, entreprit de se rhabiller. Elle avait fini par aimer leurs rendez-vous à son domicile, qui, deux fois par semaine, lui permettaient de sortir de l'établissement de plaisir pour la soirée, parfois la nuit entière. Elle en profitait souvent pour aller marcher dans les rues ou sur les quais à des heures où elle n'avait jamais eu l'habitude de les parcourir ; elle avait l'impression de découvrir la ville. Lyon n'était finalement pas qu'une prison pour son corps.

Marais la payait plus que le tarif demandé et Daphné cachait son pécule à l'extérieur du bourdeau. Pour la première fois depuis son arrivée, elle envisageait de pouvoir quitter l'établissement et sa condition de ribaude. Elle espérait qu'il ne se lasserait pas trop vite d'elle pour une autre et faisait tout pour combler son client au-delà de ses attentes. Elle avait la sensation que l'heure de la liberté allait bientôt sonner pour elle.

Daphné se rhabilla sans bruit. Elle n'avait pas été invitée à rester pour la nuit. Son client s'était montré irritable et nerveux. Il avait chassé ses hommes et l'avait accueillie passablement éméché, ce qui n'était pas son habitude. Elle n'allait pas s'en plaindre : il avait laissé une somme plus importante que les fois précédentes et s'était endormi moins d'une heure après l'arrivée de la jeune femme. Elle tira la couverture sur les épaules de Marais, déposa à la cuisine verres et bouteille, y mangea un reste de soupe dans laquelle elle avait émietté du pain, nettoya la vaisselle à l'eau sale du seau et s'enroula dans son manteau à capuche, lorsqu'un bruit de frottement attira son attention au niveau du salon : une ombre se découpait devant la fenêtre du rez-de-chaussée.

Valentin s'approcha de la façade : le « E » avait glissé d'un quart de tour et ressemblait à un « M ». Il le repositionna et appuya fortement dessus avant de retirer les mains. La lettre resta accrochée quelques secondes avant de pencher vers la droite et de reprendre une position de « M ». Camille l'avait rejoint, un pinceau trempé de colle à la main. Il en réenduisit la lettre, puis le mur. Valentin l'appliqua à nouveau et les deux jeunes hommes pressèrent sur la découpe de laiton une longue minute. Lorsqu'ils la lâchèrent, la lettre glissa sur un pouce avant de basculer en avant. Valentin la rattrapa avant qu'elle ne touche le sol. Camille inspecta de la main la surface de la façade où ils avaient tenté de coller le « E ». La pierre avait été peinte juste à cet endroit.

— Plus on va en ajouter, plus la lettre glissera, conclut-il. Quelle guigne ! chuchota Camille. On n'a plus qu'à la poser contre le mur, voilà tout.

— Non, dit Valentin en la lui prenant des mains. Il y a une autre solution. Va chercher une corde dans la charrette !

Camille disparut sous la bâche un moment que son ami trouva infiniment long. Valentin s'impatientait d'autant plus qu'il avait entendu du bruit à l'intérieur et qu'il lui semblait avoir repéré une lueur à travers la fenêtre du rez-de-chaussée. Camille revint bredouille.

— Rien qui ressemble à une corde, dit-il, désolé.

— Ta ceinture, indiqua Valentin, défais ta ceinture !

— Mais...

— Vite, vite ! l'encouragea-t-il en regardant autour d'eux d'un air inquiet.

Camille s'exécuta et retira le ruban d'étoffe qui tenait sa bourse.

— Retourne dans la carriole et prends les rênes, ordonna Valentin tout en nouant une des extrémités du tissu à la barre supérieure du « E ».

Il passa l'autre extrémité dans un des barreaux de la grille qui protégeait la fenêtre et régla la hauteur de la lettre sur celle de la première. Il fit un nœud le plus serré possible et recula pour vérifier le résultat. La lettre penchait légèrement vers la droite. Au moment où il s'approchait pour l'équilibrer, la fenêtre s'ouvrit et Daphné apparut derrière la grille, une bougie à la main.

— Que voulez-vous, monsieur ? demanda-t-elle d'un ton ferme.

Une fois la surprise passée, Valentin s'approcha de la jeune femme.

— Un ange, dit-il. Vous êtes un ange du ciel !

— Ce n'est pas ainsi que l'on me qualifie d'habitude, répondit Daphné, mais je vous remercie du compliment.

— Ce n'est pas un compliment, bredouilla Valentin, sincèrement désarmé par la touchante beauté de la jeune femme.

L'ange Daphné venait de chasser Anne dans l'ordre de ses priorités amoureuses.

— Je vous demanderai de passer votre chemin, monsieur. La personne qui habite ici n'est pas prompte à donner la charité. Il vaut mieux ne pas la réveiller.

— Alors, je vous recommanderai de la laisser dormir, mon ange du ciel, dit Valentin en regardant les lettres qu'elle ne pouvait voir.

Daphné sourit à cet étrange jeune homme dont elle n'arrivait pas à avoir peur, malgré son comportement.

Camille, qui s'était retourné pour voir ce qui se passait, avait assisté à la scène.

— Perdus, on est perdus ! gémit-il en hésitant à intervenir.

Il vit la jeune femme fermer la fenêtre et Valentin se diriger vers le véhicule.

— Camille, tu rentreras sans moi. Je vais raccompagner cette apparition céleste chez elle. Je crois que je suis amoureux d'un nouvel ange, mon ami !

94

Mercredi 11 février

L'inspecteur écouta le rapport de son aide de camp sans l'interrompre et resta silencieux à la fin de celui-ci. Le militaire attendit un ordre qui ne vint pas.

— Que voulez-vous que nous fassions, monsieur ? finit-il par demander.

Marais, qui observait les lettres posées sur le sol du salon, sembla dérangé dans ses pensées :

— Rendez-les au libraire La Roche et aidez-le à les remettre en place.

— Vous voulez qu'on l'aide... ?

— Je veux que vous vous assuriez qu'elles ne pourront plus jamais s'échapper de leur mur, est-ce compris ?

— Oui, monsieur, répondit l'homme en faisant signe à son acolyte de les emporter.

— Avez-vous des nouvelles de la putain ? demanda-t-il en choisissant une veste parmi la dizaine dans la penderie.

— Elle n'a pas passé la nuit dans l'établissement de plaisir et n'y est pas retournée depuis lors.

Marais fronça les sourcils tout en enfilant sa redingote parme, la préférée du moment. Daphné lui avait dit qu'elle lui donnait l'air d'un prince, la seule fois où elle avait eu l'air sincère avec lui. Il ne la croyait pas impliquée dans le vol, elle avait sans doute pris peur après l'avoir découvert et craignait sa réaction.

— Ne vous occupez plus d'elle, prenez des inspecteurs de la ville et allez interroger l'entourage de Fabert, ordonna-t-il en se couvrant d'un tricorne.

Lorsqu'il sortit, l'empreinte du mot était toujours visible, délimitée par les restes de colle présents. Les fantômes des lettres impressionnaient les curieux qui se succédaient depuis le matin devant la maison. La dizaine de personnes présentes commentaient encore l'événement. À la vue de Marais, tout le monde se dispersa, sauf l'homme qui venait de sortir d'un fiacre. Il avança lentement, en s'aidant de sa canne, jusqu'à l'inspecteur.

— Cher maître Brac, dit Marais après l'avoir amplement salué, l'incident ne valait pas la peine que vous vous déplaciez. J'ai demandé que le mur soit nettoyé. Bientôt, il n'y paraîtra plus.

Le propriétaire de la maison hocha la tête, dubitatif.

— Monsieur Marais, comprenez que cette mésaventure est fâcheuse. Voilà que l'homme que j'héberge est désigné comme un adorateur de Satan.

— Croyez bien que cela ne m'affecte pas le moins du monde. Je préfère être craint que...

— Il n'est pas question de cela, l'interrompit Pierre Brac. Vous ne vous rendez pas compte des implications de ce que vous appelez un incident. Les sorciers n'ont pas bonne réputation chez nous. Vous allez demander un fiacre et tous seront soudainement pris, ainsi que les tables des auberges, plus aucun cheval ne sera à vendre, et dès qu'un voisin tombera malade, dès qu'un nouveau-né mourra sans explication, vous serez pointé du doigt pour les avoir ensorcelés. Votre vie va singulièrement se compliquer, inspecteur.

— Heureusement, je peux compter sur des personnes dévouées comme vous, maître Brac. N'est-ce pas ? ironisa Marais, qui avait deviné la raison de sa venue.

— Hélas ! À mon grand regret, je ne peux me permettre de vous garder comme hôte. Je ne veux pas que cette maison devienne pour le peuple le repaire de ceux qui fréquentent le sabbat.

— Voyons, vous n'êtes pas crédule à ce point, vous avez compris qu'on veut me nuire ! s'énerva Marais en frappant le sol de la pointe de sa canne.

Il vit que son geste était commenté par deux passants, qui s'éloignèrent rapidement lorsqu'il les foudroya du regard.

— Si je mourais dans la journée, ces deux badauds diraient vous avoir vu me menacer d'un maléfice, répondit calmement Pierre Brac. *Cupidine humani ingenii libentius obscura creduntur*[1].

Marais prit conscience de l'ampleur du piège dans lequel il était tombé. Lorsqu'il avait découvert les lettres collées sur le mur, la comparaison l'avait presque flatté. Mais la réputation qu'il s'était construite à Lyon venait de se retourner contre lui. Les lugduniens allaient se désister les uns après les autres. Plus personne ne voudrait travailler pour lui. Ceux qui avaient fait le coup voulaient l'isoler. Il devait réagir au plus vite. Faire profil bas et reprendre la main.

Trente-trois mâchonnait un bâton de réglisse dont il avait trempé le bout dans une boîte remplie de looch blanc, composition pectorale à la consistance du miel que le sieur Macors, le pharmacien de la rue Saint-Jean, avait préparé pour lui après qu'il eut craché du sang plusieurs jours de suite. *Avec Macors, tu soignes ton corps jusqu'à la mort.* Il se remémora la phrase que Querré se plaisait à répéter quand celui-ci allait soigner sa fluxion chez l'apothicaire, qui s'était fait une spécialité de tous les remèdes pectoraux. Il n'avait plus eu de nouvelles de son ami depuis l'incendie de la Bergerie. Querré l'évitait. Même lors des répétitions pour les joutes. Mais tout rentrerait dans l'ordre pour la fête des Nautes, Trente-trois en était persuadé, et il attendait avec impatience le premier jour de mars.

Il se leva et suivit à distance respectueuse Michèle, qui venait de sortir de chez maître Prost. Depuis l'évasion d'Antoine, Marais lui avait assigné la mission de ne plus quitter la jeune femme d'une botte et le travail lui plaisait davantage que les filatures précédentes. Il avait appris le matin même les soupçons de diablerie qui pesaient sur l'inspecteur et s'en moquait. Il ressentait, au contraire, une certaine fierté. Il aurait suivi son maître n'importe où, et l'enfer n'était pas l'endroit le plus éloigné de son quotidien.

Michèle le mena droit dans le quartier des Terreaux, chez Antelme de Jussieu, qui était rentré la veille de voyage. Trente-trois s'assit sur un muret à l'angle de la rue et trempa à nouveau son réglisse dans le looch. Le traitement n'était pas très efficace mais le goût lui plaisait et il suçait son bâton à longueur de journée. Celle-ci promettait de n'être qu'une longue suite d'attentes.

---

1. « Les hommes sont ainsi faits qu'ils croient plus volontiers ce qui leur est obscur » (Tacite).

Antelme n'avait pas eu l'autorisation de se lever et accueillit Michèle assis dans son lit.

— Le voyage de retour m'a épuisé et mes reins restent fragiles, expliqua-t-il. Mais je suis heureux de retrouver ma ville, ajouta-t-il en admirant la vue sur les toits et les colombiers de Lyon.

Michèle lui détailla l'évasion d'Antoine et affirma ne pas savoir où il se cachait. Antelme n'insista pas. À son tour, il raconta ses entrevues avec Voltaire et l'engagement qu'il avait réussi à lui arracher.

— J'ai bien cru que je n'y arriverais pas, mais nous aurons son accord dès qu'il aura vu un des codices. Qu'avez-vous ? s'inquiéta-t-il devant la déception de Michèle.

La disparition du trésor de sa cache dans l'horloge sonnait le glas de leurs efforts.

— Non, nous n'allons pas abandonner ! jura Antelme en se relevant à la force des bras. Nous emporterons l'adhésion de M. de Voltaire d'une autre façon. Et je retournerai à Genève voir l'imprimeur Pellet s'il le faut !

Michèle admira le courage de l'historien. Elle s'assit à côté de lui et lui prit la main.

— Ce ne sera pas nécessaire. Nous avons reçu ce matin un billet de Marc de Ponsainpierre. Il est en route pour Lyon et a œuvré auprès de la reine et du roi. Nous avons bon espoir, conclut-elle en jetant un regard par la fenêtre où Trente-trois, assis sur son promontoire, mâchait toujours son bâton de réglisse tout en apostrophant une bêcheuse qui regagnait le port coiffée de son grand chapeau blanc.

Un domestique vint les prévenir de l'arrivée de deux hommes, un inspecteur de la ville et un militaire, qui désiraient le questionner. Antelme les fit introduire sans attente et demanda à Michèle de rester auprès de lui.

Le duo était chargé de vérifier son agenda de la veille, ce qui fit sourire l'historien. Antelme leur expliqua sans détour son arrivée vers six heures du soir, alors qu'une crise de calculs l'avait saisi peu avant Lyon. Ses domestiques avaient eu toutes les peines du monde à le monter jusqu'à sa chambre : le moindre mouvement, le moindre effleurement le faisait hurler de douleur. Il avait passé la nuit sans dormir, à mouiller son lit d'une urine chargée de sang puis de caillots. Depuis le matin, la fièvre allait et venait en pics, accompagnée de vomissements.

— Bien, nous avons compris, assura l'inspecteur pour mettre fin à une description qui lui donnait la nausée, ce ne peut être vous.

Nous sommes désolés de vous avoir dérangés, conclut-il en faisant signe à son acolyte de partir.

— Et vous, madame, intervint le militaire, décidé à rester, avez-vous des personnes de moralité qui pourraient témoigner de votre présence chez eux hier soir ?

Michèle avait passé la journée et la nuit chez Prost et n'en était pas sortie. Le nom de l'avocat fit son effet et l'inspecteur s'excusa une nouvelle fois avant d'inciter le militaire à sortir.

— En revanche, il y a dehors un individu qui m'a suivie jusqu'ici. Je pense qu'il en voulait à ma vertu, il a utilisé des mots que je n'oserais vous répéter. Cet homme me fait peur, je pense qu'il est dangereux, inspecteur, affirma-t-elle au policier.

Celui-ci se pencha à la fenêtre et vit un quidam à l'allure de traîne-savate adossé contre le muret.

— Ne vous inquiétez pas, mademoiselle, nous allons nous en occuper.

Intrigué, le militaire s'approcha pour regarder et reconnut Trente-trois.

— Il est des nôtres, c'est un des agents de M. Marais, chuchota-t-il à l'oreille de l'inspecteur lyonnais.

— Je l'ai vu souvent dans le quartier Saint-Jean, près de la maison de l'avocat Brac, insista-t-elle. Il a la parole facile pour invoquer le diable, croyez-moi.

Les deux hommes hésitaient. Trente-trois avait enroulé du looch blanc autour du réglisse et le mangeait comme une confiture sur une cuillère tout en interpellant les rares jeunes femmes qui passaient à proximité de lui.

— Laisse tomber, il est protégé, conseilla le soldat. On perd notre temps.

— Et si c'était lui ? On va lui parler, juste lui parler, proposa l'inspecteur.

— Je l'ai aussi vu baguenauder souvent près de chez moi avant le meurtre de mon serviteur, intervint Antelme. J'en ai témoigné devant le juge, ajouta-t-il.

L'argument emporta leur décision. Une attestation écrite ne pouvait pas se contester. Les deux hommes les quittèrent rapidement. Quelques secondes plus tard, un bruit de dispute leur parvint de la rue. L'échauffourée dura quelques minutes, puis le calme revint. Trente-trois avait décidé de les suivre.

— Je suis sûr que c'est cette racaille qui a tué Radama et a failli me noyer, s'emporta Antelme. J'en suis sûr ! Il faudrait qu'il s'approche de moi, que je touche ses mains, que je sente sa peau : tout est gravé en moi, dit-il en se tapant le front avec l'index. Tout est là et, s'il m'approche, je saurai.

Michèle profita de sa proximité pour se rendre au Grand Théâtre. L'édifice se trouvait à quelques minutes de la maison d'Antelme, dans le jardin situé derrière l'hôtel de ville. Elle salua le directeur, qui lui apprit qu'un nombre considérable de billets avaient déjà été vendus.

— De quoi faire salle comble pendant deux semaines, s'enflamma-t-il. Si les premières représentations sont bien reçues, on pourra tenir deux mois, peut-être plus ! Vous avez d'autres engagements par la suite ?

Michèle l'abandonna à ses ambitions et se rendit sur la scène pour observer la salle vide. Elle aimait ces instants où le silence recouvrait les centaines de places du parterre et les sièges au velours bordeaux des trois étages de balcons. La sérénité avant les clameurs. Les rangées de bougies étaient déjà prêtes et l'immense lustre du plafond était descendu, prêt à être allumé. Lors de la représentation, leur odeur se mêlerait à celles du public, de la chaleur émanerait de partout, le bruit de fond serait un bourdonnement constant, jusqu'à ce que les acteurs captent l'attention de leur auditoire. Elle aimait ces moments d'apaisement avant la fureur des pièces.

Michèle vérifia l'immense décor, tout en nuances de gris et constellé d'étoiles que les peintres avaient mis un point d'honneur à agencer de la bonne façon. Elle débuterait le premier acte devant le balcon peint, puis s'avancerait vers le devant de la scène, dont la légère inclinaison vers le parterre l'avait perturbée lors des premières répétitions, avant qu'elle ne s'y habitue. Elle aimait ce théâtre comme elle avait aimé les répétitions, qui l'avaient aidée à mieux supporter l'enfermement d'Antoine. Elle jouerait pour lui.

Le plancher de la loge royale, sur l'avant-scène, craqua. Quelqu'un s'était assis et la regardait. Elle distingua une forme humaine dans la pénombre.

— Antoine ? dit-elle du bout des lèvres, presque en le murmurant tant l'espoir était faible.

Michèle avait l'impression d'avoir reconnu sa silhouette et ses vêtements. Elle s'approcha du côté cour.

— Antoine, c'est vous ? demanda-t-elle d'une voix assurée.

Le sol craqua à nouveau. Le siège avait bougé. Elle sortit par les coulisses, fit le tour jusqu'à l'escalier latéral et monta au premier étage. La loge n'était plus qu'à quelques pieds de roi sur sa droite. Elle accéléra. À chaque pas, elle avait la sensation que la porte allait s'ouvrir et qu'Antoine allait sortir pour se jeter dans ses bras. Elle l'espérait tout en redoutant les risques pris.

Mais rien ne se produisit. Lorsqu'elle tourna la clenche dorée, la cabine aux murs recouverts de velours cramoisi était vide. Elle respira profondément pour en capter les odeurs et ne sentit que le léger filet d'une eau de bouquet quelconque. Michèle s'approcha du balcon et vit Jean-Mauduit qui sortait du sous-sol de la scène. Il était allé vérifier la machinerie et le trou du souffleur, dont il trouvait qu'il n'était pas assez éclairé pour lui permettre de suivre les textes.

— Non, je ne suis pas monté dans la loge, répondit-il alors qu'elle l'interrogeait. Et je suis tout seul en bas. Au fait, quelqu'un a déposé une lettre pour vous chez le concierge, ajouta-t-il avant de gagner les coulisses à la recherche de bougies supplémentaires.

Michèle se sentit envahie d'une joie extatique.

— Je le savais, je le savais, murmura-t-elle. Vous êtes là...

Elle s'approcha de la balustrade pour embrasser encore l'image de la salle. Une main vint se poser délicatement sur son bras.

Jean-Mauduit releva la tête. Il avait entendu crier. Un cri d'homme. Il prit une pleine poignée de bougies et retourna à la salle en se pressant. Il croisa Jean-Baptiste devant la scène, un mouchoir taché de sang sur le nez, la lèvre inférieure fendue.

— Que se passe-t-il ?

— Rien, dit le comédien, je n'ai pas vu la porte.

Au même moment, Michèle sortit par l'entrée du public sans un regard pour eux.

— M'est avis qu'elle avait cinq doigts, cette porte, ironisa le souffleur.

Jean-Baptiste envoya un coup de poing dans la gerbe de bougies que tenait son partenaire.

— Tu n'as rien vu ! lui intima-t-il tout en vérifiant que le sang ne coulait plus de son nez.

— Que si ! J'ai vu un gourdiflot qui croit qu'un âne de tombereau peut tirer le carrosse d'une reine, dit Jean-Mauduit, tout en récupérant les cierges dispersés autour d'eux.

Lorsqu'elle s'était retournée et avait vu le comédien, Michèle avait agi par réflexe. La première gifle avait été précise, rapide et puissante. Jean-Baptiste avait eu le malheur de lui bloquer le poignet droit et de la narguer en souriant. La seconde était venue de la main gauche, inattendue et efficace. L'homme n'avait pas insisté, touché profondément dans son honneur et plus superficiellement dans sa chair. Il était parti sans écouter Michèle lui annoncer que la première représentation de *La Part de l'aube* se ferait sans lui, les suivantes aussi. Elle avait rapidement repris ses esprits et s'était précipitée dans la loge du concierge.

Michèle décacheta l'enveloppe qu'il lui tendit et qu'un chanoine lui avait remise. Elle embrassa le papier après l'avoir lu et salua le portier comme s'il avait été un roi.

Le directeur la cherchait, prévenu par Jean-Baptiste du changement de comédien. Il n'était pas étonné de l'incident, pour connaître les travers de l'Arlequin de son théâtre, mais s'inquiétait pour la pièce, qui débutait quatre jours plus tard.

— Je suppose, mademoiselle Masson, que votre décision envers notre collaborateur est irrévocable ?

Elle confirma d'un mouvement de paupières.

— Mais qui pourrait le remplacer en un temps aussi court ? se désola le directeur en se grattant la perruque.

— Le seul qui connaisse les textes de tout le monde, proposa Michèle. Notre souffleur.

— Jean-Mauduit ? s'étonna-t-il. Mais n'est il pas un peu... inexpérimenté ?

— Si, confirma-t-elle, mais au moins il n'aura pas les défauts des vieux acteurs.

— Jean-Mauduit... répéta le directeur, chez qui l'idée faisait son chemin.

— Nous n'avons pas besoin de souffleur, chacun connaît ses répliques. Il sera parfait.

— Alors, va pour Jean-Mauduit ! conclut le directeur en expirant bruyamment, rassuré d'avoir trouvé une solution aussi rapidement. Vous avez l'air rayonnante, remarqua-t-il en voyant le sourire communicatif de Michèle. Après une telle mésaventure !

— C'est une lettre que j'ai reçue et qui me fait oublier tout le reste, dit-elle en lui montrant l'enveloppe.

— Ah... et puis-je savoir qui est l'expéditeur qui vous ravit autant ?

— M. de Marivaux, répondit-elle avant de le laisser, pantois, à ses réflexions.

L'auteur était mort depuis quinze ans. Michèle serrait dans sa main une page du *Jeu de l'amour et du hasard*, une page où Antoine avait souligné une réplique de Lisette. *De quoi votre cœur s'avise-t-il de n'être fait comme celui de personne ?*

95

Dimanche 15 février

Un soleil franc et prometteur baignait l'île depuis que les brumes matinales l'avaient quittée. Antoine était adossé au chêne de la pointe septentrionale, près du trou qu'il avait rebouché avant même que les chanoines le lui demandent. Son interdiction de sortir de jour n'avait pas tenu longtemps. Dès le lendemain, il l'avait enfreinte, incapable de rester cloîtré dans sa cachette. Les religieux avaient fini par accepter qu'il se déplace à sa guise, à condition de ne fréquenter l'abbaye et Saint-Pothin que la nuit. Les pensionnaires du séminaire, âgés et souvent impotents, ne parcouraient jamais les zones non habitées de l'île. Le père Thélis savait qu'Antoine était incontrôlable. Il n'avait pas eu d'autre choix que d'accompagner sa demande en espérant qu'il en respecte les restrictions. À son grand soulagement, l'avocat passait ses journées dans la forêt ou près du chêne, lorsqu'il ne pleuvait pas.

Le père Gouvilliers avait accepté de déposer en ville les lettres qu'il destinait à ses proches, après qu'Antoine se fut engagé à n'y mettre que des informations qui ne mentionnaient pas leur île ou leur communauté. Il avait eu l'idée de n'envoyer que des pages déchirées de romans ou de pièces dont les textes étaient autant de messages qui leur étaient destinés. Après Michèle, Edmée, Anne, François et Antelme en avaient reçu. Camille avait trouvé une enveloppe contenant un extrait de *Jeannot et Colin,* où Voltaire écrivait *Toutes les grandeurs de ce monde ne valent pas un bon ami*, qu'il avait exhibé avec fierté. Mais le chanoine de Saint-Jean avait refusé de transmettre leurs lettres jusqu'à Antoine. Trop dangereux. Maître Fabert était toujours un fugitif recherché par les hommes du roi, même si la rumeur de sorcellerie autour de la personne de Marais n'avait pas cessé de grandir. L'inspecteur avait été obligé d'élire à nouveau domicile chez le gouverneur après que propriétaires et aubergistes eurent tous refusé de lui louer des chambres. Deux de ses hommes avaient même déserté.

Antoine observa à la manière de Louern les rares nuages qui traversaient le ciel depuis l'ouest, en essayant de mémoriser leurs formes pour les retrouver plus tard. Il aimait à imaginer que le druide avait pu s'asseoir au même endroit pour étudier ou rêver, comme lui le faisait depuis une semaine. Antoine avait recopié de mémoire tous les codices dans un cahier dont il ne se séparait pas. Les chanoines finiraient bien par faire une erreur et il leur reprendrait les originaux.

Il but à même la gourde et choisit un ouvrage emprunté à l'abbaye.

— *La Religion des Gaulois. Tirée des plus pures sources de l'Antiquité*, lut-il.

Le livre était celui qu'Antelme avait emporté avec eux lors de leur fuite. Antoine avait été arrêté alors qu'il venait d'en commencer la lecture. Il eut une pensée pour la petite Colombe, dont le sort l'inquiétait.

L'ouvrage l'intéressa pour la liste des statuettes de divinités, retrouvées dans différentes villes, que l'auteur décrivait par le menu, ainsi que les inscriptions qui les accompagnaient. Aucune ne correspondait à la Mater de l'île. Il doutait de la version des prêtres qui consistait à en faire la Vierge Marie. La Mater ne pouvait être qu'une divinité secondaire et l'auteur s'employait à démontrer que, sous des noms divers, Matris, Maira, Matra ou Mater, se profilait la déesse mère des familles et des maisons.

Antoine nota plusieurs mots nouveaux qui iraient grossir son dictionnaire et lut avec intérêt le chapitre sur l'exercice de la médecine par les druides. Il y était décrit la façon de cueillir le sélage, l'herbe miraculeuse, vêtu de blanc, pieds nus, la main droite tenant une faucille placée à gauche du corps. L'auteur n'avait fait que citer Pline. La cérémonie était aussi obsolète pour Louern que la fête des Merveilles l'était pour la ville de Lyon.

Le sujet du chapitre suivant éveilla sa curiosité. Il le lut avec attention. Une idée venait de naître et était en train de prendre forme. Il posa l'ouvrage et leva les yeux vers un ciel où les nuages confluaient en des tapis informes. Il tentait de trouver tous les arguments possibles pour la démolir, mais elle résistait à chacun d'eux. Plus il la développait, plus elle semblait s'imposer à lui comme une évidence.

— Pourquoi n'y ai-je pas pensé plus tôt ? murmura-t-il.

Il s'approcha de l'eau qui se partageait en deux autour de lui comme un ruban de tissu déchiré par la pointe de l'île.

— Louern... et si je m'étais trompé depuis le début ?

Il devait en avoir le cœur net.

Antoine prit son cahier pour relire tous les textes du druide. Seules quelques phrases avaient résisté à son analyse. Parmi les mots nouveaux qu'il avait grappillés dans *La Religion des Gaulois* se trouvaient deux adjectifs, *dagos* et *abu*. Il tenta de les localiser dans l'écrit du codice où Louern parlait de lui, mais ne les trouva pas. Il reprit chaque phrase de chacune des tablettes afin de trouver la faille grammaticale qui lui permettrait de confirmer son hypothèse. Au-dessus de sa tête, le ciel s'était obscurci, puis le drap nuageux s'était étiré, laissant à nouveau paraître le bleu de l'azur. Il remarqua un *dagos arinca*, au sujet d'un bon blé pour les galettes de pain et une *abuleuca*, une rivière à l'eau claire mentionnée par Louern dans le pays des Leuques, mais rien qu'il puisse relier directement au druide. Antoine tenta une seconde lecture, sans succès. Rien dans les textes ne pouvait corroborer son idée.

— La tablette à broyer !

Antoine s'était levé, prêt à en découdre avec les chanoines pour qu'ils le laissent l'examiner. Il n'en avait pas besoin. Il se rassit, ferma les yeux pour mieux visualiser le texte en partie effacé qu'il avait découvert sur le rectangle de pierre et le reproduisit sur son cahier. Un quart des mots environ étaient illisibles. Des lettres manquaient ou avaient été rayées par le temps. Il avait pu traduire la partie relatant la libération du trésor des trésors. La dernière phrase était la plus lisible, *riolena immi,* mais le premier mot lui était inconnu. Elle était accompagnée d'une date dont il ne pouvait que traduire le mois : *cutios*, le sixième de l'année gauloise. *Avril, le mois des invocations,* songea-t-il. *Immi* était la conjugaison du verbe être à la première personne. *Riolena* lui échappait.

— Et si les lettres n'étaient pas les bonnes ? dit-il en griffonnant des variations sur la feuille. *Rio* signifie libre, je n'ai pas de doute. *Lena... dena... bena... bena!* s'exclama-t-il. J'y suis ! *Riobena immi.* Mon Dieu, j'ai trouvé ! Louern, vous êtes...

Il se leva, en proie à une intense excitation, et tourna autour du chêne afin de réfléchir tout en se calmant. Il ne pouvait pas rester sur l'île. Il lui fallait joindre Michèle avant la première de *La Part de l'aube*. Antoine retourna dans sa cache, mit le reste de nourriture dans son sac et quitta la cellule après avoir laissé un mot pour les religieux. Il se rendit au quai où il emprunta des rames à une barque qui appartenait à l'abbaye, puis traversa le bois pour retrouver la sienne, cachée dans les hautes herbes. Une fois à l'eau, il navigua le long de la rive gauche et accosta avant les faubourgs de Serin. Il monta à la Bergerie et s'y installa en attendant la nuit. Personne n'y était venu, pas même des rôdeurs, et la longue-vue était encore dans sa position d'observation à l'entrée de la remise.

Antoine s'allongea sur la paillasse tout en réfléchissant à ce qu'il venait d'apprendre. De comprendre. Tout semblait si limpide. *Riobena immi*. Louern avait écrit : *Je suis une femme libre*. Elle était une druidesse. Elle était la Mater.

CHAPITRE XIV

Février 1778

96

Lundi 16 février

Le vent fouettait son visage. Assis à côté du cocher, le nez et la bouche protégés de la poussière à l'aide d'un foulard, les mains sur le front tel un rebord de chapeau, il scrutait l'horizon des collines environnantes.

— On devrait la voir, où est-elle ? cria-t-il au cocher, qui relançait sans cesse l'attelage dont la fatigue était visible.

Le conducteur lui fit signe qu'il n'avait pas entendu sa question : le bruit était trop fort. Il ôta son foulard trop vivement ; l'étoffe lui échappa des mains.

— On continue, dit-il au cocher, anticipant sa demande. Mais où est-elle ?

Ils dépassèrent un carrosse qui roulait au pas sur une partie étroite de la route de terre et furent obligés de mordre un champ de la roue gauche. L'arrière du véhicule se déporta légèrement. Le cocher récupéra la trajectoire du carrosse d'un coup de rêne expert sous les insultes du conducteur de la berline qu'ils venaient de doubler.

— On fonce ! On s'excusera plus tard. Mais où est-elle ? répéta-t-il en reprenant son observation.

Un militaire des gardes du roi, qui avait été dépassé par le carrosse peu de temps avant et avait assisté de loin à la scène, arrêta sa monture et descendit récupérer le mouchoir fiché dans un buisson du talus. Il le fourra dans sa poche après avoir lu les initiales : M.P.

Ponsainpierre ne tenait plus en place.

— Je ne peux pas aller plus vite, les chevaux sont exténués, monsieur, dit le cocher en prenant les devants.

— La voilà ! exulta Marc. Je la vois ! C'est bien elle ?

La colline de Fourvière se détachait du paysage. Le conducteur lui confirma qu'ils arrivaient à Lyon.

— On y est ! s'exclama-t-il. On a réussi !

Une heure plus tard, ils longeaient les fortifications depuis le bourg de Saint-Irénée. Le carrosse s'arrêta à la suite d'une file d'une dizaine de véhicules qui attendaient, ainsi que des piétons, devant la porte Saint-Just.

— Mais que se passe-t-il ? s'inquiéta Marc, descendu pour se renseigner.

— Apparemment, ils contrôlent tous ceux qui entrent, lui dit un homme debout à côté d'un fiacre de la ville.

— C'est pareil ailleurs, inutile d'essayer, ajouta un autre. J'étais à la porte d'Ainay, il y a encore plus de monde.

— C'est que je n'ai pas que ça à faire, renchérit un troisième. Je vais perdre mes clients au marché !

Il montra sa charrette de fruits et de légumes. Tout le monde grognait. Marc fulminait.

Ils attendirent une demi-heure pendant laquelle ils n'avancèrent que de quelques toises.

— Ce n'est pas possible, pas possible, j'ai un rendez-vous, moi, j'ai fait huit jours de trajet pour arriver à temps à la première de la pièce, pas question de rester coincé derrière les murs. Pas question ! dit Ponsainpierre tout haut en remontant la file.

Arrivé devant les gardes, Marc chassa sa colère et leur offrit un grand sourire tout en leur expliquant qu'une urgence l'attendait à l'intérieur. Les deux hommes de la compagnie du guet étaient accompagnés de deux gens d'armes de la compagnie générale de la maréchaussée, ainsi que de l'aide de camp de Marais.

— Et quelle est cette urgence ? demanda ce dernier, qui avait reconnu en Marc l'un des intimes d'Antoine.

— De celles dont je suis seul à même de juger de l'importance, monsieur, décréta Marc, qui avait du mal à se contenir.

— C'est ce que nous allons vérifier, annonça l'aide de camp en ordonnant à deux des hommes de le suivre.

Ils se transportèrent jusqu'au carrosse où le cocher mangeait une pomme Calville achetée au marchand. Les soldats se positionnèrent à chacune des portières pendant que l'aide de camp questionnait le conducteur, qui lui avoua avoir forcé le trot et ne pas avoir changé l'attelage aussi souvent qu'il aurait dû.

— J'en suis l'unique responsable, dit Marc. C'est moi qui lui ai demandé de le faire. J'étais à son côté et il ne pouvait s'y soustraire.

— Ainsi, monsieur de Ponsainpierre, vous étiez pressé de rentrer à Lyon. Et qui est avec vous dans ce véhicule ? interrogea-t-il en ordonnant à ses hommes de sortir leurs épées.

— Personne, répondit Marc.

— Personne ? Vous avez voyagé avec le cocher tout en laissant votre carrosse vide ? s'étonna l'aide de camp en dégainant à son tour sa rapière. Original. Voyez-vous, nous recherchons un fugitif que vous connaissez bien. Nous avons tout lieu de croire qu'il va essayer de s'introduire dans la ville aujourd'hui. Et, coïncidence, un de ses proches tente d'y pénétrer après avoir passé des heures à l'avant de sa berline. Savez-vous ce que je pense ? Que vous étiez perché sur le banc afin de guetter la présence de patrouilles. Et qu'il se cache derrière ces rideaux. Maître Fabert, descendez ! cria-t-il en pointant son arme vers la portière.

— Je vous affirme qu'il n'y est pas, dit Ponsainpierre en se mettant devant l'arme.

— Votre promptitude m'incite à penser le contraire. Dégagez, répliqua l'homme en lui donnant un coup du plat de l'épée sur l'épaule.

— Tant pis pour vous, soupira Marc en ouvrant la portière.

Une odeur pestilentielle se dégagea de l'habitacle. Le chien, étalé sur la banquette, se releva mollement avant de s'écrouler dans sa position initiale en émettant un interminable gémissement. Le sol et la banquette étaient jonchés d'excréments pâteux.

— Il a été malade tout le trajet, expliqua Ponsainpierre. Pourquoi croyez-vous que je sois resté à l'extérieur ?

L'aide de camp claqua la portière et ordonna à ses hommes d'isoler le carrosse afin de l'inspecter en détail.

— Je suis pressé, rappela Marc, impatient.

— Vous ne bougez pas ! intima l'homme de Marais.

— Ce carrosse est-il le vôtre ? demanda un cavalier qui venait d'arriver.

Le capitaine des gardes du roi, qu'ils avaient dépassé sur la route, exhiba le mouchoir.

— Ceci doit vous appartenir, dit-il en lui tendant l'étoffe.

— Oui, je l'ai perdu après Champagne-au-Mont-d'Or, répondit Marc en le lui prenant.

— À l'avenir, soyez plus prudent. Vous avez failli verser dans le fossé.

— Avez-vous croisé cet homme sur la route ? demanda l'aide de camp. Était-il pressé ?

— Comme s'il avait le diable aux trousses. Je puis vous assurer qu'il a pris des risques inconsidérés.

— C'est ma femme, intervint Marc. Elle est malade. J'ai peur de ne pas arriver à temps !

L'idée venait de le traverser. Lorsqu'il vit les regards braqués sur lui, il regretta son mensonge.

Le capitaine des gardes du roi s'arrêta devant le palais de Roanne. L'incident de la porte Saint-Just l'avait retardé, mais il avait été ému par l'histoire de cet homme qui avait traversé la moitié du royaume pour rejoindre sa femme mourante. Alors qu'ils avaient confisqué le carrosse, le capitaine avait convaincu les soldats de laisser entrer le pauvre mari avec lui. Il s'en était porté garant et l'avait conduit jusqu'à sa maison de Fourvière avant de descendre en ville. Il prit le pli signé de la main du roi, monta l'escalier et héla le premier venu pour qu'il le mène au sénéchal. Sa mission était presque achevée.

Marc pénétra à pied dans la cour du clos Billion, harassé, les vêtements couverts de poussière. Edmée, prévenue par la cuisinière, se précipita dans ses bras alors qu'il était encore dans le vestibule.

— Mon Edmée, tout va bien, vous n'êtes pas malade ? dit-il en hésitant à lui raconter son subterfuge.

— Quelle drôle de question après trois semaines d'absence, répondit-elle en reculant pour le regarder. En tout cas, vous avez l'air d'un aventurier revenu du Nouveau Monde !

— C'est que je ne voudrais pas qu'il vous arrive quelque chose par ma faute.

Marc n'avait cessé de prier Dieu durant tout le chemin, assis sur la croupe du cheval derrière le garde du roi, effrayé à l'idée que son mensonge ne se transforme en réalité.

— Je crois que vous avez beaucoup à me raconter ! dit-elle en décelant son regard fautif.

— Quand commence la représentation ?

— Dans trois heures, nous avons le temps.

Marc gagna la chambre afin de se changer. Préoccupée de ne pas le voir revenir, Edmée toqua, n'obtint aucune réponse, puis entra : son mari s'était endormi, la veste à moitié défaite, en travers de leur lit.

Michèle était inquiète. Elle remonta le parterre jusqu'à la scène et se retourna vers la salle vide qui semblait encore plus immense les jours de spectacle. Son appréhension n'était pas liée à la pièce, mais aux dernières paroles d'Antoine avant de la quitter. Il lui avait promis d'être présent lors de la première. Elle inspecta tous les balcons du regard et tenta de se rassurer. Prost avait été prévenu par l'inspecteur Jeanson que Marais avait l'intention de quadriller le théâtre. Lui aussi était persuadé de la présence d'Antoine. *Pourvu qu'il ne fasse pas cette folie,* songea-t-elle en gagnant les coulisses. Elle s'arrêta en face du grand miroir du couloir qui menait à la loge. Sa tenue de princesse de Caraim était une robe claire ornée de dentelles et de fleurs artificielles, surmontée d'un caraco blanc aux fines broderies et d'une veste cintrée beige rayée de blanc. La costumière, qui l'avait exécutée selon les indications de Michèle, l'avait exposée une semaine durant dans l'entrée du théâtre, jusqu'au matin même, créant un attroupement quotidien, à la grande joie du directeur. *Il va faire cette folie*, conclut Michèle devant le miroir. Elle s'était regardée sans se voir, perdue dans ses pensées.

— Mademoiselle, il y a un problème, annonça Pierrot, qui s'était approché sans qu'elle ne l'entende.

Le jeune homme, qui devait jouer Launo, son fiancé, semblait perdu dans ses habits élégants. Il n'était pas soucieux pour son rôle, qu'il avait appris par cœur, mais préoccupé pour Jean-Mauduit. Le souffleur s'était enfermé dans la loge des hommes.

— Je crois qu'il réfléchit trop, résuma-t-il.

Lorsque Michèle toqua, le comédien refusa d'ouvrir avant même qu'elle ait prononcé une parole.

— C'est une appréhension normale avant d'entrer en scène, dit-elle à travers la porte.

— Mademoiselle, je suis désolé, je vous admire beaucoup, mais je ne suis pas un comédien !

— Vous connaissez votre texte, c'est le plus important !

— J'aurais dû refuser tout de suite, mais j'ai cru pouvoir y arriver.

— Vous allez réussir !

— Non, je suis souffleur, pas acteur, même une fois.

Le directeur, alerté par Pierrot, les avait rejoints dans le couloir, tout comme le reste de la troupe. Michèle le laissa lui parler et s'isola au bout des coulisses. Elle s'en voulait d'avoir réagi vivement en demandant le départ de Jean-Baptiste après qu'il eut tenté de l'embrasser. Elle aurait dû le laisser jouer. Au lieu de cela, la pièce risquait d'être annulée faute d'acteur. Il ne restait que deux heures avant le début de la représentation. Michèle mit sa main dans la poche de sa veste et constata qu'elle n'était pas vide. Ses doigts touchaient un tissu doux et fin. Elle sortit l'étoffe rouge d'Antoine et faillit crier. *Quand vous la verrez, vous saurez que je ne suis pas loin*, pensa-t-elle en laissant tout le monde en plan.

— Comment me trouves-tu ? demanda Anne à Camille, à qui elle avait donné l'autorisation d'ouvrir les yeux.

— C'est prodigieux... répondit-il. Troublant, aussi, ajouta-t-il, perturbé par le vêtement de sa fiancée.

Anne portait des habits de savetier, une longue chemise de lin qui recouvrait la culotte jusqu'aux cuisses, un justaucorps sans col, rapiécé, et des chaussures à boucles. Elle avait noué et caché ses cheveux dans un épais bonnet. Pour qui ne la connaissait pas, elle ressemblait à un jeune artisan compagnon. La chemise, trop grande, cachait toutes les formes de la jeune femme.

— C'est un des costumes de scène du théâtre, expliqua-t-elle. Je l'ai demandé à Michèle. Ainsi, nous pourrons aller tous les deux au parterre.

Camille avait longuement combattu la volonté de sa fiancée de l'accompagner mais avait fini par céder face à son insistance. Elle y serait allée même sans son consentement.

— Le parterre est interdit aux femmes. Au parterre, on crache, on jure, on se bouscule, ce n'est vraiment pas un endroit pour une dame, argua-t-il dans une ultime tentative.

— Cela me plaît de me conduire comme un homme, peut-être pourrais-je mieux comprendre le plaisir que tu éprouves à passer des soirées entières au *Charbon blanc* avec ton oncle.

— Il y a la loge d'Antelme de Jussieu. Mon oncle y sera, justement.

— Ne comprends-tu pas que c'est avec toi que je veux être ? dit-elle en s'approchant pour l'embrasser.

Anne l'obligea à emprunter les rues les plus fréquentées afin de vérifier la qualité de son déguisement. D'abord mal à l'aise, il se détendit rapidement : de toutes les relations qu'ils croisèrent, aucune ne la reconnut, pas même Charles le typographe qui se rendait, lui aussi, à la représentation.

La place devant la salle de spectacle était noire de monde. Une foule hétéroclite et bruyante, composée d'artisans, de marchands, de militaires, d'étudiants, de bourgeois et d'employés, constituant toutes les couches de la société lyonnaise amoureuses de théâtre et de l'ambiance unique qu'il engendrait, affluait et s'engouffrait par les hautes portes à double battant dans le bâtiment, dont les lumières scintillaient jusqu'au-dehors comme des rangées d'étoiles. Les berlines défilaient au pas, déposant leurs flots de taffetas et de costumes de soie ou de velours sous les commentaires admiratifs et envieux des badauds. La maréchaussée et les militaires de Marais étaient discrets, mais présents.

— À chaque entrée, nota Camille.

Il entraîna Anne vers la gauche du parterre, déjà à moitié rempli, se retenant plusieurs fois de la prendre par la main de peur de la perdre.

— D'ici on voit moins bien, lui dit-il à l'oreille, mais c'est aussi l'endroit le moins bousculé. Ceux qui sont au milieu vont tanguer, expliqua-t-il en faisant un geste de gauche à droite et d'avant en arrière. Au moins, nous n'aurons pas le mal de mer, dit-il pour la rassurer.

Au centre, un groupe d'apprentis des tanneries, arrivés depuis plus d'une heure et passablement éméchés par l'alcool qu'ils avaient apporté, entamèrent une gigue sous les applaudissements de leurs voisins, avant que les gardes, emmenés par le lieutenant du guet, ne les fassent sortir sous les sifflets et les quolibets des spectateurs.

Anne commençait à regretter son idée, d'autant que les loges des balcons semblaient terriblement accueillantes et confortables comparées au parterre où tous étaient serrés et où la chaleur devenait étouffante. Il était déjà plein que des spectateurs arrivaient encore, poussant les premiers plus en avant contre la scène.

— Il paraît qu'en Italie, le public du parterre est assis, dit Camille, qui avait discrètement pris sa main.

— Sont-ils plus sages pour autant ? Ont-ils moins de réactions ? demanda-t-elle.

— Je n'en sais rien, admit-il.

— Alors, un jour, nous irons le voir par nous-mêmes, promit-elle.

Le directeur vint sur la scène annoncer que la pièce allait commencer dans trente minutes. Une clameur retentit du parterre, mais elle était adressée aux gardes qui venaient d'arrêter un vide-gousset en plein délit de vol sur un notaire des premiers rangs. Un plaisantin sentit le moment opportun et lança une scie :

— J'ai un pied qui remue !

— J'ai un pied qui remue ! reprit en chœur le public une dizaine de fois avant l'extinction de la scie.

— Attrapez les canards ! cria un autre.

La scie la plus populaire du moment fut répétée plus de trente fois. Tout le monde parlait, s'interpellait, se poussait, s'agitait, sifflait, battait des mains. Le parterre prenait vie.

— Mais où est-elle ?

Jean-Mauduit interrogea les autres du regard.

— Ne vous inquiétez pas, elle sera là pour le début de la pièce, les rassura le directeur.

Il avait réussi à convaincre le souffleur de jouer la représentation du soir.

— Pour les autres acteurs, pour le public, pour l'auteur, avait-il dit. Après, vous pourrez choisir d'arrêter.

L'argument avait emporté sa décision. Mais Michèle n'avait plus réapparu depuis l'incident.

— Au fait, l'auteur, vous le connaissez ? demanda Jean-Mauduit.

Personne n'en avait jamais entendu parler ni ne savait s'il était encore vivant.

— Dommage, j'aurais aimé qu'il soit là, dit le souffleur. Je l'aime bien, moi, sa pièce.

La troupe était regroupée près du grand rideau de scène derrière lequel l'impatience de la foule leur parvenait par vagues croissantes.

— J'entends des pas dans les coulisses ! dit le directeur en frappant dans ses mains. Vite, tous à vos places.

Les deux machinistes attrapèrent le rideau pendant que la costumière et Jean-Mauduit quittaient le devant de la scène. Pierrot se plaça près du décor. Le régisseur disparut et revint avec son brigadier, un bâton décoré de velours rouge. La personne qui sortit des coulisses n'était pas Michèle, mais un homme en redingote parme muni d'une canne qu'il faisait tourner comme une arme.

— Inspecteur, qu'y a-t-il ? interrogea le directeur venu à sa rencontre.

Marais avait passé une partie de l'après-midi avec lui à la recherche de toutes les caches possibles et en avait condamné la plupart. Il avait disposé ses hommes dans les couloirs de tous les étages, à chaque issue et sur le toit en terrasse du bâtiment.

— Les spectateurs s'impatientent, constata l'inspecteur en entrouvrant un pli du rideau. Qu'attendez-vous pour commencer ?

— Nous finissions les préparatifs, tout le monde est prêt, répondit le directeur, et je vous demanderai de quitter cette scène, ajouta-t-il en tentant d'imposer son autorité.

— Tout le monde ? Mais où est notre comédienne ?
Tous s'interrogèrent du regard.
— Ici, monsieur l'inspecteur, annonça une voix dans son dos.
Il se retourna lentement. Michèle était debout contre la rambarde de bois installée par le décorateur, devant la fausse balustrade du décor. Elle portait sous sa veste une étole rouge qu'elle avait nouée en ceinture.
— Si vous voulez me voir, je vous prierai d'attendre la fin de notre représentation, reprit-elle en affichant une froideur maîtrisée.
De l'autre côté du rideau des sifflets se firent entendre, vite couverts par des applaudissements.
— Votre public vous attend, lâcha Marais en la toisant du regard, avant de disparaître en coulisse.
— Cette fois, on se prépare ! proclama le directeur en se réfugiant côté cour.
Tout le monde gagna sa place. Au moment où le régisseur entamait la litanie des douze coups du brigadier, Michèle se pencha vers le comédien.
— Pierrot, avertis les autres que la dernière scène est changée.
— Changée ? Mais qu'est-ce... ? commença-t-il avant de s'interrompre.
Le rideau venait de s'ouvrir.

97

Lundi 16 février

La loge du gouverneur avait été réquisitionnée. Située à l'avant-scène, côté jardin, elle offrait autant une perspective sur la salle qu'une vue unique sur la scène. Marais se tenait debout, en retrait de deux de ses hommes qui avaient pour mission de débusquer Antoine dans la forêt de têtes du parterre. Leur présence visible avait indisposé l'assemblée, qui les avait copieusement sifflés et conspués avant de s'en désintéresser dès les premières répliques. L'inspecteur, muni d'une jumelle de petite taille, observait les loges des proches du fugitif. Antelme de Jussieu était arrivé peu avant le début de la pièce et avait rejoint Aimé de La Roche. Au balcon supérieur, juste au-dessus d'eux, Mme Prost était présente avec sa fille Marie-Lyon. Plus au fond, Edmée et Marc de Ponsainpierre s'étaient installés, en compagnie de Madeleine, dans la loge qu'ils louaient à l'année. Marais avait repéré Camille Delauney dans l'arène du parterre à moins d'une toise de son oncle.

— Bien, tout le monde est là, murmura l'inspecteur. Le spectacle peut commencer.

Michèle, seule sur scène, s'était avancée vers le public, fixant du regard le balcon du premier étage en face d'elle. Marais s'empressa d'y porter sa jumelle et n'y vit que des édiles sans importance. Le silence total qu'elle avait réussi à imposer dès la première scène l'avait impressionné. Michèle était habitée par son rôle.

— *Qui suis-je, moi, Uimpi, fille d'Atenoux, citoyenne de Caraim? Qui suis-je pour qu'ainsi le sort de ma cité repose sur mes épaules? Qu'ont-elles, ces épaules, à part la blancheur et la douceur de la jeunesse et de l'innocence?*

— Je voudrais bien les voir, moi, ses épaules, dit à Camille un garçon au visage rond et grêlé. Et tout le reste!

Camille le bouscula pour le faire taire. La rangée tangua vers la droite. Un murmure parcourut l'assemblée. Michèle enchaîna:

— *De quel pouvoir Dieu m'a-t-il affublée, qui me permette en une nuit de changer le destin de ma nation? Une nuit, quelques heures, des grains de temps dans la mer de sable de l'Histoire. Quoi? Les cités sont donc si fortes et si fragiles à la fois qu'une nuit suffise à faire basculer leur destinée?*

Le murmure, cette fois, fut un grondement d'approbation. Marais se promit de vérifier l'autorisation auprès de la censure.

— *Et pourtant, que voulais-je? Mon bonheur et rien d'autre. Qu'y a-t-il de plus important que le bonheur et la liberté du bonheur?*

— Cet auteur a lu Spinoza, manifestement, dit Aimé à Antelme pendant que les spectateurs offraient un triomphe d'applaudissements à la réplique. Mais même le bonheur se gagne par le travail, commenta-t-il. Comment pourrait-on être heureux dans la misère?

Antelme répondit une banalité mais son esprit était ailleurs. Michèle était venue le trouver avant la représentation. Elle avait vu Antoine. Il lui avait appris une nouvelle qui bouleversait encore l'historien. Le druide qui avait résisté à l'extinction des Gaulois était une femme. Cette même femme qui avait été vénérée comme une déesse par la communauté de l'île Barbe.

— J'ai l'impression que vous ne m'écoutez pas, dit Aimé, qui lui avait posé une question.

— Pardonnez-moi, le voyage à Genève fut une rude épreuve, s'excusa Antelme, dont les yeux reflétaient le profond épuisement. Voilà Launo qui entre en scène, ajouta-t-il pour clore la conversation.

Pierrot s'était approché de Michèle. Sa nervosité, perceptible au début de la pièce, s'était atténuée et le tremblement de sa voix avait disparu. Elle était juste et posée.

— *Il m'est une crainte que mon cœur ne peut plus longtemps continuer de celer. Notre mariage va signer la fin de votre cité. Il n'y aura pas de place pour deux cultures dans ce futur État.*

Où est-il ? Où est Antoine ? s'interrogea Antelme en levant les yeux vers les balcons supérieurs. Il évalua l'assemblée à plus de mille spectateurs, dont sept cents au parterre. Une cache idéale pendant la pièce, mais les gardes surveillaient toutes les sorties.

Michèle prit Pierrot dans ses bras.

— *Que voulez-vous dire, mon Launo ? Cette union donnera la chance à nos deux peuples de partager leur histoire et leurs savoirs, pas de les étouffer.*

— *Je suis de Tigontias et Uarnos est mon père, je ne devrais pas vous tenir ce discours. Mais son but est de vous transformer en citoyens de Tigontias. Et de cela je ne veux pas. J'aime votre cité.*

— *Cela veut-il dire que notre mariage est compromis ? Que vous voulez sacrifier notre bonheur ?*

— Non ! cria un des spectateurs du premier rang, vite calmé par ses voisins.

— *Voilà votre père, je vous laisse avec lui*, dit Pierrot en gagnant les coulisses.

— C'est bien, hein ? dit Marie-Lyon à sa mère.

Même si elle ne comprenait pas tout, la fillette était fière de voir Michèle être le sujet de l'attention de tous. Elle était juste déçue que son père, retenu par une affaire urgente, n'ait pu venir les rejoindre. Par moments, elle laissait son esprit glisser vers la salle pour s'amuser des réactions des spectateurs autour d'elle ou détailler les toilettes des femmes du monde. Les coiffures en pouf de certaines l'impressionnaient par leur taille et leur verticalité.

Jean-Mauduit avait égrené ses premières répliques dans un français parfait, quoique raide et appliqué, tout comme sa gestuelle. Il revint sur les planches pour la cinquième scène. Le rôle d'Uarnos lui plaisait et il remercia intérieurement Jean-Baptiste d'avoir eu des gestes déplacés sur Michèle. Il l'avait remarqué, calé à la gauche du premier rang, avec les habitués du « petit coin », l'endroit réservé aux amateurs les plus avertis et les plus intraitables, capables d'initier une cabale en deux sifflements. Jean-Baptiste avait tenté de les y entraîner, mais personne ne l'avait suivi. Tous étaient suspendus au texte des personnages qu'incarnaient Michèle et sa troupe.

— *En quoi vous méfiez-vous de moi ?* dit Jean-Mauduit à Michèle et Pierrot. *Pourquoi nos deux peuples auraient-ils à se craindre ? Les origines de Tigontias se perdent dans la nuit des temps des plus légendaires cités. Vous associer à nous reviendra pour Caraim à recevoir une part de cette félicité.*

Marc s'était penché au balcon de sa loge, les coudes sur la balustrade, la tête entre les mains, indifférent aux regards outrés de ses voisins. Il regardait Michèle sans plus écouter, fasciné par le portrait que Greuze avait peint alors qu'elle n'était qu'une très jeune femme et dont l'image ne le quittait plus, fasciné par sa personnalité, fasciné par son courage.

Michèle tourna autour d'une étrange pyramide, haute d'une toise et demie, à la surface striée, qui ressemblait au clocher de l'église Saint-Nizier voisine. Le décorateur l'avait construite sans le lui dire et lui en avait fait la surprise lors de la dernière répétition.

— *Aiusia, la machine de la connaissance,* dit-elle en la caressant précautionneusement.

— *Aiusia nous protégera de l'oubli et du silence,* ajouta Pierrot. *Votre père et moi allons la cacher. Elle sera notre trésor. Ainsi, nous pourrons nous marier sans crainte de l'oubli.*

Une partie du public applaudit ou manifesta son contentement à la proposition de Launo. Les deux comédiens s'étaient approchés du balcon.

— *Regardez : l'aube est en train de manger la nuit,* annonça Michèle. *Il va falloir se rendre au Conseil des sages.*

Elle prit Pierrot dans ses bras. Jean-Baptiste enrageait : Michèle avait toujours refusé de le faire avec lui pendant les répétitions.

— *Je vais sans attendre annoncer la bonne nouvelle qui ravira tout le monde,* articula Pierrot avec conviction.

Restée seule, Michèle observa les étoiles du décor.

— *Quelle est la part de l'aube en nous ?* dit-elle, dos au public.

Lorsqu'enfin elle se retourna vers la salle, des larmes coulaient sur ses joues. L'assemblée réagit en exprimant sa compassion. Certains pleuraient, d'autres l'encourageaient ou lui lançaient leurs mouchoirs.

— *Que ces étoiles sont belles. Belles et immuables. Personne, si puissant soit-il, ne peut les effacer du ciel, ne peut les rayer de la carte céleste. Elles existent et existeront toujours. Pourtant, un nuage, un simple nuage peut les occulter à nos yeux comme un insignifiant rideau.*

Elle s'approcha du « petit coin », où Jean-Baptiste se dissimula derrière Charles Mathon de la Cour, l'auteur le plus craint pour ses critiques dans les gazettes.

Elle s'enveloppa lentement dans le rideau de scène jusqu'à se cacher complètement.

— *Je n'existe plus pour vous,* continua Michèle en s'adressant directement à la salle, *et pourtant je suis là. Mon cœur continue de battre. L'entendez-vous ?*

Le bâton du régisseur frappa le plancher en rythme. La salle lui répondit.

— Je l'entends ! hurla un grand gaillard derrière Anne, manquant de lui arracher son bonnet.

Michèle laissa passer un silence. Les spectateurs bourdonnaient de commentaires.

— Ce n'est pas le bon texte, fit remarquer Marie-Lyon.

— Que veux-tu dire, ma fille ?

— Qu'ils ont changé les paroles. Je le sais, j'ai répété avec Mlle Masson et je connais la fin.

Michèle revint sur scène. Tout le monde se tut instantanément.

— *Et, un jour, je réapparais, sortie de nulle part. Le cœur des étoiles est éternel. Les nuages, eux, ne seront jamais assez nombreux pour cacher toutes celles qui entourent notre Terre.*

Michèle s'approcha du bord de la scène avant de continuer :

— *On ne peut pas dissimuler le passé. Il finit toujours par réapparaître. La part de l'aube qui est en nous est comme cette étoile qu'aucun nuage de circonstance ne pourra à jamais dérober. Mais il faut parfois déchirer le rideau qui la cache. Ou attendre qu'il tombe. Nos ancêtres ont construit notre cité, qui survivra grâce à Aiusia. La connaissance est une déesse, la connaissance est une druidesse, une étoile sans nuages, que rien n'arrêtera.*

La conclusion, déroutante et hermétique, fut suspendue à un dernier silence.

Les premiers applaudissements vinrent de Camille et Anne. Le parterre leur emboîta le pas et lui fit un triomphe. Seul Jean-Baptiste tentait par ses sifflets de rallier le public à sa cabale, mais il en fut vite empêché par ses voisins. Les balcons, d'habitude réservés, applaudirent chaleureusement. Certains s'étaient levés.

Le rideau se ferma sur elle puis s'ouvrit sur les interprètes, qui saluèrent l'assemblée sous les vivats et les bravos.

— Nous sommes des Gaulois, cria Camille. Des fils de Condate. *Vitam impendere vero !*

La ferveur ne cessait pas. Les gardes attendaient l'ordre du lieutenant du guet pour intervenir. L'homme hésitait. La liesse était telle que sa décision pouvait conduire à une émeute.

Le rideau se ferma à nouveau. Les applaudissements continuaient. La foule réclamait Michèle. Le directeur le fit rouvrir et l'ovation qui s'ensuivit fit trembler les planchers des balcons.

Marais observait la comédienne avec sa lunette. Elle était rayonnante et remerciait les spectateurs de leurs applaudissements. La troupe réunie sur la scène salua une nouvelle fois. L'inspecteur vit Michèle parler distinctement alors qu'elle se courbait pour un nouveau salut. Elle ne s'était pas adressée à ses partenaires, mais à la scène vide devant elle.

— La fosse, il est dans la fosse ! hurla-t-il à ses hommes.

L'endroit avait été fouillé, puis fermé à clé, comme tout le dessous de la scène, où se trouvaient les machineries. Pourtant l'inspecteur était sûr de son fait : la comédienne avait articulé des mots à destination de la fosse du souffleur.

Le bruit assourdissant avait couvert son ordre. Il le répéta en agitant les bras pour leur montrer où intervenir. Michèle s'en aperçut, s'agenouilla devant l'ouverture et parla vivement. Certains spectateurs avaient envahi la scène pour entourer les acteurs. La confusion était grande.

— Vite, il va s'échapper ! cria Marais en enjambant le balcon de sa loge.

Il sauta pour traverser le parterre jusqu'au trou du souffleur, mais le public était si dense qu'il progressa avec peine. Il aperçut la comédienne se diriger vers les coulisses. La porte qui menait sous la scène se trouvait de l'autre côté, il devait traverser la marée humaine du parterre. Marais donna des coups de poing, de coude, de canne et se fraya un chemin comme s'il fauchait des herbes hautes. Camille l'avait localisé et hurla plus fort que tout le monde :

— Le sorcier, c'est le sorcier !

Un bourgeois, voisin de la rue des Trois-Maries, le reconnut :

— C'est lui, c'est l'adorateur de Satan !

L'inspecteur l'assomma d'un coup de son bâton et continua sa progression, indifférent aux regards qui s'étaient tournés vers lui. Les spectateurs s'agglutinèrent, empêchant sa progression.

— À moi la garde ! hurla-t-il alors que ses bras avaient été immobilisés par plusieurs paires de mains.

Il disparut sous une marée humaine qui le roua de coups aux cris de : « Sorcier ! »

Le lieutenant du guet envoya tous ses hommes au parterre. Le désordre était total. Camille protégea Anne et remonta avec difficulté vers la sortie. Devant les bagarres qui éclataient avec les gardes à différents endroits du parterre, le public des balcons évacua les lieux. À l'extérieur, la déferlante de spectateurs qui quittaient le Grand Théâtre avait pris de court les quatre militaires de faction, qui ne pouvaient que regarder le flux humain sortir par les larges portes, marchant ou courant pour se précipiter vers les berlines alignées ou gagner à pied un endroit où ils se sentiraient à l'abri. La panique dura plusieurs minutes.

Marais avait été dégagé par son aide de camp qui avait tiré un coup d'arquebuse, blessant un des agresseurs et faisant fuir les autres, que les gardes poursuivirent jusque dans les couloirs. L'inspecteur, le visage commotionné, les muscles douloureux, sortit en boitant en direction du toit. Arrivé sur la terrasse, il prit la jumelle qu'il avait repliée dans sa poche. La lentille était cassée en plusieurs endroits mais il pouvait distinguer les spectateurs qui se diluaient autour de l'hôtel de ville et dans les rues adjacentes. Il chercha en priorité un homme isolé dont le pas serait plus pressé que ceux des autres et ne le trouva pas. Les premiers spectateurs étaient arrivés place des Terreaux, trop loin pour qu'il puisse distinguer plus que des silhouettes à la lumière des réverbères. Une fois le mouvement de panique initiale passé, tous s'étaient remis à marcher normalement ou s'étaient groupés dans les jardins autour du théâtre à discuter avec passion de la pièce et de sa conclusion. Marais se tourna vers la Croix-Rousse où quelques piétons quittaient la place pour entamer la montée de la colline. Il reconnut Antelme de Jussieu, dont le fauteuil était poussé par un valet, accompagné d'un homme penché vers lui, en grande conversation.

— Les jardins au nord ! hurla-t-il aux quatre soldats qui gardaient encore les portes arrière du bâtiment. Courez, il est là-bas !

Le premier garde arrêta le trio alors qu'il avait pénétré rue du Griffon. Lorsque les trois autres le rejoignirent, il leur fit signe de retourner auprès de l'inspecteur : l'homme qui accompagnait Antelme était le libraire de la *Boule du monde*.

Dès la sortie du théâtre, Antoine avait délaissé les voies principales et avait remonté le quartier du Plâtre en empruntant les rues sans lumière. Il fit un détour par la place des Cordeliers, déserte, afin de gagner le secteur de la rue Tupin. Toutes les échoppes avaient fermé leurs volets, même la librairie d'Aimé, où l'ensemble des lettres avaient été scellées dans le mur de façade avec une horizontalité très approximative. Arrivé au quai Villeroy, Antoine constata que le pont de pierre était gardé par des hommes de la maréchaussée. Il voulait se rendre au palais de Roanne, dernier endroit où il serait recherché, pour y passer la nuit avant de transmettre à Antelme les textes recopiés. Il aperçut les mouvements des lumières portées par les gardes en faction sur le pont. Il ne lui restait plus qu'à trouver une barque pour franchir la Saône. Les bèches des batelières étaient réunies sur la plate-forme qui faisait une avancée au niveau de la seconde arche. Mais l'escalier qui y menait depuis le pont n'était qu'à une dizaine de mètres à découvert des soldats.

Antoine se faufila jusqu'au lavoir du quai. Le bâtiment, situé sur un ponton de bois au fil du fleuve, était inoccupé pour la nuit. Une odeur de savon flottait au-dessus des bacs alignés en deux rangées parallèles. Plus en aval, des marins se réchauffaient à un feu tout en surveillant leurs chalands remplis de marchandises. Il observa les gardes occupés à arrêter les derniers carrosses et fiacres qui revenaient du théâtre, indifférents aux remontrances des occupants pressés de rentrer chez eux. Antoine devait se décider rapidement. Il avait remarqué un grand battoir en bois à l'entrée du lavoir, mais hésitait à l'utiliser pour traverser la Saône à la nage. L'eau était froide, le courant le ferait dériver jusqu'à Saint-Jean et ses fractures n'étaient pas toutes consolidées. Il prit la palette pour l'examiner et remarqua un baquet de linge qui avait été oublié.

Pas oublié, abandonné, conclut-il en découvrant les taches de sang qui maculaient les vêtements et les draps.

Le valet, chargé par le médecin de brûler le linge de son maître malade, avait préféré une solution plus directe et s'en était débarrassé.

— Voilà qui va m'éviter de me mouiller, dit Antoine, reprenant espoir.

Il confisqua un des piquets de bois et une corde utilisés pour tendre le linge et y installa les vêtements du malade, perruque, chemise, veste et collants qu'il noua solidement avant de poser le drap à la base de l'épouvantail improvisé. Il s'empara d'un tison du feu laissé par les marins retournés sur leur chaland, enflamma le drap et quitta le quai.

Lorsqu'il arriva au niveau des maisons construites sur l'arche des Merveilles, le feu commençait à s'étendre aux vêtements du mannequin improvisé. Il attendit le passage d'un véhicule pour s'engager sur le pont. Le premier était une berline cossue dont le cocher s'aperçut de la présence d'Antoine près du véhicule et, le prenant pour un mendiant, lui envoya un coup de fouet. Le suivant était un fiacre de la ville. Il passa à faible allure. Antoine lui emboîta le pas. Le véhicule s'arrêta rapidement. En aval, sur le quai, le mannequin était entièrement en feu. Deux des soldats quittèrent le pont pour se rendre au lavoir. Antoine s'était glissé du côté gauche du fiacre. L'escalier n'était plus qu'à une toise. Après un dernier regard vers les gardes qui avaient ouvert la portière de la berline et lui tournaient le dos, il s'élança.

98

Lundi 16 février

— Que se passe-t-il ? demanda Marie-Lyon. Pourquoi on n'avance plus ?

— Les soldats sur le pont arrêtent tout le monde, expliqua Michèle, qui avait tiré le rideau.

La jeune fille en fit de même de son côté et poussa un cri.

— Regardez le feu ! Il y a le feu !

— Ce n'est rien, sans doute de la marchandise qui se consume, dit Mme Prost pour rassurer sa fille, qui se blottit contre elle.

— Il y avait aussi un monsieur sur le pont, il ressemblait à notre Antoine, ajouta Marie-Lyon.

La mère caressa ses cheveux.

— Antoine est loin, tu le sais, on te l'a expliqué. Tu es fatiguée, ma chérie, il est tard et la soirée fut longue.

— Non, je l'ai vu ! Il descendait l'escalier.

Michèle sortit, fit le tour du fiacre et se pencha vers la pile du pont où étaient parquées les bèches. Il n'y avait personne. Aucun bateau n'était visible sur la Saône.

— Madame, retournez dans votre voiture, dit le garde, qui s'était approché.

— Que se passe-t-il ? demanda-t-elle en montrant l'incendie, qui s'était étendu au toit du lavoir.

— Retournez dans votre fiacre, répéta le soldat. Vous allez pouvoir passer.

Michèle jeta un regard inquiet en direction de l'obscurité qui occultait les marches de pierre.

Antoine s'était jeté à l'eau entre les arches du pont. Il n'avait pas eu le choix : les barques étaient toutes reliées entre elles par d'épaisses chaînes cadenassées. Il avait démonté la planche de bois qui servait de banc à la première bèche de la rangée et l'avait utilisée pour poser sa besace contenant le cahier et pour s'aider à nager dans le courant. Arrivé à la troisième pile, il sortit de l'eau et s'assit sur le promontoire avant de se lancer à l'assaut de la suivante. À la quatrième, au niveau de la chapelle à la Vierge, il entendit les gardes se plaindre : l'inspecteur Marais avait décidé de maintenir le dispositif toute la nuit. Antoine se remit à l'eau, poussant sa planche vers la pile suivante tout en luttant contre le courant qui le déportait en aval. Au niveau de la dernière arche, il fit une plus longue pause. Il ne lui restait plus qu'un ultime trajet avant de rejoindre la rive gauche et le palais de Roanne tout proche. Il avait froid. Ses muscles s'engourdissaient. Antoine rentra dans l'eau sans faire de bruit et poussa son flotteur improvisé devant lui. Il regarda en arrière vers le quai où s'activait une chaîne humaine autour du lavoir. L'incendie était presque maîtrisé.

Les reflets argentés du fleuve disparurent soudain, arrachés par les nuages qui recouvrirent la lune. Antoine ne vit rien venir. Dans un claquement sec, la planche heurta une des pierres qui affleuraient près des piles du pont. Elle se souleva et se retourna, envoyant sa besace à l'eau.

— Qui va là ? brailla le garde le plus proche.

Antoine chercha à récupérer son sac par des moulinets désespérés des bras mais s'épuisa vite. La besace avait coulé. En entendant les pas précipités qui se rapprochaient, il nagea jusqu'à la berge, grimpa le mur de soutènement et longea le quai de la Baleine sans se retourner. Les cris et les cliquetis des armes indiquaient que les hommes avaient quitté le pont.

Antoine traversa la place et contourna le palais de Roanne, dont les portes étaient fermées au public depuis six heures du soir. Il entra par l'issue de service, rue des Fouettés, que le concierge ne fermait que pendant sa ronde. Antoine savait qu'il n'en effectuait plus depuis des années et qu'il le trouverait profondément endormi dans son appartement sous l'effet du vin qu'il consommait sans modération. Après avoir vérifié que le gardien était toujours fidèle à ses habitudes, Antoine remonta le couloir principal jusqu'à l'antichambre de la salle d'audience. Ses vêtements mouillés lui collaient à la peau. Il savait pouvoir y trouver des habits de rechange appartenant au juge d'Arpheuillette et au sénéchal. Il choisit une tenue sombre passée de mode, au justaucorps long et étriqué et aux énormes basques, dont la carrure lui indiqua qu'elle appartenait au second et se jeta sur une coupe pleine de noisettes qui ne pouvait qu'être la propriété du premier.

La salle d'audience était encore allumée après les procès de la journée. Les bougies touchaient à leur fin et transmettaient une rassurante lueur d'ambre clair. Le calme du palais contrastait avec la fureur des moments qu'il venait de vivre. Il s'assit dans le fauteuil du sénéchal, face aux rangées de bancs vides, et sourit en prenant conscience qu'il découvrait la pièce sous cet angle de vue, lui qui n'avait jamais plaidé.

— Maître Fabert, que faites-vous là ?

Il n'avait pas entendu le concierge entrer par l'antichambre. Antoine avança l'excuse d'un travail inattendu.

— Il y a longtemps qu'on ne vous avait plus vu ici, ajouta l'homme à la figure rougeaude et ébouriffée, que l'explication avait satisfait.

Il doit être le seul en ville à ne pas être au courant, songea Antoine, ce qui était conforme au personnage, qui vivait dans le palais sans quasiment jamais en sortir, et dont il était le maître et le fantôme chaque nuit.

Le concierge semblait émerger difficilement de son sommeil. Il bâilla plusieurs fois, découvrant ses gencives presque nues, et s'assit sur le banc des accusés.

— Quel jour est-on ? demanda-t-il en se grattant furieusement la joue et le menton couverts d'un érysipèle en formation.

— Lundi, Valdo. N'oubliez pas d'ouvrir demain matin.

La phrase était toujours la dernière que prononçait le sénéchal en quittant le palais. *N'oubliez pas d'ouvrir demain, Valdo*. Et, régulièrement, les portes étaient encore fermées à l'arrivée des premiers plaignants. Ou parfois ouvertes le dimanche. Mais personne n'aurait osé lui en tenir rigueur, même le juge.

— Mes oreilles ne sont plus ce qu'elles étaient, je n'entends plus la cloche de Saint-Jean, avoua l'employé.

— Je boirais bien quelque chose, dit Antoine, qui savait que l'homme possédait un stock à faire pâlir un négociant en vins.

— La journée fut rude ? s'enquit le concierge après être revenu avec deux bouteilles de sainte-foy.

Antoine but plusieurs gorgées avant de répondre :

— J'en ai connu des plus douces, et demain ne sera pas un jour d'étrennes, j'en ai peur.

— Alors prenez des forces, c'est moi qui régale ! dit le concierge en le saluant avec sa bouteille avant d'en avaler goulûment le contenu.

— Depuis quand vivez-vous ici, Valdo ?

— J'ai toujours vécu ici, déclara-t-il après s'être essuyé la bouche dans sa manche. Je crois même que j'y suis né.

— D'aucuns disent que vous n'avez pas toujours été concierge.

— Les fats, ricana-t-il.

— Qu'il y a longtemps, vous étiez un des avocats de notre barreau.

— Bah ! Je connais l'histoire, je suis riche, ma femme meurt, j'entends Dieu qui me dit de tout donner aux pauvres pour gagner ma place au paradis... et je finis saoulard à l'endroit où j'étais l'un des princes. Vous y croyez, vous ?

— Alors pourquoi tout le monde vous appelle-t-il Valdo[1] ?

Le concierge cracha par terre et grogna :

— Parce que cela les arrange, voilà pourquoi ! Je suis devenu l'exemple que l'on montre aux avocats en leur disant : « Voyez ce qu'il ne faut pas devenir ! » Les légendes sont faites pour être inventées, mon ami. La réalité est toujours moins brillante, conclut-il en se grattant de plus belle.

Ils burent en silence. Antoine pensa au visage de la statuette, celui de la druidesse Louern.

— Je me souviens de votre père, maître, dit soudain Valdo.

— Vous l'avez connu ?

— Puisque je vous dis que j'ai toujours vécu ici ! Il n'a pas plaidé longtemps, mais quel bon avocat !

— Parlez-moi de lui, j'ai si peu de souvenirs ! l'implora Antoine, surpris de trouver en l'homme qu'il côtoyait tous les jours une source d'informations personnelles.

— Vous aviez quel âge ? interrogea Valdo.

— Dix ans.

— J'ai aussi perdu des proches dans l'accident. Broyés sous les sabots de l'attelage.

Les flammes des bougies dansèrent sur les chandelles. Antoine sentit un léger courant d'air sur son visage et comprit que la porte menant au couloir central venait d'être forcée. Il lança un regard à Valdo, qui n'eut pas le temps de se lever que les deux battants de

1. Pierre Valdo, ou Valdès (1140-1217), est le fondateur de la Fraternité des pauvres de Lyon.

l'entrée du tribunal s'ouvrirent brutalement. Une dizaine d'hommes armés pénétrèrent dans la salle d'audience pendant que plusieurs autres sortaient de l'antichambre. Tous entourèrent le bureau des juges. Le concierge s'éclipsa, effrayé par la troupe. Quelques minutes plus tard, Marais fit une entrée théâtrale, canne en main, et remonta l'allée en prenant son temps à la manière d'un monarque. Il s'arrêta devant la barre, au centre de la mosaïque où se tenaient habituellement les avocats, et lança son tricorne à son aide de camp.

— Le travail vous manque, maître, que vous reveniez de nuit ? ironisa-t-il.

— Finissons-en, Marais, dit Antoine, qui s'était levé.

— Voyons, maître, nous avons le temps, votre domicile est à deux pas d'ici, répondit-il en lançant un regard en direction de la prison attenante. Il s'en est fallu de peu pour que vous nous échappiez une fois encore.

— J'espère au moins que la pièce vous a plu, dit Antoine tout en évaluant les forces en présence.

Il était seul contre une douzaine d'hommes armés qui bloquaient les deux seules issues possibles, sans compter ceux que l'inspecteur avait sans doute laissés dehors. Son unique avantage était la connaissance des lieux.

— À votre place, je ne tenterais rien, devina Marais. Vous avez tant à me dire avant de finir sur le billot. Quant à votre œuvre, je l'ai trouvée inappropriée. Elle sera interdite avant la prochaine représentation. Vous avez tout perdu, maître. Et, cette fois, pas de juge pour vous sauver.

Antoine eut un large sourire et s'inclina légèrement.

— Je suis ravi de constater que vous gardez de l'élégance dans la défaite, dit Marais en le saluant avec sa canne. Ou une certaine dose d'inconscience.

— Je ne vois pas d'inconscient ici, lança une voix dans son dos.

Prost était entré, accompagné du sénéchal. Le concierge Valdo les suivait prudemment.

— Inspecteur, veuillez relâcher cet homme, signifia le sénéchal.

Marais s'approcha des deux hommes.

— Serait-ce une marotte, monsieur le juge ? Ou l'influence de cet homme qui est complice du fuyard ? dit l'inspecteur en désignant François.

— Veuillez immédiatement relâcher maître Fabert, répéta le magistrat.

— À mon grand regret, monsieur le juge, rien ne peut m'obliger à vous obéir. Mes hommes et moi n'avons enfreint aucune loi en poursuivant et arrêtant un justiciable en fuite.

— Voilà qui est vrai, monsieur l'inspecteur, reconnut le sénéchal. À part un détail.

— J'ai hâte de l'entendre.

Prost lui tendit une lettre cachetée du sceau royal.

— Maître Fabert n'est plus en fuite.

— Un capitaine des gardes du roi nous a apporté ce pli aujourd'hui. Sa Majesté a levé la sanction de la lettre de cachet, indiqua le juge.

— C'est impossible ! s'énerva Marais en s'en emparant pour la lire.

— Il y a toutefois une condition, continua le sénéchal pendant que l'inspecteur en prenait connaissance.

Le juge s'approcha d'Antoine.

— Vous devez renoncer à utiliser ces textes gaulois pour quelque raison que ce soit, maître. Ne jamais en faire l'apologie ni la promotion, ni inciter quiconque à le faire. Et c'est pourquoi vous nous trouvez encore présents ici à cette heure. Nous avons préparé, avec maître Prost, l'acte de renoncement. Si vous êtes d'accord, dès ce soir vous serez libre. Sinon, ajouta-t-il en se tournant vers l'inspecteur, il sera à vous.

François s'était approché d'Antoine. Les deux hommes se trouvaient au centre de la mosaïque.

— Signe, Antoine. C'est ta seule et unique chance de t'en sortir. C'est la dernière.

— Ai-je le droit de trahir tous ceux qui se sont battus pour que ces textes arrivent jusqu'à nous ? Ai-je le droit de trahir Louern ?

— Il n'y a aucune honte à ne pas donner sa vie pour certaines vérités qui ne peuvent que mener à notre perte.

Valdo posa une plume et un encrier sur le bureau du juge.

Marais éructait, jurait, menaçait tous ceux qui se trouvaient là de représailles du roi. Le sénéchal demanda aux gens d'armes présents de l'expulser de la salle d'audience. Au nom du roi.

— Je t'en conjure, signe ! l'implora Prost.

Antoine pensa à lui, à son aisance dans le prétoire et à son amitié indéfectible, à Marc, qu'il ne se pardonnerait jamais d'avoir soupçonné, à Madeleine, à qui il avait pardonné de l'avoir trahi. Ses pensées se tournèrent vers Michèle. Elle l'avait sauvé de ce qu'il était devenu, elle l'avait sauvé des griffes du pouvoir, elle l'avait encore sauvé ce soir, au théâtre. Elle était son salut. Il prit la plume.

99

Mercredi 25 février

L'odeur des grains de café grillés la réveilla. Michèle sourit avant même d'ouvrir les yeux, se tendit dans un geste félin et s'enveloppa dans le drap de lin pour descendre à la cuisine où Antoine pilait les grains torréfiés. Elle passa les mains sous sa chemise entrouverte pour caresser le corps qu'elle avait aimé toute la nuit. Antoine se retourna et l'embrassa avant de jeter un œil vers l'âtre où une pinte de lait commençait à bouillir dans son coquemar. Il déposa un baiser sur ses cheveux bohèmes, coupa un morceau de bois effilé dans une bûche et plongea une once de poudre dans le liquide, qu'il remua à l'aide de la cuillère improvisée.

— Un peu de cardamome, annonça Michèle en en saupoudrant le café au lait.

Ils étaient assis devant la cheminée à surveiller les bouillons chanter dans le récipient.

— La représentation d'hier était réussie, dit-elle après avoir trempé ses lèvres dans le bol rempli de café chaud.

— Laquelle ne l'était pas ? s'interrogea Antoine. C'est à chaque fois la même émotion.

Il essuya la crème de lait qui s'était déposée sur les lèvres de Michèle.

— Que le bonheur est calme et doux, après tant de tourments, dit-elle. Qu'il est sucré comme ce café, ajouta-t-elle en lui présentant le bol.

— Pardon, amour, j'ai encore oublié ! s'écria-t-il en se levant.

Il fouilla sur la table en grand désordre.

— J'en ai acheté au marché ce matin, mais je ne le trouve plus.

— Faites appel à votre fabuleuse mémoire, maître, plaisanta-t-elle.

Antoine ferma les yeux pour se remémorer son parcours du matin.

— Quand je suis entré... commença-t-il avant de louvoyer exagérément pour la faire rire.

Il s'approcha du feu, tourna plusieurs fois sur lui-même, revint vers la table, repoussa une salade qui étalait ses feuilles sur un paquet d'herbes aromatiques et tira à lui un carré de lin noué comme une bourse. Il défit le lien, découvrant une poudre blanche aux grains grossiers, dont il porta une pincée à la bouche.

— C'est du sel ! dit-il en grimaçant exagérément, provoquant le rire de Michèle.

Il reprit ses recherches et dégagea d'un coin encombré de la table un autre réceptacle de tissu.

— Cette fois, plus de doute, dit-il en lui montrant les petits cailloux de sucre dont il déposa quelques échantillons dans le récipient qu'elle lui tendait.

Michèle le regarda, admirative. Dix jours auparavant, Antoine était un fugitif qui avait connu la prison, avait été torturé et s'était terré comme une bête traquée. Il semblait avoir tout oublié dès le lendemain. Elle était impressionnée par la capacité qu'il avait eue à se concentrer sur le présent et à se projeter dans l'avenir.

Depuis son retour dans la maison rue Sala, il n'avait plus parlé de Louern ni du trésor gaulois.

— J'ai aussi une surprise pour vous, dit-il en l'arrachant à ses pensées.

Antoine lui présenta une miche ronde et gonflée, à la croûte fauve.

— Le premier pain de poire de terre qui ne vienne pas de la Bergerie ! La mère d'Anne m'a aidé à le fabriquer, expliqua-t-il en le tranchant à l'aide du couteau de son aïeul. C'est plus difficile, sans ma râpe tournante.

Ils le dégustèrent après l'avoir tartiné d'une confiture d'abricot.

— Il n'a pas la consistance idéale, mais c'est un bon début, jugea Antoine.

— Une renaissance, ajouta Michèle.

— Venez, dit-il en lui tendant la main.

Ils montèrent à leur chambre où ils firent l'amour dans le lit encore tiède de la nuit et s'endormirent, intimement lovés l'un contre l'autre.

Le bourdon de Saint-Jean réveilla Antoine, qui compta les coups avant de bondir à la recherche de ses vêtements.

— Où allez-vous ?

— À la Bergerie. Antelme et le maître d'œuvre m'y attendent déjà.

D'un coup de hache, le charpentier fit tomber le volet à terre. Ses deux ouvriers le prirent et le portèrent jusqu'au tombereau campé à côté de la margelle du puits. La charrette était remplie des restes calcinés des outils, des machines et des meubles qui avaient composé l'atelier d'Antoine. La mule, détachée, mâchonnait au ralenti les herbes et les chardons qui avaient poussé sur le champ de poires de terre.

Debout devant les restes de la façade, les mains sur les hanches, le maître d'œuvre balançait la tête, dubitatif.

— Je suis tailleur de pierre, pas faiseur de miracles, dit-il sans regarder Antoine. Il nous faut tout abattre, brosser les pierres, les retailler avant de remonter des murs. Et le prix du bois a augmenté, notre charpentier vous le confirmera, ajouta-t-il en faisant signe à l'homme de venir.

Les deux artisans avaient évalué la réhabilitation de la Bergerie à quatre mille louis.

— Trois mille huit cents serait notre dernier mot, assura le maître d'œuvre. Impossible de faire moins.

Le charpentier acquiesça.

— Vous tenez absolument à utiliser vos vieilles pierres et cela a un coût, maître Fabert, continua-t-il. Il vous reviendrait moins cher de faire venir des parpaings déjà taillés, même avec le transport jusqu'ici.

— Les murs de l'église de Saint-Romain sont en vente, remarqua le charpentier. La chapelle n'est plus qu'une ruine. Je peux me renseigner, si vous voulez.

— Je vous en remercie, mais je tiens à mes vieilles pierres, dit Antoine en caressant la surface inégale de la partie de mur restée debout.

— Je vois bien, soupira l'homme.

— Remarquez, vous avez raison, confirma le tailleur de pierre, les blocs d'église sont souvent recouverts d'inscriptions, entre les noms des morts et les textes des Évangiles, il faut faire attention au moment du rachat. Sinon, vous vous retrouvez avec un *Spiritus quidem promptus caro vero infirma* dans votre chambre à coucher. *L'esprit est prompt, la chair est faible !* reprit-il pour le charpentier qui n'avait pas compris.

Antoine laissa les deux artisans commenter la citation et rejoignit Antelme, qui s'était posté en bout de sentier avec la jumelle, pour observer la ville.

— Que j'aime ce panorama ! avoua-t-il. Je me demande ce qu'il sera dans un siècle ou deux. Je suis d'accord avec La Roche : les maisons prennent tant de hauteur que, bientôt, elles couvriront notre Lyon comme des arbres géants. J'espère qu'il restera toujours des lieux comme celui-ci !

Antoine lui résuma son entrevue avec le maître d'œuvre.

— Je n'ai pas les moyens d'une telle réhabilitation, conclut-il.

— Allez-y, foncez, je vous l'ai dit: je paierai. Vos scrupules vous honorent mais prenez ceci comme une association entre nous. J'investis dans la poire de terre!

— Je ne veux pas en faire commerce, je veux que tout le monde puisse profiter de mes découvertes, l'avertit Antoine.

— Cela me va très bien, foncez, vous dis-je! Tout ce que je demande en échange est de pouvoir venir embrasser ma cité depuis ce point de vue, dit l'historien en tendant la main vers le paysage comme pour l'attraper.

— Je vous serai redevable à jamais de votre aide, vous savez ce que représente cet endroit pour moi. Et vous y êtes chez vous.

— Mais c'est moi qui vous suis redevable, mon ami. Vous m'avez apporté tant de joies avec ce trésor gaulois.

Antoine ne répondit pas et s'absorba dans la contemplation à travers la lunette. Antelme regretta d'avoir abordé le sujet. Il savait ce que le renoncement lui avait coûté. Le calme du lieu n'était troublé que par le bruit des affaires jetées sans ménagement dans le tombereau par les ouvriers. *Le bruit que font les souvenirs quand ils se cassent*, songea Antelme.

Le charpentier vint rompre leur silence pour les prévenir qu'ils allaient descendre la charrette pleine. Les deux hommes les observèrent parcourir le chemin sinueux jusqu'à disparaître derrière les murailles.

— Vous savez qu'il est toujours en ville? dit soudainement Antoine.

— Marais? Oui, le jeune Delauney me l'a dit tantôt. Mais tous ses hommes sont rentrés sur Paris.

— Lui est resté. Il a toujours en tête de retrouver les codices, lui apprit Antoine.

Derrière eux, le maître d'œuvre était rentré à l'intérieur de la Bergerie et arpentait les décombres.

— Mais enfin, quand vous laissera-t-il en paix? s'emporta Antelme avant de remarquer que le tailleur de pierre s'était arrêté pour l'écouter.

— Ne vous inquiétez pas, le temps des lugduniens est fini. L'inspecteur est seul.

— Mais il est là, avertit Antelme dès que l'homme eut repris ses recherches dans les gravats. Je n'oublie pas qu'il est responsable de la mort de Radama.

— Votre valet a succombé sous les coups de Trente-trois, objecta Antoine.

— Qu'importe son exécutant. Pour moi, le responsable est Marais. S'il reste à Lyon, ce sera à ses risques et périls.

— Venez voir ce que j'ai trouvé ! cria le maître d'œuvre en leur montrant une petite boîte de métal noircie.

Il sortit de la maison et la donna à Antoine, qui tenta de l'ouvrir. Les bords avaient fondu et s'étaient soudés.

— Je cherchais à voir si l'on pouvait récupérer les pièces de votre four et je l'ai trouvée, sous les restes d'une poutre, expliqua-t-il alors qu'Antoine avisait une scie dont il ne restait rien du manche.

Il prit la lame et sépara rapidement les extrémités. La boîte était un écrin de plomb renfermant une petite bague de bronze. Le bijou était intact et comportait un monogramme composé de plusieurs lettres enlacées.

— C'est la bague de promesse de Camille à Anne ! dit Antoine.

Le jeune homme avait eu l'intention de la lui offrir le jour de leur escapade à la Bergerie.

— Mais il n'en a pas eu le temps, conclut Antoine.

Ils laissèrent le maître d'œuvre continuer ses recherches avec entrain, fier de sa découverte. Antoine raccompagna Antelme jusqu'à son domicile. Le carrosse fut arrêté dans la descente de la Grande Côte au niveau du séminaire de l'Oratoire, où une poutre en partie calcinée barrait la route. Elle avait versé du tombereau alors que celui-ci avait descendu la route trop rapidement. Le charpentier et ses acolytes ne s'étaient aperçus de rien. Antoine aida deux oratoriens à la rentrer dans le couvent, où elle leur ferait usage de bois de chauffage.

Une fois remonté dans le carrosse, Antoine vérifia qu'il n'avait pas perdu la bague d'Anne et ouvrit l'écrin.

— Je suis toujours à la recherche de la Mater, annonça-t-il en refermant la boîte.

— Dieu du Ciel ! dit Antelme en claquant la main sur sa cuisse. Je n'osais vous en parler, le sujet me taraude depuis votre retour !

— Je n'ai rien signé qui concerne le trésor des trésors. Nous sommes les seuls à connaître son existence, ajouta-t-il pour se justifier. Antelme, nous allons découvrir le secret de Louern !

L'abbé Gouvilliers alluma une rangée de cierges dans la chapelle Notre-Dame du Haut-Don et fit un signe de croix. Il garda une bougie pour le dernier autel de la cathédrale Saint-Jean, descendit la nef principale et s'engagea dans le transept vers l'autel Saint-Thomas. Il avait repéré la présence d'Antoine, qui priait près de la tombe de son fils. Depuis sa libération, l'avocat venait tous les jours s'y recueillir.

Gouvilliers retira les restes de cire, alluma le cierge et le piqua dans son candélabre. Il eut une pensée pour le petit Jacques Fabert, lui dédia une prière et s'agenouilla à côté d'Antoine.

— Je suis heureux de voir que vous allez bien, mon fils. Vous nous avez quittés si brutalement voilà dix jours.

Antoine finit sa patenôtre et se signa avant de regarder le prêtre.

— Je suis navré de l'inquiétude que je vous ai causée. Mais j'étais attendu.

— J'espère que Dieu guidait vos pas.

— Disons qu'il ne les a pas entravés, résuma Antoine. J'ai entendu dire que le gouverneur vous avait rendu les revenus provenant de la dîme.

— Le Seigneur a entendu nos prières, répondit l'abbé en lissant machinalement les grains de son chapelet.

— Serait-ce l'effet des prières seules, ou la possession des textes gaulois vous aurait-elle aidé ?

— Ne négligez pas la puissance de l'intervention divine.

— Je ne néglige pas la puissance des codices. Ni le gouverneur ni l'Église n'ont intérêt à leur divulgation. Vous êtes des alliés objectifs autant que des adversaires.

Les deux hommes s'étaient levés. Antoine s'approcha de l'horloge astronomique.

— Quelle belle œuvre, n'est-ce pas? remarqua l'abbé. La plus ancienne au monde, et nous avons réussi à la conserver. Mais elle n'est pas comme l'Aiusia de la pièce de Mlle Masson, elle ne contient aucune connaissance, ajouta-t-il en insistant sur la fin de sa phrase.

— Auriez-vous assisté à une représentation ? s'étonna Antoine sans relever l'allusion au coffre des codices.

— On me l'a contée et j'ai écouté avec grand intérêt. Il se dit que l'auteur n'est qu'un prête-nom. Mais je ne sais où est la vérité.

— Chacun en détient une parcelle, mon père. Et l'ensemble en est parfois l'illusion.

Ils empruntèrent l'allée nord jusqu'à la porte principale. Antoine remarqua que les dalles avaient été inégalement usées sous la patine du temps, faisant apparaître des fissures entre les pierres. Une araignée se faufila dans l'une d'elles.

— Je ferai dire des prières tous les jours pour votre fils. Et pour le salut de votre âme, dit le père Gouvilliers après s'être arrêté au niveau de la dernière arche.

— J'avais encore une question à vous poser, chuchota Antoine. Le père Thélis m'a affirmé que la pierre renfermant la Mater se trouvait encore quelque part à Lyon.

Gouvilliers rentra ses mains dans les larges manches de sa robe de bure tout en jetant un regard discret dans la cathédrale. Ils étaient seuls.

— Nous en sommes convaincus, mais nous ne l'avons jamais retrouvée, maître. Jamais.

— Pourtant, quand Ennemond de la Mure la fit dissimuler, il a forcément mis un signe distinctif dessus, un dessin, un mot ou une phrase, continua Antoine, que la réflexion du maître d'œuvre avait mis sur la voie. Afin que les frères la retrouvent s'il venait à disparaître.

— Évidemment, autrement nous ne l'aurions même pas cherchée, c'eût été impossible : qu'y a-t-il dans les églises, à part des pierres ? répondit le prêtre en écartant les bras vers les colonnes géantes de la voûte centrale.

— Quel était-il ? Quel était le signe ?

— Une inscription en latin. *Vitam impendere vero.*

100

Mercredi 25 février

L'imprimerie embaumait l'encre et le papier frais. Les exemplaires des *Affiches* séchaient sur des cordes, pendus comme des vêtements, pendant que Charles nettoyait les formes à l'aide d'une brosse, les mains dans un bain de lessive.

— Merci de t'être dépêché de finir tôt, dit Camille, qui se nettoyait les ongles avec un canif. Je vais pouvoir rejoindre Anne avant qu'elle ne débute son service au *Cygne noir*.

La clochette de la porte d'entrée sembla sonner le glas de ses espoirs. Les deux hommes échangèrent un regard interrogatif : ils n'attendaient personne.

— Vas-y, passe par-derrière, dit Charles, je m'en occupe.

Le rédacteur remercia son typographe, prit sa veste sans l'enfiler et sortit dans le jardin. Dehors, le jour se battait de plus en plus vaillamment contre la nuit, qui reculait chaque soir. À plus de six heures, il pouvait encore distinguer les arbres du verger qui s'ouvrait sur une ruelle. Au moment où il atteignit la porte du jardin, Camille entendit la voix d'Antoine qui l'appelait. Le même cri qu'à la Bergerie quand il était entré dans la remise pour les sauver. Anne attendrait. Son ami avait besoin de lui.

Charles posa le volet sur la devanture vitrée et salua les deux hommes avant de gagner le *Charbon blanc* pour retrouver une bouteille de vin et une partie de pharaon. Camille ferma à clé et rejoignit Antoine, qui parcourait les annonces de la semaine.

— J'irai déposer les *Affiches* une fois sèches chez mon oncle, dit le jeune rédacteur. J'ai inséré le commentaire élogieux de Mathon de la Cour sur *La Part de l'aube*, ajouta-t-il en montrant une colonne sur la première page.

— Il est venu à quatre des représentations, et la comtesse de Beauharnais a cité la pièce dans l'*Almanach des Muses*. Le théâtre est plein tous les soirs, ajouta Antoine tout en continuant de consulter la une.

Il se tourna vers le jeune homme :

— Quelle est votre devise, Camille ?

La question le surprit.

— Votre devise, répéta l'avocat.

— *Vitam impendere vero* : vous la connaissez bien, je vous agace assez avec ça ! Vous ne vous êtes quand même pas déplacé juste pour me demander cela ?

— D'où vient-elle ? continua Antoine.

— Donner sa vie à la vérité, c'est la devise de M. Rousseau. Enfin, je crois, expliqua Camille, tout en repositionnant certaines feuilles qui s'étaient collées entre elles.

— Mais vous, comment l'avez-vous choisie ? Avez-vous lu ses *Lettres écrites de la montagne* ?

— Non... répondit Camille, qui semblait seulement comprendre. C'est grâce à la Vierge Marie. Elle est ma protectrice, je vous l'ai dit. Chaque fois que je passe devant sa chapelle sur le pont de pierre, je me signe, je fais une prière et, souvent, je suis exaucé !

— *Vitam impendere vero* n'est pas une phrase de la Bible. Quel rapport avec la Vierge ?

— Parce que la phrase est gravée sur un des murs. À force d'y aller prier, je l'ai apprise par cœur et j'en ai fait ma devise. Voilà tout !

— La chapelle du pont...

Antoine s'était isolé et réfléchissait en se massant le menton.

— Ils n'ont pas pensé au pont...

— Mais enfin, pouvez-vous me dire... ? s'inquiéta Camille en le rejoignant.

Antoine avisa un sac de toile, en vida le contenu par terre et y fourra tous les outils qu'il trouva.

— Avez-vous un maillet en fer ? demanda-t-il en lui montrant un marteau en bois.

— Que faites-vous ? interrogea Camille en échangeant les deux outils.

— Prenez une lanterne. On va rendre visite à votre protectrice.

Le pont était presque désert. En passant devant l'escalier de la deuxième arche, Antoine eut un regard pour le lavoir du quai, dont une partie de la charpente avait brûlé, mais qui était toujours utilisé par les buandières la journée. La chapelle, de petite taille, était située vers le milieu du pont, du côté amont de la Saône. Le toit en forte pente faisait une légère avancée où les piétons avaient l'habitude de se réfugier lors de fortes pluies. L'intérieur avait été tapissé de peintures de scènes bibliques qui n'étaient plus depuis longtemps que des ombres délavées et écaillées par l'humidité ambiante. L'odeur de moisi était prégnante. Quelques bougies finissaient leur vie sur un candélabre mangé par la rouille. Seul un cierge, plus large et haut que les autres, brillait encore avec vigueur.

— C'est le mien, expliqua Camille. Je suis venu la remercier après l'incendie de la Bergerie. Je le change toutes les semaines. Elle nous a sauvés. Avec votre aide, ajouta-t-il.

La Vierge était posée dans une niche enchâssée dans le mur, en face de l'entrée. Marie était représentée les mains ouvertes, vêtue d'une robe qui la couvrait des épaules aux talons à la manière d'une toge et d'une capuche qui cachait ses cheveux. Antoine sourit en pensant à la représentation de la Mater.

— Où est le texte ? interrogea-t-il en apercevant plusieurs pierres comportant des inscriptions.

Camille dégagea un amas de fleurs séchées, enrobées de toiles d'araignées, déposées au pied de la statue.

— On a de la chance, commenta Antoine en découvrant que la pierre faisait partie de l'assise de la niche.

— Que voulez-vous faire ? demanda Camille, que l'équipée commençait à inquiéter.

Antoine ne répondit pas et vida le contenu de son sac sur le sol, soulevant un nuage de poussière.

— Je suis désolé, dit-il en appréhendant le regard d'opprobre de Camille. Je vous promets qu'elle ne nous en voudra pas.

— Nous ? Que voulez-vous dire ?

— Que je n'y arriverai pas seul. J'ai besoin de votre aide pour enlever cette pierre, Camille.

— Pourquoi est-elle importante pour vous ? Êtes-vous un familier de M. Rousseau ? Vous voulez la lui offrir ? demanda-t-il dans un mélange de candeur et d'esprit qu'Antoine ne sut démêler.

Il lui relata l'histoire de la Mater.

— Ainsi donc, je passe tous les jours prier devant un trésor caché, résuma le jeune homme.

— À nous de le vérifier.

Camille sortit afin de s'assurer que personne ne se trouvait à proximité de la chapelle. Seul un fiacre emportait un client vers la place du Change. À l'heure du souper, les piétons se faisaient rares. Il s'excusa mentalement auprès de la Vierge et rentra dans l'édicule où Antoine avait dégagé l'espace autour de la niche. Ils soulevèrent la statue et la posèrent sur le sol.

— Je ne la pensais pas aussi lourde, commenta Antoine.

— Marbre blanc de Gênes. Dépêchons-nous, maître. La patrouille vient de la place Neuve ce soir, ils passeront le pont avant huit heures.

Les murs avaient été maçonnés à l'aide de mortier de chaux et de sable. Les outils de l'imprimerie n'étaient pas les plus adaptés, mais Antoine et Camille ôtèrent rapidement le ciment qui couvrait la pierre à l'aide de marteaux et de burins pointus. Le rectangle mesurait plus d'un pied et demi de large sur un pied de haut.

— Arrêtons-nous ! dit Antoine après être sorti. Voilà du monde !

Ils se postèrent dans l'angle du mur d'entrée.

— En espérant que personne n'aura l'idée de venir faire une prière ce soir, dit Camille.

— Au regard de l'état des offrandes, je ne suis pas inquiet. Vous devez être le seul à l'utiliser depuis des années.

— C'est peut-être pourquoi elle me répond toujours présent, je suis son premier demandeur ! plaisanta-t-il, avant de regretter ses paroles et de se signer devant la Vierge.

Les pas se rapprochèrent avant de décroître rapidement. Ils reprirent leur travail. Les coups faisaient éclater le ciment avec précision.

— Elle doit peser au moins cinquante livres, estima Camille. Comment ferons-nous pour la transporter ?

— On ne va pas le faire. On l'ouvre et on la remet en place, expliqua Antoine. S'il y a un coffret dans cette pierre, elle contiendra des zones de faiblesse. Il suffit de les trouver pour les fissurer.

— Dire que je voulais voir Anne ce soir, se plaignit Camille.

— Dans peu de temps, vous serez dans ses bras.

— Ou dans une cellule du palais de Roanne. La perspective n'est pas la même !

Au bout d'une heure d'efforts, tous les scellements étaient brisés et ils purent faire glisser la pierre, lentement, en introduisant les taquoirs de bois de l'imprimerie.

— Attention à ne pas en casser un seul, sinon je suis un homme mort, indiqua le jeune homme.

— Votre oncle vous le pardonnera, tempéra Antoine.

— Mais Charles, jamais ! répliqua Camille, alors qu'ils les utilisaient comme leviers.

Lorsque la pierre fut suffisamment avancée, ils prirent le relais avec leurs bras, la basculèrent et accompagnèrent sa chute sur le sol afin de l'amortir.

— Rectification, dit Camille en se tenant le dos. Elle pèse au moins quatre-vingts livres !

— Nous sommes presque au bout.

Antoine choisit un burin plat et traça au milieu de la pierre une ligne visible qui la traversait dans sa profondeur.

— À partir de maintenant, on frappe directement au marteau, sur cette ligne, jusqu'à la briser. Sans retenue, ajouta-t-il.

Ils s'épuisèrent rapidement à donner des coups de masse infructueux.

— En êtes-vous sûr ? s'inquiéta Camille. Les zones de faiblesse et tout le reste ? Vous l'avez déjà fait ?

Antoine se releva et essuya le mélange de sueur et de poussière qui tapissait son front.

— Non, c'était juste une supputation.

— Une supputation ? Vous voulez dire qu'on a fait tout ce travail juste à partir d'une... supputation ?

— J'admets que je n'ai pas lu assez de traités de mécanique, dit Antoine en jetant un œil dans la rue. Mais ça aurait pu fonctionner. Dommage.

— Vous ne voulez plus continuer ?

— Disons que la patrouille va briser mes espoirs dans peu de temps. J'ai vu la lumière de leurs torches quitter le quai de la Baleine.

Camille sortit à son tour pour confirmer :

— Ils seront là dans dix minutes !

— On reviendra demain. Aidez-moi à la remettre !

Ils la poussèrent contre le mur et, au signal d'Antoine, la soulevèrent de toutes leurs forces. Au milieu de son ascension, le parpaing se fendit en deux en son centre puis se cassa en s'écroulant. Camille poussa un juron.

Antoine écarta les débris et tira un coffret de plomb de l'intérieur du pavé. Il l'ouvrit sans rien sortir.

— C'est la Mater ? interrogea Camille, qui massait son pied meurtri.

— Aidez-moi à faire le ménage, demanda Antoine en déblayant les débris.

Ils prirent chacune des deux moitiés de la pierre et les jetèrent dans le fleuve. Antoine déposa la Vierge dans l'emplacement vide et esquissa un signe de croix.

— Au fait, je voulais m'excuser, j'avais tort, reconnut-il en cachant le coffret sous sa veste.

— À quel sujet ?

— Vous ne serez pas dans les bras de votre fiancée ce soir. Vous venez avec moi.

Le lézard le dévisageait de son regard vitreux, la gueule ouverte sur sa langue bifide. Son corps avait la couleur d'une feuille morte et sa queue en spatule en avait l'aspect. Camille fit une grimace de dégoût et se désintéressa de l'*Uroplatus* et du mur tapissé d'animaux de Madagascar naturalisés. L'endroit lui paraissait irréel et les bêtes figées dans l'expression de la vie semblaient sortir de l'enfer le plus proche. Il s'abstint de tout commentaire alors qu'Antelme de Jussieu en avait fait sa chambre et se posta à la fenêtre où la fraîcheur de la nuit évacua son malaise. L'historien avait tenu à les recevoir dans son fauteuil et avait revêtu une longue robe de chambre en satin bleu qui occultait son infirmité. Il couvait des yeux la Mater posée dans le creux de sa main et s'était paré de ses plus beaux atours pour la recevoir avec révérence. Camille avait du mal à comprendre l'attention que les deux hommes portaient à cette petite statuette de six pouces de haut[1] et dont la patine avait terni le bronze.

1. Seize centimètres. Un pouce équivaut à 2,7 centimètres.

— Ainsi, te voilà, toi, la Mater de l'île Barbe. Ou devrais-je dire Louern la druidesse ? déclama Antelme sans cacher son émotion.

Il la tourna, la retourna, la soupesa : malgré sa petite taille, le bronze était lourd.

— Je ne sais pas pourquoi elle est le trésor des trésors, annonça Antoine en anticipant la question d'Antelme. Elle n'est pas creuse et ne renferme rien. Il n'y a sur elle aucune inscription ni signe.

Camille quitta sa fenêtre pour s'intéresser de plus près à la sculpture. Antelme, qui n'avait pas l'intention de la lâcher, tendit la main pour la lui montrer.

— Une chose est sûre : ce n'est pas une représentation de la Vierge Marie, dit le jeune homme d'un ton expert. Mais quelle preuve avez-vous que ce soit Louern ?

— Comme pour toutes les reliques, nous ne pouvons nous fonder que sur un faisceau de présomptions, avoua Antelme.

La réponse découragea Camille, qui se remit à inspecter les bêtes naturalisées pendant que l'avocat et l'historien rassemblaient tous les éléments pour les analyser à nouveau.

— Nous sommes sûrs que Louern était une femme, commença Antoine.

— La grammaire gauloise nous l'a révélé, renchérit Antelme.

— Nous savons qu'elle est arrivée en l'an 64 à l'île Barbe.

— Bien avant les premiers chrétiens.

Antoine arpentait la chambre devant le fauteuil d'Antelme. Camille caressa le dos du lézard, d'une couleur brune, à l'apparence nervurée et dont le toucher était semblable à celui de la cire.

— Elle était le seul druide de la communauté gauloise et en a pris la tête, continua Antoine.

— C'est très probable. C'est obligé, rectifia l'historien.

Camille toucha la queue en forme de feuille d'arbre dans un mélange de curiosité et d'écœurement. Il n'avait jamais vu un animal reproduire la nature avec autant de précision. Un courant d'air fit danser les flammes des bougies, faisant bouger les ombres. Il eut la sensation que l'*Uroplatus* allait s'échapper du mur et retira vivement sa main. La queue se cassa et tomba sur le sol en voltigeant nonchalamment comme une feuille morte. Camille se baissa pour tenter de la retrouver. À côté de lui, Antelme et Antoine continuaient à développer leurs arguments.

— Les premiers chrétiens sont apparus sur l'île combien de temps après elle ?

— Cent ans attestés, peut-être quatre-vingts, affirma l'historien.

— Louern était déjà morte. Ils ont alors trouvé une communauté qui honorait sa fondatrice.

— D'où la Mater. Le culte des mères. L'explication est séduisante. Qu'en pensez-vous, Delauney ?

Camille se releva promptement et bafouilla, la queue de l'*Uroplatus* cachée dans sa main droite.

— Vous qui n'avez pas étudié l'Antiquité, est-ce une explication convaincante ? répéta Antelme.

— Certes, elle l'est, improvisa le rédacteur. Mais pourquoi les chanoines de l'abbaye affirment-ils que cette statuette est la Sainte Vierge ?

— Ils ne pouvaient pas laisser les leurs adorer une déesse païenne en même temps que le Christ. C'est pourquoi ils ont changé l'histoire de l'origine de cette représentation, répondit Antelme avec conviction.

Camille approuva de la tête et revint au lézard. Il tenta discrètement de repositionner la queue sur lc corps du reptile, mais la feuille refusa de tenir.

— Antelme, acceptez-vous de garder la Mater ? demanda Antoine, qui connaissait d'avance la réponse.

— C'est pour moi un honneur ! s'exclama l'historien en regardant la statuette debout dans le creux de sa main. Je vais dès demain travailler à la résolution de cette énigme. Je trouverai pourquoi elle est le trésor des trésors.

— Camille ? l'interpella Antoine alors que le jeune homme était toujours tourné vers le mur.

Il s'approcha, l'air patelin.

— Nous aurions besoin que *Le Nouveau Glaneur* publie un article sur la Mater.

— La Mater ? dit-il, soulagé de ne pas être interrogé sur son étrange comportement.

— Il s'agit juste de faire un compte rendu de son existence. Dites seulement que la statuette fut retrouvée sur l'île lors de travaux. Nous vous fournirons un dessin. Je voudrais éviter qu'elle ne retourne dans l'oubli d'une cache pendant des siècles.

Les trois hommes se quittèrent tard dans la soirée après avoir partagé le souper. Au moment de gagner son lit, Antelme remarqua un phénomène curieux qui le fit sourire : une queue en forme de feuille avait poussé à une halabé épinglée au mur.

CHAPITRE XV

Mars 1778

101

Dimanche 1er mars

Toute la ville était en fête. Les rues qui ceignaient la Saône étaient pavoisées depuis plusieurs jours et les ponts avaient été interdits aux véhicules depuis six heures du matin afin de permettre à la population de s'y installer. Dès huit heures, les deux rives du fleuve étaient noires de monde. À dix heures, plus personne ne pouvait traverser tant la foule était dense. Marc s'était équipé de sa lunette et s'était placé au niveau de l'arche Merveilleuse du pont de pierre, qui permettait de voir au plus loin dans les méandres de la Saône. Il voulait être le premier à annoncer l'arrivée des bateaux. Il apercevait le fleuve jusqu'au quai Saint-Benoît, situé à près de dix arpents, ce qui avait provoqué l'admiration de la foule et un énorme attroupement autour de lui. Tous les bateaux s'étaient donné rendez-vous à l'île Barbe, d'où la procession était partie une heure plus tôt. Antelme, comme à son habitude, avait obtenu une table au café *Neptune*, l'établissement situé au premier étage de la maison qui surplombait l'arche Merveilleuse, et y avait invité Antoine et Michèle, mais n'était pas encore arrivé. Aimé avait préféré rester dans son bureau de la grande rue Mercière, qu'il considérait comme « le plus beau panorama de Lyon avant qu'un immeuble ne le cache à jamais ». Camille n'avait pas réussi à le faire changer d'avis et s'était rendu sur les quais pour montrer à Anne la barque avec laquelle il allait participer à la joute. Edmée avait trouvé place dans un des bateaux de la procession, regroupant les compagnons de l'imprimerie et les cercles littéraires de la ville, et y avait invité Madeleine. François avait été réquisitionné dans le prestigieux *Bucentaure*, réplique du navire vénitien et qui, traditionnellement, conduisait le cortège. Le vaisseau mère convoyait les personnes les plus illustres de la ville, leurs invités et les magistrats. François, à son corps défendant, en était un des membres éminents.

La brume s'était levée rapidement après la fraîcheur de la nuit et un soleil sans partage régnait sur Lyon.

— Les voilà, je vois le *Bucentaure* ! cria Marc, provoquant une immense clameur qui se propagea comme une traînée de poudre dans la foule.

Les autorités ecclésiastiques avaient longtemps combattu l'idée de cette fête, qu'elles jugeaient trop éloignée de la cérémonie religieuse des débuts, ainsi que la date, liée aux activités marchandes de la ville, avant de s'y rallier *a minima*. Le chapitre avait réussi à interdire le sacrifice du taureau, traditionnellement précipité dans l'eau depuis l'arche Merveilleuse. L'ordre des préséances avait fait l'objet d'une longue négociation entre les différents corps constitués et les compagnies qui se jalousaient.

— Le second est celui du chapitre, annonça Ponsainpierre en décrivant les parures dont il s'était orné. Je vois aussi celui du consulat, plus loin le bateau de la milice bourgeoise et la compagnie des imprimeurs et des cercles littéraires. Il semble tiré par des dauphins et des chevaux marins, il est magnifique ! dit-il fièrement en pensant à Edmée.

Suivaient celui des clercs de la basoche et celui des principaux corps de métier. Les soyeux avaient monté à leur bord un quintet à cordes et les tanneurs avaient réquisitionné un couple de chanteurs de rue venus du pont Neuf. Les associations des différentes paroisses fermaient la marche à bord de barques recouvertes de feuillages et de banderoles.

L'armada avait dépassé le pont de bois de Saint-Vincent. Tout le monde pouvait distinguer leurs formes multicolores sur le fond mélèze de la Saône. Marc se retourna vers l'attroupement qui se pressait derrière lui.

— Qui veut les voir de près ?

Des dizaines de mains se levèrent. Il sortit un sablier en bois de la poche de sa redingote et le posa sur le parapet.

— Un liard la minute. À ce prix-là, pourquoi se priver ?

Les pièces tintèrent dans les bourses.

François était debout, à la proue, près de la sculpture représentant un centaure au corps de bœuf. Le *Bucentaure* ressemblait à une galère sur laquelle un pavillon de chasse aurait été construit. Les musiciens d'un ensemble d'instruments à vent jouaient, debout sur la terrasse installée au sommet du pavillon, pendant que les invités s'étaient installés aux fenêtres ou sur le pont. Le bateau, sans voile ni mât, avançait à la force des dizaines de rameurs qui s'étaient improvisés galériens pour l'occasion. Les maisons des bords de quai glissaient par à-coups sur les berges d'où les spectateurs saluaient et applaudissaient. Le pont de pierre et ses maisons suspendues se rapprochaient. La Saône était paisible. Le *Bucentaure* manœuvra afin de se retrouver dans l'axe de la deuxième arche. Prost ferma les yeux et respira profondément. Les moments de sérénité étaient toujours si fugaces. Il les rouvrit alors que les applaudissements se déclenchaient en cascade au-dessus de sa tête : le navire allait pénétrer sous l'ouvrage. Au moment de franchir le pont, Prost aperçut le visage de Marais dans la foule. Puis l'arche de pierre recouvrit le ciel.

Au café *Neptune*, l'ambiance était montée d'un ton.

— Ils sont là ! avait crié un des clients, précipitant tout le monde aux fenêtres.

Le *Bucentaure* avait rejoint la berge où étaient parqués la moitié des bateaux en attente des joutes. Il avait été chaleureusement applaudi sur tout son parcours, ce qui était un indicateur de la popularité du pouvoir local. La foule n'avait pas grondé et, au contraire, avait réservé un triomphe au prestigieux bateau. Les plus petites embarcations, les plus expérimentées aussi, avaient choisi de passer par l'arche des Merveilles et ses tourbillons de la Mort-qui-Trompe, ce que le bas niveau des eaux ainsi que la clémence du fleuve autorisaient en ce jour de fête.

Alors que toute la flottille se répartissait entre le port Saint-Antoine, sur la rive gauche, et le quai de la Baleine, du côté opposé, cinq barques continuèrent leur chemin.

— Ce sont les principales paroisses de Lyon, elles font procession jusqu'à Ainay, expliqua Antoine.

Michèle était enchantée. Elle ne pouvait détacher ni son regard ni sa main de l'homme qu'elle aimait et qu'elle avait failli perdre. Antoine lui rendait ses sourires par des baisers, ce qui suscitait les remarques admiratives ou familières des nombreux clients, peu habitués à la présence d'une femme dans l'établissement. Mais les amoureux s'en moquaient. Tout était permis le jour des Nautes.

— Maître, nous vous cherchions !

Szabolcs avait apostrophé Antoine pour lui présenter son frère.

— Vous m'avez aidé à récupérer les écheveaux de fil de lin qu'un escroc me devait, je voulais vous en remercier, dit l'homme en lui tendant une bouteille de vin blanc.

Antoine les invita à s'asseoir et à la partager avec eux.

— Mon frère se lance dans le commerce d'alcool, expliqua le facteur.

— J'aurai moins de soucis qu'avec les tissus, renchérit l'homme. Les vins pourris sont encore bon marché, mais je suis persuadé qu'ils vont devenir très prisés. J'en ai acheté dix tonneaux à un producteur de Bordeaux.

Le vin fit les délices de la tablée. Tous commentaient les décorations de la flotte ainsi que les prestations des orchestres embarqués. Marc passa les saluer, la jumelle et son trépied à l'épaule, et leur montra sa bourse pleine.

— Soixante liards, dit-il en l'agitant comme une clochette. Sonnants et trébuchants. À ce prix, on devrait faire une procession chaque semaine ! En tout cas cela m'a donné une idée, je t'en parlerai bientôt, conclut-il en les quittant.

Antoine lança un regard inquiet vers la porte : Antelme n'était toujours pas arrivé. Michèle s'en aperçut et lui caressa la nuque d'un geste rassurant.

— Il va venir, ses reins le faisaient encore souffrir hier.

Savarin était furieux : le matin même, il avait dû faire face à deux défections, dont il n'avait réussi à remplacer qu'une. Toute l'équipe était partie à la recherche du douzième rameur, sans qui aucune participation aux joutes n'était possible. En l'apprenant, Camille était entré dans une colère qui avait surpris Anne, plutôt rassurée que son fiancé reste sur la berge pendant les jeux. Les équipiers revenaient les uns après les autres, bredouilles. Leurs proches étaient déjà tous à la fête, introuvables ou engagés dans d'autres équipages, alors que, sur la rive opposée, la plupart des barques alignées le long du quai de la Baleine étaient prêtes et les équipes en place.

— Il va nous falloir déclarer forfait, avança Savarin, dépité.

— Pourquoi ne pas participer avec seulement dix rameurs ? demanda Anne.

— La différence se fait souvent sur la vitesse, mademoiselle. Plus elle est grande, plus on a de chances de décoller le jouteur de sa siaupe.

— Mais vous êtes l'homme le plus fort de la fête, un des plus forts de la ville, objecta-t-elle en considérant sa carrure.

— Peut-être, répliqua-t-il en tapotant ses pectoraux, flatté. Mais je ne suis pas le jouteur. Je commanderai la manœuvre comme lieutenant.

— Voilà Camille ! s'écria-t-elle en lui faisant signe. Je crois qu'il a trouvé quelqu'un !

Le jeune homme était accompagné d'un marin qu'elle ne connaissait pas.

— Qui est votre jouteur, monsieur Savarin ? demanda-t-elle en regardant les coéquipiers de Camille qui attendaient, silencieux, assis près de leur barque, la confirmation de leur sort.

Aucun d'entre eux ne lui semblait suffisamment athlétique pour prendre place sur le plateau de la siaupe.

— Le jeune Delauney. Je croyais que vous le saviez, mademoiselle, s'étonna Savarin. Il est courageux, votre fiancé, il a défié le groupe des modères, ajouta-t-il pour atténuer la colère qu'il avait vue naître dans les yeux d'Anne et s'étendre à tout son visage.

En face, les équipes s'étaient mises en place dans un brouhaha joyeux et charriaient les formations de la berge opposée. Savarin s'éloigna d'Anne, par crainte de sa réaction, et vint à la rencontre de Camille.

— Il paraît que vous cherchez un équipier, dit l'homme à son côté.

— Nous avons effectivement besoin d'un rameur, répondit Savarin.

— Je vous serai plus utile à la barre. J'ai déjà gagné les Nautes comme pilote, répliqua-t-il.

Son visage n'était pas inconnu du charron.

— Je m'appelle Querré, confirma-t-il. Je suis un des modères de la ville.

— Excellent ! Paul, tu passes aux rames, cria Savarin en se retournant. On est au complet !

L'homme s'exécuta en grognant alors que tous les autres explosaient de joie et en profitaient pour se moquer à leur tour des équipes du quai de la Baleine.

Anne avait agrippé Camille par le bras et l'avait entraîné à l'écart.

— Je n'ai pas trouvé le temps de t'en parler, avança-t-il, penaud.

— Non, Camille, j'attends une autre explication. Pas ça !

— Je vais nous venger. Je vais combattre Trente-trois.

Anne se contint de le gifler. Des larmes embuèrent ses yeux.

— Je ne pleure pas, c'est le vent qui me fait mal, prétendit-elle pour empêcher tout geste de tendresse de Camille. Te rends-tu compte ? ajouta-t-elle après un silence où elle avait ravalé ses pleurs.

— Je vais nous venger, répéta-t-il. C'est l'homme qui a failli nous tuer.

— Mais tu veux quoi ? Qu'il réussisse à la seconde tentative ? Moi, je ne veux pas être vengée. Je veux vivre !

Camille baissa les yeux.

— Vivre, entends-tu ? Vivre avec toi et pas comme une veuve !

— Ce M. Querré va nous aider...

— Mais tu l'as entendu parler ? Ne me dis pas que tu n'as pas reconnu sa voix ! Il était à la Bergerie, lui aussi !

— Je suis allé le trouver sur le pont alors qu'il aurait dû être à la barre du bateau des modères. Il a refusé de concourir avec l'autre. Il m'a expliqué qu'il n'y était pour rien. Tu m'entends, mon Anne ?

— La belle affaire ! Il veut racheter sa faute en t'envoyant te faire transpercer ? Tu veux que je te dise ce qui va arriver ? Écoute-moi, Camille ! cria Anne alors qu'il lançait un regard vers ses coéquipiers en train de se préparer. Tu m'écoutes ?

— Oui, dit-il sans oser la regarder en face.

— Ce Trente-trois ne va pas se contenter de te faire tomber à l'eau. L'occasion est trop belle pour finir le travail : ce n'est pas ton pavois qu'il va viser avec sa lance, mais ta tête !

Anne lui prit les mains.

— Laisse la joute à un autre, dit-elle d'un ton suppliant.

Camille la regarda droit dans les yeux pour la première fois. Il la serra dans ses bras. Elle se laissa faire, paralysée par l'émotion.

— Je suis désolé, mon Anne. Je dois le faire. Sinon, je ne pourrai jamais plus te regarder avec fierté, sinon tes cicatrices me rappelleront toujours ma lâcheté et mon échec. Je l'ai défié et je le battrai à la loyale. Après, nous pourrons vivre normalement.

Marais jeta un dernier regard aux préparatifs des joutes nautiques et quitta le pont de pierre. Il traversa la ville et emprunta le pont de la Guillotière, que la fête des Nautes avait vidé de son flux habituel de passants. Il s'arrêta devant la tour de la redoute. La barrière de défense était inoccupée depuis des années et sa destruction était sans cesse reportée en raison de son coût. Il monta au dernier étage en vérifiant à chaque entresol que toutes les pièces étaient vides et pénétra dans la salle sous les combles. L'homme qui l'attendait était debout devant le large chambranle ouvert sur l'aval du fleuve. Les fenêtres avaient disparu depuis longtemps. Un vent soutenu traversait la redoute.

— Approchez-vous, inspecteur, dit-il en lui faisant signe. Venez profiter de cette vue merveilleuse sur notre ville.

Marais traversa la pièce sans se presser, observant sa configuration et tâtant le plancher de sa canne à chaque pas. Il s'arrêta devant l'homme et lança un bref regard vers l'extérieur sans s'intéresser au panorama.

— Pourquoi cette méfiance ? Nous ne sommes que tous les deux et je ne suis pas armé. Tenez, je vais me mettre devant l'ouverture pour vous montrer que vous ne risquez rien, dit l'homme en se déplaçant légèrement en signe de bonne volonté.

— Vous m'avez demandé de venir, j'espère que vous avez une très bonne raison de m'avoir arraché à la fête des Nautes, répondit Marais, qui ne cessait de parcourir la pièce des yeux.

— Le jour où l'on chérit la Saône n'est-il pas le meilleur pour rendre visite au Rhône ? Ce que j'ai à vous révéler nécessite la plus grande discrétion. C'est une des deux raisons de notre présence ici.

— Et quelle en est la seconde ?

— Patience, monsieur l'inspecteur. Patience.

Marais remarqua la présence d'un chapelet à son poignet gauche. L'homme sortit un mouchoir et s'essuya les mains et le front avant de continuer :

— Vous êtes un adversaire redoutable et la situation actuelle ne ravit personne, vous en conviendrez.

— Fabert a eu tort de défier le roi. Et vous, de l'aider.

— Ces textes gaulois sont la preuve que le pouvoir des Bourbons est illégitime. Leur puissance est énorme, elle nous dépasse. Mais nous possédons cette arme, c'est un fait.

Les clameurs de la foule retentirent jusqu'à eux.

— Les joutes ont commencé, remarqua Marais. Quelle est votre proposition pour sortir de cette situation ?

— Maître Fabert a signé une lettre de renoncement, mais je sais que vous continuerez à le harceler. Je connais les hommes dans votre genre. Ils ont leurs propres codes.

— Je le prends pour un compliment. Alors ?

— Je sais où se trouvent les codices. Je vous les donne en contrepartie de votre départ définitif de Lyon.

— Il m'en faudrait un peu plus pour m'émouvoir, cher monsieur, ricana l'inspecteur. Si vous saviez le nombre de personnes qui m'ont affirmé savoir où ils se trouvaient... Et, à chaque fois, rien !

— Ils sont dans cette tour.

Les rameurs étaient prêts. Savarin et Querré s'étaient isolés avec Camille. Le charron le conseilla sur la façon de tenir la lance, la principale difficulté étant son poids.

— La nôtre a un équilibre parfait et pliera longtemps avant de rompre. La leur a un défaut : son bois est bien plus cassant, il y a des motifs qui indiquent des zones de faiblesse...

— Je me méfie des zones de faiblesse ! l'interrompit Camille en se souvenant de la pierre de la chapelle.

— Je peux t'affirmer que, si tu résistes à son assaut initial, sa lance se brisera avant la tienne. Tout réside dans le bon enchaînement des gestes. Souviens-toi de nos entraînements.

Savarin lui avait fait répéter les trois phases de jeu.

— Nous n'avons pas eu beaucoup de temps, concéda-t-il.

— Deux semaines, répondit Camille en enfilant le pavois sur son avant-bras gauche.

— Il est important que tu baisses ton arme le plus tard possible, sinon le poids va te fatiguer plus que ton adversaire.

— Je vous ferai signe pour vous indiquer le bon moment, intervint Querré.

— À cet instant, mets-toi en position, la jambe gauche en avant, jambe droite calée, et, juste avant l'impact, bascule tout le poids de ton corps sur ta cuisse. Le choc est toujours plus fort que ce à quoi on s'attend au début.

— Visez bien le milieu de son pavois. Ne vous occupez pas du tout de lui. Je vais manœuvrer en fonction de ce qu'il tentera. Je connais notre adversaire mieux que quiconque. Pensez seulement à votre enchaînement. Et mettez toute votre force à l'impact.

— J'y mettrai toute ma rage.

Querré savait que Trente-trois demanderait à son pilote de donner un léger coup de gouvernail à gauche juste au moment de l'impact des lances sur les pavois. Querré en était l'inventeur : la manœuvre permettait de pousser l'adversaire non seulement vers l'arrière, mais aussi de le dévier légèrement vers l'extérieur. Il l'anticiperait.

Sur la berge opposée, les rameurs de la barque de Trente-trois levèrent leurs rames rouges pour saluer leurs adversaires.

— Je peux vous poser une question ? demanda Camille, qui s'était installé sur la siaupe.

— Fais, répondit Savarin, debout devant lui.

— Pourquoi n'êtes-vous plus un jouteur ? Avec votre force...

— Je te répondrai quand on sera arrivés sur la rive opposée, mon garçon. Aie confiance en moi, dit-il en lui envoyant une tape amicale sur l'épaule qui manqua de le renverser. Surveille ton équilibre et anticipe !

En réponse aux modères, les équipiers saluèrent de leurs rames peintes en bleu et se mirent debout dans l'embarcation. Savarin ordonna le départ. Les douze hommes pagayaient debout, dans un rythme parfait, synchronisé par le charron. Camille fixait du regard la forme blanc et rouge qui filait droit sur eux. Il distinguait la lance levée. Bientôt, Trente-trois fut visible. Il ne le quitta plus des yeux.

— Cinq toises... deux toises... une toise... compta Querré.

Les rameurs ne pagayaient plus. Ils s'étaient baissés.

Les deux bateaux se croisèrent par bâbord. Se frôlèrent.

— Maintenant ! dit le marin.

Marais vérifia une nouvelle fois que personne ne s'approchait ou ne montait dans la tour et se planta devant l'homme.

Il détailla Antelme : l'historien était muni de deux larges béquilles qui reposaient sous ses bras et maintenaient son corps en équilibre précaire. Ses jambes atrophiées, dont les pieds traînaient sur le sol, paraissaient minuscules en dessous d'un tronc large et développé et de bras épais.

— Je vous croyais plus petit, dit-il en constatant que celui-ci le dominait d'une tête. Et moins croyant, ajouta-t-il en désignant le chapelet.

— Comme quoi il ne faut jamais avoir d'idée préconçue, inspecteur, répondit Antelme en souriant.

— Où sont-ils ?

Antelme leva les yeux vers les poutres. Au moment où Marais fit de même, il comprit qu'il avait été piégé. Sa poitrine se comprima. Il se sentit étouffer. Avec une vivacité qu'il ne lui soupçonnait pas, l'historien l'avait entouré de ses bras et serrait de toutes ses forces, les deux mains nouées ensemble dans le chapelet. La puissance d'Antelme, habitué à traîner son corps à la seule force de ses biceps, était colossale. Marais n'arriva pas à se dégager de l'emprise de l'infirme, qui bascula en arrière en l'entraînant vers l'ouverture.

Leurs visages se trouvaient à quelques centimètres l'un de l'autre. Marais lui assena un coup de tête, mais il était trop tard : les deux corps enlacés tombèrent dans le vide. La chute dura quelques secondes pendant lesquelles il donna de furieux coups d'épaule, de pied et de tête.

Marais vit le visage ensanglanté de l'historien qui semblait sourire et avala une grande bouffée d'air avant l'impact dans l'eau froide du Rhône. Le choc n'affecta pas Antelme, qui continuait à serrer avec un acharnement inouï. Tout en tentant de se dégager de l'étau, Marais réussit à prendre le couteau à manche d'ambre à sa ceinture. Il envoya plusieurs coups de lame dans l'abdomen de l'historien. Le sang tourbillonna et troubla l'eau autour d'eux. Antelme ne lâchait toujours pas. Le poids combiné des deux hommes les entraînait au plus profond. Marais sentit ses forces diminuer ; ses réserves d'air étaient minimales. Mais les bras qui l'entouraient commençaient aussi à trembler.

Dès qu'il l'avait entraîné dans le vide, Antelme s'était rendu étranger à la douleur et à l'épuisement. Il serrait sans penser à rien d'autre qu'à la vision du corps sans vie de Radama. Plus il songeait à lui, plus il comprimait ses muscles. La rage, qu'il avait contenue depuis des semaines, se libérait dans toutes ses fibres. Il perçut les coups de l'inspecteur, il perçut la lame qui lardait son ventre. La vision de Radama disparut peu à peu pour le visage de Ninon. Il avait une promesse à tenir. Elle serait sa dernière pensée. L'inspecteur ne se débattait plus. Antelme ouvrit la bouche pour en finir. Lorsqu'il lâcha prise, Marais était déjà mort. Dans la lutte, l'inspecteur avait cassé son bras, qui avait pris un angle improbable. Les deux hommes étaient toujours attachés l'un à l'autre au moment où ils touchèrent le fond du fleuve.

Camille hurla. Un cri de fureur qui résonna jusqu'aux berges. Au moment de l'impact, il crut que ses membres allaient se désarticuler. L'onde de choc s'était propagée dans tout son corps. Idéalement penché en avant, il avait tenu bon. Les deux lances ployèrent. Celle de Camille, plus souple, fit un arc de cercle impressionnant. Tous crurent qu'elle allait se rompre. Les spectateurs réagirent. Au même moment, Trente-trois prit conscience que le pilote adverse était Querré. *Jean-foutre !* pensa-t-il.

— Tiens bon ! cria Savarin.

Camille jeta ses dernières forces dans le combat. Les deux jouteurs s'étaient rapprochés. La lance plia encore davantage. Celle de

Trente-trois s'arrondit un peu et rompit dans un craquement sec, le faisant basculer violemment en avant. Sa lance brisée le heurta à la tête. Un bout cassé lui entra dans l'œil. Il tomba à l'eau. La passe d'armes avait duré trois secondes.

Trente-trois fut secouru par ses coéquipiers qui le hissèrent à bord et ramèrent en direction du port du Temple : il devait se faire soigner à l'Hôtel-Dieu. Il n'y aurait pas de revanche.

Savarin empoigna Camille, manquant de le faire tomber.

— Le bois, tout est dans le bois, je l'ai toujours dit ! jubila-t-il en lui envoyant des tapes dans le dos.

— Maintenant, vous pouvez me dire, le pressa Camille une fois l'effervescence retombée. Pourquoi m'avoir laissé votre place ?

— Ce sont mes yeux qui m'ont empêché de faire le jouteur. Ils me trahissent depuis plusieurs années mais je refuse les bésicles. Je n'aurais pas vu le pavois. Mais, toi, tu as été parfait !

Anne n'avait pas voulu assister à la joute. Assise à côté de Michèle dans le café *Neptune* qui s'était vidé de ses clients, elle avait entendu les cris successifs du public. Puis le brouhaha normal de la foule avait repris sur le pont.

— Je suis sûre qu'il va bien, assura Michèle, qui lui tenait la main.

— Je ne comprends pas les hommes qui mettent leur honneur au-dessus des autres sentiments.

Michèle acquiesça.

— Cela ne nous empêche pas de les aimer, remarqua-t-elle en songeant à Antoine.

— Non, cette fois, c'en est trop ! s'emporta Anne. Même s'il me demande pardon de ses magnifiques yeux qui me font mourir d'amour, je refuse ! C'est trop facile !

Szabolcs entra en trombe dans le café annoncer au gérant la nouvelle de la défaite de Trente-trois. Lorsqu'il vit les deux femmes, il félicita Anne et ressortit aussitôt : la joute suivante allait commencer.

— Il va venir, dit le patron en regroupant plusieurs tables. Les vainqueurs viennent toujours boire ici après la joute. C'est une tradition.

Antoine les précéda. Il avait cherché Antelme sur les quais et le pont et ne l'avait pas trouvé.

— Son absence m'inquiète. Il se faisait une joie de cette fête.

— Je t'accompagne chez lui, proposa Michèle.

Cinq minutes s'étaient écoulées quand l'équipage entra, joyeux et bruyant. Alors que les autres gagnaient leur tablée, Camille se campa devant sa fiancée.

— Pardonne-moi, dit-il, penaud.

— Mais tu es blessé ! constata Anne, qui se leva promptement.

Elle effleura sa pommette gonflée et marquée d'une plaie.

— Mon Dieu, il t'a touché !

Anne le serra dans ses bras à l'étouffer.

— Tu es mon héros, Camille, te rends-tu compte que tu as failli mourir ?

— Je l'ai fait pour toi, par amour.

— Jure-moi...

— Je jure de ne plus jamais recommencer, assura-t-il, la main sur le cœur.

— Dans ce cas, je te pardonne, répondit Anne, dont la colère s'était volatilisée. Ta blessure ne te fait pas trop mal ?

— Elle sera le souvenir éternel de mon combat pour nous.

— L'équipe te réclame, lui indiqua Savarin, qui les avait rejoints.

Camille s'excusa auprès de sa fiancée et se fondit dans le groupe qui l'acclamait.

— Je suis désolé pour son estafilade, dit le charron à Anne.

— Trente-trois aurait pu lui faire beaucoup plus mal, relativisa-t-elle.

— Trente-trois ? Non, c'est moi, je lui ai donné un coup de lance en sortant du bateau. Navré !

— M. de Jussieu est absent, dit le valet à Antoine et Michèle. Mais il a laissé un mot pour vous. Veuillez vous donner la peine d'entrer, ajouta-t-il en s'effaçant.

Le serviteur qui avait remplacé Radama était ampoulé et distant. Antelme l'avait choisi pour avoir servi un seul maître pendant plus de vingt ans, que la paralysie avait très tôt cloué sur un lit. Il s'était vite adapté aux difficultés de son service, qu'il maîtrisait parfaitement, sans apporter à Antelme l'âme de Radama et les souvenirs qu'il représentait. Personne ne le pourrait plus.

La lettre était posée sur la chauffeuse du boudoir situé en haut de la tourelle. Le fauteuil roulant s'y trouvait rangé. L'usure du cuir y dessinait la silhouette de l'historien.

— Monsieur voulait que vous le lisiez ici, commenta le valet d'un ton morne.

Ils s'assirent et attendirent que ses pas se soient tus dans l'escalier avant d'ouvrir le pli :

Je suis désolé, Antoine, mon ami, mon cher ami, de ne pouvoir vous dire ces mots de vive voix. Mais une affaire urgente m'appelle hors de Lyon, une affaire qui me fait voyager loin, qui me tiendra éloigné de ma ville et de vous longtemps, si longtemps que vous finirez par m'oublier, je vous le demande et, si vous refusez, je vous l'ordonne.

Sachez que j'ai passé un pacte avec l'inspecteur Marais, qui, lui aussi, quitte la ville et ne vous tourmentera plus jamais.

Antoine fit une pause pour ouvrir la fenêtre sur la vue que chérissait Antelme. Il reprit la lecture.

Je n'ai pas résolu l'énigme du trésor des trésors. Le coffret de la Mater se trouve sous mon fauteuil. Ainsi, elle ne me quittait jamais. La découverte des textes de notre druidesse Louern fut, avec notre amitié, ma plus grande joie depuis que j'ai quitté Madagascar. N'ayez crainte, un jour les Gaulois seront reconnus pour ce qu'ils sont, nos ancêtres, notre aube. Leur civilisation sera louée par les historiens et chantée par le peuple, car d'autres codices viendront, d'autres textes, que la terre nous offrira. D'autres Fabert et d'autres Jussieu prendront notre suite, nous avons fait notre part, Louern peut être fière de nous. Elle l'est, j'en suis certain.

Michèle l'avait rejoint et l'enlaçait, la tête posée sur son épaule. Ils contemplèrent l'étendue de toits enchevêtrés des quartiers nord qui se brisait sur la place Louis-le-Grand et, plus loin, les maisons entourées de jardins et de vergers qui, à la pointe de la presqu'île, se fondaient dans la confluence des deux fleuves.

— Il n'y a pas d'autre coffre que les codices. Nous ne saurons jamais quel était le trésor des trésors, murmura-t-il.

— Pas d'autre trésor... Louern nous a rendu notre liberté, mon amour, dit-elle en lui tendant la Mater.

Ils longèrent les quais désertés du Rhône. Arrivés à l'entrée du pont de la Guillotière, Antoine eut un temps d'arrêt. Un groupe d'enfants chahutait avec des cerceaux sur les berges près du réservoir d'eau. Un vieil homme tirait sa charrette à moitié remplie de foin dans leur direction. L'endroit respirait une sereine quiétude. Dix mille jours avaient, comme une marée quotidienne, effacé le drame.

— Je ne l'ai plus regardé en face depuis l'accident, dit-il en serrant Michèle par la taille. Mais, aujourd'hui, je sais que je peux le traverser. Depuis vous.

Le serviteur d'Antelme leur avait indiqué l'endroit où il avait emmené son maître. Il leur avait raconté comment il avait eu les pires difficultés à monter les trois étages de la tour de la redoute, comment il l'avait laissé sur place avec sa seule paire de béquilles, pour rentrer avec le fauteuil. Selon Antelme, quelqu'un devait venir le prendre pour partir en voyage. Le valet avait trouvé l'endroit étrange pour un rendez-vous, sans s'inquiéter plus avant. Son sens de l'obéissance excluait l'empathie.

Arrivés en haut, ils trouvèrent la pièce vide et les béquilles de l'historien posées au sol, près de la fenêtre. Antoine se pencha par l'ouverture en se tenant au cadre de bois et ne vit rien sur les abords du pont.

— Où est-il allé, sans son fauteuil et ses béquilles ? interrogea-t-elle, poursuivie par la même pensée que lui.

Antoine plissa le front en signe d'ignorance, inspecta la pièce du regard et se pencha une dernière fois.

— Venez, sortons, proposa-t-il en la prenant par la main.

— Nous ne saurons jamais ce qu'il est devenu, soupira Michèle après qu'ils eurent parcouru une partie du pont.

— Nous dirons à tous ceux qui nous le demanderont qu'il est reparti à Madagascar et qu'il a une belle vie dans ce Nouveau Monde qui lui manquait tant, décida Antoine.

Après s'être penché, il avait remarqué les taches de sang sur le chambranle. La lettre avait pris toute sa signification. Antelme ne voulait pas que son corps soit découvert. Pour tous, il serait en voyage.

Antoine arrêta Michèle au niveau de la dernière arche.

— Voulez-vous bien de Lyon, mademoiselle Masson ?

— Voulez-vous bien de moi, maître Fabert ?

— Serait-ce une déclaration ?

— Serait-ce une adoption ?

Ils s'embrassèrent éperdument avant de tourner définitivement le dos au passé et de franchir la porte de la ville. Dehors, les clameurs des joutes n'avaient pas cessé. La fête était belle et les Lyonnais allaient la prolonger jusqu'aux premières lueurs de l'aube.

ÉPILOGUE

L'île semblait déserte. J'avais marché sans me retourner, en remontant le fleuve Arar, jusqu'à ce que son ombre apparaisse, tel un vaisseau fantôme, au milieu de l'eau. Je vérifiai à la lueur de ma torche le plan indiqué sur mon parchemin. J'étais arrivée. Elle était celle que les druides désignaient comme l'île sauvage et qu'ils avaient foulée, lors des réunions au sanctuaire des Trois Gaules, afin d'y cueillir le gui sacré. Le rassemblement avait été interdit. Personne ne m'y trouverait. Sa partie la plus proche était à moins de deux arpents de la berge où je venais de m'installer. Il me faudrait nager.

À l'aide de mon couteau, je découpai un large pan d'écorce sur un vieil orme. Je regardai au loin, vers le sud, l'horizon éclairé d'une lueur dorée qui s'étirait en cercles excentriques et virait au rouge avant de se fondre dans le sombre de la nuit. L'incendie n'avait pas cessé. Il était visible à près de trois lieues. Sans doute me cherchaient-ils encore. Il me fallait disparaître avant le jour. Je retournai l'écorce sur la surface de l'eau et y déposai ma besace, ma lacerne de laine, mes braies et ma tunique. Mon corps était en sueur. Je rentrai doucement dans le fleuve, sans bruit, et poussai mon radeau improvisé en direction de l'île. La traversée dura trois minutes et acheva de m'épuiser. Le courant m'avait déviée vers le milieu de l'île dans une sylve de feuillus. Je me séchai, me rhabillai, mangeai mes derniers poissons séchés et m'endormis aussitôt.

Dès mon réveil, je portai la main sur le trésor des trésors. Tout allait bien. Mais il me fallait combler une faim grandissante. Je posai des pièges dans la forêt et en profitai pour faire le tour de l'île sauvage. Je découvris avec une joie et un bonheur infinis un grand chêne à la pointe nord, à côté d'une source d'eau douce et limpide. L'image de cet endroit était semblable à celle de mes rêves, les Dieux ne m'avaient pas abandonnée. Ils m'avaient envoyée ici pour que je poursuive mon œuvre, pour que je fasse perdurer notre connaissance. Je les remerciai en leur offrant une partie des fruits que j'avais récoltés dans la grande forêt de la pointe opposée et mangeai le reste, assise sur un des rochers de la berge. Une odeur de brûlé flottait dans l'air. Le vent l'avait apportée depuis Lugdunum.

Les semaines suivantes furent consacrées à la construction d'une *capanna*[1]. Les mois froids allaient bientôt effacer la douceur. Je choisis de l'établir au milieu de la grande forêt de feuillus du côté sud, près d'un arbre depuis lequel je pourrais voir le fleuve en amont et en aval. Je plantai des branches de sycomore que j'avais taillées en pieux et entre lesquelles je nouai des branchages souples de noisetiers. Mon couteau me fut très utile mais je m'entaillai plusieurs fois les mains par maladresse. Heureusement, une grande diversité de plantes poussaient sur l'île, dont certaines me permirent de me soigner. Durant cette période, je travaillai beaucoup, du lever au coucher du jour, parfois plus tard, mais jamais je n'allumai un feu dès que la nuit avait pris possession du monde d'en haut.

Les lièvres et les poissons constituaient la base de mes repas, les premiers pullulant dans ma forêt et les seconds dans l'Arar. Je n'avais pas de sel pour les sécher, ce qui m'obligeait à chasser tous les deux ou trois jours. La *capanna* devait être terminée avant l'arrivée des pluies froides. Lorsque toute l'ossature fut finie, je la recouvris de plusieurs couches de branchages et de feuilles de chênes verts, qui composaient une grande partie de la futaie et qui seraient une source inépuisable pour mon toit. Les Dieux avaient pensé à tout.

Je fus malade dès le début de *riuros*[2] et eus une forte fièvre que même l'écorce prélevée sur l'unique saule de l'île ne réussit pas à adoucir. Je restai allongée cinq jours durant, pendant lesquels mes réserves de nourriture et d'eau douce s'épuisèrent très rapidement. Malgré la faiblesse, malgré les vertiges, je me levai le sixième jour, tremblante et affaiblie, craignant pour le trésor des trésors. Heureusement, un lièvre s'était pris dans mon piège la veille ; j'eus suffisamment à manger pour regagner des forces et cueillir du gui et de l'écorce moyenne de sureau. Quand cela me fut possible, j'allai à la source pour y boire et me purifier en m'y lavant.

Lorsque *anagantio*[3] toucha à sa fin, alors que les arbres et les animaux relevaient la tête et sortaient hors de terre, je n'avais recouvré qu'en partie mes forces. Je savais que la délivrance était proche. Je l'attendais et la redoutais.

---

1. Cabane.
2. Troisième mois du calendrier gaulois, entre décembre et janvier.
3. Quatrième mois du calendrier gaulois, entre janvier et février.

Elle arriva un matin de *cutios*[1]. Un jour où je m'étais allongée à la pointe, près de mon chêne, et où j'observais les néphélions glisser dans le ciel. Depuis que j'avais gravé leurs formes dans ma mémoire, aucun ne s'était à nouveau présenté. Au moment même où je pensais : *Le monde d'en haut est-il si vaste que les nuages ne sont toujours pas revenus à moi ?*, je sentis une rivière traverser mes jambes. Les Dieux, toujours eux, m'envoyaient des signes. Ils m'indiquaient l'endroit choisi pour la délivrance. Je pris ma gourde qui, depuis quelques jours, ne me quittait plus, et m'enduisis du remède sur le ventre et les cuisses. Puis je bus ce mélange amer de gui, de centaurée et de verveine et attendis, les mains sur mon ventre rond et contracté. Je sentis la douleur, d'abord sourde, puis fulgurante, qui contraignit mon corps. Plusieurs fois je crus m'évanouir, plusieurs fois je crus mourir. Le soleil passa au-dessus de moi, indifférent. Le temps m'avait oubliée. Pas la douleur, qui vrillait mon ventre, qui me faisait crier, hurler. Pas mon corps, qui n'était plus que contractions. Tout l'amour que j'avais donné se terminait dans l'épuisement de coups qui taillaient ma matrice comme une dague.

Puis ce fut la délivrance. L'amour sortit de mon ventre pour naître au monde. Je coupai la corde de vie à l'aide de mon couteau, comme je l'avais maintes fois fait pour les autres. Je posai mon enfant sur mon ventre, enveloppé dans la toile qui me servait de besace. J'étais présente et absente à la fois, vivante et morte, en moi et au-dehors de moi. Je m'évanouis. Ses pleurs me réveillèrent. Ainsi, il était là, devant moi, le trésor des trésors. Je laissai sa bouche avide dévorer mon sein, puis je m'assis devant la source et le berçai. Il s'endormit un pouce dans sa bouche. À son réveil, je le lavai et le présentai aux Dieux.

— Tu t'appelleras Matugenos, lui dis-je alors que ses yeux n'arrivaient pas à s'ouvrir. Un jour, je t'enseignerai ma connaissance. Je te transmettrai le savoir des druides. Et toi-même tu le transmettras à tes enfants et aux enfants de tes enfants. Ce sera notre secret, mon enfant, mon trésor des trésors.

J'avais pris cette décision un an plus tôt, alors que les codices n'étaient pas encore achevés. Tout le savoir de notre peuple ne pouvait se limiter à un coffre de textes cachés. Il devait être vivant, comme il l'avait été pendant des centaines d'années à travers des générations de druides. Mes enfants, devenus hommes et femmes,

1. Sixième mois du calendrier gaulois, entre mars et avril.

seraient les graines qui essaimeraient et partageraient toute l'histoire de nos peuples qui ne voulaient pas mourir. Qui ne devaient pas mourir.

Mon ventre était douloureux. Mon corps s'était consumé dans la bataille. Mais nous venions de naître. Je sentais la chaleur de Matugenos sur ma peau, son souffle léger, son abandon. Je le serrai contre moi ; il ouvrit les yeux sur son nouveau monde. Que cette île était belle.

La « Mater » de l'île Barbe.

Note de l'auteur

Antoine, Michèle, François, Antelme, Marc, Edmée, Camille, Anne, Marais, Trente-trois... À la fin de cette aventure, ils sont tous vivants en moi. Certains l'ont réellement été.

François Prost de Royer fut l'un des plus grands avocats du barreau lyonnais et un homme d'exception. Entre 1763 et 1765, il écrivit deux opuscules, sur le prêt à intérêt et sur l'administration de la ville de Lyon, qui furent interdits par la censure et brûlés. Le premier lui valut l'admiration de Voltaire, avec qui il entretint une correspondance. Il fut ensuite nommé recteur de l'hospice de la Charité et s'attacha à de grandes réformes, concernant notamment les enfants qui y étaient admis. Prost devint, à quarante-deux ans, le bâtonnier de l'ordre des avocats, avant d'être nommé, en 1773 et pour trois ans, lieutenant général de la police lyonnaise. Il la réforma en profondeur et la rendit vertueuse. Il fit tomber le monopole de la boulangerie lyonnaise et accorda le droit de vente aux forains, permettant d'abaisser le prix du pain. Sa probité et son honnêteté étaient au-dessus de tout soupçon et il refusa des sommes considérables pour abandonner son combat contre le monopole. Prost publia plusieurs mémoires aux idées progressistes et humanistes sur la santé des enfants et sur le travail des femmes en militant pour l'engagement de ces dernières dans les emplois publics. Il fut l'auteur d'un *Dictionnaire de jurisprudence et des arrêts*. Sa réputation était telle que d'illustres visiteurs s'arrêtaient à Lyon pour le rencontrer, tel Joseph II d'Autriche, empereur du Saint-Empire romain germanique, en 1777. François Prost de Royer mourut à cinquante-cinq ans, en 1784, dans un grand dénuement, après avoir tant donné à sa ville et à ses habitants.

Aimé de La Roche eut réellement une librairie nommée *À la boule du monde*, grande rue Mercière. Les *Affiches de Lyon* furent publiées de 1750 à 1821. À côté des petites annonces locales, La Roche fit paraître des informations sur la vie artistique de la ville. *Le Glaneur* exista vraiment, sous la forme d'une feuille bimensuelle relatant les nouveautés liées à Lyon, en tous domaines, médecine, agriculture, sciences, littérature, mais sa parution se limita à la période 1772-1774, faute d'abonnés suffisants. Par la suite, La Roche publia, dans la même veine et à partir de 1784, le *Journal de Lyon*, qui fut un grand succès et dont le principal auteur fut Charles-Joseph Mathon de la Cour. Aimé de La Roche fut le plus important imprimeur de la ville en cette fin du XVIIIe siècle. Son atelier possédait onze presses et employait plus de trente ouvriers, ainsi que trois facteurs. Il mourut à Lyon en 1801, après avoir failli être guillotiné en 1793, à la suite du soulèvement de la ville contre la Convention.

Bien que le personnage de Michèle soit fictif, il y eut une Masson comédienne à l'Ambigu-Comique, mais elle se prénommait Louise. Donner son patronyme à Michèle fut pour moi un moyen de lui rendre hommage. C'est là leur seul point commun. Louise Masson fut une des premières gloires éphémères du théâtre naissant. Elle connut la célébrité grâce à la pièce *La Belle au bois dormant* et fut introduite dans le Tout-Paris. Après une période faste où elle dépensa toute sa fortune, Louise Masson termina sa carrière comme chanteuse de rue sur le même boulevard.

Jean-Baptiste Greuze, qui fut éperdument amoureux des femmes qui traversèrent sa vie, peignit en 1780 un tableau intitulé *Jeune femme portant un chapeau blanc,* dont je me suis inspiré pour la représentation de Michèle jeune.

L'abbé Gouvilliers fut l'archiviste de la bibliothèque capitulaire de la cathédrale Saint-Jean et, à ce titre, en effectua un recensement détaillé et un bilan comptable rigoureux dès 1777. Les livres de l'ancienne bibliothèque de l'île Barbe figuraient parmi l'inventaire, à l'exception de *Origenis in maxime pretiosum insula barbara,* qui n'a jamais été cité dans *Les Mazures de l'isle Barbe,* pour la simple raison qu'il est inventé. Gouvilliers ne fut pas lié aux trois chanoines de l'île, qui sont fictifs. Mais la lente agonie de l'abbaye fut, elle, bien réelle.

Franz-Anton Mesmer ne s'est jamais arrêté à Lyon lors de son voyage de Vienne à Paris. Hormis ce fait, tous les détails sur la vie du médecin autrichien ainsi que sur les séances de baquet sont authentiques.

Claude Bourgelat créa et dirigea les deux premières écoles vétérinaires françaises, à Lyon et à Paris. Il mourut d'une crise de goutte en janvier 1779.

Les archives citent un Marais dans la police parisienne de l'époque, mais, mis à part le patronyme, le personnage du roman est totalement inventé, tout comme Trente-trois. Les modères de Lyon existèrent vraiment. Ils effectuaient du halage entre les quais de la ville et constituèrent le noyau dur de la Compagnie des jouteurs lyonnais, qui fut nommée « les Trente-trois » par allusion à son effectif. Leur solidarité était telle qu'à leur mort les jouteurs se faisaient enterrer dans la même tombe du cimetière de Loyasse. J'ai pris une petite liberté avec le personnage de Trente-trois puisque, dans la réalité, la Compagnie des 33, fondée en 1807, est postérieure à ce roman. Les joutes se poursuivirent à Lyon et une forme moderne existe toujours, la méthode lyonnaise et givordine.

La fête des Merveilles est signalée avant le Xe siècle. Elle fut avant tout religieuse, puis se mélangea au profane. La procession, que j'ai tenté de reconstituer le plus fidèlement possible, débutait à l'île Barbe. À la suite de nombreux désordres, elle fut abolie au XIVe siècle sous sa forme première et ne survécut épisodiquement qu'à travers l'organisation de fêtes nautiques profanes.

Au XVIIIe siècle, l'utilisation de la soie des araignées pour remplacer celle du bombyx fut envisagée ; M. de Réaumur et M. Bon de Saint-Hilaire, firent des essais qu'ils communiquèrent à l'Académie royale des sciences en 1710. La soie dorée des halabés (ou *Nephila*) de Madagascar n'est pas une invention de ma part. Elle fut tissée dans l'île à la fin du XIXe siècle sous l'impulsion d'un missionnaire, le père Camboué. En 2009, une cape de quatre mètres fut fabriquée à partir de la soie des halabés et nécessita huit ans de travail, ainsi que l'utilisation de plus d'un million d'araignées. Elle fut exposée au musée d'Histoire naturelle de New York, puis au Victoria and Albert Museum de Londres.

Quant à la Mater de l'île Barbe, elle fut trouvée, enterrée au niveau de la pointe nord, lors de fouilles sur l'île Barbe et déposée en 1937 au musée d'Archéologie nationale de Saint-Germain-en-Laye où vous pouvez la voir...

Certains d'entre vous auront noté plusieurs anachronismes, qui sont volontaires dans l'intérêt du roman.

Madeleine n'a pas pu gager son collier au mont-de-piété en novembre 1777, puisque cette institution ne fut rétablie que le 9 décembre de la même année. Pour tous ceux que l'entomologie passionne, en 1777, les araignées étaient encore classées parmi les insectes, contrairement à ce que Marc de Ponsainpierre prétend à sa femme Edmée. Pour les besoins de ce roman, j'ai situé la fête des Nautes en mars, lors de l'ouverture des paiements de la place de

Lyon. Les joutes avaient certes lieu à une date qui pouvait varier, mais située aux alentours de la Saint-Pothin (le 2 juin).

Enfin, l'accident du pont de la Guillotière, tel que je le décris, eut effectivement lieu, mais pas à la date indiquée dans le roman. Il survint le 11 octobre 1711 et fit deux cent dix-neuf morts officiellement recensés, mais de nombreuses victimes tombèrent dans le Rhône sans que leurs corps fussent jamais retrouvés. Le carrosse incriminé n'était pas celui du gouverneur de Lyon, mais de Mme de Servient, à qui appartenaient les Bretaux. Le sergent de la porte, dénommé Belair, qui avait ordonné sa fermeture, fut condamné à mort et exécuté le 21 octobre. Mme Servient fit don des Bretaux à l'Hôtel-Dieu au profit des pauvres de la ville en 1725.

J'espère avoir reconstitué avec le plus de précision et de sincérité possible la vie à Lyon en ces années 1777-1778. Mais que les historiens me pardonnent pour toute erreur qui se serait glissée dans ces pages sans y avoir été invitée par la vraisemblance du récit. Si vous avez des questions ou des commentaires, vous pouvez me contacter à l'adresse courriel suivante : eric.marchal@caramail.fr, je serai ravi d'en discuter avec vous.

Principales références bibliographiques

Adhémar (comtesse de), *Souvenirs sur Marie-Antoinette,* tome 2, L. Mame éditeur, Paris, 1836.

Anonyme, *Relation du grand malheur arrivé à la porte du Rhône à Lyon, le 11 octobre de l'année 1711 au retour de la promenade de Bron, hors le Faux-bourg de la Guillotière,* original à la bibliothèque municipale de Lyon, année 1711.

Anonyme, *Règlements pour les domestiques du grand Hôtel-Dieu de Lyon*, Aimé de La Roche imprimeur, Lyon, 1754.

Anonyme, *Histoire ancienne et moderne de la république de Genève depuis sa fondation jusqu'à l'an 1779*, 4e édition augmentée et corrigée, Nicolas Gallay imprimeur, Genève, 1779.

Anonyme, *Éléments de politesse et de bienséance, suivis d'un manuel moral, ou de maximes pour se conduire sagement dans le monde*, F. J. Desoer imprimeur-libraire, Liège, 1781.

Anonyme, *La Cuisine bourgeoise, suivie de l'office, à l'usage de tous ceux qui se mêlent de dépenses de maisons*, nouvelle édition, Amable Leroy libraire, 1783.

Anonyme, *État général de situation du grand Hôtel-Dieu de Lyon ; et compte rendu des recettes et dépenses de l'année 1791*, Amable Leroy imprimeur, Lyon, 1792.

Arbois de Jubainville, Henri (d'), « Origine de la juridiction des druides et des filé », *La Revue archéologique*, Joseph Baer libraire-éditeur, Paris, mars 1884.

« L'accent gaulois », *Comptes rendus des séances de l'Académie des inscriptions et belles-lettres*, 52e année, n° 4, 1908, p. 272-274.

Audin, Amable, « Fouilles en avant du théâtre de Lyon », *Gallia*, tome 25, fascicule 1, 1967, p. 11-48.

Bajard, Agnès, « Les jeux à Lyon au XVIIIe siècle : pratiques, métiers, discours », mémoire de recherche pour le diplôme national de master, Enssib, université de Lyon II, juin 2010.

Bazin, Hippolyte, *Vienne et Lyon gallo-romains,* Imprimerie royale, Paris, 1891.

Beaulieu, C., *Histoire de Lyon depuis les Gaulois*, Baron A. éditeur, Lyon, 1837.

Histoire du commerce, de l'industrie et des fabriques de Lyon, Baron A. éditeur, Lyon, 1838.

Beaulieu, Henri, *Les Théâtres du boulevard du crime. De Nicolet à Déjazet (1752-1862)*, H. Daragon libraire-éditeur, Paris, 1905.

Beaune, Henri, *Les Sorciers de Lyon. Épisode judiciaire du XVIIIe siècle*, Imprimerie J. E. Rabutot, Dijon, 1868.

Belloc, Alexis, *Les Postes françaises. Recherches historiques sur leur origine, leur développement, leur législation*, Librairie de Firmin-Didot et Cie, Paris, 1886.

Bersot, Ernest, *Mesmer et le magnétisme animal*, 3e édition, Librairie de L. Hachette et Cie, Paris, 1864.

Bernard, A.V.G., *Le Temple d'Auguste et la nationalité gauloise*, Louis Perrin imprimeur, Lyon, 1863.

Bertrand, Alexandre, « Les druides et le druidisme, leur rôle en Gaule », *Comptes rendus des séances de l'Académie des inscriptions et belles-lettres*, 40e année, n° 6, 1896, p. 450-456.

Beuve, Charles (de), *Le Louvre depuis son origine jusqu'à Louis-Napoléon*, Ledoyen éditeur, Paris, 1852.

Blanc, Jérôme, « La Complexité monétaire en France sous l'Ancien Régime : étendue et modes de gestion », *De Pecunia*, VI, 3, 1994, p. 81-111.

Boitel, Léon, *Lyon ancien et moderne*, tome 2, Léon Boitel éditeur-imprimeur, Lyon, 1843.

Bon de Saint-Hilaire, François Xavier, *Dissertation sur l'utilité de la soye des araignées*, Franc-Girard imprimeur, Avignon, 1748.

Bonnard, Louis, *La Navigation intérieure de la Gaule à l'époque gallo-romaine*, Librairie Alphonse Picard et fils, Paris, 1913.

Bord, Gustave, *La Franc-Maçonnerie en France des origines à 1815* ; tome 1 : *Les Ouvriers de l'idée révolutionnaire (1688-1771)*, Nouvelle librairie nationale, Paris, 1909.

Bouilloux, Margaux, « La collecte des ordures ménagères à Lyon : construction historique et contemporaine d'un service urbain singulier », Institut d'études politiques de Lyon, séminaire « Villes et pouvoir urbain », soutenu le 3 septembre 2010, 76 pages.

Boulvert, Gérard, *Domestique et fonctionnaire sous le Haut-Empire romain. La condition de l'affranchi et de l'esclave du prince*, Les Belles Lettres, « Centre de recherche d'histoire ancienne », volume 9, Paris, 1974.

Boyer, Raymond *et al.*, «Les collyres», *Gallia*, tome 47, 1990, p. 235-243.

Bozic, Dragan, et Feugère, Michel, «Les instruments de l'écriture», *Gallia*, tome 61, 2004, p. 21-41.

Brazier, Nicolas, *Chroniques des petits théâtres de Paris depuis leur création jusqu'à ce jour*, I. Allardin libraire, Paris, 1837.

Brunaux, Jean-Louis, *Les Druides. Des philosophes chez les barbares*, Le Seuil, Paris, 2006.

Les Gaulois. Les Belles Lettres, Paris, 2008.

Nos ancêtres les Gaulois, Le Seuil, Paris, 2008.

Buguet, Henry, *Foyers et coulisses. Histoire anecdotique des théâtres de Paris. L'Ambigu-Comique*, Tresse éditeur, Paris, 1880.

Buch'oz, Pierre-Joseph, *Dictionnaire raisonné universel des plantes, arbres et arbustes de la France*, J. P. Costard imprimeur, Paris, 1770.

Chew, Hélène, «Langues et écritures en Gaule romaine», fiche pédagogique du musée des Antiquités nationales, château de Saint-Germain-en-Laye, 2004.

Cochard, N. F., *Description de la ville de Lyon*, Perisse frères libraires, Lyon, 1817.

Collectif, *Almanach musical*, Ruault libraire rue de la Harpe, Paris, 1775.

Collectif, *Causes célèbres, curieuses et intéressantes, de toutes les cours souveraines du royaume, avec les jugements qui les ont décidées*, tomes 1 à 6, Simon P. G. imprimeur, Paris, 1775.

Collectif, *Les Affiches, annonces et avis divers*, Bureau des affiches, rue Neuve-Saint-Augustin, Paris, 1777.

Collectif, *Almanach genevois pour l'année 1825*, P. A. Bonnant imprimeur, Genève, 1825.

Collectif, *Mémoires sur les sujets proposés pour les prix de l'Académie royale de chirurgie*, tome 2, Menard et Desenne fils, libraires, Paris, 1819, p. 111-174.

Collectif, «Peintres (maladie des)», in *Dictionnaire des sciences médicales*, tome 40, C.L.F. Panckoucke éditeur, Paris, 1819, p. 72-80.

Collectif, *Glossaire genevois ou recueil étymologique des termes dont se compose le dialecte de Genève, avec les principales locutions défectueuses en usage dans cette ville*, Marc Sestié fils imprimeur-libraire, Genève, 1820.

Collectif, *L'Art celtique en Gaule*, Collection des musées de Province, 1983.

Collectif, « Les Gaulois savaient écrire », *Travaux sur la Gaule (1946-1986)*, sous la direction de Paul-Marie Duval, Publications de l'École française de Rome, 1989, p. 191-197.

Collectif, « Lyon, de la préhistoire au Moyen Âge », *Archéologia*, n° 415, octobre 2004.

Collectif, *Jeux de hasard et d'argent. Contextes et addictions*, Inserm, 2008.

Collini, Alexandre, *Mon séjour auprès de Voltaire et lettres inédites que m'écrivit cet homme célèbre jusqu'à la dernière année de sa vie*, Léopold Collin libraire, Paris, 1807.

Coquiot, Gustave, *Nouveau manuel complet du peintre-décorateur de théâtre*, 2e édition, L. Mulo libraire éditeur, Paris, 1927.

David, Madeleine V., « Nicolas Frèret (1688-1749) et le cadre de l'histoire ancienne », *Journal des savants*, n° 4, 1978, p. 241-256.

Delamarre, Xavier, *Dictionnaire de la langue gauloise, une approche linguistique du vieux-celtique continental*, Éditions Errance, Paris, 2003.

Demmin, Auguste, *Guide des amateurs d'armes et armures anciennes*, Jules Renouard libraire, Paris, 1869.

Desjardins, Gustave, *Le Petit-Trianon, histoire et description*, L. Bernard libraire, Versailles, 1885.

Desmet-Grégoire, Hélène, « L'Introduction du café en France au XVIIe siècle », *Confluences*, n° 10, 1994, p. 165-174.

Diderot, Denis, et Le Rond d'Alembert, Jean, *Encyclopédie, ou dictionnaire raisonné des sciences, des arts et des métiers, par une société de gens de lettres*, tomes 1 à 17, Briasson, David, Le Breton, Durand imprimeurs, Paris, 1751-1765.

Encyclopédie, ou dictionnaire raisonné des sciences, des arts et des métiers, par une société de gens de lettres, tomes 1 à 36, Jean-Léonard Pellet, imprimeur-libraire, rue des Belles-Filles, Genève, 1777-1780.

Dottin, Georges, *Manuel pour servir à l'étude de l'Antiquité celtique*, Honoré Champion éditeur, Paris, 1906.

La Langue gauloise. Grammaire, textes et glossaire, Charles Klincksieck libraire, Paris, 1918.

Dubreuil, A., *Les Anciens Bâtonniers de l'ordre des avocats à Lyon, période comprise entre 1766 et 1846*, Rey A. imprimeur, Lyon, 1914.

Duckett, W., « Broyeur (Art du) », in *Dictionnaire de la conversation et de la lecture*, 2e édition, tome 3, Firmin Didot frères libraires, Paris, 1867, p. 765-766.

Dupas, Didier Mathias, « Un procès de magiciens au XVIIIe siècle », *Histoire, économie et société*, volume 20, n° 2, 2001, p. 219-229.

Duval, Paul-Marie, « La préparation d'une édition du calendrier gaulois de Coligny (Ain) », *Comptes rendus des séances de l'Académie des inscriptions et belles-lettres*, 110e année, n° 2, 1966, p. 261-274.

Ehrard, Jean, « Montesquieu et les Gaulois », *Cahiers de l'Association internationale des études françaises*, n° 35, 1983, p. 251-265.

Eyraud, Charles-Henri, « Horloges astronomiques au tournant du XVIIIe siècle : de l'à-peu-près à la précision », thèse de doctorat de l'université de Lyon 2, présentée et soutenue publiquement le 15 décembre 2004.

Faider-Feytmans, Germaine, « La "Mater" de Bavai (Nord) », *Gallia*, tome 6, fascicule 2, 1948, p. 385-394.

Féliu, Clément, « Leuques et Médiomatriques à La Tène moyenne et finale. Organisation sociale et territoriale de l'habitat dans deux cités du nord-est de la Gaule du IIIe au Ier siècle avant notre ère », thèse de doctorat de l'université Marc-Bloch, Strasbourg II, 25 octobre 2008.

Réaumur, René-Antoine Ferchault (de), « Des serrures de toutes les espèces », in *Art du serrurier*, de M. Duhamel du Monceau, éditeur inconnu, 1767.

Ferrero, Claude, *Guide secret de Lyon et de ses environs*, Éditions Ouest France, Rennes, 2010.

Fortis, F. M., *Voyage pittoresque et historique à Lyon, aux environs et sur les rives de la Saône et du Rhône*, tome 2, Bossange frères libraires, Paris, 1822.

Fournier, Édouard, *Histoire du Pont-Neuf*, R. Dentu éditeur, Paris, 1862.

Francœur, L. B., *Éléments de technologie, ou description des procédés des arts et de l'économie domestique, pour préparer, façonner et finir les objets à l'usage de l'homme*, Louis Colas libraire, Paris, 1833.

Franklin, Alfred, *La Vie privée d'autrefois. Arts et métiers, modes, mœurs, usages des Parisiens du XIIe au XVIIIe siècle. La cuisine*, Librairie Plon, Paris, 1888.

« La fête des rois », *La Vie privée d'autrefois. Arts et métiers, modes, mœurs, usages des Parisiens du XIIe au XVIIIe siècle. Variétés gastronomiques*, Librairie Plon, chapitre 3, Paris, 1891.

La Vie privée d'autrefois. Arts et métiers, modes, mœurs, usages des parisiens du XIIe au XVIIIe siècle. Le café, le thé & le chocolat, Librairie Plon, Paris, 1893.
La Vie privée d'autrefois. Arts et métiers, modes, mœurs, usages des Parisiens du XIIe au XVIIIe siècle. Les magasins de nouveautés, Librairie Plon, Paris, 1894.
La Vie privée d'autrefois. Arts et métiers, modes, mœurs, usages des Parisiens du XIIe au XVIIIe siècle. L'enfant, Librairie Plon, Paris, 1896.
La Vie privée d'autrefois. Arts et métiers, modes, mœurs, usages des Parisiens du XIIe au XVIIIe siècle. Les animaux, Librairie Plon, Paris, 1897.
« La lingerie et les lingères », *La Vie privée d'autrefois. Arts et métiers, modes, mœurs, usages des Parisiens du XIIe au XVIIIe siècle. Les magasins de nouveautés*, Librairie Plon, Paris, chapitre 3, 1898.
La Vie privée d'autrefois. Arts et métiers, modes, mœurs, usages des Parisiens du XIIe au XVIIIe siècle. La vie de Paris sous Louis XVI. Début du règne, Librairie Plon, Paris, chapitre 3, 1902.

Frérot, Olivier, *Évocation historique du bassin de Saône, cœur de ville*, Agence d'urbanisme pour le développement de l'agglomération lyonnaise, Lyon, 2010, p. 46-96.

Gaulle Jullien (de), « Le Pont-Neuf », *Nouvelle histoire de Paris et de ses environs*, P. M. Pourrat frères éditeurs, Paris, 1839, p. 560-566.

Goncourt, Edmond et Jules, *Histoire de Marie-Antoinette*, 2e édition, Firmin-Didot frères, fils et Cie, libraires, Paris, 1859.
La Femme au XVIIIe siècle, nouvelle édition, revue et augmentée, G. Charpentier éditeur, Paris, 1882.

Goubard d'Aulnay, G. E., *Monographie du café ou manuel de l'amateur de café*, Delaunay imprimeur, Paris, 1832.

Green, Miranda, *Les Druides*, Éditions Errance, Paris, 2000.

Grisard, Jean-Jacques, *Notice sur les plans et vues de la ville de Lyon*, Imprimerie Mougin-Rusand, Lyon, 1891.

Guillon (abbé), *Tableau historique de la ville de Lyon*, édition originale 1789 ; éditions du Bastion, 1987.

Guyot, Charly, « Le rayonnement de l'*Encyclopédie* en Suisse », *Cahiers de l'Association internationale des études françaises*, n° 1-2, 1951, p. 47-60.

Guyot, Joseph Nicolas, « Parjure », *Répertoire universel et raisonné de jurisprudence civile, criminelle, canonique et bénéficiale*, tome 12, Visse libraire, Paris, 1784, p. 572-573.

R. P. Hélyot, *Histoire complète et costumes des ordres monastiques, religieux et militaires et des congrégations séculières des deux sexes*, B. Jollivet imprimeur-éditeur, Guingamp, 1840.

Houssaye, Arsène, « Jean-Baptiste Greuze », in *Histoire de l'art français au XVIIIe siècle*, Henri Plon imprimeur-éditeur, Paris, 1860, p. 288-324.

Hugo, Abel, *La France pittoresque. Avec des notes et des renseignements statistiques*, tome 1, Delloye éditeur, Paris, 1835.

Josse, *À travers Lyon*, A. Storck imprimeur-éditeur, Lyon, 1887.

Jullian, Camille, *Histoire de la Gaule*, tomes 4 à 6, sixième édition, 1926.

Krogmann, Vincent, « L'enseignement vétérinaire à Lyon aux XVIIIe et XIXe siècles. Vie et œuvre des professeurs et directeurs », thèse présentée à l'université Claude-Bernard de Lyon et soutenue publiquement le 16 février 1996.

Lacroix, Paul, *XVIIIe siècle. Institutions, usages et costumes. France 1700-1789*, 3e édition, Firmin-Didot et Cie libraires, Paris, 1878.

Lambert, Pierre-Yves, « Diffusion de l'écriture gallo-grecque en milieu indigène », in *Marseille grecque et la Gaule*, collection « Études massaliètes », ADAM, 1992.

« Nouveaux textes gaulois », in *Comptes rendus des séances de l'Académie des inscriptions et belles-lettres*, 142e année, n° 3, 1998, p. 657-675.

La Roche Aimé (de), *Almanach astronomique et historique de la ville de Lyon et des provinces du Lyonnais, Forez et Beaujolais*, Aimé de La Roche éditeur, Lyon, 1778.

Affiches de Lyon. Annonces et avis divers, Aimé de La Roche éditeur, Lyon, 1771.

Le Laboureur, Claude, *Les Mazures de l'abbaye royale de l'îsle Barbe ou histoire de tout ce qui s'est passé dans ce célèbre monastère depuis sa sécularisation jusqu'à présent*, tomes 1 et 2, Jean Couterot, Paris, 1681-1682.

Lemery, Nicolas, *Pharmacopée universelle*, 2e édition, Charles-Maurice d'Houry, Paris. 1716.

Le Roy, François-Noël, *Promenade historique, archéologique et artistique dans la ville de Genève, dédié aux dames étrangères*, Librairie Desrogis, Genève, 1868.

Le Scouezec, Gwenc'hlan, *La Médecine en Gaule*, Éditions Kelenn, Guipavas, 1976.

Lescure, Mathurin (de), *La Vraie Marie-Antoinette*, 3e édition, Henri Plon imprimeur-éditeur, Paris, 1867.
Letaconnoux, Joseph, « Les Transports en France au XVIIIe siècle », *Revue d'histoire moderne et contemporaine*, tome 11, 1908-1909, p. 97-114 et 269-292.
Lever, Maurice, *Théâtre et Lumières, les spectacles de Paris au XVIIIe siècle*, Fayard, 2001.
Lillebonne, Darrodes (de), *Appel au peuple gaulois, par un barde de la secte des druides sous le règne de Clovis, fondateur de la monarchie française*, Chez Dentu, libraire, Paris, 1832.
Luc, Jean André (de), *Recherches sur les modifications de l'atmosphère*, tome 1, éditeur non référencé, Genève, 1772.
Lucotte, *L'Art de la maçonnerie*, Moutard imprimeur-libraire, Paris, 1783.
Marivaux, Pierre Carlet de Chamblain (de), *Le Jeu de l'amour et du hasard*, comédie en trois actes, nouvelle édition, Barba libraire, Paris, 1817.
Martin Jacques (dom), *La Religion des Gaulois. Tirée des plus pures sources de l'Antiquité*, tome 2, Saugrain fils, libraire-juré de l'université, Paris, 1727.
Martin, Jacques, et Bouchard, Gilbert, *Lugdunum, les voyages d'Alix*, Casterman, 2009.
Mérat de Vaumartoise, François Victor, *Traité de la colique métallique, vulgairement appelée colique des peintres*, 2e édition, Librairie Méquignon-Marvis, 1812.
Mergoux, M., *Description des procédés employés afin d'obtenir des pommes de terre dans la fabrication du pain*, Madame Huzard libraire-imprimeur, Paris, 1817.
Merlin, Philippe-Antoine, « Question (torture) », in *Répertoire universel et raisonné de jurisprudence*, 5e édition, tome 13, Garnery libraire, Paris, 1828.
Michel, Claude-Sidoine et Desnos, Louis-Charles, *Indicateur fidèle du guide des voyageurs*, Enseigne du Globe, Paris, 1785.
Michelland, Claire, « *Le Journal de Lyon* (1784-1792) : un périodique provincial à la fin du siècle des Lumières », mémoire de Master 2, « Homme, Sociétés, Technologies », université Pierre Mendès-France, Grenoble, 26 février 2010.
Milton, John, *Le Paradis perdu*, traduction de François-René de Chateaubriand, Lecrivain et Toubon libraires, Paris, 1857.
Momoro, Antoine-François, *Traité élémentaire de l'imprimerie ou le manuel de l'imprimeur*, A. F. Momoro imprimeur-libraire, Paris, 1793.

Monfalcon, Jean-Baptiste, *Histoire de la ville de Lyon*, tomes 1 et 2, Louis Perrin imprimeur, 1851.
Histoire monumentale de la ville de Lyon, tome 1, Didot, Paris, 1866.

Monin, Louis Henri, *Monuments des anciens idiomes gaulois*, A. Durand libraire, Paris, 1861.

Morris, Madeleine F., *Le Chevalier de Jaucourt. Un ami de la terre (1704-1780)*, Droz, Genève, 1979.

Mouffle d'Angerville, Barthélemy François Joseph, *Mémoires secrets pour servir à l'histoire de la république des lettres en France*, tome 11, septembre 1777-mai 1778, John Adams éditeur, Londres, 1784.

Mutel, D. Ph., *Vie d'Antoine Augustin Parmentier*, Mme Huzard imprimeur-libraire, Paris, 1819.

Niepce, Léopold, *Les Bibliothèques anciennes & modernes de Lyon*, Librairie générale Henri Georg, Lyon, 1876.

Noël, Eugène, *Voltaire à Ferney*, D. Brière et fils imprimeurs, Rouen, 1867.

Nunes, Hélène et Degueurce Christophe, « Les races de chiens dans la littérature naturaliste française du XVIIIe siècle », *Bulletin de la Société française d'histoire de la médecine et des sciences vétérinaires*, 4 (1), 2005, p. 75-94.

Olivier, Guillaume Antoine, *Encyclopédie méthodique. Histoire naturelle des insectes*, tome 7, Panckoucke, imprimeur, Paris, 1792.

Onofrio, Jean-Baptiste, *Essai d'un glossaire des patois de Lyonnais, Forez et Beaujolais*, Aimé Vingtrinier imprimeur, Lyon, 1861.

Palissot de Montenoy, Charles, *Œuvres de Voltaire. Lettres choisies. Correspondance générale*, tome 3, Stoupe imprimeur-libraire, Paris, 1802.

Papayanis Nicholas, « Un secteur des transports parisiens : le fiacre, de la libre entreprise au monopole (1790-1855) », *Histoire, économie et société*, 5e année, n° 4, 1986, p. 559-572.

Parmentier, Antoine, *Avis aux bonnes ménagères des villes et des campagnes sur la meilleure manière de faire leur pain*, Imprimerie royale, Paris, 1777.
Le Parfait Boulanger ou traité complet sur la fabrication & le commerce du pain, Imprimerie royale, Paris, 1778.
Manière de faire le pain de pomme de terre sans mélange de farine, Imprimerie de la Société typographique, Neuchâtel, 1779.

Pavy, abbé, *Les Cordeliers de l'Observance à Lyon, depuis leur fondation jusqu'à nos jours*, Librairie ecclésiastique de Sauvignet et Cie, Lyon, 1836.

Pelletier, André, *Lugdunum Lyon*, Presses universitaires de Lyon & Éditions lyonnaises d'art et d'histoire, 1999.

Périers, Bonaventure (des), *et al.*, *Ancienne fête de l'île Barbe*, Jean de Tournes imprimeur, 1544 ; réédition Jen-Marie Barret imprimeur, Lyon, 1825.

Perrin, Narcisse, *Notice géographique et historique sur l'île Barbe, près de Lyon*, Imprimerie de E.N. Goestchy, Paris, 1820.

Picot, Jean, *Histoire de Genève,* tome 3, Manget et Cherbuliez imprimeurs-libraires, Genève, 1811.

Plaideux, Hugues, « L'inventaire après décès de Claude Bourgelat », *Bulletin de la Société française d'histoire de la médecine et des sciences vétérinaires*, 10, 2010, p. 121-154.

Pointe, Jacques Pierre, *Histoire topographique et médicale du grand Hôtel-Dieu de Lyon.* Ch. Savy Jeune, libraire-éditeur, 1842.

Poux, Matthieu, et Savay-Guerraz, Hugues, *Lyon avant Lugdunum*, In Folio éditions, Pôle archéologique du département du Rhône, 2003.

Prost de Royer, François, *Dictionnaire de jurisprudence et des arrêts*, tomes 1 à 7, Aimé de La Roche, imprimeur, Lyon, 1781.

Raynaud, Claude, *Les Amphores de Bétique*, Lattara 6, 1993, p. 23-27.

Mirabeau, Honoré-Gabriel Riqueti (comte de), *Des lettres de cachet et des prisons d'État*, ouvrage posthume composé en 1778, volume 2, Hambourg, 1782.

Rivière de Brinais, Paul, *Description de la ville de Lyon, avec des recherches sur les hommes célèbres qu'elle a produits*, Aimé de La Roche imprimeur, Lyon, 1741.

Robinet, Jean-Baptiste René, « Loterie », in *Dictionnaire universel des sciences morale, économique, politique et diplomatique*, tome 24, 1782, p. 181-199.

Roux (abbé), « Précis historique sur l'île Barbe », in *Bulletin monumental ou collection de mémoires et de renseignements*, tome 10, publié par M. de Caumont, Derache libraire Paris, 1844, p. 66-86.

Roux, Lysanne, « Le thermalisme européen au XVIIIe siècle », mémoire de Master 2, « Sciences humaines et sociales », université Pierre Mendès-France, Grenoble, 2009.

Royo, Manuel, « Une mémoire fragile et fragmentaire : les archives du monde romain », *Bibliothèque de l'École des chartes*, tome 160, n° 160-2, 2002, p. 513-521.

Savary des Bruslons, Jacques, *Dictionnaire universel du commerce*, nouvelle édition, tome 2, Veuve Estienne et fils libraires, Paris, 1748.

Savignac, Jean-Paul, *Merde à César. Les Gaulois – Leurs écrits retrouvés, rassemblés, traduits et commentés*, Éditions La Différence, Paris, 2000.

Dictionnaire français-gaulois, Éditions La Différence, Paris, 2004.

Simon-Viennot, Henriette, *Marie-Antoinette devant le XIXe siècle*, nouvelle édition, tome 1, Librairie d'Amyot éditeur, Paris, 1843.

Tessier, Georges, « L'audience du sceau », *Bibliothèque de l'École des chartes*, tome 109, n° 1, 1951, p. 51-95.

Thiers, Jean-Baptiste, *Histoire des perruques*, Louis Chambeau, Avignon, 1779.

Thirion (abbé), *Album historique des costumes religieux depuis l'établissement du christianisme jusqu'à nos jours*, Librairie générale, rue des Saints-Pères, Paris, 1869.

Thouzet, Anne, *Calas. Du procès à l'affaire*, Archives départementales de la Haute-Garonne, Toulouse, 1998.

Vacher, Marc, *Voisins, voisines et voisinage à la fin du XVIIIe siècle : le cas lyonnais (1776-1790)*, thèse de doctorat en histoire, université Lumière Lyon 2, soutenue le 16 décembre 2002.

Vachet, Adolphe, *À travers les rues de Lyon*, Bernoux, Cumin & Masson, Lyon, 1902.

Vaesen, Joseph, « La juridiction commerciale à Lyon sous l'Ancien Régime. Étude historique sur la conservation des privilèges royaux des foires de Lyon (1463-1795) », *Bibliothèque de l'École des chartes*, tome 40, 1879, p. 581-583.

Valmont de Bomare, Jacques-Christophe, *Dictionnaire raisonné universel d'histoire naturelle*, Bruyset Frères imprimeurs, Lyon, 1791, p. 269-289.

Vigie, Marc, « Justice et criminalité au XVIIIe siècle : le cas de la peine des galères », *Histoire, économie et société*, 4e année, n° 3, 1985, p. 345-388.

Vingtrinier, Aimé, *Histoire des journaux de Lyon, depuis leur origine jusqu'à nos jours. Première partie : de 1677 à 1814*, Léon Boitel imprimeur, Lyon, 1852.

Vitet, Louis, *Médecine vétérinaire. Tome second contenant l'exposition des maladies du cheval, du bœuf, de la brebis, etc.*, Perisse frères libraires, Lyon, 1771.

Voltaire (François-Marie Arouet, dit), *Œuvres avec des remarques et des notes historiques, scientifiques et littéraires. Correspondance générale,* tome 11, P. Pourrat frères, éditeurs, Paris, 1839.

Irène, tragédie en cinq actes, Broulhiet libraire, Paris, 1784.

Zeller, Olivier, « Politique frumentaire et rapports sociaux à Lyon 1772-1776 », *Histoire, économie et société*, 8e année, n° 2, 1989, p. 249-286.

« Rapports ancillaires et mobilité des domestiques à Lyon au XVIIIe siècle », *Histoire, économie et société*, 11e année, n° 2, 1992, p. 237-275.

UN GRAND MERCI

À toute l'équipe des éditions Anne Carrière, Stephen, Anne, Sophie, Julia, Yasmina, Anne-Sophie, Assia, Alain et Irène, pour ce mélange d'enthousiasme, de sérénité et de bonheur tranquille qui fait de vous une famille. En route pour la prochaine destination !

À Mme Chew, conservateur en chef chargée des collections gallo-romaines au musée d'Archéologie nationale et domaine national de Saint-Germain-en-Laye, pour m'avoir fourni la photo de la Mater et nous avoir autorisés à la reproduire gracieusement dans le roman. Toute ma gratitude.

À Thierry et Isabelle, mes deux Lyonnais, pour les livres anciens, les documents et le gîte. À Laure et Fabienne, pour leur soutien et leur présence. À Olivier, compositeur d'avenir et kiné de génie, pour l'énergie insufflée et pour avoir sauvé mon dos !

À toutes celles et tous ceux qui m'ont écrit après la parution du *Soleil sous la soie*, merci pour vos mots qui furent ma nourriture sur le long chemin des soirs d'écriture.

Mis en pages par DV Arts Graphiques à La Rochelle,
cet ouvrage a été achevé d'imprimer sur Roto-Page
par l'Imprimerie Floch à Mayenne,
pour le compte de S.N. Éditions Anne Carrière
104, bd Saint-Germain
75006 Paris
en juillet 2013

Imprimé en France
Dépôt légal : mai 2013
N° d'édition : 717 – N° d'impression : 85176